BIBLIOGRAFIA
DE LA
LITERATURA HISPANICA

JOSE SIMON DIAZ

BIBLIOGRAFIA

DE LA

LITERATURA HISPANICA

Tomo XIV

CONSEJO SUPERIOR DE INVESTIGACIONES CIENTIFICAS
INSTITUTO «MIGUEL DE CERVANTES» DE FILOLOGIA HISPANICA
MADRID, 1984

© C. S. I. C.

ISBN. 84-00-05202-1 (Obra completa)

ISBN. 84-00-05864-X (Vol. XIV)

Depósito legal. M. 43.557.—1984

Impreso en España

Printed in Spain

RAYCAR, S. A. Impresores. Matilde Hernández, 27. 28019 Madrid, 1984

REPERTORIOS BIBLIOGRAFICOS CITADOS ABREVIADAMENTE

Aguiló = Mariano Aguiló y Fuster. *Catálogo de obras en lengua catalana impresas desde 1474 hasta 1860*. Madrid. 1927.

Agulló = Mercedes Agulló y Cobo. *La Colección de Teatro de la Biblioteca Municipal de Madrid*. (En *Revista de Literatura*, XXXVII-XXXVIII, 1970, y luego en *Revista de la Biblioteca, Archivo y Museo*. 1969-[en publicación]).

Alcocer = Mariano Alcocer y Martínez. *Catálogo razonado de obras impresas en Valladolid. 1481-1800*. Valladolid. 1926.

Alenda = Jenaro Alenda y Mira. *Relaciones de solemnidades y fiestas públicas de España*. Madrid. 1903.

Almirante = José Almirante. *Bibliografía militar española*. Madrid. 1876.

Alvarez y Baena = Joseph Antonio Alvarez y Baena. *Hijos de Madrid...* Madrid. 1789-91.

Anglés-Subirá = Higinio Anglés y José Subirá. *Catálogo musical de la Biblioteca Nacional de Madrid*. Barcelona. 1944-51.

Anguita = José Anguita Valdivia. *Manuscritos concepcionistas de la Biblioteca Nacional*. Madrid. 1955.

Anselmo = A. J. Anselmo. *Bibliografia das obras impresas em Portugal no século XVI*. Lisboa. 1926.

Antonino de la Asunción = Fray Antonino de la Asunción. *Diccionario de escritores trinitarios de España y de Portugal*. Roma. 1898-99.

Arco = Ricardo del Arco y Garay. *Repertorio de manuscritos referentes a la historia de Aragón*. Madrid. 1942 .

Backer-Sommervogel = Augustin et Aloys de Backer. *Bibliothèque de la Compagnie de Jésus*. Nouvelle édition par Carl Sommervogel. Bruselas-París. 1890-1932.

Baeza = Tomás Baeza y González. *Apuntes biográficos de escritores segovianos*. Segovia. 1877.

Barbosa = Diogo Barbosa Machado. *Bibliotheca Lusitana*. Lisboa. 1741-59.

Baudrier = Henri Louis Baudrier. *Bibliographie lyonnaise*. Lyon. 1895-1921.

Beristain = José Mariano Beristain de Souza. *Biblioteca Hispano-Americana Septentrional*. Méjico. 1816-21.

Boer = Harm den Boer. *Libros religiosos castellanos impresos en Amsterdam*. (En *Censo de escritores al servicio de los Austrias y otros estudios bibliográficos*. Madrid. C.S.I.C. 1983, págs. 33-58).

Brunet = Jacques-Charles Brunet. *Manuel du libraire et de l'amateur de livres*. 5.ª ed. París. 1860-65.

Cartujo-Gómez = Cartujo de Aula Dei e Ildefonso M. Gómez. *Escritores cartujanos españoles*. Montserrat. 1970.

Castro = Manuel de Castro, O. F. M. *Manuscritos franciscanos de la Biblioteca Nacional de Madrid*. Madrid. 1973.

Cátedra-Infantes = Pedro M. Cátedra y Víctor Infantes. *Los pliegos sueltos de Thomas Croft (siglo XVI)*. Valencia. 1983.

Cuartero-Vargas Zúñiga = Antonio de Vargas-Zúñiga y Baltasar Cuartero y Huerta. *Indice de la Colección de D. Luis de Salazar y Castro, que se conserva en la Real Academia de la Historia*. Madrid. 1950-(en publ.).

Díaz y Pérez = Nicolás Díaz y Pérez. *Diccionario histórico... de autores... extremeños ilustres*. Madrid. 1884-88.

Escudero = Francisco Escudero y Peroso. *Tipografía Hispalense*. Madrid. 1894.

Esteve = Francisco Esteve Barba. *Biblioteca Pública de Toledo. Catálogo de la Colección de Manuscritos Borbón-Lorenzana*. Madrid. 1943.

Fernández = Benigno Fernández. *Impresos de Alcalá en la Biblioteca del Escorial*. Madrid. 1913-16.

Fuster = Justo Pastor Fuster. *Biblioteca Valenciana...* Valencia. 1827-30.

Gallardo = Bartolomé José Gallardo. *Ensayo de una Biblioteca española de libros raros y curiosos...* Madrid. 1863-89.

García de Enterría, *British* = María Cruz García de Enterría. *Catálogo de los pliegos poéticos españoles del siglo XVII en el British Museum de Londres.* Pisa. 1977.

García Icazbalceta = Joaquín García Icazbalceta. *Bibliografía mexicana del siglo XVI.* Nueva edición por Agustín Millares Carlo. Méjico. 1954.

García Peres = Domingo García Peres. *Catálogo razonado... de los autores portugueses que escribieron en castellano.* Madrid. 1890.

Gayangos = Pascual de Gayangos. *Catalogue of the manuscripts in the British Museum...* Londres. 1875-93.

Gómez Pérez = José Gómez Pérez. *Manuscritos españoles en la Biblioteca Nacional Central de Roma.* 1956.

Gutiérrez del Caño = Marcelino Gutiérrez del Caño. *Catálogo de los manuscritos existentes en la Biblioteca Universitaria de Valencia.* Valencia. 1914.

Heredia = *Catalogue de la bibliothèque de M. Ricardo Heredia, comte de Benahavis.* París. 1891-94.

Herrero Salgado = Félix Herrero Salgado. *Aportación bibliográfica a la Oratoria sagrada española.* Madrid. 1971.

Inventario = *Inventario general de manuscritos de la Biblioteca Nacional.* Madrid. 1953-(en publ.).

J. Catalina García, *Guadalajara* = Juan Catalina García. *Biblioteca de escritores de la provincia de Guadalajara.* Madrid. 1899.

J. Catalina García, *Tip. complutense* = Juan Catalina García. *Ensayo de una Tipografía Complutense.* Madrid. 1889.

Jerez = *Catálogo de la Biblioteca del Excmo. Sr. D. Manuel Pérez de Guzmán y Boza, Marqués de Jerez de los Caballeros.* Sevilla. 1898.

Jiménez Catalán, *Tip. ilerdense* = Manuel Jiménez Catalán. *Apuntes para una bibliografía ilerdense de los siglos XV al XVIII.* Barcelona. 1912.

Jiménez Catalán, *Tip. zaragozana del XVII* = Manuel Jiménez Catalán. *Ensayo de una Tipografía zaragozona del siglo XVII.* Zaragoza. 1925 [1927].

Jones = Harold G. Jones. *Hispanic manuscripts and printed books in the Barberini collection.* Città del Vaticano. 1978.

Juan de San Antonio = Fray Juan de San Antonio. *Bibliotheca Universa Franciscana.* Madrid. 1732-33.

Kraff = Walter C. Kraft. *Codices Vindobonensis Hispanici.* Corvalles. 1957.

La Barrera = Cayetano Alberto de la Barrera y Leirado. *Catálogo del Teatro antiguo español.* Madrid. 1860.

Latassa = Félix de Latassa y Ortín. *Bibliotecas antigua y nueva de los escritores aragoneses... aumentadas... por Miguel Gómez Uriel.* Zaragoza. 1884-86.

López = Atanasio López. *La Imprenta en Galicia. Siglos XV-XVIII.* Madrid. 1953.

Martí Grajales = Francisco Martí Grajales. *Ensayo de un Diccionario biográfico de los Poetas que florecieron en el Reino de Valencia hasta el año 1700.* Madrid. 1927.

Martínez Añibarro = Manuel Martínez Añibarro y Rives. *Intento de un Diccionario biográfico y bibliográfico de autores de la provincia de Burgos.* Madrid. 1889.

Medina, *México* = José Toribio Medina. *La Imprenta en México.* Santiago de Chile. 1908-11.

Medina, *Puebla* = José Toribio Medina. *La Imprentat en La Puebla de los Angeles.* Santiago de Chile. 1908.

Méndez Bejarano = Mario Méndez Bejarano. *Diccionario de Escritores, Maestros y Oradores naturales de Sevilla y su actual provincia.* Sevilla. 1922-25.

Millares Carlo, *Academia Caracas* = Agustín Millares Carlo. *Catálogo razonado de los libros de los siglos XV, XVI y XVII de la Academia Nacional de la Historia.* Caracas. 1969.

Millares Carlo, *Museo Canario* = Agustín Millares Carlo. *Descripción y estudio de los impresos de los siglos XV y XVI existentes en la biblioteca de El Museo Canario.* Las Palmas. El Museo Canario. 1975.

Miquel = Francisco Miquel Rosell. *Inventario general de manuscritos de la Biblioteca Universitaria de Barcelona.* Madrid. 1958.

Morel-Fatio = Alfred Morel-Fatio. *Bibliothèque Nationale. Catalogue des manuscrits espagnols.* París. 1892.

Muñiz = Roberto Muñiz. *Biblioteca Cisterciense Española*. Burgos. 1793.

N. Antonio = Nicolás Antonio. *Bibliotheca Hispana Nova*. 2.ª ed. Madrid. 1783-88.

Norton = F. J. Norton. *A descriptive catalogue of printing in Spain and Portugal. 1501-1520*. Cambridge. 1978.

Olivar = Alexandre Olivar. *Catàleg dels manuscrits de la Biblioteca del monestir de Montserrat*. Montserrat. 1977.

Palau = Antonio Palau y Dulcet. *Manual del librero hispanoamericano*. 2.ª ed. Madrid 1948-(en publ.).

Paz = Antonio Paz y Melia. *Catálogo de las piezas de Teatro que se conservan en el Departamento de Manuscritos de la Biblioteca Nacional*. 2.ª ed. Madrid. 1934-35.

Peeters-Fontainas = Jean Peeters-Fontainas. *Bibliographie des impressions espagnoles des Pays-Bas méridionaux*. Wieuwkoop. 1965.

Penney = Clara Louisa Penney. *List of books printed before 1601 in the Library of the Hispanic Society of America*. 2.ª ed. Nueva York. 1955.

Pérez Goyena = Antonio Pérez Goyena. *Ensayo de Bibliografía navarra*. Pamplona. 1947-53.

Pérez Pastor, *Madrid* = Cristóbal Pérez Pastor. *Bibliografía madrileña*. Madrid. 1891-1907.

Pérez Pastor, *Medina* = Cristóbal Pérez Pastor. *La Imprenta en Medina del Campo*. Madrid. 1895.

Pérez Pastor, *Toledo* = Cristóbal Pérez Pastor. *La Imprenta en Toledo*. Madrid. 1887.

Picatoste = Felipe Picatoste. *Apuntes para una Biblioteca científica española del siglo XVI*. Madrid. 1891.

Pinto de Mattos = Ricardo Pinto de Mattos. *Manual bibliographico portuguez...* Oporto. 1878.

Placer = Gumersindo Placer. *Bibliografía mercedaria*. Madrid. 1963.

Ramírez de Arellano = Rafael Ramírez de Arellano. *Ensayo de un Catálogo biográfico de escritores de la provincia y diócesis de Córdoba*. Madrid. 1922-23.

Roca = Pedro Roca. *Catálogo de los Manuscritos que pertenecieron a D. Pascual de Gayangos, existentes hoy en la Biblioteca Nacional.* Madrid. 1904.

Rodríguez-Moñino, *Diccionario* = Antonio Rodríguez-Moñino. *Diccionario bibliográfico de pliegos sueltos poéticos (siglo XVI).* Madrid. 1970.

Rodríguez-Moñino y Brey = Antonio Rodríguez-Moñino y María Brey. *Catálogo de los manuscritos poéticos castellanos... de The Hispanic Society of America.* Madrid. 1965-66.

Roldán = Rafael Roldán Guerrero. *Diccionario biográfico y bibliográfico de autores farmacéuticos españoles.* Tomo III. Madrid. 1975.

Salvá = Pedro Salvá y Mallén. *Catálogo de la Biblioteca de Salvá.* Valencia. 1872.

Sánchez = Juan Manuel Sánchez. *Bibliografía aragonesa del siglo XVI.* Madrid. 1913-14.

Santiago Vela = Gregorio de Santiago Vela. *Ensayo de una Biblioteca Iberoamericana de la Orden de San Agustín.* Madrid. 1913-31.

Serrano y Sanz = Manuel Serrano y Sanz. *Apuntes para una Biblioteca de escritoras españolas.* Madrid. 1903-5.

Silva = Inocencio Francisco da Silva. *Diccionario bibliographico portuguez.* Lisboa. 1858-1914.

Simón Palmer = María del Carmen Simón Palmer. *Manuscritos dramáticos del Siglo de Oro de la Biblioteca del Instituto del Teatro de Barcelona.* Madrid. 1977.

Somoza = Julio Somoza de Montsoriu. *Catálogo de manuscritos e impresos notables del Instituto de Jovellanos de Gijón...* Oviedo. 1883.

Suárez = Constantino Suárez. *Escritores y Artistas Asturianos. Indice biobibliográfico.* Madrid-Oviedo. 1935-59.

Tejera = José Pío Tejera. *Biblioteca del Murciano.* Madrid. 1922-41.

Toda, *Cerdeña* = Eduardo Toda y Güell. *Bibliografía española de Cerdeña.* Madrid. 1890.

Toda, *Italia* = Eduart Toda i Guell. *Bibliografia espanyola d'Italia.* Castell de Sant Miquell d'Escornalbou. 1927-31.

Torres Amat = Félix Torres Amat. *Memorias para ayudar a formar un Diccionario crítico de los escritores Catalanes...* Barcelona. 1836.

Uriarte, *Anónimos* = José Eugenio de Uriarte. *Catálogo razonado de obras anónimas y seudónimas de autores de la Compañía de Jesús.* Madrid. 1904-16.

Uriarte-Lecina = José Eugenio de Uriarte y Mariano Lecina. *Biblioteca de escritores de la Compañía de Jesús...* Madrid. 1925.

Valdenebro = José María Valdenebro y Cisneros. *La Imprenta en Córdoba. Ensayo bibliográfico.* Madrid. 1900.

Vindel = Francisco Vindel. *Manual gráfico-descriptivo del bibliófilo hispanoamericano (1475-1850).* Madrid. 1930-34.

Wadding = Lucas Wadding. *Annales Minorum seu Trium Ordinum a S. Francisco institutorum...* 3.ª ed. Roma. 1808-1936.

Ximeno = Vicente Ximeno. *Escritores del Reyno de Valencia.* Valencia. 1747-49.

Zarco = Julián Zarco Cuevas. *Catálogo de los manuscritos españoles de la Real Biblioteca de El Escorial.* Madrid. 1924-29.

LITERATURA CASTELLANA SIGLOS DE ORO
AUTORES (Continuación)

M.A.A.D.O.

EDICIONES

1

[*CARTA a vn amigo sobre lo svcedido en Ostende en XIV de mayo
de M.DC.XLVIII*]. [s. l.-s. i.]. [s. a.].
132 págs. 8.º

V. *BLH*, VII, n.º 5488.

MACAYA (JOSE MIGUEL DE)

EDICIONES

2

*INSTRUCCION a la edad pueril es-
crita en versos latinos exámetros
por Marco Antonio Mureto y traducida en octavas castellanas por* ——.
[s. l.-s. i.]. [s. a.]. 6 hs. 4.º.

—Ded. a D. Isidro Pardo de Naxavera,
cavallero de Santiago, en un soneto.—
Texto.

Gallardo, III, n.º 2.862.

MACE (CLAUDIO)

EDICIONES

3

[*DEDICATORIA a D. Antonio de
Cordoua y Aragon, arcediano de Castro, etc.*]. (En PARTE *treinta y tres
de doze Comedias famosas de varios
Autores*. Valencia. 1642. Prels.).

V. *BLH*, IV, n.º 237.

MACEDO (P. FRANCISCO DE)

N. en Coimbra. Jesuita desde 1610. Profesor de Retórica y Filosofía. Catedrático
de Retórica en los Reales Estudios de
Madrid. Pasó a la Orden de San Francisco, tomando el nombre de Francisco
de San Agustín (1642). Enseñó Filosofía y
Teología en el Colegio de Coimbra. Via-
jó por Europa, como acompañante de
cuatro embajadores. Profesor del Colegio
de Propaganda Fide en Roma. Consultor de la Inquisición universal. Cronista
de Portugal (1650). Catedrático de Filosofía Moral en la Universidad de Padua, donde m. en 1681.

CODICES

4

«*Annulus Minervae triplici margarita gemmatus in primaria aurificina*».
Tomo I.

Es una breve exposición de algunas costumbres de los romanos.

LISBOA. *Nacional*. Mss. 5.450.

5

«*Additamenta Logicae Conimbricen-
sis*».
Tomo I. Año 1641. 4.º

LISBOA. *Nacional*. Mss. 4.807.

EDICIONES

6

*HISTORIA de los nuevos martyres
del Japón*. Madrid. 1632. 4.º
N. Antonio.

7

*VIDA del grande D. Lvis de Attayde,
tercer conde de Attogvia, y Virrey*

de la India dos vezes... Por Ioseph Pereira de Macedo (seud.). Madrid. Impr. del Reino. 1633. 6 hs. + 168 págs. 19 cm.

—S. Pr.—T.—Apr. de Gil Gonçalez Dauila.—Apr. del P. Francisco de Macedo.— L. V.—Ded. a D. Antonio Moscoso, Marques de Villanueva del Fresno, etc.—Al Lector.—Texto.
Salvá, II, n.° 3.486.

BERKELEY. University of California.—BOSTON. Public Library.—CHICAGO. Newberry Library.—MADRID. Academia de la Historia. 13-1-8-2.090. Nacional. 2-70.575.

8

EPITOME chronologico desde el principio del Mundo hasta la venida de Christo. Madrid. 1634. 4.°

N. Antonio. Macedo la cita en la relación de sus escritos con título en latín.

9

PANEGYRICO apologetico por la desagraviada Lusitania... Lisboa. L. de Queiros. 1641. 46 págs. 4.°

LISBOA. Ajuda. 55-IV-31¹. — PARIS. Nationale. 4°Or.112.

10

PANEGYRICO apologetico, por la desagraviada Lvsitania: de la servitvd inivsta, del tyrannico yugo, de la insoportable tirania de Castilla. Con el derecho, virtvd, y cvydado de Don Iuan IV Rey Iusto, legitimo señor, y buen Padre, Año sessenta de su Cautiuidad... Tradvzido de latin en castellano. Barcelona. Iayme Romeu, a su costa. 1641. 2 hs. + 18 fols. 20 cm.

Referencia a ed. anterior de París.
—En la entrada, o vestivulo deste Panery-rico. Profecía. Isaías al Castellano.— Jeremias al Portugues.—Ezech. al Castellano.—Texto.
Sin nombre de autor.

CAMBRIDGE, Mass. Harvard University.—GAINESVILLE. University of Florida. — MADRID. Nacional. V.E.-66-69; etc.—PARIS. Nationale. 4°Or.112A.

11

PHILIPPICA portvgvesa, contra la invectiva castellana, por Francisco de S. Agustín. Lisboa. Antonio Aluarez. 1645. 12 hs. + 287 págs. 28 cm.

—Licenças.—E.—Epistola Ded. a el Rey D. Iuan el IV el Prometido, cuyo escudo figura en la portada, por Fr. Francisco de Macedo (Lisboa, 15 de julio de 1645).—Prologo al letor.—Texto.—Grab.— Colofón.

LONDRES. British Museum. 179.d.2; etc. — MADRID. Nacional. 2-18.988. — WASHINGTON. Congreso. 43-22208.—ZARAGOZA. Universitaria. G-61-47.

12

SERMON... a la Reina de Francia. París. 1648.

COIMBRA. Universitaria. Misc., t. 42, n.° 922.

13

PANEGIRICO sacro del serafico Padre San Francesco... Dal R. P. Francesco da S. Augustino Macedo... Patavii. Jacobi de Cadorinis. 1675. 32 págs. 19 × 10,8 cm.

MADRID. Nacional. V.E.-62-173.

Aprobaciones

14

[APROBACION. Madrid, 27 de Octubre...]. (En Pereira Macedo, Joseph. Vida del Grande D. Luis de Attayde... Madrid. 1633. Prels.).

MADRID. Academia de la Historia. 13-1-8-2.090.

15

[APROBACION. Sin datos]. (En AVISOS para la Muerte. Escritos por algunos Ingenios de España... Madrid. 1634. Prels.).

16

[APROBACION. Madrid, 30 de diciembre de 1634]. (En Gómez Tejada, Cosme. León Prodigioso. Madrid. 1636. Prels.).

MADRID. Nacional. R-172.

17

[*APROBACION. Madrid, 23 de marzo de 1635*]. (En Góngora, Luis de. *Soledades. Comentado por García de Salzedo Coronel.* Madrid. s. a. Preliminares).

MADRID. *Nacional.* R-16.222.

18

[*APROBACION. Madrid, sin fecha*]. (En Bocángel Unzueta, Gabriel de. *La Lira de las Musas.* Madrid. s. a., 1637? Prels.).

MADRID. *Nacional.* R-15.248.

19

[*IUYZIO de esta obra. París, 2 de marzo 1648*]. (En Martí y Viladamor, Francisco. *Temas de la Locura, o embustes de la Malicia.* París. 1648. Prels.).

MADRID. *Nacional.* 7-11.820.

20

[*IUICIO que dió...*]. (En Borja, Francisco de. *Poema heroico, Napoles recuperada por el Rei Don Alonso.* Zaragoza. 1651. Prels.).

V. *BLH*, IV, n.º 4.998.

MADRID. *Nacional.* R-1.857.

Poesías sueltas

21

[*EPIGRAMA*]. (En Pellicer de Tovar, José. *Anfiteatro de Felipe el Grande.* Madrid. 1631, fol. 36v).

MADRID. *Nacional.* R-7.502.

OBRAS PORTUGUESAS

22

Sermão qve fez... na festa de S. Thome padroeiro da India, na Capella Real... Lisboa. Lourenço Craesbeeck. 1637. 16 fols. 19 cm.

BLOOMINGTON. *Indiana University.* — NUEVA YORK. *Public Library.*

— — —

—Lisboa. Simão Thaddeo Ferreira. 1807. 66 págs. 8.º

23

Sermão da soledade de Nossa Senhora, que pregov na capella real... Coimbra. Manuel Carvalho. 1664. 1 h. + 18 págs. 20 cm.

DAYTON. *University of Dayton.*

OBRAS LATINAS

24

PARNASSI nemvs. Poeticio arboribvs comitvm. Pro apollinae, et mvsis. Excell.ᵐᵒ D. D. Francisco Borgiae, Principi de Esqvilache, ex regi pervano, Regi Cubiculi Clauigero Aureo. [s. l.-s. i.]. [s. a.]. 4 hs. orladas. 39 cm.

¿De 1628? (Backer-Sommervogel).

MADRID. *Nacional.* V.E.-64-30.

25

THESAVRVS ervditionis, pro Sole. Per dvodecim Zodiaci signa discvrrente. [s. l.-s. i.]. [s. a.]. 4 hs. orladas. 29 cm.

¿De 1628?

MADRID. *Nacional.* V.E.-64-103; Mss. 3.307.

26

VIRIDARIUM Eloquentiae rhetoricis floribus distinctum... [s. l.-s. i.]. [s. a., 1628]. 4 fols. Fol.

MADRID. *Nacional.* V.E.-64-102.

27

APOTHEOSIS sanctae Elisabethae Reginae Lusitaniae liber I Lyricorum. Lisboa. 1629. 4.º

Backeer-Sommermogel, n.º 5.

— — —

—Reed. en *Corpus Illustrium Poetarum Lusitanorum qui Latine scripserunt.* Tomos VI-VII. Lisboa. 1745.

28

PANEGYRIS apologetica, pro Lvsi-tania vindicata: a servitvte inivsta, ab ivgo, iniquo, & tyrannide immani Castellae... Barcelona. Ex Typ. Iaco-bi Romeu, a su costa. 1641. 2 hs. + 13 fols. 19 cm.

Referencia a ed. anterior de París.

MADRID. *Nacional.* V.E.-45-94.

29

ORPHEUS, tragico-comoedia, in aula regia palatii parisiensis ...acta. París. P. Langlaeus. 1647. VIII + 32 págs. 4.º

PARIS. *Nationale.* Yc.4497.

30

PROPUGNACULUM Lusitano - Galli-cam contra calumnias Hispano - Bel-gicas... París. [s. i.]. [1647]. Fol.

LISBOA. *Academia das Ciências.* E38/10.—LON-DRES. *British Museum.* 594.h.10.—PARIS. *Na-tionale.* Fol.Or.175.—ROUEN. *Municipale.* O. 562.

31

VITAE SS. Joannis de Mattha et Fe-licis de Valois accessit Appendix re-velationis lateranensis per P. Joan-nem a Conceptione discalceatorum ordinis SS. Trinitatis. Roma. A. Ber-nabo a Vernie. 1660. 8 hs. + 199 pá-ginas + 3 hs. 17 cm.

Toda, *Italia,* II, n.º 2.548.

MADRID. *Facultad de Filología.* 7.372.—ROUEN. *Municipale.* Mt.P.2502.

32

VITA V. Toribii Alfonsi Mogrovegii... Patavii. P. M. Framb. 1670. 12 hs. + 2 láms. + 206 págs. 20,5 cm.

MADRID. *Facultad de Filología.* 35.989.

33

CARMINA selecta. Lisboa. Michael Deslandes. 1683. 414 págs. 18 cm.

LONDRES. *British Museum.* 11409.bb.32.—MA-DRID. *Facultad de Filología.* 28.781.—PARIS. *Nationale.* Yc.9560.

34

A Lusiada de Luiz de Camões, tra-duzida em versos latinos por frei Francisco de Santo Agostinho Mace-do. Primeira edição, revista por An-tonio José Viale... Publicada por Ve-nancio Deslandes... Lisboa. Impr. Nacional. 1880. XVII + 478 págs. 8.º

LONDRES. *British Museum.* 11452.c.6.—PARIS. *Nationale.* 8ºYg.34.

Sus demás obras latinas, numerosísimas, pueden verse enumeradas en N. Antonio, Barbosa, etc.

Poesías

35

[EPIGRAMAS]. (En Guzmán Suares, Vicente de. *Rimas varias en alaban-ça del nacimiento del Principe N. Sor. Don Balthazar Carlos...* Oporto. 1630. Prels.).

V. *BLH,* XI, n.º 3754.

36

[AD D. Garciam de Salcedo Coro-nel. Epigramma]. (En Góngora, Luis de. *Soledades. Comentadas por Gar-cía de Salzedo Coronel.* Madrid. 1636. Prels.).

MADRID. *Nacional.* R-16.222.

OBRAS ATRIBUIDAS

37

CONCLUSIONES de la Historia chronologica de las Letras divinas y hvmanas... Madrid. Francisco de Ocampo. 1634. 8 hs. 20 cm.

Uriarte, *Anónimos,* I, n.º 432.
V. *BLH,* VIII, n.º 5219.

ESTUDIOS

38

VEGA, LOPE DE. *[Elogio y resu-men de su primera lección].* (En *Isagoge a los Reales Estudios de la Compañía de Jesús.* Madrid. 1629, versos 82-106).

—Reed. en Simón Díaz, José. *Historia del Colegio Imperial de Madrid.* Tomo I. Madrid. 1952, págs. 99-115.

39

VEGA, LOPE DE. [*Elogio*]. (En *Laurel de Apolo.* Madrid. 1630, folio 25r).

MADRID. *Nacional.* R-14.177.

40

SOUSA RIBEIRO, ILIDIO DE. *Fr. Francisco de Santo Agostinho de Macedo,. Um filósofo escotista português e um paladino da Restauração.* Coimbra. Universidades. 1952.

LONDRES. *British Museum.* Ac.26993 (16).

41

CEYSSEN, LUCIANO. *François de Saint Agustin de Macedo. Son attitude au début du jansénisme.* (En *Archivum Franciscanum Historicum,* XLIX, Roma, 1956, págs. 241-54).

42

REP N. Antonio, I, págs. 440-42; Barbosa, II, págs. 83-96; La Barrera, pág. 231; Backer-Sommervogel, V, cols. 244-46; García Peres, págs. 336-39.

MACEDO (FR. MANUEL DE)

EDICIONES

43

[*APROBACION. Madrid, 30 de abril de 1628*]. (En Alvarez Correa, Luis. *Execución de políticas y brevedad de despacho.* Madrid. 1629. Prels.).

V. *BLH,* V, n.° 1949.

MACEDONIA Y AYALA (SIMON DE)

EDICIONES

44

[*DECIMAS*]. (En Monforte y Herrera, Fernando de. *Relación de las fiestas que ha hecho el Colegio Imperial...* Madrid. 1622, fols. 90v-91v).

MADRID. *Nacional.* R-154.

45

[*AL Autor. Soneto*]. (En Leon y Arce, Francisco de. *La perla en el nuevo mapa mundi hispanico.* Madrid. 1624. Prels.).

MADRID. *Nacional.* R-30.396.

MACIAS (ANTONIO)

CODICES

46

«*Libro llamado artículos del sacramento...*».

Letra del s. XVI, al parecer autógrafa (1547?). 200 × 145 mm.

—Carta del author para D. Frei Diego de Toledo, gran Prior de San Juan.—Texto.—Tabla de los capitulos.

Zarco, I, págs. 55-56.

SAN LORENZO DEL ESCORIAL. *Monasterio.* b.IV. 19 (fols. 1r-380r).

47

«*Siguese vn despertador del anima deuota para alabar a dios y manual dispositivo para implorar al ayuda de la gratia diuina sacada de los sanctos doctores de la sagrada escriptura*».

Idem.

SAN LORENZO DEL ESCORIAL. *Monasterio.* b.IV. 19 (fols. 386r-405v).

MACIAS (LORENZO)

Licenciado. Cura de Mirandilla.

EDICIONES

48

[*AL Autor. Soneto*]. (En Moreno, Bernabé. *Historia de la civdad de Mérida.* Madrid. 1633. Prels.).

Dice «Mazías».

MADRID. *Nacional.* R-14.218.

MACIAS (FR. NICOLAS)
Franciscano.

EDICIONES

49

[*PARECER. Méjico, 14 de abril de 1681*]. (En Gómez, José. *Vida de la V. M. Antonia de San Jacinto...* Méjico. 1689. Prels.).

Dice «Mazías».
Medina, *México*, III, n.º 1.443.

50

[*APROBACION. Méjico, 1 de diciembre de 1687*]. (En Medina, Baltasar de. *Vida de Fr. Bernardo Rodríguez Lupercio...* Méjico. 1688. Prels.).

Medina, *México*, III, n.º 1.417.

51

[*APROBACION. Méjico, 29 de marzo de 1688*]. (En Avila y Rosas, Juan de. *Sagrado Notariaco...* Méjico. 1688. Prels.).

Medina, *México*, III, n.º 1.407.

52

[*PARECER. Méjico, 1 de junio de 1688*]. (En Antonio de la Trinidad, Fray. *Sagradas importancias...* Méjico. 1688. Prels.).

Dice «Mazías».
Medina, *México*, III, n.º 1.428.

53

[*PARECER. Méjico, 27 de marzo de 1689*]. (En Ledesma, Clemente de. *Vida espiritual común de la Seráfica Tercera Orden...* Méjico. 1689. Prels.).

Dice «Mazías».
Medina, *México*, III, n.º 1.446.

54

[*SENTIR. Méjico, 28 de marzo de 1691*]. (En Argüello, Manual de. *Sermón de la Dominica Septuagessima...* Méjico. 1691. Prels.).

Dice «Mazías».
Medina, *México*, III, n.º 1.490.
LONDRES. *British Museum*. 851.k.18 (6).

55

[*PARECER. Méjico, 22 de mayo de 1697*]. (En Argüello, Manuel de. *Sermón moral...* Méjico. 1697. Prels.).

Dice «Mazías».
Medina, *México*, III, n.º 1.662.
LONDRES. *British Museum*. 851.k.18 (7).

MACIAS LUCERO (JUAN)

EDICIONES

56

[*AL Autor. Soneto*]. (En Alvarez de Ribera, José. *Expresión panegirica diaria...* Salamanca. s. a. Prels.).

Dice «Mazías».
MADRID. *Nacional*. 3-25.667.

MACIAS ROMERO (DIEGO)
Doctor. Familiar de la Inquisición.

EDICIONES

57

[*AL Autor. Soneto*]. (En Moreno, Bernabé. *Historia de la civdad de Mérida*. Madrid. 1633. Prels.).

MADRID. *Nacional*. R-14.218.

MACRINO (ESPINARDO)

EDICIONES

58

[*CINCO octavas acrósticas con el nombre de la Reyna... Doña María Luisa de Borbón...*]. (En ACADEMIA, que se celebró en esta Corte, en amante jubilo... de los desposorios de sus Magestades... 1679. Madrid. s. a., n.º 14).

MADRID. *Nacional*. 2-34.892.

MACHADO

EDICIONES

59

[*FOLIA*]. (En CHANSONNIERS *espagnols du XVIIe siècle. I. Le recueil de la «Casanatense», par Ch. V. Aubrun*, en *Bulletin Hispanique*, LI, Burdeos, 1949, pág.

MACHADO (ALONSO)

EDICIONES

60

[*DOS Sonetos*]. (En Covarrubias Herrera, Jerónimo de. *Los cinco libros intitulados La enamorada Elisea*. Valladolid. 1594. Prels.).

MADRID. *Nacional*. R-11.214.

MACHADO (FR. BUENAVENTURA)

Se llamaba Simão Machado y n. en Torres Novas (Portugal). Con ese nombre publicó sus obras dramáticas, pero al profesar como franciscano en Barcelona tomó el de fray Boaventura. Vivía aún en 1632.

EDICIONES

61

COMEDIAS portvgvesas. Feitas pello excellente Poeta, Symão Machado... Nesta segunda impresão, emmendadas & acrescentadas dous Entremeses, & quatro Loas famosas. Lisboa. Antonio Aluarez. 1631. 2 hs. + 94 fols. + 8 hs. 18,5 cm.

1. *Primeira parte da comedia de Dio.* [«Arma, meran estos locos...»]. (Fols. 1r-22r). En Castellano.

2. *Segunda parte da comedia de Dio.* [«—Em quanto se vay pondo em ordem a gente...»]. (Fols. 23r-50v). En portugués y castellano.

3. *Comedia da pastora Alfea.* [«Ia que cruel amor con tu saeta...»]. (Fols. 51r-72v).

4. *Segunda parte da comedia de Alfea.* [«Si amor con desamor me desbarata...»]. (Fols. 73v-94v).

—Colofón.

5. *Entremés famoso de la endemoniada fingida y chistes de Bacallao.* [«—En mi casa infame...»].

6. *Entremés famoso de la infanta Palancona.* [«Soy Iupiter y este es rayo...»].

MADRID. *Nacional*. R-12.790.

62

COMEDIAS portueguezas... 3.ª edición aum. Lisboa. Antonio Pedroso. 1706. 212 págs. 4.º

Salvá, I, n.º 1.305.

LISBOA. *Nacional*. Res.273V. — LONDRES. *Britsih Museum*. 1342.g.16.—MADRID. *Nacional*. R-12.780.

63

COMEDIA de Dio. Edition critique, introduction et commentaire par Paul Teyssier. Roma. Ateneo. 1969. 418 págs. 21,5 cm. (Col. Officina Romanica, 13).

LISBOA. *Nacional*. L.19920V.

64

PRIMERA parte del Libro llamado Silva de espirituales y morales pensamientos, symbolos y geroglificos sobre la vida y dichosa muerte del P. M. Pedro Dias de la Compañia de Jesus, compuesto en estilo pastoril y toda manera de verso español. Barcelona. Sebastián y Jaime Matevad. 1632. XV + 486 hs.

—Apr. de Fr. Juan Garau.—Apr. de Fr. Juan Serrano.—L. O.—L. del Obispo de Barcelona.—Relación sacada del libro del P. Juan de Borja.—Poesías en castellano y portugués del conde de Calleta, Fadrique de Cámara, Francisco Manuel de Mello y Francisco de Saa y Meneses.—Al letcor.—Canciones dedicatorias a la Santa Imagen del Buen Jesús de S. Mamede, por el autor.—Texto.

N. Antonio la cita con el título de *Vida del P. Pedro Díaz y sus compañeros*, por cuyo motivo Palau la cree obra distinta de la *Silva*.

García Peres, págs. 340-45 (reproduce algunos fragmentos).

BARCELONA. *Universitaria.* B.61-5-3. — LISBOA. *Academia das Ciências.* E.792/2. — MADRID. *Palacio Real.* I.C.12.—NUEVA YORK. *Hispanic Society.*

Poesías sueltas

65

[*POESIAS*]. (En Serpi, Dimas. *Crónica de los Santos de Sardeña.* Barcelona. 1600. Prels.).

1. Soneto.
2. Al lector. Soneto.

MADRID. *Nacional.* R-29.665.

66

[*SONETO*]. (En Serpi, Dimas. *Tratado de Purgatorio contra Luthero y otros hereges.* Barcelona. 1609. Preliminares).

SEVILLA. *Universitaria.* 186-11.

ESTUDIOS

67

FRÈCHES, C. H. *Les «comédias» de Simão Machado* (En *Bulletin d'histoire du théâtre portugais,* II, Lisboa, 1951, págs. 151-80; III, 1952, págs. 1-42).

I. Comédia do Cerco de Dio; II. Comédia da Pastora Alfea.

68

REP: N. Antonio, I, pág. 231, y II, pág. 288; Barbosa, I, págs. 539-40; Pinto de Mattos, págs. 365-66; La Barrera, pág. 231; García Peres, págs. 339-45.

MACHADO (GONZALO)

EDICIONES

69

[*IMITACION del Romanze de Ortensio a la Noche*]. (En ACADEMIA *que se celebró por Carnestolendas... 1675...* Madrid, s. a., págs. 70-73).

MADRID. *Nacional.* R-4.071.

MACHADO (MANUEL)

EDICIONES

70

[*POESIAS*]. (En CANCIONERO *musical y poetico del siglo XVII recogido por Claudio de la Sablonara... Edición de Jesús Aroca.* Madrid. 1916).

1. [*Sin titulo*].
2. *Romance.*
3. *Romance.*
4. *Romance.*

V. *B.L.H.,* IV, 2.ª ed., n.º 109 (7, 12, 14, 59).

MADRID. *Nacional.* M-4.332.

MACHADO (FR. PEDRO)

N. en Zafra. Mercedario. Comendador de los conventos de Madrid, Toledo y Burgos. Provincial de Castilla (1591). Catedrático de Filosofía Moral en la Universidad de Salamanca. M. en Burgos (1609).

CODICES

71

«*Evangelios de la Septuagésima, y Sexagéssima*».

351 hs. 4.º Perdido. (Placer, II, n.º 3.425).

72

«*De la comunión diaria*».

Perdido. (Placer, II, n.º 3.427).

EDICIONES

73

[*APROBACION. Burgos, 26 de julio de 1605*]. (En Rodríguez de Torres, Melchor. *Lucha interior y modos de su victoria.* Zaragoza. 1607. Prels.).

SEVILLA. *Universitaria.* 8-180.

74

[*APROBACION. Burgos, 4 de diciembre de 1609*]. (En Rodríguez de Torres, Melchor. *Empeños del alma a Dios y sus correspondencias.* Burgos. 1611. Prels.).

MADRID. *Nacional.* 3-10.856.

OBRAS LATINAS

75

EXPOSITIO literalis et moralis omnium Evangeliorum, quae ae Ecclesia proponuntur. Burgos. Juan Bautista Varesio. 1604. 3 vols. Fol.

MADRID. *Nacional.* 6.i.-5.793 [el I]; 5-810 [II y III].

—Maguncia. B. Kulik. 1609.
—Colonia. 1612.8.°

76

REP: N. Antonio, I, pág. 210; Placer, II, págs. 237-38; R. Sanlés, en DHEE, II, página 1.376.

MACHADO (SIMON)

V. MACHADO
(FR. BUENAVENTURA)

MACHADO Y CORBERA (JUAN)

EDICIONES

77

[*SONETO*]. (En Guzmán Suáres, Vicente de. *Rimas varias en alabança del nacimiento del Principe N. S. D. Balthasar Carlos...* Oporto. 1630. Prels.).

V. *BLH*, XI, n.° 3754.

MACHADO DE CHAVES (JUAN)

N. en Quito. Abogado y clérigo. Arcediano de la catedral de Trujillo. En España, perteneció a la Chancillería de Granada. Obispo electo de Popayán (1651). M. en 1653.

EDICIONES

78

PERFECTO Confessor i cvra de almas, asvnto singvlar en el qval con svma claridad, breve y cientifico modo, se reduzen a Principios universales y Reglas generales de ambos Derechos Civil y Canonico, todas las materias pertenecientes al Teólogo Moral. Barcelona. Pedro Lacavallería. 1641. 2 vols. Fol.

Medina, *Biblioteca hispano-americana*, II, n.° 1.024.

BARCELONA. *Universitaria.* B.63-1-1. — CORDOBA. *Pública.* 10-213; etc. — GERONA. *Pública.* A-2255/56. — MADRID. *Nacional.* 3-66.959/60. — SAN LORENZO DEL ESCORIAL. *Monasterio.* M. III.-1-2. — SEVILLA. *Colombina.* 98-4-17. *Universitaria.* 160-149. — VALLADOLID. *Universitaria.* 56-25-26.—ZARAGOZA. *Seminario de San Carlos.* 12-3-8/9.

79

——. Madrid. Viuda de Francisco Martinez. 1646. 2 vols. Fol.

Medina, *Biblioteca hispano-americana*, II, n.° 1.087.

SEVILLA. *Universitaria.* 57-72.

80

——. Madrid. Viuda de Francisco Martínez. 1647. 2 vols.

CORDOBA. *Pública.* 9-220/220 b.—GRANADA. *Universitaria.* A-23-85/86; A-36-155 [el II].—MADRID. *Academia de la Historia.* 15-2-5-43. *Nacional.* 3-22.430/31.—ORIHUELA. *Pública.* XXX-3-19/20.—ROMA. *Vaticana.* Stamp. Barb. E. III.57-58.—SEVILLA. *Universitaria.* 188-89.

81

——. Madrid. Melchor Sanchez. 1655. 2 vols.

Medina, *Biblioteca hispano-americana*, III, n.° 1.239.

BURGOS. *Facultad de Teología.*—MADRID. *Nacional.* 3-57.383/84; 3-52.568/69. *Seminario Conciliar.* 15-652-34.—ORIHUELA. *Pública.* 41-2-18.—PARIS. *Mazarina.* 1960.A.C.—SAN LORENZO DEL ESCORIAL. *Monasterio.* M.27-I-23/24.—SANTIAGO DE COMPOSTELA. *Universitaria.*—SEVILLA. *Universitaria.* 12-77/78. — ZARAGOZA. *Universitaria.* G-77-103/4.

82

——. Madrid. Melchor Sánchez. 1665. 2 vols. Fol.

83

SVMA Moral, Resvmen brevissimo de todas las obras del Doctor Machado, qve reduxo... el P. Francisco Apolinar... Madrid. Andrés García de la Iglesia. 1661. 6 hs. + 589 págs. a 2 cols. Fol.

Medina, *Biblioteca hispano-americana*, III, n.º 1.324.

CORDOBA. *Pública.* 31-72.—GRANADA. *Universitaria.* A-12-152.—SAN LORENZO DEL ESCORIAL. *Monasterio.* 63-VIII-8/9.—SANTIAGO DE COMPOSTELA. *Universitaria.* — ZARAGOZA. *Universitaria.* G-2-27.

ESTUDIOS

84

REP: N. Antonio, I, pág. 728.

MACHADO DE CHAVES (PEDRO)

EDICIONES

85

[SENTIMIENTO. 10 de Marzo de 1646]. (En Villarroel, Gaspar de. *Govierno eclesiastico pacifico, y vnion de los dos cvchillos, Pontificio, y Regio.* Madrid. 1656. Prels.).

MADRID. *Nacional.* 3-78.313.

MACHADO DE SILVA (FELIX)

Primer marqués de Montebelo (1630). Comendador de San Juan de Concieiro, en la Orden de Cristo.

EDICIONES

86

VIDA de Manvel Machado de Azevedo, Señor de las Casas de Castro, Vasconcelos, y Barroso, y de los solares dellas, y de las Tierras de Entre Homem, Càbado, Villa de Amares, Comendador de Sousel, en la Orden de Auis. Por... ——... su bisnieto, y sucessor de su Casa... [s. l.]. Pedro García de Paredes. 1660. 5 hojas + 138 págs. 20,5 cm.

—Lámina con escudo firmada por Gregorius Forsman en Madrid, 1660.—E.—Port. Ded. a su hermana.—Texto.

LISBOA. *Nacional.* Res. 146⁴⁸P.—MADRID. *Academia de la Historia.* 5-4-7-1.694. *Facultad de Filología.—Nacional.* 3-28.937; 3-40.107.— NUEVA YORK. *Hispanic Society.*

87

MEMORIAL del marqves de Montebelo. Año M.DC.XLII. [s. l.-s. i.]. [s. a.]. 3 hs. + 298 págs. 20,5 cm.

—Estas son las primeras armas de que uso la familia de Machado (escudo grab.). E.—Texto, dirigido al Rey.

MADRID. *Academia de la Historia.* 13-1-7-2.047. *Nacional.* 2-8.479.—SEVILLA. *Colombina.* 88-2-4.

88

TERCERA parte de «Guzmán de Alfarache». Herausgegeben von G. Moldenhauer. (En *Revue Hispanique,* LXIX, Nueva York-Paris, 1927, páginas 1-340).

ESTUDIOS

89

REP: N. Antonio, I, pág. 366; García Peres, págs. 345-47.

MACHIN DE AQUENA (AMBROSIO)

N. en Alguer, Cerdeña (1580). Ingresó en la Compañía de Jesús, pero antes de pronunciar los votos, se hizo mercedario. Comendador de Barcelona, provincial de Aragón y General de la Orden. Arzobispo de Caller (1627), donde m. en 1640.

EDICIONES

90

SERMON predicado en... la canonización de S. Ignacio y S. Francisco Xavier... Caller. Martín Saba. 1623.

BARCELONA. *Universitaria.*

91

SERMON en la Beatificacion de S. Francisco de Borja... Sacer. En la

Emprenta de Fran Scano de Castelvi, por Bartholome Gobetti. 1624. 31 páginas. 21,5 cm.

—Texto.

MADRID. *Nacional*. V.E.-18-18.

92

SERMON predicado en Caller, el dia del voto y juramento que las Cortes hicieron... de defender la Limpia Concepcion de Nuestra Señora... Caller. En la emprenta de A. Galcerín, por B. Gobetti. 1632. 20 págs. 8.º

ROUEN. *Municipale*. Mt.P.1478(2).

———

Se publicó también unido a: Carnicer, Francisco. *Público Voto y Juramento...* Caller. 1632.

V. *BLH*, VII, n.º 4984.

93

RESOLUCION en defensa de la jurisdiccion de las tres Ordenes Mylitares de Sant' Iago, Calatrava y Alcantara. Caller. Imp. de Galcerín, por B. Gobetti. 1635.

———

—2.ª ed. Idem. 1635. Con importantes adiciones.

—3.ª ed. Palermo. Decio Cirillo. 1636. 54 páginas. Fol.

Toda, *Italia*, III, n.º 3.010.

OBRAS LATINAS

94

COMMENTARII una cum Disputationibus in primam partem Sanctii Thomae. Madrid. Viuda de Alonso Martín [el I] y Caller. Antonio Galcerín [el II]. 1621-24. 2 vols. Fol.

Placer, II, n.º 3.431.

GRANADA. *Universitaria*.

95

DEFENSIO Sanctitatis Beati Luciferi Archiepiscopi Calaritani... Cala-

ri. Antonius Galcerin. 1639. 16 hs. + 244 págs. + 14 hs. Fol.

Placer, II, n.º 3.440.

BARCELONA. *Universitaria*. C.213-3-3.

ESTUDIOS

96

REP: Placer, II, págs. 238-42.

MADARIAGA (ANDRES DE)

Capitán. Cónsul del Tribunal del Consulado de Lima.

EDICIONES

97

[MEMORIAL en nombre del Tribunal del Consulado de Lima y del Perú]. [s. l.-s. i.]. [s. a.]. 2 hs. 29 cm.

Carece de portada.

—Texto, fechado en Madrid, a 23 de setiembre de 1673.

MADRID. *Nacional*. V.E.-210-102.

MADARIAGA (FR. JUAN DE)

Se llamaba Juan Bautista Ibañez. N. en Valencia. Cartujo desde 1585. M. en 1619.

CODICES

98

«*Arbol de la Monarquía de España, con la sucesión de sus Reyes, división y unión de sus Reinos, desde la creación del mundo hasta los tiempos presentes*».

6 pliegos de marca mayor.
«Escrito a modo de tablas cronológicas... Se guardaba en la Cartuja de Porta Coeli». (Cartujo-Gómez, pág. 88).

99

«*Monarquía divina*».

En 4.º. Se guardaba en la Cartuja de Porta Coeli. (Cartujo-Gómez, pág. 88).

100

«*Las tres gerarquías de la Gracia, en que se trata del arte de servir a Dios con fácil y apacible método*».

Idem.

101

«*Vida del venerable y santo Varón el P. D. Dionisio Riquel, llamado el Cartujano*».

Idem.

102

«*Sanctiones Sanctissimae*».

Idem.

EDICIONES

103

VIDA del serafico Padre San Brvno Patriarca de la Cartuxa: Con el origen y principio y costumbres desta sagrada Religion. Valencia. Pedro Patricio Mey. 1596. 10 hs. + 198 fols. + 1 h. 20 cm.

—L. V.—Apr. de Pedro Iuan Assensio.—L. O.—Apr. de Fr. Iuan Bellot.—Apr. de Fr. Hieronymo Batista de la Nuza.—Ded. a la Stma. Trinidad.—Tabla de las partes y capitulos.—Prologo.—Texto.—E.

BARCELONA. *Universitaria.*—CAGLIARI. *Universitaria.* Ross.D.68.—CORDOBA. *Pública.* 13-128. GERONA. *Pública.* A-3.420. — LONDRES. *British Museum.* 485.b.25. — MADRID. *Nacional.* U-9.534. — MONTSERRAT. *Abadía.* 1.637. — NUEVA YORK. *Hispanic Society.*—SALAMANCA. *Universitaria.* — SEVILLA. *Universitaria.* 102-89.— VALENCIA. *Pública.* Nicolau Primitiu. L.9366. VALLADOLID. *Universitaria.* 8.691.—VIENA. *Nacional.* 43.S.19.

104

SENADO (Del), y de sv Principe. Valencia. Felipe Mey. 1617. 12 hs. + 532 páginas. 20,5 cm.

—Versos de Claudiano.—L. O.—Apr. de Fr. Luis Pellicer.—L. V.—Pr.—Ded. a D. Pedro de Castro, Conde de Lemos; etc.— Prologo, y argumento deste Libro.—Tabla de los Capitulos.—E.—Texto.

Esta obra fue mandada retirar por la Orden.

CORDOBA. *Pública.* 11-102.—MADRID. *Academia Española.* 13-VIII-53. *Nacional.* R-10.906. — ROMA. *Vaticana.* Stamp. Barb. P.II.1.—SANTANDER. «*Menéndez Pelayo*». R-III-6-38. — SANTIAGO DE COMPOSTELA. *Universitaria.*—ZARAGOZA. *Universitaria.* G-24-127.

105

GOVIERNO de principes, y de svs consejos para el bien de la repvblica. [Edición de Vicente Gómez Corella]. Valencia. Iuan Bautista Marçal. 1626. 4.º

Nueva ed. de *Del Senado*, con los dos primeros pliegos reimpresos para omitir el nombre del autor y la dedicatoria.

NUEVA YORK. *Hispanic Society.*—ROMA. *Vaticana.* Stamp. Barb. P.II.13.

OBRAS LATINAS

106

LITANIA encomiastica de Santissimo Nomine Jesu, ex Scriptura Sacra per dies Hebdomadae distributa. Valencia. 1616.

Cartujo-Gómez, pág. 87.

TRADUCCIONES

a) FRANCESAS (?)

107

[*VIDA de San Bruno*. Trad. al belga (*sic*) por el P. Francisco Le Pippre.

Cartujo-Gómez, pág. 87.

b) LATINAS

108

[*VIDA de San Bruno*. Trad. por el P. Gerardo Eligius].

Idem.

ESTUDIOS

109

REP: N. Antonio, I, pág. 728; Ximeno, I, págs. 283-84; Cartujo-Gómez, págs. 87-88.

MADARIAGA (PEDRO DE)

Vizcaíno. Profesor de la Universidad de Valencia.

EDICIONES

110

LIBRO svbtilissimo intitvlado Honra de Escriuanos. Compuesto y experimentado por ——. [Valencia. Iuan de Mey]. [1565, 31 de agosto]. 8 hs. + 108 fols. con grabs. + 1 h. 14,5 cm.

—Retrato del autor.—Partes del libro.— Soneto de Francisco Peña. [«Si Appelles por pintar es celebrado...»].—Ded. a Felipe II, cuyo escudo va en la portada. Prólogo.—Tabla de algunas cosas más señaladas.—Texto (parte en diálogo).— Soneto de Melchior Pradas. [«Que pluma aurá de buelo tan alçado...»].—Colofón.

Salvá, II, n.º 2.313; Vindel, V, n.º 1.559.

LONDRES. *British Museum.* 1043.b.9 (incompleto).—MADRID. *Academia Española.* S.C.= 7-B-12. *Nacional.* R-3.782.—NUEVA YORK. *Hispanic Society.*

111

ARTE de escribir, ortografía de la pluma, y honra de los profesores de este magisterio... 2.ª impresión. Madrid. Antonio de Sancha. 1777. 16 hs. + 255 págs. 8.º

Salvá, II, n.º 2.314 (reproduce el retrato del autor).

OBRAS LATINAS

112

MODI loquendi Latino & Hispano sermone... Valencia. Viuda de Pedro de Huete. 1582. 64 págs. 15 cm.

Con Prefación al Lector, en castellano.

MADRID. *Nacional.* R-8.275.

ESTUDIOS

113

REP: N. Antonio, II, pág. 210.

MADERA (FR. ALONSO DE LA)

Dominico. Predicador del convento de San Pablo de Valladolid.

EDICIONES

114

A Santo Domingo Soriano, milagroso en su diuina Imagen. Sermon... Valladolid. Imp. de San Pablo. [s. a.] 4 hs. + 16 fols. 20 cm.

—Apr. de Fr. Manuel Díaz Hurtado (1640). Apr. de Fr. Christoval Gallego y Fr. Francisco de Tapia (1640).—Ded. a Fray Ioseph de Perlines, Prouincial de España de la Orden de Predicadores (1640).— Texto.

SALAMANCA. *Universitaria.* 56.879.

115

SERMON de Ntro. Seráfico Padre San Francisco, Patriarca de la más dilatada y esclarecida Familia. Dixole... en el... Convento de N. P. S. Francisco. Valladolid. Bartolomé Portoles. 1647. 3 hs. + 32 págs.

Herrero Salgado, n.º 407.

MADERUELO (FRANCISCO)

EDICIONES

116

DOCTRINAL erudición de terceros, en que con brevedad se les da noticias claras de su regla, Privilegios y principales indulgencias. Y para los terceros sacerdotes seculares, un Epilogo de los grandes Privilegios que participan de absolver casos observados, censuras, dispensar irregularidades y conmutar votos. Con un modelo, para que los Visitadores Capuchinos los puedan governar con acierto, sin detrimento de su retiro. Madrid. Juan Garcia Infanzón. 1689. 16 hs. + 270 págs. + 5 hs. 15 cm.

—Ded. a los Señores de Arraya.—Apr. de Fr. Felix de Bustillo, Fr. Luis de Torre y Fr. Ioseph de Madrid.—L. O.—Apr. del P. Iuan Rodriguez Coronel.—L. V.—Apr. de Fr. Iuan Bautista Sicardo.—Pr. por 10 años.—E.—T.—Prologo al lector.—Tabla de los parrafos deste libro.—Texto.— Tabla de cosas notables.

MADRID. *Nacional.* 3-12.030. *Seminario Conciliar.*—SEVILLA. *Universitaria.* 183-23.

117

——. Madrid. 1691.

SEVILLA. *Universitaria.* 185-9.

«MADRID...»

EDICIONES

118

MADRID, y Octubre tres de 1690. De los avisos qve este vltimo correo de Flandes ha traydo á esta Corte... [s. l.-s. i.]. [s. a.]. 4 hs. 19,5 cm.

MADRID. *Nacional.* V.E.-116-37.

MADRID (FR. ALONSO DE)

V. ALONSO DE MADRID (FRAY)

[BLH, V, 2.ª ed., núms. 1372-437, 4413, 4786-95]

MADRID (FRANCISCO)

Licenciado

EDICIONES

119

[SONETO]. (En CERTAMEN poético a las fiestas de la translación de la reliquia de San Ramón Nonat... Zaragoza. 1618, fol. 45v).

MADRID. *Nacional.* R-17.826.

120

[OCTAUAS]. (En Felices de Cáceres, Juan Bautista. El Cavallero de Avila... Zaragoza. 1623, págs. 500-2).

V. BLH, X, n.º 344 (31).

MADRID (FRANCISCO DE)

V. FERNANDEZ DE MADRID (FRANCISCO)

MADRID (JERONIMO DE)

CODICES

121

«Breue suma de la santa vida del religiosysimo y mui binaventurado fray Fernando de Talauera...».

Letra del s. XVI. 305 × 215 mm. *Inventario,* IX, págs. 49-50.

MADRID. *Nacional.* Mss. 2878 (fols. 1v-21v).

MADRID (P. JOSE DE)

Jesuita. Rector del Colegio de Cádiz.

EDICIONES

122

[PARECER. Cádiz, 25 de agosto de 1665]. (En Juan de la Presentación, Fray. Vida del glorioso San Pedro Nolasco... Cádiz. 1665. Prels.).

MADRID. *Nacional.* 2-7.346.

MADRID (FR. JOSE DE)

Capuchino.

V. JOSE DE MADRID (FRAY)

MADRID (JUAN DE)

EDICIONES

123

MEDICOS (Los) divinos, y luzeros de la Iglesia. Comedia nueva. [s. l.-s. i.]. 1695. 40 págs.

«—De la gloria del amor...».

BARCELONA. *Instituto del Teatro.* 59.794. — MADRID. *Academia Española.*—TORONTO. *University Library.*

124

MEDICOS (Los) divinos, y luzeros de la Iglesia San Cosme y San Damián. [s. l.-s. i.]. [s. a.].

Restori la supone de Sevilla, Viuda de Francisco Leefdael, primer tercio del siglo XVIII.

PARMA.

ESTUDIOS

125

RESTORI, ANTONIO. Cosma e Damiano. (En Archivio Storico per le Provincie Parmensi, XXII, Parma, vol. 2, págs. 537-33).

La atribuye al carmelita del siglo XVIII Fr. Juan de la Concepción que usó tal seudónimo, pero no nació hasta 1702.

MADRID (MANUEL DE)
Licenciado. Oidor.

EDICIONES

126

RELACION *verdadera de la gran vitoria qve el armada española de la China tuuo contra los Olandeses piratas, que andauan en aquellos mares, y de como le tomaron y echaron a fondo doze galeones gruessos, y mataron gran numero de gente. Dase cuenta de las naos, y numero de gente que lleuaua cada armada, y nombres de los capitanes della. Todo sacado de vna carta que de el Puerto de Acapulco escriue...——... al señor Marques de Guadalcaçar, Viso Rey de la nueua España: y de alli embiada a la Contratacion desta ciudad de Seuilla.* [s. l.-s. i.]. [s. a.]. 2 hs. Fol.

—Texto, fechado en la nao Espiritu Santo, a 2 de enero de 1618.—L. al impresor Francisco de Lyra (Sevilla, 31 de mayo de 1618).

Medina, *Biblioteca hispano-americana*, II, n.º 673.

——— ———

—Reed. en *Archivo Filipino*, de Retana, II.

MADRID (FR. MANUEL DE)
Capuchino.

V. MANUEL DE MADRID (FRAY)

MADRID (FR. MIGUEL DE)

V. MIGUEL DE MADRID (FRAY)

MADRID Y BARCENAS (FRANCISCO)

EDICIONES

127

[DEZIMAS]. *(En Díez de Aux, Luis. Compendio de las fiestas que ha ce-* lebrado... *Çaragoça...* Zaragoza. 1619, págs. 258-59).

MADRID. *Nacional.* R-4.908.

ESTUDIOS

128

ANDRES DE UZTARROZ, JUAN FRANCISCO. [*Elogio*]. (En su *Aganipe de los cisnes aragoneses.* Zaragoza. 1890, pág. 20).

V. *BLH*, V, n.º 4965.

MADRID Y JARA (DIEGO DE)
Doctor. Catedrático de Prima de Medicina en la Universidad de Alcalá.

CODICES

129

«*Tractatvs de crissibus, et diebus decretoriis... Anno MDC.LXVI, XIV Kal. no.*».

Letra del s. XVII. 210 × 145 mm.
Dice «Xaras».

MADRID. *Nacional.* Mss. 4.222 (fols. 239r-264v).

EDICIONES

130

[*APROBACION. Alcalá, 12 de agosto de 1679*]. (En Martínez Nieto, Blas. *Consulta que se hizo para el conocimiento del achaque que padece D.ª Iosepha Lopez Alamo...* Madrid. 1679. Al fin).

Dice «Xara».

MADRID. *Nacional.* 3-7.523.

MADRID MAGAÑA (JUAN DE)

EDICIONES

131

[*DECIMAS*]. (En Liaño y Leyva, Lope de. *Relación de las fiestas que se an hecho en... Puerto de Santa María a los desagravios de la Ley de Gracia, y María Santissima...* Cadiz. 1640. Prels.).

MADRID. *Academia de la Historia.* 9-17-4-3.541.

MADRID MONCADA
(FR. FRANCISCO ANTONIO)

Capuchino.

V. FRANCISCO ANTONIO DE MONCADA

MADRID Y PEDRAZA
(NICOLAS DE)

Abogdo de la Audiencia de Méjico.

EDICIONES

132

APOLOGIA en defensa de la juridicion de los hermanos ministros de la Orden Tercera de... San Francisco. Madrid. 1649. Fol.

—Ded. a D. Juan de Palafox y Mendoza.— Parecer e informe de Fr. Bartolomé de Letona.—Texto, fechado en Méjico, a 10 de septiembre de 1645.

Medina, *Biblioteca hispano-americana*, II, n.º 1.136.

LONDRES. *British Museum*. 4183.K.3.(10).

ESTUDIOS

133

REP: Beristain, II, pág. 200.

MADRIDANO (EL)

EDICIONES

134

[*SONETOS*]. (En Andrés de Uztarroz, Juan Francisco. *Certamen poético de Nuestra Señora de Cogullada...* Zaragoza. 1644, págs. 131-32 y 136).

V. *BLH*, V, n.º 2666 (23, 28).

MADRIGAL (FR. JUAN BAUTISTA)

Franciscano descalzo. Predicador y Guardián del convento de San Lorenzo de Cuenca.

EDICIONES

135

HOMILIARIO evangelico, en qve se tratan diversas materias espirituales, *y lugares notables de Escritura, en grande beneficio de las almas, y reformacion de costumbres deprauadas, y abusos introduzidos en el mundo.* Madrid. Luis Sanchez. 1602. 8 hojas + 686 págs. + 8 hs. 20 cm.

—T.—E.—S. Pr.—L. O.—Apr. de Fr. Iuan de los Angeles.—Apr. de Pero Gonçalez de Castilla.—Apr. de Martín Yañez.—Apr. de Fr. Iuan Temporal.—Prologo del autor al letor.—Texto.—Tabla de las Homilías.—Tabla de los lugares de la sagrada Escritura que se declaran.—Colofón.

Pérez Pastor, *Madrid*, II, n.º 811.

GERONA. *Pública*. A-4347.—MADRID. *Nacional*. 3-61.498.—ORIHUELA. *Pública*. 89-4-12.—ROUEN. *Municipale*. A.887. — SAN LORENZO DEL ESCORIAL. *Monasterio*. 53-I-57.—SANTIAGO DE COMPOSTELA. *Universitaria*.—SEVILLA. *Universitaria*. 7-29; 88-184.

136

INSTRUCCION espiritual y Tesoro del alma. Madrid. 1603.

Cit. en el Catálogo de la Biblioteca del Dr. Gabriel Sora, Zaragoza, 1618. (Pérez Pastor, *Madrid*, II, n.º 841).

137

DISCVRSOS predicables de las Dominicas de Adviento y Fiestas de Santos, hasta la Qvaresma. Madrid. Miguel Serrano de Vargas. 1605. 8 hs. + 398 fols. + 19 hs. 4.º

—E.—T.—L. O. para el *Homiliario Evangelico*, en seis tomos.—Apr. de Fr. Gregorio Ruiz.—Pr. al autor por diez años.— Ded. a D.ª Inés Pacheco, condesa de Chinchón.—Fray Juan de los Angeles, al lector.—Texto.—Colofón. — Tablas. — Segundo colofón.

Pérez Pastor, *Madrid*, II, n.º 909.

ORIHUELA. *Pública*. 89-4-10.

138

——. Madrid. 1606.

LYON. *Municipale*. 333.238.—SEVILLA. *Universitaria*. 122-95; etc.

139

[*HOMILIARIO Evangélico*]. (En MÍSTICOS *Franciscanos Españoles*.

Tomo III. Madrid. 1949, págs. 825-832).

V. *BLH*, IV, 2.ª ed., n.º 340.

ESTUDIOS

140

REP: N. Antonio, I, pág. 650.

MADRIGAL (MIGUEL DE)

EDICIONES

141

SEGUNDA parte del Romancero General, Flor de diversa poesía, recopilados por ——. Valladolid. 1605.

V. *BLH*, 2.ª ed., III, vol. 2.º, n.º 3098, y IV, 2.ª ed., n.º 151.

MADRIGAL (PEDRO)

Impresor.

EDICIONES

142

[AL Lector]. (En Mendoza, Bernardino de. *Comentarios de... de lo sucedido en las Guerras de los Payses Baxos...* Madrid. 1592. Prels.).

MADRID. *Nacional.* R-30.650.

MAESTRA Y BARRAGAN (LUIS DE LA)

EDICIONES

143

[SONETO]. (En Grande de Tena, Pedro. *Lágrimas panegiricas a la temprana muerte del... Dr. Juan Pérez de Montalban.* Madrid. 1693, fol. 119r)

MADRID. *Nacional.* 2-44.053.

MAESTRE Y POLANCO (JUAN)

EDICIONES

144

[SONETO]. (En JUSTA *literaria... a San Juan de Dios...* Madrid. 1692, página 95).

MADRID. *Nacional.* R-15.239.

MAESTRO SANCHEZ (FR. JUAN)

Hospitalario.

EDICIONES

145

[APROBACION. Madrid, 10 de febrero de 1667]. (En Agustín de Victoria, Fray. *Traslación del cuerpo de... S. Juan de Dios...* Madrid. 1667. Prels.).

MADRID. *Nacional.* 3-8.114.

146

[APROBACION. Madrid, 7 de abril de 1672]. (En Ayala, Jerónimo de. *Principios de Cirugía.* Madrid. 1673. Prels.).

MADRID. *Nacional.* 2-1.222.

MAGALLANES (FR. PEDRO DE)

EDICIONES

147

[APROBACION, 2 de mayo de 1667]. (En Postigo Mendía, Juan del. *Sermón predicado en la ciudad de Cádiz...* s. l.-s. a. Prels.).

MAGALLANES DE MENESES (ANTONIO DE)

Sobrino del príncipe de Esquilache. Señor de la villa de Puente de la Barca.

EDICIONES

148

[AL Principe de Esquilache. Soneto]. (En Esquilache, Principe de. *Iacob y Rachel. Canto.* Madrid. 1642. Preliminares).

MADRID. *Nacional.* V.E.-163-33.

MAGALLON (FRANCISCO)

Doctor.

EDICIONES

149

[APROBACION. Zaragoza, 3 de febrero de 1636]. (En Gil y de Piña,

Jerónimo. *Tratado breve de la curación del garrotillo.* Zaragoza. 1636. Preliminares).

MADRID. *Nacional.* 2-28.310.

150

[*APROBACION. Zaragoza, 10 de octubre de 1638*]. (En Núñez, Francisco. *Libro del parto humano.* Zaragoza. 1638. Prels.).

MADRID. *Nacional.* R-257.

MAGAN (FR. ANTONIO)

Mercedario.

EDICIONES

151

[*OCTAVAS latinas y castellanas*]. (En Páez de Valenzuela, Juan. *Relacion breve de las fiestas...* Córdoba. 1615, fols. 26r-27r).

MADRID. *Nacional.* 3-39.118.

MAGANO (JUAN)

Mejicano. Doctor en Cánones. Capellán de D. Juan de Palafox y Mendoza y su agente en la Curia romana.

EDICIONES

152

MEMORIAL *a los eminentissimos y reverendissimos cardenales, y prelados de la Congregación Indiana, Presidente el eminentissimo Espada... en la controversia eclesiastica, ivrisdicional, y sacramental con los religiosos de la Compañia de Iesvs de la Nueua España. Tradvcido de italiano en castellano.* [s. l.-s. i.]. [s. a.]. 126 fols. 21 cm.

De Roma, 1650. El Memorial ocupa sólo las páginas 1-8. Siguen numerosos documentos y cartas sobre el asunto, entre ellas varias del P. Nieremberg.

LONDRES. *British Museum.* 493.h.25.—MADRID. *Nacional.* R-29.336 (ex libris de Antonio Alvarez de Abreu, consejero de Indias).— PARIS. *Nationale.* E.2014.—PROVIDENCE. *John Carter Brown Library.*

ESTUDIOS

153

REP: Beristain, II, pág. 201.

MAGAÑA (JUAN SANTOS)

N. en la provincia de Yucatán. Presbítero.

EDICIONES

154

ELOGIO *del Precursor de Cristo, S. Juan Bautista.* Méjico. 1687. 4.º

Beristain.

ESTUDIOS

155

REP: Beristain, II, pág. 201.

MAGAÑA (LUIS DE)

Doctor.

EDICIONES

156

[*APROBACION. Méjico, 25 de septiembre de 1668*]. (En Espinosa Lomelín, Martín de. *Sermón...* Méjico. 1668. Prels.).

Medina, *México*, II, n.º 994.

MAGAÑA Y CEVALLOS (JUAN DE)

EDICIONES

157

[*AL Autor. Soneto*]. (En Camargo y Salgado, Hernando de. *El Santo milagroso augustiniano S. Nicolás de Tolentino.* Madrid. 1628. Prels.).

MADRID. *Nacional.* R-12.582.

MAGAROLA (MIGUEL JUAN)

EDICIONES

158

POR *el Principado de Cataluña. Que el Vicecanciller del Supremo Consejo de Aragón ha de ser de la Corona. Breve recopilación de los fun-*

*damentos más sustnaciales en favor
desta pretencion.* [Barcelona. J. Margarit]. [1622]. 8 hs. 30,5 cm.

Suscrita por Pla, Magarola y Fontanella.
BARCELONA. *Central.* F. Bon. 11.—PARIS. *Nationale.* Fol. Ol. 48 (8).

OBRAS LATINAS
159

*MEMORIAL o discvrso hecho en favor del Principado de Cathaluña.
Contra la pretencion de la villa de Perpiñan, y de los Condados de Rossellon, y Cerdaña, que quieren desunirse del dicho Principado, por ——,*
[Juan Pedro Fontanella y Bernardus Sala]. [Barcelona]. Jerónimo Margarit. 1627. 8 hs. 27,2 cm.

BARCELONA. *Central.* F. Bon. 260.—PARIS. *Nationale.* Fol. Ol. 48 (4).

OBRAS LATINAS
160

DISCURSUS juris pro Josepho de Orlau... contra... possessores haereditatis et bonorum... don Geraldi de Crudillis... Barcelona. S. Liberos. 1627. 8 hs. Fol.

PARIS. *Nationale.* Fol. Ol. 48 (48).

MAGAROLA (PEDRO DE)

Catalán. Priorf de Santa Ana de Barcelona. Obispo de Vich. M. en 1634.

CODICES
161

«*Breve Epítome de la Imagen de Nuestra Señora de la Vitoria del lugar de Tuyr*».

162

«*Milagros de la Inmaculada Concepción*».

Ref. en Alba y Astorga. (N. Antonio, II, pág. 211).

OBRAS LATINAS
163

CONSTITUTIONES synodales Vicenses collectae... Sub Petro a Magarola Vicensi Episcopo... 1628. 4.º

LONDRES. *British Museum.* 1487.f.2.

MAGARRA (ANTONIO)

EDICIONES
164

[*LYRAS*]. (En CANTOS *fúnebres de los cisnes de Manzanares a la temprana muerte de su mayor Reyna Doña María Luisa de Borbón...* s. l.- s. a., fol. 22v).

MADRID. *Nacional.* R-2.634.

MAGDALENA DE SAN JERONIMO (SOR)

Fundadora de la Casa de Probación de Valladolid.

EDICIONES
165

RAZON y forma de la Galera, y Casa Real, qve el Rey nvestro Señor manda hazer en estos Reynos, para castigo de las mugeres vagantes, y ladronas, alcahuetas, hechizeras, y otras semejantes. Salamanca. Artus Taberniel. 1608. 1 h. + 36 págs. 19 cm.

—Port. (sin nombre de autor).—Introducción, en que se dice es copia de un Memorial que —— dió al Rey.—Ded. al Rey. Texto.

MADRID. *Nacional.* R-29.697 (ex libris de Museo Huthii).

166

——. Valladolid. Francisco Fernández de Córdova. 1608. 61 págs. 14,5 centímetros.

—Apr. del Dr. Sobrino.—L. del Obispo de Valladolid.—Ded. al Rey.—Texto.—Grab.
MADRID. *Nacional.* R-8.812 (ex libris de Salvá y de Heredia).

Alcocer, n.º 535.

MAGGIO (LUCIO)

EDICIONES

167

TERREMOTO (Del). Dialoguo. Bolonia. Nicolò Tebaldini. 1624. 8.º

Bilingüe: español e italiano.

LONDRES. *British Museum.* 444.a.57.

«MAGNA conjunción...»

ESTUDIOS

168

MAGNA conivncion de Satvrno, y Iove, sobre la triplicidad aquea en dos de Março del presente Año 1643. Con los felices svcesos, qve promete a las Armas del Rey Christianissimo en el Principado de Cataluña... Compvesto por vn aficionado a la Nacion Catalana. Barcelona. Iayme Romeu. 1643. 4 hs. 21 cm.

—Ded. al Principado de Cataluña.—Texto: *Discurso de la magna conjuncion...*

MADRID. *Nacional.* V.E.-170-43.

MAGNO (BERNARDINO)

EDICIONES

169

[*APROBACION. Madrid, 27 de octubre de 1595*]. (En Arfe Villafañe, Juan de. *Quilatador de la plata, oro y piedras preciosas...* Madrid. 1598. Prels.).

MAGNO (CARLOS)

CODICES

170

«*Romance al Sanctissimo Sacramento en la fiesta que hazen sus Esclauos en el Conuento de la Magdalena de Madrid*».

Letra del s. XVII. 205 × 140 mm. Es un Cancionero.

«A Señor el embozado...».

MADRID. *Nacional.* Mss. 3.884 (fols. 397v-398r).

EDICIONES

Poesías sueltas

171

[*AL Autor. Dezima*]. (En Navarrete, Francisco de. *La casa del juego...* Madrid. 1644. Prels.).

MADRID. *Nacional.* R-7.481.

172

[*SEGUIDILLAS*]. (En Martinez de Grimaldo, José. *Ramillete de las flores que de la devoción brotaron Algunos de los Elegantes devotos congregantes del Santissimo Sacramento para cantar sus glorias en las festividades que este año de 1650 ha celebrado en el Convento de Santa María Madalena. Atadas por* ——. s. l., s. a.).

MADRID. *Nacional.* V.E.-164-5.

173

[*ROMANCES*]. (En Martínez de Grimaldo, José. *En Abrasado Corazón en llamas amorosas la Congregación Ilustre de Esclavas del SS. Sacramento a su Real y Suprema Magestad...* Madrid. 1650. En texto).

MADRID. *Nacional.* V.E.-164-13.

174

[*ROMANCE*]. (En CORONA *sepulcral. Elogios en la muerte de D. Martín Suarez de Alarcón...* s. l.-s. a., ¿1653?, fol. 69r).

MADRID. *Nacional.* R-9.117.

175

[*POESIAS*]. (En Martinez de Grimaldo, José. *Jardin de Fragantes Flores... Compendio de Finezas del Autor, todo lo Comprehende el maravilloso nombre de la Congregación de Esclavos del Santissimo Sacramento... Año 1653.* s. l.-s. a.).

1. *Romance*. (Fols. 9v-10r).
2. *Romance*. (Fol. 14r).
3. *Poesía*. (Fol. 17v-18r).
4. *Quintillas*. (Fols. 23v-24r).
MADRID. *Nacional*. V.-E.-155-50.

176
[*AL Autor. Dezimas*]. (En Angulo y Velasco, Isidro. *Pruebas de la Inmaculada nobleza de María Santíssima*. Valencia. 1655. Prels.).
MADRID. *Nacional*. 3-54.345.

177
[*VEXAMEN en prosa*]. (En JARDIN *de Apolo*. Madrid. 1655, fols. 58r-76v).
MADRID. *Nacional*. R-1.551.

178
[*POESIAS*]. (En Angulo y Velasco, Isidro. *Triunfos festivos que al Crucificado Redemptor del Mundo, erigió la Real Congregación del Santo Christo de San Ginés... de Madrid...* Madrid. 1656).
1. *Romance*. (Págs. 18-19).
2. *Romance*. (Págs. 22-23).
3. *Quintillas*. (Págs. 54-55).
4. *Romance*. (Págs. 73-74).
5. *Romance*. (Págs. 194-95).
MADRID. *Nacional*. 3-63.805.

179
[*AL Autor. Décimas*]. (En Lera Gil de Muro, Matías. *Práctica de fuentes...* Madrid. 1657. Prels.).
MADRID. *Nacional*. 3-77.066.

180
[*POESIAS*]. (En Martínez de Grimaldo, José. *Fundación y fiestas de la Congregación... del SS. Sacramento...* Madrid, 1657).
1. *Romance*. (Fol. 66v).
2. *Romance*. (Fol. 162).
3. *Quintillas*. (Fols. 214v-215r).
MADRID. *Nacional*. 3-62.584.

181
[*POESIAS*]. (En Miranda y la Cotera, José de. *Certámen angelico... a*

Santo Tomás de Aquino. Madrid. 1657).
1. *Romance*. (Fols. 54v-56r).
2. *Vexamen en Quintillas*. (Fols. 174r-175r).
3. *Redondillas*. (Fols. 183v-184v).
4. *Glossa*. (Fol. 89).
MADRID. *Nacional*. R-16.925.

182
[*POESIAS*]. (En Roys, Francisco de. *Relación de las demostraciones festivas... que celebró la... Universidad de Salamanca...* Salamanca. 1658).
1. *Glosa*. (Pág. 324).
2. *Soneto*. (Pág. 346).
MADRID. *Nacional*. 2-46.494.

183
[*ROMANCE*]. (En LETRAS *que se han de cantar en la fiesta de S. Francisco este año de 1662. Celebrada en su convento por los mercaderes de esta Corte...* s. l.-s. a., fol. 12).
V. *BLH*, XIII, n.º 2.063 (7).

184
[*DOS Romances*]. (En Campo y de la Rinaga, Nicolás Matías. *Rasgo breve...* Madrid. 1668. 2.ª parte).
MADRID. *Academia de la Historia*. 9-29-1-5.749.

185
[*ROMANCE*]. (En Huerta, Antonio de. *Triunfos gloriosos... a la canonización... de San Pedro de Alcántara.* Madrid. 1670, pág. 65).
MADRID. *Nacional*. 3-39.078.

ESTUDIOS

186
REP: Alvarez y Baena, I, págs. 245-246.

MAGRE Y TOLRA (JACOBO)

EDICIONES

187
[*ALEGATO juridico sobre las funciones del Maestrescuela*]. [s. l.-s. i.]. [s. a.]. 2 hs. 29 cm.

Carece de portada.

—Texto. Comienza: «El Alguazil del Maestrescuelas de la Universidad del general Estudio de la Ciudad de Lérida prendió a Miguel Barbaroja Estudiante...».

MADRID. *Nacional.* V.E.-28-14.

MAGRI (PEDRO)

EDICIONES

188

JESUCRISTO exaltado. Oración evangélica por la Santa Cruz, en Madrid a la Congregación del Sto. Christo de San Ginés, en una primera Missa de un hermano. Madrid. Diego Díez de la Carrera. 1661. 22 págs. Fol.

BARCELONA. *Universitaria.* B.55-4-4. — MADRID. *Nacional.* V-999-26.—SEVILLA. *Universitaria.* 112-121 (19).

MAICAS Y SALAZAR (NICOLAS)

EDICIONES

189

[MEMORIAL sobre sus servicios militares]. [s. l.-s. i.]. [s. a.]. 2 hs. 32 cm.

Carece de portada.

—Texto. Comienza: «Ilustrissimo Señor.= Don Nicolás Maicas y Salazar, Infançon, postrado a los pies de V. S. dize...».

MADRID. *Nacional.* V.E.-200-124.

MAIERS

V. MAYERS

MAIQUEZ (FR. FRANCISCO)

Mínimo.

EDICIONES

190

[APROBACION de Fr. Diego de Valbuena Maldonado y ——. Sevilla, 16 de mayo de 1641]. (En Piñero, Juan. *Sermón funebre predicado en las*

honras... al Cardenal... Don Antonio Zapata... Sevilla. 1641. Prels.).

SEVILLA. *Universitaria.* 113-57 (19).

MAJAGRANZAS (Doctor) [seud.]

CODICES

191

«Calendario reformado por la Santidad de Juan el Segundo este año de 1677...».

Letra del s. XVII. 4.º

Es una sátira contra D. Juan de Austria. V. *BLH,* VII, n.º 3.437.

LONDRES. *British Museum.* Eg.554 (fol. 83).

192

«Calendario reformado para la Santidad de Juan 2.º este año de 1677».

Letra del s. XVII. 308 × 210 mm.

Inventario, V, pág. 436.

MADRID. *Nacional.* Mss. 2.034 (fols. 75-78).

193

«Kalendario Reformado por la santidad de Juan segundo este año de 1677... Añadese el Juicio del año conciliando a Democrito y Erachio, el uno que todo lo llora, y el otro que todo lo rie. Compuesto por el Dotor Maxagranzas racionero de Yta y prebendado de Parla».

Letra del s. XVII. 205 × 140 mm.

MADRID. *Nacional.* Mss. 3.884 (fols. 23r-24r).

MAJARRES (MIGUEL) GILBERTO DE)

EDICIONES

194

MENOSPRECIO del mundo y conoscimiento de sus engaños. [s. l.-s. i.]. [s. a.]. 7 hs. con un grab. 17,5 cm. gót.

—Prólogo.—Texto.

Salvá, I, n.º 633; Heredia, II, n.º 1.860

LONDRES. *British Museum.* C.63.f.8.

«MAJESTUOSA celebridad...»

EDICIONES

195

MAGESTVOSA Selebridad qve en aplavsos festivos consagra el zelo de la... ciudad de Barcelona a la nueva declaracion que la Santidad de Alexandro septimo a dado en su constitucion Apostolica, en el pvnto de la... Immacvlada Concepcion de Maria Santissima... Barcelona. M. Jalabert. 1662. 1 h. + 54 págs. 30 cm.

BARCELONA. *Central.* 2.583 y 5.167.

MAJUELO (FR. JERONIMO DE)

Franciscano.

EDICIONES

196

[PARECER. Méjico, 17 de diciembre de 1640]. (En Galdo Guzmán, Diego de. Arte Mexicano, Méjico, 1642. Prels.).

Medina, *México*, II, n.º 558.

MAL LARA (JUAN DE)

N. en Sevilla (c. 1524). Estudió en las Universidades de Salamanca y Sevilla, hasta graduarse de Maestro. En su ciudad natal, creó un Estudio de Gramática y una Academia literaria. Preso por la Inquisición en 1561. Por 1566-67 residía en Madrid. M. en 1571.

CODICES

197

«Descricion de la galera real del serenisimo señor D. Juan de Austria, capitan-general de la mar».

Letra del s. XVI. 55 hs. 220 × 160 mm.

—Prefacion de Cristoval Mosquera de Figueroa, al lector.—Texto.

Gallardo, III, n.º 2.867. (Reproduce la Prefación y algunos fragmentos del texto).

SEVILLA. *Colombina.* 84-2-33.

198

«Hercules animoso».

428 fols.

—Fols. 1r-27v: Prels. — Poema (fols. 28-336). — Tabla de los nombres propios... (fols. 337-428).

Manuscritos de Ajuda (Guía), II, pág. 120.

LISBOA. *Ayuda.* Mss. 50-I-38.

199

[Seis Sonetos]. En Flores de Baria poesía... Mexico... 1577.

En *Flores de Baria poesía... Mexico... 1577.*

V. *B.L.H.*, IV, 2.ª ed., n.º 44 (298-303).

MADRID. *Nacional.* Mss. 2.973.

200

[Epigramas de Marcial, traducidas por ——].

V. *BLH*, IV, 2.ª ed., n.º 3.178.

MADRID. *Nacional.* Mss. 3.708.

201

«La Psyche de I. de Mallara».

Letra del s. XVII. 13 hs. + 332 fols. 210 × 150 mm.

¿Autógrafo?

—Frontispicio.—Poesia latina.—Cancion que declara estos versos latinos. [«Venus esparze flores...»].—Fernandus Herrera de Psyche Io. Mallare. (Poesía latina).—Fernando de Herrera. [«Con pena eterna y con dolor crescido...»].—Soneto de Ioan Sanchez Çumeta. [«Despues que de su plectro hizo digna...»].—Otro del mismo. [«Princesa exclarescida si os ynflama...»]. Soneto de Christoual de las Casas. [«De antigua discordia no oluidada...»].—Ded. a D.ª Juana, infanta de las Hespañas y princesa de portugal, firmada.—A los lectores.—Argumento del primer libro.—Moralidad.—Texto. [«El diuino furor del alma Psyche...»].—Traslación de la Psyche de Hieronymo Fracastorio por Fernando de Herrera. [«Ven dulce Amor o ven dulce cupido...»]. (Fols. 331r-332v).

Gallardo, III, n.º 2.868.

MADRID. *Nacional.* Mss. 3.949.

202

[Tratado de refranes castellanos].

Letra del s. XVII. 315 × 215 mm.

Copia parcial de la *Philosophia vulgar.* Sevilla. 1568.

Zarco, I, pág. 347.

SAN LORENZO DEL ESCORIAL. *Monasterio.* H.I.11 (fols. 238r-257v).

EDICIONES

203

PHILOSOPHIA (La) vulgar... Primera parte que contiene mil refranes glosados. Sevilla. Hernando Diaz. 1568 [25 de abril]. 30 hs. + 294 fols. 28,5 cm.

—Ded. en latín a Felipe II.—Declaración de este elogio. [«A Tí gran defensor de la Fee Sancta...»].—Poema latino.—Soneto. [«La gloria leuantando el alto buelo...»].—Censura de Fr. Ioan de la Vega. T.—Ded.—A los lectores.—Preámbulo.—Tabla.—E.—Texto.—Colofón.

Salvá, II, n.° 2.103; Escudero, n.° 627; Vindel, V, n.° 1.568.

CORDOBA. *Pública.* 1-160.—LONDRES. *British Museum.* 527.m.12.—MADRID. *Facultad de Filología. — Museo «Lázaro Galdiano». — Nacional.* R-6.456; etc. *Palacio Real.* III-427.—NUEVA YORK. *Hispanic Society.*—OVIEDO. *Universitaria.* A-47.—PARIS. *Arsenal.* Fol. BL. 1202.—SAN LORENZO DEL ESCORIAL. *Monasterio.* 39-IV-8.—SANTANDER. *«Menéndez Pelayo».* R-V-5-20.—SEVILLA. *Colombina.* 50-7-3.—VIENA. *Nacional.* 71.0.7.

204

FILOSOFIA (La) vulgar. Primera parte. Madrid. Iuan de la Cuesta. 1618. (En REFRANES o *Proverbios en Romance, que coligió y glossó el Comendador Hernan Nuñez...* Madrid. 1619, fols. 121r-385v).

Se suprimen los preámbulos.

MADRID. *Nacional.* R-9.072.—SANTIAGO DE COMPOSTELA. *Universitaria.*—SEVILLA. *Universitaria.* 56-147. — ROUEN. *Municipale.* Leb. 2868 (2).

205

——. (En idem. Lérida. 1621).

Jiménez Catalán, *Tip. ilerdense,* n.° 74.

LYON. *Municipale.* 302.562. — MADRID. *Nacional.* R-11.403.—PARIS. *Mazarina.* 11198.B. — ROMA. *Vaticana.* Stamp. Barb. O.XI.74.

206

FILOSOFIA vulgar... Edición, prólogo y notas de Antonio Vilanova. Barcelona. Selecciones Bibliográficas. [Aymamí]. 1958. 4 vols. 20 cm.

a) C[aballero] B[onald], J. M., en *Papeles de Son Armadans,* X, Palma de Mallorca, 1958, págs. 316-18.

GRANADA. *Universitaria.* XV-3-14 (F. y Letras).—MADRID. *Consejo Patronato «Menéndez Pelayo».* 6-11/14.—ZARAGOZA. *Facultad de Filosofía y Letras.* Cat. Lit.

207

RECEBIMIENTO qve hizo la mvy noble y muy leal Ciudad de Seuilla, a la C.R.M. del Rey D. Philipe N.S. Va todo Figurado. Con vna breve descripcion de la Ciudad y su tierra. Sevilla. Alonso Escriuano. 1570 [29 de agosto]. 181 fols. con grab. + 3 hs. 15 cm.

—Fol. 1v: Censura del Dr. Millán.—Fol. 2r: L. del Asistente de Sevilla y T.—Fol. 2v: Escudo de D. Fernando Carrillo de Mendoça, Conde de Priego, Asistente de Sevilla.—Fol. 3r: A las armas del Conde de Priego. Soneto. [«De Carrillo y Mendoça ilustre Rama...»].—Fol. 3v: A las armas de Sevilla. Soneto. [«Diuina empresa, insignia piadosa...»].—Fols. 4r-5v: Prólogo.—Texto.—Colofón.—Tabla de las cosas más notables.—E.—Grab.

Con poesías intercaladas.

Gallardo, III, n.° 2.866; Escudero, n.° 641.

MADRID. *Nacional.* R-6.347; R-11.543.—ROMA. *Vaticana.* Stamp. Barb. S.I.69.—SAN LORENZO DEL ESCORIAL. *Monasterio.* 20-VI-26.—SEVILLA. *Colombina.* 86-5 detrás-63; 87-1-43; etc. *Universitaria.* 301-16.

— — —

Reprod. fotolitográfica. Sevilla? 1882? (Sociedad de Bibliófilos Andaluces, 2.ª serie). NUEVA YORK. *Hispanic Society.*

208

OBRAS del Maestro Iuan de Malara. Tomo I: Descripción de la galera real del Sermo. Sr. D. Juan de Austria. Tirada de 300 ejemplares. Sevilla. Francisco Alvarez y C.ª 1876. 17 páginas + 1 h. + 535 págs. 21,5 cm. (Sociedad de Bibliófilos Andaluces, 1.ª serie).

—*Elogio biográfico del M.º Juan de Malara*, por Francisco Pacheco. Incluye la *Elegía* a su muerte de Fernando de Herrera. [«No se entristece tanto cuando pierde...»].—Prefacion de Christoval Suarez de Figueroa. Al lector.—Vaticinio de Proteo al Sermo. Sr. D. Juan de Austria, antes que sucediesse la batalla naval. Por Mosquera de Figueroa. [«Moradoras del mar, Nimphas hermosas...»].—Texto.

GRANADA. *Universitaria*. CXLIII-1-7 (F. y Letras).—MADRID. *Nacional*. R-14.530.

209

MISTICA Pasionaria, devoto Viacrucis... Sevilla. Imp. de Antonio Padilla. 1863. 16 hs. 8.º

Se dice que reproduce un ms. del Archivo Municipal de Sevilla.

210

LIBRO (El) quinto de la «Psyche»... Publicado por Mario Gasparini. Salamanca. CSIC. 1947. 29 págs. 24 cm. (Tesis y Estudios Salmantinos, 6).

MADRID. *Consejo. Patronato «Menéndez Pelayo»*. F-4.046. *Nacional* V-2.007-24.

Poesías sueltas

211

[*SONETO*]. (En Helt Frisio, Hugo. *Declaracion y uso del relox español... Romançado por Francisco Sanchez.* Salamanca. 1549. Prels.).

MADRID. *Nacional*. R-31.499.

212

[*SONETO*]. (En Salgado Correa, Alejo. *Libro nombrado Regimiento de Juezes...* Sevilla. 1556. Prels.).

MADRID. *Nacional*. R-31.188.

213

[*AL Lector*]. (En Monardes, Nicolás. *Dos libros...* Sevilla. 1569. Prels.).

MADRID *Nacional*. R-2.404.

OBRAS LATINAS

214

In Syntaxin Scholia. Sevilla. Alonso Escribano. 1567. 8 hs. + 167 fols. + 1 h. 15 cm.

—Pr. al autor por seis años para tres libros intitulados: «El uno introduciones de Grammatica en Romance, y el otro Annotaciones sobre el Syntaxis y en el otro principios de Rhetorica que hizo Aphthonio, con sus annotaciones» (1566).—Ded. en latin a D. Alonso Pérez de Guzmán, duque de Medina-Sidonia, cuyo escudo va en la portada.—Texto. En el folio 89r comienza: «Praseon latino hispanicarum Thesaurus».

Escudero, n.º 624; Millares Carlo, *Museo Canario*, n.º 52.

GRANADA. *Universitaria*. A-2-404.—LAS PALMAS. *Museo Canario*.—LONDRES. *British Museum*. 12935.a.38.—MADRID. *Nacional*. R-6.259.

215

In Aphthonii progymn. scholia. Sevilla. A. Escribano. 1567 [idibus Septem.]. 14 hs. + 90 fols. + 10 hs.

Frontispicio con una vista de Sevilla. Retrato del autor en los prels.

Gallardo, III, n.º 2.865; Escudero, n.º 625.

216

[*EPIGRAMMA*]. (En Salgado Correa, Alejo. *Libro nombrado Regimento de Juezes...* Sevilla. 1556. Prels.).

MADRID. *Nacional*. R-31.188.

217

[*CARMEN*]. (En Casas, Cristóbal de las. *Vocabulario de las dos lenguas toscana y castellana...* Sevilla. 1570, folio 6v).

MADRID. *Nacional*. R-4.942.

OBRAS ATRIBUIDAS O DESCONOCIDAS

V. Sánchez Escribano, págs. 156-72, que enumera ventidós.

ESTUDIOS

218

RIOS, JOSE AMADOR DE LOS. *Juan de Mal-Lara. Su «Filosofía vul-*

gar». (En *El Laberinto*, II, Madrid, 1845, págs. 177-79).

Y en *Semanario Pintoresco Español*, Madrid, 1856, págs. 329-34.

219

GOMEZ AZEVES, ANTONIO. *El Maestro Juan de Mal-Lara. Apuntes biográficos*. (En *Revista de Ciencias, Literatura y Artes*, IV, Sevilla, 1857, págs. 212-17).

220

LATOUR, ANTOINE DE. *La Psyché de don Juan de Mal Lara*. (En *Psyché en Espagne*. Paris. Charpentier. 1879, págs. 263-304).

MADRID. *Nacional*. 1-67.398.

221

GESTOSO Y PEREZ, JOSE. *Nuevos datos para ilustrar las biografías del M.° Juan de Malara y de Mateo Alemán*. Sevilla. Tip. de «La Región». 1896.

SANTANDER. «*Menéndez Pelayo*». R-X-7-5.

222

[*DOCUMENTO sobre Juan de Malara*]. (En Pérez Pastor, Cristóbal. *Bibliografía madrileña*. Tomo III. Madrid. 1907, pág. 423).

223

RODRIGUEZ MARIN, FRANCISCO. *Mal-Lara, Juan de*. (En *Nuevos datos para las biografías de algunos escritores...* Madrid. 1923, págs. 11 y 405).

MADRID. *Nacional*. 2-71.703.

224

CASTRO, AMERICO. *Juan de Mal-Lara y su «Filosofía vulgar»*. (En HOMENAJE a Menéndez Pidal. Tomo III. Madrid. 1925, págs. 563-92).

225

SANCHEZ ESCRIBANO, F. *Algunos aspectos de la elaboración de la «Philosophia vulgar»*. (En *Revista de Fi-*

lología Española, XXII, Madrid, 1935, págs. 274-84).

226

SANCHEZ ESCRIBANO, F. *Una biografía desconocida de Juan de Mal Lara*. (En *Hispanic Review*, II, Filadelfia, 1934, págs. 348-50).

227

SANCHEZ ESCRIBANO, FEDERICO. *Algunos aspectos de la elaboración de la «Philosophia vulgar»*. (En *Revista de Filología Española*, II, Madrid, 1935, págs. 274-84).

228

SANCHEZ Y ESCRIBANO, FEDERICO. *Juan de Mal Lara, su vida y sus obras*. Nueva York. Hispanic Institute. 1941. 232 págs. + 6 láms. 19 cm.

MADRID. *Nacional*. 4-36.896.

229

GASPARINI, MARIO. *Cinquecento spagnolo: Juan de Mal Lara*. Florencia. La Nuova Italia. [1943]. 78 páginas + 1 h. 20 cm.

MADRID. *Consejo. General*. — *Nacional*. V-1.884-20.

230

SANCHEZ ESCRIBANO, FEDERICO. *La colaboración en la «Philosophia vulgar» de Juan de Mal-Lara*. (En *Hispanic Review*, XV, Filadelfia, 1947, págs. 308-12).

231

SELIG, KARL LUDWIG. *The commentary of Juan de Mal Lara to Alciato's «Emblemata»*. (En *Hispanic Review*, XXIV, Filadelfia, 1956, págs. 26-41).

232

PINEDA NOVO, DANIEL. *Juan de Mal Lara, poeta, historiador y hu-*

manista sevillano del siglo XVI. Estudio biográfico-crítico. (En *Archivo Hispalense*, XLVI-XLVII, Sevilla, 1967, págs. 10-99).

Elogios

233

CUEVA, JUAN DE LA. [*Elogio*]. (En *Viaje de Sannio*. Lund. 1887, página 59).

MADRID. *Consejo. Patronato «Menéndez Pelayo».* 9-1.202.

234

REP: N. Antonio, I, págs. 730-31; La Barrera, págs. 232-34; Méndez Bejarano, II, n.° 1.511.

MALAGON (FELIPE)

Licenciado.

EDICIONES

235

[*GLOSA*]. (En Lazarraga, Cristóbal de. *Fiestas de la Universidad de Salamanca al nacimiento de... D. Baltasar Carlos...* Salamanca. 1630, página 241).

MADRID. *Nacional.* R-4.973.

OBRAS LATINAS

236

[*POESIA*]. (En Lazarraga, Cristobal de. *Fiestas de la Universidad de Salamanca al nacimiento de... D. Baltasar Carlos...* Salamanca. 1630, página 204).

MADRID. *Nacional.* R-4973.

MALAGON Y APARICIO (PEDRO)

Colegial del Mayor e Imperial de Granada. Doctor.

EDICIONES

237

[*SERMON*]. (En Nuñez Sotomayor, Juan. *Descripción panegyrica de las fiestas que la S. Iglesia Catedral de*

Jaén celebró... Málaga. 1661, páginas 671-712).

MADRID. *Nacional.* 2-7.347.

MALANQUILLA PALACIOS (JUAN)

EDICIONES

238

[*DEZIMA*]. (En Melendo, Juan. *La Serrana celestial, historia, aparecimiento y milagros de... Nuestra Señora de la Sierra.* Zaragoza. 1627. Preliminares).

MADRID. *Nacional.* 2-22.288.

MALASPINA (FRANCISCO DE)

EDICIONES

239

LA fuerza de la Verdad. (En PENSIL *de Apolo, en doze comedias nuevas... Parte catorze.* Madrid. 1661, fols. 182r-201v).

MADRID. *Nacional.* R-22.667.

ESTUDIOS

240

REP: La Barrera, pág. 232.

MALAVER (ALONSO)

EDICIONES

241

[*SONETOS*]. (En Cerone, Pedro. *El Melopeo...* Nápoles. 1613. Prels.).

MADRID. *Nacional.* R-9.274.

MALDONADO (ALONSO)

Vecino de Sevilla.

EDICIONES

242

DOZE glossas sobre la copla que dice, Todo el mundo en general... Sevilla. Alonso Rodríguez Gamarra. 1616. 4 hs. 4.°

Gallardo, III, n.° 2.872.

NUEVA YORK. *Hispanic Society.*

243

GLOSA sobre la salve de la Madre de Dios, en alabanza de su pura y limpia Concepcion; juntamente con un Romance buelto a lo divino, de lo que dice la bella Celia, &. Sevilla. Francisco de Lyra. 1616. 4 hs. 4.º

1. «Tú que a Dios pidiendo estás...».
Gallardo, III, n.º 2.871.

244

GLOSSA sobre el Credo, en alabanza de la Inmaculada y purissima Concepcion... Sevilla. Alonso Rodríguez Gamarra. 1616. 4 hs. con un grab. 4.º

«Por la Santa Trinidad...».
Gallardo, III, n.º 2.870; García de Enterría, *British*, XCVIII.
LONDRES. *British Museum.* C.63.b.27.(14). — NUEVA YORK. *Hispanic Society.*

245

GLOSAS nvevas sobre las coplas que comiençan, Todo el mundo en general... Sevilla. Francisco de Lyra. 1616. 4 hs. a 2 cols. 4.º

Gallardo, III, n.º 2.873; García de Enterría, *British*, XCIX.
LONDRES. *British Museum.* C.36.b.27.(16). — NUEVA YORK. *Hispanic Society.*

246

DOS glosas. La primera del persignarse. La segunda, del Padre nuestro. Aplicadas al Ministerio de la Inmaculada Concepcion de la sacratisima Reyna de los Angeles, Madre de Dios, y Señora nuestra concebida sin pecado original. Sevilla. Alonso Rodríguez Gamarra. 1617. 4 hs. con un grab. 4.º

1. [«María virgen graciosa...»].
2. [«Luego que el Rey eternal...»].
Gallardo, III, n.º 2.874.
NUEVA YORK. *Hispanic Society.*

247

GLOSSA peregrina, en alabanc,a (sic) de la Inmacvlada, y Purissima Concepcion de la Serenissima Reyna de los Angeles Madre de Dios, y Señora nuestra, concebida sin pecado original. Sevilla. Alonso Rodríguez Gamarra. 1617. 4 hs. 4.º

Gallardo, III, n.º 2.875.
NUEVA YORK. *Hispanic Society.*

ESTUDIOS

248

REP: Méndez Bejarano, II, n.º 1.502.

MALDONADO (FR. ALONSO)

Dominico. Predicador general del convento de San Pablo de Valladolid.

CODICES

249

«*Chronicon universal. Primera y segunda parte*».

Letra del s. XVII. 466 fols. 325 × 220 mm.
MADRID. *Nacional.* Mss. 5.731.

250

«*Dotrina Christiana. Preguntas y Respuestas de la Dotrina Christiana muy importantes para todos los fieles christianos, de qualquier estado, y hedad que sean*».

Letra del s. XVII. 150 × 100 mm. Al fin del cancionero religioso «Jardin divino hecho el año... 1604». Copiado de ed. de Valladolid. 1617.
MADRID. *Nacional.* Mss. 4.154 (fols. 291v-301v).

EDICIONES

251

[*RESOLVCIONES cronologicas*]. [Zaragoza. Pedro Gel]. [1617]. 8 hs. 14,5 cm.

Carece de portada. El nombre del autor sólo figura en las diligencias finales.

—Texto.—Apr. de Fr. Pedro Aluarez.—Apr. de Fr. Gregorio Martinez.—L. O.—L. V.— Colofón.

MADRID. *Nacional.* Mss. 9.073 (fols. 1-9).

252

[*RESOLUCIONES* cronologicas].
[Madrid. Viuda de Cosme Delgado].
[1620]. 15 fols. + 1 h. 21 cm.

Carece de portada.

—Texto.—Apr. de Fr. Francisco de Arana
y Fr. Pedro Venero.—L. O.—Pie de imprenta.—S. Pr.—Apr. de Antonio de Herrera.—E. (ninguna).

Pérez Pastor, *Madrid*, II, n.º 1.672.

BARCELONA. *Instituto Municipal de Historia*.
A-8.º-op. 838.—MADRID. *Academia de la Historia*. 9-29-1-5746. *Nacional*. V.E.-55-52; 2-
45.730.

253

——. Madrid. Luis Sánchez. 1623.

N. Antonio.

254

*CHRONICA Vniuersal de todas las
naciones y tiempos. Con diez y seys
tratados de los puntos mas importantes de la chronología.* Madrid.
Luis Sanchez. 1624. 4 hs. + 218 fols.
29 cm.

—Frontis.—T.—E.—Pr.—Apr. de Fr. Francisco de Arana y Fr. Iuan de S. Tomas.
Apr. de Fr. Andres Perez.—L. O.—Tabla.
Ded. a D. Melchor de Moscoso y Sandoual, Obispo de Segovia, cuyo escudo
figura en el frontis.—Fol. 1r-2v: Al lector.—Texto.—Colofón.

Pérez Pastor, *Madrid*, III, n.º 2.080 (con
dos documentos biográficos).

BARCELONA. *Universitaria*. C. 199-3-2.—CORDO-
BA. *Pública*. 7-204.—DEUSTO. *Universitaria.*—
GRANADA. *Universitaria*. A-16-260. — LONDRES.
British Museum. 9005.f.—MADRID. *Academia
de la Historia*. 4-2-5-1005. *Facultad de Filo-
logía*. 28.926. *Nacional*. 3-19.154.—ROMA. *Va-
ticana*. Stamp. Barb. 2.II.3. — SAN LORENZO
DEL ESCORIAL. *Monasterio*. 97-IX-16.—SANTIA-
GO DE COMPOSTELA. *Universitaria.*—ZARAGOZA.
Universitaria. G-53-114.

255

*PREGUNTAS y respuestas de la Doc-
trina Christiana.* Madrid. Luis Sánchez. 1632. 16.º

LONDRES. *British Museum*. 1016.b.16.(2).

256

*PREGUNTAS y respuestas de la Doc-
trina Christiana.* Madrid. Impr. de
la Gaceta. 1768. 94 págs. 17,5 cm.

MADRID. *Academia de la Historia*. 9-3.471/3.
Facultad de Filología. 8.988.

257

*RETRATO de perfección christiana,
portentos de la gracia y maravillas
de la caridad, en las vidas de los venerables padres fray Vicente Bernedo, Fr. Juan Macías... y fray Martín
de Porres...* Venecia. Francisco Cro-
fro. 1696. 8 hs. + 1 lám. + 283 págs.
19,5 cm.

BARCELONA. *Universitaria*. C. 212-5-5.

TRADUCCIONES

a) CATALANAS

258

*PREGVNTES, y Respostes de la Doc-
trina Christiana, ab molt copiosa ex-
plicacio a tota ella.* Barcelona. Llorens Deu. 1632. 58 hs. 8.º

Aguiló, n.º 294.

259

*PREGUNTES y Respostes de la Doc-
trina Christiana. Traduhides per un
Religiós.* Barcelona. Llorens Deu.
1639. 59 págs.

BARCELONA. *Central*. IX-5 C 6/10.

ESTUDIOS

260

REP: N. Antonio, I, pág. 34.

MALDONADO (FR. AMBROSIO)

CODICES

261

«Relaçion fecha al... Sr. D. Ihoan de
Mendoça y Luna, Marqués de Mon-

*tes Claros, Visso Rey... del Piru...
de la Villa ymperial de Potossi,
Asiento de minas, del Serro Rico,
de labor de plata que S. M. tiene
en aquella provincia de los charcas
y de otros lugares de Arriba».*

Letra del s. XVII. 217 × 150 mm. Fechado
a 3 de agosto de 1603, con firma autógrafa.
Inventario, V, pág. 416.

MADRID. *Nacional*. Mss. 2.010 (fols. 184-203).

MALDONADO (FR. ANGEL)

N. en Ocaña (1660). Doctor en Teología
por la Universidad de Alcalá, donde fue
catedrático de Filosofía moral. Cisterciense. Obispo de Honduras y Antequera de
Oaxaca (1702).

EDICIONES

262

*ORACION funebre en el entierro del
Rmo. P. Maestro Fr. Ignacio Chacon,
General del Orden de San Bernardo.* Alcalá. García Fernández. 1687.
4.º

No cit. en la *Tip. complutense*, de J. Catalina García.

263

*ORACION Evangelica de el Angelico
Doctor Santo Thomas de Aquino.
Que predicó en la Santa Iglesia Magistral de S. Justo y Pastor de la Universidad de Alcalá.* Alcalá. Francisco
Garcia Fernandez. 1695. 4 hs. + 19
páginas. 19 cm.

—Ded. a Fr. Matheo Caro Montenegro.—
Apr. de Diego Castel Ros de Medrano.—
L. V.—L. O.—Censura de Fr. Miguel de
Torres.—Texto.
Medina, *Biblioteca hispano-americana*, III,
n.º 1.941.

MADRID. *Nacional*. V.E.-104-38.

264

*AFECTOS a Dios y al Rey solicitados por medio de cinco oraciones
evangélicas que predicó en la Ciudad de Antera Valle de Oaxaca.*

2.ª edición. Valladolid. Antonio Figueroa. 1713. 7 hs. + 133 págs. 8.º
Alcocer, n.º 1.100.

SANTIAGO DE COMPOSTELA. *Universitaria*.

265

*ORACION evangelica del glorioso
S. Francisco Xavier, Apostol de las
Indias, predicada en el Colegio de
la Compañia de Jesus de la Ciudad
de Antequera Valle de Oaxaca.* [s. l.-
s. i.]. [s. a.]. 1 h. + 50 págs. 20 cm.
Alcocer, n.º 1.100.

SANTIAGO DE COMPOSTELA. *Universitaria*.

Aprobaciones

266

[*APROBACION. Alcalá, 4 de marzo
de 1695*]. (En Angel de la Purificacion, Fray. *Fama Postuma, Grandeza
Permanente de... los Duques del Infantado. Funebre memoria. Termino
en la Solemne Octava que a las glorias de Maria... consagran estos señores en el Convento de la Piedad
de Guadalaxara.* Alcalá. 1695. Prels.).

MADRID. *Nacional*. V.E.-176-12.

267

[*CENSURA. Alcalá, 19 de mayo de
1696*]. (En Temiño, Bernardo de. *Sermon en la festividad nuevamente
constituida al Eterno Padre, Primera
Divina Persona...* Madrid. 1696. Preliminares).

MADRID. *Nacional*. R-24.129.

268

[*CENSURA. Madrid, 2 de junio de
1700*]. (En Calleja, Diego. *Talentos
logrados, en el buen uso de los cinco sentidos.* Madrid. 1700. Prels.).

MADRID. *Nacional*. 2-49.005.

OBRAS LATINAS

269

SVGILLATIO discordiae inter Religiosas Familias. Opvscvlvm. Alcalá de Henares. Francisco García Fernández. 1697. 8 hs. + 28 págs. 4.º

J. Catalina García, *Tip. complutense*, número 1.302; Fernández, n.º 392.

MADRID. *Nacional.* V.E.-111-23. — SANTIAGO DE COMPOSTELA. *Universitaria.*

ESTUDIOS

270

REP: Beristain, II, págs. 203-4.

MALDONADO (ANTONIO)

EDICIONES

271

[*SONETO*]. (En Arceo, Francisco. *Fiestas reales de Lisboa...* Lisboa. 1619. Prels.).

V. *BLH*, V, n.º 3982.

MALDONADO (ANTONIO)

V. MALDONADO Y SILVA (ANTONIO)

MALDONADO (FR. ANTONIO)
Agustino.

CODICES

272

«*Manual del Perfecto Privado*».

Letra del s. XVII. 4.º (V. núms. 318 y 323-24).

Cuartero-Vargas Zúñiga, XX, n.º 32.600 .

MADRID. *Academia de la Historia.* 9-411 (folios 179-205).

MALDONADO (FR. BALTASAR)

EDICIONES

273

[*APROBACION. Madrid, 23 de mayo de 1613*]. (En Silva, Juan de. *Adver-*tencias importantes acerca del buen govierno, y administracion de las Indias... Madrid. 1621. Prels.).

MALDONADO (CRISTOBAL)
«El Indiano».

EDICIONES

274

[*SONETO*]. (En Ercilla, Alonso de. *La Araucana.* Madrid. 1569. Prels.).

V. *BLH*, IX, n.º 4800.

MALDONADO (DIEGO)

EDICIONES

275

MANUAL de las Beatas y Hermanos Terceros de la Orden de Nuestra Señora del Carmen, por los hermanos Martinez de Coria y ——. Sevilla. Fernando de Lara. 1591. 18 hs. + 246 fols. 8.º

Escudero, n.º 779.

MALDONADO (FR. DIEGO)

EDICIONES

276

INDVLGENCIAS perpetvas que gozan los Religiosos Menores, y Monjas de la Orden del Serafico Padre San Francisco... Méjico. Viuda de Bernardo Calderón. 1677. 7 hs. + 13 fols. 8.º

En los prels. consta que el traductor fue ——. Referencia al original impreso en Palermo, Bolonia y Perusia.

—Ded. a San Francisco.—Noticia del traductor. — Apr. de Fr. Andrés de Almazán.—L. del Virrey.—Censura de Isidro Sariñana.—L. del Arzobispo.—L. del Subdelegado de Cruzada.—Texto.

Medina, *México*, II, n.º 1.164.

MALDONADO (FRANCISCO)

EDICIONES

277

[AL Autor. Soneto]. (En Sánchez de Lima, Miguel. *El arte poética en Romance Castellano*. Alcalá de Henares. 1580. Prels.).

MADRID. *Nacional*. R-1.858.

MALDONADO (P. FRANCISCO)

Jesuita. Catedrático de Prima de Teología en el Colegio de San Ambrosio de Valladolid. Calificador de la Inquisición.

EDICIONES

278

MILAGROS, y portentos sucedidos en el Santuario de Nuestra Señora de las Hermitas. Salamanca. Antonio Cossío. 1673. 16.º

N. Antonio.

279

[CENSURA. *Valladolid, 8 de febrero de 1671*]. (En Herrera, Francisco de. *Oracion panegirica en las honras de la Sra. D.ª Ysabel Pacheco...* Valladolid. 1671. Prels.).

MADRID. *Nacional*. V.E.-74-27.

280

[APROBACION. *Salamanca, 22 de febrero de 1674*]. (En Castro, Antonio de. *Fisonomia de la Virtud*. Valladolid. 1676. Prels.).

MADRID. *Nacional*. 5-9308.

281

[CENSURA. *Salamanca, 19 octubre 1680*]. (En José de Santa Maria, Fray. *Oración Panegyrica Gratulatoria. En las solemnes Fiestas que se hizieron a la Dedicación... de una Capilla, ó Hermita, que se fabricó en la casa donde nacio Nuestro Glorioso P. S.*

Juan de la Cruz... Salamanca. 1680. Prels.).

MADRID. *Nacional*. V.E.-176-9.

ESTUDIOS

282

REP: N. Antonio, I, pág. 443.

MALDONADO (FRANCISCO LEANDRO)

Beneficiado propio de la iglesia parroquial de la Palma. Examinador sinodal y Visitador general del Obispado de Canarias. Notario de la Inquisición de Sevilla.

EDICIONES

283

SERMON predicado en la Parroquial de la Villa de la Palma en la segunda Dominica de Quaresma, en la ocasión de lectura y publicación del Santo Edicto de la Fe este presente año de 1684. [Sevilla. s. i.]. [1684]. 14 hs. 19,5 cm.

—Ded. al Tribunal de la Inquisición de Sevilla.—Apr. de Fr. Francisco Valerio Vejarano.—L. V.—Texto.

SEVILLA. *Universitaria*. 110-40 (13).

MALDONADO (FULGENCIO)

N. en Lima. Agustino. Predicador mayor del convento de Potosí. Procurador y Secretario de la provincia de Quito. Pasó a pertenecer a la Orden de San Juan y fue su procurador general en Perú. En Nápoles, capellán y predicador de la Real Capilla. Residía en Madrid por 1627. Capellán de S. M. Volvió a América en 1630 como chantre de la catedral de Arequipa. M. en 1662.

EDICIONES

284

SERMON en la Octava que en esta Corte se consagró a la gloria de los veinte y tres Martires del Japón, Descalços de la Orden de S. Francisco, que canonizó la Santidad de Urbano VIII. Predicose a... Felipe

III..., *en el Real Convento de S. Gil...*
Madrid. Viuda de Luis Sanchez.
1627. 16 fols. 20 cm.

—Apr. de Fr. Christoval de Torres.—L. V.
Ded. a Fr. Alonso Niño, Guardián, y a
los demás religiosos del convento de San
Gil.—Texto.

GRANADA. *Universitaria.* A-31-210 (11).

285

ORACION Funeral, del Doctor ——.
*Dixose en solemnissima acción de
exequias del excelentissimo señor
Marques de Guadalcazar. Ofrecese a
su amable y piadosa memoria.* Lima.
1632. 8 hs. + 23 págs. 19,5 cm.

—Apr. de Pedro de Ortega Soto-Mayor.—
Apr. de Fr. Ioan de Ribera.—Prologo de
la Universidad de los Reyes.—Relacion
del tumulo.—Poesía latina de Fernando
de Herrera.—Texto.

MADRID. *Nacional.* V.E.-151-16. — PROVIDENCE.
John Carter Brown Library.

286

*SERMON del Gran Precvrsor San
Ioan Baptista. Predico le* (sic) *en la
Civdad de Arequipa* ——*...* Lima.
Ioseph de Contreras. 1658. 4 hs. +
11 fols. 4.º

—Apr. del P. Francisco de Soria.—L. del
Gobierno.—Apr. del P. Blas de Acosta.—
L. V.—Ded. al Dr. D. Iuan de Cabrera
y Benavides, marques de Rus, etc. —
Texto.

Santiago Vela, V, pág. 83.

287

[*AL Capitán D. Rodrigo Carvajal y
Robles*]. (En Carvajal y Robles, Rodrigo de. *Fiestas que celebró la ciudad de Los Reyes al nacimiento del...
Principe D. Baltasar Carlos...* Lima.
1632. Prels.).

V. *BLH*, VII, n.º 5670.

ESTUDIOS

288

REP: Santiago Vela, V, págs. 81-83.

MALDONADO (P. GASPAR)

De los Clérigos menores.

EDICIONES

289

[*APROBACION. Madrid, 15 de marzo de 1688*]. (En Guerrero, Alonso.
Espejo espiritual del religioso. Madrid. 1688. Prels.).

MADRID. *Nacional.* 3-69.742.

MALDONADO (FR. JACINTO)

Trinitario. Ministro del convento de Jaén.

EDICIONES

290

*MEMORIAL en defensa de la Puris-
sima Concepción de la Virgen Maria.
Para que la muy noble y muy leal
ciudad de Jaen... presente a N. M.
S. P. Innocencio Decimo.* Jaen. Francisco Perez. 1651. 4 hs. 27,5 cm.

—Apr. de Juan Rubiños Parga.—L.—Texto.

MADRID. *Nacional.* V.E.-185-48.

Aprobaciones

291

[*APROBACION. Jaén, 15 de febrero
de 1651*]. (En ESTADO *en que oy se
halla la opinion mas piadosa de la
concepcion purissima de María...*
Jaén. 1651. Prels.).

MADRID. *Nacional.* V.E.-185-34.

MALDONADO (FR. JERONIMO)

EDICIONES

292

[*APROBACION. Mérida de Yucatán,
30 de enero de 1630*]. (En Lizana,
Bernardo de. *Historia de Yucatan.*
Valladolid. 1633. Prels.).

MADRID. *Nacional.* R-5.925.

MALDONADO (JOSE)

CODICES

293

«*Noticias del Monasterio de S. Leandro de la Ciudad de Sevilla*».

Letra del s. XVII. 5 fols.

SEVILLA. *Colombina.* 85-5-40.

294

«*Algunas cosas notables sucedidas en Sevilla... desde el año 1578*».

Copia de 1671. 9 folios.

SEVILLA. *Colombina.* 84-7-19.

295

«*Memorias de cosas sucedidas en Sevilla*».

Copia anónima. Siglo XVII. 40 folios.

SEVILLA. *Colombina.* 84-7-19.

MALDONADO (FR. JOSE)

Franciscano, de la provincia de Quito. Pasó a Europa para asistir al Capítulo general de la Orden (1618). Confesor de Margarita de Austria. Comisario de Tierra Santa (1634). Comisario general de Indias (1647) y de toda la familia cismontana (1648).

EDICIONES

296

MEMORIAL *y discurso que se dio al Sr. D. García de Aro y Avellaneda, Conde de Castrillo.* Zaragoza. 1644. 32 hs. Fol.

297

MAS *(El) escondido retiro del Alma, en que se descubre la preciosa Vida de los muertos y su glorioso sepulchro.* Zaragoza. [Diego Dormer]. 1649. [Colofón: 1648]. 9 hs. + 1 lámina + 418 págs. a 2 cols. + 10 hs.

—Frontis, firmado por Juan de Noort.—T. E.—Patente en que se remite a los Theologos de la Orden la censura de este libro (Madrid, 1648).—Censura de los Theologos de la Religión.—Apr. de Fr. Iuan de la Torre.—L. V.—Apr. de Fr. Pedro Yañez.—L. real.—Ded. a Soror Isabel de la Visitación y demás religiosas descalças de la villa de Valdemoro.—Prologo.—Lámina.—Texto.—Tabla de las cosas notables.—Colofón.

Medina, *Biblioteca hispano-americana,* II, n.° 1.137; Jiménez Catalán, *Tip. zaragozana del s. XVII,* n.° 545.

BARCELONA. *Universitaria.* B.10-2-9. — BURGOS. *Facultad de Teología.* MG-5.—GRANADA. *Universitaria.* A-26-87. — LONDRES. *British Museum.* 3845.a.11.—MADRID. *Facultad de Filología.* 9.116. *Nacional.* 3-67.143; etc.—ROMA. *Vaticana.* Stamp. Barb. V.X.7. — SEVILLA. *Universitaria.* 93-122; etc. — ZARAGOZA. *Universitaria.* D-25-12.

298

[*MANIFIESTO de la Convocatoria hecha para la eleccion de Vicecomissario General de la Familia Cismontana de la Orden del Serafico Padre San Francisco por* ———..., *en 23 de Octubre de 1648*]. [s. l.-s. i.]. [1648]. 51 págs. 28 cm.

—Texto.

LONDRES. *British Museum.* 4783.e.3.(2).—MADRID. *Nacional.* V.E.-203-23.

299

DE *la autoridad que tiene el Comisario general de enviar comisarios en las Indias Occidentales.* Madrid. 1649. Fol.

300

RELACION *del primer descubrimiento del río de las Amazonas.* [s. l.-s. i.]. [s. a.]. 4.°

¿Madrid, 1642?

LONDRES. *British Museum.* 10480.b.19.(2).

301

RELACIONES *del descubrimiento del Río de las Amazonas.* Cuenca. [Casa de la Cultura Ecuatoriana]. 1961. 35 págs. 22 cm.

OBRAS LATINAS

302

ARMAMENTARIUM seraphicum pro tuendo titulo Inmaculatae Conceptionis. Madrid. [¿1648?]. Fol.

Palau, VIII, n.° 147.691.

303

——. Madrid. 1649.

Prohibido por la Inquisición en 1660. Palau, VIII, n.° 147.692.

ESTUDIOS

304

REP: N. Antonio, I, pág. 809.

MALDONADO (JUAN)

N. en Granada.

EDICIONES

305

La mas constante muger. De ——, Diego la Dueña y Gerónimo de Cifuentes. (En COMEDIAS *nuevas escogidas... Onzena parte.* Madrid. 1658, fols. 217r-232v).

De esta comedia, lo mismo que de la siguiente, hay numerosas ediciones sueltas a nombre de Juan Pérez de Montalbán.

MADRID. *Nacional.* R-22.664.

306

La mas constante mujer. De ——, Diego la Dueña y Gerónimo de Cifuentes. [s. l.-s. i.]. [s. a.].

Del XVII.

BARCELONA. *Instituto del Teatro.* 58.905.

307

Comedia burlesca del Mariscal de Viron. (En PRIMAVERA *numerosa... en doce comedias fragantes. Parte duodezima...* Madrid. 1679, fols. 235v-248v).

MADRID. *Nacional.* R-22.665.

308

El mariscal de Viron. Comedia burlesca. [s. l.-s. i.]. [s. a.].

BARCELONA. *Instituto del Teatro.* 57.827.

309

Triumfos de amor y lealtad.

La Barrera.

Poesías sueltas

310

[*SONETO*]. (En Lovera, José Pablo de. *Tributos obsequiosos de... Valladolid, en... las numpcias reales de... Carlos II...* Valladolid. 1690. Prels.).

MADRID. *Nacional.* R-4.951.

ESTUDIOS

311

REP: La Barrera, pág. 232.

MALDONADO (FR. JUAN)

Capitán Frey ——.

EDICIONES

312

VERDADERA relacion de la gran batalla, que don Frey Luis de Cardenas, General de las Galeras de Malta, tuuo con dos nauios de guerra, y treze Caramuçales de Turcos, que cargados de ricas mercaderias que yuan a Constantinopla. Sucedio a tres de Febrero deste año de 1624, a la entrada del canal... Madrid. Diego Flamenco. 1624. 2 hs. 28 cm.

—Texto.

Pérez Pastor, *Madrid*, III, n.° 2.081.

MADRID. *Nacional.* V-224-94. — NUEVA YORK. *Hispanic Society.*

313

——... Sevilla. Martin Morillo. 1624. 2 hs. 29 cm.

—Texto.

GRANADA. *Universitaria.* A-31-143 (35).

314

——. Sevilla. Iuan Serrano de Vargas. 1624. Fol.

LONDRES. *British Museum.* 600.l.19.

315

——. Lima. Geronimo de Contreras. 1624. Fol.

LONDRES. *British Museum.* 1311.k.7.

316

——. Granada. Juan Muñoz. [s. a.]. 2 hs. 29 cm.

—Texto.

GRANADA. *Universitaria.* A-31-143 (45).

MALDONADO (FR. JUAN DE)

Agustino.

EDICIONES

317

[*APROBACION. Pamplona, 20 de julio de 1632*]. (En Malvezzi, Virgilio. *El Rómulo. Traducido por Francisco de Quevedo Villegas.* Pamplona. 1632. Prels.).

MALDONADO (FR. JUAN)

CODICES

318

«*Tratado del Perfecto Privado*». 27 hs. 4.º (V. núms. 272 y 323-24). Gallardo, III, n.º 2.880.

MALDONADO (JUAN FRANCISCO)

Capitán.

EDICIONES

319

[*AL Autor. Soneto*]. (En Carvajal y Robles, Rodrigo de. *Poema heroyco del asalto y conquista de Antequera.* Los Reyes. 1627. Prels.).

MADRID. *Nacional.* R-3.776.

MALDONADO (JUANA)

Religiosa del monasterio de Santa Catalina de Sena de Granada.

EDICIONES

320

[*SEGUIDILLAS*]. (En Gadea y Oviedo, Sebastián Antonio de. *Triunfales fiestas... a la canonización de San Juan de Dios...* Granada. 1692, páginas 217-18).

MADRID. *Nacional.* 2-61.501.

MALDONADO (LUIS)

Licenciado. Fiscal del Consejo de la Cruzada.

EDICIONES

321

[*CENSURA. Madrid, 12 de agosto de 1588*]. (En Rodríguez, Manuel. *Explicación de la Bulla de la Sancta Cruzada...* Alcalá. 1590. Prels.).

Reproducida en sus *Obras morales en romance.* Tomo I. Madrid. 1602. Prels.

MALDONADO (MANUEL)

EDICIONES

322

[*ROMANCE*]. (En ACADEMIA, *que celebraron los Ingenios de Madrid el dia 11 de enero de 1682...* s. l.-s. a., págs. 111-15).

MADRID. *Nacional.* 3-3.088.

MALDONADO (FR. PEDRO)

N. y m. en Sevilla (1576?-1614). Fue primero jesuita y luego agustino. Confesor del duque de Lerma.

CODICES

323

«*Discurso del Perfecto Privado*». Letra del s. XVII. 26 fols. 310 × 210 mm. MADRID. *Nacional.* Mss. 6.778.

324

«*Discurso del Perfecto Privado*».
Letra del s. XVII. 22 hs. 320 × 215 mm.
MADRID. *Nacional*. Mss. 18.721[48].

EDICIONES

325

PRIMERA parte del Consvelo de ivstos. Lisboa. Pedro Chrasbeek. 1609. 21 hs. + 66 + 144 fols. 18,5 cm.

—Frontis firmado por Antonius.—Aprovaçam do P. Reuèdor.—Licença da Sancta Inquisição.—L. V.—Summario do do Pr. L. O.—Aprovaçam do Miguel de Sousa.—Ded. a D.ª Phelipa de la Madre de Dios, primero Vireyna de la India y aora Monja en la Esperança de Lisboa (con datos genealógicos y biográficos).—Prólogo al Lector.—Texto.—Fol. 66: Prologo al Lector.—Texto.—Fol. 66: Prologo al Lector.—Texto: Tratado segundo.—Colofón.

Gallardo, III, n.º 2.881.

GRANADA. *Universitaria*. A-36-345. — LISBOA. *Academia das Ciências*. E.696/22.—MADRID. *Nacional*. R-24.135. *Palacio Real*. III-2.761.

326

TRAÇA y exercicios de vn oratorio. Lisboa. Iorge Rodrigues. 1609. 4 hojas + 1 blanca + 6 hs. + 54 + 82 + 116 fols. + 4 hs. 19,5 cm.

—Frontis.—Ded. a D.ª Anna Centurion de Cordoua, Condessa de Ricle (con datos familiares).—Prologo al lector.—Texto.—Apr. de Fr. Antonio de Saldanha (en portugués).—Licenças.—S. Pr. al autor por diez años.—L. O.—Apr. de Fr. Ivam de Valladares (en portugués).—Tabla de los capitulos.

CORDOBA. *Pública*. — GRANADA. *Universitaria*. A-37-209.—LISBOA. *Academia das Ciências*. E.696/17. — MADRID. *Facultad de Filología*. 2.208. *Nacional*. 3-67.559.—SEVILLA. *Universitaria*. 89-15.

327

LIBRO espiritual que sirve para la leccion y meditacion. Sevilla. Luis Estupiñán. 1631. 16.º

N. Antonio.

328

PETICION que hizo la muy noble civdad de Loxa a S. Francisco de Pavía. Granada. [1672]. 24 hs. 4.º.

Palau, VIII, n.º 147.751.

Poesías sueltas

329

[*RESPUESTA*]. (En Aldana, Cosme de. *Sonetos y Octavas... en lamentación de la muerte de... Francisco de Aldana...* Milán. 1587).

Se refiere a otra del autor, que antecede. V. *BLH*, V, n.º 511 (246).

330

[*SONETO*]. (En Mantuano, Baptista. *Historia virginal. Traduzida por Juan Fernández de Ledesma*. Valladolid. 1627. Prels.).

MADRID. *Nacional*. R-759.

OBRAS LATINAS

331

COMENTARII in Psalmos David. Lisboa. Antonio Alvarez. 1609. 12 hojas + 238 fols. 12.º.

MRANADA. *Universitaria*. A-23-287.

332

LECTIONES Sacrae in Primam Canonicam B. Joannis Apostoli. Lisboa. Vicente Alvarez. 1609. 17 hs. + 158 + 47 fols. 12.º.

MADRID. *Facultad de Filología*.

OBRAS ATRIBUIDAS

333

DISCURSO dle choro y oficio Divino. Compuesto por vn Religioso de la Orden de San Agustin. Sacado a luz por Francisco Polanco. [Sevillo]. [s. i.]. 1606 [Colofón: 1607]. 3 hs. + 80 págs. + 1 h. 12.º

Salió anónimo. Se la atribuye N. Antonio. (Escudero, n.º 905).

334
——. Barcelona. Ioan Amelló. 1608.
4 hs. + 72 págs. 12.º
Idem.

ESTUDIOS
335
FERNANDEZ, QUIRINO. *El Padre
Maestro Fray Pedro Maldonado, OSA
(1576-1614) y su opúsculo inédito
«Tratado del perfecto privado».* (En
Archivo Agustiniano, LX, Madrid,
1976, págs. 217-65).

336
DURAND, JOSE. *Andanzas del Padre Maldonado y su «Privado» ejemplar.* (En *Nueva Revista de Filología Hispánica,* XXIX, Méjico, 1980,
págs. 312-42).

337
REP: N. Antonio, II, pág. 211; Méndez
Bejarano, II, n.º 1.607; Santiago Vela, V,
págs. 85-91; A. Manrique, en DHEE, II,
pág. 1401.

MALDONADO (P. PEDRO)
Jesuíta.

EDICIONES
338
[*CENSURA. Valladolid, 15 de noviembre de 1603*]. (En Padilla, Francisco de. *Historia ecclesiastica de
España.* Tomo I. Málaga. 1605. Preliminares).
MADRID. *Nacional.* 2-15.430.

MALDONADO (RODRIGO CLAUDIO)

EDICIONES
339
[*OCTAVA*]. (En Díez de Leiva, Fernando. *Antiaxiomas morales...* Madrid. 1682. Prels.).
MADRID. *Nacional.* 3-78.366.

**MALDONADO Y ANDUEZA
(DIEGO)**

EDICIONES
340
[*DECIMAS*]. (En APLAUSO *gratulatorio de la insigne escuela de Salamanca a... D. Gaspar de Guzmán...* Barcelona. s. a., pág. 93).
V. *BLH,* V, n.º 3307 (40).

**MALDONADO DE ANGULO
(JERONIMO)**

EDICIONES
341
[*APROBACION. Madrid, último de
septiembre de 1599*]. (En Cairasco
de Figueroa, Bartolomé. *Templo militante...* Valladolid. 1602. Prels.).
V. *BLH,* VII, n.º 7537.

MALDONADO Y CORRAL (JUAN)
Colegial Mayor del de Oviedo en Salamanca. Doctor. Deán de la catedral de Granada. Canónigo de la de Segovia.

EDICIONES
342
[*CENSURA. Granada, 14 de febrero
de 1655*]. (En Tello y Olivares, Luis.
*Oración evangélica en la solemnidad
grande de la Purificación de María...*
Granada. 1655. Prels.).
MADRID. *Nacional.* R-24.245.

343
[*APROBACION. Granada, 26 de marzo de 1657*]. (En Sosa, Fernando Alfonso de. *Sermón del angélico Doctor Santo Tomás de Aquino...* Granada. 1657. Fol. 2).
GRANADA. *Universitaria.* A-31-210, n.º 14.

MALDONADO DAVILA Y SAAVEDRA (JOSE)

N. en Sevilla.

CODICES

344

«*Tratado verdadero del motin que huvo en la ciudad de Sevilla en este año de MDCLII...*».

Letra del s. XVIII. 212 × 150 mm.
MADRID. *Nacional.* Mss. 6.014 (fols. 1-121).

345

«*Sonetos varios. Recogidos aqui de diferentes Autores assi de manuscriptos como de algunos impressos, por* ——... *Año de 1646*».

V. *BLH*, IV, 2.ª ed., n.º 3254.
MADRID. *Nacional.* Mss. 20.355.

346

«*Discurso histórico de la Santa y Real Capilla, sita en la muy noble y leal ciudad de Sevilla, por Joseph Maldonado y Saavedra*».

Año 1672. 220 págs. 210 × 150 mm. Dedicado a San Fernando. Perteneció al prebendado de Sevilla don Francisco de Aguilar.
SEVILLA. *Colombia.* 83-3-22.

347

«*Varias antigüedades y monedas, por Joseph Maldonado de Saavedra*».

Original. 241 págs. 220 × 150 mm. Perteneció al P. Enrique Flórez, que en 1752 se lo cedió a Luis Velázquez. Se refiere a Sevilla y su provincia.
SEVILLA. *Colombina.* 84-3-31.

EDICIONES

348

DISCURSO *geografico de la Villa de Peñaflor sobre su antiguo y verdadero nombre...* [s. l.-s. i.]. 1673. 12 hojas. 4.º.

«Sospéchase con fundamento que la edición es de Sevilla» (Escudero, n.º 1.754).
SEVILLA. *Colombina.* 84-3-31.

ESTUDIOS

349

REP: Méndez Bejarano, II, págs. 7-8.

MALDONADO DE MATUTE (HERNANDO)

Doctor. Abogado de los Consejos de S. M. y de la Villa de Madrid.

EDICIONES

350

MEMORIAL *y Discvrso, qve la Villa de Madrid dio al Rey Don Felipe III nuestro Señor, sobre la mudança de la Corte.* Madrid. Pedro Madrigal. 1600. 11 fols. Fol.

Pérez Pastor, *Madrid,* I, n.º 696 (reproduce fragmentos).

MALDONADO MONJE (ANTONIO)

Racionero de la catedral de Córdoba.

EDICIONES

351

MYSTICOS, *y sagrados geroglificos en la venida de N. Señora de Villa-Viciosa, qve hizo el dia primero de mayo de 1698.* [Cordoba. Diego de Valverde y Leyva y Aciclo Cortes de Ribera]. [s. a.]. 4 hs. 19 cm.

MADRID. *Nacional.* V.E.-219-33.

MALDONADO DE MONROY (JACINTA)

EDICIONES

352

[DECIMA]. (En Bravo de Velasco, Manuel. *Iupiter y Io.* Salamanca. 1641. Prels.).

MADRID. *Nacional.* V.E.-43-6.

MALDONADO DE ONTIVEROS (ANTONIO)

Criado del duque de Braganza

EDICIONES

353

DOS breves tratados sobre dos preguntas que se movieron en la meza del Sr. D. Theodosio Duque de Bragança. Lisboa. Germaõ Galharde. 1548. 4.º

Barbosa.

ESTUDIOS

354

REP: Barbosa, I, pág. 319.

MALDONADO Y PARDO (JOSE)

Licenciado. Abogado de los Reales Consejos.

EDICIONES

355

MVSEO, o Biblioteca selecta de el Excmo. Señor Don Pedro Nvñez de Gvzman, Marqves de Montealegre, y de Quintana, Conde de Villavmbrosa... Madrid. Iulian de Paredes. 1677. 6 hs. + 210 fols. 28 cm.

—Ded. al Marqués de Montealegre.—Prologo.—Tabla de los titulos que contiene esta Biblioteca. [Materias].—Texto.

LONDRES. British Museum. 620.i.4.—MADRID. Academia de la Historia. 9-7-8-1.373. Nacional. R-17.493; etc. Palacio Real. IX-2.ª-2.891. MONTPELLIER. Municipale. 212.—NUEVA YORK. Hispanic Society.

356

MUSEUM sive selecta bibliotheca Excllmi. Domini Marchionis de Montealegre... Parte segunda de la Biblioteca del Excelentísimo Sr. D. Nuñez de Guzman, Marques de Montealegre... En que se ponen los libros que se hallan en la librería escritos en lengua española. Madrid. Julian de Paredes. 1677. Fol.

OBRAS LATINAS

357

AD iurisconsulti Lvdovici de Molina de Hispaniarum primogeniis celebrem tractatum, additiones sen observationes novissimae. Madrid. Julian de Paredes. 1667. 8 hs. + 76 páginas. Fol.

NUEVA YORK. Hispanic Society.

358

NOVISSIMAE additiones alias, sive observationes ad Molinam de Jure Primogeniarum. Madrid. Julián de Paredes. 1671. Fol.

359

TRACTATUS de secunda supplicatione sive recursus adversus revisionis sententias Supremi Senatus. Madrid. 1690. 6 hs. + 299 págs. + 22 hs. Fol.

— — —

—Geneva. Fratres de Torunes. 1762.
MADRID. Palacio Real. VIII-585.

MALDONADO PATIÑO (FRANCISCO)

EDICIONES

360

[DECIMA]. (En Bravo de Velasco, Manuel. Iupiter y Io. Salamanca. 1641. Prels.).

MADRID. Nacional. V.E.-43-6.

361

[OCTAVAS]. (En APLAUSO gratulatorio de la insigne escuela de Salamanca a... D. Gaspar de Guzmán... Barcelona. s. a., págs. 82-84).

V. BLH, V, n.º 3307 (33).

362

[SONETO]. (En APLAUSO gratulatorio de la insigne escuela de Salamanca a... D. Francisco de Borja y Aragón... Barcelona. s. a., pág. 12).

V. BLH, V, n.º 3308 (10).

MALDONADO RODRIGUEZ (FRANCISCO)

Señor de Villagonzalo. Gentilhombre de la boca de S. M. Regidor y Venticuatro de Salamanca.

EDICIONES

363

[*AL Autor. Soneto*]. (En Alvarez de Ribera, José. *Expresión panegirica diaria...* Salamanca. s. a. Prels.).

MADRID. *Nacional*. 3-25.667.

MALDONADO SAAVEDRA (JOSE)

V. MALDONADO DAVILA Y SAAVEDRA (JOSE)

MALDONADO SALAZAR Y VARGAS (FRANCISCO)

EDICIONES

364

[*SONETO*]. (En Ovando Santarén, Juan de la Victoria. *Orfeo militar...* Málaga. 1688. Prels.).

MADRID. *Nacional*. R-15.211.

MALDONADO Y SILVA (ANTONIO)

EDICIONES

365

SVEÑO de —— *en carta al Rey nvestro Señor.* Lima. Pedro de Cabrera. 1646. 8 hs. + 112 fols. 20 cm.

—Apr. de Fr. Luys de Aparicio.—Apr. de Fr. Miguel de Aguirre.—Retrato en bosquexo del autor por Pedro de Cardenas y Arbieto.—Apr. de Fr. Francisco de la Carrera.—Al letor.—Pr. al autor por diez años.—Texto.

Gallardo, III, n.º 2.882; Salvá, II, n.º 1.884; Medina, *Lima*, I, n.º 270.

LONDRES. *British Museum*. 9055.b.42. — MADRID. *Nacional*. R-739.—VALLADOLID. *Universitaria*. 7.700.

366

[*AL Autor*]. (En Carvajal y Robles, Rodrigo de. *Poema heroyco del asalto y conquista de Antequera*. Los Reyes. 1627. Prels.).

MADRID. *Nacional*. R-3776.

367

[*A Delio y Cilena*]. (En Avalos y Figueroa, Diego de. *Primera parte de la Miscelanea Austral...* Lima. 1602. [1603]. Prels.).

MADRID. *Nacional*. R-3.097.

MALDONADO Y TEJEDA (ANTONIO)

EDICIONES

368

[*A D. Antonio del Castillo. Décima*]. (En Castillo de Larzaval, Antonio del. *El Adonis*. Salamanca. 1633. Prels.).

SANTIAGO DE COMPOSTELA. *Universitaria*. Foll. 326-15.

369

[*SONETO*]. (En APLAUSO *gratulatorio de la insigne escuela de Salamanca, a... D. Gaspar de Guzmán...* Barcelona. s. a., pág. 39).

V. *BLH*, V, n.º 3307 (18).

MALDONADO Y TRIBIÑO (JUAN)

EDICIONES

370

NUBCIALES fiestas... que en las bodas de... Carlos II... con doña Mariana de Neoburg... celebró Valladolid... [s. l., Valladolid]. Antonio Rodríguez de Figueroa. 1690.

ZARAGOZA. *Universitaria*. Caj. 287-6.844.

MALDONADO Y ZAFRA (ALONSO)

EDICIONES

371

[*DECIMAS*]. (En APLAUSO *gratulatorio de la insigne escuela de Salamanca a... D. Gaspaz de Guzmán...* Barcelona. s. a., pág. 95).

V. *BLH*, V, n.º 3307 (43).

MALEO (FR. MARIANO DE)

Franciscano. Guardián del Monte Sión.

EDICIONES

372

[*CARTA a Fr. Pedro Manero, Ministro General de la Orden de San Francisco. Jerusalén, 8 de marzo de 1653*]. (En Nápoles, Miguel Angel de. *Asia Menor. Estado presente que tiene en ella la Religión de San Francisco.* Madrid. 1654, págs. 89-92).

MADRID. *Nacional.* 2-17.150.

MALET (JOSE)

EDICIONES

373

[*CANCION Lyrica*]. (En FESTIVO *agradecimiento, que por la alegre conclusión de la paz universal... rindió a Dios... Barcelona.* Barcelona. s. a., págs. 62-64).

MADRID. *Nacional.* R-31.492.

«MALICIA (La) descifrada...»

374

MALICIA (La) descifrada y el Engaño manifiesto, por el Tribunal de la Razon, en la Sala de Justicia. [s. l.-s. i.]. [s. a.]. 1 h. + 18 págs. 19,5 cm.

Dice: «En Atenas. Año de la Fundacion de España por Tubal 3885».
—Texto.

MADRID. *Nacional.* R-19.681 (ex libris de Gayangos).

MALO (FR. DIEGO)

Benedictino. Predicador general. Abad del monasterio de San Pedro de Eslonza.

EDICIONES

375

[*APROBACION. San Pedro de Eslonzu, a los primeros de mayo de 1659*]. (En Gómez, Ambrosio. *Atenas christiana...* Madrid. 1660. Prels.).

MADRID. *Nacional.* 2-1.006.

MALO (JUAN BAUTISTA)

Jesuita. Maestro de Teología. Prepósito de la Casa Profesa de Toledo.

EDICIONES

376

[*CENSURA. Toledo, 20 de agosto de 1686*]. (En Barcia y Zambrana, José de. *Quaresma de sermones doctrinales...* Tomo II. Madrid. 1686. Prels.).

MADRID. *Nacional.* 3-74.106.

MALO (P. JUAN JERONIMO)

Jesuíta.

EDICIONES

377

[*LIRAS*]. (En Díez de Aux, Luis. *Compendio de las fiestas que ha celebrado... Çaragoça...* Zaragoza. 1619, págs. 211-12).

MADRID. *Nacional.* R-4.908.

MALO Y ANDUEZA (FR. DIEGO)

Benedictino. Abad del convento de San Millán de la Cogolla y del Colegio de Pasantes de San Pedro de Eslonza. Predicador general. Definidor. Capellán real.

EDICIONES

378

ORACIONES Evangelicas, para Domingos, y Ferias principales de Quaresma. Dixolas, en Madrid ——...

Madrid. Gregorio Rodríguez. 1661. 14 hs. + 404 págs. a 2 cols. + 10 hs. a 2 cols. 30,5 cm. 30,5 cm.

—Ded. a Fr. Diego de Silva, General de la Congregacion de San Benito de España, Inglaterra y Alemania.—Al que leyere.— Apr. de Fr. Andres de la Moneda.—L. O. Censura del P. Manuel de Naxera.—L. V.—Censura de Fr. Miguel de Cardenas. S. T.—S. Pr. al autor por diez años.— E.—Indice.—Texto.—Indice de la Sagrada Escritura.—Tabla de las cosas notables.

GERONA. *Pública*. A-7224.—GRANADA. *Universitaria*. A-17-223.—MADRID. *Nacional*. 3-18.967. SEVILLA. *Universitaria*. 106-134.—VALLADOLID. *Universitaria*. Santa Cruz, 4.665.

379

——. Alcalá. María Fernandez [el I] y Madrid. [el II]. 1664. 2 vols.

MADRID. *Nacional*. 6.i.-1.718. — ORIHUELA. *Pública*. 86-5-5 [el II].—ZARAGOZA. *Universitaria*. G-16-180/81.

380

——. Madrid. Mateo de Espinosa y Arteaga. 1670. 2 vols. 4.º.

GENOVA. *Universitaria*. 1.AA.III.30-31 y 34.— GERONA. *Pública*. A-6.559/60.—MADRID. *Facultad de Filología*. 796 [el I]. *Nacional*. 5-2.715. — ORIHUELA. *Pública*. 86-5-6.—SANTIAGO DE COMPOSTELA. *Universitaria*.—SEVILLA. *Universitaria*. 81-114.—ZARAGOZA. *Seminario de San Carlos*. 17-7-23 [el II].

381

ORACIONES panegiricas en las festividades varias de Santos. Madrid. Domingo García Morrás. A costa de Gregorio Rodriguez. 1663. 13 hs. + 447 págs. + 10 hs. 20,5 cm.

—Ded. a Fr. Rosendo Muxica, General de la Religion de S. Benito, etc.—Al que leyere.—Censura de Fr. Benito de Ribas. L. O.—Apr. del P. Manuel de Naxera.— L. V.—Apr. de Fr. Gabriel de Leon.—S. Pr. al autor por diez años.—E.—S. T.— Indice.—Texto.—Indice de los lugares de la Sagrada Escritura.—Indice de las cosas notables.

GERONA. *Pública*. A.4.443.—GRANADA. *Universitaria*. A-11-225. — MADRID. *Academia de la Historia*. 14-5-8-2.581. *Nacional*. 2-66.778. — SEVILLA. *Universitaria*. 7-34; 97-59; etc.

382

ORACIONES panegíricas en las festividades de Nvestra Señora. Dixolas en la Corte...——... Tomo IV. Madrid. Melchor Sánchez. A costa de Mateo de la Bastida. 1665. 16 hs. con un grab. + 469 págs. + 22 hs. 20,5 cm.

—Ded. a D. Antonio de Cárdenas Manuel Manrique de Lara, duque de Naxara (sic), etc., precedido de su escudo.—Al que leyere.—Apr. de Fr. José Gómez.— L. O.—Apr. del P. Manuel de Naxera.— L. V.—Apr. de Fr. Pedro Mexía.—S. Pr. al autor, por diez años.—E.—S. T.—Indice de los Discursos panegíricos.—Texto.— Indice de la Sagrada Escritura.—Indice de las cosas notables.—Colofón.

MADRID. *Nacional*. 6.i.-1.524. — ORIHUELA. *Pública*. 86-5-7.

383

ORACIONES panegíricas de Adviento y Qvaresma. Dixolas en esta Corte... Tomo VI. Madrid. Melchor Alegre. [Colofón: Bernardo de Hervada]. 1666. 375 págs. 4.º

BURGOS. *Facultad de Teología*.—GERONA. *Pública*. A-4.799.—SANTIAGO DE COMPOSTELA. *Universitaria*.

384

ARTE de merecer mucho con pocas obras, mediante la Divina gracia, Sacrificio de la Missa, Comunión quotidiana. Modo particular de confessarse en la hora de la muerte. Madrid. Melchor Alegre. 1666. 8 hs. + 235 págs. 15 cm.

—Ded. al cardenal D. Pasqual de Aragón, arçobispo de Toledo.—Apr. de Fr. Leandro de Murcia.—L. V.—Apr. de Fr. Juan Perez de Valdelomar.—S. Pr.—S. T.—E.— Al que leyere.—Texto.

SEVILLA. *Universitaria*. 123-14.

385

HISTORIA real sagrada perifraseada, política de David. Academia literal, y moral. Madrid. Domingo Morrás. 1666. 6 hs. + 220 fols. + 32 hs. 28 cm.

—Ded. a D. Pasqual de Aragon, Arçobispo de Toledo, etc., cuyo escudo figura en la portada. (Grab. firmado por Marcus Orozco).—Apr. de Fr. Diego de Almeida. L. O.—Apr. de Fr. Pedro Mexia.—L. V.— Apr. del P. Diego de la Fuente Hurtado. S. Pr. al Autor por 10 años.—S. T.—E.— Prologo. — Texto. — Indice de las cosas mas notables deste Libro.—Colofón.

Comienza: «Libro segundo de los Reyes». Dice que en el primero describió los hechos de Samuel y Saúl y en este segundo los de David.

BARCELONA. *Universitaria.* B.9-2-5/6.—BURGOS. *Facultad de Teología.* 10-2-3.—CORDOBA. *Pública.* 29-125. — GRANADA. *Universitaria.* XXXVI-4-2 (F. y Letras).—GERONA. *Pública.* A-331.—MADRID. *Nacional.* 3-3.265. *Seminario Conciliar.*—NUEVA YORK. *Hispanic Society.*— ORIHUELA. *Pública.* XXI-1-14. — SAN LORENZO DEL ESCORIAL. *Monasterio.* 71-IX-30.—SANTIAGO DE COMPOSTELA. *Universitaria.* — SEVILLA. *Universitaria.* 86-B-178.—ZARAGOZA. *Universitaria.* G-78-138.

386

PANEGYRICOS, varios para diversas festividades del año. Predicolos en la Corte... ——. Madrid. Andres García de la Iglesia. A costa de Gregorio Rodríguez. 1668. 12 hs. + 408 páginas + 12 hs. 20 cm.

—Apr. del P. Manuel de Nájera.—L. V.— Apr. del P. Andres Mendo.—S. T.—S. Pr. E.—Al que leyere.—Indice de los discursos. — Texto. — Index locorum Sacrae Scripturae.—Indice de cosas notables.

CORDOBA. *Pública.* 3-132.—GENOVA. *Universitaria.* 1.AA.III.32-33.—SANTIAGO DE COMPOSTELA. *Universitaria.* — SEVILLA. *Universitaria.* 92-123.—ZARAGOZA. *Universitaria.* G-4-246.

387

SAUL coronado, y David ungido. Madrid. 1670.

N. Antonio.

388

LIBRO Primero de los Reyes. Saul coronado, y David ungido. Fin de la Aristocracia de Israel. Principio de la Monarquia. Politicas de Saul, y David. Academia Literal y Moral. Historia Sacra Real perifraseada. Madrid. Melchor Alegre. A costa de Gregorio Rodriguez. 1671. 7 hs. + 628 páginas + 37 hs. 30 cm.

—Estampa. (Escudo grab.).—Ded. a Pedro Fernandez del Campo, Señor de la Casa del Campo, caballero de Santiago, etc., precedida de una lámina con su escudo y divisa.—Apr. de Fr. Iñigo de Ruyloba.— L. O.—Apr. del P. Francisco de Exquex. L. V.—Apr. de Fr. Iuan de Madrid.—Pr. a favor de Fr. D. Malo de Andueza por 10 años.—T. E.—Prologo al lector.—Texto. — Indice de lugares de Escritura. — Indice de los conceptos y noticias que se contienen en esta Historia. — Elenco para las Ferias y Domingos de Quaresma.—Explicacion de algunas vozes castellanas, antiguas y modernas, que se escriuió para un Embaxador de Alemania.

CORDOBA. *Pública.* 17-122.—MADRID. *Nacional.* 3-62.876. *Seminario Conciliar.*—NUEVA YORK. *Hispanic Society.*—SAN LORENZO DEL ESCORIAL. *Monasterio.* 71-IX-29. — SANTIAGO DE COMPOSTELA. *Universitaria.*—VALLADOLID. *Universitaria.* Santa Cruz. 9.371/72.—ZARAGOZA. *Universitaria.* G-20-25.

Aprobaciones

389

[APROBACION. Madrid, 4 de octubre de 1663]. (En Pérez de Valdelomar, Juan. *Panegíricas Oraciones...* Madrid. 1663. Prels.).

MADRID. *Nacional.* 3-63.489.

390

[APROBACION, 8 de mayo de 1665]. (En Antonio de la Natividad, Fray. *Silva de sufragios...* Madrid. 1666. Preliminares).

SEVILLA. *Colombina.* 73-4-32.

391

[*CENSURA*]. (En Noydens, Benito Remigio. *Decisiones prácticas y morales...* Madrid. 1665. Prels.).

MADRID. *Nacional.* 2-9.001.

392

[*APROBACION*]. (En Sylva y Pacheco, Diego de. *Historia de la Imagen de Maria Santissima de Valvanera...* Madrid. 1665. Prels.).

MADRID. *Academia de la Historia.* 5-1-6-160.

393

[*APROBACION. Madrid, 15 de octubre de 1671*]. (En Baños de Velasco y Acebedo, Juan. *Vida y muerte de San Iuan Babtista.* León de Francia. 1672. Prels.).

MADRID. *Nacional.* 3-26.237.

Poesías sueltas

394

[*DECIMA*]. (En APLAUSO *gratulatorio de la insigne escuela de Salamanca a... D. Francisco de Borja y Aragón...* Barcelona. s. a., pág. 66).

V. *BLH*, V, n.º 3308 (35).

395

[*SONETO*]. (En APLAUSO *gratulatorio de la insigne escuela de Salamanca a... D. Gaspar de Guzmán...* Barcelona. s. a., pág. 38).

V. *BLH*, V, n.º 3307 (17).

ESTUDIOS

396

REP: N. Antonio, I, pág. 297.

MALO DE BRIONES (J.)

N. en Valdeolivas, Cuenca. Colegial del de San Clemente de Bolonia. Licenciado.

EDICIONES

397

DESCRIPCION al illvstrissimo y reberendiss. Principe, y Señor Don Gil de Albornoz Carden. de la S. I. R. &c. Del Fundador, y Fundacion del Insigne y Mayor Colegio de S. Clemente de los Españoles de Bolonia. [Bolonia. Clemente Ferron]. [1630]. 38 págs. + 1 h. 21 cm.

—Ded.—Poesía latina de Antonio Perez Navarrete.—Texto.—L.—Colofón.

MADRID. *Academia de la Historia.* Col. Salazar, L. 21, 9-756.—ZARAGOZA. *Universitaria.* G-6-73.

398

VIDA del Beato Nuño Osorio. Bolonia. 1630. 4.º

N. Antonio.

ESTUDIOS

399

REP: N. Antonio, I, pág. 731.

MALO DE MOLINA (ALONSO)

EDICIONES

400

[*SONETO*]. (En García de Londoño, Nicolás. *Epitalamio a las felices bodas de... Don Marcos de Lanuza... y D. Manuela Sanz...* Zaragoza. s. a. Prels.).

MADRID. *Nacional.* V.E.-111-27.

MALO DE MOLINA (JERONIMO)

EDICIONES

401

Contra su suerte ninguno. (En COMEDIAS *nuevas escogidas... Onzena parte.* Madrid. 1658, fols. 95r-115r).

MADRID. *Nacional.* R-22.664.

402

Comedia famosa. La amistad vence al rigor. [s. l.-s. i.]. [s. a.]. 20 hs. 20,5 cm.

Al fin: «Se hallará en Burgos, en la Imprenta de la Santa Iglesia».

«—Al Templo de Libèo...».

LONDRES. *British Museum.* T.1487 (12); etc.—
MADRID. *Nacional.* T-19.622; etc.

403

Comedia famosa. La amistad vence el rigor. [s. l.-s. i.]. [s. a.]. 40 págs. 21 cm.

Al fin: «Vendese en Salamanca, en Casa de Francisco Diego de Torres...».

N.º 24.

«—Al Templo de Libeo...».

MADRID. *Nacional.* T-19.633; etc.

404

La amistad vence al rigor. Comedia. Valladolid. A. del Riego. [s. a.].

BARCELONA. *Instituto del Teatro.* 45.028.

405

La amistad vence el rigor. Comedia famosa. [s. l.-s. i.]. [s. a.]. 41 págs. a 2 cols. 20 cm.

—[«Al Templo de Libeo...»].

BARCELONA. *Instituto del Teatro.* 57077.

406

Entremés de la reliquia. (En FLORESTA *de Entremeses.* Madrid. 1691, págs. 1-12).

MADRID. *Nacional.* T-11.388.

407

La reliquia. Entremés. (En ENTREMESES *varios...* Zaragoza. s. a.).

BARCELONA. *Instituto del Teatro.* Vitrina A.

408

Entremeses de la reliquia. [Barcelona. Matheo Barceló]. [1779]. 16 págs. con un grab. 16 cm.

Sin nombre de autor.

N.º 16.

«—Confession, que me han muerto! Jesu-Christo!...».

MADRID. *Nacional.* T-25.786.

409

Entremés de la reliquia. [s. l.-s. i.]. [s. a.]. 8 hs. 16,5 cm.

Al fin: «Se hallará en Valencia en la Imprenta de Agustin Laborda».

«—Confession, que me han muerto! Jesu Christo!...».

MADRID. *Nacional.* T-25.785.

410

[Entremés de la reliquia] [s. l.-s. i.]. [s. a.]. 16 págs. 15 cm.

Al fin: «Se hallará en Madrid, en la Librería de Andres de Sotos...».

«—Confesion, que me han muerto...».

MADRID. *Nacional.* T-12.201.

411

Entrmés de la reliquia. [Barcelona. Pedro Escuder]. [s. a.]. 16 págs. 8.º

BARCELONA. *Instituto del Teatro.* Vitrina A-Est. 2.—MADRID. *Nacional.* T-35.782.—PARIS. *National.* Yth.65548.

412

Entremés de la reliquia. [s. l.-s. i.]. [s. a.]. 8 págs. 8.º

PARIS. *Nationale.* Yth.65549.

Poesías sueltas

413

[POESIAS]. (En Gonzalez de Varela, José. *Pyra religiosa, mausoleo sacro, pompa funebre...* Madrid. 1642).

1. *Soneto.* (Pág. 90).
2. *Jeroglífico.* (Pág. 91).

MADRID. *Nacional.* 2-8674.

414

[ESPINELA]. (En Hidalgo Repetidor, Juan. *Poema heroyco castellano de la vida, muerte y translación de... Santa Casilda...* Toledo. 1642. Prels.).

V. *BLH,* XI, n.º 4859.

ESTUDIOS

415

REP: La Barrera, págs. 234-35.

MALO DE VILLARROEL (JUAN)

EDICIONES

416

[*CANCION*]. (En Avila, Tomás de. *Epinicio sagrado...* Salamanca. 1687, págs. 411-12).

MADRID. *Nacional.* 2-10.720.

MALON DE CHAIDE (FR. PEDRO)

N. en Cascante, Navarra. Agustino desde 1557. Catedrático de las Universidades de Huesca y Zaragoza. Prior de los conventos de Zaragoza (1575-77) y Barcelona (1586).

CODICES

417

«*Descripcion de la celestial Jerusalem. Del libro de la Magdalena...*».

Letra del s. XVI. 210 × 150 mm. De libro de apuntes de Antonio Agustín.

Inventario, V, pág. 260.

MADRID. *Nacional.* Mss. 1854 (fols. 277-78).

418

«*Seys Psalmos sacados del Psalterio de Dauid para mouer a la alabança y amor de Dios*».

No figura su nombre.

Año 1604. 150 × 100 mm. En «Jardin diuino».

V. *BLH*, IV, n.º 3.221.

MADRID. *Nacional.* Mss. 4.154 (fols. 178v-183r).

419

[*Traducciones de Psalmos*].

Letra del s. XVIII, autógrafa de Santiago. Palomares. 208 mm. En «Flores de poetas ilustres de España. A saber Canciones, Lyras, Sonetos, y otras piezas excelentes Recogidas por D. Francisco Xavier de Santiago y Palomares», págs. 207-48.

Rodríguez Moñino-Brey, I, págs. 303-12.

NUEVA YORK. *Hispanic Society.* Mss. XLV.

EDICIONES

Obras varias

420

[*OBRAS*]. (En ESCRITORES *del siglo XVI.* Tomo I. Madrid. 1853, pági-

nas 275-417. Biblioteca de Autores Españoles, 27).

1. *La conversión de la Madalena.* (Págs. 275-409).
2. *Sermón que hace Orígenes en la resurrección del Señor.* (Pág. 410).
3. *Sermón.* (Págs. 411-17).

Libro de la conversión de la Magdalena

421

LIBRO de la conversion de la Madalena, en qve se esponen los tres estados que tvvo de pecadora, i de penitente, i de gracia. Fundado sobre el Evangelio que pone la Iglesia su fiesta, que dize. Rogabat Iesum quidam Pharisaeus vt manducaret cum illo. Lucae 7.F. Barcelona. Hubert Gotard. 1588. 24 hs. + 331 fols. + 16 hojas. 16 cm.

—L. O.—Apr. de Fr. Geronimo de Saona.—Apr. de Fr. Iosef Serrano.—L. del Obispo de Barcelona.—Ded. a D.ª Beatriz Cerdan y de Heredia, religiosa en el monasterio de Santa Maria de Casuas en Aragon.—Prólogo del autor a los letores.—Soneto de Fr. Lorenço Sierra. [«Perdido el nombre, del pecado esclava...»].—Soneto de Fr. Antonio Camos. [«Madalena famosa pecadora...»]. — Redondillas dobles de Iuan Baptista de Vivar. [«Madalena que aguardais?...»].—E.—Texto.—Tabla de los lugares de la Sagrada Escritura, que en este libro se citan.

Lleva poesías intercaladas.

Vindel, V, n.º 1.569.

BARCELONA. *Instituto Municipal de Historia.* B.1588-12.º(5). *Universitaria.* 124-5-15. — CAGLIARI. *Universitaria.* Ross.B.85. — MADRID. *Facultad de Filología.—Nacional.* R-2.440.—MONTSERRAT. *Abadía.* 1.652.—ORIHUELA. *Pública.* 143-F-17.—OVIEDO. *Universitaria.* A-274.—POYO. *Monasterio de Mercedarios.* 37-6-24.—SEVILLA. *Universitaria.* 86-210. — TOLEDO. *Pública.*

422

——. Alcalá. Iuan Iñíguez de Lequerica. A costa de Diego Guillen. 1592. 4 hs. + 346 fols. + 14 hs. 8.º

Fernández, n.º 272.

LONDRES. *British Museum.* 861.a.26.—MADRID. *Nacional.* R-9.616; R-12.427. — NUEVA YORK. *Hispanic Society.* — SAN LORENZO DEL ESCORIAL. *Monasterio.* — SEVILLA. *Universitaria.* 122-33.

423

——. Alcalá de Henares. En casa de Iuan Gracian que sea en gloria. 1593. 4 hs. + 346 fols. + 14 hs. 16 cm.

Gallardo, III, n.º 2.884; J. Catalina García, *Tip. complutense,* n.º 687.

MADRID. *Facultad de Filología.* 29.278. *Nacional.* R-25.244; R-29.227 (falto de portada).—NUEVA YORK. *Hispanic Society.*

424

——. Alcalá. Iuan Iñiguez de Lequerica. A costa de Diego Guillen. 1596. 4 hs. + 346 fols. + 14 hs. 8.º.

J. Catalina García, *Tip. complutense,* número 712.

LONDRES. *British Museum.* 851.a.9.—MADRID. *Facultad de Filología.* 7.375. *Nacional.* R-30.674.

425

——. Madrid. Pedro Madrigal. A costa de Diego Guillen. 1598. 4 hs. + 346 folios + 14 hs. 8.º.

Prels. de la ed. de Barcelona, 1588, salvo E. T. y Pr. de 1593.
Pérez Pastor, *Madrid,* I, n.º 577; Vindel, V, n.º 1.570.

MADRID. *Nacional.* R-20.520 (deteriorado).

426

——. Valencia. Pedro Patricio Mey. A costa de Balthasar Simón. 1600. 24 hs. + 641 págs. + 1 lám. + 17 hojas. 8.º.

LONDRES. *British Museum.* 220.b.10.—MADRID. *Nacional.* R-29.428.—NUEVA YORK. *Hispanic Society.*

427

LIBRO de la conversion de la Magdalena. Lisboa. Pedro Crasbeck. 1601. 341 págs. 13,5 cm.

EVORA. *Pública.*—MADRID. *Facultad de Filología.* 7451.—SANTANDER. *«Menéndez Pelayo».* R-VIII-3-20.

428

LIBRO de la conversion de la Magdalena... Alcalá. Biuda de Iuan Gracian. 1602. 4 hs. + 346 fols. + 13 hs. 14 cm.

Prels. de la ed. de 1588.

MADRID. *Nacional.* U-4.382.

429

——. Alcalá. Iusto Sanchez Crespo. A costa de Lorenço Blanco. 1603. 4 hojas + 346 fols. + 14 hs. 8.º.

J. Catalina García, *Tip. complutense,* número 771.

MADRID. *Facultad de Filología.* 7.243.—VALLADOLID. *Universitaria.* 10.519.

430

CONVERSION (La) de la Madalena. Valencia. Salvador F a u l i. 1794. XXXII + 464 págs. 4.º.

MADRID. *Academia Española.* — *Nacional.* 2-55.385.—MONTPELLIER. *Municipale.* 9.601.

431

[TRATADO de la conversión]. (En TESORO *de los escritores místicos españoles.* Tomo III. París. 1847, páginas 271-357).

MADRID. *Nacional.* F.i.-911.

432

LIBRO de la conversion de la Magdalena. Barcelona. La Verdadera Ciencia Española. 1881. 2 vols. 8.º.

BURGOS. *Facultad de Teología.* 55-7-4; etc.- MADRID. *Nacional.* 2-37.851/52.

433

CONVERSION (La) de la Magdalena. Edición, prologo y notas del P. Felix García. Madrid. La Lectura. 1930. 290 págs. (Clásicos Castellanos, 104-105, 130).

El Prólogo se publicó también en *Religión y Cultura,* XII, Madrid, 1930, págs. 161-89.

a) Carrión, A., en *La Ciencia Tomista,* XLIV, Salamanca, 1931, págs. 138-39.

MADRID. *Consejo General.*

— — --
—2.ª ed. corregida. 1947.
MADRID. *Nacional.* 6.i.-11.813; etc.
—2.ª ed. 1959.
MADRID. *Nacional.* 5-18.375; etc.

434
*LIBRO de la conversión de la Mag-
dalena. Introducción, edición e índices explicativos de Justo García Morales.* [Madrid. Aguilar]. [1946]. 742
páginas + 1 lám. 12 cm.
MADRID. *Nacional.* 1-203.180; etc.

— — —
—2.ª ed. 1963.
MADRID. *Nacional.* 7-56.790.

435
*LA conversión de la Magdalena.
Adaptada por el P. Francisco Val-
carce.* Madrid. Religión y Cultura.
1951. 220 págs. + 1 h. 16,5 cm.
a) S. A. T., en *La Ciudad de Dios,* CLXIII,
El Escorial, 1951, pág. 669.
b) Solá, F. de P., en *Estudios Eclesiásticos,* XXVII, Madrid, 1953, págs. 401-2.
MADRID. *Nacional.* 7-36.110; etc.

436
*ALMA (El) en gracia. (Tratado del
Amor).* Madrid. La España Editorial.
[s. a.]. 184 págs. 12,5 cm.
MADRID. *Nacional.* 4-42.541².

Aprobaciones
437
[*APROBACION. Barcelona, 7 de julio de 1590*]. (En Azevedo, Antonio
de. *Catecismo de los misterios de la
fe.* Perpiñán. 1590. Prels.).
Se reprodujo en la ed. de Barcelona, 1597,
poniendo 7 de julio de 1589.
SEVILLA. *Universitaria.* 187-142.

TRADUCCIONES
a) ITALIANAS
438
*La Conversione, Confessione et Pe-
nitentia di S. M. Maddalena del R.*

*P. F. Pietro di Ciaves, tradotta... per
Gio. Hieronimo Torres.* Nápoles. Gio.
Maria Scotto. 1561. 10 hs. + 184 fols.
14,5 cm.
GENOVA. *Universitaria.* 2.G.I.8.

ESTUDIOS
439
PIDAL, P[EDRO] J[OSE]. *Literatura española. Fr. Pedro Malon de
Chaide.* (En *Revista de Madrid,* 2.ª
serie, I, Madrid, 1839, págs. 315-35).

440
ARCO, R. DEL. *El P. Malón de Chaide.* (En *Estudio,* III, Barcelona, 1919,
págs. 342-62).

441
CIA Y ALVAREZ, J. M. *Las ideas
estéticas en los clásicos navarros
Fray Pedro Malón de Echaide.* (En
*Boletín de la Comisión Provincial de
Monumentos de Navarra,* XV, Pam-
plona, 1924, págs. 53-57).

442
ALLUÉ SALVADOR, MIGUEL. *Fray
Pedro Malón de Chaide y su obra
«La conversión de la Magdalena».*
(En *Universidad,* VII, Zaragoza, 1930,
páginas 1005-68).

443
RAMON CASTRO, J. *Fr. Pedro Malón de Echaide. Conferencia.* Tudela.
1930. 20 págs.

444
LANGENEGGER, HANS. *Des P. Pedro Malón de Chaide «Conversión de
la Madalena». Geistes-und doktrin-
geschichtliche Prolegomena zu einer
kritischen Textausgabe, von* ——. Zu-
rich. Leemann. 1933. 107 págs. 23 cm.
MADRID. *Consejo General. — Nacional.* V-
1.231-3.

—*La Conversión de la Magdalena, del P. Malón de Chaide. Introducción histórica a su espíritu y doctrina para una edición crítica... Traducción por Lope Cilleruelo.* (En *Archivo Agustiniano*, XLIV, Madrid, 1950, págs. 205-23, 327-39; XLV, 1951, págs. 29-54, 213-34, 337-57; XLVI, 1952, págs. 19-42).

445

SANJUÁN URMENETA, JOSE MARIA. *Fray Pedro Malón de Echaide.* Pamplona. Edit. Gómez. [1957]. 114 páginas. 20 cm.

MADRID. *Nacional.* 1-201.305.

446

VINCI, JOSEPH. *Vida y obras de Pedro Malón de Chaide.* (En *Religión y Cultura*, II, Madrid, 1957, páginas 262-82).

447

VINCI, JOSEPH. *Pedro Malón de Chaide dentro y fuera de la tradición literaria agustiniana.* (En *Religión y Cultura*, V, Madrid, 1960, páginas 212-41).

448

HATZFELD, HELMUT. *The Style of Malón de Chaide.* (En STUDIA *Philologica. Homenaje a Dámaso Alonso.* Tomo II. Madrid. 1961, págs. 195-214).

449

VINCI, J. *The Neoplatonic Influence of Marsilio Ficcino on Fray Pedro Malon de Chaide.* (En *Hispanic Review*, XXIX, Filadelfia, 1961, páginas 275-95).

450

CAROZZA, D. *Another Italian Source for «La Magdalena» of Malón de Chaide.* (En *Itálica*, XLI, Chicago, 1964, págs. 91-98).

451

REP: N. Antonio, II, pág. 211; Santiago Vela, V, págs. 91-106; Espada, A., en DHEE, II, págs. 1405-6.

MALONDA (P. PEDRO JUAN)
Jesuita.

EDICIONES

452

[*APROBACION del P. Vicente Arcayna y de* ——, *16 de junio de 1622*]. (En Berenguer y Morales, Pedro Juan. *Universal explicación de los mysterios de nuestra santa Fe.* Tomo II. Valencia. 1629. Prels.).

MADRID. *Nacional.* 3-22.422.

MALPARTIDA CENTENO (DIEGO)
N. en Huejotzingo, en el obispado de la Puebla de los Angeles. En España, se graduó de doctor en la Universidad de Avila. Deán de la catedral de Méjico. M. en 1711.

EDICIONES

453

INFORME critico sobre el milagro divulgado de la renovación de los panecillos de Santa Teresa. Méjico. 1675. 4.º

Beristain. No figura en Medina, *México*, II.

Aprobaciones

454

[*APROBACION. Mejico, 10 de mayo de 1672*]. (En FESTIVO *aparato, con que la Provincia Mexicana de la Compañia de Jesus celebró... los inmarcesibles lauros... de San Francisco de Borja...* Mejico. 1672. Prels.).

Medina, *México*, II, n.º 1.061.

455

[*APROBACION. Méjico, 10 de noviembre de 1674*]. (En Ortiz, Alonso. *Sermón panegyrico de... San Pedro Pasqual de Valencia...* Méjico. 1674. Prels.).

Medina, *México*, II, n.° 1.111.

GRANADA. *Universitaria.* A-31-209 (12).

456

[*APROBACION. Méjico, 19 de febrero de 1675*]. (En Salmerón, Pedro. *Vida de la V. M. Isabel de la Encarnación...* Méjico. 1675. Prels.).

Medina, *México*, II, n.° 1.137.

457

[*APROBACION. Méjico, 17 de noviembre de 1675*]. (En Pardo, Francisco. *Vida y virtudes heroycas de la M. María de Jesús...* Méjico. 1676. Prels.).

Medina, *México*, II, n.° 1.144.

458

[*SENTIR, s. d.*]. (En Castrillo y Gallo, Sebastián. *Triumpho gloriosso...* Méjico. 1677. Prels.).

Medina, *México*, II, n.° 1.155.

459

[*CENSURA. Méjico, 16 de enero de 1680*]. (En González de Olmedo, Baltasar. *Sermón de... Santa Ynés de Monte-Policiano...* Méjico. 1680. Preliminares).

Medina, *México*, II, n.° 1.210.

460

[*APROBACION. Méjico, 26 de junio de 1680*]. (En Victoria Salazar, Diego de. *Sermón...* Méjico. 1681. Preliminares).

Medina, *México*, II, n.° 1.218.

461

[*APROBACION. Méjico, 10 de agosto de 1681*]. (En Asenxo, Ignacio. *Exercicio practico de la voluntad de Dios...* Méjico. 1682. Prels.).

Medina, *México*, II, n.° 1.239.

462

[*CENSURA. Méjico, 12 de diciembre de 1682*]. (En Victoria Salazar, Diego de. *Sermon de... Santa Theresa de Jesus...* Méjico. 1682. Prels.).

Medina, *México*, II, n.° 1.265.

463

[*APROBACION. Méjico, 6 de julio de 1682*]. (En Sigüenza y Góngora, Carlos de. *Parayso Occidental...* Méjico. 1684. Prels.).

Medina, *México*, II, n.° 1.328.

Elogios

464

[*ELOGIO del Autor*]. (En Ibarra, Miguel de. *Annuae Relectiones ac Canonicae Iuris Explicationes...* Méjico. 1675. Prels.).

Medina, *México*, II, n.° 1.130.

ESTUDIOS

465

REP: Beristain, II, págs. 207-8.

MALUENDA (ANTONIO DE)

N. en Burgos (1648). Abad del monasterio de San Millán.

CODICES

466

[*Poesías*].

Letra del s. XVII. 210 × 145 mm. Es un Cancionero, que tomó como base Pérez de Guzmán.

MADRID. *Nacional.* Mss. 4.140.

EDICIONES

467

ALGUNAS rimas castellanas... Descubriólas entre los manuscritos de la Biblioteca Nacional de Madrid D. Juan Pérez de Guzmán y Gallo; y las publica por vez primera... Tirada de cien ejemplares. Sevilla. Imp. de E. Rasco. 1892. LX + 151 págs. + 1 h.

MADRID. *Nacional*. R-5.854 [el n.º 77].—SAN-TANDER. *«Menéndez Pelayo»*. R-X-7-69 y R-X-6-12.

ESTUDIOS

468

GARCIA RAMILA, ISMAEL. *Claros poetas burgaleses. Nuevos datos documentales sobre la vida y muerte de D. Antonio de Maluenda, abad de San Millán*. (En *Boletín de la Real Academia Española*, XXX, Madrid, 1950, págs. 87-121).

Elogios

469

CLARAMONTE CORROY, ANDRES DE. [*Elogio*]. (En *Letanía moral...* Sevilla. 1613).

V. *BLH*, VIII, n.º 4420.

470

CERVANTES SAAVEDRA, MIGUEL DE. [*Referencia*]. (En *Viaje del Parnaso*. Madrid. 1614, fol. 36v).

V. *BLH*, VIII, n.º 923.

471

REP: Hornedo, R. M., de en DHEE, II, pág. 1406.

MALUENDA (CARLOS DE)

CODICES

472

«*Sonetos*».

Uno en castellano, otro en francés y otro en italiano. En Aguilar y Córdoba, Diego de. *El Marañón*.
Autógrafo.
V. *BLH*, IV, n.º 2688.

OVIEDO. *Universitaria*.

MALUENDA (FR. FRANCISCO)

EDICIONES

473

[*APROBACION*]. (En Villa, Esteban de. *Ramillete de plantas*. Burgos. 1637. Prels.).

SAN LORENZO DEL ESCORIAL. *Monasterio*. M.14-II-27.

MALUENDA (JACINTO)
V. ALONSO DE MALUENDA (JACINTO)

MALUENDA (JACINTO ALONSO)
V. ALONSO DE MALUENDA (JACINTO)

MALUENDA (FR. LUIS DE)

N. en Burgos c. 1488. Franciscano desde 1504-5. Residió en Salamanca, Toro y Burgos. Procurador general de la Orden (1535).

EDICIONES

474

[*EXCELENCIAS de la fe*]. [Burgos, 1532?].

«Que ha existido esta primera edición se desprende de la dedicatoria del autor al P. Francisco de Vitoria» (Castro, pág. 153).

475

[*VERGEL de virginidad*]. [Burgos, 1532?].

«Que el año 1537 circulaba una edición de esta obra, lo dice expresamente el autor en el prólogo a la edición del año 1539» (Castro, pág. 155).

476

NUEVE (Las) mejorías de San Juan Bautista.

Citada por el autor en el prólogo a la *Leche de la fe*.

477

NUEVE (Las) honras de San Juan Evangelista.

Idem.

478

HISTORIA del sancto y milagroso cauallero el conde Fernán González. Burgos. 1537.

La cita el autor en el prólogo al *Vergel*.

479

TRATADO llamado Excelencias d'la Fe: ayuntado de muchas flores de los Libros de los excelentes varones: anssí santos como paganos colegido por vn religioso de la orden de los menores d'la prouincia de Santiago. [Burgos. Juan de Junta]. [1537, 26 de junio]. 96 hs. 19,5 cm. gót.

Anónimo.

—Port. a dos tintas: roja y negra.—Ded. al Maestro Siliceo, maestro del principe don Felipe.—Epistola a Fr. Francisco de Vitoria.—Texto.—Sumario de los capitulos.—Colofón.

Incluida en el Index de Gaspar de Quiroga.

Castro, págs. 154-55.

LONDRES. British Museum. C.63.g.26 (1).— SALAMANCA. Universitaria. 28815 (1).

480

VERGEL de Virginidad con el Edificio spiritual de la Caridad. Y los mysterios de la virgen sin par. Y otro tratado de los mysterios de los angeles. Con treze seruicios que haze el Angel custodio. Compuesto por vn religioso de los menores de la prouincia de Santiago. [Burgos. Juan de Junta]. 1539 [2 de junio]. 135 hs. 19,5 cm. gót.

Anónimo.

—Port. con un grabado, a dos tintas: roja y negra.—Ded. a la emperatriz D.ª Isabel.—Prologo.—Sumario de los capitulos. Texto del Vergel.—Texto del Misterio de los Angeles.—Colofón.

Gallardo, I, n.º 1.267; Castro, págs. 156-57.

BARCELONA. Universitaria. B.6-3-17-836.—LONDRES. British Museum. C.123.f.9. — MADRID. Nacional. R-11.863 (ex libris del Monasterio de La Vid y de Gayangos).—SAN LORENZO DEL ESCORIAL. Monasterio. 31-V-40.—SANTIAGO DE COMPOSTELA. Particular de los PP. Franciscanos.

481

TRATADO llamado leche de la fe del principe christiano. Con LXII mila-

gros de Jesu christo nuestro dios y redemptor. Y con los misterios del antechristo: Y con las ropas de las virtudes Morales y Teologales. Copilado d'los excelentes libros por ——. [Burgos. Juan de Junta]. 1545 [16 de enero]. 20 hs. + 508 fols. a 2 columnas + 1 h. 30 cm. gót.

—Port. a dos tintas, roja y negra, con un grabado.—Prólogo.—Sumario de los capitulos.—Texto.—Tabla.—E.—Colofón.

Castro, págs. 157-59.

Prohibido en los Index de 1559, pág. 56; 1570, pág. 102 y siguientes hasta 1790.

N. Antonio y Wadding citan: Lac Fidei pro Principe Christiano. Brujas. 1545.

MUNICH. Staatsbibliothek.

482

TRATADO llamado mysterios de la Deuocion compuesto por vn religioso de la orden de san Francisco de la prouincia de santiago. [Burgos. Juan de Junta]. [1537, 26 de junio]. 16 hojas. 19,5 cm. gót.

—Sumario de los capitulos.—Ded. a D.ª Catalina, reina de Portugal.—Texto.— ABC christiano compuesto en Ytalia.— Colofón.

Castro, pág. 155.

LONDRES. British Museum. C.63.g.26 (2).— SALAMANCA. Universitaria. 28.815 (2).

ESTUDIOS

483

CASTRO, MANUEL. Impresos raros de la provincia franciscana de Santiago en el siglo XVI. (En Archivo Ibero-Americano, XL, Madrid, 1980, págs. 139-92).

Págs. 146-59: Fr. Luis de Maluenda, OFM.

484

CASTRO, MANUEL DE. El franciscano Fr. Luis de Maluenda, un alguacil alguacilado de la Inquisición. (En La Inquisición española. Nueva visión... Madrid. 1980, págs. 797-813).

485

REP: N. Antonio, II, pág. 48; Juan de San Antonio, II, pág. 300; Martínez Aníbarro, pág. 329.

MALUENDA (FR. TOMAS)

N. en Játiva (1565). Dominico. M. en Valencia (1628).

CODICES

486

«*Aprobacion. En el conuento de S. Thomas, de Madrid a 25 de febrero de 1612*».

Autógrafa. En Tamayo de Vargas, Tomás. *Cifra Contra-cifra Antigua Moderna.* Original dispuesto para la imprenta.

MADRID. *Nacional.* Mss. 8.940 (fol. 1v).

487

[*Obras castellanas y latinas*].

Gutiérrez del Caño, II, núms. 1.345-56.

VALENCIA. *Universitaria.*

EDICIONES

488

RELACION breve de la vida, milagros, Martyrrio (sic) *y canonizacion de San Pedro Martyr, de la Orden de Predicadores, Inquisidor Apostolico.* Zaragoza. Iuan de la Naja y Quartanet. A costa de la Congrandria (sic) de los Crucesigneros de San Pedro Martyr. 1613. 8 hojas + 112 págs. 15 centímetros.

—Apr. y L. V.—Pr.—Al Lector.—Ded. a los Inquisidores de Aragón.—Texto.

Jiménez Catalán, *Tip. zaragozana del siglo XVII*, n.º 118.

ZARAGOZA. *Universitaria.* D-25-130.

489

[*DOS Aprobaciones*]. (En Puente, Juan de la. *Tomo Primero de la conveniencia de las dos Monarquias Catolicas la de la Iglesia Romana y la del Imperio Español...* Madrid. 1612. Prels.).

1. Madrid, 3 de Febrero de 1612.
2. Madrid, 8 de Enero de 1612.

MADRID. *Academia de la Historia.* 5-4-6-1612.

OBRAS LATINAS

490

DE Antichristo libri undecim. Roma. Apud Carolum Vulliettum. 1604 2 + 540 págs. 32,5 cm.

Toda, *Italia*, III, n.º 3.023 (reproduce la portada).

GENOVA. *Universitaria.* 1.E.IV.5.

491

DE Paradiso volvptatis, qvem Scriptvra Sacra Genesis secvndo et tertio capite describit, Commentarius. Roma. Ex Typ. Alfonsi Ciacconi, apud Carolum Vulliettum. 1605. 4 hs. + 302 págs. + 12 hs. 4.º.

Toda, *Italia*, III, n.º 3.024.

NUEVA YORK. *Hispanic Society.*—SANTIAGO DE COMPOSTELA. *Universitaria.*—ZARAGOZA. *Universitaria.* G-15-41.

492

ANNALIVM Sacri Ordinis Praedicatorum Centuria Prima. Nápoles. Ex Typ. Lazari Scorigii. 1627. 14 hs. + 700 págs. Fol.

Toda, *Italia*, III, n.º 3.025.

493

COMMENTARIORUM in S. Scripturam. Lugduni. Sump. Societatis Bibliopolorum. 1650. 5 vols. 34 cm.

GENOVA. *Universitaria.* 1.I.W.16-20. — MADRID. *Facultad de Filología.* 5212 [el II].

ESTUDIOS

494

REP: N. Antonio, II, págs. 307-8; Ximeno, I, págs. 312-16; Galmés, L., en DHEE, II, pág. 1406.

MALVEZZI (VIRGILIO)

N. en Bolonia (1599). Consejero de Guerra. Embajador en Inglaterra. M. en 1654.

CODICES

495

«*Carta del Desprecio de la Dignidad... al Conde-Duque de Olivares, consolandole en su caida: traducida de toscano al español por D. Alonso de Guevara y D. Francisco de Hozes a parrafos alternados*».

Letra del s. XVIII. 4.º

Gayangos, I, pág. 595.

LONDRES. *British Museum*. Add.10250 (fols. 76-83).

496

«*Historia de Felipe III (1612-1621)*».

Col. Folch, n.º 14.

MADRID. *Academia de la Historia*. 11-I-5 (Ant.).

497

«*Historia del tiempo del Sr. Rey Felipe III*».

Letra del s. XVII. 133 fols. 306 × 202 mm. Autógrafo (?). Fechado a 9 de junio de 1639.

MADRID. *Nacional*. Mss. 7092.

498

[*Crónica de Felipe III*].

Letra del s. XVII. 112 fols. 320 × 205 mm. Carece de portada.

—Ded. al Rey.—A quien lee.—Texto, fechado a 9 de junio de 1639.

MADRID. *Nacional*. Mss. 8.200.

499

[*Crónica de Felipe III*].

Letra del s. XVII. 113 fols. 290 × 200 mm. Carece de portada.

—Ded. al Rey.—A quien lee.—Texto.

MADRID. *Nacional*. Mss. 8.208.

500

[*Censura*]. (En Martínez Sánchez Calderón, Juan Alfonso. *Epítome de las historias de la gran Casa de Guzmán*... Fol. 3).

Letra del s. XVII (1638). 420 × 290 mm.

MADRID. *Nacional*. Mss. 2.256.

501

«*Carta del Marqués Virgilio Malvezy al Conde Duque consolándole en su cayda*».

9 págs. 210 × 150 mm.

SEVILLA. *Colombina*. Papeles varios, 85-4-1.

EDICIONES

OBRAS ITALIANAS

502

OPERE del Sig. Marchese ——. *Cioé. Il Romulo. Tarquinio Superbo. Dauide Perseguitato. Il Privato Politico.* Venecia. Gio. Francesco Valvasense. 1676. 503 págs. 16.º

SANTIAGO DE COMPOSTELA. *Universitaria*.

503

DISCORSI sopra Cornelio Tacito. Venecia. Marco Ginammi. 1622. 20 hs. + 375 págs. 4.º

Toda, *Italia*, III, n.º 3.028.

BARCELONA. *Central*. Toda, 6-V-11.—ROMA. *Vaticana*. Stamp. Barb. K.III.5.

504

DISCORSI sopra Cornelio Tacito... Venecia. Marco Giuammi. 1635. 375 págs. 21,5 cm.

MADRID. *Facultad de Filología*. 9.458. — SANTIAGO DE COMPOSTELA. *Universitaria*.

505

IL Romvlo. [Bolonia. Clemente Ferroni]. [1629]. 4.º.

ROMA. *Vaticana*. Stamp. Barb. P.II.19.

506

Il Romvlo. Macerata. Heredi di Pietro Saluioni & Agostino Grisei. 1632. 115 págs. + 1 h. 12.º

Toda, *Italia*, III, n.º 3.026 (reproduce la portada).

BARCELONA. *Central*. Toda, 6-III-12.

507

Il Romulo. Bolonia. Clemente Ferroni. 1632. 4 hs. + 96 págs. 21 cm.
MADRID. *Facultad de Filología.* 19.944.

508

——. Génova. Felippo Alberto. 1635. 131 págs.
MADRID. *Facultad de Filología.* 28.802.

509

——. Venecia. Andrea Baba. 1635. 16.º
ROMA. *Vaticana.* Stamp. Barb. P.I.26 int. 2.

510

Il Tarqvinio Svperbo. Macerata. Heredi di Pietro Saluioni & Agostino Grisei. 1632. 4 hs. + 135 págs. 12.º
Toda, *Italia,* III, n.º 3.027.
BARCELONA. *Central.* Toda, 6-III-12.

511

IL Tarqvinio svperbo. [Bolonia. Clemente Ferroni]. [1632]. 4.º.
ROMA. *Vaticana.* Stamp. Barb. P.II.36 y P.VII.247.

512

——. Venecia. Andrea Baba. 1635. 16.º
ROMA. *Vaticana.* Stamp. Barb. P.I.26 int. 1.

513

——. Genova. Felippo Alberto. 1635. 151 págs.
MADRID. *Facultad de Filología.* 28.802.

514

DAVIDE persegvitato. Bolonia. Giacomo Monti. 1634. 4.º.
ROMA. *Vaticana.* Stamp. Barb. P.IV.39.

515

——. Venecia. Giacomo Sarzina. 1636. 16.º.
ROMA. *Vaticana.* Stamp. Barb. P.I.26, int. 4.

516

——. Ascoli. Maffio Salvioni. 1636. 12.º.
ROMA. *Vaticana.* Stamp. Barb. U.XIV.107.

517

DAVIDE perseguitato. Génova. Felippo Alberto. 1636. 212 págs. 14 cm.
MADRID. *Facultad de Filología.* 28.802.

518

Il ritratto del Privato politico Christiano. Estratto dall'originale d'alcune attioni del Conte Dvca di S. Lvcar. Milán. Filippo Ghisolfi. 1635. 173 págs. 8.º
Toda, *Italia,* III, n.º 3.029.
BARCELONA. *Central.* Toda, 6-III-7.

519

IL ritratto del privato politico christiano. Bolonia. Giacomo Monti e Carlo Zeuero. 1635. 6 hs. + 136 págs. 4.º
Toda, *Italia,* III, n.º 3.330.
ROMA. *Vaticana.* Stamp. Barb. Z.V.36.

520

——. Milán. Filippo Ghisolfi. 1636. 187 págs. 16.º
MADRID. *Facultad de Filología.* 28.802. — ROMA. *Vaticana.* Stamp. Barb. P.I.26, int. 3.

521

[EPISTOLA]. (En Tortoreti, Vicente. *Maximiliano socorrido, y fragmentos eucharisticos...* s. l. - s. a., 1639? Prels.).
MADRID. *Nacional.* V.E.-49-102.

522

SUCCESI principali della monarchia di Spagna nell'anno 1639. Anversa. Nell'officina Plantiniana di B. Moreto. 1641. 16 cm.
BOLONIA. *Archiginnasio.* 16/B.V.11. — ROUEN. *Municipale.* U.3470.

523

SUCCESSI principali della Monarchia di Spagna nell'anno 1639. Génova. Pietro Auberto. 1647. 2 hs. + 269 págs. + 1 h. 8.º

Toda, *Italia*, III, n.º 3.033.

524

Considerationi con occasione d'alc' luoghi delle vite d'Alcibiade, e di Coriolano. Bolonia. 1648. 6 hs. + 363 págs. + 4 hs. + 219 págs. + 1 h. 32.º

Toda, *Italia*, III, n.º 3.035-36 (reproduce la portada).

BARCELONA. *Central.* Toda, 6-III-13.

525

Introduzione al racconto de' principali svccesi accadvti sotto il comando del... re Filippo qvarto. Roma. Heredi del Corbelleti. 1651. 4 hs. + 148 págs. 4.º

Toda, *Italia*, III, n.º 3.034.

ROMA. *Vaticana.* Stamp. Barb. Q.VIII.89 y S.VII.55.

OBRAS EN ESPAÑOL

526

LIBRA (La) de Grivilio Vezzalmi tradvcida de Italiano en lengva Castellana, Pesan se las ganancias, y las perdidas de la Monarqvia de España en el felicissimo reynado de Filipe IV el Grande. Pamplona. [s. i.]. [s. a.]. 188 págs. orladas. 19,5 cm.

—Frontis.—Al letor.—E.—Texto.

Pérez Goyena, II, n.º 493. (¿De 1639?).

MADRID. *Nacional.* R-10.560.

527

LIBRA (La) de Grivilio Vezzalmi [anagr.]. *Tradvcida de Italiano en Lengva Castellana. Pesasen se las Ganancias, y las Pérdidas de la Monarqvia de España en el felicissimo reynado de Felipe IV el Grande.* Pamplona. [s. i.]. [s. a.]. 2 hs. + 188 páginas. 4.º

Prólogo: «Habiendo llegado a mis manos impreso y mal impreso el papel que el año pasado envié a un amigo, me deter-

miné a corregir los errores de estampa y añadirle nuevas glorias de la Monarquía...».

Salvá, II, núms. 3.217-18; Pérez Goyena, II, n.º 493. (¿De 1639?).

—Frontis.—Al letor.—E.—Texto.

MADRID. *Nacional.* R-10.560 (con una nota ms. de Gayangos). — NUEVA YORK. *Hispanic Society.*—PARIS. *Mazarina.* A.2297.

528

La Libra de Grivilio Vezzalmi, traducida de Italiano en lengua Castellana... Nápoles. Iacomo Gafaro. 1639. 233 págs. 12.º

Toda, *Italia*, III, n.º 3.032 (reproduce la portada).

BARCELONA. *Central.* Toda, 6-III-11.

529

SUCESOS principales de la Monarquia de España en 1639. Madrid. Imp. Real. 1640. 2 hs. + 131 fols. + 2 hs. 20 cm.

—Portadilla.—Frontis.—O Letor.—Texto.—Colofón.

Salvá, II, n.º 3.009.

MADRID. *Academia Española. — Facultad de Filología.* 34.032. *Municipal.* R-548. *Palacio Real.*—NUEVA YORK. *Hispanic Society.*—PARIS. *Mazarina.* 17909.—ROMA. *Vaticana.* Stamp. Barb. S.VII.56.—SEVILLA. *Colombina.* 17-3-50.

TRADUCCIONES

a) CASTELLANAS

530

ROMVLO (El) del Marqves ——. Traduzido de Italiano por Don Francisco de Quevedo Villegas... Pamplona. Viuda de Carlos de Labayen. 1632. 11 hs. + 95 fols. 8.º

—Apr. de Fr. Juan de Maldonado.—L.—T.— Ded. a D. Iuan Luys de la Cerda, duque de Medinaceli, etc.—A pocos, don Francisco de Villegas. — Juicio de Jerónimo Antonio Pallés.—Texto.

Pérez Goyena, II, n.º 438.

531

——. Tortosa. Francisco Martorell. 1636.

BARCELONA. *Univeristaria.* — GERONA. *Pública.* A-5.961.—NUEVA YORK. *Hispanic Society.*

532

TARQVINO (El) soberbio... Tradu-cele de Italiano el P. Antonio Gonzá-lez de Rosende. Madrid. [s. a., 1634?].

V. *BLH*, XI, n.º 1360.

533

TARQUINO el Sobervio. Traducido por Francisco Bolle Pintaflor. Madrid. 1635.

V. *BLH*, VI, núms. 4791-92.

534

RETRATO del Privado Christiano Politico, deducido de las acciones del Conde-Duque de Olivares. Nápoles. Octavio Beltrán. 1635. 4 hs. + 159 páginas. 4.º

El nombre del traductor, Francisco de Balboa y Paz, consta al final de la Ded. Toda, *Italia*, III, n.º 3.031.

V. *BLH*, VI, n.º 2.262.

535

DAVID persegvido... Tradvzido de Toscano en Español Castellano por Aluaro de Toledo. Barcelona. Pedro Lacavallería. 1636. 70 fols. 15 cm.

—Apr. de Fr. Ioseph del Monte.—L.— Texto.

BARCELONA. *Universitaria.*—MADRID. *Nacional.* U-1.374.—NUEVA YORK. *Hispanic Society.*—SE-VILLA. *Universitaria.* 9-149.

536

OBRAS (Las) del marqves Virgilio Malvezzi. Dauid perseguido, Romulo, y Tarquino. Traduzido de italiano, por Don Francisco de Queuedo Vi-llegas. Lisboa. Paulo Crasbeeck. A costa de Iuan Leite Perera. 1648. 4 hs. + 140 fols. 13,5 cm.

—Lisenças.—Ded. a Antonio de Saldaña, Cauallero del habito de Christo y Capitan de cauallos, de las coraças, en las fronteras de Alentejo, por Ioao Leite Pereira (en portugués).—Texto.

1. *David perseguido*, traduzido por Aluaro de Toledo. (Fols. 1r-57r).
2. *El Romido.* (Fols. 58r-93r).
3. *Tarquino el sobervio.* (Fols. 93v-140r).

MADRID. *Nacional.* R-1.916.—NUE.A YORK. *Hispanic Society.*

537

ALCIBIADES Capitan, ciudadano ateniense. Su vida escrita en lengua italiana por ——. *[Traducida] en la castellana por Gregorio de Tapia i Salcedo.* Madrid. Domingo García Morrás. 1668. 21 hs. + 213 págs. + 1 h. 24,5 cm.

—Ded. a D. Lope de los Rios i Guzman, cavallero de Calatrava, etc., con datos biográficos y precedida de una lámina con su escudo, por el traductor.—Apr. de Fr. Diego de Vitoria.—L. V.—Apr. de Josef Pellicer de Osau i Tovar.—S. Pr. al traductor, por diez años.—S. T.—E.— Al lector, G. de Tapia i Salcedo.—Al Letor, el Marqués V. Malveci. — Texto. — Obras que a impreso el Autor.

MADRID. *Nacional.* 2-55.713; 3-8.867; etc.

b) FRANCESAS

538

Reflexions sur la vie de Tarqvin, dernier roy de Rome. [Trad. del italiano por Louis de Benoit]. Aviñón. Iean Piot. 1646. 12.º

ROMA. *Vaticana.* Stamp. Barb. P.VI.136.

ESTUDIOS

539

«*Respuesta a un libro intitulado la Libra del Marques Virgilio Malvezzi, sobre el suceso de Fuenterrabía año de 1638*».

Letra del s. XVII. 13 hs. 210 × 155 mm.

MADRID. *Nacional.* Mss. 18.660⁴.

540

AVILA Y HEREDIA, ANDRES DE. *Comedia sin música.* Valencia. Penito Macé. 1676. 4 hs. + 80 fols. 14,5 cm.

Diálogo político, en que interviene como

personaje junto a Bodino, Maquiavelo, Richelieu y otros.

V. *BLH*, VI, n.° 1633.

541

CROCE, BENEDETTO. *Virgilio Malvezzi*. (En *La Crítica*, XXVIII, Nápoles, 1930, págs. 384-92).

Reprod. en sus *Nuovi saggi sulla letteratura italiana del Seicento*. Bari. Luterza. 1931.

542

MARAÑON, GREGORIO. *El Marqués de Malvezzi*. (En *El Conde-Duque de Olivares*. *(La pasión de mandar)*. 3.ª edición. Madrid. 1952, páginas 147-48).

543

SIMON DIAZ, JOSE. *Los traductores españoles de Malvezzi*. (En *Revista de Literatura*, XVIII, Madrid, 1965, págs. 87-93).

MALLADA (PEDRO)

EDICIONES

544

[*APROBACION. Lérida, 2 de noviembre de 1653*]. (En Esmir, Esteban. *A la consulta que se ha hecho por parte del Arzobispo de Zaragoza... s. l.-s. a. Al fin).*

V. *BLH*, IX, n.° 5356.

MALLEA (FR. JUAN DE)

EDICIONES

545

[*APROBACION por ——, Fr. Joan de Guizabal; Fr. Francisco de Hoyo, y Fr. Alonso Garcia. Bilbao, 17 de Agosto de 1670*]. (En Matienzo, Joan Luis de. *Tratado breve, i compendioso en que se declara la debida... pronun-*

ciacion de las dos lenguas, Latina, i Castellana... Madrid. 1671. Prels.).

MADRID. *Nacional*. R-7.825.

MALLEA (FR. SALVADOR DE)

Trinitario calzado. M. en 1670.

EDICIONES

546

REY pacifico, y govierno de principe catolico, sobre el psalmo 100 de David. «Misericordiam, & Iudicium cantabo tibi Domine». Genova. Pedro Francisco Barberio. 1646. 8 hs. + 93 folios a 2 cols. 30 cm.

—Apr. y l. en latin.—Tabla de los capitulos y parrafos.—E.—Texto del Psalmo 100.—Intento del Auctor a la obra.—Ded. a Felipe IV.—Prologo.—Texto.—Fols. 84v-93v: Indice de las cosas notables.

Toda, *Italia*, III, n.° 3.019.

CORDOBA. *Pública*. 13-339.—GRANADA. *Universitaria*. A-17-129; etc.—MADRID. *Academia de la Historia*. 4-2-4-1.646. *Facultad de Filología.—Nacional*. R-3.911; V.E.-206-82.—NUEVA YORK. *Hispanic Society*.—SEVILLA. *Universitaria*. 101-146; 126-144.

547

PRIVILEGIOS concedidos por los señores Reyes Catolicos de España en fauor de la Orden de la SS. Trinidad Calçados, Redencion de Catiuos. Granada. Francisco Sanchez, en la Impr. Real. 1654. 36 págs. 32 cm.

—Texto.—Provisión para que se despache en papel de pobres.—Colofón.

Impreso en papel sellado. Con firmas manuscritas.

CORDOBA. *Pública*. 2-132.

548

[*MEMORIAL para el Rey nuestro Señor. A sus Reales Consejos, Chancillerías, Ciudades, cabezas de Reynos... suplicando no permitan dar sus licencias para fundar de nuevo religion alguna, por los grandes inconvenientes que se les siguen a las*

ciudades, como a las religiones].
[s. l.-s. i.]. [s. a.]. 4 fols. 29 cm.
—Texto.
¿De Granada, 1654?
GRANADA. *Universitaria*. A-31-135 (25).—MADRID. *Nacional*. V.E.-92-51.—NUEVA YORK. *Hispanic Society*.—SEVILLA. *Universitaria*. 111-158 (16).

549
VEXAMEN a 27 de nouiembre de 1655. Granada. Impr. Real por Francisco Sanchez. 1655.
NUEVA YORK. *Hispanic Society*.

550
MANUAL de Predicadores. Argumento sobre todos los Psalmos. Granada. Baltasar de Bolibar. 1657. 8 hs. + 52 folios. 15 cm.
—L. O.—Apr. de Fr. Pedro del Río.—L. V. Apr. de Fr. Baltasar Alvarez.—Dézima en alabanza del autor por an su aficionado. [«Ya de vuestra pluma el buelo...»].—Soneto de Fr. Antonio de la Concepcion y Bexar. [«Oy canta de David Psalmos Mallea...»].—Dézimas del mismo. [«Con diuina erudición...»].—Ded. a Fr. Juan Moreno, Provincial de los trinitarios.—Prólogo.—Texto.
SEVILLA. *Universitaria*. 14-152.

551
REVELACIONES del Santo Profeta Daniel. Granada. Baltasar de Bolívar. 1658. 40 fols. + 5 láms. 14,5 cm.
MADRID. *Facultad de Filología*. 9.749.

552
GRANADA festiva en el real nacimiento del Serenissimo Principe Don Felipe Prospero. Granada. En la Imprenta Real, por Baltasar de Bolíbar. 1658. 36 fols. 21,5 cm.
—Ded. a Felipe IV.—Texto.
GRANADA. *Universitaria*. A-31-203 (6).—MADRID. *Nacional*. Mss. 2.386 (fols. 189-224).—SEVILLA. *Universitaria*. 109-41 (13).

553
EPITOME de las vidas de los gloriosos S. Ivan de Mata, y S. Felix de

Valoys, Patriarcas del celestial Orden Calçado de la Santissima Trinidad... Roma. Falco y Varese. 1665. 11 hs. + 246 fols. + 12 hs. 19,5 cm.
—Licencias.—Apr. de Fr. Juan Lucas del Campo.—L. O.—Tabla de los capitulos.—Ded. a Fr. Sebastian Carreto, provincial de Andalucía de los Trinitarios.—Prologo.—Al lector.—Sumario.—Texto.—Tabla de las cosas notables.
Toda, *Italia*, III, n.º 3.020.
GRANADA. *Universitaria*. A-18-231.

OBRAS LATINAS

554
INNOCENTIVS PP. XI. Ad Fvtvram Rei Memoriam. Exponi nobis nuper fecit dilectus filius Philippus à Iesu Procurator Generalis Congregationis Hispaniae Fratrum Discalicatorum Ordinis Sanctissimae Trinitatis... Roma. Typ. Rev. Camerae Apostolicae. 1679. 1 h. Fol.
Toda, *Italia*, III, n.º 3.021.

555
VRBIS et Orbis. Ad pias Maiestatis Caesaerae preces... Roma. Typ. Rev. Camarae Apostolicae. 1697. 1 h. Fol.
Toda, *Italia*, III, n.º 3.022.

ESTUDIOS
556
REP: N. Antonio, II, págs. 274-75; Antonino de la Asunción, II, págs. 64-68.

MALLEN (P. JUAN)
Jesuita.

EDICIONES
557
[*DEDICATORIA a D. Diego Romano, obispo de Tlaxcala, por los PP. Antonio Rubio, Juan Alcocer y* ——].
(En POETICARUM *institutionum liber...* Méjico. 1605. Prels.).
Medina, *México*, II, n.º 221.

MALLEN VALENCIANO (FRANCISCO)

EDICIONES

558

[EPITAFIO]. (En Pérez de Montalban, Juan. *Fama posthuma a la vida y muerte de... Lope Felix de Vega Carpio...* Madrid. 1636, fol. 159v).

MADRID. *Nacional.* 3-53.447.

MANASSEH BEN ISRAEL

V. MENASSEH BEN ISRAEL

MANCA DE CENDRELLES (GABINO)

EDICIONES

559

RELACION de la invencion de los cverpos de los santos martires S. Gauino, San Proto y San Ianuario... Madrid. Luis Sánchez. 1615. 2 hs. + 27 fols. 4.º

—Texto.

Pérez Pastor, *Madrid*, II, n.º 1.342.

ROMA. *Vaticana.* Stamp. Barb. U.IX.8. — ZARAGOZA. *Universitaria.* D-56-138.

560

RELACION breve de la Invencion de los Cuerpos de los Illustrissimos Martires San Gavino, San Proto, y San Ianuario, Patrones de la Iglesia Metropolitana Turritana, que se han hallado con otros Santos por el mes de Iunio del año 1614, en el templo dedicado a los mismos Santos de la ciudad antigua de Torres, en el Reyno de Serdeña. Sacer. En la emprenta de los PP. Servitas, por Ioseph Centolani. 1739. 39 págs. 4.º

Sin nombre de autor en la portada. En la Ded. se dice que se reimprime la relación que —— envió en 1614 a Felipe III. Toda, *Cerdeña*, n.º 259.

TRADUCCIONES

a) ITALIANAS

561

——. Sacer. Azzara. 1847.

Cit. en toda, idem.

MANCEBO (P. JERONIMO)

CODICES

562

[*Fracmento de un poema*].

Letra del s. XVII. 217 mm. En un Cancionero que perteneció al marqués de Jerez de los Caballeros, pág. 61.

«Exemplo ofrece triste y lastimoso...».

Rodríguez Moñino y Brey, I, pág. 367.

NUEVA YORK. *Hispanic Society.* Mss. LXII.

MANCEBO (PEDRO JERONIMO)

EDICIONES

563

[CANCION]. (En Melendo, Juan. *La Serrana celestial, historia, aparecimiento y milagros de... Nuestra Señora de la Sierra.* Zaragoza. 1627. Prels.).

MADRID. *Nacional.* 2-22.288.

MANCEBO AGUADO (PEDRO)

N., residió y m. en Sevilla (c. 1618-1636). Médico. Familiar de la Inquisición.

EDICIONES

564

TRATADO de la essencia de la melencolía, de su asiento, causa, señales y curacion. Jerez. 1626.

N. Antonio.

«Hemos buscado inútilmente esta edición, mencionada por Parada, pág. 36» (Rodríguez Moñino, *La imprenta xerezana*, n.º 9).

565

——. Sevilla. 1636. 4.º

N. Antonio.

OBRAS LATINAS

566

DE essentia, signis, causis, prognostico, & curatione anginae, vulgo garrotillo, brevis tractatus... Sevilla. Rodriguez Gamarra. 1618. 36 págs. 21 cm.

WASHINGTON. *U.S. National Library of Medicine.*

567

LIBELLUS de Melancholia hippocondriaca, in quo usus chalybis impugnatur. Sevilla. S. Fajardo. 1639. 23 folios. 21 cm.

PARIS. *Nationale.* 4ºTd⁸⁶.16. — WASHINGTON. *U.S. National Library of Medicine.*

ESTUDIOS

568

REP: N. Antonio, II, págs. 211-12; Méndez Bejarano, II, n.º 1.516.

MANCEBO Y VELASCO (PEDRO JERONIMO)

N. en Ariza. Contador real. Pagador por S. M. del Alcázar de Madrid y de sus Reales Obras y Bosques.

EDICIONES

569

[EPIGRAMA]. (En Funes, Juan Agustin de. *Corónica de la ilustrissima milicia, y sagrada religión de San Iuan Bautista de Ierusalem.* Tomo II. Zaragoza. 1639. Prels.).

MADRID. *Nacional.* R-14.430.

570

[POESIAS]. (En Grande de Tena, Pedro. *Lágrimas panegiricas a la temprana muerte del... Dr. Juan Pérez de Montalban.* Madrid. 1639).

1. *Decimas.* (Fols. 107r-108r).
2. *Soneto.* (Fol. 113r).

MADRID. *Nacional.* 2-44.053.

OBRAS LATINAS

571

[POESIA]. (En Grande de Tena, Pedro. *Lágrimas panegiricas a la temprana muerte del... Dr. Juan Pérez de Montalban.* Madrid. 1639, fol. 106).

MADRID. *Nacional.* 2-44.053.

ESTUDIOS

572

ANDRES DE UZTARROZ, JUAN FRANCISCO. *[Elogio].* (En su *Aganipe de los cisnes aragoneses.* Zaragoza. 1890, pág. 88).

V. *BLH,* V, n.º 4965.

573

REP: Latassa, 2.ª ed., II, pág. 219.

MANCEBON (GASPAR)

N. en Orihuela. Agustino.

EDICIONES

574

VIDA de la Madre Sor Ioana Guillem, de la Orden de los Ermitaños de San Augustin... Origuela. Felipe Mey. 1617. 8 hs. + 376 págs. + 2 hojas. 4.º.

PARIS. *Nationale.* H.4535. — ROMA. *Vaticana.* Stamp. Barb. U.V.86. — SALAMANCA. *Universitaria.*—VALLADOLID. *Colegio de Filipinos.*—ZARAGOZA. *Universitaria.* G-34-86.

575

VIDA de la V. M. Sor Juana Guillen, religiosa agustina, arreglada de la que escribió ——, por un religioso de la misma Orden. Pamplona. Imp. Diocesana. 1914. XVI + 354 págs. + 1 hoja. 21 cm.

MADRID. *Nacional.* 4-140.988.

ESTUDIOS

576

REP: N. Antonio, I, pág. 529; Ximeno, I, pág. 302; Santiago Vela, V, págs. 112-14.

MANCILLA HINOJOSA (JUAN DE)

Capitán.

EDICIONES

577

[*DEDICATORIA a D. Rodrigo Pache-*
·co Ossorio, Marqués de Cerralvo,
Virrey de Nueva España, etc.]. (En
Escudero, José. *Relación de las hon-*
ras, y tumulo, que la... Ciudad de
Antequera, Valle de Guaxaca, leuantó
en su Iglesia Cathedral a la tempra-
na muerte de... D.ª Inés Pacheco de
la Cueva... Méjico. 1631. Prels.).

Medina, *México,* II, n.º 420.

MANCONI (GABINO)

Obispo de Ales y Terralba.

EDICIONES

578

SERMON predicado en la fiesta de
la Canonizacion de S. Ignacio de Lo-
yola y S. Francisco Xavier... en la
Yglesia de la Casa Professa de la
Compañia de Iesus, en la ciudad de
Sacer. Sacer. Impr. de Franc. Scano
de Castelui, por Bartholomé Gobetti.
1623. 1 h. + 69 págs. 18,5 cm.

—Ded. al P. Mutio Vitelleschi, Prepósito
General de la Compañía de Jesús.—
Texto.

SEVILLA. *Universitaria.* 113-37 (10).

MANCHA Y VELASCO (CRISTOBAL DE)

EDICIONES

579

DISCVRSO christiano en qve se res-
ponde a ciertos arbitrios dados a Su
Magestad en su Real Consejo de las
Indias. Madrid. Viuda de I. Gonçalez. 1637. 18 fols. 29 cm.

NUEVA YORK. *Public Library.*

MANCHADO DE ANGULO (PELAGIO)

EDICIONES

580

INFORME, que hazen a su Magestad
Filipo IIII el Grande (que Dios guar-
de), el Capellan mayor, y Capellanes
de su capilla, sita en la Santa Iglesia
de la Ciudad de Cordova, cerca del
mas conveniente sitio, para entierro,
y Capilla de los Señores Reyes Don
Fernando el IIII y D. Alonso el XI,
que estén en gloria. Año de 1646. [s.
l.-s. i.]. [s. a.]. 9 fols. 29 cm.

Carece de portada.
—Texto.

SEVILLA. *Universitaria.* 109-93 (6).

MANCHEGO (PEDRO)

EDICIONES

581

RETRATO de vn monstruo, que se
engendro en vn cuerpo de vn hom-
bre, que se dize Hernando de la Ha-
ba, vezino del lugar de Ferreyra,
Marquesado de Cenete, de vnos he-
chizos que le dieron. Parteole Fran-
cisca de Leon, comadre de parir, en
veynte y vno de Iunio de 1606 por
la parte trasordinaria. Barcelona. Sebastian de Cormellas. 1606. 4 hs. 4.º

—Texto. [«Oy si me prestan silencio...»].
Gallardo, III, n.º 2.887.

GRANADA. *Universitaria.* C-9-79.

MANCHO (DOMINGO)

Licenciado. Canónigo de la catedral de
Segorbe. Examinador sinodal.

EDICIONES

582

[*APROBACION. Segorbe, 17 de abril*
de 1633]. (En Jordán, Lorenzo Martín. *Theorica de las tres vías de la*
vida espiritual. Segorbe. 1633. Prels.).

MADRID. *Nacional.* R-4.873.

MANCHOLA (FR. ESTEBAN DE)

Franciscano.

EDICIONES

583

[*APROBACION. San Cosme, 25 junio 1684*]. (En Leyba, Diego de. *Vida de Fr. Diego Romero*. Sevilla. 1684. Prels.).

Se insertó también en una ed. de Méjico del mismo año.

MADRID. *Nacional*. 3-61.297.

584

[*CENSURA de Fr. Ioseph Sanchez, ——, Fr. Nicolas Masias y Fr. Antonio Baptista. Méjico, 21 de noviembre de 1685*]. (En Leyba, Diego de. *Virtudes y milagros en vida y muerte del V. P. Fr. Sebastian de Aparicio...* Sevilla. 1687. Prels.).

MADRID. *Nacional*. 3-39.075.

«MANDAMIENTOS...»

585

V. «*SIGUESE una obra... de los Mandamientos*».

«MANDAMIENTOS burlescos...»

EDICIONES

586

MANDAMIENTOS burlescos que un galán cantó a una dama mostrandole por ellos el grande amor y cariño que le tenía. Barcelona. Juan Solis. [s. a.].

NUEVA YORK. *Hispanic Society*.

MANDELO (JACOMO)

EDICIONES

587

APERCIBIMIENTO hecho en la civdad de Milan para la entrada de la Serenissima y Catholica Reyna Doña Margarita de Avstria desposada con el Potentissimo y Catholico Rey de las Españas Don Phelippe III nvestro Señor. Compuesto por... Guido Mazenta, y traduzido y sacado a luz en lengua Castellana por el Conde ——. Milan. Pandolfo Malatesta. [s. a.]. 51 hs. 22,5 cm.

—Ded. a D. Rui Gomez de Silva, Principe de Melito y Duque de Pastrana, por el Conde Iacomo Mandelo (Milán, 17 de mayo *de* 1599).—Carta del Autor al Conde de *Haro.—Otra.—Texto*.

MADRID. *Nacional*. R-3.548. — NUEVA YORK. *Hispanic Society*.

MANDIAA Y PARGA (FR. ESTEBAN)

EDICIONES

588

[*CANCION real*]. (En FIESTAS *Minervales... Santiago*. 1697, págs. 25-27).

MADRID. *Nacional*. 3-55-216.

MANDIAA Y PARGA (RODRIGO)

Colegial Mayor de Cuenca en Salamanca. Maestrescuela, Chancelario y Juez conservador y ordinario de su Universidad. Gobernador y provisor de los obispados de Mondoñedo, Osuna, Cuenca y Sigüenza y de los arzobispados de Burgos y Santiago, Vicario de Madrid, Inquisidor y Consultor del Santo Oficio en Galicia, Cuenca y Madrid. Obispo de Siria y de Almería.

EDICIONES

589

[*MEMORIAL*]. [s. l.-s. i.]. [s. a.]. 24 págs. 29 cm.

Carece de portada.

—Texto, fechado en Salamanca, 1 de mayo de 1657. Como Maestrescuela de la Universidad de Salamanca, pide al Rey que se castiguen ciertos delitos que se cometen en ella.

MADRID. *Nacional*. V.E.-196-39.

590

[*MEMORIAL*]. [s. l.-s. i.]. [s. a.]. 11 fols. 29 cm.

Carece de portada.

—Texto, fechado en Salamanca, 1 de junio de 1657. Sobre asuntos universitarios.

MADRID. *Nacional*. V.E.-201-46.

591

[*MEMORIAL*]. [s. l.-s. i.]. [s. a.]. 9 fols. 29 cm.

—Texto, fechado en Salamanca, a 10 de abril de 1657. Sobre problemas universitarios.

MADRID. *Nacional*. V.E.-196-37.

592

RESOLUCION jurídica, moral, en que se responde a la consulta, que por los señores del Real Consejo de Guerra se hizo a la insigne Universidad, y Estudio General de Salamanca. Sobre la inteligencia del Breve Pontificio, y modo de practicar la jurisdicion Eclesiastica, que por él concede su Santidad a los Capellanes Maiores, y Clerigos Castrenses, que en los Exercitos asisten y administran los Santos Sacramentos. [s. l.-s. i.]. [s. a.]. 16 fols. 29 cm.

—Texto, fechado en Salamanca, a 21 de febrero de 1660.

GRANADA. *Universitaria*. A-31-151 (15).

593

RESOLUCION jurídica, moral, en que se responde a la consulta, que por parte de D. Sancho Calderon de la Barca Barreda, señor de las villas de Maçeron, y Sierra Vaja, Cavallero de la Orden de Santiago, Clerigo in Sacris, y ordenado de Epístola, que con dispensacion de su Santidad contrajo matrimonio, y casó con D. Leonor de Baldibia y Estrada su prima, y muger legitima. Sobre que pretende el dicho D. Sancho, que sin embargo del estado matrimonial en

que se halla, con habito secular, y sin tonsura, debe, y puede gozar de la jurisdiccion, y fuero de la Iglesia, inhibiendo a la justicia seglar, para que como incapaz no proceda, ni conozca de sus causas civiles, y criminales, y las remita a quien legitimamente pueda proceder, y conocer segun derecho. Salamanca. Sebastian Perez. 1660. 25 fols. 29 cm.

—Texto.

GRANADA. *Universitaria*. A-31-151 (16). — MADRID. *Nacional*. V.E.-203-40.

594

[*CASO que se propone en la Consulta*]. [s. l.-s. i.]. [s. a.]. 6 págs. 27,5 cm.

Carece de portada.

—Texto, fechado en Salamanca, a 2 de enero de 1662, y firmado por ——, «Scholastico Salmantino».

MADRID. *Nacional*. V.E.-218-52.

595

[*MEMORIAL*]. [s. l.-s. i.]. [s. a.]. 24 hs. 29 cm.

—Texto. [«Señor. = El Maestrescuela Cancelano de Uniuersidad, y Estudio general de Salamanca dice: que los insignes Maestros, y eminentes Doctores de su gremio...».

MADRID. *Nacional*. V.E.-41-15.

596

ADVERTENCIAS qve haze el Obispo de Almería Don ——... a los Curas, y Beneficiados Confessores del Obispado, para la buena inteligencia, y practica del Iubeleo vniuersal que nuestro muy Santo Padre, y señor Clemente Nono concedió a toda la Christiandad... Granada. Impr. Real de Francisco Sánchez. 1667. 6 hs. 29 cm.

—Texto.

MADRID. *Nacional*. V.E.-204-23.

597

COPIA de carta, qve escrive D. ——,
Obispo de Almería —— al excelentissimo, y esclarecido señor D. Fernando Fajardo Requesens y Zuñiga,
Marques de los Velez... en qve se refieren a sv Excelencia los excessos,
que los Ministros, y Arrendadores de
las rentas de los Señores Temporales del Reyno de Granada hazen en
la percepcion y cobrança de los Diezmos. Y el perjvizio grande qve se
cavsa, y reziben la Iglesia Catedral,
y mas Iglesias de la Diocesis, y Prelado de ellas... Granada. Imp. Real
de Baltasar de Bolíbar. 1667. 41 folios. Fol.

GRANADA. *Universitaria.* A-31-146 (4).

598

[CONSVLTATIO ivridica de incolis
et natvralibvs eligendis ab officia
ecclesiasticae ivrisdictionis]. [s. l.-
s. i.]. [s. a.]. 5 fols. 31 cm.

Carece de portada.

—Texto, en castellano, fechado el Almería,
a 1 de enero de 1669.

MADRID. *Nacional.* V.E.-203-1.

Aprobaciones

599

[APROBACION. Salamanca, 18 de
julio de 1658]. (En Vega, Juan. Respuesta Apologetica. Madrid. 1659.
Al fin).

MADRID. *Nacional.* 2-51.819.

**MANDINGO FARFAN, Doctor
[seud.]**

«Cathedratico de la Universidad del Ocio».

EDICIONES

600

ORACVLOS (Los) fictos, y mentirosas respvestas de Apolo. [s. l.-
s. i.]. [1613]. 22 hs. 15 cm.

En la portada: «Impresoss en la Oficina
del Descanso».

—Ded. a D.ª Ana Hurtado de Salazar, Vis-
soreyna de Mespotamia. [«Aviendo de sacar a luz, en España, y traducir en lengua Española el presente Tratado de
Oraculos, y Mentirosas Respuestas de
Apolo, que antes en Italia compuse...»].—
El Dr. Alquimio, Rector de la Universidad del Ocio. Al Autor.—El M.º Faran-
randula. Al Lector.—El Autor, y la Obra.
[«No mires las mentiras disfrazadas...»].
Los Vedeles de la Universidad del Ocio.
Al Autor. [«En aquesta Academia, celebrada...»]. — Argumento de la obra. —
Exemplo.—Texto.—Colofón.—Retrato del
autor (grab.).

MADRID. *Academia de la Historia.* 4-1.475,
n.º 6.

MANDRI (FR. ANTONIO)

EDICIONES

601

[APROBACION, 17 de octubre de
1635 y Juicio]. (En Marqués, Antonio. Asuntos predicables... Tarragona. 1636. Prels.).

MANDURA (PASCUAL DE)

N. en Egea de los Caballeros. Doctor en
Teología. Canónigo de La Seo de Zaragoza. Rector de su Universidad (1585, 1590
y 1593). Visitador general del arzobispado.
M. en 1604.

CODICES

602

«Libro de memorias de las cosas que
en la iglesia de La Seo de Zaragoza
se han ofrecido desde el año de 1579
hasta el de 1601».

Cit. por Andrés de Uztarroz, que dice se
guardaba en el Archivo de La Seo.

603

«Orden de las festividades que se
celebran en el discurso del año...».
Idem.

EDICIONES

604

[*RAZONAMIENTO ante Felipe II*].
(En Blasco de Lanuza, Vicente. *Historias eclesiásticas y seculares de Aragón.* Tomo II. Zaragoza. 1622, pág. 402).
V. *BLH*, VII, n.º 4575.

ESTUDIOS

605

REP: N. Antonio, II, pág. 158; Latassa, 2.ª ed., II, págs. 219-20.

MANERO (DOMINGO)

EDICIONES

606

DIFFINICIONES Morales mvy vtiles y prouechosas para Curas, Confessores y Penitentes. Recopilado de las obras del Sr. Dr. D. Cristobal de Aguirre... por ——... Santiago. 1665.
V. *B.L.H.*, IV, 2.ª ed., núms. 2.829-33.

ESTUDIOS

607

REP: N. Antonio, I, pág. 330; Latassa, 2.ª ed., II, pág. 222.

MANERO (FR. PEDRO)

N. en 1599. Franciscano. Lector de Teología. Calificador de la Inquisición. Ministro General de la Orden (1651-1655). Obispo de Tarazona (1656). M. en 1659.

CODICES

608

[*Apuntamientos*].
Letras del s. XVII. 169 fols.
Notas suyas, cartas dirigidas a él, etc.
MADRID. *Nacional.* Mss. 4.024.

609

[*Memorial*].
Año 1639. Autógrafo. Editado por J. Meseguer Fernández.
ROMA. *Archivo del convento de S. Isidoro.*

EDICIONES

610

[*PATENTE de* ——*, vicecomisario general, para que los religiosos no vengan a ordenarse a Madrid. Madrid, 29 de septiembre de 1650*]. [s. l.- s. i.]. [s. a.].
Una hoja.
MADRID. *Nacional.* Mss. 2.712 (fol. 136).

611

APOLOGIA de Qvinto Septimio Florente Tertvliano Presbytero de Cartago. Contra los gentiles en defensa de los Christianos. Escrita en Roma Año ducientos de Christo N. S. en el principio de la quinta Persecucion de la Iglesia; en el Año quinto de L. Septimio Severo Emperador: en el Consulado de Cornelio Anulino, i M. Flavio Frontonio. Tradvcida por ——. Zaragoza. Diego Dormer. 1644. 7 hs. + 214 págs. + 4 hs. 20 cm.
—Ded. a Pedro Geronymo Hernandez Sedeño.—Censura de Fr. Bartolomé Foyas. Apr. y Censura de Fr. Juan Ginto.—L. O. Apr. de Fr. Juan Pérez Munebrega.—L. V.—Censura de Fr. Juan de los Santos.— Censura de Lazaro Romeo.—Prefación a la Apología y a todas las obras de Tertuliano.—Argumento a la Apología de Tertuliano.—Texto.—Tabla de los Párrafos de la Prefacion.—Tabla de los Capítulos.—E.

La Ded. se reprodujo en *Epistolario español.* Tomo II. Madrid. 1870, págs. 111-12.
Gallardo, III, n.º 2.888; Jiménez Catalán, *Tip. zaragozana del s. XVII*, n.º 466.
MADRID. *Nacional.* U-3.061.—PARIS. *Nationale.* C.2150. — ROMA. *Vaticana.* Stamp. Barb. D. II.38.—SAN LORENZO DEL ESCORIAL. *Monasterio.* M.i.-II-21.—SEVILLA. *Universitaria.* 21-110.

612

MEMORIAL de ——*, electo obispo de Tarazona, en el que se defiende de la acusación de algunos religiosos de retener los sellos de la orden y votar en capitulo. 1655.* [s. l.-s. i.]. [s. a.]. 4 fols.

Castro, n.º 220.
MADRID. *Nacional.* Mss. 4.024.

613

APOLOGIA de Quinto Septimio Florente Tertvliano contra los Gentiles en defensa de los Christianos... Tradvcida por ——... Madrid. Pablo de Val. 1657. 1 lám. + 198 fols. + 1 h. blanca + 52 + 216 + 18 págs. Fol.

PARIS. *Nationale.* C.2373.—SANTIAGO DE COMPOSTELA. *Universitaria.*—SEVILLA. *Universitaria.* 188-85.

614

VIDA de la Serenissima Señora Doña Ivana Valois, Reina Christianissima de Francia. Fvndadora de la Religion de la Anunciata de la Virgen N. S. sugeta a la obediencia de la Orden de san Francisco de la Regular Observancia. Madrid. Imp. Real. 1654. 7 hs. + 121 fols. + 1 h. 21 cm.

—Remisión a censura.—Censura de Fr. Antonio de Ribera y Fr. Gregorio de Santillan.—Apr. del P. Francisco Exquex.—L. V.—Apr. de Fr. Iuan de la Torre.—S. Pr.—E.—Ded. a D.ª María Teresa de Austria, Infanta de España.—Fray Pedro Manero, a las Madres Ancillas, i demas Religiosas de la Orden de la Anunciata de la Virgen.—Protestacion.—Texto.—Tabla.

Salvá, II, n.º 3.468.

GRANADA. *Universitaria.* A-3-354. — MADRID. *Academia Española.* — *Nacional.* U-5.178. *Palacio Real.* VI-117. — NUEVA YORK. *Hispanic Society.* — PARIS. *Nationale.* 8ºLb.²⁹72.— ROMA. *Vaticana.* Stamp. Barb. U.V.103.— SEVILLA. *Universitaria.* 86-A-304; 215-1. — VALENCIA. *Municipal.* 26-5-3.679. — ZARAGOZA. *Universitaria.* G-20-174; etc.

615

[*MEMORIALES sobre los turcos. Edición de Pou*]. (En *Archivo Ibero-Americano,* VIII, Madrid, 1917, páginas 76-80).

616

[*CARTAS. Edición del P. Pazos*]. (En *Archivo Ibero-Americano,* IX, Madrid, 1949, págs. 174-75, 178-82).

617

[*MEMORIAL histórico de la provincia de Aragón. 1639. Edición de J. Meseguer Fernández*]. 1972.

V. n.º

Aprobaciones

618

[*CENSURA. Sin lugar, 18 de septiembre de 1642*]. (En Jiménez de Urrea, Jerónimo. *Diálogo de la verdadera honra militar...* 4.ª edición. Zaragoza. 1642. Prels.).

MADRID. *Nacional.* R-18.990.

619

[*APROBACION. Zaragoza, 12 de octubre de 1642*]. (En Andrés de Uztarroz, Juan Francisco. *Historia del Santo Domingo de Val...* Zaragoza. 1643. Prels.).

V. *BLH,* V, n.º 2.663.

620

[*APROBACION. Zaragoza, 8 de noviembre 1643*]. (En García, Jerónimo. *Suma Moral.* Zaragoza. 1644. Prels.).

MADRID. *Nacional.* 3-56.885.

OBRAS LATINAS

621

[*LITTERA*]. [s. l.-s. i.]. [s. a.]. Una hoja, impresa por una sola cara. 29,5 cm.

Carece de portada y de encabezamiento.

—Texto, fechado en Sacro Monte Aluernae, 7 Nouembris 1651, que comienza: «In ambabus Litteris, que vna cum ista nostra transmittimus...».

MADRID. *Nacional.* V.E.-190-39.

ESTUDIOS

622

NAPOLES, MIGUEL ANGEL DE. [*Dedicatoria a Fr. Pedro Manero*]. (En *Asia Menor. Estado presente* que tiene en ella la Religión de San Francisco. Madrid. 1654. Prels.).

MADRID. *Nacional.* 2-17.150.

623

[*Notas biográficas de* ——, *Ministro general de la Orden franciscana y obispo de Tarazona*].

Letra del s. XVII.

Publicadas por J. Campos en 1966.

Castro, n.º 220.

MADRID. *Nacional.* Mss. 4.024 (fols. 32-33 y 39-40).

624

CAMPOS, J. *Los Padres Juan de la Palma, Pedro Manero y Pedro Arriola y la «Mística ciudad de Dios».* (En *Archivo Ibero-Americano*, XXVI, Madrid, 1966, págs. 228-34).

625

MESEGUER FERNANDEZ, JUAN. *Memorial histórico de la provincia de Aragón, 1639, por el P. Pedro Manero.* (En *Archivo Ibero-Americano*, XXXII, Madrid, 1972, págs. 409-419).

Lo edita en las págs. 411-19.

626

REP: N. Antonio, II, pág. 212; Latassa, 2.ª ed., II, págs. 221-22.

MANESCAL (MIGUEL)

Impresor.

EDICIONES

627

[*DEDICATORIA a D.ª Mariana de Sousa, marquesa de Arronches, etc.*].

(En [Hurtado] de Mendoza, Antonio. *El Fénix Castellano...* Lisboa. 1690. Prels.).

V. *BLH*, XI, n.º 5547.

MANESCAL (ONOFRE)

N. en Barcelona. Doctor en Teología. Catedrático de ella en la Universidad de Barcelona. Rector de la parroquia de Santa Ana.

EDICIONES

628

TRATADO de la Oración Mental, dividido en sinco (sic) *libros: donde se persuade la perfección, y oración, y se trata de su naturalesa, y partes, en particular de la contemplacion quieta, y oracion de union, preparación, y affectos, que de ella se han de sacar. Con unas Meditaciones muy copiosas, para todos los dias de la semana, mañana y tarde, con unos breues tratados de la presencia de Dios, mortificacion, y penitencia, de rezar el oficio diuino, y de los escrupulos y sus remedios. Van añadidas varias consideraciones para todos los estados, y officios...* Barcelona. Honofre Anglada. 1607. 12 hs. + 544 + 118 + 65 + 23 + 34 págs. + 40 hs. 15 centímetros.

—S. Pr.—Apr. de Fr. Thomas de Olivon.— L. del Obispo de Barcelona.—Ded. a D. Raphael de Rouirola, Obispo de Barcelona.—Al Christiano Lector.—Soneto de Fr. Honofre de Requesens. [«Menos cal que diuinas consequencias...»]. — Soneto de Joseph Nogués. [«Haziendo puntas por los ayres puros...»].—Soneto de Francisco Durazo. [«Escriua Cessar y conquiste junto...»].—Soneto de Miguel de Alcaraz. [«Por religioso a Numa glorioso...»].—Decima de Fr. Geronymo de Aguilera. [«Si pintan con pinzel diestro...»].—Tabla de libros y capitulos.— Texto.—Advertencias al lector.—Tabla de materias.—Tabla de los lugares de la Sagrada Escritura.—E.

BARCELONA. *Instituto Municipal de Historia.* B.1607-12.º (3).—SEVILLA. *Universitaria.* 108-23.

629

APOLOGETICA Disputa de la llaga del costado de Christo. Barcelona. Manescal. 1611. 27 hs. + 321 págs. + 18 hs. 14 cm.

—Apr. de Fr. Francisco Garganter y Francisco Pons.—L. del Arzobispo de Barcelona, en latin (1611).—Fr. Lorenço de Zamora al Lector.—Francisco Broquetes al Autor.—Ded. a D. Gaston de Moncada, marqués de Itona, etc.—Al Candido Lector.—Tabla de los capitulos.—Los Doctores de que el Autor se vale en este Libro. Al Autor y a su Mecenas. Tercetos de Joseph Nogues. [«El Magno Macedonio estimo tanto...»].—Al Autor y a su Libro. Epigrama de Pedro Miguel Ciurana. [«La frente de vn exercito formado...»].—A. D. Gaston de Moncada. Soneto del mismo. [«Varon famoso en armas, y en estado...»].—S. Pr. en catalan, al Autor, por 10 años.—A D. Gaston de Moncada. Poesia de Estevan de Corbera. [«Gran Marques, fuerte Moncada...»].—E.—Texto.—Tabla de los Lugares de la S. Escritura.—Tabla de las cosas y materias.

BARCELONA. *Central.* 10-I-10. *Universitaria.* B.65-8-33.—LONDRES. *British Museum.* 851.a. 15.—MADRID. *Nacional.* 2-14.555 (falto de portada).—ORIHUELA. *Pública.* 45-4-11.—SEVILLA. *Universitaria.* 86²-369; 115-2.

630

APOLOGETICA Disputa donde se prueva, que la llaga del costado de Christo N. Señor fue obra de nuestra redencion. 2.ª impresión. Barcelona. M. Manescal. [Colofon: Sebastian Mathevad]. 1611. 19 hs. + 321 páginas + 19 hs.

BARCELONA. *Instituto Municipal de Historia.* B.1611-12.º (1). — CAMBRIDGE, Mass. *Harvard University.*—URBANA. *University of Illinois.*

631

MISCELLANEA de tres Tratados, de las apariciones de los espiritvs el vno, donde se trata como Dios habla a los hombres, y si las almas del Purgatorio buelven: De Antichristo el segundo, y de Sermones predicados en lugares señalados el tercero. Barcelona. Sebastián Mathevad. A costa de Geronymo Genoves. 1611. 8 hs. + 186 págs. + 187 págs. + 227 páginas, todas a dos cols. + 27 hs. 20 cm.

—Apr. de Rafael Guerau.—Apr. de Francisco Broquetes.—L. del Arzobispo de Barcelona, en latin.—Pr. en catalan al Autor.—Ded. a D. Ioan de Moncada, Obispo de Barcelona, etc.—Al Benevolo Lector.—Al Autor y Libro. Poesia de Joan Valladares de Valdelomar. [«Los Angeles, y Santos en su coro...»].—Cancion del mismo Valladares a D. Ioan de Moncada. [«Insigne Barcelona, Illustre, y belica...»].—Al Autor y su Libro, Cancion de Jayme Tapias. [«Manescal docto y raro...»].—A D. Joan de Moncada. Soneto de Jayme de Tapias. [«A boca llena puede Barcelona...»].—Al Autor. Soneto de Joan Dessi. [«Siña gran Manescal tu docta frente...»].—Del mismo al Obispo de Barcelona. Octava. [«Glorioso honor del nombre de Moncada...»].—Tabla de los capitulos.—E.—Poesia de Joseph Nogues. [«Arboles, montes, y fieras...»].—Texto.—Prefacion para las Tablas.—Tabla de los Lugares de la Sagrada Escritura.—Tabla de las cosas... en el Primer Tratado.—Tabla de los Lugares de la S. Escritura del tratado segundo.—Tabla de las cosas... en el Segundo Tratado.—Tabla de los Lugares de Escritura del tercer tratado.—Tabla de las cosas y materias del tercer Tratado.

BARCELONA. *Central.* R (2)-8.º-388. *Universitaria.* C.219-5-24.—GENOVA. *Universtiaria.* 1.GG. III.11.—GRANADA. *Universitaria.* A-37-274; etc. LONDRES. *British Museum.* 852.i.11.—MADRID. *Academia Española. — Nacional.* 2-70.722.—ORIHUELA. *Pública.* XXX-6-16.—PARIS. *Nationale.* R.7957.—ROMA. *Vaticana.* Stamp. Barb. U.XIII.62.—SAN DIEGO. *University of California. —* SEVILLA. *Universitaria.* 107-103. — URBANA. *University of Illinois.*

632

MISCELLANEA... Barcelona. Sebastián. Mathevar. A costa de Miguel Manescal. 1611.

Variante de la anterior.

BARCELONA. *Universitaria.* [Tres ejemplares].

OBRAS CATALANAS

633

SERMÓ vulgarment anomenat del Serenissim Senyor Don Jaume Segon... Barcelona. Sebastiá de Cormellas. 1602. 88 fols. 4.º

BARCELONA. *Universitaria.* B.61-6-14/15; etc. CHICAGO. *Newberry Library.* — PARIS. *Nationale.* 8°Oc.17; etc.

OBRAS LATINAS

634

CONCIONES octo de Sanctissimo Eucharistia Sacramento... Tomo I. [Barcelona]. Gabriel Graells y Gerardo Dotil. 1603. 8 hs. + 310 fols. a 2 cols. + 40 hs. 19,5 cm.

MADRID. *Nacional.* 6.i.-3.262. — ORIHUELA. *Pública.* 88-4-17.

ESTUDIOS

635

ROIG GIRONELLA, JUAN. *Onofre Manescal y sus escritos de oración, de discernimiento de espíritus.* (En *Manresa,* XLVIII, Madrid, 1976, páginas 349-84).

636

REP: N. Antonio, II, págs. 156-57.

MANGADO (BERNARDO)

EDICIONES

637

[MEMORIAL]. [s. l.-s. i.]. [s. a.]. 2 hojas. 28 cm.

Carece de portada. Comienza: «Señor: En la Iglesia Parroquial Patrimonial del Lugar de Villamediana, Diocoesis de Calahorra, vacó en quarto de Beneficio...»; Sobre la oposición al mismo, que ganó, y no un recurso posterior.

MADRID. *Nacional.* V.E.-200-112.

MANGAS DE VILLAFUERTE (BALTASAR)

EDICIONES

638

[POESIA]. (En Avila, Tomás de. *Epinicio sagrado...* Salamanca. 1687).

1. *Octavas.* (Págs. 375-76).
2. *Glosa.* (Pág. 402).

MADRID. *Nacional.* 2-10.720.

MANI (ANTONIO)

Doctor. Profesor de Teología en la Universidad de Lérida.

EDICIONES

639

[APROBACION. Lérida, 17 de agosto de 1598]. (En Mondragón, Jerónimo de. *Censura de la locura humana.* Lérida. 1598. Prels.).

MADRID. *Nacional.* R-6.997.

«MANIFESTACION de las Máximas...»

EDICIONES

640

MANIFESTACION de las Maximas de Francia escritas a la Luz de la Verdad, y representadas al Parlamento de Paris a 21 de Abril, Año 1684. Zaragoza. Herederos de Diego Dormer. [s. a.]. 23 págs. 20 cm.

—Texto.—Colofón.

Jiménez Catalán, *Tip. zaragozana del siglo XVII,* n.° 1.039.

MADRID. *Nacional.* V.E.-72-75 y 202-17. — SANTIAGO DE COMPOSTELA. *Universitaria.*

641

MANIFESTACION de las Maximas de Francia, escritas a la luz de la verdad, y representadas al Parlamento de Paris a 12 de Abril 1684. [Valencia. Francisco Mestre]. [1684]. 20 páginas. 19 cm.

Carece de portada.
—Texto.—Licencias.

SEVILLA. *Universitaria.* 112-30 (4).

642

MANIFESTACION de las Máximas de Francia escritas a la luz de la Verdad, y representadas al Parlamento de París a 21 de Abril. Año 1684. Zaragoza. Herederos de Diego Dormer. 1684. 23 págs. 4.°

Jiménez Catalán, *Tip. zaragozana del siglo XVII*, n.º 1.039.

SANTIAGO DE COMPOSTELA. *Universitaria.*

«MANIFESTACION en que se publican...»

EDICIONES

643

MANIFESTACION en qve se publican mvchos, y relevantes servicios, y nobles Hechos con que ha servido á sus Señores Reyes la Excelentissima Ciudad de Barcelona; Singularmente en el Sitio horroso, que acaba de padecer este presente año de 1697. Barcelona. En casa de Cormellas, por Thomás Loriente. [s. a.]. 247 fols. 21 cm.

BARCELONA. *Universitaria.* B.54-3-6; etc. [con algunas variantes en el pie de imprenta].— MADRID. *Nacional.* 2-35.075; V.E.-217-40.—SANTIAGO DE COMPOSTELA. *Universitaria.*—SEVILLA. *Universitaria.* 109-126 (20).

644

——. Barcelona. Juan Francisco Piferrer. 1794.

BARCELONA. *Universitaria.* B.21-6-18/19; etc.

«MANIFIESTO de la Corte...»

EDICIONES

645

[MANIFIESTO de la Corte de Francia, pvblicado contra la Alteza Real del Señor Duque de Savoya con Titulo Memoria de los motivos que han obligado al Rey a embiar vn Exercito a Piamonte, &c. y comentado con algvnas reflexiones, sobre lo mas essencial de su contexto. Publicado Sabado a 19 de Agosto 1690]. [s. l.]. Por Sebastian de Armendariz. [s. a.]. 6 hs. 19,5 cm.

Carece de portada.
—Texto.—Colofón.

MADRID. *Nacional.* V.E.-74-26.

«MANIFIESTO de la justificación...»

EDICIONES

646

[MANIFIESTO de la ivstificacion con que la Religion Premostratense de España ha procedido en la reforma del Habito Monastico que vsaua en el Canonico Reglar de su institucion, conforme a las demas Prouincias della, y de las razones que se deuen representar a su Santidad para suspender la execucion del nueuo decreto de la restitucion, del Habito, y a su Magestad para que la ampare con su Real clemencia, no dando lugar a que se execute]. [s. l.-s. i.]. [s. a.]. 12 fols. 30 cm.

Carece de portada.
—Texto.

MADRID. *Nacional.* V.E.-59-130.

«MANIFIESTO de la Verdad...»

EDICIONES

647

MANIFIESTO de la Verdad y vivo dibuxo de la antigua y real villa de S. Feliu de Guixoles... [Barcelona. Jacinto Andreu]. [1674].

BARCELONA. *Universitaria.*

«MANIFIESTO de las razones...»

EDICIONES

648

[MANIFIESTO de las razones, qve assisten a la Vniuersidad de Salamanca para que no se obligue a sus Graduados de las facultades de Derechos, a replicar por fuerça, y sin voluntad, en los actos de conclusiones, que presiden los individuos de los *quatro Colegios Mayores*]. [s. l.-s. i.]. [s. a.]. 26 págs. 29,5 cm.

Carece de portada.

—Texto.

MADRID. *Nacional*. V.E.-64-81.

«MANIFIESTO en desagravio...»

EDICIONES

649

[*MANIFIESTO en desagravio de los Racioneros Musicos de el Santo Templo del Salvador, y de Nuestra Señora del Pilar de Zaragoza, escrito por uno de los profesores de Arte*]. [s. l.-s. i.]. [s. a.]. 21 págs. 29 cm.

Carece de portada.

MADRID. *Nacional*. V.E.-204-73.

«MANIFIESTO general...»

EDICIONES

650

[*MANIFIESTO general qve haze sv Magestad Cesarea, y el Rey de Polonia, y otros diferentes Principes, en que declaran las razones que tienen para romper guerra contra el gran Turco, en que se concluyó entre el señor Emperador, y el señor Rey de Polonia la aliança y liga ofensiva, y defensiva contra el Turco. Refierense los Capitulos della, y el juramento que hazen ambas Magestades en manos de su Sdad. por medio de los Eminmos. señores Cardenales Pio, y Barberino, Protectores de ambas Coronas: Con otras novedades dignas de saberse*]. [Sevilla. Iuan Francisco de Blas]. [1683]. 2 hs. 20 centímetros.

Carece de portada.

—Texto.—Colofón.

SEVILLA. *Universitaria*. 112-111 (58).

«MANIFIESTO histórico...»

EDICIONES

651

MANIFIESTO historico de los verdaderos intereses de los Principes de toda la Europa en el estado presente de las cosas; o reflecciones sobre vn papel, que ha venido de Francia con el titulo de Carta de Monsieur á Monsieur. [Sevilla. Thomas Lopez de Haro]. [1689]. 28 págs. 20 cm.

MADRID. *Nacional*. V.E.-122-14.

«MANIFIESTO legal...»

CODICES

652

«*Manifiesto legal por la Dignidad de Mayordomo mayor en defensa de sus preheminencias y facultades*».

Letra del s. XVII. 200 × 145 mm.

Nota: «Este Manifiesto, o Discurso legal hecho de orden del Exmo. Sor. Duque del Infantado y Pastrana parece se dirigió en forma de representación a la Reyna Madre Governadora en la menor edad del Sr. D. Carlos 2.º».

MADRID. *Nacional*. Mss. 10.758 (fols. 1r-11r).

«MANIFIESTO por la Justicia...»

EDICIONES

653

MANIFIESTO por la Ivsticia, y Derecho qve el Rey nuestro señor tiene en pedir la continuacion y perpetuydad de los ocho mil soldados con que el Reyno hasta aora ha servido a su Magestad... [s. l.-s. i.]. [s. a.]. 11 hs. Fol.

Fechado en Granada, a 14 de octubre de 1653. Atribuido al P. Diego Tello Tinoco. (Palau, VIII, n.º 148.594).

GRANADA. *Universitaria*. A-31-128 (19); A-31-170.

«MANIFIESTO que contiene...»

EDICIONES

654

MANIFIESTO que contiene las razones y motivos, que han movido a su Magestad Imperial a tomar tan justamente las armas y embiar sus tropas en el Imperio: publicado en la Dieta Imperial de Ratisbona a 30 de Agosto de 1673. [Sevilla. Iuan Francisco de Blas]. [1673]. 4 hs. 20 cm.

Carece de portada. Al final va firmado por Marquard, obispo de Aichster.

SEVILLA. *Universitaria.* 112-111 (4).

«MANIFIESTO que hicieron...»

EDIDCIONES

655

MANIFIESTO que hizieron los maestros de campo irlandeses que estan sirviendo a su Magestad... en el Principado de Cataluña. [Sevilla. Iuan Gomez de Blas]. [1653]. 2 hs. 4.º

GRANADA. *Universitaria.* A-31-264 (3).

«MANIFIESTO que hizo...»

EDICIONES

656

MANIFIESTO que hizo Tarragona sobre persuadir al Principado sus quietudes. Madrid. Catalina de Barrio. 1642. 2 hs. 30,5 cm.

MADRID. *Nacional.* V.E.-177-16 y 215-34. — ROMA. *Vaticana.* Ms. Barb. lat. 8478 (fols. 68-69).—SEVILLA. *Universitaria.* 110-27 (28).

«MANIFIESTO sacrílego...»

EDICIONES

657

MANIFIESTO sacrilego, y blasfema arrogancia con qve Mahomet Quarto, Tyrano Emperador de los Turcos, publicó Guerra Vniversal a sangre y fuego contra toda la Christiandad, y contra la Magestad Cesarea de el Invictissimo señor Leopoldo Ignacio de Austria, Meritissimo Emperador del Sacro Romano Imperio. Sangrientas amenazas con que el Barbaro Turco procuró amedrental al Pueblo Christiano. Copioso Exercito que traxo sobre la Imperial Ciudad de Viena. Felizidad con que fue socorrida, y derrotados los Turcos. Madrid. Lucas Antonio de Bedmar y Baldivia. 1684. 8 págs. 21 cm.

—Texto.

BARCELONA. *Universitaria.*—MADRID. *Nacional.* V.E.-95-48.

«MANIFIESTO teólogo-jurídico...»

EDICIONES

658

MANIFIESTO theologo-ivridico, por el Sindico de la insigne Civdad de Barcelona, y sv mvy illvstre Conseller tercero Dr. Ioseph Company, en la cavsa de conferencia entre la Real Avdiencia, y Santo Tribvnal de la Inquisición. Qve de orden de los Conselleres de Barcelona escriven el Retor, y Catedraticos de Theología, Canones y Leyes de la Vniversidad de Barcelona. [s. l.-s. i.]. [s. a.]. 20 hs. 27 cm.

Texto fechado en Barcelona, a 28 de marzo de 1680.

BARCELONA. *Central.* F. Bon. 4331 y 8011.

«MANIFIESTO y estado...»

CODICES

659

«Manifiesto, y Estado del Govierno de España intitulado Crisol de la Justizia. Puesto en manos del Señor D. Juan de Austria, para hazerle presente al rey D. Phelipe 2.º...».

Copia hecha en Madrid, 1759. 210 × 150 mm.

MADRID. *Nacional.* Mss. 11.035 (fols. 1r-119v).

«MANIFIESTO y justicia...»

EDICIONES

660

[*MANIFIESTO y ivsticia de las armas de los Principes de la Paz, y vitoria que han tenido junto a Sedan contra las del Rey Christianissimo, gouernadas por el Mariscal de Chatillon, a seis de Iulio deste año de 1641*]. [Madrid. Iuan Sanchez]. [1641]. 2 hs. 30 cm.

Carece de portada.
—Texto.

MADRID. *Nacional.* V.E.-60-57 y 79; etc.—SEVILLA. *Universitaria.* 110-127 (35).

661

——. Zaragoza. Christoval de la Torre. [s. a.]. 2 hs. 28 cm.

MADRID. *Nacional.* V.E.-134-50.

MANINES (FR. NICOLAS)

Catedrático de Durando de la Universidad de Barcelona. Dos veces Rector del Colegio de San Guillermo.

EDICIONES

662

[*PARECER, 18 de abril de 1640*]. (En Campo, Pedro del. *Istoria general de los ermitaños de la Orden de... San Augustin.* Barcelona. 1640. Prels.).

CORDOBA. *Pública.* 12-159.

«MANIPULUS curatorum»

EDICIONES

663

MANIPULUS curatorum. Nuevamente impresso en romance. Lisboa. 1523, 10 de febrero.

En el colofón se dice que lo tradujo Fr. Tomás Durán.

Anselmo, n.° 569.

664

Monte Rotherio. *Tratado llamado Manipulus curatorum, en el qval se tracta de los siete sacramentos...* Fue nueuamente corregido e impresso. [s. l.-s. a.]. 1550. 8 hs. + 233 fols. 8.° gót.

MADRID. *Academia Española.* 17-XII-49.

——— —

Figura prohibido en los *Index* de Valladolid, 1559, pág. 58; 1570, pág. 103; etc.

MANJARES MAYORALGO (ANTONIO)

Vecino de Talavera.

EDICIONES

665

[*AL Autor. Soneto*]. (En Céspedes y Meneses, Gonzalo de. *Poema trágico del español Gerardo.* Madrid. 1615. Prels.).

MADRID. *Nacional.* R-1.477.

MANJARRES (FR. GREGORIO)

Vicario del monasterio de San Vicente Ferrer de Bujía.

CODICES

666

«*Esta es vna breue, y verdadera narracion que hizo vn sacerdote natural vizcaino, que passava en Roma en el galeon de Su Magestad que fue a proueer q lleuar la paga de bugia y la goleta por el mes de agosto de 1555 años...*».

Letra del s. XVI. 215 × 170 mm.
Zarco, I, pág. 305.

SAN LORENZO DEL ESCORIAL. *Monasterio.* &. III.23 (fols. 350r-399v).

EDICIONES

667

[*RELACION...*]. *Edición de Cesáreo Fernández Duro, en Boletín de la Real Academia de la Historia,* XXIX, Madrid, 1896, págs. 466-537.

MANJARRES (LUCAS)

EDICIONES

668

[*QUINTILLAS*]. (En JUSTA *literaria...* a San Juan de Dios...* Madrid. 1692, págs. 357-359).

MADRID. *Nacional.* R-15.239.

MANOEL E MELLO (FRANCISCO)

V. MELO (FRANCISCO MANUEL DE)

MANOJO (HERNANDO)

V. MANOJO DE LA CORTE (FERNANDO)

MANOJO DE LA CORTE (FERNANDO)

Licenciado. Abogado de la Real Chancillería de Valladolid.

CODICES

669

«*Relación de la muerte de Don Rodrigo Calderín*».

Letra del s. XVII. 350 × 245 mm. *Inventario*, IV, pág. 319.

MADRID. *Nacional.* Mss. 1443 (fols. 39v-59r).

670

«*Relación de la muerte de D. Rodrigo Calderón, Marqués que fue de Siete Iglesias...*».

Letra del s. XVIII. 262 × 195 mm. *Inventario*, V, pág. 229.

MADRID. *Nacional.* Mss. 1818 (fols. 92-102).

671

«*Relacion de la muerte de D. Rodrigo Calderon, Marques de Siete-Iglesias. Año 1621*».

Letra del s. XVII. Fol. Perteneció a Gayangos.

Roca, n.º 237 (23).

MADRID. *Nacional.* Mss. 18.190 (fols. 182-93).

672

[*Soneto*].

Letra del s. XVII. 200 × 140 mm. «Esta respiracion de la mañana...».

MADRID. *Nacional.* Mss. 3.795 (fol. 337r).

673

[*Poesías*].

Letra del s. XVII. 205 × 150 mm. Es un Cancionero.

1. [«Fabio pues sabes de amar...»]. (Folios 62r-65v).

2. *Soneto al toro que mató su Magestad.* [«Este que acobardó quanta fiereza...»]. (Fol. 188v).

MADRID. *Nacional.* Mss. 3.797.

EDICIONES

674

RELACION de la muerte de D. Rodrigo Calderon, Marques que fue de Sieteyglesias. Madrid. Fernando Correa. [s. a.]. 8 hs. 30 cm.

—Texto.

MADRID. *Nacional.* V.E.-177-123.

675

[*RELACION de la muerte de don Rodrigo Calderon, Marques que fue de Siete yglesias*]. [Madrid. Viuda de Fernando Correa de Montenegro]. [s. a.]. 4 fols. 30 cm.

Carece de portada.

—Texto.—Colofón.

Gallardo, III, n.º 2.889; Pérez Pastor, *Madrid*, III, n.º 1.751.

GRANADA. *Universitaria.* A-31-130 (60).—LONDRES. *British Museum.* 707.h.28(3).—MADRID. *Academia de la Historia.* Jesuitas, t. 94, número 15. *Nacional.* V.E.-68-25; R-26.658[14].—NUEVA YORK. *Hispanic Society.*

676

EPITALAMIO a las bodas de los Excelentissimos señores Doña Mariana de Toledo y Portugal, y don Pedro Fajardo Marqueses de los Velez. [s. l.-s. i.]. [s. a.]. 4 hs.

Gallardo, III, n.º 2.890.

NUEVA YORK. *Hispanic Society.*

677

DISCVRSO en qve se prveva, qve el habito introdvzido por la nueua pragmatica, es el mas natural, y mas conforme al antiguo destos Reynos. Barcelona. Sebastián de Cormellas. 1625. 3 hs. + 19 fols. 20 cm.

La portadilla lleva el título de: *Discurso contra malos trages y adornos lascivos.*
—Ded. a D. Alvaro Perez Osorio, Marques de Astorga, etc.—Texto.

MADRID. *Nacional.* V.E.-45-97.

Poesías sueltas

678

[AL Autor. Soneto]. (En Eslava, Antonio de. *Parte primera del libro intitulado Noches de Inuierno.* Barcelona. 1609. Prels.).

MADRID. *Nacional.* R-12.456.

679

[POESIAS]. (En Rios Hevia Ceron, Manuel de los. *Fiestas que hizo Valladolid... en la beatificación de la Santa M. Teresa de Jesús.* Valladolid. 1615).

1. *Soneto.* (Fol. 84v).
2. *Glosa.* (Fol. 104v).

MADRID. *Nacional.* U-2.278.

680

[SONETO]. (En EXEQUIAS *funerales que celebró la... Universidad de Valladolid, a la memoria de... Doña Ysabel de Borbón...* Valladolid. 1645, fol. 50).

MADRID. *Nacional.* U-1.464.

TRADUCCIONES

a) INGLESAS

681

NEWES from Spaine. A Relation of the Death of don Rodrigo Calderon... Faithfielly translated according to the Spanish copy printed at Madrid. Londres. 1622. 4.º

LONDRES. *British Museum.* 10632.b.28.

ESTUDIOS

682

VEGA, LOPE DE. [Elogio]. (En *Laurel de Apolo.* Madrid. 1630, fol. 29r).

MADRID. *Nacional.* R-14.177.

MANRIQUE (FR. ALONSO)

Dominico.

EDICIONES

683

ESCVELA de Principes, y Cavalleros, esto es la Geografia, Retorica, la Moral, Economica, Politica, Logica, y Física; Compuesta por el Señor de la Mota Levayer Frances. Sacada en Toscano, por el Abbad Escipion Alerano Boloñes, y nuevamente traducida en lengua Española, y añadida de algunas cosas sucedidas despues que el Autor la escrivió, por ——. Palermo. Thomas Roncolo. 1688. 12 hs. + 514 págs. + 6 hs. 14 × 8,5 cm.

—Ded. al Maesse de Campo D. Juan Barbosa, Castellano en el Castillo a Mar de Palermo, por el traductor.—L. O.—Apr. de Fr. Ioseph Gigante.—Censura de Fr. Iuan Andres Bartoreli.—Prologo al letor. Texto.—Tabla de los capitulos y cosas mas notables.

Toda, *Italia,* III, n.º 3.049 (reproduce la portadilla); Medina, *Biblioteca hispanoamericana,* III, n.º 1.823.

BARCELONA. *Central.* Toda, 9-I-3. — LONDRES. *British Museum.* 522.a.42. — MADRID. *Nacional.* R-10.205 (ex libris de Gayangos). *Palacio Real.* IX-3.726. — NUEVA YORK. *Hispanic Society.*—SEVILLA. *Universitaria.* 6-28.—ZARAGOZA. *Universitaria.* G-34-218.

684

CAMINO segvro del Cielo, Modo de bien vivir: Conforme al methodo de San Bernardo, assegurado con lugares de la Sagrada Escritura, y de Santos Padres. De Carlos Maria Carafa... Traducido en el Ydioma Español por ——. Palermo. Carlos Adam. 1691. 8 hs. + 341 págs. 8.º

Toda, *Italia,* I, n.º 906.

685

EMBAXADOR (El) politico christiano. Obra de Carlos Maria Carafa... Traduzida en Español del ——. Palermo. Thomas Romolo. 1691. 6 hs. + 300 págs. + 7 hs. 4.º.

Tirada de 120 ejemplares.
Toda, *Italia*, I, n.º 908.
BARCELONA. *Central*. Toda, 8-V-1.

686

RETRATO de perfeccion christiana, portentos de la Gracia, y maravillas de la Caridad en las vidas de Fr. Vicente Bernedo, Fr. Juan Macías, y Fr. Martin de Porres, hijos de la provincia de San Juan Bautista en el nuevo Reyno del Perú. Venecia. Francisco Gropo. 1696. 4 hs. + 1 lám. + 283 págs. 4.º.

Toda, *Italia*, III, n.º 3.051; Medina, *Biblioteca hispano-americana*, III, n.º 1.962.
BARCELONA. *Universitaria*. C.212-5-5.—MADRID. *Nacional*. 3-67.027.

687

SACRO Diario Dominicano en vidas de los Santos, Beatos y Venerables... Compuesto en Italiano... por... Fray Domingo María Marqués... Auventado en Español de nueuas vidas, e ilustrado de indices y margenes por ——. Venecia. Antonio Tinen. 1696-1697. 4 vols. Fol.

MADRID. *Nacional*. 5-9.989.

688

[SONETO]. (En Carafa, Carlos María. *Instrucción christiana de Principes y Reyes...* Palermo. 1688. Preliminares).

Toda, *Italia*, III, n.º 3.050.
MADRID. *Nacional*. 2-66.765.

OBRAS LATINAS

689

UNIVERSÆ Moralis Theologiæ Svmmaria Collectio ex sacris Conciliis,

Ecclesiasticis Decretis, probatisque Authoribus quasi in Mare Parvvm Congerente. Venecia. [s. i.]. 1706. 1 hs. + 496 págs. + 10 hs. 8.º

Toda, *Italia*, III, n.º 3.052.

MANRIQUE (FR. ANGEL)

N. en Burgos (1577) y primero se llamó Pedro de Medina y Manrique. Cisterciense. Obispo de Badajoz (1645). M. en Fregenal (1649).

CODICES

690

«Sermon que predico... en la Vniuersidad de Salamanca en su Capilla real: Al nacimiento del Principe nro. Sr. D. Balthasar».

Letra del s. XVII. 13 fols. 215 × 145 mm.
GRANADA. *Universitaria*. A-31-210, n.º 8.

691

«A las Iglesias de la Corona de Castilla».

Letra del s. XVII. 295 × 200 mm. Perteneció al duque de Uceda. Es un memorial.
Inventario, III, págs. 87-88.
MADRID. *Nacional*. Mss. 945 (fols. 67r-112v).

692

«Socorro que el Estado Eclesiastico de España parece podrá hacer al Rey Nro. Señor en el Aprieto de Hacienda, en que oy se halla con menos Mengua de su Inmunidad, y Authoridad, y Provecho mayor suio y del Reyno».

Letra del s. XVIII. 219 págs. 210 × 155 mm.
MADRID. *Nacional*. Mss. 6.661.

693

«Relacion del Acompañamiento de las Honras que hiço la Uniuersidad de Salamanca a Phelipe 3.º Romançe».

Letra del s. XVII. 205 × 150 mm. Es un Cancionero.
MADRID. *Nacional*. Mss. 3.797 (fols. 205r-207v).

EDICIONES

Láurea evangélica

694

LAUREA evangelica hecha de varios Discursos predicables... Salamanca. Artus Taberniel. A costa de Juan Coman. 1605. 4 hs. + 722 + 34 págs. 4.º.

MADRID. *Academia Española.* S.C.=31-A-33. *Nacional.* 2-24.912.

695

——. Barcelona. Sebastian de Cormellas. 1608. 4 hs. + 553 págs. + 11 hojas. 20 cm.

—Apr. de Miguel Palmerola.—Ded. a D.ª María Manrique, mi Madre.—Prologo al lector.—Sumario de todos los Discursos. Texto.—Elenchus pro concionibus iuxta Evangelia de tempore et Sanctis totius anni.—Sacrae Scripturae loca, quae vel illustrantur, vel exponuntur.—Tabla de las materias y pensamientos mas principales de este libro.

BARCELONA. *Instituto Municipal de Historia.* B.1608-8.ʼ (2).—GRANADA. *Universitaria.* A-27-136.—ORIHUELA. *Pública.* XXI-5-1.

696

——. Barcelona. Jaime Cendrat. A costa de Jerónimo Margarit. 1608. 6 hs. + 486 págs. 20,5 cm.

BARCELONA. *Instituto Municipal de Historia.* 1608-8.º (1). *Universitaria.* B.63-4-5 y 26. — GENOVA. *Universitaria.* 1.AA.V.24.—ZARAGOZA. *Universitaria.* G-36-85.

697

——. 2.ª ed. corregida y aumentada por el autor. Salamanca. Artus Taberniel. 1608. 4.º.

698

——. Salamanca. Artus Taberniel. 1609.

SEVILLA. *Universitaria.* 171-9.

699

——. Salamanca. Artus Taberniel. 1610.

SEVILLA. *Universitaria.* 198-35.

700

——. Salamanca. Antonia Ramirez. 1614.

MADRID. *Palacio Real.* III-6.405.

701

——. Barcelona. Esteuan Liberos. A costa de Miguel Manescal. 1625. 8 hs. + 296 fols. + 56 hs. 4.º

BARCELONA. *Instituto Municipal de Historia.* B.1625-8.º (1). *Universitaria.* B.59-5-23; etc.— ZARAGOZA. *Universitaria.* G-14-184.

Sermón

702

[*SERMON. 21 de enero de 1610*]. (En Salazar, Alonso de. *Fiestas que hizo el... Collegio de la Compañia de Jesus de Salamanca a la beatificacion de... San Ignacio...* Salamanca. 1610, fols. 161r-175r).

MADRID. *Nacional.* 2-68.001.

Exequias...

703

EXEQVIAS, tvmvlo y pompa fvneral, qve la Vniversidad de Salamanca hizo en las honras del Rey nuestro Señor don Felipe III en cinco de Iunio de mil y seyscientos y veynte y vno. Salamanca. Antonio Vazquez. 1621. 3 hs. + 1 h. en blanco + 1 lám. + 251 páginas orladas.

En la portada no figura el nombre del autor.

—Ded. a D. Gaspar de Guzman, Conde de Oliuares, etc., por Fr. Angel Manrique. «Quando me mandó la Universidad hazer esta Relacion, me ordenó que la dirigiesse a V. Excellencia...».

1. *Sermon que predico el P. Francisco Pimentel en Salamanca en cinco de Junio de 621.* (Págs. 88-120).

2. *Oracion funebre en latin por Henrique de Haro.* (Págs. 122-34).

3. *Poesías latinas.* (Págs. 141-54).

4. *Geroglificos latinos.* (Págs. 158-61).

5. *Geroglifico del Lic. Venon Gonçalez de Abila.* [«Estoy del mundo tan harto, ...»]. (Pág. 161).

6. *Otro del mismo.* [«En tan gran falta, el tener, ...»]. (Pág. 161).

7. *Glossa de Antonia de Alarcon.* [«De quien (ai) fue esta corona...»]. (Pág. 163).

8. *Glossa del P. Fr. Iulian Manuel.* [«Detente Cloto atreuida, ...»]. (Págs. 164-65).

9. *Glossa del P. Fr. Angel del Aguila.* [«Un año aura que oprimida...»]. (Páginas 165-66).

10. *Glossa de Pedro de Bargas Machuca.* [«Hijos de mi fiel amor, ...»]. (Pág. 167).

11. *Glossa de Iosef de Pellicer y Salas.* [«Cambie el laurel soberano...»]. (Pág. 168).

12. *Glossa de Luys Brochero.* [«Muestre la Española Athenas...»]. (Pág. 169).

13. *Octauas del P. Fr. Iulian Manuel.* [«Suene esta vez el vellico instrumento...»]. (Págs. 171-74).

14. *Octauas del P. Fr. Iuan de Herrera.* [«Del que altamente ocasionado, huellas...»]. (Págs. 174-77).

15. *Octauas de Luys Brochero.* [«En euano, y marfil, (bien que canoro)...»]. (Páginas 178-81).

16. *Octauas de Iosef de Pellicer y Salas.* [«Era la estancia, en que al bellon dorado, ...»]. (Págs. 181-84).

17. *Octauas de Miguel de Prada.* [«Rigida en oro la valiente gala, ...»]. (Págs. 185-88).

18. *Cancion del Lic. Pedro de Auendaño.* [«La voz que à manos del dolor, sin vida...»]. (Págs. 189-93).

19. *Cancion de Iosef de Pellicer y Salas.* [«Del alto albor, oposicion diuina...»]. (Páginas 193-96).

20. *Cancion de Geronimo de Arostigui.* [«La hazaña que dió en candidas acciones, ...»]. (Págs. 196-99).

21. *Epitafios latinos.* (Págs. 200-1).

22. *Epigrama en griego de Gonçalo Correas.* (Pág. 202).

23. *Epigrama latino del Lic. Iuan de Aguilar.* (Pág. 204).

24. *Soneto acróstico de Iosef de Pellicer y Salas.* [«Palida Clicie al rapido occidente, ...»]. (Pág. 205).

25. *Soneto del P. Fr. Antonio de Monroy.* [«Reparando tan celebres ruynas, ...»]. (Pág. 206).

26. *Soneto del P. Fr. Thomas de san Vicente.* [«O tu Academia, da felices voces, ...»]. (Págs. 206-7).

27. *Soneto del P. Fr. Iulian Manuel.* [«Si (admiracion comun de ciencia rara)...»]. (Pág. 207).

28. *Soneto de Fernando Gallo.* [«Repara (ó noble Escuela) en que desluces...»]. (Página 208).

29. *Eglogas en latín.* (Págs. 209-16).

30. *Romance de Luys Antonio de Silua y Baraona.* [«La Princesa de las letras...»]. (Págs. 217-18).

31. *Romance de Iosef de Pellicer.* [«A un Sol que al Ocaso buelto...»]. (Págs. 219-20).

32. *Romance del Lic. Perez de Morales.* [«Escalando estaua un dia...»]. (Págs. 220-221).

33. *Romance de Geronimo de Arostigui.* [«Sirue à Caria de desprecio, ...»]. (Páginas 221-22).

34. *Romance del Lic. Pedro Bello de Herrera.* [«Ya las Esfera linfas vierte...»]. (Páginas 222-23).

35. *Dos Poesías latinas de Blas Lopez.* (Págs. 223-25).

36. *Cancion del mismo.* [«Tu, que la cumbre habitas deleytosa...»]. (Págs. 225-28).

37. *Epitafio latino del mismo.* (Pág. 229).

38. *Egloga en latin del mismo.* (Págs. 229-233).

39. *Poesias latinas del Lic. Andrés de Villela.* (Págs. 234-40).

40. *Poesía en griego de Gonçalo Correas.* (Pág. 240).

41. *Cancion del mismo que traduce el Griego.* [«Con muerte presurosa...»]. (Página 241).

42. *Poesías latinas.* (Págs. 242-44).

43. *Dezimas del Lic. Iuan Roales.* [«Pero sino puede ser...»]. (Pág. 247).

44. *Romance aventurero del P. Fr. Iulian Manuel.* [«Haze puntas á las nubes...»]. (Pág. 248).

45. *Epitafios latinos.* (Págs. 249-50).

46. *Dezimas de Alonso de Ledesma.* [«Ay insaciable apetito...»]. (Págs. 250-52).

47. *Romance de Manuel Lamprea gorron.* [«Medio dia era por filo...»]. (Págs. 253-54). Salvá, I, n.° 280; Gallardo, III, n.° 2.891.

CORDOBA. *Pública.* 21-99. — MADRID. *Academia Española.* 37-VI-27; etc. *Nacional.* 2-67.733.

Palacio Real. VIII-11.193.—NUEVA YORK. *Hispanic Society.*

Meditaciones

704

MEDITACIONES *para los dias de la Qvaresma, sacadas de los Evangelios, qve canta en ellos la Iglesia nvestra Madre.* Salamanca. Francisco de Cea Tesa. 1612. 8 hs. + 581 págs. a 2 columnas + 25 hs. 20 cm.

—Apr. de Fr. Malachias de Otalora.—L. O.—Apr. de Fr. Domingo de los Reyes.—Ded. a D. Iuan de Moncada, arçobispo de Tarragona, etc.—S. Pr.—T.—E.—Prologo al letor.—Tabla de las Meditaciones. Texto.—Index locorum Sacrae Scripturae. Tabla de las cosas mas notables.—Colofón.

MADRID. *Academia Española.* — *Facultad de Filología.* 2.189. *Nacional.* 3-53.251.—ORIHUELA. *Pública.* XXI-5-16.—PARIS. *Nationale.* D. 8678. — SEVILLA. *Universitaria.* 55-30. — ZARAGOZA. *Universitaria.* G-7-226.

705

MEDITACIONES *para los dias de la Qvaresma, sacadas de los Evangelios, qve canta en ellos la Iglesia nvestra madre.* Zaragoza. Iuan de Lanaja y Quartanet. A costa de Iuan de Bonilla. 1613. 8 hs. + 691 págs. + 25 hs. 20 cm.

—Apr. del Dr. Villalva.—L. V.—Pr. de Aragón a Iuan de Bonilla.—Apr. de Fr. Malaquias de Otarola.—Ded. a D. Iuan de Moncada, arçobispo de Tarragona.—T.—Prólogo al Lector.—Tabla de las materias.—Texto.—Indice de lugares y de cosas.—Colofón.

Jiménez Catalán, *Tip. zaragozana del siglo XVII*, n.° 117.

BARCELONA. *Univeristaria.* B.71-5-10.—CORDOBA. *Pública.* 3-36.—GRANADA. *Universitaria.* A-11-224.—SANTIAGO DE COMPOSTELA. *Universitaria.* TERUEL. *Casa de la Cultura.*

706

——. Valencia. Pedro Patricio Mey. 1613.

GERONA. *Pública.* A-3.396.—SEVILLA. *Universitaria.* 87-55.—ZARAGOZA. *Universitaria.* G-19-128.

Santoral Cisterciense

707

SANCTORAL *Cisterciense, hecho de varios discvrsos, predicables en todas las fiestas de nuestra Señora, y otros Sanctos.* Burgos. Juan Baptista Varesio. A costa de Antonio Cuello. 1610. 2 vols. 20,5 cm.

—Indice de los Evangelios sobre que se fundan los discursos deste Sanctoral.—Apr. de Fr. Lorenço de Çamora.—Apr. de Fr. Basilio Molina.—L. O.—Apr. de Fr. Francisco Tamayo.—S. Pr. al autor por diez años.—T.—Ded. a D. Alonso Manrique, arçobispo de Burgos, etc.—Prologo al lector.—Advertencia (sobre las E.).—Summario de los Discursos. — Proemio. (Fols. 1*r*-3*v*).—Texto.—Fols. 247*v*-250*r*: Epistola a Fr. Iuan Marieta sobre los autores que tratan de San Bernardo de Alcira.—Grab.—Index locorum Sacrae Scripturae qvae in vniverso hoc opere explicantur.—Index verborum, sive nominum, quorum significatio, aut etymon explicatur in hoc opere.—Tabla de las cosas mas notables.—Protesta del autor.

BURGOS. *Facultad de Teología.* IV-85-1-25.—MADRID. *Academia de la Historia.* 14-10-4-8739. *Nacional.* 2-23.009.—ROUEN. *Municipale.* A.891. — SANTIAGO DE COMPOSTELA. *Universitaria.*—SEVILLA. *Universitaria.* 94-54.—ZARAGOZA. *Universitaria.* G-22-40.

708

SANTORAL *y dominical cisterciense hecho de varios discursos predicables en todas las fiestas de Nuestra Señora y otros Santos...* En esta segunda y última impresión enmendado y añadido... Valladolid. Francisco F. de Cordoua. 1613. 8 hs. + 142 + 130 fols. + 40 hs. 20 cm.

Alcocer, n.° 586.

BURGOS. *Facultad de Teología.* PW.101. — MADRID. *Academia de la Historia.* 14-8-8-5660. *Palacio Real.* III-3.298. — SEVILLA. *Universitaria.* 97-32.

709

——. Barcelona. Hieronymo Margarit. A costa de Miguel Manescal. 1613. 119 + 250 fols. 4.°

BARCELONA. *Instituto Municipal de Historia.*

B.1613-8 (2). *Universitaria.* B.60-4-26/30. — GERONA. *Pública.* A-1.067.—GRANADA. *Universitaria.* A-36-250.—ORIHUELA. *Pública.* 88-5-6.— SEVILLA. *Universitaria.* 97-1.—ZARAGOZA. *Universitaria.* G-10-14.

710

——. Segunda y última parte. Barcelona. Hieronymo Margarit. A costa de Iuan de Bonilla. 1623. 658 páginas. 4.º

Por el libro de la Mujer fuerte

711

POR *el libro de La Mvger Fverte Doña Maria Vela. Respondiendo a las dudas que se han puesto en el; y en el espiritu, y vida de la Sancta.* Salamanca. Antonio Vazquez. 1620. 83 páginas. 21 cm.

CORDOBA. *Pública.* 33-87.—MADRID. *Academia de la Historia.* 9-17-3-3.487. *Nacional.* V.E.-56-40.—SANTIAGO DE COMPOSTELA. *Universitaria.*—VALLADOLID. *Universitaria.* 12.776.

712

POR *el Libro de la Muger Fuerte...* (En González Vaquero, Miguel. *La muger fuerte...* Madrid. Imp. Real. 1674, fols. 198-248).

V. *BLH,* XI, n.º 1506.

Sermones varios

713

SERMONES *varios del Maestro ——... Segunda, y vltima parte de sus Sanctos.* Salamanca. Susana Muñoz. A costa de Iuan Cornan. 1620. 8 hs. + 828 págs. a 2 cols. + 50 págs. 20 cm.

—Advertencia sobre la encuadernación.— Apr. de Fr. Luys Bernardo.—L. O.—Apr. de Fr. Francisco Sedano.—S. Pr. al autor por diez años. — E. — Ded. a D. Pedro Gonzalez de Mendoza, bailio de Lora, etc.—Prologo al Lector.—Tabla de los Discursos.—T.—Texto.—Tabla de los lugares de Escriptura que se explican.— Tabla de los puntos y cosas mas notables.—Colofón.

MADRID. *Academia Española.* S.C.=31-4-21. *Nacional.* 5-6.962.—ORIHUELA. *Pública.* 88-5-8.—PARIS. *Nationale.* D.8679. — SANTIAGO DE COMPOSTELA. *Universitaria.*—VALLADOLID. *Universitaria.* Santa Cruz, 10.855.

714

——. Barcelona. Gerónymo Margarit. 1623.

ORIHUELA. *Pública.* 88-3-7.

Socorro del Clero

715

SOCORRO *qve el estado ecclesiastico de España parece podría hazer al Rey N. S. en el aprieto de hacienda, en qve oy se halla. Con menos mengva de sv immvnidad, y autoridad, y prouecho mayor suyo, y del Reyno.* Salamanca. Antonia Ramirez. 1624. 2 hs. + 60 págs. 20,5 cm.

—Ded. a las Iglesias de la Corona de Castilla.—Texto.

MADRID. *Academia de la Historia.* Jesuitas, t. 2. *Nacional.* V.E.-20-3.

716

SOCORRO *del Clero al Estado, escrito por un Religioso en 1624.* Publícalo Juan López Cancelada. Madrid. Imp. de «El Universal». 1814. 1 lám. + 2 hs. + 74 págs. + 4 hs. 4.º

ZARAGOZA. *Universitaria.* Caj. 113-2.321.

717

[SOCORRO *que el Estado Eclesiástico de España parece podría hazer al Rey... Transcripción por P. Guerín*]. (En *Miscelánea Comillas,* XL, Comillas, 1963, págs. 318-55).

La V. M. Ana de Jesús

718

VENERABLE *(La) Madre Ana de Iesvs, discipvla y compañera de la S. M. Teresa de Iesvs y principal aumento de su orden, Fundadora de Francia, y Flandes.* Bruselas. Lucas de Meerbeeck. 1632. 16 hs. + 376 + 208 págs. + 6 hs. 28 cm.

—*Copia de la Declaracion que la... Infanta de España... Doña Isabel Clara Eugenia hizo en favor de la V. M. Ana de Iesus... ante el Arçobispo de Malinas, y demas en ella referido.*—Certificaciones. L. (Salamanca, 1632).—Ded. a la Infanta Isabel Clara Eugenia (Madrid, 25 de junio de 1631).—Al Lector.—Epistola a la Sagrada Religion de los Padres Carmelitas Descalzos.—Apr. y Censura de Fr. Facundo de Torres.—Apr. de Fr. Gaspar de los Reyes.—L. V. de Salamanca.—Apr. de Fr. Alonso Peres de Humanes.—L. O.—Apr. de Fr. F. de Biuero.—Censura por Fr. Franciscus Capronicus, en latin. — Censura de Mart. Lunaecenius, en latin. — Pr. — Soneto. [«Seraphica en amar al que metido...»].—Texto.—Tabla.

En el ejemplar de Córdoba, entre los libros VII y VIII van intercaladas dos hojas que contienen un grabado y dos sonetos: «Canten la gala en el virgineo coro...» y «Fenix divina quen ardiente llama...».

Peeters-Fontainas, II, n.º 758.

BRUSELAS. *Royale.* V.B.-8.431. — CORDOBA. *Pública.* 5-253 (falto de portada).—MADRID. *Academia Española.*—*Nacional.* 2-65.979.—PARIS. *Nationale.* H.1576.—ROMA. *Vaticana.* Stamp. Barb. U.VI.17.—ROUEN. *Municipale.* U.1050.

719

Arbieto, Plácido de. *Epítome de la vida de la V. M. Ana de Jesús..., que más por extenso sacó a luz...* ——. Salamanca. Francisco de Roales. 1643. 8 hs. + 113 fols. + 3 hs. 14 cm.

MADRID. *Nacional.* 3-35.978.—SALAMANCA. *Universitaria.* 28.015.

Sermón

720

[*SERMON*]. (En Lazarraga, Cristobal de. *Fiestas de la Universidad de Salamanca al nacimiento de... D. Baltasar Carlos...* Salamanca. 1630, págs. 95-144).

MADRID. *Nacional.* R-4.973.

Memoriales

721

[*MEMORIAL*]. [s. l.-s. i.]. [s. a.]. 26 fols. 29 cm.

Carece de portada.

—Texto. Comienza: «Señor. = La Uniuersidad de Salamanca, Patronazgo de V. Magestad, antiguamente una de las quatro generales del mundo...». Sobre los inconveniente de celebrar los Grados en la Catedral.

MADRID. *Nacional.* V.E.-27-1.

722

[*MEMORIAL*]. [s. l.-s. i.]. [s. a.]. 21 fols. 28 cm.

—Texto. En nombre de la Universidad pide se aclaren algunos puntos referentes a la Constitución de la Compañía de Jesús, acerca de los cuales se habían promovido incidentes.

MADRID. *Nacional.* V.E.-34-42.

723

[*MEMORIAL*]. [s. l.-s. i.]. [s. a.]. 44 páginas. 29 cm.

Carece de portada.

—Texto. Sobre la licitud del nombramiento de Prior de Calatrava hecho a su favor por el Abad de Morimundo.

MADRID. *Nacional.* V.E.-183-44.

724

[*MEMORIAL*]. [s. l.-s. i.]. [s. a.]. 71 páginas. 29 cm.

Carece de portada.

—Texto. Es una réplica a la respuesta dada por la Orden de Calatrava a otro Memorial suyo anterior, en nombre de la Orden de San Bernardo.

MADRID. *Nacional.* V.E.-183-42.

Poesías sueltas

725

[*POESIA*]. (En Bravo, Nicolás. *Benedictina...* Salamanca. 1604. Prels.).

MADRID. *Nacional.* R-4.582.

726

[*SONETO*]. (En Pérez de Heredia, Miguel. *Libro de varias consideraciones sobre los Evangelios que canta la Iglesia en la Quaresma...* Salamanca. 1604. Prels.).

SEVILLA. *Universitaria.* 151-20.

Aprobaciones

727

[*APROBACION por Fr. Nicolás Bravo, Fr. Luis Bernardo, Fr. Iulián de Yturriaga y* ——. *Salamanca, 7 de marzo de 1616*]. (En Bernardo, San. *Tratado de la casa interior del ánima...* Madrid. 1617. Prels.).

V. *BLH*, V, n.º 1864.

728

[*APROBACION, sin datos*]. (En Bivar, Francisco de. *Historias admirables de las mas ilustres, entre las menos conocidas Santas que ay en el cielo.* Valladolid. 1618. Prels.).

MADRID. *Nacional.* 3-19.464.

729

[*CAPITULO y Parecer*]. (En Vega Carpio, Lope de. *Relación de las fiestas que... Madrid hizo en la canonización de San Isidro...* Madrid. 1622. Prels.).

MADRID. *Nacional.* R-9.090.

730

[*APROBACION. Salamanca, 23 de agosto de 1631*]. (En López Madera, Gregorio. *Tratado de la Concepción Immaculada de la Santissima Virgen María...* Madrid. 1638. Prels.).

MADRID. *Nacional.* 3-11.193.

731

[*APROBACION. Salamanca, 7 de agosto de 1632*]. (En Niño, Juanetín. *Serenissima Señora Infanta Sor Margarita de la Crvz, ... En razon del interrogatorio en la cavsa de la venerable Virgen Soror Ana Maria de San Ioseph...* Salamanca. 1645. Prels.).

MADRID. *Nacional.* 2-36.731.

732

[*APROBACION. Salamanca, 14 de abril de 1634*]. (En Urosa, Froilán de. *Instrucción de novicios cistercienses...* Alcalá. 1635. Prels.).

MADRID. *Nacional.* 3-66.691.

733

[*CENSURA. Salamanca, 15 de febrero de 1640*]. (En Patón de Ayala, Frutos. *Apologia Sacra...* Madrid. 1640, fols. 52v-53v).

MADRID. *Nacional.* 3-21.713.

734

[*APROBACION. Madrid, 15 de noviembre de 1643*]. (En Mariana de San José, Madre. *Vida.* Madrid. 1645. Prels.).

SEVILLA. *Universitaria.* 25-103.

735

[*APROBACION. Salamanca, sin fecha*]. (En APLAUSO... Barcelona. s. a. Prels.).

MADRID. *Nacional.* R-3.705.

OBRAS LATINAS

736

CISTERCIENSIVM, sev Verivs ecclesiasticorvm annalivm. Lugduni. Sumptibus haeredes G. Boissat et Laurent Anisson. 1642-59. 4 vols. 36 centímetros.

GENOVA. *Universitaria.* 2.L.XII.14-15.—ROMA. *Vaticana.* Stamp. Barb. H.X.54-57 y H.V. 61 [el I].—ROUEN. *Municipale.* U.197.—WASHINGTON. *Congreso.* 17-14367.—ZARAGOZA. *Universitaria.* G-44-83/86.

737

[*POESIA*]. (En Bravo, Nicolás. *Benedictina...* Salamanca. 1604. Prels.).

MADRID. *Nacional.* R-4.582.

TRADUCCIONES

a) ALEMANAS

738

ANNALES Cistercienses... Kirchengeschichte von Erbauung Cisterz. Regensburg. Johann Caspar Mammel. 1739-41. 5 vols.

NASHVILLE. *Joint University Librairies.*

b) FRANCESAS

739

Le Laurier de l'Evangile, ou Sermons pleins de conception... 1612.

740

La Vie de la vénérable mère Anne de Jésus... traduitte en françois par... René Gaultier. París. A. Taupinart. 1636. 2 partes en un vol. 8.º

PARIS. *Nationale.* 8°Ln²⁷12789.

741

La vie de la vénérable mère Anne de Jésus... [*Trad. por F. B. D. S. T. C. D.*]. Bruselas. 1639. 4.º

BRUSELAS. *Royale.* V.B.-8.294. — PARIS. *Nationale.* H.4200.

742

——. Lyon. J. Rossier. 1870. 2 volúmenes. 8.º

PARIS. *Nationale.* 8°Ln.²⁷12789.B.

c) NEERLANDESAS

743

Een cort begryp van het wonderlyck leven van de E. Goeder Anna van Jesus. Amberes. Jac Mesens. 1636. 8.º

BRUSELAS. *Royale.* II-76.350.

ESTUDIOS

744

GARCIA, C. *El Ilmo. Fray Angel Manrique.* (En *Collectanea O. C. R.,* XII, 1950, y XIII, 1951, págs. 128-129).

745

GUERIN, PATRICIO. *Fray Angel Manrique.* (En *Celtiberia,* XII, Soria, 1962, págs. 131-38).

746

——. *Genealogía del Ilmo. Fray Angel Manrique.* (En *Cistercium,* XIV, Venta de Baños, 1962, págs. 303-16).

747

——. *Semblanza. Estudio acerca del Ilmo. Fray Angel Manrique.* (En idem, XV, 1963, págs. 29-33).

748

ROMERO, AGUSTIN. *El obispo Fray Angel Manrique a través de algunas de sus cartas.* (En *Cistercium,* XIV, 1962, págs. 71-82).

749

GUERIN, P. *Fray Angel Manrique, obispo de Badajoz, y su famoso memorial.* (En *Miscelanea Comillas,* XL, Comillas, 1963, págs. 299-355).

750

BARAT, MERCEDES. *Un texto arbitrista del siglo XVII: el memorial de Angel Manrique.* (En *Cuadernos de Historia Moderna y Contemporánea,* II, Madrid, 1981, págs. 105-25).

Sobre «Socorro que el estado...».

751

REP: N. Antonio, I, págs. 90-91; Martínez Añíbarro, págs. 334-39; Guerin, P., en DHEE, II, págs. 1407-8.

MANRIQUE (ANTONIO)

Clérigo panormitano.

EDICIONES

752

[*DISCURSO académico quinto. Ernesto, conde de Estahremberg, Defensor de Viena, Libertador de la Christiandad*]. (En TRIUNFOS *Christianos del Mahometismo vencido...* Madrid. 1684, págs. 57-70).

MADRID. *Nacional.* V.E.-93-1.

MANRIQUE (ANTONIO LUIS)

EDICIONES

753

[POESIA]. (En Rojas Soria de Campos, Miguel. *Physico y médico tratado...* Sevilla. 1655. Prels.).

Medina, *Biblioteca hispano-americana*, III, n.º 1.251.

MANRIQUE (BALTASAR)

CODICES

754

«A la muerte de la Exma. Sra. Marquesa del Carpio. Soneto».

Letra del s. XVII. 200 mm. En «Poesías de varios Autores recogidas por un aficionado», pág. 141. Perteneció a Gallardo.

Rodríguez Moñino-Brey, I, pág. 440.

NUEVA YORK. *Hispanic Society.* Mss. LXXXI.

755

[Poesía].

En Nuñes de Acosta, Duarte. *Museo en que se describen diferentes poemas que compuso ——.*

Año 1685. 215 × 1.500 mm.

Inventario, X, pág. 206.

MADRID. *Nacional.* Mss. 3.891.

MANRIQUE (FRANCISCO)

EDICIONES

756

[SONETO]. (En Arceo, Francisco. *Fiestas reales de Lisboa...* Lisboa. 1619. Prels.).

V. *BLH*, V, n.º 3982.

MANRIQUE (FRANCISCO)

N. en Tarazona. Maestre Racional de la ciudad.

EDICIONES

757

RELACION historica panegírica de los desagravios de Cristo Nuestro Señor Sacramentado, en la... ciudad de Tarazona y lugar de Alberite, donde acaeció su sacrílego robo y su restitución el año de 1642, con la memoria de este suceso. Zaragoza. Hospital General. 1642. 4.º

Latassa.

ESTUDIOS

758

REP: Latassa, 2.ª ed., II, pág. 223.

MANRIQUE (GREGORIO)

EDICIONES

759

[POESIAS]. (En Luque Fajardo, Francisco de. *Relación de las fiestas que la Cofradía de Sacerdotes... celebró a la Purissima Concepcion...* Sevilla. 1616).

1. *Glosa* (Fol. 33r).
2. *Soneto.* (Fol. 36r).
3. *Canción.* (Fols. 50r-52r).

MADRID. *Nacional.* R-12.262.

MANRIQUE (JERONIMO)

Maestro.

EDICIONES

760

[SONETO]. (En *Las fiestas con que la Universidad de Alcalá de Henares alcó los pendones por el Rey don Philipe...* Alcalá. 1556).

MADRID. *Academia de la Historia.* 3-3-5-2.657.

MANRIQUE (JERONIMO)

N. en Valencia.

EDICIONES

761

VERDADERA relación donde se da cuenta del desastrado suceso que aconteció en la ciudad de Logroño, y de cómo por amor de una hermosa doncella murieron seis personas. Málaga. Iuan René. 1628. 4 hs. 4.º

Gallardo, III, n.º 2.892; Jerez, pág. 94.

NUEVA YORK. *Hispanic Society.*

762

RELACION del suceso de la ciudad de Logroño. Madrid. María de Quiñones. 1652. 44 hs. 4.º

763

——. Madrid. 1653.

Gallardo, III, n.º 2.893; Jerez, pág. 94.

NUEVA YORK. *Hispanic Society.*

764

RELACION verdadera, donde se da cuenta del desastrado sucesso que aconteció en la ciudad de Logroño, y de como por amores de una hermosa Donzella murieron seis personas. Sevilla. Iuan de Ossuna. 1681. 4.º

765

NUEVA y curiosa relación de un caso el mas atroz que hasta hoy se ha leído, el cual trata de la cruel traición que un caballero Portugués usó con otro caballero en la ciudad de Antequera, sobre amores de una hermosa doncella, hija de un cantarero. Madrid. María de Quiñones. 1651. 4.º

Gallardo, III, n.º 2.894; Jerez, pág. 94.

NUEVA YORK. *Hispanic Society.*

MANRIQUE (FR. JUAN JACINTO)

Benedictino. Definidor mayor. Abad del Real Colegio de Pasantes de S. Pedro de Eslonza. Abad, Regente y Catedrático de Prima del Real Colegio de San Juan del Poyo. Visitador general. Predicador real.

EDICIONES

766

[*APROBACION. Madrid, 20 de junio de 1689*]. (En Guerra y Ribera, Ma-

nuel de. *Oraciones funebres en las exequias de la Reyna... Maria Luisa de Borbon...* Madrid. 1689. Prels.).

MADRID. *Nacional.* V.E.-114-44.

767

[*APROBACION. Madrid, 28 de noviembre de 1690*]. (En Castillo Mantilla y Cossío, Gabriel de. *Laverintho poetico...* Madrid. 1691. Prels.).

MADRID. *Nacional.* 3-48.834.

MANRIQUE (LORENZO)

EDICIONES

768

[*SONETO*]. (En ACADEMIA *que se celebró a los años de la Reyna Madre...* s. l. 1681, fol. 17v).

MADRID. *Nacional.* V.E.-106-8.

MANRIQUE (LUIS ANTONIO)

EDICIONES

769

[*DEZIMA Al Autor*]. (En Guerrero y Saravia, Juan. *Vida, virtudes y muerte de... Fray Iuan Monte...* Sevilla. 1642. Prels.).

SEVILLA. *Universitaria.* 88-76.

MANRIQUE (LUISA)

V. MANRIQUE ENRIQUEZ (LUISA)

MANRIQUE (PEDRO)

CODICES

770

«*La Naval, poema en octava rima*».

Letra del s. XVII. 420 fols. 220 × 150 mm. Poema sobre la batalla de Lepanto.

—Texto. [«L'Armada de la Liga ilustre canto...»].

Gallardo, III, n.º 2.896; *Inventario*, X, página 221.

MADRID. *Nacional*. Mss. 3.942.

771

«——».

PARIS. *Mazarina*. Mss. 1833.

EDICIONES

772

[*SONETO*]. (En Acosta, Cristobal. *Tractado de las Drogas...* Burgos. 1578. Prels.).

MADRID. *Nacional*. R-12.339.

773

CIORANESCU, ALEXANDRE. *Una versión contemporánea de la batalla de Lepanto.* (En *Simancas*, I, 1950, págs. 356-70).

774

LOPEZ TORO, JOSE. [*Pedro Manrique*]. (En *Los poetas de Lepanto.* Madrid. 1950, págs. 56-61).

775

CIORANESCU, ALEXANDRE. *Un poeme inconnu de Don Pedro Manrique.* (En MÉLANGES *Mario Roques.* Paris. 1952, págs. 37-49).

Se refiere al poema *La Victoria*, relativo a la batalla de Lepanto. Sobre los tres autores del siglo de Oro de ese nombre. Es el ms. 1843 de la B.ª Mazarine de Paris y está fechado en Burgos en abril de 1573.

Reed. en sus *Estudios de literatura española y comparada.* La Laguna. 1954, págs. 47-66.

MANRIQUE (PEDRO)

Canónigo de la catedral de Toledo.

EDICIONES

776

[*RELACION del viage que hizo por el dicho cuerpo sancto*]. (En COPI-

LACIÓN *de los despachos tocantes a la translación del bendicto cuerpo de sant Eugenio martyr, primer Arçobispo de Toledo, de la Abbadía de Sandonís en Francia a esta sancta Iglesia.* Toledo. Miguel Ferrer. 1566, fols. 41*v*-49*r*).

N. Antonio le atribuye la totalidad de la obra.

MADRID. *Nacional*. R-2.292.—PARIS. *Nationale*. Rés. Ln.²²36611.

777

——. [*Fragmento referente al paso por la provincia de Madrid. Edición de José Simón Díaz*]. (En RELACIONES *breves de actos públicos celebrados en Madrid de 1541 a 1650.* Madrid. 1982, págs. 11-13).

ESTUDIOS

778

REP: N. Antonio, II, pág. 212.

MANRIQUE (PEDRO)

Caballero de Toledo.

CODICES

779

«*Esta coronica de Constagio tradujo de la lengua italiana en la castellana Don P.º Manrrique un cauallero de Toledo muy entendido y gran cortesano...*».

Letra del s. XVII. 289 fols. 290 × 205 mm. Fols. 1*v*-3*v*: Carta traducida por D. Juan de Silva, conde de Portalegre.

MADRID. *Nacional*. Mss. 7.438.

780

«*Historia de la union de Portugal a la Corona de Castilla por Geronimo Franqui Constagio, traducida en lengua castellana*».

Letra del s. XVII. 185 fols. 295 × 200 mm.

MADRID. *Nacional*. Mss. 7.559.

MANRIQUE (PEDRO)

Licenciado.

EDICIONES

781

APAREJOS para administrar el Sacramento de la Penitencia con mas facilidad y fruto: y recevir los admirables efectos, que suele obrar la Santa Eucharistia en los que llegan a ella bien dispuestos. Milán. Marco Tulio Malatesta. 1604. 91 hs. 4.º

Se ha supuesto que es seudónimo de uno de los jesuitas ingleses residentes en España P. José Greswell o P. Guillem Bath. Toda, *Italia*, III, n.º 3.053.

GENOVA. *Universitaria.* 1.AA.II.26. — MADRID. *Palacio Real.* IX-6.783.

782

ORACION (De la), y de ayudar a bien morir. Madrid. 1615.

N. Antonio.

783

TRATADO de devoción. 1616.

N. Antonio.

OBRAS LATINAS

784

SACRA Tempe... Ingolstadt. 1622.

N. Antonio.

785

SACRA Tempe, seu de Sacro exercitiorum secessu exempla collecta a Petro Manrique... Enghien (Bélgica). Bibliothèque des Exercices. [1910]. 71 págs. 8.º (Collection de la Bibliothèque des Exercices de saint Ignace Études et documents, 26).

Reproduce la ed. de Ingolstadt, 1622.

PARIS. *Nationale.* D.90023.

ESTUDIOS

786

REP: N. Antonio, II, pág. 212.

MANRIQUE (FR. PEDRO)

Hijo de los condes de Puñonrostro, n. en Nápoles. Agustino desde 1570. Predicador mayor del convento de San Felipe el Real de Madrid, prior del convento de Toledo (1588), Asistente general de las provincias de España e Indias (1593), visitador general de España y Portugal (1594), provincial de Castilla (1595), obispo de Tortosa (1601), virrey de Cataluña (1610) y arzobispo de Zaragoza (1611), donde m. (1615).

EDICIONES

787

[SERMON que predicó el día del entierro del V. P. Fr. Alonso de Orozco]. (En Alonso de Orozco, Beato. *Confesiones.* Madrid. 1620, folios 112-28).

MADRID. *Nacional.* 3-24.493.

Aprobaciones

788

[APROBACION. Madrid, 30 de junio de 1602]. (En Villegas, Alonso de. *Vitoria y triunfo de Iesv Christo...* Madrid. 1603. Prels.).

MADRID. *Nacional.* 5-2.435.

ESTUDIOS

789

REP: Santiago Vela, V, pág. 120; A. Manrique, en DHEE, II, pág. 1408.

MANRIQUE (FR. PEDRO)

Franciscano. Ministro provincial de la de Valencia. Calificador de la Inquisición.

EDICIONES

790

[APROBACION. Valencia, 14 de octubre de 1577]. (En Moreno, Cristóbal. *Libro intitulado Limpieza de la Virgen...* Valencia. 1582. Prels.).

MADRID. *Nacional.* R-29.184.

791

[APROBACION. Valencia, 22 de diciembre de 1587]. (En Moreno, Cristóbal. *Tratado de la Archiconfrater-*

nidad del Cordón... Valencia. 1588.
Prels.).
SEVILLA. *Universitaria.* 23-162.

792
[*APROBACION, 16 de enero de 1596*].
(En Fonseca, Cristobal de. *Primera
parte de la vida de Christo...* Toledo.
1596. Prels.).
MADRID. *Nacional.* R-33.506.

793
[*APROBACION. Madrid, 24 Marzo
de 1598*]. (En Vega, Pedro de. *Declaración de los siete Psalmos Peni-
tenciales.* Alcalá. 1599. Prels.).
MADRID. *Nacional.* R-19231.

794
[*APROBACION. Valencia, 2 de abril
de 1598*]. (En Murillo, Diego. *Instruc-
cion para enseñar la virtud.* Tomo I.
Zaragoza. 1598. Prels.).
MADRID. *Nacional.* R-29.144.

ESTUDIOS
795
REP: N. Antonio, I, pág. 212.

MANRIQUE (P. RODRIGO)
N. en Sevilla. Jesuita.

EDICIONES
796
*SERMON de la limpia Concepcion
de la Virgen Maria nuestra Señora.
Predicado... a 2 de Julio de 1615 en
el Otauario que desta festiuidad se
celebró en la collacion de San Vicen-
te de Sevilla.* Sevilla. Francisco de
Lyra. 1615. 2 hs. + 24 fols. 20 cm.
—Apr. del Provisor.—Sumario.—Texto.
Escudero, n.º 1.018.
GRANADA. *Universitaria.* A-31-222 (8); etc.—
SEVILLA. *Universitaria.* 113-23 (13); etc.

ESTUDIOS
797
REP: Méndez Bejarano, II, n.º 1.519.

MANRIQUE (FR. SEBASTIAN)
N. en Oporto (1587). Agustino. Residió en
la India portuguesa. M. en 1644.

EDICIONES
798
*ITINERARIO de las missiones que
hizo... Con una summaria relacion
del grande y opulento Imperio del
Imperador Xaziaban Corrombo Gran
Mogol, y de otros Reys infieles.* Roma. Francisco Caballo. 1649. 8 hs. +
476 págs. 4.º.
Medina, *Biblioteca hispano-americana,* II,
n.º 1.139; Toda, *Italia,* III, n.º 3.054.
LONDRES. *British Museum.* 1229.e.—MADRID.
Nacional. G.M.-599.—PARIS. *Nationale.* 4.ºOª
q.2.

799
——. Roma. Guillelmo Halle. 1653.
12 + 476 págs. 25 cm.
Medina, *Biblioteca hispano-americana,* III,
n.º 1.188; Toda, *Italia,* III, n.º 3.055.
GENOVA. *Universitaria.* 2.H.IV.11. — LONDRES.
British Museum. 206.d.6.

ESTUDIOS
800
REP: N. Antonio, II, pág. 282; Santiago
Vela, V, págs. 124-26.

MANRIQUE (FR. TOMAS)
Hijo de los condes de Osorno. Dominico.
Procurador general de la Orden (1533-1560)
y Maestro del Sacro Palacio (1565-1573).
Catedrático de Doctrina tomista en el
Vaticano (1570). Canónigo de San Pedro
en Roma (1571), donde m. (1573).

EDICIONES
801
[*DEDICATORIA a Pío V por Fr. Vicente Justiniano y ——*]. (En Tomás
de Aquino, Santo. *Opera Omnia.*
Tomo I. Roma. 1570. Prels.).
MADRID. *Nacional.* 2-9.011.

OBRAS LATINAS

802

CENSURA in Glossas et Additiones
Iuris Canonici... Roma. 1572.

ROMA. *Nazionale.*

———

—Bolonia. P. Bonardus. 1572.
URBINO. *Universitaria.* Sc. Giur. F-V-83.

ESTUDIOS

803

REP: C. Palomo, en DHEE, II, pág. 1468.

MANRIQUE DE ACUÑA (RODRIGO)

EDICIONES

804

PSALTERIO de Dauid, con las paraphrasis y breues declaraciones de
Raynerio [Snoy Gondeano]. [Medina
del Campo. Pedro de Castro]. [1546,
27 de julio]. 4.º.

ROMA. *Vaticana.* Stamp. Barb. A.VIII.51.

805

PSALTERIO de Dauid, con las Paraphrases y breues declaraciones de
Raynerio Snoy Goudano. Agora nueuamente traduzido en lengua Castellana. Anvers. Iuan Steelsio. 1555. 8
hojas + 266 fols. 14,5 × 9 cm.

—Port. sin nombre del traductor.—L. del
Abad de Valladolid a D. Rodrigo Manrrique de Acuña.—Catalogo de los autores
de los quales estas breues declaraciones
de los Psalmos fueron tomadas.—Ded.
del Patriarcha del nueuo mundo, Obispo
de Ciguença, Presidente del Consejo
Real.—Prologo de Raynerio.—Tabla.—
Texto.—Colofón.

MADRID. *Nacional.* R-1.462.

OBRAS LATINAS

806

RODERICI Manrici Acvnii, de im-
mortalitate animae aduersus quosdam Gallos, Commentarii duo. Sevilla. [s. i.]. 1544. 15,5 cm.

MADRID. *Nacional.* R-21.829.

MANRIQUE DE AVELLANEDA
Y BERMUDEZ (ESTEBAN)

EDICIONES

807

[Décima al autor]. (En Pérez de Herrera, Cristóbal. *Proverbios morales...* Madrid. 1618. Prels.).

MANRIQUE DE AYALA
(BERNARDINO)

EDICIONES

808

[POESIA]. (En Sannazaro, I. *Sanazaro Español. Los tres libros del
Parto de la Virgen... Traducción...
por Francisco de Herrera Maldonado.* Madrid. 1620. Prels.).

MANRIQUE DE FUENTES Y
GUZMAN (DIEGO)

EDICIONES

809

[SONETO]. (En Ibarra, Juan Antonio de. *Encomio de los ingenios sevillanos.* Sevilla. 1623, fol. 27r).

MADRID. *Nacional.* 1-107.535.

MANRIQUE DE HENESTROSA
(FR. PEDRO)

Dominico.

EDICIONES

810

SERMON predicado dia de San Marcos Euangelista... en la celebracion
del Capitulo Provincial, que se hizo
en el conuento de San Pablo el Real
de Cordoba, en veynte y quatro de

mayo deste año de 1616. Baeza. [s. i.] 1616. 1 h. + 40 págs. 20 cm.

—Ded. a Fr. Domingo Cano, Prouincial de Andaluzía de la Orden de Predicadores. Texto.

MADRID. *Nacional.* V.E.-52-10 [falto de portada]. — SEVILLA. *Universitaria.* 113-23 (6); etcétera.

MANRIQUE DE LARA (ANTONIO)
Caballero de Santiago.

EDICIONES
811
[*SONETO*]. (En Ovando, Rodrigo de. *Memoria funebre y exequias del Parnaso.* Málaga. 1665, fol. 33r).

MADRID. *Nacional.* 2-15.508.

MANRIQUE DE LARA (BALTASAR)
EDICIONES
812
[*SONETO*]. (En Roys, Francisco de. *Relación de las demostraciones festivas... que celebró la... Universidad de Salamanca...* Salamanca. 1658, página 340).

MADRID. *Nacional.* 2-46.494.

MANRIQUE DE LARA (DIEGO)
Caballero de Santiago.

EDICIONES
813
[*ROMANCE*]. (En Grande de Tena, Pedro. *Lágrimas panegíricas a la temprana muerte del... Dr. Juan Pérez de Montalban.* Madrid. 1693, folios 108v-109r).

MADRID. *Nacional.* 2-44.053.

MANRIQUE DE LARA (GARCIA)
EDICIONES
814
[*A D. Antonio del Castillo. Decima*]. (En Castillo de Larzával, Antonio

del. *El Adonis.* Salamanca. 1633. Preliminares).

SANTIAGO DE COMPOSTELA. *Universitaria.* Foll. 326-15.

MANRIQUE DE LARA (LUISA)
V. LUISA MAGDALENA DE JESUS
[*BLH*, XIII, núms. 5150-54]

MANRIQUE DE LUJAN (FERNANDO)

EDICIONES
815
RELACION de las fiestas de la civdad de Salamanca, en la beatificacion de la Sancta Madre Teresa de Iesus, Fundadora de la Reformacion de los Descalços, y Descalças de Nuestra Señora del Carmen. Salamanca. Diego Cussio. 1615. 4 hs. + 300 págs. 21 cm.

—Contiene esta Relación.—El Autor a su libro. Epigrama latino.—Quiso decir. (Versión castellana del mismo). [«Pudieras yr ufano libro mío...»].—Ded. a D. Luis Enriquez, caballero de Santiago, etcétera.—Texto.

En las págs. 30-93 se intercalan varias poesías anónimas y en las 41-50 la *Oración hecha por Vicente Pimentel en alabanza de Sta. Teresa.*

1. *Glossa de Fr. Gabriel de s. Cruz.* [«Detened Teresa el passo...»]. (Pág. 109).

2. *Glossa de Antonio de Viera.* [«Viendo a Teresa encendida...»]. (Pág. 110).

3. *Medias Canciones de Fr. Leandro Vadillo.* [«De la mulata noche...»]. (Páginas 111-13).

4. *Medias canciones de F. Andres de Morales.* [«Tiende la noche obscura...»]. (Páginas 113-14).

5. *Medias canciones de F. Gabriel de s. Cruz.* [«Ayres templados, puros...»]. (Páginas 114-16).

6. *Medias Canciones de Sebastian de Gueuara.* [«Apartate Camila...»]. (Págs. 116-20).

7. *Medias Canciones de Pedro Nauarro.* [«Alça bien la cabeça...»]. (Págs. 120-21).
8. *Medias Canciones de Garcia Brauo.* [«Si el Sol atras no buelue...»]. (Págs. 121-123).
9. *Medias Canciones de F. Lorenço de Andrada.* [«Estraño es el camino...»]. (Páginas 123-25).
10. *Medias Canciones de Fr. Miguel Infante.* [«Teresa Virgen Sancta...»]. (Páginas 105-6).
11. *Medias Canciones de Francisco de Ayala.* [«Quando la escura noche...»]. (Páginas 106-8).
12. *Medias Canciones de Rodrigo de Alaua.* [«El resplandor diuino...»]. (Págs. 108-110).
13. *Tercetos de F. Gabriel de Sancta-Cruz.* [«No se si desta vez os reprehenda...»]. (Págs. 110-12).
14. *Tercetos de Francisco Brauo.* [«Teresa de Iesus, del mismo Esposa...»]. (Páginas 112-13).
15. *Tercetos incognitos.* [«Soys Esposa de Christo, y sus Esposas...»]. (Págs. 113-15).
16. *Decimas de una Monja Carmelita Descalça.* [«En una justa de amor...»]. (Páginas 115-17).
17. *Soneto de Rodrigo Godinez Cabeça de Vaca.* [«De tu incorrupto cuerpo el olio mana...»]. (Pág. 118).
18. *Soneto de Fr. Gabriel de S. Cruz.* [«En que escuela Teresa deprendistes...»]. (Págs. 118-19).
19. *Soneto de Ioseph Sanchez.* [«Angelica doctora en la Sapiencia...»]. (Pág. 119).
20. *Soneto de Diego Fernández de Paz.* [«Divinos rasgos, puntos consagrados...»]. (Págs. 119-20).
21. *Soneto de Pedro de Molina.* [«Con letras de diamante en bronce duro...»]. (Página 120).
22. *Soneto de Pedro Aluarez de Toledo.* [«Si nuestra edad, que en nada desto falta...»]. (Págs. 120-121).
23. *Glossa del Lic. Matienço.* [«Del trino hilado de Dios...»]. (Pág. 122).
24. *Glossa de Alonso de Tauira.* [«Echando la mano al huso...»]. (Págs. 122-23).
25. *Glossa de Claudio de Texeda.* [«Nadie ygualarse presuma...»]. (Pág. 123).
26. *Glossa de Pablo Verdugo.* [«Teresa el hilo vital...»]. (Págs. 123-124).
27. *Glossa de F. Lorenço de Andrada.* [«Mientras en el mundo viuen...»]. (Página 124).
28. *Redondillas de F. Pedro de Andrada.* [«Oy Teresa vos, y Dios...»]. (Págs. 125-26).

29. *Redondillas de F. Leandro de Andrada.* [«Teresa Virgen, y Madre...»]. (Págs. 126-127).
30. *Redondillas de Diego de Cabrera.* [«Mucho madre sancta os dura...»]. (Páginas 127-28).
31. *Redondillas de L. Ventura Pinto.* [«Distes de vos tal olor...»]. (Págs. 129-30).
32. *Quintillas de Baltasar de Zuñiga.* [«Pues los buenos hijos son...»]. (Págs. 130-131).
33. *Cancion de Francisco Lucio.* [«Temis alegre canta...»]. (Págs. 132-34).
34. *Cancion de Rodrigo Godinez Cabeça de Vaca.* [«Sanctissimo Monarcha Paulo Quinto...»]. (Págs. 135-37).
35. *Cancion del Lic. Pedro Aluarez.* [«Uniuersal Vicario...»]. (Págs. 137-39).
36. *Cancion de F. Leandro Vadillo.* [«Sanctissimo Pastor, diestro Piloto...»]. (Páginas 139-41).
37. *Decimas anónimas.* [«Grande mysterio en si encierra...»]. (Págs. 157-158).
38. *Decimas de L. Caruallo.* [«Por un preso aueys rogado...»]. (Págs. 158-59).
39. *Decimas de Francisco Martinez.* [«Con temor mi lengua canta...»]. (Págs. 159-60).
40. *Soneto de Laurencia de Gueuara.* [«Quiso Dios descubrir sus perfectiones...»] (Pág. 160).
41. *Soneto de la misma.* [«Vestido Alcides de la piel cerdosa...»]. (Págs. 160-61).
42. *Soneto de Francisco de Heredia.* [«Fundar la Religion saliendo della...»]. (Pág. 161).
43. *Soneto de L. Ioseph Sanchez.* [«Si soys Teresa del diuino esposo...»]. (Página 161).
44. *Cancion elegiaca de Aluaro de Zuñiga.* [«Virgen, y madre, esposa y escogida...»]. (Págs. 162-65).
45. *Tercetos de Aluaro de Zuñiga.* [«Quando el humido otoño al seco estio...»]. (Páginas 165-67).
46. *Octauas del Lic. Caruallo.* [«Fuera de si, y en si mas fuera...»]. (Págs. 167-68).
47. *Soneto Lyrico de Diego Fernandez de Paz.* [«Quiso Dios encordar el instrumento...»]. (Pág. 169).
48. *Octaua de Iuan Orozco.* [«Poëtas hay a quien en forma agrada...»]. (Pág. 170).
49. *Poesías latinas.* (Págs. 171-183).
50. *Hieroglyfico de autor desconocido.* [«Como el arco entre las nuues...»]. (Página 185).
51. *Hieroglyfico del mismo.* [«Es Teresa como el arbol...»]. (Pág. 185).

52. *Hieroglyfico del mismo.* [«En fuego abrasada muere...»]. (Pág. 185).
53. *Hieroglyfico latino del mismo.* (Página 186).
54. *Hieroglyficos de un Carmelita Descalço de Salamanca en latín.* (Págs. 186-87).
55. *Hieroglyfico anónimo.* [«Esta Aguila se auentaja...»]. (Pág. 187).
56. *Hieroglyfico latino-español anónimo.* [«Quanto mas llego a esta fuente...»]. (Página 182).
57. *Otro anónimo.* [«Si yo por el alma viuo...»]. (Pág. 182).
58. *Otro anónimo.* [«Con la pluma de mis alas...»]. (Pág. 183).
59. *Otro anónimo.* [«Si al rayo del Sol diuino...»]. (Pág. 183).
60. *Otro anónimo.* [«Porque os hagays a comer...»]. (Pág. 184).
61. *Otro anónimo.* [«Porque grande fructo espero...»]. (Pág. 184).
62. *Otro anónimo.* [«Apressura la subida...»]. (Pág. 185).
63. *Otro anónimo.* [«No quiero aqui otra corona...»]. (Pág. 185).
64. *Otro anónimo.* [«En el monte de la myrrha...»]. (Pág. 192).
65. *Otro anónimo.* [«Abiertos tengo los ojos...»]. (Pág. 192).
66. *Otro anónimo.* [«Soy qual abeja fecunda ..»]. (Pág. 192).
67. *Otro anónimo.* [«Con la sombra del laurel...»]. (Pág. 193).
68. *Hieroglyfico latino de Sebastian de Gueuara.* (Pág. 193).
69. *Soneto del mismo.* [«El camino del cielo van buscando...»]. (Pág. 194).
70. *Hieroglyficos latinos del mismo.* (Páginas 194-95).
71. *Hieroglyfico de Lorença de Gueuara.* [«Ea mi Teresa disponte...»]. (Pág. 195).
72. *Otro de la misma.* [«Venceré qualesquier daños...»]. (Pág. 196).
73. *Hieroglyfico de Antonio Aluarez en latín.* (Pág. 196).
74. *Hieroglyfico de Diego Fernandez de Paz.* [«Bien merece la corona...»]. (Página 196).
75. *Otro del mismo.* [«Aunque les quiten de adonde...»]. (Pág. 197).
76. *Hieroglyfico anónimo.* [«En aquesta fuy nacida...»]. (Pág. 197).
77. *Otro anónimo.* [«Enuiste el Sol diuino una Donzella...»]. (Pág. 198).
78. *Otro anónimo.* [«Cautiuos van los dos, aunque sin pena...»]. (Pág. 198).
79. *Otro anónimo.* [«Esta estrella del Carmelo...»]. (Pág. 198).

80. *Otro anónimo.* [«Quemauase el coraçon...»]. (Pág. 199).
81. *Otro anónimo.* [«Es Teresa, que digiere...»]. (Pág. 199).
82. *Sermon que predico el P. M. F. Pedro de Herrera en la fiesta de la beatificacion de Sancta Teresa de Iesus.* (Págs. 201-36).
83. *Sermon que predico el P. Francisco Giron en las mismas fiestas de la Sancta Virgen Teresa.* (Págs. 237-57).
84. *Sermon que predico en las mismas fiestas el P. M. Fr. Pedro Cornejo.* (Páginas 258-300).
Salvá, I, n.º 201.

MADRID. *Nacional.* R-4.471; R-14.882 (incompleto; sólo hasta la pág. 124).—NUEVA YORK. *Hispanic Society.*

MANRIQUE DE LUNA (ANA POLONIA)

EDICIONES
816

[*POESIA*]. (En Felices de Caceres, Juan Bautista. *El cavallero de Avila...* Zaragoza. 1623. Prels.).

MADRID. *Nacional.* R-2.407.

MANRIQUE Y LUNA (ANTONIO)

EDICIONES
817

[*OCTAUAS*]. (En Díez de Aux, Luis. *Compendio de las fiestas que ha celebrado... Çaragoça...* Zaragoza. 1619, págs. 87-89).

MADRID. *Nacional* R-4.908.

MANRIQUE DE PADILLA (MARTIN)

Adelantado mayor de Castilla. Conde de Santa Gadea. Capitán general de las galeras de España y de la armada de Portugal.

CODICES
818

«*Carta... a don Juan de Padilla su hijo auiendo començado a seruir de Soldado a su Magestad*».

Letra del s. XVII. 6 hs. 315 × 220 mm.

—Texto, fechado en Madrid, a 1 de mayo de 1596.

MADRID. *Nacional*. Mss. 18.721[61].

MANRIQUEZ SARMIENTO

Alférez de una compañía de Infantería.

EDICIONES

819

[*RELACION verdadera de la presa qve han hecho las Galeras de Cicilia, Malta y Florencia en la Morca, donde hazia el gran Turco vna fortaleza... boluiendo victoriosos a Mecina Viernes a quatro de Deziembre del Año M.DC.XV*]. [Barcelona. Esteuan Liberos]. [1616]. 2 hs. con un grabado. 20 cm.

Carece de portada.

—Texto. [«Al Duque de Ozuna...»].—Colofón.

LISBOA. *Nacional*. Res. 254[21].

MANSFELT (CARLOS, CONDE DE)

Almirante general del mar de Flandes.

EDICIONES

820

[*APROBACION. Bruselas, 8 de diciembre de 1543*]. (En Lechuga, Cristóbal. *Discurso... en que trata del cargo de Maestro de Campo General...* Milán. 1603. Prels.).

MADRID. *Nacional*. R-14.163.

MANSILLA (P. BALTASAR DE)

Jesuita. Catedrático de Teología en la Universidad de Manila. Procurador general de la provincia de Felipinas. Calificador de la Inquisición.

EDICIONES

821

SERMON de la Samaritana... En la Real Capilla de la Civdad de Manila.

Méjico. Francisco Rodríguez Lupercio. 1673. 4 hs. + 12 fols. 4.º

—Ded. a D. Francisco de Montemayor y Mansilla, Oydor de la Real Audiencia y Chancilleria de las Islas Filipinas, por Francisco de Montemayor, su hijo.—Apr. del P. Juan de San Miguel. — Apr. de José Vidal de Figueroa.—L. V.—Texto.

Medina, *México*, II, n.º 1.093.

MADRID. *Nacional*. V.E.-87-39; etc. — NUEVA YORK. *Hispanic Society*.

822

SERMON al glorioso Patriarca San Ignacio de Loyola, fundador de la Compañia de Jesvs, en la dedicacion de un Altar que a honor suyo se hizo en la Iglesia del Colegio de S. Pedro y S. Pablo de la Compañia de Jesus... Méjico. Juan de Ribera. 1679. 3 hs. +8 fols. 4.º

—L. O.—Censura de Alonso Coronado.—Sentir del P. Francisco Rodríguez de Vera.—Texto.

Medina, *México*, II, n.º 1.187.

MADRID. *Nacional*. V.E.-107-33.

823

[*CARTA primera. Madrid, 10 de junio de 1691.—Carta segunda. Madrid, 7 de julio de 1691*]. (En Félix de Alamín, Fray. *Espejo de verdadera y falsa contemplación.* Madrid. [s. a.]. Prels.).

MADRID. *Nacional*. 3-51.411.

Aprobaciones

824

[*CENSURA. Méjico, 2 de mayo de 1678*]. (En Agustín de la Magdalena, Fray. *Arte de la Lengua Tagala...* Méjico. 1679. Prels.).

Medina, *México*, II, n.º 1.186.

825

[*CENSURA. Madrid, 29 de enero de 1691*]. (En Vieyra, Antonio. *Palabra de Dios empeñada y desempeñada...* Madrid. 1691. Prels.).

ESTUDIOS

826

REP: Beristain, II, pág. 212.

MANSILLA (FR. BALTASAR DE)

Dieguino.

EDICIONES

827

[*APROBACION. Méjico, 9 de febrero de 1684*]. (En Herrera, José de. *Sermón funeral en las honras de... D.ª Augustina Picazo...* Méjico. 1684. Prels.).

Medina, *México*, II, n.º 1.306.

MANSILLA (CRISTOBAL)

CODICES

828

«*Problema de la gloria y miseria humana, en forma de Diálogo de dos, nombrados Aracinto y Chico, compuesta por Cristoforo Mansilla*».

Letra de mitad del s. XVI. 11 hs. Fol. En el «Tomo VI de las cosas ms. diversas que mandó recopilar el cardenal D. Rodrigo de Castro al Dr. García de Sotomayor. Sevilla... 1595».

—«¡Qué fabrica memorable...».

Gallardo, III, n.º 2.897.

EDICIONES

829

INUECTIUA contra el heresiarcha Luthero. [Burgos. Juan de Junta]. [1552, 20 de agosto]. 36 hs. gót.

—Prologo del mismo author ªa D. Pedro Fernandez de Cordoua, Conde de Feria. Dos poesías latinas de Andrés Bonilla.— Texto. [«Suene la boz de mi pecho...»]. Colofón.

Salvá, I, n.º 765; Heredia, II, n.º 1.889; Marqués de Jérez, en *Homenaje a Menéndez Pelayo*, II, págs. 627-63.

NUEVA YORK. *Hispanic Society.*

————

Reprod. facsímil por Antonio Pérez Gómez. Cieza. 1961.

MANSILLA (FR. FRANCISCO)

N. en Córdoba. Agustino desde 1548. Provincial de Aragón (1571). Prior de los conventos de Barcelona (1574), Zaragoza (1577), Valencia (1580) y Córdoba, donde m.

CODICES

830

[*Censura, 15 de noviembre de 1579*]. (En Jiménez de Urrea, Jerónimo. *El vitorioso Carlos quinto.* Prels.).

Autógrafa.

MADRID. *Nacional.* Mss. 1.469.

EDICIONES

831

[*CENSURA. Zaragoza, 6 de febrero de 1579*]. (En Pelegrín y Catalán, Blasco. *Tropheo del Oro...* Zaragoza. 1579. Prels.).

V. *BLH*, VII, n.º 7.473.

ESTUDIOS

832

REP: Santiago Vela, V, págs. 126-27.

MANSILLA CHACON (FERNANDO DE)

Regidor perpetuo y Capitán de la gente de guerra de la ciudad de Antequera.

EDICIONES

833

[*DECIMA*]. (En Colodrero de Villalobos, Miguel. *El Alpheo.* Barcelona. 1639. Prels.).

MADRID. *Nacional.* R-3.749.

834

[*POESIAS*]. (En Porras, Jerónimo de. *Rimas varias.* Antequera. 1639. Prels.).

1. *Soneto.*
2. *Decima.*

MADRID. *Nacional.* R-10.723.

MANSO (PEDRO)

EDICIONES

835

[*APROBACION. Santander, 12 de febrero de 1656*]. (En Iglesia, Nicolás de la. *Flores de Miraflores. Hieroglificos... del Mysterio de la Inmaculada Concepcion de la Virgen...* Burgos. 1659. Prels.).

MADRID. *Nacional*. R-10.921.

MANSO (FR. PEDRO)

N. en Méjico. Dominico. Maestro en Teología. Rector de los Estudios del Colegio de San Luis de Puebla de los Angeles.

EDICIONES

836

SERMON panegyrico, qve en la celebridad de la Dedicación del Templo Nuevo de San Bernardo, titvlo María de Gvadalvpe... dixo... ──... Méjico. Viuda de Francisco Rodríguez Lupercio. 1690. 18 hs. 8.º

Medina, *México*, III, n.º 1.475 (describe un ejemplar falto de prels.).

DAVIS. *University of California*. ─ NUEVA YORK. *Public Library*.

─── ─── ───

─Reproducido en Ramírez de Vargas, Alonso. *Sagrado Padron panegyricos sermones a la memoria debida al sumptuoso Magnifico Templo...* Méjico. 1691, hojas 96-102.

Medina, *México*, III, n.º 1.500.

DAVIS. *University of California*.

837

SERMON panegyrico, qve en glorias de el Humano Seraphin Nuestro Padre San Francisco dixo en su día, y Convento de Mexico este Año de 1694. Méjico. Viuda de Francisco Rodríguez Lupercio. 1694. 8 hs. + 12 fols. 4.º

─Ded. a Fr. Francisco de Chavarria, Prior del Convento Imperial de Santo Domingo de Mexico, precedida del escudo de la Orden dominicana. ─ Parecer de Fr. Juan del Castillo.─L. del Virrey.─Sentir de Manuel Muñoz de Ahumada.─L. V.─ Apr. de Fr. Pedro de la Peña.─L. O.─ Texto.

Medina, *México*, III, n.º 1.573.

ESTUDIOS

838

REP: Beristáin, II, pág. 213.

MANSO (ROQUE)

EDICIONES

839

[*CENSURA. Valladolid, 9 de enero de 1602*]. (En Reina, Francisco de la. *Libro de Albeytería*. Alcalá. 1623, Prels.).

MANSO DE CONTRERAS (CRISTOBAL)

EDICIONES

840

RELACION cierta, y verdadera de lo qve svcedió, y a svcedido en esta villa de Gvadalcaçar provincia de Tehuantepeque desde los 22 de Março de 1660 hasta los quatro de Iulio de 1661. Cerca de que los Naturales Indios destas Prouincias, Tumultuados, y amotinados mataron á Don Iuan de Auellan, su Alcalde mayor, y Theniente de Capitan General; y á tres Criados suyos, procediendo á otros grauissimos delictos hasta aclamar Rey de su Naturaleça, y las diligencias, aueriguacion, castigo, y perdon que con ellos se á seguido execvtado por el Sor. Don Ivan Francisco de Montemayor de Cuenca del Consejo de su Magestad, y su Oydor de la Real Audiencia, y Chancillería desta Nueua España... Méjico. Iuan Ruyz. 1661. 3 hs. + 37 fols. 20 cm.

—Remisión a censura.—Censura del P. Diego de Monrroy.—L.—Soneto de Iuan de Torres Castillo. [«Sacude pluma mia el espereso...»].—Decimas de Antonio Adal de Mosquera. [«La pluma que en vos admiro...»].—Ded. al Virrey D. Iuan de Leiba y de la Cerda, Marques de Leiba, etc.—Texto. En el se intercalan un Soneto. [«Fatigar de la vida los discursos...»] al fol. 5, una Décima. [«Con la pluma, y con la espada...»] y otra [«Oy Principe soberano...»] al fol. 37r.—Protesta.

Medina, *México*, II, n.º 885.

MADRID. *Nacional.* R-4.002.—NUEVA YORK. *Hispanic Society.*

MANTILLA (JUAN DE)
Clérigo de Ecija.

EDICIONES

841

NOTAS, y advertencias a modo de aphorismos sacados de la doctrina de diversos, y graves autores para explicacion del Iubileo de las dos semanas, que se concedió este año de 1636, por nuestro muy sancto P. Urbano VIII Papa. Ecija. Juan de Malpartida de las Alas. [s. a.]. 2 fols. 30 cm.

—Texto.

GRANADA. *Universitaria.* A-31-127 (15).

MANTILLA Y CARAVAJAL (JUAN DE)
Alférez reformado.

EDICIONES

842

[*RELACION verdadera de lo qve svcedio en el Piamonte a los diez de Iulio del presente año 1630 entre el exercito del Duque de Saboya y el del Rey de Francia. Traduzida de Italiano en Español por* ——]. [Barcelona. Sebastian y Iayme Mathevad] [1630]. 2 hs. 21 cm.

Carece de portada.
—Texto.—Colofón.

BARCELONA. *Central.* F. Bon. 8353. — MADRID. *Nacional.* V.E.-52-91 (ex libris de Gayangos...). — MONTPELLIER. *Municipale.* V.9781, n.º 7.

MANTUANO (PEDRO)
N. en Málaga (1579). Secretario de D. Bernardino Fernández de Velasco, Condestable de Castilla y León. M. en 1656.

CODICES

843

«*Animadversiones ad Historiam Patris J. Marianae...*».

Original, borrador.
Se conservaba en la Biblioteca de Villaumbrosa.
Gallardo, III, n.º 2.899.

844

«*Animadversiones ad historiam P. Marianae.—Otros papeles.—Relacion del estado universal de Europa en 1595*».

MADRID. *Academia de la Historia.* 9-7-2-N-60.

845

«*Carta... al duque de Medinaceli sobre un punto de las capitulaciones de los Reyes Católicos. Madrid, 24 de febrero de 1563*».

Col. Velázquez, tomo 36.

MADRID. *Academia de la Historia.* Est. 22, gr. 4.ª, n.º 75.

846

«*Contradiçion matrimonial sobre los casamientos de la... Ynfanta María...*».

Letra del s. XVII. 294 × 205 mm.
Inventario, V, pág. 497.
MADRID. *Nacional.* Mss. 2.080 (fols. 223-233).

847

«*Papel que dio al Rey Phelipe IV sobre el casamiento de la Infanta en Inglaterra*».

Letra del s. XVII. Fol.
Gayangos, II, pág. 12.
LONDRES. *British Museum.* Eg.339 (fols. 147-154).

848

[*Informe en contra del proyectado matrimonio de la infanta doña María de Austria, hija de Felipe III, con el príncipe de Gales. Año 1616*].

Letra del s. XVII, con firma autógrafa del autor.

«Por este memorial, y a instancia del rey de Inglaterra, fue desterrado en el año 1618 y lo estuvo hasta el de 1621, en que murió el rey Felipe III» (Cuartero-Vargas Zúñiga, XXXIX, n.º 63.434).

MADRID. *Academia de la Historia.* 9-1.065 (fols. 132-39).

849

«*Memorial dado al Rey Philepe 4.º sobre que no de su hija en casamiento al Principe de Ingalaterra*».

Letra del s. XVIII. 315 × 210 mm.
Zarco, I, pág. 353.
SAN ZORENZO DEL ESCORIAL. *Monasterio.* H.I.13 (fols. 427v-432r).

850

[*Exposición a Inocencio X, dándole la enhorabuena por su exaltación al pontificado y congratulándose de ello. Madrid, 27 de octubre de 1644*].

Letra del s. XVII.
Cuartero-Vargas Zúñiga, XXXIX, n.º 63.435.
MADRID. *Academia de la Historia.* 9-1.065 (fols. 145-46).

851

[*Exposición en que relata su destierro y los motivos que hubo para ello. ¿1619?*].

Borrador, en parte autógrafo.
Cuartero-Vargas Zúñiga, XXXIX, n.º 63.439.
MADRID. *Academia de la Historia.* 9-1.065 (fols. 152-53).

852

«*Manifiesto en defensa del milagro de la imposición de una casulla a San Ildefonso, arzobispo de Toledo, por la Santísima Virgen*».

Original autógrafo.
Cuartero-Vargas Zúñiga, XXXIX, n.º 63.442.
MADRID. *Academia de la Historia.* 9-1.065 (fols. 189-90).

853

[*Memorial a Felipe IV, en que expone sus méritos y servicios, y le pide una pensión eclesiástica en el arzobispado de Sevilla*].

Letra del s. XVII.
Cuartero-Vargas Zúñiga, XXXIX, n.º 63.438.
MADRID. *Academia de la Historia.* 9-1.065 (fol. 151).

854

[*Memorial al Papa, en que la expone las persecuciones que ha sufrido por haber escrito el memorial contra el casamiento del príncipe de Gales con la infanta doña María, y le pide que ordene que mediante el rezo en común con un compañero se cumpla con la obligación del rezo del Oficio Divino. Año 1622*].

Borrador, en parte autógrafo del autor.
Cuartero-Vargas Zúñiga, XXXIX, n.º 63.435.
MADRID. *Academia de la Historia.* 9-1.065 (fols. 140-44).

855

[*Memorial al papa Inocencio X, sobre la necesidad de reformar el Rezo Divino. Madrid, 27 de septiembre de 1645*].

Letra del s. XVII.
Cuartero-Vargas Zúñiga, XXXIX, n.º 63.437.
MADRID. *Academia de la Historia.* 9-1.065 (fols. 148-50).

856

«*Memorial al Rey en el que razona la no autorización de un libro, cuyo autor era Tomás Tamayo de Vargas*».

Letra del s. XVII.
Cuartero-Vargas Zúñiga, XXXIX, n.º 63.432.
MADRID. *Academia de la Historia.* 9-1.065 (fols. 124-28).

857

[*Memorial al Rey sobre la mejor forma de gobernar el Reino*].

Letra del s. XVII.
Cuartero-Vargas Zúñiga, XXXIX, n.º 63.433.

MADRID. *Academia de la Historia*. 9-1.065 (fols. 130-31).

858

«*Memorial al Rey sobre la censura que hizo Pedro de Valencia de su libro Advertencias a la Historia del P. Mariana*».

Letra del s. XVII. Dos copias.
Cuartero-Vargas Zúñiga, XXXIX, números 63.430-31.

MADRID. *Academia de la Historia*. 9-1.065 (fols. 108-17 y 118-22).

859

«*Relación del estado de las cosas del mundo en el año 1595*».

Letra de principios del XVII.
Cuartero-Vargas Zúñiga, XXXIX, n.º 63.441.

MADRID. *Academia de la Historia*. 9-1.065 (fols. 157-87).

860

«*Papel o Discurso... dirigido al Rey Felipe IV sobre el celo de la Religion Romana y del servicio de S. M.: Considerando los castigos que Dios á enviado a los Principes casados, cuyas hijas, o hermanas fueron dadas en matrimonio a hereges o paganos*».

Letra del s. XVII. Fol. Perteneció a Gayangos.

Sobre la proyectada boda del príncipe de Gales.

Roca, n.º 269 (I, 1).

MADRID. *Nacional*. Mss. 18.195 (fols. 1-7).

EDICIONES

861

ADVERTENCIAS a la Historia de Ivan de Mariana de la Compañia de Iesvs Impressa en Toledo en latín año 1592 y en Romançe el de 1601. En qve se enmienda gran parte de la Historia de España. Milán. Hieronimo Bordon. 1611. 6 hs. + 216 págs. 22,5 cm.

—Apr.—Nota: «Este libro esta lleno de erratas, por no entender la lengua el impressor...».—L. del Condestable de Castilla, Gobernador del Estado de Milán.—Tabla.—Ded. a Iuan Fernandez de Velasco, Condestable de Castilla, etc.—Tabla. Texto.

Salvá, II, n.º 3.010; Toda, *Italia*, III, número 3.059.

BARCELONA. *Central*. Toda, 6-V-14. *Universitaria*. C.186-5-58.—CORDOBA. *Pública*. 7-151.—LONDRES. *British Museum*. 593.e.4.—MADRID. *Nacional*. 3-51.033 (ex libris de Gayangos). *Palacio Real.*—PARIS. *Nationale*. 4ºOo.36.—SANTIAGO DE COMPOSTELA. *Universitaria.* — SEVILLA. *Colombina*. 56-6-16.

862

——. En esta segunda impression va añadida la respuesta a todas las dificultades que puso el Padre Iuan de Mariana, a los Discursos que prueuan la venida de Santiago a España, sacados de la librería del Condestable de Castilla. Y tambien se responde al Padre Iuan de Pineda, en lo que escriuio en su libro *de Rebus Salomonis*, de la venida de Nabuchodonosor. Madrid. Impr. Real. 1613. 10 hs. + 322 págs. + 1 h. 4.º

—Apr. del Estado de Milan.—E.—S. L.—T. Ded. a D. Bernardino Fernandez de Velasco, Condestable de Castilla y Leon.—Carta del Secretario Juan Bautista Sacco al Condestable de Castilla (en latín).—Carta de Enrique Puteano al autor (en latín).—Tabla de las advertencias.—Texto.—Colofón.

Salvá, II, n.º 3.011; Pérez Pastor, *Madrid*, II, n.º 1.235.

BARCELONA. *Universitaria*. C.213-4-33; etc. — CORDOBA. *Pública*. 25-80.—DEUSTO. *Universitaria*. — GRANADA. *Universitaria*. A-3-221.—LONDRES. *British Museum*. 281.f.35. — MADRID. *Academia Española*. — *Academia de la Historia*. 1-2-3-763; etc. *Facultad de Filologia*. 33.778; etc. *Nacional*. U-1.059. *Palacio Real.* — PARIS. *Nationale*. 4ºOa.36A. — SAN LORENZO DEL ESCORIAL. *Monasterio*. 53-II-5.—SANTIAGO DE COMPOSTELA. *Universitaria.* —

SEVILLA. *Colombina.* 108-4-23 detrás. *Universitaria.* 88-83; etc.—VALLADOLID. *Universitaria.* Santa Cruz, 9.282.—ZARAGOZA. *Universitaria.* G-13-141.

863

SEGVRO de Tordesillas. Escrivióle Don Pedro Fernandez de Velasco, llamado el Buen Conde de Haro. Sacóle a luz, de entre antiquissimos Papeles, que se conseruan en la Librería del Condestable de Castilla y de Leon, su Secretario ——. Con la Vida del Conde, y vna sumaria Relación del Linaje de Velasco, y Varonía de los Señores desta Casa: y algunas Escripturas notables de tiempo del mismo Conde. Milán. Marco Tulio Malatesta. 1611. 4 hs. + 243 páginas. 29 cm.

Heredia, IV, nº 3.136.

MADRID. *Nacional.* R-3.913.

864

——. *[Edicion de Josef Miguel de Flores].* Madrid. Antonio de Sancha. 1784. XVI + XXXII + 112 págs. (Crónicas y Memorias de los Reyes de Castilla, 5).

MADRID. *Consejo. Patronato «Menéndez y Pelayo».* Publ.-21.—SALAMANCA. *Universitaria.* 1-9.903; etc.

865

CASAMIENTOS de España y Francia, y viage del Dvqve de Lerma llevando la Reyna Christianissima Doña Ana de Austria al passo de Beobia, y trayendo la princesa de Asturias nuestra señora. Madrid. Tomas Iunti. 1618. 6 hs. + 256 págs. 18 cm.

—S. Pr.—T.—E.—Censura.—Ded. a D. Francisco Calderón, Caballero de Alcántara, etcétera, cuyo escudo va en la portada. Texto.

Salvá, II, n.º 3.012; Pérez Pastor, *Madrid,* II, n.º 1.552.

BARCELONA. *Universitaria.* C.206-6-20; etc.—GRANADA. *Universitaria.* A-29-291; etc.—MADRID. *Academia de la Historia.* 3-1-2-162.

Facultad de Filología. 33.818. *Nacional.* R-11.067 (ex libris de Gayangos). *Palacio Real.* VI-2.854.—NUEVA YORK. *Hispanic Society.*—ROMA. *Vaticana.* Stamp. Barb. Z.V.70.—SANTIAGO DE COMPOSTELA. *Universitaria.*

Aprobaciones

866

[CENSURA. Madrid, 10 de febrero de 1616]. (En López Bravo, Mateo. *De Rege, et regendi ratione.* Madrid. 1616. Prels.).

867

[APROBACION. Madrid, 13 de diciembre de 1617]. (En Caro de Torres, Francisco. *Relación de los servicios que hizo... don Alonso de Sotomayor...* Madrid. 1620. Prels.).

MADRID. *Nacional.* U-3.793.

868

[APROBACION. En la Biblioteca del Condestable, a 5 de enero de 1617]. (En Cano y Urreta, Alonso. *Días de jardín.* Madrid. 1619. Prels.).

MADRID. *Nacional.* R-170.

ESTUDIOS

869

MENDOZA, ANDRES DE. *Discurso hecho para los Consejos de Estado y Guerra, en contra del de Pedro Mantuano, sobre la guerra con Francia.*

Original, con la firma del autor.
Cuartero-Vargas Zúñiga, XXXVIII, número 60.046.

MADRID. *Academia de la Historia.* 9-1.011 (fols. 118-28).

870

ALMANSA Y MENDOZA, ANDRES DE. *Censura al libro de Mantuano sobre los matrimonios reales de 1615, dirigida al cardenal duque de Lerma.*

Letra del s. XVII. 210 × 155 mm.
Inventario, IV, pág. 4.

MADRID. *Nacional.* Mss. 1.104 (fols. 136-51).

— — —

V. además otros mss. en *BLH*, V, núms. 1108 y 1110.

871

«*Contra Pedro Mantuano*».

Sobre los *Casamientos*.

Letra del s. XVII. Fol.

Gayangos, III, pág. 327.

LONDRES. *British Museum*. Ade.28.708 (fols. 67-76).

872

«*Discurso contrapuesto a el de Pedro Mantuano, sobre la jornada de Francia dado a los Consejos Reales de Estado y gobierno*».

Letra del s. XVII. 49 hs. 8.º Perteneció a Gayangos.

Roca, n.º 262.

MADRID. *Nacional*. Mss. 17.955.

873

TAMAYO DE VARGAS, TOMAS. *Historia general de España del P. D. Iuan de Mariana defendida... contra las Advertencias de Pedro Mantuano*. Toledo. Diego Rodríguez. 1616. 4 hs. + 341 + LV págs. + 6 hs. 18,5 cm.

MADRID. *Academia de la Historia*. 5-4-8-1.778. *Nacional*. 1-47.101; etc. — SANTIAGO DE COMPOSTELA. *Universitaria*.

874

GONZALEZ PALENCIA, ANGEL. *Polémica entre Pedro Mantuano y Tomás Tamayo de Vargas, con motivo de la «Historia» del P. Mariana*. (En *Boletin de la R. Academia de la Historia*, LXXXIV. Madrid. 1924, páginas 331-51).

Documentos

875

[*DOCUMENTOS sobre Pedro Mantuano*]. (En Pérez Pastor, Cristóbal. *Noticias y documentos relativos a la Historia y Literatura...* Tomo I. Madrid. 110, págs. 238-40).

876

[*DOCUMENTOS para la biografía de Pedro Mantuano*]. (En Pérez Pastor, Cristóbal. *Bibliografía madrileña*. Tomo II. Madrid. 1906, págs. 259-60; III, 1907, pág. 423).

877

«*Certificacion de la autorizacion concedida por la Inquisicion a Pedro de Mantuano, para expurgar libreria del conde de Lemos [Pedro Fernandez de Castro] del que era secretario*».

Original. Madrid, 14 de noviembre de 1616. Cuartero-Vargas Zúñiga, XXXIX, n.º 63.444.

MADRID. *Academia de la Historia*. 9-1.065 (fol. 192).

878

«*Certificacion del permiso concedido por la Inquisicion a Pedro Mantuano, para expurgar la librería del condestable de Castilla [Juan Fernández de Velasco], del que era secretario*».

Original. Madrid, 14 de enero de 1613. Cuartero-Vargas Zúñiga, XXXIX, n.º 63.443.

MADRID. *Academia de la Historia*. 9-1.065 (fol. 191v).

879

«*Certificación dada por Lázaro de los Ríos Angulo, secretario del Consejo y Cámara [de Castilla], de haberse permitido a Pedro Mantuano que fijara su residencia en cualquier punto de España, con excepción de Madrid*».

Madrid, 21 de marzo de 1621. Original autógrafo y firmado. Cuartero-Vargas Zúñiga, XXXIX, n.º 63.440.

MADRID. *Academia de la Historia*. 9-1.065 (fol. 155).

Elogios

880

CERVANTES SAAVEDRA, MIGUEL DE. [*Referencia*]. (En *Viage del Parnaso*. Madrid. 1614, fol. 36v).

«Vuelvo la vista: a Mantuano veo,
que tiene al gran Velasco por Mecenas,
y ha sido acertadísimo su empleo».
V. *BLH*, VIII, n.º 923.

881

REP: N. Antonio, II, pág. 212; Alvarez y
Baena, IV, págs. 213-14.

«MANUAL de Adultos»

EDICIONES

882

MANUAL de Adultos. [Méjico. Juan
Cromberger]. [1540, 13 de diciem-
bre]. 38 hs. 4.º gót.

Las dos hojas conocidas contienen una
poesía latina de Cristóbal Cabrera, las
E. y el Colofón. Pertenecían a la Biblioteca Provincial de Toledo. Desaparecieron
y fueron adquiridas en Londres por Gayangos.

Medina, *México*, I, n.º 2; García Icazbalceta, n.º 2 y láminas I-III.

MADRID. *Nacional*. R-29.333 (las dos últimas
hojas).

«MANUAL de Confesores»

EDICIONES

883

MANUAL de Confesores. Coimbra.
1549.

EVORA. *Pública*. Res. 134; etc.

884

———. Coimbra. 1552.

EVORA. *Pública*. Res. 132; etc.

(V. AZPILCUETA, MARTIN DE), en *BLH*,
VI, núms. 2026-42.

«MANUAL de la Orden de los
Descalzos...»

EDICIONES

885

*MANUAL de la Orden de los Descal-
zos de la Sma. Trinidad...* Madrid.
Tomás Iunti. 1623. 3 hs. + 290 págs.
+ 2 hs. 21 cm.

SEVILLA. *Universitaria*. 142-30.

«MANUAL de la provincia
de San Pablo...»

EDICIONES

886

*MANUAL de la provincia de S. Pablo
de los Descalços de nuestro padre
San Francisco. Tratase en el del modo de administrar los Sacramentos
a los enfermos, de sepultar los difuntos, Procesiones y otras cosas particulares segun el Ritual Romano de
Paulo V y Rituales de nuestra Orden...* Valladolid. Joseph de Rueda.
1671. 105 págs. + 2 hs. 20 cm.

Alcocer, n.º 947.

«MANUAL de la Regla...»

EDICIONES

887

*MANUAL de la Regla de los frailes
franciscos descalzos.* Madrid. 1598.

Pérez Pastor, *Madrid*, I, n.º 589 (reproduce un documento acreditativo de su existencia).

«MANUAL de las monjas
descalzas...»

EDICIONES

888

*MANVAL de las Monjas Descalzas
de Nvestra Señora de la Merced.*
Madrid. Melchor Alvarez. 1683. 24 folios. 8.º

SANTIAGO DE COMPOSTELA. *Universitaria*.

«MANUAL de los religiosos
descalzos...»

EDICIONES

889

*MANUAL de los Religiosos Descal-
zos de la Orden de la Sma. Trinidad.* Burgos. 1674.

SEVILLA. *Universitaria*. 135-1.

«MANUAL de procesiones...»

EDICIONES

890

MANVAL de processiones, oficios particvlares, y de la Semana Santa, bendiciones, y sacramentos, con oficio de sepvltvra, de los religiosos descalzos del Orden de N. Señora de la Merced Redempcion de Cautiuos. De nuevo enmendado, segun los Decretos de la Sacra Congregacion de Ritos. Barcelona. Dionisio Idalgo. 1669. 9 hs. + 428 págs. + 3 hs. 20,5 cm.

—Carta pastoral de Fr. Iuan de Santa Maria, Vicario General de toda la Orden.—L. del Comissario General de la Santa Cruzada.—Proemio.—Texto.—Index de los Tratados y Capitulos.

MADRID. *Nacional.* 3-14.592.

891

MANUAL de Processiones, Oficios particulares, y de la Semana Santa, Bendiciones, y Sacramentos, con oficio de Sepultura, de los Religiosos Descalzos de el Orden de N. Señora de la Merced... De nuevo enmendado, según los decretos de la Sacra Congregación de Ritos. Sevilla. Herederos de Thomás Lopez de Haro. 1699. 2 hs. + 342 págs. + 2 hs. 20,5 centímetros.

—Proemio.—Texto.—Index de los Tratados y Capitulos.
Escudero, n.º 1.933.

MADRID. *Nacional.* 2-51.089.—SEVILLA. *Universitaria.* 199-27.

«MANUAL del coro...»

EDICIONES

892

MANVAL, del choro y processiones de los religiosos descalços del Orden de Nuestra Señora de la Merced, Redencion de cautiuos. Segun el Romano, Reformado por Clemente VIII y

Ritual de Paulo V. Rota. En la Imprenta del mismo Orden, por Fantisco *(sic)* Garcia de Ceruantes. [Colofón: Sevilla. Andrés Grande]. 1630. [Colofón: 1631]. 4 hs. + 326 págs. + 3 hs. 20 cm.

SEVILLA. *Universitaria.* 48-59.

«MANUAL o Procesionario...»

EDICIONES

893

MANVAL, o Processionario de las religiosas descalzas de la Orden de nvestra Señora la Virgen Maria del Monte Carmelo. Segvn el Missal, y Ceremonial Romano reformado. Uclés. Domingo de la Iglesia. 1623. 4 hs. + 236 págs. 20 cm.

—Licencias.—Carta pastoral de Fr. Alonso de Iesus Maria, General de la Orden.—Division deste Manual.—Tabla de las partes, capitulos y parrafos.—Texto.

MADRID. *Nacional.* 2-51.090.

«MANUAL para la administración...»

EDICIONES

894

[*MANUAL para la administración de los Santos Sacramentos en el Arzobispado de Toledo*]. Madrid. Alonso Gómez. 1584.

Pérez Pastor, *Madrid*, I, n.º 205 (reproduce diversos documentos y textos acreditativos de su existencia).

«MANUAL para los prelados descalzos...»

EDICIONES

895

MANVAL para los prelados descalços de nuestra Señora del Carmen. Uclés. En el Convento de San Ioseph, por Domingo la Iglesia. 1624. 2 hs. + 130 fols. 14 cm.

—División de este Manual.—Texto.
COIMBRA. *Universitaria.* R-71-11.—MADRID. *Nacional.* R-26.667.

«MANUAL y Procesionario...»

EDICIONES
896
MANUAL y Processionario Romano corregido y añadido por el R. P. Fray Alonso de Taraçona. [Salamanca. A. de Carmona]. [1564].
BARCELONA. *Universitaria.* 124-9-16.

«MANUAL y sumario...»

EDICIONES
897
[*MANUAL y sumario de las Descomuniones*]. [s. l.-s. i.]. [s. a.]. 23 fols.
Carece de portada. El título consta en el «Mandamiento» del arzobispo.
—Ded. en latín.—Poesía latina. — Prólogo anónimo, en que el autor da una relación de sus obras inéditas.—Mandamiento de D. Diego de Guzmán, arzobispo de Sevilla, para que todos los Confesores tengan este tratado (Sevilla, 17 de febrero de 1627).—Texto.
MADRID. *Nacionl.* V.E.-19-1.

MANUEL (DON)

EDICIONES
898
[*SONETO*]. (En FESTIVA *Academia celebridad poética...* Granada. 1664, fol. 34r).
MADRID. *Nacional.* U-3.145.

MANUEL (FR. ALONSO)
Agustino.

EDICIONES
899
[*APROBACION. Barcelona, 9 de enero de 1598*]. (En Saona, Jerónimo de.

Discursos predicables... Barcelona. 1598. Prels.).
MADRID. *Nacional.* R-29.661.

MANUEL (ANTONIO)

EDICIONES
900
PRIMERA parte de la bajada de los españoles de Francia en Normandía. Amberes. Giraldo Volsschatio. 1622. 8.º
Jerez, pág. 95.

MANUEL (FR. CRISOSTOMO)
Cisterciense.

EDICIONES
901
[*SONETO*]. (En Roys, Francisco de. *Relación de las demostraciones festivas... que celebró la... Universidad de Salamanca...* Salamanca. 1658, página 354).
MADRID. *Nacional.* 2-46.494.

MANUEL (DIEGO)
Capellán de D. Juan de Tapia.

EDICIONES
902
IVSTA poetica qve hizo al Santisimo Sacramento en la villa de Cifventes, el Dotor Ivan Gvtierrez medico de su Magestad. Recopilada por ——. Madrid. Impr. Real. [Por Tomas Iunti]. 1621. 8 hs. + 66 fols. + 2 hs. 8.º
—S. T.—S. Pr.—Apr. de Fr. Prudencio de Luzón.—Censura de Lope de Vega Carpio. — Al lector. — Octavas de Iuan de Orozco.—Texto.—Colofón.
Jerez, pág. 95; Pérez Pastor, *Madrid,* III, n.º 1.752; M. Alvar, en *Revista de Filología Española,* XLVI, Madrid, 1963, página 455.
NUEVA YORK. *Hispanic Society.*

903

[*ROMANCE*]. (En Vega Carpio, Lope de. *Relación de las fiestas que... Madrid hizo en la canonización de San Isidro...* Madrid. 1622, fols. 106*v*-107*r*)

MADRID. *Nacional*. R-9090.

MANUEL (ENRIQUE)

EDICIONES

904

[*ESPINEZAS*]. (En Pellicer de Tovar, José. *Anfiteatro de Felipe el Grande...* Madrid. 1631, fols. 73*v*-74*v*).

MADRID. *Nacional*. R-7.502.

MANUEL (FRANCISCO)

V. MELO (FRANCISCO MANUEL DE)

MANUEL (GONZALO)

Caballero de Calatrava.

EDICIONES

905

[*HIEROGLIPHICO a la descalcez y penitencia de santa Theresa de Iesus*]. (En Páez de Valenzuela, Juan. *Relación brebe de las fiestas que en... Cordoba se celebraron a la beatificacion de... santa Theresa de Iesus...* Córdoba. 1615, fol. 36*v*).

MADRID. *Nacional*. 3-39.118.

MANUEL (FR. GREGORIO)

Mercedario. Comendador del convento de Huete.

EDICIONES

906

RELACION de las exequias y honras que la noble y leal ciudad de Huete hizo a la muerte del... Rey Don Phi-

lippe tercero deste nombre. Cuenca. Salvador Viader. 1621.

Placer, II, n.º 3.477.

MADRID. *Nacional*. Mss. 2.352 (fol. 404*v*).

907

SERMON de San Lorenzo, mártir. Valladolid. 1624.

Placer, II, n.º 3.478.

908

SERMON de San Luis, Rey de Francia. 1624. 4.º

Placer, II, n.º 3.479.

909

SERMON en el Sínodo General de Cuenca. Cuenca. [s. a.].

ESTUDIOS

910

REP: Placer, II, pág. 249.

MANUEL (HERNANDO)

EDICIONES

911

[*SILVA*]. (En Gallegos, Manuel de. *Gigantomachia*. Lisboa. 1626. Prels.).

MADRID. *Nacional*. R-5.822.

912

[*DECIMAS*]. (En Guzmán Suares, Vicente de. *Rimas varias en alabança del nacimiento del Principe N. S. Don Balthazar Carlos...* Oporto. 1630. Prels.).

V. *BLH*, XI, n.º 3754.

MANUEL (JUAN)

EDICIONES

913

[*A Iulian de Armendariz*]. (En Armendariz, Julián de. *Patrón Salmantino*. Salamanca. 1603. Prels.).

MADRID. *Nacional*. R-9.800.

MANUEL (JUAN)

Residente en Madrid.

EDICIONES

914

[*POESIAS*]. (En Fiestas *Minervales...* Santiago. 1697).

1. *Soneto.* (Pág. 84).
2. *Glossa.* (Pág. 101).

MADRID. *Nacional.* 3-55.216.

MANUEL (FR. JULIAN)

Cisterciense.

EDICIONES

915

[*POESIAS*]. (En Manrique, Angel. *Exequias, túmulo y pompa funeral que la Universidad de Salamanca hizo en las honras de... Felipe III...* Salamanca. 1621).

1. *Glossa.* (Págs. 164-65).
2. *Octavas.* (Págs. 171-74).

MADRID. *Nacional.* 2-67.733.

MANUEL (LUIS)

EDICIONES

916

[*SONETO*]. (En Mesa, Cristóbal de. *La restauración de España.* Madrid. 1607. Prels.).

OBRAS LATINAS

917

[*EPIGRAMMA*]. (En Burgos, Alonso de. *Méthodo curativo y uso de la nieve.* Córdoba. 1640. Prels.).

V. *BLH,* VII, n.º 5666.

MANUEL ANTONIO DE FUENTELAPEÑA (FRAY)

Capuchino. Predicador del convento de Salamanca.

EDICIONES

918

EVANGELICO trofeo, vnico eco del antigvo trivnfo romano, terno sono-
ro cantado al compas de vn Panegyrico afecto, en elogio especialissimo, y culto del Santissimo Sacramento, Maria Santissima del Socorro, y Sepulcro glorioso de Christo: tres principales ocurrencias del assumpto, y hermosas tres copias de aquel antiguo Prototypo: declamado y compvesto en el templo de la ilvstrissima Religion de S. Ivan... de Toro... Domingo de Ramos por la tarde, año de 1693. Dado a la estampa por D. Andres Rubio... Salamanca. Andrés García de Castro. [s. a.]. 6 hs. + 55 págs. 20 cm.*

—Ded. a Fr. Pedro de Matilla, confesar de S. M., etc., por Andrés Rubio.—Apr. de Fr. Geronimo de la Cruz.—Apr. de Fr. Matheo de Villafañe.—L. V.—Texto.—Epigramma latino, de un teólogo de la Compañia de Jesus.—Soneto de Fr. Atilano de Dios. [«Que desde el Occidente al Orizonte...»].

MADRID. *Nacional.* V.E.-89-12.

MANUEL Y ARGOTE (FRANCISCO)

EDICIONES

919

[*SONETO*]. (En Ibarra, Juan Antonio de. *Encomio de los ingenios sevillanos en la fiesta de los Santos Inacio de Loyola i Francisco Xavier.* Sevilla. 1623, fols. 35*v*-36*r*).

V. *BLH,* XII, n.º 214 (43).

MANUEL DE LA CONCEPCION (FRAY)

Agustino. Definidor.

EDICIONES

920

[*APROBACION de Fr. Manuel de Christos y ——. Lisboa, 17 de marzo de 1587*]. (En Román, Jerónimo. *His-*

toria de la vida de... Fray Luys de Montoya... Lisboa. s. a. Prels.).

MADRID. *Nacional.* R-31.100.

MANUEL DE CORELLA (FRAY)
Capuchino.

EDICIONES

921

[*APROBACION de las Adiciones. Pamplona, 1 de mayo de 1687*]. (En Jaime de Corella, Fray. *Práctica del Confesionario.* 2.ª edición. Pamplona. 1687. Prels.).

V. *BLH,* XII, n.º 1435.

MANUEL DE CRISTOS (FRAY)
Agustino. Definidor.

EDICIONES

922

[*APROBACION de —— y Fr. Manuel de la Concepción. Lisboa, 17 de marzo de 1587*]. (En Román, Jerónimo. *Historia de la vida de... Fray Luys de Montoya...* Lisboa. s. a. Prels.).

MADRID. *Nacional.* R-31.100.

MANUEL DEZA (PEDRO)
Archidiácono de Calatrava, en la catedral de Toledo. Cartujo desde 1607. Prior de la Cartuja de Granada (1624-29) y de El Paular (1630-34). M. en 1635.

EDICIONES

923

HYMNO de Oro o Rosario ritmico. Traduccion de la obra de Lauspergio. Editada por Baltasar Cuartero. 1935.

ESTUDIOS

924

REP: Cartujo-Gómez, págs. 88-89.

MANUEL DE GRANADA (FRAY)
Capuchino. Vicario Provincial de Granada y Reinos andaluces. Definidor de la Orden. Guardián del convento de Jaén.

EDICIONES

925

[*SERMON*]. (En Paracuellos Cabeza de Vaca, Luis. *Elogios a Maria Santissima...* Granada. 1651, fols. 185r-201r).

MADRID. *Nacional.* 3-27.884.

MANUEL IGNACIO (ANTONIO)

EDICIONES

926

[*DEDICATORIA a la Virgen de las Mercedes*]. (En García de los Ríos, Eusebio. *Sermón en la fiesta de... San Francisco de Sales...* s. l. 1689. Prels.).

MADRID. *Nacional.* 2-51.807.

MANUEL DE JESUS MARIA (FRAY)

EDICIONES

927

SERMON de las llagas del padre San Francisco. Méjico. Viuda de Francisco Rodríguez Lupercio. 1686.

NUEVA YORK. *Hispanic Society.*

MANUEL DE LA MADRE DE DIOS (FRAY)
Mercedario descalzo. Lector de Artes y Rector del Colegio de Ribas. Lector de Teología y Rector del Colegio de Salamanca. Comendador del convento de Ciudad Real. Definidor general de la Orden. Predicador real.

EDICIONES

928

[*APROBACION de —— y Fr. Felix del Santissimo Sacramento. Madrid,*

25 de mayo de 1686]. (En Juan de San Jerónimo, Fray. *Mayorazgo de Dios...* Alcalá. s. a. Prels.).

MADRID. *Nacional.* 2-54.744.

MANUEL DE LA MADRE DE DIOS (FRAY)

Trinitario.

EDICIONES

929

ORACION fvnebre, qve en las honras del Venerable, y Reverendissimo P. Fr. Antonio de la Concepcion, General que fue dos vezes del Orden de Descalços de la Santissima Trinidad..., predicó... ——... Madrid. [s. i.]. 1685. 6 hs. + 36 págs. 19 cm.

—Ded. a D. Pedro Antonio de Ararón, Clavero Mayor del Orden de Alcántara, etc. L. O.—Censura de Fr. Baltasar Alvarez. Censura del P. Martín de Zarandona.— L. V.—Texto.

LONDRES. *British Museum.* 4865.dd.20.(9). — MADRID. *Nacional.* V.E.-11-28; 2-33.717.—ORIHUELA. *Pública.* 92-4-18.

Aprobaciones

930

[*APROBACION. Lora, 13 de diciembre de 1627*]. (En Sebastián de San Agustín, Fray. *Sermón a la inclita virgen Santa Teresa de Iesus...* Sevilla. 1628. Prels.).

SEVILLA. *Universitaria.* 113-111 (2).

931

[*APROBACION. 16 de abril de 1685*]. (En Francisco de Jesús María, Fray. *La flor del campo... Historia del Santo Christo de los Afligidos...* s. l. s. a. Prels.).

MADRID. *Nacional.* 2-46.323.

932

[*APROBACION de Fr. Félix del Santísimo Sacramento y* ——. *Madrid, 25 de mayo de 1686*]. (En Juan de

San Jerónimo, Fray. *Mayorazgo de Dios...* Alcalá. s. a. Prels.).

MADRID. *Nacional.* V.E.-129-49.

ESTUDIOS

933

REP: Antonino de la Asunción, II, págs. 52-55.

MANUEL DE MADRID (FRAY)

Capuchino. Guardián del convento de la Paciencia de Madrid. Predicador real.

EDICIONES

934

[*APROBACION de* —— *y Fr. Bernardino de Quiroga. Madrid, 10 de enero de 1669*]. (En Gaspar de Viana, Fray. *El Sol de nuestra España, y luz grande de la Iglesia, el Abulense.* Madrid. 1670. Prels.).

MADRID. *Nacional.* 6.i.-943.

935

[*APROBACION. Madrid, 24 de junio de 1674*]. (En Gaspar de Viana, Fray. *Discursos quadragesimales literales de el Abulense Morales de los Santos padres y sagrados Expositores.* Madrid. 1675. Prels.).

MADRID. *Nacional.* 211.633.

936

[*APROBACIONES. Madrid, 26 de marzo y 4 de abril de 1680*]. (En Francisco de Tauste, Fray. *Arte y bocabulario de la lengua de los indios chaymas...* Madrid. 1680. Prels.).

MADRID. *Nacional.* R-5.213.

MANUEL MENDOZA (MARIANA)

EDICIONES

937

[*DECIMA*]. (En Castro Egas, Ana de. *Eternidad del Rey Don Filipe Tercero...* Madrid. 1629. Prels.).

MADRID. *Nacional.* R-8.338.

MANUEL Y PALOMEQUE (MARTIN JOSE)

Licenciado. Oidor de la Chancillería de Valladolid.

EDICIONES

938

PANEGIRICO al Rey de las Españas, y de las Indias, nuestro señor don Carlos II (qve Dios gvarde). Indice sucinto de las grandezas de sus Reynos; corta Relacion de sus heroycas Virtudes; breve descripcion de algunas de sus Reales Insignias; cotejo con otras de Francia; disseño de su Rey; sus disignios en las presentes Guerras, y el sucesso de ellas, segun las Divinas letras, y Doctores Sagrados. [s. l.-s. i.]. [s. a.]. 8 fols. 28,5 cm.

—Texto, fechado en Valladolid a 27 de diciembre de 1689.

MADRID. Academia de la Historia. 3-4-1-3192. Nacional. V.E.-39-22.

MANUEL DE SAN JOSE (FRAY)

Carmelita descalzo. Lector de Vísperas del Colegio de San Cirilo de la Universidad de Alcalá. Prior del Colegio de Guadalajara.

EDICIONES

939

[APROBACION de Fr. Pedro del Espíritu Santo, —— y Fr. José del Santísimo Sacramento. Alcalá, 28 de abril de 1685]. (En Pablo de la Cruz, Fray. Recopilación sumaria de la Orden de nuestra Señora del Carmen... Madrid. 1685. Prels.).

MADRID. Nacional. B-20-CAR.

940

[CENSURA. Guadalajara, sin fecha]. (En Echeverría, Carlos de. Sermon de accion de gracias al... Patriarcha San Bernardo... Alcalá. 1693. Prels.).

MANUEL DE SANTO TOMAS (FRAY)

Dominico. Catedrático de Vísperas de Teología en el convento de Santo Domingo de Murcia.

EDICIONES

941

[EL Maestro ——, Prior Provincial desta Provincia de Andalucia, Orden de Predicadores, a los M.RR.PP. Priores, o Presidentes de todos los conventos de Religiosos, y PP. Vicarios de los de Religiosas, y a las RR.MM. Prioras, y Religiosas desta Provincia...]. [s. l.-s. i.]. [s. a.]. 2 hs. 29 cm.

—Texto, fechado en el Real Convento de Santa Cruz de Granada, a 18 de enero de 1689.

CORDOBA. Pública. 2-95.

942

[APROBACION. Murcia, 2 de agosto de 1672]. (En Ortiz y Moncayo, Felix. Sermón panegyrico... de la canonizacion de... S. Luis Beltran y Santa Rosa de Santa María... Murcia. 1672. Prels.).

SEVILLA. Universitaria. 113-54 (5).

MANUEL DE LOS SANTOS (FRAY)

Franciscano. Predicador mayor del convento de Ciudad Real.

EDICIONES

943

[ROMANCE]. (En Luis de Santa Maria, Fray. Octava sagradamente culta... Madrid. 1664, págs. 131-132).

MADRID. Nacional. U-6289.

MANUEL Y VASCONCELOS (AGUSTIN)

Caballero de la Orden de Cristo.

EDICIONES

944

VIDA de Don Dvarte de Meneses, tercero conde de Viana. Y svcessos

notables de Portugal en su tiempo.
Lisboa. Pedro Craesbeeck. 1627. 2 hojas + 167 fols. + 1 h. 20 cm.

—Licenças.—Ded. a D. Duarte Luis de Meneses, Conde de Tarouca, etc.—Texto.—
E.

Salvá, II, n.º 3.469.

MADRID. *Facultad de Filología.—Nacional.* 2-
32.752 (ex libris de Fernando José de Velasco).—SEVILLA. *Colombina.* 22-5-51.

945

*SVCESSION del Señor Rey Don Fi-
lipe Segvndo en la Corona de Portvgal.* Madrid. Pedro Tazo. 1639 [Co-
lofón: 1638]. 4 hs. + 108 págs. 14 cm.

—Ded. al Conde Duque.—Apr. por el Ordinario y por el Consejo.—E.—S.—Pr.—S.
T.—Texto.—Colofón.

Salvá, II, n.º 3.013.

MADRID. *Academia de la Historia.* 4-1-9-1437.
Nacional. 2-15.388.—NUEVA YORK. *Hispanic
Society.*—SANTIAGO DE COMPOSTELA. *Universi-
taria.*—SEVILLA. *Universitaria.* 86-A-66 (2).

946

*VIDA y acciones del rey don Ivan el
Segundo, Decimotercio de Portugal.*
Madrid. María de Quiñones. 1639. 7
hojas + 1 blanca + 348 págs. 26 cm.

—Ded. al Principe Baltasar Carlos.—S. de
las Apr.—S. Pr.—S. T.—E.—Hernando de
Soria Galuarco, al Lector.—Texto.

LONDRES. *British Museum.* 281.c.21.—MADRID.
Academia de la Historia. 13-1-9-1.613. *Fa-
cultad de Filología.* 10.515. *Nacional.* 2-
15.485. — MONTPELLIER. *Municipale.* 12965. —
ROMA. *Vaticana.* Stamp. Barb. Z.V.90.—SAN
LORENZO DEL ESCORIAL. *Monasterio.* 28-V-29.—
SEVILLA. *Universitaria.* 61-43.—ZARAGOZA. *Uni-
versitaria.* G-6-196.

Poesías sueltas

947

[*A la autora. Soneto*]. (En Castro
Egas, Ana de. *Eternidad del Rey D.
Filipe Tercero.* Madrid. 1629. Prels.).

MADRID. *Nacional.* R-8.338.

Aprobaciones

948

[*APROBACION. Lisboa, 8 de octu-
bre de 1628*]. (En Albia de Castro,
Fernando. *Panegírico genealógico...*
Lisboa. 1628. Prels.).

V. *BLH,* V, n.º 210.

TRADUCCIONES

a) FRANCESAS

949

*HISTOIRE de la vie et des actions
de D. Jean II. Rey de Portugal... Traduit de l'Espagnol [par —— de W.*].
Paris. 1641. 2 partes. 8.º.

LONDRES. *British Museum.* 281.b.1; 1200.b.26.

ESTUDIOS

950

COLOMES, JEAN. *Hispanisants portugais du XVIIème. siècle. D. Agostinho Manuel de Vasconcelos et la
défense des Bragances.* (En *Bulletin
des etudes portugaises et de l'Institut Français an Portugal,* XI, Coimbra, 1947, págs. 186-237, 274-91).

951

REP: N. Antonio, I, pág. 175; Barbosa, I,
págs. 68-69.

MANUELA DE LA MADRE DE DIOS (SOR)

Carmelita descalza. Residió en el monasterio de Cuerva.

CODICES

952

[*Carta a un Prelado de su Orden,
sobre la fundación del monasterio
de Carmelitas Descalzos de la villa
de Cuerva, y escritos de Sor Teresa de Jesús María. Cuerva, 3 de octubre de 1642*].

Autógrafa. 2 hs. Fol.

MADRID. *Nacional.* Mss.

953

«*Fundación desde convento de Religiosas descalças carmelitas de la villa de Cuerba*».

Autógrafo. 13 hs. 4.º

MADRID. *Nacional*. Mss.

954

«*Relación breve de la vida de la Madre Leonor María del Santísimo Sacramento, Religiosa de este convento de carmelitas de la villa de Cuerva*».

Autógrafo. 21 hs. 4.º

MADRID. *Nacional*. Mss.

955

«*Vida de la Madre Francisca de la Madre de Dios, fundadora desta Santa Casa*».

Autógrafa. 5 hs. 4.º

MADRID. *Nacional*. Mss.

956

[*Vida de las religiosas carmelitas del convento de Cuerva, Mariana de Jesús, Agueda de San José, Isabel de Jesús, María de San José, Eugenia de la Encarnación e Isabel de San José*].

Autógrafo. 16 hs. 4.º

MADRID. *Nacional*. Mss.

MANUELA DE LA SANTISIMA TRINIDAD (SOR)

Religiosa y Abadesa tres veces del convento de la Purísima Concepción de Salamanca.

EDICIONES

957

FUNDACION *del Convento de la Purissima Concepción de Franciscas Descalzas de la Ciudad de Salamanca, su Regla, y modo de vivir. Con la Relación de las Vidas de Algunas Religiosas señaladas en virtud de dicho Convento. Que obligada de la obe-*diencia escrivió la V. Madre Soror ——, *Religiosa, y Abadesa que fue tres vezes del mesmo Convento.* Salamanca. María Estévez, viuda. 1696. 15 hs. + 558 págs. 1 hoja. 19,5 cm.

—Purísima Concepción (grab.).—Ded. a Sta. Clara.—Apr. de Fr. Joseph Martinez.—L. O.—Dictamen de Fr. Gregorio de Matama.—L. V.—Apr. de Fr. Agustin Cano y Olmcdilla.—Pr.—E.—S. T.—Protesta.—Texto.—Tabla de los capítulos, y vidas que contiene este libro.

Serrano y Sanz, II, n.º 862.

MADRID. *Academia de la Historia*. 5-4-8-1803. NUEVA YORK. *Hispanic Society*. — SEVILLA. *Universitaria*. 68-50 (1).

MANZANARES (JERONIMO PAULO DE)

Maestro. Arcipreste de Uceda.

EDICIONES

958

ESTILO *y formvlario de cartas familiares, segun el gouierno de Prelados, y señores temporales. Do se ponen otras cartas con sus respuestas, y algunas de oficios de Republica.* Madrid. Luis Sanchez. 1600. 12 hojas + 292 fols. + 15 hs. 19,5 cm.

—T.—Apr. de Tomas Gracian Dantisco.—E. Pr. al autor por diez años.—Ded. a D. Bernardo de Rojas y Sandoual, Arçobispo de Toledo, etc., cuyo escudo figura en la portada.—Tercetos al Autor. [«Aunque el efeto muestra bien la causa...»].—Prologo del Autor al Lector.—Soneto al Libro. [«Si los diuersos gustos tanto pueden...»].—Texto.—Tabla de las cartas familiares que en este libro se contienen. Colofón.

Pérez Pastor, *Madrid*, I, n.º 697.

MADRID. *Facultad de Filología*. — *Fundación «Lázaro Galdiano».—Nacional*. R-5.216.

959

ESTILO *y Formvlario de Cartas Familiares...* Madrid. Alonso Martin. A costa de Iuan Berrillo. 1607. 12 hs. + 293 fols. + 15 hs. 4.º

Pérez Pastor, *Madrid*, II, n.º 970.

GERONA. *Pública*. A-1.102.—MADRID. *Facultad de Filología*. 29.525. *Nacional*. R-4.538. — NUEVA YORK. *Hispanic Society*. — ROUEN. *Municipale*. O.781.

MANZANARES DE LA CUEVA (GABRIELA)

EDICIONES

960

[*LIRAS*]. (En SOL de Academias, o Academia de Soles. En los lucidos ingenios de Valencia que la celebraron... Valencia. 1658, pág. 44).

VALENCIA. *Municipal*. 1579-11-3.

MANZANAS (EUGENIO)

Ensayador de la Casa de la Moneda de Toledo por S. M.

EDICIONES

961

LIBRO de enfrenamiento de la gineta. Toledo. Francisco de Guzman. 1570. 42 fols. + 4 hs. 19,5 cm.

—Port. con retr. del autor.—Fol. 2: Pr. al autor por diez años.—Fol. 3r: Ded. a D. Diego de Cordoua, Cauallerizo de S. M.— Fols. 3v-5v: Respuesta.—Texto.—Tabla.— Colofón.—Grab.

Salvá, II, n.º 2.638 (con facsímil de la portada); Pérez Pastor, *Toledo*, n.º 322.

MADRID. *Nacional*. R-925. *Palacio Real*. VII-2.058.

962

——. Toledo. Iuan Rodriguez. A costa de Pedro Rodriguez. 1583. 4 hs. + 38 fols. + 4 hs. 4.º.

Gallardo, IV, n.º 4.477; Pérez Pastor, *Toledo*, n.º 361.

COIMBRA. *Universitaria*. R-20-10. — LONDRES. *British Museum*. 556.d.8.—MADRID. *Academia Española*. R-40. *Academia de la Historia*. 1-3-7-1456. *Nacional*. R-31.043. *Palacio Real*. VII-2.054.—NUEVA YORK. *Hispanic Society*. — OVIEDO. *Universitaria*. — SAN LORENZO DEL ESCORIAL. *Monasterio*. 53-II-24.—SEVILLA. *Maestranza*. I-5-681.—VIENA. *Nacional*. 44.F.121.

963

LIBRO de enfrenamiento de la gineta. [*Edición de Antonio Pérez Gómez. Introducción de Cesáreo Sanz Egaña*]. Tirada de 265 ejemplares numerados. [Valencia. «La fonte que mana y corre...». Tip. Moderna. [1956]. XVIII págs. + 2 hs. + 42 fols. con ilustr. + 6 hs. 25 cm.

ESTUDIOS

964

CONWAY, G. R. G. *Francisco Cervantes de Salazar and Eugenio Manzanos, 1571-1575*... Méjico. Gante Press. 1945. 21 págs.

V. *BLH*, VIII, n.º 3793.

965

REP: N. Antonio, I, pág. 361.

MANZANEDA MOLINA (JUAN BAUTISTA)

Médico de D. Antonio Fernández del Campo, obispo de Jaén, y del Deán y Cabildo de su catedral.

EDICIONES

966

DISCURSO Medicinal, y question medico moral sobre el vso, y costumbre que observan los Reuerendos PP. Capuchinos de no quitarse el Abito de raiz de las carnes en sus graues, y agudas enfermedades, aunque por ello peligren... [Córdoba. Viuda de Andrés Carrillo de Paniagua]. [1679]. 8 hs. + 16 fols. Fol.

OBRAS LATINAS

967

RESPONSIO Apologetica contra Reverendiss. Patrem Procuratorem Generalem Capuccinorum Sacrae Congregationi Episcoporum Regularium, Praesentanda. Roma. Typ. Reu. Camerae Apostolicae. 1680. 11 págs. 4.º

Toda, *Italia*, III, n.º 3.063.

ESTUDIOS

968

RESPONSIO Reverendissimi Patres Procuratoris Generalis Capuccinorum contra discursum Medicinalem, seu quaestionem Medicomoralem Dni. Joannis Baptistae Manzanedae Molinae... Roma. Typ. Rev. Camerae Apostolicae. 1680. 20 págs. 4.º

MANZANEDO (PEDRO DE)

Licenciado.

CODICES

969

«*Quaderno de Curiosidades. Por el licenciado ——. Emendado y comentado por el licenciado. D. Francisco y D. Alonso de la Torre*».

Letra del s. XVII.

MADRID. *Nacional.* Mss. 4.140 (fol. 14r).

MANZANEDO Y MALDONADO (MARIANA DE SAN JOSE)

V. MARIANA DE SAN JOSE (SOR)

MANZANEDO DE QUIÑONES (ALFONSO)

N. en Valladolid (1557). Canónigo doctoral de Calahorra, Inquisidor en Barcelona, Juez de la Rota en Roma. Patriarca de Jerusalén y promotor de la causa de canonización de Santa Teresa de Jesús. M. en Roma (1628).

EDICIONES

970

COMPENDIO della Vita della Serafica Vergine S. Teresa di Giesu, Gloria dell'antica Religione della Madonna del Carmine, e Fondatrice de' Padri, e Monache Scalze del medemo Ordine. Nuouamente raccolto da' Manuscritti de... ——... per opra de... Filippo Lopezio... Roma. Vita-

le Mascardi. 1647. 12 hs. + 37 págs. 4.º

Toda, *Italia*, III, n.º 3.064.

——— ———

—Milán. 1651.
—Venecia. Antonio Tiuani. 1681. 8 hs. + 244 págs. 12.º

Toda, *Italia*, III, n.º 3.065.

BARCELONA. *Central.* Toda, 9-III-2.

—Turín. Fratelli Zappata. 1709. 12 hs. + 348 págs. 12.º

Toda, *Italia*, III, n.º 3.066.

971

[*CENSURA. Madrid, 20 de diciembre de 1657*]. (En Remírez de Arellano, Juan. *Altar de las Virtudes...* Madrid. 1658. Prels.).

MADRID. *Nacional.* 3-67.911.

ESTUDIOS

972

REP: N. Antonio, I, págs. 34-35.

MANZANO (FR. FRANCISCO)

Trinitario. Definidor de la provincia de Castilla. Ministro del convento de Madrid.

EDICIONES

973

CENTELLAS de Amor de Dios, y sv Madre, Que sin poderse contener despidio, el encendido, y abrasado coraçon del muy venerable Padre, y Reverendissimo Maestro Fr. Simon de Roxas. Confessor que fue de la Reyna nuestra Señora Doña Isabel de Borbon. Padre e hijo de la Prouincia de Castilla, Leon, y Nauarra, Orden de la Santissima Trinidad, Redencion de Cautiuos. Varon verdaderamente Evangelico, y substituto mayor del Arcangel san Gabriel, en solemnizar afectuosa y devotamente el dulcissimo nombre de Maria. Madrid. Domingo Garcia y Morras. 1653. 12 hojas + 394 fs. + 14 hs. 19,5 cm.

—Apr. de Fr. Ioseph Romero y Cos.—L. O. Censura y Apr. del P. Manuel de Naxera. L. V.—Apr. de Fr. Diego Fortuna.—Protestacion.—S. Pr. al Autor por 10 años.—Ded. al Rey Felipe IV.—L. y mandato del Consejo Supremo de la Inquisicion. Razon de salir a luz estos Discursos.—Dase razon del titulo deste Libro.—Texto.—Tabla de los Capitulos.—Indice de las cosas mas principales.—Index.

BARCELONA. *Universitaria.* C.190-5-31.—MADRID. *Nacional.* 2-36.996.

974

COMPENDIO de las obras piadosas, espirituales y corporales que la Hermandad de Nuestra Señora del Refugio y Piedad desta Corte... debaxo del titulo de su Inmaculada concepcion... ha exercitado con los pobres, según su instituto, este año de 1664... [s. l.-s. i.]. [s. a.]. 2 hs. 31,5 centímetros.

—Texto, con fecha en Madrid, 7 de diciembre 1664.

MADRID. *Nacional.* V.E.-185-15.

Aprobaciones

975

[CENSURA. Madrid, 20 de diciembre de 1657]. (En Remírez de Arellano, Juan. *Altar de las Virtudes.* Madrid. 1658. Prels.).

MADRID. *Nacional.* 3-67.911.

ESTUDIOS

976

REP: N. Antonio, I, pág. 443.

MANZANO (P. FRANCISCO LUIS)

Jesuita.

EDICIONES

977

[APROBACION. Jaen, 13 de octubre de 1628]. (En Gutierrez de Godoy, Juan. *Tres discursos para probar que estan obligadas a criar sus hijos a sus pechos todas las madres...* Jaén. 1629. Prels.).

MADRID. *Nacional.* R-4.914.

MANZANO (FR. GABRIEL)

EDICIONES

978

[APROBACION. Valencia, 30 de junio de 1620]. (En Agreda y Vargas, Diego de. *Novelas morales...* Valencia. 1620. Prels.).

MADRID. *Nacional.* R-31.237.

979

[APROBACION. Valencia, 13 de enero de 1624]. (En Gomez, Vicente. *La Santidad rara y milagrosos hechos de los santos Ambrosio de Sena y Iacobo Salomón de la Orden de Predicadores...* Valencia. Patricio Mey. 1624. Prels.).

VALENCIA. *Municipal.* Ch-127-103.

MANZANO (JUAN FELIX)

EDICIONES

980

[REDONDILLAS de pie quebrado]. (En ACADEMIA *que se celebró a los años de la Reyna Madre...* s. l. 1681, fols. *22r-23v*).

MADRID. *Nacional.* V.E.-106-8.

MANZANO (FR. MIGUEL)

N. en Madrid. Agustino desde 1648. Lector de Teología en el convento de Toledo. Prior de los de Burgos (1681) y de San Felipe el Real de Madrid (1687).

EDICIONES

981

[SERMON...]. (En Lozano, Diego. *Gloriosos triunfos... en la canonización de Santa María Madalena de Pazzi...* Madrid. 1672).

V. *BLH,* XIII, n.º 4068.

ESTUDIOS

982

REP: Santiago Vela, V, pág. 155.

MANZANO (PEDRO)

Licenciado. Catedrático de Decretales. Juez ordinario de las rentas decimales del arzobispado de Toledo.

EDICIONES

983

[*POESIAS*]. (En Luis de Santa Maria, Fray. *Octava sagradamente culta...* Madrid. 1664).

1. *Soneto*. (Pág. 55).
2. *Glossa*. (Pág. 84).

MADRID. *Nacional*. U-6.289.

OBRAS LATINAS

984

[*POESIA*]. (En Luis de Santa María, Fray. *Octava sagradamente culta...* Madrid. 1664, pág. 64).

MADRID. *Nacional*. U-6.289.

MANZANO DE HARO (FR. MELCHOR)

EDICIONES

985

HISTORIA del insigne, y excelente martyrio qve diez y siete religiosos de la Prouincia del santo Rosario de Filipinas, de la Orden de Santo Domingo, padecieron en el populoso Imperio de Iapon... Madrid. Andres de Parra. 1629. 6 hs. + 88 fols. 20,5 centímetros.

—T.—S. Pr.—E.—Censura de Fr. Diego de Campo.—Apr. de Fr. Thomas de San Vicente.—Preambulo.—Texto.

Medina, *Biblioteca hispano-americana*, II, n.° 853.

BARCELONA. *Universitaria*. C.186-3-6.—CORDOBA. *Pública*. 10-92. — MADRID. *Academia de la Historia*. 4-1-8-1.107. *Nacional*. R-25.362; R-33.180 (ex libris de A. Graiño). — SAN LORENZO DEL ESCORIAL. *Monasterio*. 104-VI-35.—SEVILLA. *Universitaria*. 87-90; 98-42.

ESTUDIOS

986

REP: N. Antonio, II, pág. 124.

MANZANO MARTINEZ (JUAN JERONIMO)

Licenciado. Comisario de la Inquisición de Méjico.

EDICIONES

987

VIDA del esclarecido martir S. Pedro de Arbves, canonigo de la Santa Iglesia Metropolitana del Assev de Zaragoza, primer inqvisidor contra la heretica pravedad en el Reyno de Aragon. Escrivela en octavas, y la dedica al mismo Santo vn Sacerdote su devoto, Comissario de el Santo Oficio de Mexico. Madrid. Melchor Alvarez. 1684. 4 hs. + 21 fols. 19,5 cm.

—Apr. de Fr. Iuan de Bonilla.—L. V.—Argumento.—Texto. [«No canto no las lides, y finezas...»].

El nombre del autor consta en la Apr. y en la L. V.

MADRID. *Nacional*. V.E.-124-27.

MAÑA (ESTEBAN)

N. en Uldecona. Doctor en Medicina. Profesor de Letras Humanas en Castellón.

EDICIONES

988

[*ENCHIRIDION de los verbos de la lengua latina*]. Zaragoza. Alonso Rodríguez. 1603. 124 fols. 15 cm.

—Prólogo. — Apr. del Dr. Martínez. — Apr. del Dr. Salinas.—L. V.—Pr.—Carta ded. a Diego Luis y Lupercio Bernardo Mendieta.—Al deseoso y aficionado a la lengua latina.—E.—Texto.—Notas.—Colofón.

Jiménez Catalán, *Tip. zaragozana del siglo XVII*, n.° 20 (describe ejemplar falto de portada).

989

ENCHIRIDION de los verbos que la lengua latina tiene... 2.ª impresión. Valencia. Pedro Patricio Mey. 1624.

MADRID. *Academia Española.* 22-IX-18. *Nacional.* R-7.521.

990

GRAMMATICORUM ad rethoricam manvdvctio. Traça y arte para variar, y mejorar la oracion. [Zaragoza. Carlos de Lauayen]. [1605]. 32 págs. 8.º

Texto en castellano.
Palau, VIII, n.º 150.334.

MAÑAN (FR. DOMINGO)
Franciscano.

EDICIONES

991

[GEROGLIFICO]. (En FIESTAS *Minervales...* Santiago. 1697, pág. 184).

MADRID. *Nacional.* 3-55.216.

MAÑARA VICENTELO DE LECA (MIGUEL)

N. en Sevilla (1626). Caballero de Calatrava.

EDICIONES

992

DISCURSO de la Verdad. 4.ª impressión. Madrid. Herederos de Antonio Gonçalez de Reyes. [s. a.]. 8 hs. + 76 págs. 14,5 cm.

—Ded. a D. Manuel Pedro de Moncada Meneses, Comendador de la Encomienda de la Fresneda y Rafales en la Orden de Calatrava, etc., por Juan de Montes y Reyes.— Apr. de Fr. Juan de Zamora (1671).—L. V. de Sevilla (1671).—Advertencia al Lector. («Este libro se ha impresso otras dos veces, ocultando el Autor su nombre...»).—Texto.

MADRID. *Nacional.* 3-41.796.—NUEVA YORK. *Hispanic Society.*

993

DISCURSO de la Verdad. Sevilla. T. López de Haro. 1679. 78 págs. 8.º

LONDRES. *British Museum.* 1134.b.44.

994

DISCVRSO de la Verdad. Sevilla. Diego López de Haro. [s. a.]. 3 hs. + 62 págs.

Escudero, n.º 2.119 (de 1725).

MADRID. *Nacional.* 2-66.747.—SEVILLA. *Colombina.* 84-5-79.

995

DISCURSO de la Verdad, dedicado a la alta imperial Magestad de Dios. Compuesto por Don ——, *Cavallero del Orden de Calatrava y Hermano Mayor de la Santa Caridad de Nuestro Señor Jesu Christo. Aprobado por la Sagrada Congregación de Ritos en la Causa de su Beatificación en 17 de Septiembre de 1776. Reimpreso quarta vez por dicha Hermandad. Año de 1778.* Sevilla. Luis Bexinez y Castilla. [1778]. 4 hs. + 76 págs. orladas. 15 cm.

SEVILLA. *Colombina.* 77-1-39. *Facultad de Letras.* Caja 69 (42).

996

DISCURSO de la Verdad. Madrid. 1878. 94 págs. 8.º

LONDRES. *British Museum.* 4379.b.13.

997

VARIOS lugares de la Sagrada Escriptura, que recogio e hizo escribir en una tabla, y ponerla en parte publica de esta Santa Casa de la Caridad, ——, *para excitar la devocion de sus hermanos al santo exercicio de la limosna.* [s. l.-s. i.]. 1688.

NUEVA YORK. *Hispanic Society.*

998

[APRECIO y estimacion qve hazia de la Mverte... ——... *que dexó explicada esta su continua Meditacion en este Soneto].* [s. l.-s. i.]. [s. a.]. Una hoja orlada. 29 × 19,5 cm.

—Texto. [«Viue el Rico en cuydados anegado...»].

MADRID. *Nacional.* V.E.-67-76.

999

CARTA embiada de la Ciudad de Sevilla, escrita por mano de ——, Hermano Mayor de la Santa Charidad de aquella Ciudad; exortando a los Hermanos de la Santa Charidad de la Ciudad de Antequera para animarlos a que con Christiano zelo funden Casa de la Santa Charidad de nuestro señor Iesu Christo, y es como sigue. [s. l.-s. i.]. [s. a.]. 2 hs. 28,5 cm.

Carece de portada.
¿De Sevilla, 1676?

SEVILLA. *Colombina.* 63-7-5.

1000

[COPIA de la carta... al Sr. D. Carlos de Herrera Ramirez, del Real Consejo de Castilla, en ocasión de haber resuelto la ciudad que no hubiera comedias, y el consejo, a pedimento de los arrendadores, acordó que las hubiese. Sevilla, 4 abril de 1679]. (En Cotarelo, *Controversias...*, págs. 428-29).

Seguida de la respuesta.

TRADUCCIONES

a) FRANCESAS

1001

DISCOURS de la Verité. (En Latour, A. de *Don Miguel de Mañara.* 1857).

V. n.º 1006.

ESTUDIOS

1002

CARDENAS, JUAN DE. *Breve relación de la Muerte, Vida, y Virtudes del venerable Cavallero D. Miguel Mañara Vicentelo de Leca...* Sevilla. Thomás López de Haro. 1679. 8 hs. + 1 lám. + 192 págs. 19 cm.

Hay varias ed. posteriores.
V. *BLH,* VII, núms. 4765-68.

1003

DECRETO en la Causa de Sevilla, de Beatificación y Canonización de el Venerable Siervo de Dios Miguel de Mañara Vicentelo de Leca, Caballero Profeso de el Orden Militar de Calatrava. [Sevilla. Imp. Mayor]. [1776]. 2 hs. 30 cm.

SEVILLA. *Colombina.* 63-8-34 (43).

1004

[INTERROGATORIO por donde se han de examinar los testigos para la sumaria, que por mandado del Ordinario se ha de hacer en la Ciudad de Sevilla, y otras Ciudades, o Lugares, acerca de la Vida, Santidad, y Virtudes, y casos maravillosos del Venerable Siervo de Dios Don Miguel Mañara Vicentelo de Leca]. [s. l.-s. i.]. [s. a.]. 4 hs. a 2 cols. 32 cm.

MADRID. *Nacional.* V.E.-65-44.

1005

BREVE extracto ó abreviado informe de la virtuosa vida y preciosa muerte de... Miguel de Mañara... escrita... por un humilde monge Basiliano de la provincia de Andalucía. Sevilla. 1768. 4.º

LONDRES. *British Museum.* 10632.b.29.

1006

LATOUR, ANTONIO DE. *Don Miguel de Mañara. Sa vie, sons discours sur la vérité, son testament, sa profession de foi.* París. Michel-Lévy. 1857. VII + 135 págs. + 1 lám. 18.º

LONDRES. *British Museum.* 4866.b.13.—PARIS. *Nationale.* 8°Oo.410.

———

—2.ª ed. París. C. Douniol. 1860. 196 págs. + 1 lám. 18.º

LONDRES. *British Museum.* 4863.bbb.25. — PARIS. *Nationale.* 8°Oo.460.A.

—*Don Miguel de Mañara. Su vida. Su «Discurso de la Verdad», su testamento y profesión de fe. Trad. por... Pedro Galonié.* Sevilla. E. Bellido. 1862. 170 págs. 17 cm.

MADRID. *Consejo. Patronato «Menéndez Pelayo».* 17-1.893.

1007

AVILES [PEREZ], JOSE. *Compendio de la vida de un ilustre sevillano, D. Miguel Mañara.* Sevilla. Imp. de «El Mercantil Sevillano». 1903. 104 págs. + 1 lám. 21 cm.

LONDRES. *British Museum.* 10633.ff.6. — MADRID. *Nacional.* 1-49.062; etc.

1008

LORENZI DE BRADI, MICHEL. *Don Juan. La legende et l'histoire.* París. 1930. 8.º

LONDRES. *British Museum.* 11854.v.32.

1009

LOO, ESTHER VAN. *Le vrai Don Juan, Don Miguel de Mañara...* París. 1950. 318 págs. 8.º

LONDRES. *British Museum.* 10634.k.19.

1010

GARCIA FIGAR, ANTONIO. *Un asceta desconocido: Miguel de Mañara Vicentelo de Leca, Caballero de la Orden de Calatrava.* (En *Revista de Espiritualidad*, Madrid, 1951, páginas 301-14).

1011

GRANERO, JESUS MARIA. *Don Miguel Mañara. ¿El verdadero Don Juan?* (En *Razón y Fe*, CLI, Madrid, 1955, págs. 265-80).

1012

TASSARA Y SANGRAN, LUZ. *Mañara.* Sevilla. María Auxiliadora. 1959. 3 hs. + 251 págs. + 2 hs. + 4 láms. 21,5 cm.

LONDRES. *British Museum.* 10060.e.9.—MADRID. *Nacional.* 4-45.338.

1013

GRANERO, J[ESUS] M[ARIA]. *Don Miguel Mañara. Una partida de bautismo descarriada y un retrato desconocido.* (En *Razón y Fe*, CLXI, Madrid, 1960, págs. 309-11).

1014

GRANERO, JESUS M. *La espiritualidad de don Miguel Mañara.* (En *Manresa*, XXXIII, Madrid, 1961, páginas 29-52).

1015

TASSARA Y DE SANGRAN, JOAQUIN. *Mañara y el «Donjuanismo».* (En *Boletín de la Biblioteca Menéndez Pelayo*, XXXIX, Santander, 1963, págs. 381-90).

1016

REP: Méndez Bejarano, II, n.º 1.530; Granero, J. M., en DHEE, III, pág. 1410.

MAÑOZCA (JUAN)

N. en Marquina (Vizcaya). Bachiller en Artes por la Universidad de Salamanca. Inquisidor de Cartagena de Indias y Lima. Del Consejo de la Inquisición. Presidente de la Chancillería de Granada. Arzobispo de Méjico (1645).

EDICIONES

1017

[SERMON]. (En POMPA *Funeral y Real Mausoleo, que erigió el... Conde de Salvatierra... a las memorias de... D.ª Isabel de Borbón...* Méjico. 1645, fols. 32-39).

Medina, *México*, II, n.º 609.

ESTUDIOS

1018

REP: Beristain, II, págs. 213-15 (reproduce dos epigramas latinos suyos).

MAQUEDA (FR. GABRIEL DE)

Franciscano, residente en el convento de San Antonio Abad de Granada. Doctor en Teología.

EDICIONES

1019

INVECTIVA en forma de discvrso, contra el vso de las casas publicas de las mugeres rameras. Granada. Bartolomé de Lorençana. 1622. 34 folios. 19,5 cm.

—Apr. del P. Miguel Vazquez de Padilla.— L. V.—Carta dedicatoria al Rey.—Texto.

MADRID. *Nacional.* R-6.854.

ESTUDIOS

1020

REP: N. Antonio, I, pág. 507.

MAR MONTAÑO Y MUÑECAS (JUAN IGNACIO DEL)

EDICIONES

1021

[SONETO]. (En Torre Farfán, Fernando de la. *Templo panegírico...* Sevilla. 1663, fols. 104v-105r).

MADRID. *Nacional.* R-31.019.

1022

[SONETO]. (En Cepeda y Guzmán, Carlos Alberto de. *Origen, y fundación de la imperial religión militar... de San Jorge...* Sevilla. 1676. Prels.).

MADRID. *Nacional.* 2-13.040.

«MAR profundo...»

CODICES

1023

«Mar profundo donde se han de tratar siete materias con título de siete hojas...».

Letra del s. XVII. 548 fols. 203 × 146 mm. Tejuelo: «Obras de Soror Estephanía». *Inventario,* I, pág. 248.

MADRID. *Nacional.* Mss. 378.

MARAÑON (CESAR ANTONIO)

Sargento Mayor.

EDICIONES

1024

[LIRAS]. (En NUEVO *Parnaso...* Nápoles. 1660, fols. 18v-20v).

MADRID. *Nacional.* R-11.882.

MARAÑON (MIGUEL)

EDICIONES

1025

LIBRO del origen, diffiniciones, y actos capitvlares de la Orden de la inclyta Caualleria de Calatraua. Valladolid. Adrian Ghemart. 1568. 3 hojas + 1 blanca + 17 hs. + 1 blanca. + 9 hs. + 1 blanca + 140 fols. + 16 hojas. 28,5 cm.

El nombre del autor no consta en la portada.

—Ded. a Felipe II.—Al Presidente y Diffinidores del Capitulo General de Toledo de la Orden de Calatrava, por ——.—Tabla de todo lo contenido en este Libro. Capitulo de Toledo de 1560. Diffinido en la Villa de Madrid, año de 1563.—Instruction para las personas de Orden de las Obligaciones principales y mas ordinarias della.—Bulla del Papa Paulo Tercio, para que los Caualleros de la Orden de Calatraua y Alcantara se puedan casar y testar...—Texto.—Tabla del Libro de las Scripturas del Archivo desta Orden...— Grab.

Alcocer, n.º 257 (como anónimo).

EVORA. *Pública.* Res. 549.—MADRID. *Nacional.* R-10.879. — SALAMANCA. *Universitaria.* — SAN LORENZO DEL ESCORIAL. *Monasterio.* 21-IV-23.—SEVILLA. *Colombina.* 74-6-22.

ESTUDIOS

1026

REP: N. Antonio, II, pág. 139.

MARAÑON (PEDRO)

EDICIONES

1027

[SONETO]. (En JUSTAS *poeticas hechas a devocion de D. Bernardo Ca-*

talán de Valeriola. Valencia. 1602, página 12).

MADRID. *Nacional.* R-8779.

MARAÑON (SANCHO DE)

CODICES

1028

«*Soneto*». En Aguilar y Córdoba, Diego de. *El Marañón.* Autógrafo. Folio 124*v*.

V. *BLH*, IV, n.º 2688.

OVIEDO. *Universitaria.*

EDICIONES

1029

[*SONETO*]. (En Avalos y Figueroa, Diego de. *Primera parte de la Miscelanea Austral...* Lima. 1602. [1603]. Prels.).

MADRID. *Nacional.* R-3.097.

MARAÑON DE ESPINOSA (ALONSO)

N. en Ecija (?). Arcediano de Tineo en la catedral de Oviedo. Primer Rector de su Universidad (1608).

CODICES

1030

«*Comentarios de la Santa Iglesia de Oviedo*».

4.º

MADRID. *Academia de la Historia.* Est. 27, gr. 2.ª E, n.º 42.

1031

«*Historia eclesiastica de Oviedo. Libro que compuso... D. ——... del cual se sacó el prologo que tiene el "Libro de Estatutos" de la Santa Iglesia de Oviedo que se imprimió en Salamanca, año de 1588*».

Al fin lleva una Apr. de Oviedo. 1614. Somoza, págs. 21-22.

GIJON. *Instituto de Jovellano.* Mss. IX.

EDICIONES

1032

[*A Don Diego de Aponte de Quiñones, Obispo de Ouiedo y Conde de Noreña, y al Dean y Cabildo de su sancta Iglesia*]. [s. l.-s. i.]. [s. a.]. 16 hs. con un grab.

Carece de portada.
—Texto. Es un episcopologio de la diócesis de Oviedo.

MADRID. *Nacional.* V.E.-58-36. (Con adiciones mss. de la época).

ESTUDIOS

1033

REP: N. Antonio, I, pág. 35; Méndez Bejarano, II, n.º 1.532; Suárez, V, 1956, páginas 132-34.

MARAÑON DE MENDOZA (FELICIANO)

Doctor en Teología. Cura y beneficiado de la parroquia de la villa de Colomera. Vicario de la villa de Jubiles, en la diócesis de Granada.

EDICIONES

1034

PRIMERA parte del Maiorazgo Real de nuestro Señor Padre Ihesus. Granada. Martin Fernandez Zambrano. 1622. 22 hs. + 279 fols. + 25 hs. 20,5 centímetros.

—T.—E.—Apr. por Paulo de Zamora.—L. V. Apr. de Fr. Diego de Campo.—Pr.—Copia y elenco de mi pensamiento en este Mayorazgo.—Tabla de las instituciones que se contienen.—Texto.—Tabla de las sentencias y cosas notables.—Tabla de los lugares de la Sagrada Escritura que se exponen.

CORDOBA. *Pública.* 19-55.

1035

CARTA y catolico discvrso qve el Doctor Don —— escriuio al Rey nuestro Señor Don Phelipe Quarto, luego como començó a Reynar, en fauor de las Sagradas Religiones, y Estado Eclesiastico. Contra el arbitrio qve el Licenciado Cevallos Regi-

dor de Toledo dio, e imprimio en la dicha ciudad a nueue de Febrero, año de mil y seyscientos y veynte. [s. l.-s. i.]. [s. a.]. 1 h. + Fols. 81*r*-110*r*.

—Texto, fechado en Granada a 14 de abril de 1621.

Gallardo, III, n.º 2.909.

GRANADA. *Universitaria.* A-13-218. — LONDRES. *British Museum.* 1445.f.20 (3).—MADRID. *Nacional.* 3-11.946. — ROMA. *Vaticana.* Stamp. Barb. 222.III.7.

ESTUDIOS
1036

REP: N. Antonio, I, pág. 364.

MARAÑON Y PUMAREJO (JUAN FRANCISCO)

CODICES
1037

«*Ministerio del cardenal Richelieu*». Ológrafa. 2 vols. Fol.

Es trad. de Charles Vialart, *Histoire du Ministère du Cardinal de Richelieu.* París. 1650, fechada en 14 de agosto de 1675 el I y en 11 de julio de 1677 el II.

Gayangos, I, pág. 739.

LONDRES. *British Museum.* Eg.539.

«MARAVILLAS de Naturaleza...»

V. RAMIREZ DE CARRION (MANUEL)

«MARAVILLOSA (La) Coronación...»

EDICION
1038

MARAVILLOSA (La) Coronacion d'l Inuictissimo y serenissimo Cesar Don Carlos Emperador y Rey nuestro Señor: de las Coronas que faltauan de Hierro y de Oro: en la Cibdad de Bolonia: por mano del Papa Clemente septimo. [s. l.]. Bartholomé Pérez. [s. a.]. 2 hs. con un grab. Fol. gót.

Gallardo, I, n.º 493; Alenda, n.º 50.

MADRID. *Academia de la Historia.* Jesuitas, CXV, fol. 5. *Nacional.* R-29.995.

———

—Madrid. Sociedad de Bibliófilos Españoles. 1950.

«MARAVILLOSA vida...»

EDICIONES
1039

MARAVILLOSA vida, angélica conversión y preciosa muerte del glorioso San Onofre... Barcelona. Estevan Liberos. 1620. 8.º

Palau, XIX, n.º 293.242.

«MARAVILLOSO concurso...»

EDICIONES
1040

[*MARAVILLOSO concvrso de mvchas, y grandes Victorias que han tenido las Armas Christianas contra el Turco al fin de la presente Campaña. En la presa de la famosa ciudad de Casovia por el General Conde de Caprara... Y en la batalla campal que el Exercito Polaco, y Lituano dió al Turquesco, y Tartaro... Y finalmente, en la conquista que han hecho los Venecianos de las Fortalezas de Portovetulo, Chelifa, Passava, y Portoqualla en la Morea...* [Zaragoza. s. i.]. [1685]. 2 hs. 20 cm.

—Texto.—Colofón.

No citado en la *Tip. zaragozana del siglo XVII,* de Jiménez Catalan.

MADRID. *Nacional.* R-31.364, n.º 29.

«MARAVILLOSO, insigne y costoso Arco...»

EDICIONES
1041

[*MARAVILLOSO, insigne y costoso Arco, o Puerta que los Ingleses han*

hecho en el Pilouriño viejo, por don-
de ha de entrar su Magestad en Lis-
boa]. Sevilla. Iuan Serrano de Var-
vas y Ureña. 1619. 2 hs. a 2 cols. 32
centímetros.

MADRID. *Academia de la Historia.* Jesuitas,
t. 75, n.º 100.

MARBAN (P. PEDRO)
Jesuita.

EDICIONES

1042

ARTE de la lengua moxa, con su
vocabulario y cathecismo. [s. l., pero
Lima]. En la Impr. Real de J. de
Contreras. [s. a.]. 2 partes en un
volumen.

L. fechada en 15 de diciembre de 1701.

PARIS. *Nationale.* X.16668; etc.—ROUEN. *Mu-*
nicipale. Mt.P.18523.

1043

——. Leipzig. D. G. Teubner. 1894.
2 partes en un vol.

PARIS. *Nationale.* 8ºX.11210.

MARCABAN (FR. RAIMUNDO)
N. en Huesca. Catedrático de Teología en
su Universidad (1647). Dominico.

EDICIONES

1044

SERMON que predicó en la solemni-
dad que hace la Santa Iglesia del Pi-
lar de Zaragoza, en la dedicación y
fundación de este Santo Templo a
12 de Octubre de 1646. Huesca. Juan
Francisco de Larumbe. 1647. 4.º

Latassa.

ESTUDIOS

1045

REP: Latassa, 2.ª ed., II, pág. 224.

MARCELA DE SAN FELIX (SOR)
N. en Toledo (1605). Hija de Lope de Vega.
Trinitaria desde 1621. Maestra de novicias,
vicaria, ministra, etc., en el convento de
Madrid, donde m. en 1687.

CODICES

1046

[*Poesías*].

Tomo V. 508 págs. 4.º

Faltan los cuatro tomos anteriores, que
fueron quemados por la autora, según
nota preliminar.

Serrano y Sanz, II, págs. 236-37; Barbeito,
págs. 62-66.

MADRID. *Convento de Trinitarias descalzas.*

1047

[*Poesías místicas*].

Letra del s. XX, de la M. Carmen del Santísimo Sacramento. Copia del volumen anterior, con las variantes que señala Barbeito.

MADRID. *Academia Española.* Mss. 24.

1048

[*Poesías*].

1891 (?). Letra de Juan Pérez de Guzmán
y Gallo. 170 mm. En «Canciones de insignes poetisas de España. (Siglos XVI y
XVII)».

1. *Glosa.* [«Mirad la gloria que inspira...»]. (Fol. 72).

2. *Soneto.* [«En cuantas esta verde selva
ostenta...»]. (Fol. 293).

Rodríguez Moñino-Brey, I, págs. 273-82.

NUEVA YORK. *Hispanic Society.* Mss. XXXIX.

1049

[*Vida de la Ven. Sor Catalina de*
Cristo].

ESTUDIOS

1050

B A R B E I T O   C A R N E I R O ,   M A R I A
ISABEL. *La ingeniosa provisora Sor*
Marcela de la Vega. (En *Cuadernos*
Bibliográficos, Madrid, 1982, n.º 44,
págs. 59-70).

1051

REP: Antonino de la Asunción, I, págs. 283-97; B. Porres, en DHEE, III, pág. 1411.

MARCELINO (ANASTASIO)

Aragonés. Infanzón.

EDICIONES

1052

[*AL Autor. Epistola*] (En Ponce de Soto, Manuel. *Memorial de los tres Partenopes.* Napoles. 1683. Prels.).

MADRID. *Nacional.* 2-25.566.

MARCELINO (PAULO)

EDICIONES

1053

[*SONETO. A S. María Madalena*]. (En OBRAS *spirituales de diversos... en el dia y justa de S. María Madalena. Recogidas por Fr. Ioan Bru de la Madalena.* Roma. 1591, pág. 55).

MADRID. *Nacional.* R-4.182.

MARCELO (CARLOS)

Doctor. Canónigo de la Magistral de Lima. Catedrático de Vísperas de Teología de la Universidad.

EDICIONES

1054

[*APROBACION. Los Reyes, 8 de mayo 1604*]. (En Agia, Manuel. *Tratado que contiene tres pareceres graves en derecho...* Lima. 1604. Prels.).

MADRID. *Nacional.* R-5.246.

MARCELO DEL ESPIRITU SANTO (FRAY)

Trinitario descalzo.

EDICIONES

1055

VIDA y Martirio de los cinco santos martires, Arcadio, Probo, Pascual, *Eutichiano y Pablito. Declarase como estos cinco santos martires fueron naturales de la muy Ilustre y Noble Ciudad de Salamanca.* Valladolid. Ioseph de Rueda. 1668. 10 hojas + 162 págs. + 10 hs. 20,4 cm.

—Escudo grabado.—Poesia latina.—Poesia en castellano a la ciudad de Salamanca. [«Inclita, Ilustre Noble, y Eminente...»]. Ded. a la Ciudad de Salamanca.—Apr. de Fr. Miguel de San Ioseph.—L. del Difinitorio.—L. del Obispo de Salamanca.—E.—Indice del contenido.—Texto.—Sumario alfabetico de lo mas notable.

Alcocer, n.º 938.

MADRID. *Academia de la Historia.* 5-5-8-2.496. *Nacional.* 2-39.361. — VALLADOLID. *Universitaria.* Santa Cruz, 12.511.

ESTUDIOS

1056

REP: Antonino de la Asunción, I, págs. 257-58.

MARCER (MARIA EULALIA)

EDICIONES

1057

[*HIEROGLIFICO*]. (En FESTIVO *agradecimiento, que por la alegre conclusión de la paz... rindió a la Magestad de Dios... Barcelona.* Barcelona. s. a., pág. 69).

MADRID. *Nacional.* R-31.492.

MARCILLA (JOSE DE)

EDICIONES

1058

[*SONETO*]. (En Sánchez, Vicente. *Lyra poetica...* Zaragoza. 1688. Preliminares).

MADRID. *Nacional.* R-2.633.

MARCILLA (FR. PEDRO VICENTE)

N. en Zaragoza. Benedictino. Ministro General de la Congregación de España. Calificador de la Inquisición. Catedrático de prima de Teología en la Universidad de Santiago.

EDICIONES

1059

ADDICIONES al Memorial Compostelano, sobre la freqvencia con qve es licito y prouechoso a los Seglares rezebir el santissimo Sacramento de la Eucharistia. Zaragoza. Iuan de Lanaja y Quartanet. 1613. 8 hs. + 175 folios + 1 h. 14,5 cm.

—L. O.—Apr. de Domingo García.—L. V. S Pr. de Aragón.—Soneto de Francisco Marcuello. [«Mandole Dios al hombre no comiesse...»].—Ded. a los Martyres de Zaragoza.—Prologo al Lector.—Texto.—Tabla.

Jiménez Catalán, Tip. zaragozana del siglo XVII, n.º 122.

MADRID. Nacional. 3-24.750.—SEVILLA. Universitaria. 107-34.

1060

MEMORIAL qve los monges confessores del monasterio de san Martin de Santiago de la Orden de san Benito dan al Illustrissimo Principe Maximiliano de Austria, Arçobispo de Santiago, acerca de la frequencia recebir el Sanctissimo Sacramento. Granada. Bartolome de Lorençana. [s. a.]. 22 fols. 20 cm.

Dice Fr. Pedro Marcilla.
—Envió a censura. (1618).—Apr. de Pedro de Auendaño. (1618).—L. (1618).—Ded. al Arzobispo.—Texto.

1061

——. [s. l.-s. i.]. [s. a.]. 16 págs. 30 centímetros.

MADRID. Nacional. V.E.-199-29.

OBRAS LATINAS

1062

PARAPHRASIS inter texta editione vulgatae in Pentateuchu Moysi, una cum Annotationibus... Salamanca. Antonia Ramírez. 1600. 652 págs. Fol.

— — —

—Salamanca. Antonia Ramírez. 1610.

LONDRES. British Museum. 3155.i.23.—MADRID. Nacional. 2-41.251.

1063

DECRETA sacrosancti Concilii Tridentini ad suos quaeque titulos secundum Iuris methodum redacta adiunctis declarationibus autoritate Apostolica editis, quae habentur in quarto volumine decisionum novissimarum Rotae Romanae. Salamanca. Antonia Ramírez. 1613. 8 hs. + 611 págs. + índices. 20 cm.

MADRID. Nacional. 2-29.335.

— — —

—Valladolid. Juan de Rueda. A expensas de Antonio López. 1618. 9 hs. + 587 págs. + 51 hs. 20 cm.
Alcocer, n.º 639.

GENOVA. Universitaria. 1.QQ.IV.27.—LONDRES. British Museum. 5016.aaa.—MADRID. Nacional. 3-26.439.

—Panormi. Apud Franciscum Ciottum. 1620. 6 + 166 + 68 + 51 págs. 30 cm.
Toda, Italia, III, n.º 3.130.

GENOVA. Universitaria. 3.Q.III.18

ESTUDIOS

1064

REP: N. Antonio, II, pág. 248; Latassa, 2.ª ed., págs. 234-36; Moral, T., en DHEE, III, pág. 1411.

MARCILLA DE CAPARROSO (JOSE)

EDICIONES

1065

[APROBACION. Pamplona, 17 de mayo de 1688]. (En Arrieta Arandia y Morentín, Juan Antonio de. Resumen de la verdadera destreza,y modo fácil para saber los caminos verdaderos en la Batalla... Pamplona. 1688. Prels.).

V. BLH, VI, n.º 787.

MARCILLO (P. MANUEL)

EDICIONES
1066

CRISI de Catalvña hecha por las naciones estrangeras. [s. l.-s. i.]. [s. a.]. 11 hs. + 407 págs. + 12 hs. 20 cm.

—Ded. a los Conselleres... y Sabio Consejo de Ciento de la Ciudad de Barcelona.— Respuesta de un Amigo del Autor, Francisco de Rius, y Bruniquer, a una Carta con la qual le invió el Libro, pidiendole su parecer.—Al que Leyere.—L. O. (1684). Apr. del P. Francisco Alegre.—Apr. del P. Thomas Muniessa.—Protesta.—Indice de los Autores, que hazen esta Crisi *(sic).*—Indice de los Capitulos y Paragrafos.—Texto.—Indice de las cosas mas notables (faltan hs. al fin).

BARCELONA. *Universitaria.* B.59-6-12; etc. — MADRID. *Academia de la Historia.* 4-2-7-2441. VALLADOLID. *Universitaria.* Santa Cruz, 11.667.

1067

——. Barcelona. Mathevad. 1685. 12 hojas + 407 págs. + 14 hs. 20 cm.

BARCELONA. *Central.* Res. (9)-8.º-70. *Universitaria.* B.59-6-12.—MADRID. *Facultad de Filología.* 34.010.—NUEVA YORK. *Hispanic Society.*—VALENCIA. *Municipal.* 11-4-35.

MARCO (FR. BAUTISTA)

Visitador, Vicario General y Provincial en España de la Orden de los Siervos de María Santísima en los Dolores.

EDICIONES
1068

[MEMORIAL]. [s. l.-s. i.]. [s. a.]. 2 hojas. 28 cm.

Carece de portada. Solicita licencia real para fundar en la Corte un convento de su Orden, cuya historia resume.

MADRID. *Nacional.* V.E.-191-31.

MARCO (BLAS)

V. MARCO (FR. LUIS BERTRAN)

MARCO (FR. LUIS BERTRAN)

N. en Valencia y se llamaba Blas Marco, pero al profesar como dominico en 1616 tomó el nombre de Luis Bertrán. Lector de lengua hebrea en el convento de Valencia, donde m. en 1644.

EDICIONES
1069

VIDA, y hechos milagrosos de S. Felipe Neri, Clerigo Florentin, fvndador de la Congregacion del Oratorio, Canonizado por el Papa Gregorio XV. a 12 de Março 1622. Valencia. Felipe Mey. 1623. 7 hs. + 415 págs. + 3 hs. 20 cm.

—L. y Pr. del Rey.—L. V.—Apr. de Fr. Thomas Sans.—L. O.—Apr. de Fr. Vicente Gomez y Fr. Marcos Serra.—Ded. a Paulo Antonio Iuliani.—Al Lector.—Grab. Texto.—Grab.—Tabla de capitulos.

MADRID. *Academia de la Historia.* 14-9-3-6.313. *Nacional.* 3-36.349.

1070

VIDA, y hechos milagrosos de S. Felipe Neri, clerigo florentin, fvndador de la Congregacion del Oratorio, Canonizado por el Papa Gregorio XV a 12 de Março 1622. Valencia. Felipe Mey. 1625. 8 hs. + 415 págs. + 3 hs. 19,5 cm.

—L. del Lugarteniente y Capitán General.— L. V.—Apr. de Fr. Tomás Sans.—L. O.— Apr. de Fr. Vicente Gomez y Fray Marcos Serra.—Ded. a Paulo Antonio Iuliani, Noble Florentin.—Al Lector.—San Felipe Neri (grab.).—Texto.—San Felipe Neri (el mismo grab.).—Tabla de los capítulos.

MADRID. *Nacional.* 3-36.349. — NUEVA YORK. *Hispanic Society.*

1071

[POESIAS]. (En Tárrega, Francisco. *Relación de las fiestas... de Valencia... en la translación de la reliquia de S. Vicente Ferrer.* Valencia. 1600).

Por «Blas Marco».
1. *Estancias.* (Págs. 92-93).
2. *Romance.* (Págs. 200-3).
3. *Soneto.* (Pág. 238).

MADRID. *Nacional.* R-12.414.

1072

[*POESIAS*]. (En Gomez, Vicente. *Relación de las... fiestas que hizo... Valencia, a la canonizacion del bienaventurado S. Raimundo de Peñafort...* Valencia. 1602).

Por «Blas Marco».

1. *Soneto*. (Págs. 120-21).
2. *Soneto*. (Pág. 124).
3. *Romance*. (Págs. 125-27).
4. *Romance*. (Págs. 161-63).
5. *Soneto*. (Pág. 270).

VALENCIA. *Universidad*. A-119-6.

ESTUDIOS
1073

REP: N. Antonio, II, pág. 24; Ximeno, I, pág. 349; Martí Grajales, págs. 284-86 (con documentos).

MARCO (MANUEL)

Canónigo de Zaragoza.

EDICIONES
1074

[*APROBACION. Zaragoza, 29 de mayo de 1700*]. (En José de Jesús, Fray. *Sermón de San Francisco de Paula*. Zaragoza. 1700. Prels.).

ZARAGOZA. *Universitaria*.

MARCO (MIGUEL)

EDICIONES
1075

[*GLOSA*]. (En CERTAMEN *poético a las fiestas de la translación de la reliquia de San Ramón Nonat...* Zaragoza. 1618, fols. 70v).

MADRID. *Nacional*. R-17.826.

MARCO (FR. PEDRO)

Franciscano. Predicador general.

EDICIONES
1076

[*APROBACION. Zaragoza, 17 de septiembre de 1664*]. (En Asensio, Juan.

Edicto, i Sumario de las Misiones... Zaragoza. 1665. Preliminares).

MARCO (RAFAEL)

EDICIONES
1077

[*EN elogio de el Libro, y de su Autor. Dezima*]. (En Mateo, Juan Agustín. *Gramática christiana...* Zaragoza. 1700. Prels.).

MADRID. *Nacional*. 3-59.379.

MARCO (URSULA POLONIA)

EDICIONES
1078

[*SONETO*]. (En CERTAMEN *poético a las fiestas de la translación de la reliquia de San Ramón Nonat...* Zaragoza. 1618, fol. 89v).

MADRID. *Nacional*. R-17.826.

MARCO MARGALES (FR. FRANCISCO)

Agustino. Maestro.

EDICIONES
1079

[*APROBACION. Valencia, 13 de mayo de 1623*]. (En Cantón, Jerónimo. *Vida y milagros de... Don Thomas de Villanueva...* Barcelona. 1623. Preliminares).

MADRID. *Nacional*. R-11.854.

MARCO VALERO (JUAN)

Doctor. Colegial del Mayor de San Ildefonso de Alcalá. Canónigo de Zaragoza.

EDICIONES
1080

[*APROBACION, sin fecha*]. (En Bautista de Lanuza, Miguel. *Virtudes de la V. M. Teresa de Iesus...* Zaragoza. 1657. Prels.).

V. *BLH*, VI, n.º 3405.

MARCOS (FRANCISCO)

EDICIONES

1081

OBRA marauillosa en alabança del puerco, con vn villancico en su loor, y vn Romance de los Romanos. Hecho por ——. [Sevilla. Fernando de Lara]. [1594]. 4 hs. 4.º gót.

—Texto:
1. [«Qualquiera que suele ser...»].
2. Romance de los Romanos. [«En gran fatiga esta puesto...»].

Rodríguez Moñino, Diccionario, n.º 336.
GÖTTINGEN. Universitaria.

1082

ROMANCE famoso que hizo un forçado llamado Francisco Marcos, vecino y natural de... Barcelona, al despedirse della. [Zaragoza. Juan de Lanaja y Quartanet]. [1635]. 2 hs. 4.º.
—Texto. [«Rompiendo azuladas ondas...»].
Gallardo, III, n.º 2.916.

1083

——. [Barcelona. Elena Deu viuda]. [1650]. 2 hs. 4.º.
Gallardo, III, n.º 2.917.

1084

OBRA maravillosa, en alabanza del puerco... Lleva al fin un cuento gracioso que le sucedió a un hombre con su muger. [Jaen. Francisco Perez de Castilla]. [1631]. 4 hs. 4.º.
Gallardo, III, n.º 2.915.

1085

JOCOSA relación en la qual se refiere el trágico casamiento de un Mozo del Guadarrama que después de unas alegres bodas experimentó a pocos meses tanta multitud de partos... Barcelona. Herederos de J. Jolis. [s. a.]. 4 págs. 4.º
En verso.
Palau, VIII, n.º 151.254 («del XVIII»).

MARCOS DE LISBOA (FRAY)

N. en Lisboa. Franciscano. Custodio de la provincia do Maranhão. Obispo de Angola (electo) y de Oporto. M. en Evora (1652).

CODICES

1086

«Vida de la bienaventurada Sor Colecta reformadora de la Orden y Regla de Santa Clara, traducida de Catelan en romance por Fr. Marcos de Lisboa... para se escribir en la Tercera Parte de las Chronicas de Sant Francisco Nuestro Padre».

Letra del s. XVI. 61 fols.
Ivars, págs. 126-27.
MADRID. Descalzas Reales. F-31.

EDICIONES

1087

TERCERA parte de las Chronicas de la orden de los frayles Menores del seraphico padre sant Francisco... Salamanca. Alexandro de Canoua. 1570. 8 hs. + 280 fols. + 10 hs. 28 cm.

—Sumario.—T.—Apr. de Fr. Iuan de Vega.—Pr. al guardian del monasterio de S. Francisco de Salamanca, por diez años.—L. V.—L. O.—Apr. de Fr. Iuan de Reynoso y Fr. Alonso Gutierrez.—Pr. de Aragón.—Ded. a D.ª Maria, Infanta de Portugal. (Fechada en Salamanca, a 20 de abril de 1568).—Annotaciones al Lector.—Autores de donde fue collegida esta tercera parte.—Texto.— Colofon. — Tabla de los capitulos. — Tabla alphabetica. — Disticos latinos de Fr. Emanuelis, minoritae lusitani.

BADAJOZ. Pública. — MADRID. Nacional. R-28.397; etc. — PROVIDENCE. Brown University.—SALAMANCA. Universitaria.— WASHINGTON. Congreso. A45-4326.

OBRAS PORTUGUESAS

1088

PRIMEIRA parte das Chronicas da ordem dos frades Menores do seraphico padre sam Francisco, seu instituidor & primeiro ministro general. Qve se pode chanar, Vitas patrum dos Menores... [Lisboa. Ioannes Blauio de Colonia]. [1557, 30 de marzo]. VII + CCXCIIII fols. a 2 cols. Fol. gót.

Anselmo, n.° 319.

1089

——. 2.ª edición. [Lisboa. Manoel Ioam]. [1566, 20 de febrero]. IX + CCLXIII fols. a 2 cols. Fol. gót. (excepto prels., epígrafes y notas marginales).

Anselmo, n.° 713 (con facsímil de la portada).

MADRID. *Nacional.* R-16.831.

1090

——. [Lisboa. Antonio Ribeyro]. [1587]. 12 hs. + 248 fols. a 2 cols. Fol.

Anselmo, n.° 975.

CAMBRIDGE, Mass. *Harvard University.*

1091

——. Lisboa. Pedro Crasbeeck. 1615. 14 hs. + 262 fols. 28 cm.

CAMBRIDGE, Mass. *Harvard University.* — MADRID. *Nacional.* R-17.055.

1092

PARTE segvnda das Chronicas da Ordem dos frades menores & das outras ordẽs segunda & terceira, instituidas na igreja per o sanctissimo Padre sam Francisco... [Lisboa. Ioannes Blauio. A custas de Ioam de Borgonha]. [1562, 25 de abril]. 6 + CCLXXXVI fols. a 2 cols. Fol. gót. (excepto prels. y epígrafes).

Anselmo, n.° 319.

CAMBRIDGE, Mass. *Harvard University.*

1093

CONSTITOIÇOENS Synodaes do Bispado do Porto. Oporto. Giraldo Mendes. 1590. Fol.

* * *

Para sus restantes obras portuguesas, véanse Barbosa, Pinto de Mattos, etc.

TRADUCCIONES

a) CASTELLANAS

1094

PRIMERA parte de las Chronicas de la Orden de los Frayles menores del seraphico padre sant Francisco... Traduzida en lengua Castella (sic) *por Fr. Diego Nauarro...* [Alcalá de Henares. Atanasio de Salzedo. 1559. 10 hs. + 242 fols. + 6 hs. Fol. gót.

Palau, VII, n.° 138.750.

— — —

Para las ediciones posteriores, véase NAVARRO (FR. DIEGO).

1095

PARTE segvnda de las chronicas de los frayles menores, y de las otras ordenes, segunda y tercera, instituydas en la yglesia por el Santissimo Padre San Francisco... Traduzida de lengua portuguesa en nuestro vulgar Castellano, por... Fr. Filipe de Sosa... Alcalá de Henares. Andrés de Angulo. 1566. [Colofón: 1567]. 9 hs. + 323 fols. + 7 hs. Fol. gót.

J. Catalina García, *Tip. complutense,* número 394.

BADAJOZ. *Pública.*—MADRID. *Nacional.* R.i.-208.

— — —

Para las ediciones posteriores, véase SOSA (FR. FELIPE DE).

* * *

De la Crónica existen traducciones alemanas, francesas, inglesas e italianas.

ESTUDIOS

1096

IVARS, ANDRES. *Una versión castellana de la vida de Santa Coleta, por el P. Marcos de Lisboa.* (En *Archivo Ibero-Americano,* XX, Madrid, 1923, págs. 124-33; XXI, 1924, págs. 385-90).

1097

REP: N. Antonio, II, págs. 84-85; Pinto de Mattos, págs. 349-51.

MARCOS DE SAN FRANCISCO (FRAY)

Carmelita descalzo.

EDICIONES

1098

SVMARIO de la Vida, Virtudes, y Milagros d'el B. Padre Fr. Juan de la Cruz, primer descalzo de la Sagrada Reforma de la Orden Profetica de N. Señora d'el Carmen, Confessor de la Gloriosa Madre Teresa de Jesus y Coadjutor suyo en la dicha Reforma. Beatificado por N. SS.ᵐᵒ Padre Clemente X. Lovayna. Adriano de Witte. 1675. 4 hs. + 134 págs. + 1 h. 8.°

Peeters-Fontainas, II, n.° 759.

BRUSELAS. *Royale.*

MARCUELLO (FRANCISCO)

N. en Daroca. Licenciado. Canónigo de la Santa Iglesia de Ntra. Sra. de los Corporales y racionero de Santiago, en Daroca.

EDICIONES

1099

PRIMERA parte de la Historia natvral, y moral de las aves. Zaragoza. Iuan de Lanaja y Quartanet. 1617. 14 hojas + 260 fols. con grabs. 20 cm.

—Apr. de Fr. Pedro Domingo.—L. del arzobispo de Zaragoza.—Pr. de Aragón por diez años.—Ded. a D.ª Luysa de Padilla, condesa de Aranda, etc., cuyo escudo figura en la portada. Precedida de un grabado.—Al lector.—Cancion en alabança de D.ª Luysa de Padilla, por un franciscano. [«Para siempre oy la Fenix resucita...»].—Soneto de Luys Diez de Aux. [«Un arbol mas copado, excelso, y bello...»].—Soneto con estrambote, de Martín Hernando Ezquerra. [«De las aues la Reyna agradecida...»].—Soneto del Pindauro Academico de Turia. [«El Dios intonso, que salió del cielo...»].—Soneto de Iuan Yague de Salas. [«De los sabios si bien contra el corriente...»].—Soneto de Francisco de Sayas y Urtibia. [«Muchos

alaban con estilo agudo...»].—Soneto de Pedro de Sepulveda. [«Si menos remontado fuera el buelo...»].—A la Condesa de Aranda, Eudoxia de nuestros tiempos. Soneto de Iuan Yangue *(sic)* de Salas. [«Parece que (en su modo) el cielo hermoso...»].—Soneto de Gaspar Martín. [«El estilo gallardo con que escriue...»]. Soneto de María Ximenez. [«Leuanta vuestra pluma tanto el buelo...»].—Decimas de Francisco Gregorio de Fanlo. [«Para reduzir a sumas...»].—Tablas.— Retrato del autor con una cita de Iob.— Texto.

Salvá, II, n.° 2.720; Jiménez Catalán, *Tip. zaragozana del s. XVII,* n.° 166.

LONDRES. *British Museum.* 956.c.13.—MADRID. *Academia Española.* S.C.=30-B-12. *Nacional.* R-15.598. — SAN LORENZO DEL ESCORIAL. *Monasterio.* 17-II-21.

Poesías sueltas

1100

[SONETO]. (En Martinez del Villar, Miguel. *Tratado del Patronado, Antiguedades, Gouierno y Varones Ilustres de... Calatayud...* Zaragoza. 1598. Preliminares).

MADRID. *Nacional.* 2-62.090.

1101

[SONETO]. (En Marzilla, Pedro Vincencio de. *Addiciones al Memorial Compostelano...* Zaragoza. 1613. Preliminares).

MADRID. *Nacional.* 3-24.750.

ESTUDIOS

1102

ANDRES DE UZTARROZ, JUAN FRANCISCO. *[Elogio].* (En su *Aganipe de los cisnes aragoneses.* Zaragoza. 1890, pág. 94).

V. *BLH,* V, n.° 4965.

1103

REP: Latassa, 2.ª ed., II, págs. 238-39.

MARCUELLO (JUAN LUCAS)

N. en Daroca. Doctor. Canónigo de la Santa Iglesia de Ntra. Sra. de los Corporales, en Daroca.

EDICIONES

1104

[CANCION]. (En Pérez de Heredia, Miguel. *Libro del destierro de la Virgen a Egipto*. Zaragoza. 1607. Prels.).

1105

[CANCION al destierro de la Virgen a Egipto]. [s. l.-s. i.]. [s. a.]. 5 hs. 15 cm.

Carece de portada.

—[«En el silencio de la noche, quando...»].
—*Canción de Iuan de Ripol, al Destierro de la Virgen a Egipto.* [«El Hijo primogénito del Padre...»].

Parece desglosado de un volumen.

MADRID. *Nacional.* R-10.512.

ESTUDIOS

1106

ANDRES DE UZTARROZ, JUAN FRANCISCO. [*Elogio*]. (En su *Aganipe de los cisnes aragoneses*. Zaragoza. 1890, pág. 94).

V. *BLH*, V, n.º 4965.

MARCUELLO (LUCAS)

Licenciado.

EDICIONES

1107

[SONETO]. (En Briz Martínez, Juan. *Relación de las exequias, que... Çaragoça a celebrado por el Rey Don Philipe...* Zaragoza. 1599, pág. 130).

MADRID. *Nacional.* R-4.520.

1108

[TERCETOS]. (En CERTAMEN *poético a las fiestas de la translación de la reliquia de San Ramón Nonat...* Zaragoza. 1618, fols. 61v-63r).

MADRID. *Nacional.* R-17.826.

ESTUDIOS

1109

REP: N. Antonio, II, pág. 17 (le atribuye la biografía y la obra de Francisco); Latassa, 2.ª ed., II, págs. 239-40.

MARCH (ACACIO)

V. MARCH DE VELASCO (FR. ACACIO)

MARCH (P. IGNACIO)

Jesuita. Rector del Colegio de Cordellas, en Barcelona.

EDICIONES

1110

[APROBACION. Cordellas, 14 de enero de 1695]. (En Berlanga, Cristóbal de. *Fundación...* Barcelona. 1695. Prels.).

MADRID. *Nacional.* 3-38.117.

1111

[APROBACION. Barcelona, 14 de julio de 1695]. (En Rodríguez, Alonso. *Exercicios de perfección...* Barcelona. 1695. Prels.).

SEVILLA. *Universitaria.* 13-104.

1112

[APROBACION]. (En BREVE *resumen de las solemnissimas fiestas que en la... translación de las reliquias de... San Ramón No-Nacido hizo la Familia de Mercedarios Redentores en 16 de Octubre de 1695...* Barcelona. s. a. Prels.).

BARCELONA. *Central.* F. Bon. 236.

1113

[APROBACION. Barcelona, 12 de febrero de 1699]. (En Monti, Diego. *El ambicioso politico infeliz. Descrito y representado en la Vida de Ludovico Esforcia, Septimo Duque de Milan.* Barcelona. 1699. Prels.).

MADRID. *Nacional.* R-28.915.

MARCH DE VELASCO
(FR. ACACIO)

Dominico. Catedrático de la Universidad de Valencia. Examinador sinodal de su arzobispado. Prior del convento de Predicadores de la ciudad. Obispo de Orihuela.

EDICIONES

1114

RESOLUCIONES Morales. Dispuestas por el orden de las letras del Alphabeto, Resueltas brevemente con la claridad posible y muy utiles para un perfecto Confesor, y para un verdadero penitente de qualquier calidad y estado que sea. Valencia. Geronimo Vilagrasa. 1656-58. 2 vols. 29,5 centímetros.

Tomo I: 10 hs. + 685 págs. a 2 cols. + 32 hs.

—Informe a Felipe IV por Ioseph Verge.—Pr. a favor de Fr. Acacio March de Velasco por 10 años.—Apr. de Fr. Pedro Olginat de Medicis.—Censura y Apr. de Fr. Iuan Bautista Polo.—Censura de Fr. Marco Antonio Pérez de Bernique.—Ded. al Arzobispo de Valencia Fr. Pedro de Urbina.—Al Lector.—Texto.—Tabla de Resoluciones.—Tabla de cosas notables.

Tomo II: 6 hs. + 809 págs. a 2 cols. + 32 hojas.

—Pr. al autor por diez años.—L. O.—Apr. de Fr. Pedro Olgina de Medicis.—Censura y Apr. de Fr. Iuan Bautista Polo.—Censura de Fr. Marco Antonio Pérez de Bernique.—Ded. a Fr. Pedro de Urbina, arzobispo de Valencia.—Al lector.—Texto. Tabla de resoluciones.—Tabla de casos notables.

GENOVA. *Universitaria.* 1.FF.V.34 [el II].—62. *Facultad de Filología.* 941 [el I]. *Nacional.* 3-74.649/50.—ORIHUELA. *Pública.* 32-3-6/7

1115

SYNODO Oriolana Tercera. Celebrada en la civdad de Orihuela en 29 del mes de Abril, año 1663... Valencia. Gerónimo Vilagrasa. 1663. 194 págs. + 1 h. + 1 blanca + 3 hs. + 102 págs. + 4 hs. 14 cm.

—Prologo. — *Breve Declaracion de la Dotrina Christiana..., por* ——. (194 págs.).— Indice de los capitulos. — Portada: *Synodo...*—Carta del Rey en que es servido aprovar la celebracion de este Synodo.—Prologo.—Texto.—Indice.

MADRID. *Nacional.* 2-42.419.

Aprobaciones

1116

[APROBACION. Valencia, 9 de junio de 1632]. (En Berenguer y Morales, Pedro Juan. *Universal explicación...* Valencia. 1632. Prels.).

MADRID. *Nacional.* 5-6.869.

1117

[APROBACION. Valencia, 22 de febrero de 1642]. (En Jordán, Lorenzo Martín. *Manual de exercicios espirituales...* Valencia. 1642. Prels.).

MADRID. *Nacional.* 3-56.800.

1118

[APROBACION. Valencia, 1 de diciembre de 1652]. (En Gregorio Alberto de Santa Teresa, Fray. *Historia de la milagrosa imagen de la madre de Dios de la Paciencia.* Valencia. 1653. Prels.).

MADRID. *Nacional.* V.E.-155-53.

1119

[APROBACION. Valencia, 14 de febrero de 1676]. (En Ferrer, Leonardo. *Astronómica curiosa...* Valencia. 1677. Prels.).

ESTUDIOS

1120

REP: N. Antonio, I, págs. 2-3; Ximeno, II, págs. 39-41; Cotarelo, *Controversias*, n.º CXXXIV.

MARCH DE VELASCO
(FR. DIONISIO)

Agustino. Doctor en Teología. Prior de Ntra. Sra. del Socorro y del convento de San Agustín, en Valencia. Visitador de la Provincia y Corona de Aragón.

EDICIONES

1121

SERMON de la Inmaculada Concepción de María... Valencia. Jayme Bordazar. 1690.

ORIHUELA. *Pública.* XXIX-5-1.

1122

SERMON de la gloriosa Assumpcion de Maria Señora nuestra, que predicó en la Real Villa de Castellón de la Plana... Valencia. Vicente Cabrera. 1692. 5 hs. + 24 págs. 19,5 cm.

Herrero Salgado, n.º 990.

1123

ELECCION conceptuosa de algunos Santos, y Assumptos diferentes. [Valencia]. Vicente Cabrera. 1698. 12 hojas + 455 págs. 19,5 cm.

—Apr. del P. Juan Bautista Roldán.—Apr. de Fr. Joseph Milan de Aragon.—Censura de Fr. Juan Bautista Ferrer.—L. O.—Ded. a D. Andres Monserrat Ciurana y Crespí de Valdaura, del Consejo de S. M.—Prólogo al lector.—Tabla de los sermones.—Texto.

BARCELONA. *Universitaria.* — GERONA. *Pública.* A-3.347. — ORIHUELA. *Pública.* — SEVILLA. *Universitaria.* 131-93; 99-83.

1124

MIXTO moral de Sermones de Quaresma... Valencia. Vicente Cabrera. 1703.

ORIHUELA. *Pública.* 88-3-18.

Aprobaciones

1125

[APROBACION. Valencia, 14 de febrero de 1676]. (En Ferrer, Leonardo. *Astronómica curiosa...* Valencia. 1677. Prels.).

MADRID. *Nacional.* 3-40.136.

ESTUDIOS

Ximeno, II, pág. 158; Santiago Vela, V, págs. 158-60.

MARCHENA (ALVARO DE)

EDICIONES

1126

[APROBACION. Sevilla, 3 octubre 1691]. (En PAPEL *que contiene diversos pareceres y Aprobaciones del Manifiesto a ocho dudas de Juan Jacinto de Mena.* s. l. 1691).

MADRID. *Nacional.* V.E.-196-46.

MARCHENA (MARIA)

De Córdoba.

EDICIONES

Otras atribuidas

1127

[ROMANCE] (En *Romancero general.* Madrid. 1604.

«Tenía una viuda triste...».

Según nota ms. de la época en un ejemplar de la Biblioteca Nacional. (Pérez Pastor, *Madrid*, II, pág. 77).

MARCHENA (VINCENCIO DE)

EDICIONES

1128

[SONETO]. (En Estrella. *La Machabea.* León. 1604. Prels.).

MADRID. *Nacional.* R-13.755.

MARCHENA Y HOZ
(FR. FRANCISCO)

Basilio. Predicador y maestro de novicios en el monasterio de San Basilio de Madrid.

EDICIONES

1129

[APROBACION. Madrid, 4 de marzo de 1631]. (En Niseno, Diego. *La*

sed más ilustremente penosa... Madrid. 1631. Prels.).

1130

[*APROBACION. Madrid, 18 de marzo de 1631*]. (En Felipe de la Cruz, Fray. *Tesoro de la Iglesia...* Madrid. 1631. Prels.).

MARDONES (FR. DIEGO DE)

Dominico. Maestro Prior del convento de Santo Domingo de Ocaña.

EDICIONES

1131

[*APROBACION. Ocaña, 28 de junio de 1601*]. (En Ojea Gallego, Hernando. *La venida de Christo...* Medina del Campo. 1602. Prels.).

MARE (BERNARDO DE)

EDICIONES

1132

[*A una dama roma... Romance*]. (En ACADEMIA *que se celebró en el convento de los Padres Clérigos Reglares...* Madrid. 1681, págs. 64-66).

MARENZI Y ALDAYA (JUAN LORENZO)

Licenciado.

EDICIONES

1133

[*POESIAS*]. (En Díez de Aux, Luis. *Retrato de las fiestas que a la beatificación de... Santa Teresa de Iesus... hizo... Zaragoça...* Zaragoza. 1615).

1. *Canción.* (Págs. 80-81).
2. *Romance.* (Págs. 103-4).

MARES (FRANCISCO)

Doctor en Teología.

EDICIONES

1134

[*APROBACION. Barcelona, 13 julio 1675*]. (En Herrera, Hernando. *Sermones.* Barcelona. 1675. Prels.).

MARES (VICENTE)

N. en Chelva. Doctor. Notario apostólico y Comisario de la Inquisición de Valencia. Rector de la parroquia de Chelva.

EDICIONES

1135

FENIX (La) troyana. Epitome de varias, y selectas historias, assi Divinas, como Humanas: Breve resumen de la poblacion del vniverso. Noticia, y descripcion de toda la tierra. Succinta fundacion de los lugares mas famosos de España, con la succession de los lugares mas famosos de España, con la succession de quantos Principes la han dominado; y deleytoso Iardin de Valencianos. Valencia. Mateo Penen. 1681. 10 hs. + 360 págs. + 20 hs. 30 cm.

—Ded. a la Virgen de Loreto.—Apr. de Iosef Ramos.—L. V.—Soneto de Fr. Sebastian Dionisio Colera de Avinent. [«De los siete Planetas los primores...»].—Decima de Christoval Roiz de Asagra. [«Quien a luz, sino es Vicente...»].—Octavas acrósticas, de Iacinto Hernandez. [«Devido nombre Mares te entroniza...»]. Laberinto de Roque Daubis, en latín.—Decima de Fr. Francisco Domingo. [«Por ser numero en rigor...»].—Sexta rima de Iosef García. [«Dichosa Troya, pues tu fuego ardiente...»].—Motivo del autor, y Prologo al Lector.—Lista de los autores de donde se ha sacado todo lo que se contiene en esta obra.—Tabla de los Libros y Capitulos.—Texto.—Tabla de todas las Monarquías, Reynos, Provincias, Ciudades, y Lugares, de que se da noticia en esta obra.—Tabla, o índice de las cosas notables.—E.

BARCELONA. *Universitaria.* C-218-3-4; etc. — CORDOBA. *Pública.* 5-257.—MADRID. *Academia de la Historia.* 4-1-5-488. *Nacional.* R-18.690. NUEVA YORK. *Hispanic Society.* — SEVILLA. *Universitaria.* 138-24.

ESTUDIOS
1136
REP: Ximeno, II, pág. 89.

MARESCH (MAGINO)
«Aprendiz de Sastre».

EDICIONES
1137
MANIFESTACION de la Verdad, y Relacion de la Cvracion que se hizo por vnos, y otros Medicos Chimicos, y Galenicos en la enfermedad del Señor Maestre de Campo Don Domingo Carachiolo. Barcelona. J. Suriá. 1696. 14 hs. 19,7 cm.

BARCELONA. *Central.* F. Bon. 5931. *Universitaria.* B.54-4-11.

MARFIL (FR. DIEGO)
Cisterciense. Del monasterio de Sandoval.

CODICES
1138
«*De las Alabanzas de Nuestra Señora*».
N. Antonio.

ESTUDIOS
1139
REP: N. Antonio, I, pág. 297.

MARFIRA [seud.]

EDICIONES
1140
[*SONETOS*]. (En Ramírez Pagán, Diego. *Floresta de varia poesía.* Valencia. 1562).

MADRID. *Nacional.* R-8.339.

MARGARIT Y DE BIVRE (JUAN DE)

EDICIONES
1141
RETORICO epítome latino i castellano... Barcelona. Pedro Juan Dexon. 1645.

BARCELONA. *Universitaria.* B.60-5-34/35; etc.

MARGARITA DE LA MADRE DE DIOS (SOR)

CODICES
1142
[*Escritos ascéticos. Años 1635-1637*].
Letra del s. XVII. 112 fols. 315 × 210 mm.
Kraft, pág. 40.
¿Es Margaretha van Nort (Noord)?
VIENA. *Nacional.* Mss. 11900.

MARGINETE DEL AGUILA (FR. ADRIANO)

EDICIONES
1143
[*DEZIMA*]. (En Funes, Juan Agustín de. *Coronica de la ilustrissima milicia, y sagrada religión de San Iuan Bautista de Ierusalem.* Tomo I. Valencia. 1626. Prels.).

MADRID. *Nacional.* R-14.429.

MARI Y ESPINOLA (P. LEONARDO)
Clérigo menor. Provincial de España. Calificador del Consejo Supremo de la Inquisición. Predicador real. Teólogo del Nuncio.

EDICIONES
1144
[*APROBACION. Madrid, 23 de febrero de 1674*]. (En Arredondo, Martín de. *Verdadero examen de Cirugía.* Madrid. 1674. Prels.).

MADRID. *Nacional.* 3-33.836.

1145

[*CENSURA*]. (En Antonio de la Anunciación, Fray. *Manual de Padres espirituales...* 2.ª impressión. Alcalá. 1675. Prels.).

V. *BLH*, V, n.º 3.127.

1146

[*APROBACION. 1 de octubre de 1678*]. (En Francisco Alberto de San Cirilo, Fray. *Triunfos de la Gracia...* Tomo I. Sevilla. 1679. Prels.).

MADRID. *Nacional.* 3-72.124.

1147

[*APROBACION. Madrid, 15 de noviembre de 1691*]. (En Angel, Buenaventura. *El principe Melchisedech.* Parte primera. Madrid. 1692. Prels.).

MADRID. *Nacional.* 3-75.291.

1148

[*APROBACION. Madrid, 2 de octubre de 1698*]. (En Sandoval, Juan de. *Instancia sobre que los... Padres de la Congregacion Intermedia de la Prouincia de Castilla del Orden de N. P. San Augustin están obligadas en conciencia a quitar, o borrar ciertos decretos...* s. l.-s. a., fol. 10*v*).

MADRID. *Nacional.* V.E.-203-33.

1149

[*APROBACION. Madrid, 6 de julio de 1699*]. (En Juan de la Anunciación, Fray. *Segunda parte del Promptuario del Carmen.* Madrid. 1699. Prels.).

MADRID. *Nacional.* 2-26.930.

MARIA ANA...

(V. MARIANA)

MARIA DE LA ANTIGUA (SOR)

Clarisa. Religiosa profesa de velo blanco en el convento de Marchena. Después, mercedaria en el convento de Lora, donde m. (1617).

CODICES

1150

«*Obras*».

Letra del s. XVII. 3 vols. 4.º
En el tomo III, biografía de Sor Moría de la Antigua, por fray José Lobo, franciscano.
Anunciado en el Catálogo n.º 57 de la Librería Bardón, de Madrid, en 1968.

1151

[*Desengaño de religiosos*].

Letra del s. XVII. 459 fols. 210 × 155 mm. Fragmentos de la obra, copiados por Fr. Juan de la Presentación.
Castro, n.º 290.

MADRID. *Nacional.* Mss. 6.674.

1152

[——].

Letra del s. XVIII. 5 + 15 fols. 215 × 160 mm. Sólo comprende los siete primeros capítulos del libro primero.
Castro, n.º 892.

MADRID. *Nacional.* Mss. 20.416[37].

1153

«*Desengaño de religiosos y almas que tratan de virtud...*».

Letra del s. XVII. 251 págs. 205 × 150 mm. Olivar, pág. 150.

MONTSERRAT. *Abadía.* Mss. 702.

1154

«*Cuadernos sobre varios asuntos*».
Letra del s. XVII.

SEVILLA. *Universitaria.* 331-25.

1155

«*Cuadernos espirituales*».
Letra del s. XVII.

SEVILLA. *Universitaria.* 331-116.

1156

«*Romances y versos que a diferentes intentos compuso la Venerable madre* ——...».

Letra de finales del s. XIX. 113 págs. 232 mm. Copiados de la biografía de Fr. Andrés de San Agustín. Perteneció al marqués de Jerez de los Caballeros.

Rodríguez Moñino-Brey, II, págs. 275-76.

NUEVA YORK. *Hispanic Cociety*. Mss. CLXXI.

EDICIONES

1157

DESENGAÑO de religiosos, y de almas qve tratan de virtud... Sacale a la lvz del mvndo... Fr. Pedro de Valbuena... Sevilla. Juan Cabeças. 1678. 21 hs. + 814 págs. a 2 cols. + 13 hojas. 29 cm.

—L. O.—Apr. de Fr. Alonso Calderon.— Apr. de Fr. Gabriel de la Sierra.—Censura del P. Ignacio de Zuleta (1675).—L. V. de Madrid (1675).—Parecer del P. Ignacio de Zuleta (1675).—Pr. a Fr. Pedro de Valbuena por diez años (1675).—Apr. del P. Iuan de Cardenas.—L. V. de Sevilla.—E. T.—Ded. a Carlos II, por Fr. Pedro de Valbuena.—Lámina alegórica, con retrato y escudo de Carlos II.—Introducción a los escritos de ——.—Lámina con retrato de ——.—Invocacion del favor divino, que puso —— a esta obra. [«Socorredme, Señor mío...»].—Texto.—Indice de las cosas notables.—Indice de los lugares de la Sagrada Escritura.

Contiene cuarenta poesías de la autora.

Serrano y Sanz, I, n.º 118.

BURGOS. *Pública*. 9-76.—LOGROÑO. *Pública*. 1.143.—MADRID. *Facultad de Filología*. 1.087. *Nacional*. R-30.969.—NUEVA YORK. *Hispanic Society*.—SAN LORENZO DEL ESCORIAL. *Monasterio*. 73-IX-9.—SANTIAGO DE COMPOSTELA. *Particular de los PP. Franciscanos*.—SEVILLA. *Universitaria*. 129-151.

1158

——. Segunda impressión. Sacala a luz del mundo... Fr. Baltasar de los Ríos. Sevilla. Lucas Martin de Hermosilla. 1690. 19 hs. + 814 págs. + 10 hojas. 28,5 cm.

—Ded. a D. Manuel Ponce de Leon.—L. V. Parecer del P. Ignacio de Zuleta.—Pr.—L. O.—Apr. de Fr. Alonso Calderon, Fr. Gabriel de la Sierra y el P. Ignacio de Zuleta.—Apr. del P. Iuan de Cardenas.—L.

V. (1677).—E.—T.—Introducción.—Texto. Invocación.—Indice de las cosas notables.

CORDOBA. *Pública*. 27-175. — NUEVA YORK. *Hispanic Society*.—TALLAHASSEE. *Florida State University*.

1159

——. Barcelona. Ioseph Llopis. 1697. 17 hs. + 736 págs. a 2 cols. + 6 hs. Fol.

Serrano y Sanz, I, n.º 119.

BARCELONA. *Universitaria*. B.61-1-18.—BURGOS. *Pública*. 13-79.—COIMBRA. *Universitaria*. R-43-1.

1160

——. Quarta impressión. Barcelona. Juan Piferrer. 1720. 14 hs. + 734 páginas a 2 cols. + 10 hs. 4.º

Serrano y Sanz, I, n.º 120.

BARCELONA. *Universitaria*. B.57-2-6; etc.—LISBOA. *Academia das Ciências*. E.658/9.

1161

PRACTICA de las Estaciones de los Viernes, como las andaba la V. M. ——, segun se ha podido colegir de su libro. Copiado a la letra. 1691.

Primera edición, según el P. Uriarte.

— — —

—Méjico. Juan José Guillena Carrascoso. 1693. 57 fols. + 1 h. 8.º

Medina, *México*, III, n.º 1.548.

—*Estaciones de la Pasion del Señor, qve exercitava la V. M.* ——. Méjico. María de Benavides. 1699. 12 hs. 8.º

Medina, *México*, III, n.º 1.718.

WASHINGTON. *Congreso*. A44-5138.

—Méjico. Francisco de Ribera Calderón. 1709. 18 hs. 8.º

Medina, *México*, III, n.º 2.201.

—Méjico. Viuda de Francisco de Rivera Calderón. 1726. 18 hs. 8.º

Medina, *México*, IV, n.º 2.843.

—*Cadena de oro, evangelica red, arrojada a la diestra de los electos, y escogidos. Que muestra el mas cierto, seguro, y breve camino para la salvacion eterna. Las Estaciones de la Dolorosa Passion y Muerte de Nuestro Amantissimo Redemptor Jesus. Escritas por la V. M.*

——... Méjico. Joseph Bernardo de Hogal. 1729. 1 h. + 90 págs. (?). 16.º

Medina, *México*, IV, n.º 3.043.

—*Estaciones de la Passion del Señor, que
anduvo la V. M.* ——... Méjico. José Bernardo de Hogal. 1730. 30 hs. 16.º

Medina, *México*, IV, n.º 3.116.

—*Cadena de oro evangélica...* Méjico. Viuda de Joseph Bernardo de Hogal. 1741.
47 hs. 16.º

Medina, *México*, IV, n.º 3.564.

—*Cadena de oro...* Méjico. Imp. de la Bibliotheca Mexicana. 1755. 45 hs. 8.º

Medina, *México*, V, n.º 4.220.

—*Cadena de oro...* Méjico. Calle de San
Bernardo. 1764. 46 hs. 16.º

Medina, *México*, V, n.º 4.885.

—*Cadena de oro...* Méjico. Phelipe de Zúñiga y Ontiveros. 1770. 48 hs. 16.º

Medina, *México*, VI, n.º 5.351.

—Idem. 1772. 46 hs. 16.º

Medina, *México*, VI, n.º 5.486.

—*Cadena de oro...* Puebla. Herederos de
la Viuda de Miguel de Ortega. 1773. 28
hojas. 8.º

Medina, *Puebla*, n.º 882.

—*Cadena de oro...* Méjico. Joseph de Jáu-
regui. 1775. 47 hs. 16.º

Medina, *México*, VI, n.º 5.781.

—*Cadena de oro...* Méjico. Felipe de Zúñiga y Ontiveros. 1776. 47 hs. 16.º

Medina, *México*, VI, n.º 5.890.

—Idem. 1782. 48 hs. 16.º

Medina, *México*, VI, n.º 7.292.

—*Cadena de oro...* Méjico. Joseph de Jáu-
regui. 1783. 48 hs. 16.º

Medina, *México*, VI, n.º 7.394.

—Idem. 1791. 48 hs. 16.º

Medina, *México*, VI, n.º 8.067.

—*Cadena de oro...* Méjico. 1795.

DAYTON. *University of Dayton.*

1162

EXERCICIOS de la V. —— *segun
el Methodo con que se practica en
Cadiz todos los Jueves. Recopilados
por... Pedro Francisco Calderón.*
[s. l.-s. i.]. [s. a., c. 1747].

Palau, I, n.º 13.000.

—————

—Cádiz. 1766. 155 págs. 7 cm.

Palau, III, n.º 39.788.

—Málaga. Félix de Casas y Martínez. 1781.
79 págs. 14 cm.

—Cádiz. 1859. 59 págs. 12.º

—Cádiz. Impr. Nueva. [s. a., siglo XVIII].
168 págs. 32.º

—Cádiz. Juan Ximénez Carreño. [s. a.].
5 hs. + 86 págs. 8.º

—Cádiz. Manuel Ximénez Carreño. [s. a.].
94 págs. + 1 h.

—Sevilla. Hidalgo y Cía. [s. a.]. 94 págs.
8.º

ESTUDIOS

1163

ANDRES DE SAN AGUSTIN, FRAY.
*Vida exemplar... de Soror María de
la Antigua. Con los romances y versos, que a diferentes intentos compuso...* [Cádiz]. [1674]. 395 págs. 4.º

1164

MURCIANO, CARLOS. *Una monja
poeta del XVI, la R. M. María de la
Antigua. Estudio de su obra y anto-
logía.* Málaga. Ed. de A. Caffarena.
1967. 37 págs. + 2 hs. 25 cm.

a) Allué y Morer, F., en *Poesía Española*,
Madrid, 1967, n.º 179, págs. 3-5.

MADRID. *Nacional.* V-6.455-25.

1165

REP: N. Antonio, II, pág. 87; Juan de
San Antonio, II, pág. 321; Serrano y Sanz,
I, págs. 42-49.

MARIA DE CRISTO (MADRE)

CODICES

1166

«*Relación de la vida interior y favores divinos de Sor María de Cristo. Escrita por ella misma por mandado de su Confesor Fr. José Huerta...*».

Autógrafo. ¿1686? 451 fols. 310 × 215 mm.
Serrano y Sanz, I, n.º 721; *Inventario*, X,
pág. 144.

MADRID. *Nacional.* Mss. 3.647.

1167

[*GEROGLIFICO*]. (En Díez de Aux, Luis. *Retrato de las fiestas que a la beatificación de... Santa Teresa de Iesus... hizo... Zaragoça...* Zaragoza. 1615, pág. 27).

MADRID. *Nacional*. R-457.

MARIA DE JESUS (SOR)

N. en Oliva (1612). Agustina en Alcira, Denia y Jávea, donde m. en 1677.

EDICIONES
1168

[*RELACION de su vida*]. (En Villerino, Alonso de. *Esclarecido solar de las religiosas reformadas de Ntro. P. San Agustín, y vidas de las insignes hijas de sus conventos.* Tomo III. Madrid. 1694, págs. 274-399).

MADRID. *Nacional*. R.i.-367.

MARIA DE JESUS (SOR)

María Rivas Martínez n. en Tartanedo (1560) y fue carmelita descalza desde 1577. Secretaria y enfermera de Santa Teresa de Jesús en Toledo (1577). Maestra de novicias y priora. M. en Toledo (1640).

EDICIONES
1169

EPISTOLARIO... Ilustrado con notas históricas por el P. Joaquín de la Sagrada Familia. Toledo. Edit. Católica Toledana. 1919. 286 págs. + 5 hs. + 1 lám. 21 cm.

ESTUDIOS
1170

ACOSTA, FRANCISCO DE. *Vida prodigiosa, y heroicas virtudes de la venerable Madre Maria de Iesus, Religiosa Carmelita Descalça del Conuento de San Ioseph y santa Teresa de... Toledo.* Madrid. Domingo García y Morrás. 1648. 12 hs. con 1 lám. + 470 págs. + 26 hs. 19,5 cm.

Con un retrato de Sor María de Jesús, por Pedro de Villafranca.

V. *BLH*, IV, n.º 1.744.

1171

E. DE LA VIRGEN DEL CARMEN. *El Letradillo de Santa Teresa.* Toledo. 1926.

1172

REP: A. de la V. del Carmen, en DHEE, III, pág. 1415; R. Sanlés, en DS, X, 1980, pág. 483.

MARIA DE JESUS (SOR)

N. en Beas (1545) y se llamaba María de Sandoval. Carmelita descalza. Priora del convento de Málaga y fundadora del de Córdoba (1589). M. en 1604.

CODICES
1173

[*Carta a F. José de Jesús María, sobre las persecuciones que sufrió San Juan de la Cruz, 1 de agosto de 1600*].

Autógrafa. 5 hs. Fol. Publicada por Serrano y Sanz.

MADRID. *Nacional*. Mss. 12.738 (págs. 719-30).

EDICIONES
1174

[*CARTA a Fr. José de Jesús María. Edición de M. Serrano y Sanz*]. (En su *Biblioteca...*, n.º 1.285).

MARIA DE JESUS (SOR)

Carmelita descalza del convento de Toledo.

CODICES
1175

[*Dos cartas a un religioso, acerca de la prisión y fuga de San Juan de la Cruz.* Sin datos].

Autógrafas. Tres hojas. Fol. Publicadas fragmentariamente por Serrano y Sanz.

MADRID. *Nacional*. Mss. 12.738 (págs. 809-11 y 817).

EDICIONES

1176

[*Fragmentos de sus cartas: evasión de San Juan de la Cruz de su prisión de Toledo. Edición de M. Serrano y Sanz*]. (En su *Biblioteca...*, n.º 1.286).

MARIA DE JESUS (SOR)

Carmelita descalza en Salamanca.

CODICES

1177

[*Carta a un religioso de su Orden, en la que refiere varios milagros de San Juan de la Cruz, Salamanca, 16 de noviembre. Sin año*].

Autógrafa. Una hoja. Fol.

MADRID. *Nacional*. Mss. 12.738 (págs. 791-92).

1178

[*Soneto a Santa Teresa*].

Autógrafo.

[«Temple mi mente y destemplado acento...»].

MADRID. *Nacional*. Mss. 8.693.

MARIA DE JESUS (SOR)

N. en Molina de Aragón (1510). Carmelita descalza desde 1577. Residió en Toledo. M. en 1640.

EDICIONES

1179

[*ESCRITOS*]. (En Acosta, Francisco. *Vida prodigiosa...* Madrid. 1648).

ESTUDIOS

1180

ACOSTA, FRANCISCO DE. *Vida prodigiosa, y heroicas virtudes de la venerable Madre María de Iesus, Religiosa Carmelita Descalça del Conuento de san Ioseph y santa Teresa de... Toledo.* Madrid. Domingo García y Morrás. 1648. 12 hs. con una lám. + 470 págs. + 26 hs. 19,5 cm.

V. *BLH*, IV, n.º 1744.

MARIA DE JESUS DE AGREDA (SOR)

María Coronel y Arana, n. y m. en Agreda (1602-1665). Franciscana concepcionista desde 1620. Priora desde 1627. Visitada por Felipe IV en 1643, mantuvo correspondencia secreta con él durante los 23 años siguientes. Procesada por la Inquisición en 1635 y 1649.

BIBLIOGRAFIA

1181

PEREZ-RIOJA, JOSE ANTONIO. *Exposición bibliográfica sobre Sor María de Jesús de Agreda... en el tercer Centenario de la muerte de la Venerable...* Soria. Casa de Cultura. 1965. 12 págs. 21,5 cm.

1182

PEREZ - RIOJA, JOSE ANTONIO. *Proyección de la Venerable María Agreda. (Ensayo para una bibliografía de fuentes impresas).* (En *Celtiberia*, XV, Soria, 1965, págs. 77-122).

Tirada aparte: Soria. Centro de Estudios Sorianos. 1965. 46 págs.

LONDRES. *British Museum*. X.100/2533.—MADRID. *Nacional*. V-6.015-10.

1183

URIBE, ANGEL. *Fondo agredano de la biblioteca de Aránzazu.* (En *Archivo Ibero-Americano*, XXVII, Madrid, 1967, págs. 249-304).

CODICES

Obras varias

1184

[*Varios*].

Letra del s. XVII. Fol. Tomo VIII de la Colección Isassi.

1. *Respuesta a S. M. Agreda, 18 enero 1647* (Fol. 321).
2. *Relazion que hiço... de lo que le ocurrió durante la enfermedad del Principe... Don Balthasar Carlos...* (Fols. 322-31).
3. *Copia de carta al Papa Alexandro VII* (Fols. 332-34).

Gayangos, I, pág. 531.

LONDRES. *British Museum*. Eg.338.

1185

[*Obras*].

Letra del s. XVIII. 1 + 104 fols. 195 × 145 mm.

1. *Leyes de la esposa...* (Fols. 1r-55v).
2. *Escala para subir a la perfección...* (Fols. 56-104).

Castro, n.º 125.

MADRID. *Nacional*. Mss. 2.322.

1186

[*Obras varias*].

Letra del s. XVIII. 287 fols. 203 × 145 mm.

Contiene: *Escala espiritual; Leyes de la Esposa; Mapa de los orbes celestiales; Avisos y propósitos; Ynstruccion que le dio Christo Redemptor nuestro a Frai Humilde, de los que hauia de hacer en nuestra religión; Alma atiende, oie corazón y te diré lo que es amor de Dios.* [«Cuando el amor está obrando...»].

Castro, n.º 271.

MADRID. *Nacional*. Mss. 6057.

1187

[*Obras varias*].

Letra del s. XVII. 282 fols. 306 × 210 mm.

MADRID. *Nacional*. Mss. 6111.

1188

[*Obras*].

Letra del s. XVIII. 1 + 175 fols. 210 × 150 mm.

Perteneció al convento de San Gil, de Madrid.

1. *Escala espiritual.* (Fols. 1r-95v).
2. *Oracion que hacia todos los dias considerandose en el articulo de la muerte.* (Fols. 97-98).
3. *Oracion y suspiros del coraçon para llegar al deseado fin...* (Fols. 98v-100r).
4. *Leyes de la esposa.* (Fols. 101r-175v).

Castro, n.º 294.

MADRID. *Nacional*. Mss. 6.817.

1189

[*Obras*].

Año 1716. 114 págs. 210 × 150 mm.

1. *Tratado de la redondez de la tierra, y de los abitadores de ella.* (Págs. 1-46).
2. *Tratado del amapa y descripzión brebe de los orbes celestiales...* (Págs. 46-82).

3. *Tratado de la región celeste...* (Págs. 83-96).
4. *Tratado de los nombres e ynterpretaziones de los seis angeles que tubo en su asistenzia y custodia.* (Págs. 99-114).

Castro, n.º 377.

MADRID. *Nacional*. Mss. 9.346.

1190

«*Obras no impresas*».

Letra del s. XVIII (1724). 5 vols. 305 × 215 mm.

Castro, n.º 381.

MADRID. *Nacional*. 9.414/18.

1191

«*Lybro mano escryto de varios tratado qve escryvyo la V.ᵉ M.ᵉ Sor M.ª de Jesvs Abadesa de el convento de la Inmaculada Concepcion de la V.ª de Agreda*».

Letra del s. XVIII. 7 + 443 fols. 290 × 210 mm.

1. *Cartas.* (Fols. 1r-199v). Son 107.
2. *Fragmentos y carta pastoral para las religiosas.* (Fols. 201r-213v).
3. *Propósitos de perfección que enseñan a la alma para con Dios.* (Fols. 214-16).
4. *En qué consiste la verdadera contrición.* (Fols. 216v-217v).
5. *Sentencias para governar perfecta y prudentemente las acciones.* (Fols. 218r-223v).
6. *Sentencias para lo mismo.* (Fols. 223v-224r).
7. *Modo de conocer los objetos la criatura.* (Fols. 224v-225r).
8. *De los dotes de gloria.* (Fols. 225v-229v).
9. *Tratado tocante a la redondez del mundo.* (Fols. 231v-273v).
10. *Escala espiritual para subir a la perfección.* (Fols. 281r-390r).
11. *Leyes de la esposa.* (Fols. 391r-443v).

Castro, n.º 390.

MADRID. *Nacional*. Mss. 9.561.

1192

[*Obras*].

Letras del s. XVII. 300 × 210 mm.

1. *De la redondez del mundo.* (Fols. 247-274).
2. *Leyes de la esposa.* (Fols. 275r-318v).

Castro, n.º 401.

MADRID. *Nacional*. Mss. 9.981.

1193

[*Tratados*].

Letra del s. XVIII. 2 + 176 fols. 205 × 150 mm. Perteneció a la biblioteca de Osuna.

1. *Tratado del grado de luz y conocimiento de la ciencia ynfusa, que tubo* ——... (Fols. 1r-50r).
2. *Tratado de la descripción de los orves celestiales...* (Fols. 50r-95r).
Castro, n.º 432.

MADRID. *Nacional*. Mss. 10.900.

1194

[*Obras*].

Letra del s. XVIII (1747). 264 págs. + 4 hs. 205 × 150 mm.
1. *Tratado de la redondez de la tierra.* (Págs. 1-118).
2. *Leyes de la esposa.* (Págs. 119-264).
Castro, n.º 555.

MADRID. *Nacional*. Mss. 13.759.

1195

[*Obras*].

Letras del s. XVII. 58 hs. 210 × 150 mm. Perteneció a Gayangos.
1. *Escala espiritual para subir a la perfección.*
2. *Escritos acerca de las ánimas del purgatorio...*
3. *Copia de cartas a Felipe IV.*
4. *Mapa y descripción breve de los orbes celestiales.*
Roca, n.º 1.025; Castro, n.º 659.

MADRID. *Nacional*. Mss. 17.907.

1196

[*Obras*].

Letra del s. XVII. 244 fols. 310 × 210 mm. Perteneció a Gayangos.
1. *Declaración de la geografía.* (Fol. 56).
2. *Tratado breve del mapa y descripción breve de los orbes celestiales...* (Fols. 56v-64v).
Roca, n.º 265 (11); Castro, n.º 675.

MADRID. *Nacional*. Mss. 18.193.

1197

[*Obras*].

Año 1762. 229 fols. 205 × 145 mm.
1. *Leyes de la Esposa...* (Fols. 1r-136v).
2. *Doctrinas varias muy utiles a la vida religiossa, y christiana, que dio Maria Santissima a la Ven.* ——. (Fols. 136v-164r).
3. *Descripcion curiosa, puntual y verdadera de el Mundo, elementos y Cielos.* (Fols. 164v-217v).
Olivar, págs. 141-42.

MONTSERRAT. *Abadía*. Mss. 660.

1198

[*Obras*].

Letra del s. XVII. Una o más copias de todos los escritos que se la atribuyen. 13 vols.

Uribe, págs. 261-73.

OÑATE. *Monasterio de Ntra. Sra. de Aránzazu.*

1199

[*Obras*].

Letras de fines del s. XVII. 404 fols. 188 × 140 mm. (Las últimas hojas, 315 × 205 milímetros).

—Tabla de tratados que hay en este libro.
1. *Tratado de la Mapa y discrezion vrebe de los orbes zelestiales i elementales...* (Fols. 10r-38r).
2. *Trattado de la Region Celeste...* (Fols. 38r-48v).
3. *Siguese el Tratado de la redondez de la tierra.* (Fols. 49r-94v).
4. *Capitulo en que declara lo que la paso con la alma de la Reyna Doña Isabel de Borbon.* (Fols. 95r-101v).
5. *Relazion de lo que suzedio... en la enfermedad del Prinzipe Don Baltasar Carlos.* (Fols. 102r-126v).
6. *Carta a Alejandro VII.* (Fols. 127r-134v).
7. *Apuntamiento de Doctrina... sacados del dicho que con Juramento depuso Fr. Andres de Fuente mayor...* (Fols. 135r-284v).
8. [*Tratado del Mapa y Descripcion breve de los Orbes Celestiales*]. (Fols. 397r-404v).

Zarco, I, págs. 233-35.

SAN LORENZO DEL ESCORIAL. *Monasterio*. L. IV.2.

1200

«*Obras*».

Letra de mitad del s. XVII. 5 hs. + 298 págs. + 2 hs. 203 × 160 mm. Perteneció al obispo Fr. Antonio Agustín.

1. *Leies de la Esposa.* (Págs. 1-19).
2. *Disciplina de la divina sciencia.* (Págs. 20-36).
3. *Descripcion breve de la Mystica y verdadera Ciudad de Dios, María santissima...* (Págs. 37-140).
4. *Exercicio quotidiano, para ocupar bien las horas del día...* (Págs. 141-296).

SAN LORENZO DEL ESCORIAL. *Monasterio.* &. IV.1.

1201

[Obras. Tomo II].

Letra de mediados del s. XVII. 69 hs. 200 × 145 mm.

1. *Leies de la Esposa.* (Págs. 1r-41r).
2. *Libro que trata de la redondez del Mundo, y Elementos, y algo de los Cielos.* (Folios 43r-68r).

Zarco, I, págs. 314-15.

SAN LORENZO DEL ESCORIAL. *Monasterio.* &. IV.2.

1202

«Diuersos papeles y tratados que escribió la Venerable ——...».

Letra del s. XVIII. 184 fols. 215 × 155 mm.

Esteve, págs. 217-18.

TOLEDO. *Pública.* Mss. 288.

Cartas a Felipe IV

1203

«Cartas del Rey Nuestro Señor para Sor María de Jesús y sus Respuestas».

2 vols.

AGREDA. *Convento de la Concepción.*

1204

«Cartas a el rei de Castella».

Año 1680. «Miscellanea».

LISBOA. *Nacional.* Colleção Pombalina. Mss. 526.

1205

«Cartas de la Benerable Sor María de Jesús y del Sr. Rey D. Phelipe 4».

Letra del s. XVIII. 79 fols. 4.º

Gayangos, IV, pág. 219.

LONDRES. *British Museum.* Add.19.673.

1206

«Cartas que escriuio el señor rey Phelipe Quarto a sor Maria de Jhesus, Abadessa en el conuento de la concepcion de Agreda con sus respuestas desde el año de 1643 hasta el de 1665».

Letra del s. XVIII. 325 fols. 298 × 203 mm. Procede de la biblioteca de Felipe V.

Inventario, I, pág. 63.

MADRID. *Nacional.* Mss. 71.

1207

«Cartas del Señor Rey Phelipe IV a la B. Sor Maria de Jesus en Agreda».

Letra del s. XVIII. 167 fols. 196 × 148 mm. Perteneció a J. N. Böhl de Faber. Veintidós cartas del período 1643-55, con sus respuestas.

Inventario, V, pág. 262; Castro, n.º 101.

MADRID. *Nacional.* Mss. 1.857.

1208

[Cartas a Felipe IV].

Letra del s. XVIII. 345 fols. 295 × 205 mm. Contiene copias de 343 cartas del período 1643-1652.

Castro, n.º 174.

MADRID. *Nacional.* Mss. 2.911.

1209

«Correspondencia que tuvo el Rey N. Sr. Don Phelipe 4 con la Ve. M. Agreda desde el año de 1643 hasta el de 1665».

Letra del s. XVIII. 1086 págs. 205 × 150 mm. Copia hecha por Fr. Carlos de Cañizar para la biblioteca del convento de capuchinos de San Antonio, de Madrid.

MADRID. *Nacional.* Mss. 4308.

1210

«Cartas... y sus respuestas de el Sr. D. Phelipe IV.—Carta que escribió... al Papa Alexandro VII...».

Letra del s. XVIII. 324 fols. 200 × 140 mm. En fol. II retrato de la autora, firmado por Beterham.

MADRID. *Nacional.* Mss. 4316 (ex libris de C. A. de la Barrera).

1211

«*Copias de cartas que escriuio el Rey nro. señor Phelipe 4.º el grande (que goza de Dios) a Sor Maria de Jesus Abadesa de la Concep.ᵒⁿ descalza de Agreda con sus Respuestas al margen desde el Año del Señor de 1643 hasta el de 1665*».

Letra del s. XVII. 2 vols. a 2 cols. 300 × 210 mm.

MADRID. *Nacional.* Mss. 6.214/15.

1212

«*Cartas que escriuio el rey Phelipe quarto a Sor María de Jesus abadesa del combento de la Concepcion de Agreda...*».

Letra del s. XVII. 500 hs. 305 × 210 mm.
Castro, n.º 369.

MADRID. *Nacional.* Mss. 9.238.

1213

[*Cartas a Felipe IV*].

Letra del s. XVIII. 3 + 513 fols. 300 × 210 mm. Procede de la biblioteca del convento de San Antonio, de El Pardo.
Castro, n.º 391.

MADRID. *Nacional.* Mss. 9.574.

1214

«*Cartas de la Correspondencia del Rey Nro. Señor Phelipe Qvarto con la Venerable M. Sor María de Iesvs de Agreda...*».

Letra del s. XVII. 2 vols. 292 × 205 mm.
Castro, n.º 402.

MADRID. *Nacional.* Mss. 9.993/94.

1215

«*Copia de cartas de la Venerable Sor María de Jhs. y de su Magd., el Señor Rey Don Phelipe quarto...*».

Perteneció al duque de Osuna y a Juan Nicolás Böhl de Faber. Comprende 22 cartas y sus respuestas, de 1643 a 1657.
Castro, n.º 419.

MADRID. *Nacional.* Mss. 10.370.

1216

[*Correspondencia con Felipe IV*].

Letra del s. XVIII. 4 vols. (Falta el I). 300 × 205 mm. Perteneció al duque de Osuna.
Castro, n.º 420.

MADRID. *Nacional.* Mss. 10.371/73.

1217

«*Cartas de el Sr. Rey D. Phelipe 4 a la V. M. Sor M.ª de Jesus de Agreda y sus respuestas*».

Letra del s. XVIII. 3 + 366 hs. 300 × 210 milímetros. Perteneció a Usoz.
Castro, n.º 545.

MADRID. *Nacional.* Mss. 13.635.

1218

«*Cartas de la Madre M.ª de Jesus monja en el conbento de la conzephzion de la Villa de Agreda i de D. Felipe quarto el grande Rey de las Españas*».

Letra del s. XVII. 46 hs. 320 × 220 mm.

MADRID. *Nacional.* Mss. 21.698[13].

1219

[*Cartas de Felipe IV a Sor María de Agreda, con las contestaciones al margen de ésta. Años 1643-1648 y 1653*].

Originales autógrafos. 13 + 135 fols. 302 × 206 mm. A principio del XIX pertenecían al P. Josef de San Basilio, primer capellán del navío «San Jerónimo». Son 98 y se adquirieron en tiempo de Fernando VII.

MADRID. *Palacio Real.* II-1.443.

1220

[*Copias de las Cartas que escribió... Phelipe IV... a Sor María de Jesús... 1643-1665*].

Letra del s. XVIII. 326 fols. 333 × 232 mm.

MADRID. *Palacio Real.* II-1.435.

1221

[*Correspondencia con Felipe IV*].

Copia de 1685. 195 fols. 303 × 210 mm. Contiene 173 cartas. En 1798 pertenecía al convento de capuchinos de Albaida.
Morel-Fatio, pág. 93.

PARIS. *Nationale.* Mss. esp. 208.

1222

[*Copia de cartas del Rey Nuestro Señor Don Phelippe quarto... escriptas a la venerable madre Maria de Jesus... y juntamente copia de las respuesta de vida venerable madre... 1643-1658».*

Letra del s. XVII. 230 × 170 mm. Traducidas por Germand de Lavigne.

Morel-Fatio, pág. 93.

PARIS. *Nationale.* Mss. esp. 207 (fols. 105r-237v).

1223

«*Cartas edificantes y correspondencia político-mística entre Philipo IV el grande Rey de España y la Venerable Madre ——, religiosa en el convento de la Purisima Concepción, Orden de N. P. S. Francisco de dicha Villa».*

Letra del s. XVII. 200 hs. Fol.

SEVILLA. *Universitaria.* 333-171.

1224

«*Copias de las Cartas que escribió... Phelipe 4... a Sor María de Jesús... con sus respuestas, desde el año de... 1643 hasta el de 1665».*

Letra del s. XVIII. 964 págs. 200 × 149 mm.

Esteve, págs. 266-67.

TOLEDO. *Pública.* Mss. 368.

1225

[*Cartas de Sor María de Agreda a Felipe IV y de éste a aquella. Años 1643-65*].

Letra del s. XVIII. 546 hs. 210 × 148 mm.

ZARAGOZA. *Seminario de San Carlos.* 14.461.

Cartas a otras personas

1226

[*Tres cartas*].

Autógrafas.

AGREDA. *Convento de la Concepción.*

1227

[*Cartas*].

Editadas por J. Campos en 1969.

BORJA. *Convento de MM. Concepcionistas.*

1228

[*Cincuenta y cinco cartas a Pedro Llorente Aguado y otros. 1630-32, sobre asuntos familiares y religiosos*].

Originales autógrafos.

J. Somoza de Montsoríu, *Catálogo de los manuscritos del Instituto de Jovellanos...* Madrid. 1883, pág. 173.

GIJON. *Instituto Jovellanos.* Mss. LXXXIII.

1229

[*Cinco cartas a monseñor Rospigliosi. Agreda, 1656-1657*].

Ológrafas. Fol.

Gayangos, IV, págs. 12-14.

LONDRES. *British Museum.* Add.26.850 (folios 169, 176-77, 191, 195).

1230

[*Cartas a D. Francisco de Borja, capellán de las Descalzas Reales, y otros miembros de su familia*].

Originales. Más de 300.

MADRID. *Monasterio de las Descalzas Reales.* Archivo.

1231

«*Carta... a la S.ª Reyna de Francia, con fecha de 2 de Abril de 1660 desde Agreda».*

Letra del s. XVIII. 210 × 145 mm.

Serrano y Sanz, I, n.º 1.347.

MADRID. *Nacional.* Mss. 10.906 (fols. 142r-143v).

1232

«*Carta a D. Joseph Gonzalez. Agreda, 2 de marzo de 1665».*

Letra del s. XVII. 305 × 205 mm.

Castro, n.º 676 (1).

MADRID. *Nacional.* Mss. 18.201 (fol. 104).

1233

«*Carta... a una amiga suya sobre asuntos particulares y familiares».*

Letra del s. XIX. Una hoja. 310 × 215 mm.

Castro, n.º 864.

MADRID. *Nacional.* Mss. 20.216[1].

1234

[*Carta al Nuncio*].

Autógrafa. Una hoja. 300 × 18,5 cm.
MADRID. *Nacional.* Mss. 20.973 (fol. 982).

1235

[*Dieciocho cartas originales a Fr. Antonio Agustín, obispo de Albarracín*].

Años 1641-1665. 310 × 210 mm.
Zarco, I, pág. 267.

SAN LORENZO DEL ESCORIAL. *Monasterio.* &.
II.10 (fols. 1-39).

1236

[*Cartas*].

Editadas por J. Campos en 1969.
PAMPLONA. *Archivo de la Catedral.*

1237

[*Cartas*].

Editadas por J. Campos en 1970.
PAMPLONA. *Convento de MM. Agustinas recoletas.*

1238

«*Carta al abad de Alfaro. Agreda, 8 de setiembre de 1660*».

Autógrafa. Una hoja.
TOLEDO. *Convento de Santa Clara.*

1239

[*Cartas a diversas personas*].

Autógrafas, en su mayoría. Formaron parte de un proceso inquisitorial y luego fueron remitidas al arzobispo de Toledo para su devolución a los destinatarios.
Esteve, págs. 32-34.

TOLEDO. *Pública.* Mss. 28.

Autobiografía

1240

«*Relacion que... hizo y escrivió de su letra, del estado y progreso de su vida, por mandado de sus Superiores*».

Letra del s. XVII, con firma autógrafa. 22 hs. Fol.
Al fin dos certificaciones, una de 1678 y otra de 1769.
MADRID. *Nacional.* Mss. 7.618.

Avisos y propósitos

1241

«*Auisos y propósitos que propone una alma religiosa...*».

Letra del s. XVIII. 4 hs. 4.º
MADRID. *Nacional.* Mss.

De Geografía y cielos

1242

«*De Geographia y cielos, sacado del opusculo que corre con nombre de la M. ——*».

Letra del s. XVIII. 6 hs. 4.º
MADRID. *Academia de la Historia.* 9-3.473/16 (fols. 317r-322v).

1243

«*Descripción de los cielos*».

Letra del s. XVIII (1735). 210 × 150 mm.
Castro, n.º 3.741.
MADRID. *Nacional.* Mss. 3.741 (págs. 865-86).

«Doctrina...»

1244

«*Doctrina, que dio la Madre de Dios a la V. María de Jesús de Agreda*».

Letra de principios del s. XIX. 44 hs. 155 × 110 mm.
Miquel, III, pág. 407.
BARCELONA. *Universitaria.* Mss. 1.320.

Ejemplo...

1245

«*Exemplo de la Madre Agreda*».

Letra del s. XVIII. 7 hs. 4.º
Fragmento de la *Mística Ciudad de Dios*, Madrid, 1758, págs. 269-78.
MADRID. *Academia de la Historia.* 9-3.542/7.

Ejercicios espirituales

1246

«*Ejercicio cotidiano en que el alma ocupa las oras del día*».

AGREDA. *Convento de la Concepción.*

1247

«*Exercicio cuot.º y doctrina para hazer las obras con maior perfección*».

Con una Apr. de Sevilla. 1737.

AGREDA. *Convento de la Concepción*.

1248

«*Exercicios espirituales...*».

Año 1724. 75 hs. Fol. Copia de la 12.ª ed., de Madrid. 1722.

MADRID. *Nacional*. Mss.

Escuela espiritual

1249

«*Escala espiritual para subir a la perfeccion*».

Letra del s. XVIII (1750). 2 + 278 fols. 150 × 100 mm.

Castro, n.º 352.

MADRID. *Nacional*. Mss. 8.777.

1250

«*Escala espiritual para subir a la perfeccion*».

Letra de fin del s. XVII. 132 fols. 210 × 150 mm.

Contiene además: *Correspondencia con Felipe IV* (fols. 73r-132v).

VALLADOLID. *Santa Cruz*. Mss. 411.

Fábrica del tabernáculo

1251

«*Fabrica del tabernaculo de Dios*».

Letra del s. XVIII. 185 págs. 210 × 150 mm.

MADRID. *Nacional*. Mss. 7.071.

Leyes de la Esposa

1252

«*Leyes de la Esposa, Conceptos y Suspiros del Corazón*».

1647. Original, autógrafo.

AGREDA. *Convento de la Concepción*.

1253

«*Leyes de la Esposa entre las Hijas de Sion...*».

AGREDA. *Convento de la Concepción*.

1254

«*Leyes de la Sposa. Apices del Amor Diuino y admirables documentos spirituales*».

Letra del s. XVII. 295 × 200 mm.

Inventario, V, pág. 466; Castro, n.º 113.

MADRID. *Nacional*. Mss. 2.051 (fols. 100 bis-183v).

1255

«*Leyes de la esposa entre las hijas de Sion dilectisima...*».

Letra del s. XVIII. I + 104 fols. con ilustraciones en color. 195 × 145 mm.

Inventario, VI, pág. 220.

MADRID. *Nacional*. Mss. 2.322.

1256

«*Leyes de la Esposa. Conceptos y suspiros de el corazon para alcançar el ultimo y verdadero fin de el beneplacito y agrado de el Esposo y S.ᵒʳ*».

Letra del s. XVIII. 282 fols. 310 × 210 mm.

MADRID. *Nacional*. Mss. 6.111.

1257

«*Leyes de la esposa*».

Letra del s. XVII. 169 fols. 290 × 210 mm.

Castro, n.º 310.

MADRID. *Nacional*. Mss. 7.555.

1258

«*Leyes de la esposa...*».

Letra del s. XVIII. 241 fols. Perteneció a la biblioteca ducal de Osuna.

Castro, n.º 434.

MADRID. *Nacional*. Mss. 10.908.

1259

«*Leyes de la esposa*».

Letra del s. XVIII. 48 hs. 296 × 205 mm. Perteneció al monasterio del Paular, de Segovia.

Castro, n.º 810.

MADRID. *Nacional*. Mss. 19.176.

1260

«*Leyes de la esposa*».

Autógrafo. 63 hs. 180 × 125 mm.

Castro, n.º 838.

MADRID. *Nacional*. Mss. 19.684.

1261

«*Leyes del esposo para la esposa*».
Letra del s. XVIII. 300 hs. 200 × 145 mm.
Castro, n.º 378.
MADRID. *Nacional*. Mss. 9.359.

1262

«*Leies de la esposa entre las hijas de Sion dilectissimas*».
Letra del s. XVIII. 286 fols. 150 × 105 mm.
Adquirido en Nápoles en 1765.
Olivar, pág. 11.
MONTSERRAT. *Abadía*. Mss. 48.

1263

«*Leyes de la Esposa. Conceptos y suspiros del corazón para alcanzar el último y verdadero fin del beneplácito y agrado de el Esposo y Señor*».
Letra del s. XVIII. 93 fols. 210 × 150 mm.
Olivar, pág. 117.
MONTSERRAT. *Abadía*. Mss. 553.

1264

«*Jesus Templo de Salomon...*».
Letra del s. XVII. 101 hs. 202 × 140 mm.
Zarco, II, págs. 112-13.
SAN LORENZO DEL ESCORIAL. *Monasterio*. J.III.6.

Mapa de los orbes celestes

1265

«*Mapa de los orbes celestiales y elementales...*».
Letra del s. XVII. 291 fols. 295 × 210 mm.
Castro, n.º 50.
MADRID. *Nacional*. Mss. 848.

Mística Ciudad de Dios

1266

«*Mystica Ciudad de Dios*».
Original. 8 vols. 4.º
AGREDA. *Convento de la Concepción*.

1267

«*Doctrina que dio la Madre de Dios a la V. ——, sacada de la que se halla en la Mística Ciudad de Dios*».

Letra de principios del s. XIX. 44 hs.
155 × 110 mm.
Miquel, III, pág. 407.
BARCELONA. *Universitaria*. Mss. 1.320.

1268

«*Historia divina de la Virgen María Madre d[e] Dios...*».
Con un frontis firmado en Granada, 1686, por Ant. Lop. Hid. Copia hecha en la Cartuja de Granada y corregida en 1687.
DAYTON. *University of Dayton*. (Con ex libris del marqués de la Fuensanta del Valle).

1269

«*Descripcion breve de la mystica y verdadera ciudad de Dios, Maria Santissima Reina del Cielo y tierra, sacada de la historia que dejó escrita de la misma Reina...*».
Contiene los 26 capítulo primeros.
Serrano y Sanz, n.º 1.330.
MADRID. *Nacional*. Mss. 7.555.

1270

«*Mística ciudad de Dios*».
Letra del s. XVIII. 300 hs. 153 × 105 mm.
Comprende sólo los capítulos 10-29.
Castro, n.º 356.
MADRID. *Nacional*. Mss. 8.790.

1271

[*Mística ciudad de Dios*].
Letra del s. XVII. 120 + 171 fols. 300 × 205 mm.
Castro, n.º 809.
MADRID. *Nacional*. Mss. 19.131.

1272

«*Vida de la Virgen Santissima*».
Letras del s. XVII.
Precedida del *Prólogo galeato*, de J. Ximénez Samaniego.
Olivar, pág. 128.
MONTSERRAT. *Abadía*. Mss. 603.

1273

«*Mística Ciudad de Dios*».
Copia de la ed. de Burgos, 1670.
ROMA. *Angélica*. 1-312.

1274

«*Mística Ciudad de Dios...*».

Letra del s. XVIII. 260 fols. 210 × 152 mm.
Esteve, pág. 236.

TOLEDO. *Pública*. Mss. 319.

1275

«*Cité de Dieu et miracle de sa toute-puissance et abisme de la grâce, histoire divine et vie de la Vierge mère de Dieu...*».

Letra del s. XVII. 355 hs.
V. Martin, Henry. *Cat. des ms. de la bibliothèque de l'Arsenal*, III, 1887, pág. 354, núm. 3.391.

PARIS. *Arsenal*. 80 bis double H. F., n.º 2.

1276

«*Istoria della beatissima vergine Maria madre di Dio*».

Letra del s. XVIII. 184 fols. 194 × 130 mm.
Gómez Pérez, n.º 42 (1).

ROMA. *Nazionale*. Mss. S. Pant. 91 (5).

1277

«*Mystica civitas Dei...*».

Letra del s. XVIII. 6 vols. 312 × 218 mm.
Gómez Pérez, n.º 44.

ROMA. *Nazionale*. Mss. Gesuitico. 1202-1207.

1278

«*Mysticke stadt Godts...*».

438 págs.
V. Martin, H. *Catalogue...*, VI, págs. 439, núm. 8214.

PARIS. *Arsenal*. 16 Belg.

Propósitos de perfección

1279

«*Propositos de perfecion... por mayor bien del alma y bene placito del señor*».

Letra del s. XVII. 205 × 145 mm. Procede de la biblioteca del conde de Pötting.
Kraft, pág. 14.

VIENA. *Nacional*. Cod. 5880ᵈ (fols. 467r-487r).

Relación...

1280

«*Muerte y purgatorio de el principe Dn. Baltasar Carlos II* (sic). *Revelada a la benerable M. ——, año de 1647*».

Letra del s. XVII. 310 × 210 mm.
Castro, n.º 675.

MADRID. *Nacional*. Mss. 18.193 (fols. 233r-246v).

1281

«*Relazion de lo que suzedió a la venerable Maria de Jesus, en la enfermedad y muerte del principe D. Balthasar Carlos, que goza de Dios. Escripta por la venerable madre y esta copia es sacada original*».

Letra del s. XVII. 230 × 170 mm. Este texto fue traducido por Germon de Lavigne, en *La soeur Marie d'Agréda et Philippe IV*, 1855, págs. 43-52.
Morel-Fatio, pág. 93.

PARIS. *Nationale*. Mss. esp. 207 (fols. 82r-102v).

Testamento espiritual

1282

«*Testamento espiritual*».

Letra del s. XVII. 11 hs. 300 × 210 mm.
Castro, n.º 728.

MADRID. *Nacional*. Mss. 18.653³⁷.

Tratado del grado de luz

1283

«*Tratado del grado de luz y conocimiento de la ciencia infusa que tubo... ——... Trata de toda la redondez de la Tierra y de los habitadores de ella...*».

Letra del s. XVIII. 82 fols. 200 × 140 mm.

MADRID. *Nacional*. Mss. 5513.

Fragmentos

1284

[*Fragmentos*].

Letra del s. XVII (1680). 270 fols. 215 × 150 mm. Perteneció a la biblioteca de Felipe V.

Inventario, I, págs. 125-26; Castro, n.º 19.

MADRID. *Nacional*. Mss. 153.

EDICIONES

Mística Ciudad de Dios

1285

MYSTICA Civdad de Dios, milagro de sv omnipotencia y abismo de la Gracia. Historia divina, y vida de la Virgen Madre de Dios, Reyna, y Señora nuestra María Santissima, Restauradora de la culpa de Eua, y Medianera de la gracia. Manifestada en estos vltimos siglos por la misma Señora à su Esclaua Sor María de Iesvs, Abadesa de el Conuento de la Inmaculada Concepcion, de la Villa de Agreda, de la Prouincia de Burgos, de la Regular Obseruancia de N. S. P. San Francisco, para nueua luz de el mundo, alegria de la Iglesia Catolica, y confiança de los mortales. Madrid. Bernardo de Villa-Diego. 1670. 4 vols. 29 cm.

Tomo I: *Primera parte.* 185 hs. + 636 págs.
—Frontis, por Pedro Villafranca (Madrid, 1668).—Dedicatoria a la Virgen María, por Fr. Alonso Salizanes, Ministro General de los Menores.—Censura de la obra, comission, y licencia de su impression, por la Religion de San Francisco.—Censura del P. Andrés Mendo.—Censura, y aprobación de Fr. Diego de Silua—S. Pr.— E.—T.—Apr. de Miguel de Escartín.—Protestación.—A los doctos que leyeren esta Historia, Fray Ioseph Ximenez Samaniego, indigno frayle menor.—Prologo galeato.—Texto.

Tomo II: 2 hs. + 1.100 págs.
—Texto (libros III-VI). — Notas, por Fr. Ioan Sendín Calderón.—L. O.—Apr. del P. Miguel de Elizalde.—L. V.

Tomo III: 2 hs. + 566 págs. + 81 hs.
—Texto (libros VII-VIII). — Tabla de los libros y capitulos.—Tabla de los lugares de Escritura.—Indice por menor de las cosas notables.

CORDOBA. *Pública.* 1-100/102.—LONDRES. *British Museum.* 4824.d.12. — LYON. *Municipale.* 109.138. — MADRID. *Nacional.* 3-52.739/42. — ROMA. *Vaticana.* Stamp. Barb. U.IV.70 [el I].—SAN LORENZO DEL ESCORIAL. *Monasterio.* 13-IX-12/14.—WASHINGTON. *Catholic University of America Library.*

1286

——. Lisboa. Antonio Craesbeeck de Mello. 1681. 3 vols. 27,5 cm.

AGREDA. *Convento de la Concepción* [el I].— MADRID. *Nacional.* 5-5.908 [el III]. — NASHVILLE. *Joint University Libraries.* — NUEVA YORK. *Hispanic Society.*—PALMA DE MALLORCA. *Pública.*

1287

——. 3.ª impresión. Perpiñán. B. Breffei. 1681. 4.º

Primera parte: 240 págs.

PARIS. *Nationale.* D.10830 [el I].

1288

——. Perpiñán. Viuda de Juan Figuerola. 1684.

MADRID. *Convento de San Pedro Mártir.* 35-42 [el III].

1289

——. Lisboa. 1684. 3 vols.

GRANADA. *Universitaria.* XLIV-6-4 (F. Derecho).—LYON. *Municipale.* 100.725. — MADRID. *Convento de San Pedro Mártir.* 35-42 [el III].

1290

——. Lisboa. Theotonio Damasco de Mello. 1685. 3 vols. 29,5 cm.

Frontis, firmado por Clemente Billinque. GERONA. *Pública.* A-6.678/79.—MADRID. *Nacional.* 5-5.883 [I y III].—VALLADOLID. *Universitaria.* Santa Cruz, 5.701/3.

1291

——. Madrid. Bernardo de Villa-Diego. 1688. 6 vols. 80 cm.

En los Prels. del tomo I, Ded. a San Francisco, por Fr. Juan de Goyeneche y las Apr. de Mendo, Silva y Escartín. Con un retrato de la autora por I. F. Leonardo.

MADRID. *Nacional.* 5-5.860.—SAN LORENZO DEL ESCORIAL. *Monasterio.* 46-II-23/28. — TERUEL. *Casa de la Cultura.* (Tomos I-III y V).

1292

MYSTICA Ciudad de Dios... 4.ª impression. Barcelona. Martín Gelabert. 1689. 19 cm.

Con una Apr. del P. Narciso Vilar (1688). MADRID. *Nacional.* 6.i.-2.100.

1293

——. Amberes. Verdussen. 1692. 2 volúmenes.

Peeters-Fontainas, I, n.º 15.

MADRID. *Convento de San Pedro Mártir.* 35-42.—PARIS. *Arsenal.—Nationale.* D.836.

1294

——. Barcelona. Juan Jolis. 1694-96. 8 vols.

BARCELONA. *Universitaria.* B.62-5-1/20.—GERONA. *Pública.* A-2.919.

1295

——. Valencia. Juan de Baeza. 1695. 6 vols. 21 cm.

MADRID. *Facultad de Filología.* 8.220. *Nacional.* 5-5.823.

1296

——. Amberes. Viuda de Geronymo Verdussen. 1696. 3 vols. Fol.

MADRID. *Academia Española.* S.C.=13-A-17/ 19. *Facultad de Filología.* 8.358/60. *Nacional.* 2-26.890/92. — SANTIAGO DE COMPOSTELA. *Universitaria.* — WASHINGTON. *Holy Name College Library.*

1297

——. Sevilla. Juan Francisco de Blas. 1698. 3 vols. 29,5 cm.

MADRID. *Nacional.* 5-2.140 [el III]. — NUEVA YORK. *Columbia University. — Hispanic Society.*

1298

——. Madrid. Manuel Ruiz de Murga. 1701. 3 vols. 30,5 cm.

Serrano y Sanz, n.º 1.320.

BURGOS. *Facultad de Teología.* III-34-4-13/ 15.—MADRID. *Consejo. Instituto «P. Flórez».* 46-H-8/3-4 [tomos III-IV]. *Convento de San Pedro Mártir.* 33-54. *Nacional.* 3-56.890/ 92.—SANTIAGO DE COMPOSTELA. *Universitaria.*

1299

——. Amberes. Viuda de Geronymo. Verdussen. 1705. 3 vols. Fol.

Peeters-Fontainas, I, n.º 16.

LYON. *Municipale.* 100.726.—MADRID. *Facultad de Filología.—Nacional.* 5-5.848 [el II].

1300

——. Amberes. Henrico y Cornelio Verdussen. 1708. 3 vols. con 72 láms.

Heredia, IV, n.º 3.947; Peeters-Fontainas, I, n.º 17.

MADRID. *Nacional.* 2-48.262/64.

1301

MYSTICA Ciudad de Dios... Madrid. Blas de Villanueva. 1710. 16 cm.

MADRID. *Nacional.* 5-5.841 (Libro 4.º de la 2.ª parte).

1302

——. Madrid. Imp. de la Causa de la Venerable. 1720. 3 vols.

LONDRES. *British Museum.* 3805.f.15.—MADRID. *Nacional.* 5-6.530.—PARIS. *Nationale.* D.8716 [tomos I-II].—SANTO DOMINGO DE SILOS. *Monasterio.* 64-A.—SORIA. *Pública.*

1303

——. Madrid. Imp. de la Causa de la Venerable. 1721. 5 vols. 15,5 cm.

GERONA. *Pública.* A-5.266/68.—MADRID. *Facultad de Filología.* 8.283/84 [I y IV]. *Nacional.* 3-10.633/36. *Particular de «Razón y Fe».* K-V-107.

1304

——. Amberes. Cornelio y la Viuda de Henrico Verdussen. 1722. 3 vols.

Peeters-Fontainas, I, n.º 18.

ANN ARBOR. *University of Michigan.* — IOWA CITY. *University of Iowa.*—SAN MILLAN DE LA COGOLLA. *Monasterio.* 235-3 y 227-20. — SEVILLA. *Colombina.* 96-6-19/21.

1305

——. Madrid. Imp. de la Causa de la Venerable. 1725. 3 vols.

ANN ARBOR. *University of Michigan.*—BURGOS. *Facultad de Teología.* Mg.511.

1306

——. Amberes. Viuda de Cornelio Verdussen. 1736. 3 vols. Fol.

Peeters-Fontainas, I, n.º 20.

LONDRES. *British Museum.* 1605/11.—SANTIAGO DE COMPOSTELA. *Universitaria.*

— — —

Variantes:
—Amberes. Viuda de Henrico Verdussen. 1736.
Peeters-Fontainas, I, n.º 19.

BRUSELAS. *Royale.* — LONDRES. *British Museum.* 1605/216.

—Amberes. A costa de los Hermanos de Tournes de Leon de Francia. 1736.
Peeters-Fontainas, I, n.º 21.

1307
——. Madrid. Imp. de la Causa de la Venerable. 1742. 14,5 cm.

GERONA. *Pública.* A.4114/7. — MADRID. *Nacional.* 5-6.990. [Primera parte, libro 2.º Con ex libris de Gayangos].

1308
——. Madrid. Imp. de la Causa de la Venerable. 1744. 3 vols. 4.º

Serrano y Sanz, n.º 1.324.

MADRID. *Convento de San Pedro Mártir.* 35-42. *Nacional.* 3-41.546/48. — WASHINGTON. *Congreso.* 26-5882 rev. — ZARAGOZA. *Universitaria.* G-20-59/61.

1309
——. Madrid. Imp. de la Causa de la Venerable. 1750. 8 vols. 15 cm.

AGREDA. *Convento de la Concepción.* — MADRID. *Consejo. Instituto «Zurita».* 22-1.132. *Nacional.* 5-2.975 [Libro IV de la 2.ª parte].—URBANA. *University of Illinois.*

1310
——. Amberes. Viuda de Cornelio Verdussen. 1755. 3 vols. Fol.

Peeters-Fontainas, I, n.º 22.

COLUMBUS. *Ohio State University.*

— — —

Variantes:
—Amberes. Hermanos de Tournes. 1755. 3 vols.
Peeters-Fontainas, I, n.º 23.

1311
——. Madrid. Imp. de la Causa de la Venerable. 1758. 8 vols. 8.º

MADRID. *Academia de la Historia.* 15-5-6-19.— SAN LORENZO DEL ESCORIAL. *Monasterio.* 112-VII-6/13.

1312
——. Madrid. Imp. de la Causa de la Venerable. 1759. 5 vols. 21 cm.

Serrano y Sanz, n.º 1.326.

DAYTON. *University of Dayton.*—MADRID. *Consejo. Instituto «P. Flórez».* 46-D-20. *Facultad de Filología.* 7.843. *Nacional.* 5-11.926. — SAN DIEGO. *University of California.*—ZARAGOZA. *Universitaria.* G-249/52; etc.

1313
——. Madrid. Imp. de la Causa de la Venerable. 1762. 8 vols.

BURGOS. *Facultad de Teología.* Mg. 377. — SANTIAGO DE COMPOSTELA. *Universitaria.*

1314
——. Madrid. Imp. de la Causa de la Venerable. 1765. 3 vols.

CAMBRIDGE, Mass. *Harvard University.*

1315
——. Pamplona. Joaquín Domingo. 1807. 10 vols.

AGREDA. *Convento de la Concepción.*—LONDRES. *British Museum.* 3835.df.10.

1316
——. Barcelona. P. Riera. 1860. 7 volúmenes. 19,5 cm.

BERKELEY. *University of California.*—ITHACA. *Cornell University.* — MADRID. *Nacional.* 4-36.327/33. *Particular de «Razón y Fe».* K-IV-285-1-7 [falta el II]. — SAN LORENZO DEL ESCORIAL. *Monasterio.* 149-17-45/51; etc.

1317
——. Valencia. Imp. Católica de Piles. 1872-75. 6 tomos en 3 vols. 21 cm.

DAYTON. *University of Dayton.*

1318
——. Barcelona. Herederos de Juan Gili. 1911-14. 5 vols. 8.º

Tomo V: *Autenticidad de la «Mística Ciudad de Dios» y biografía de su autora,* por E. Royo.

a) Ivars, A., en *Archivo Ibero-Americano,* V, Madrid, 1916, págs. 300-15.

BARCELONA. *Universitaria.* 132-7-16/20. — MA-
DRID. *Academia Española.* 19-X-6/9. *Particular de «Razón y Fe».* K-IV-286-1-3 [tomos I,
II y V].—SORIA. *Convento de los PP. Franciscanos.*

1319

*MISTICA ciudad de Dios. Vida de
María. Texto conforme al autógrafo
original. Introducción, notas y edición por Carlos Solaguren, O. F. M.
Con la colaboración de Angel Martínez Moñux, O. F. M., y Luis Villasante, O. F. M.* Madrid. [Imp. Fave-
so]. 1970. CV + 1509 págs. con ilustraciones. 21,5 cm.

MADRID. *Nacional.* 4-93.983; etc.

1320

*MISTICA ciudad de Dios. Vida de
la Virgen María revelada a* ——. Edición la más completa y económica.
Barcelona. Libr. Religiosa. [s. a.].
7 vols. 8.º

1321

*MISTICA ciudad de Dios. Aumenta-
da con la autenticidad de la «Mística
ciudad de Dios».* Madrid. Libr. Hijos
de Gregorio del Amo. [s. a.]. 5 volúmenes. 8.º

Parciales

1322

*COMPENDIO de la Sagrada Passion,
y muerte de N. Señor Jesu-Christo.
Sacado de la Mystica Ciudad de Dios,
y Historia Divina de N. Señora, qve
escriuio la V. M. Maria de Iesus de
Agreda, de la segunda parte, libro
quarto, desde el Cap. nono, hasta el
vigessimo quarto de dicha Historia,
añadidas las Oraciones que pertenecen a cada Meditación... por Fr. Ioseph de San Antonio y Flores...* Méjico. María de Benavides. 1693. 14 hs.
+ 1 lám. + 86 hs. 8.º

Medina, *México,* III, n.º 1.550.

—————

—Méjico. Francisco de Rivera Calderón.
1717. 91 hs. Fol.

Medina, *México,* III, n.º 2.503.

1323

*ESCUELA mystica de María Santis-
sima en la Mystica Ciudad de Dios,
en las Doctrinas, que dictó la Reyna
de los Angeles a su amantissima sierva la Venerable Madre María de Jesus de Agreda, al fin de los Capitulos de los ocho Libros de las tres
Partes, impressas a la letra, como estan en sus Obras. Al presente repa-
radas para que con mayor suavidad
sean agradable provecho espiritual
de las Almas de todos estados: y en
vez de Carta Pastoral las dirige con
vna previa exhortacion a los Feligre-
sses de la Diocesis (sic) del Obispado de Merida en sus quatro Provincias de Yucatán, Petén, Cosumél, y
Tabasco, y las reimprime dividdas
entre sí, y dispuestas por su orden...
Juan Ignacio María Castorena y Ur-
sua, Obispo de Yucatán...* Méjico.
Joseph Bernardo de Hogal. 1731. 28
hojas + 1 lám. + 643 págs. + 7 hs.
14,5 cm.

—Dedicatoria a San Ignacio de Loyola, por
D. Juan Ignacio María Castorena.—Pre-
vención a los que leyeren estas Doctrinas
Sagradas, por el mismo.—Retrato de Sor
María de Agreda, por Soto Mayor.—Tex-
to.—Indice de las doctrinas y capitulos.

MADRID. *Nacional.* 3-71.290.

1324

*VIDA de la Virgen María según la
Venerable Sor María de Jesús de
Agreda, con prólogo de E. Pardo Bazán.* Edición ilustrada. Barcelona.
Montaner y Simón, editores. [s. i.].
1899. 369 págs. con ilustr. + 1 h. 23,5
centímetros.

Págs. 5-21: Prólogo, por Emilia Pardo Bazán. («Juzgué que no sería desacato atre-
verme a poner las manos en la obra de

sor María, segregando lo que hoy no interesa a la mayoría del público, y aislando y conservando lo que en realidad puede considerarse verdadero relato de la vida de la Virgen María.»

BARCELONA. *Universitaria.*—MADRID. *Nacional.* 2-56.265. *Particular de «Razón y Fe».* B-III-709.

1325

APOSTOL (El) Santiago según la Venerable Madre de Agreda. Para las peregrinaciones a Santiago de Galicia y al Pilar de Zaragoza. Tarazona. Tip. de Martinez Moreno. 1915. 63 páginas.

Págs. 4-5: Dedicatoria a los Cabildos metropolitanos de Santiago de Galicia y de Zaragoza, por las Concepcionistas de Agreda. Reimpresión de lo que escribió sobre Santiago en la tercera parte de su obra.

MADRID. *Nacional.* V-480-4. *Particular de «Razón y Fe».* K-IV-1.122.—ZARAGOZA. *Facultad de Filología y Letras.* P. Caj. 53-174.

1326

DISCIPULO (El) Amado de Jesus y el Humildísimo Esclavo de María según la Venerable Madre de Agreda. Zaragoza. Tip. La Editorial. 1917. 339 págs. + 4 hs. 18 cm.

Págs. 9-12: Prólogo del P. Nazario Pérez. Fragmentos tomados de la 2.ª y 3.ª parte.

BARCELONA. *Universitaria.* 139-7-50. — MADRID. *Nacional.* 4-141.431. *Particular de «Razón y Fe».* B-IV-337.

1327

PALABRAS... en honor de la Purísima Concepción de María Santísima. [Córdoba]. [Luis de Ramos y Coria]. [1919]. 4 págs. Fol.

Valdenebro, n.º 932.

1328

VIDA de la Virgen... Editada por el P. Ludovico de Besse. Barcelona. Edit. E. Subirana. 1917. 368 págs. 8.º

AGREDA. *Convento de la Concepción.*

1329

VIDA de la Virgen María según la Venerable Sor María de Jesus de Agreda. Prólogo de Emilia Pardo Bazán. Barcelona. Montaner y Simón. 1941. 478 págs. + 2 hs. + 1 lám. 16 centímetros.

BARCELONA. *Universitaria.* D.420-6-87.—MADRID. *Nacional.* 4-4.296.—SORIA. *Pública.*

1330

SAN José en la «Mística Ciudad de Dios» de ——. *Ordenación biográfica por Augusto Alpanseque Frías.* Madrid. 1979. 370 págs. 20 cm.

MADRID. *Nacional.* 4-156.163.

Cartas a Felipe IV

1331

[*Cinco cartas a Felipe VI. 1643. Edición de Eugenio de Ochoa*]. (En EPISTOLARIO *español.* Tomo II. Madrid. 1870, págs. 78-81. Biblioteca de Autores Españoles, 62).

Sacadas de la colección Folch Cardona de la Academia de la Historia.

1332

CARTAS de la Venerable Madre Sor María de Agreda y del Señor Rey Don Felipe IV. Precedidas de un bosquejo histórico por Francisco Silvela. Madrid. Sucs. de Rivadeneyra. 1885-1886. 2 vols. 25 cm.

Tomo I: 242 + VIII + 462 págs. + 1 h. + ?? láms.

—*Sor María de Agreda y Felipe IV,* por F. Silvela. (Págs. 1-242).

—*Advertencia.* (Págs. I-VIII).

«218 cartas son tomadas de los propios autógrafos que meddiaron entre el Rey y la Madre; 361 cartas están tomadas de copias o minutas escritas por Sor María, y sólo 35 proceden de copias por mano ajena.»

Cartas (años 1643-1649).

Apéndices.

Fe de erratas.

Tomo II: 794 págs. + 1 h.

Cartas (años 1649-1665).

—Apéndices.

—Indice alfabético de los nombres propios mencionados en las Cartas y sus notas.

—Glosario de palabras anticuadas o empleadas con distinto sentido del que actualmente tienen.

—Fe de erratas.

a) Rodríguez de Berlanga, Manuel. *Sor María de Agreda...* Málaga. 1886. (V. n.º).

b) Sánchez de Toca, J. *El bosquejo histórico de D. F. Silvela...*, en *Felipe IV y Sor María de Agreda.* Madrid. 1887, páginas 1-25.

BARCELONA. *Universitaria.* 178-2-4/5.—GRANADA. *Universitaria.* 13-12-146/47.—LONDRES. *British Museum.* 10902.f.13.—MADRID. *Academia Española.* 5-V-18/19. *Consejo. Instituto «J. Zurita».* 25-278/9. *Nacional.* 1-13.860/61. — SORIA. *Pública.*—ZARAGOZA. *Universitaria.* D-53-140/41.

1333

[*CARTA a Felipe IV, en la que manifiesta sus deseos de que triunfasen las armas de este. Agreda, 14 de septiembre de 1643*]. (En DOCUMENTOS *escogidos del archivo de la Casa de Alba...* Madrid. 1891, pág. 446).

1334

CORRESPONDENCIA con Felipe IV. Selección y prólogo por Gonzalo Torrente Ballester. [Madrid]. Ediciones FE [Uguina]. 1942. 2 vols. 16 cm. (Breviarios del Pensamiento Español).

Tomo I, págs. 7-24: «Un documento de la decadencia».

a) H[uarte] E[chenique], A., en *Revista de Filología Española*, XXVII, Madrid, 1943, pág. 102.

LONDRES. *British Museum.* 10922.de.23.—MADRID. *Academia Española.* F-91-5-15-1/2. *Nacional.* 6-10.034.

1335

CARTAS de Sor María de Jesús Agreda y de Felipe IV. Edición y estudio preliminar de Carlos Seco Serrano. Madrid. Atlas. 1958. LXXIII + 404

págs. 25 cm. (Biblioteca de Autores Españoles, 108).

1336

[*OTRAS cartas inéditas de la V. M. ——, por J. Campos*]. (En *Archivo Ibero-Americano*, XXX, Madrid, 1970, págs. 1-33, 337-69).

Publica 38, de ellas 13 a particulares y el resto a Felipe IV, que se guardan en el convento de MM. Agustinas recoletas de Pamplona.

Cartas a otras personas

1337

[*CARTA al Nuncio de S. S. el Papa Alejandro VII. Agreda, 18 de octubre de 1663. Edición de Manuel Serrano y Sanz*]. (En *Apuntes para una Biblioteca de escritoras españolas*, n.º 1348).

1338

ALGUNAS cartas autógrafas de la Venerable Madre María de Agreda. Edición de Andrés Ivars. (En *Archivo Ibero-Americano*, II, Madrid, 1915, págs. 435-57; IV, págs. 282-97; V, 1916, págs. 413-38; VII, 1917, págs. 105-22).

Tir. aparte: Madrid. G. López del Horno. 1917. 86 págs. 24 cm.

MADRID. *Consejo. Patronato «Menéndez Pelayo».* F-1.152.

1339

[*CARTAS inéditas de la V. Sor María de Agreda. Edición de J. Campos*]. (En *Salmanticensis*, XVI, Salamanca, 1969, págs. 635-66).

Reproduce 34 a personas privadas, pertenecientes al Archivo catedralicio de Pamplona.

— — —

V. además núms. 1334, 1510.

Ejercicios espirituales

1340

EXERCICIOS espirituales de retiro... Zaragoza. Pedro Carrera. 1704.

1341

——. Zaragoza. Pedro Carreras. 1712. 2 hs. + 196 págs. + 1 h. 15 cm.

Jiménez Catalán, *Tip. zaragozana del siglo XVIII*, n.º 152.

ZARAGOZA. *Universitaria*. D-25-206.

1342

EXERCICIOS espirituales de Retiro, que la Venerable Madre María de Jesus, de Agreda practicó, y dexó escritos à sus Hijas, para que los practicassen en el mesmo Religiosissimo Convento de la Purissima Concepcion de la misma Villa. Undecima impression. Madrid. Blas de Villa-Nueva. 1718. 2 hs. + 209 págs. + 1 h. 15 cm.

—Apr. del Dr. Domingo Perez (Zaragoza, 1676).—L.—Texto.—Indice.

Serrano y Sanz, n.º 1.332.

MADRID. *Nacional*. 3-57.001.

1343

EXERCICIOS espirituales de retiro... Palma de Mallorca. José Guasp. [s. a.]. 2 hs. + 234 págs. 8.º

Indica que se reimprime la edición de Madrid.

Serrano y Sanz, n.º 1.334.

MADRID. *Nacional*. 2-2.259; etc.

1344

EXERCICIOS espirituales de retiro, qve la V. M. Maria de Jesvs de Agreda practció, y dexó escritos, a sus Hijas... Mallorca. Joseph Guasp. [s. a.]. IV + 234 págs. 15 × 7 cm.

Referencia a ed. anterior de Madrid. Con Apr. de Domingo Pérez (Zaragoza, 1676).

MADRID. *Nacional*. 2-4.873.

1345

——. Zaragoza. Medardo Heras. [s. a., 1753]. 2 hs. + 222 (?), págs. 15 cm.

Jiménez Catalán, *Tip. zaragozana del siglo XVIII*, n.º 802.

ZARAGOZA. *Universitaria*. D-25-221.

1346

——. Madrid. Imp. de la Causa de la Venerable. 1757. 8 hs. + 412 págs. 8.º

Serrano y Sanz, n.º 1.333.

MADRID. *Nacional*. 2-6.998.

1347

——. Madrid. 1762. 8.º

1348

——. Madrid. Imp. de la Causa de la Venerable. 1765. 260 págs. 15 cm.

MADRID. *Nacional*. 7-17.309.—ZARAGOZA. *Universitaria*. G-19-154.—WASHINGTON. *Congreso. Priority 4 Collection*.

1349

——. Barcelona. Jayme Osset. 1769. 2 hs. + 220 págs. 8.º

MADRID. *Nacional*. 2-34.696.

1350

——. Pamplona. Imp. Romero. 1769. 5 hs. + 260 págs.

Serrano y Sanz, n.º 1.335.

MADRID. *Convento de San Pedro Mártir*. 35-25. *Nacional*. 2-5.137; etc.—SANTO DOMINGO DE SILOS. *Monasterio*. 32-E.—SEVILLA. *Colombina*. 66-1-27.

1351

EXERCICIOS espirituales... Vique. Viuda e Hijos de Juan Dorca. [s. a., 1800].

SORIA. *Pública*.

1352

EJERCICIOS Espirituales de retiro. Introducción y edición por Julio Garrido. Madrid. Cisneros. 1975. 124 páginas con ilustr. + 1 h. 15,5 cm.

MADRID. *Nacional*. V-11.098-1; etc.

Fragmentos

1353

ELOGIOS que compuso la V. M. María de Agreda a la Reyna del Cielo, implorando su misericordia, los qua-

les son sacados del Libro de Exerci-
cios de dicha V. M. impressos en
Madrid... 1748. Guatemala. Sebastián
de Arévalo. 1761. 16 hs. 16.º

Medina, *Guatemala*, n.º 288.

———

—Méjico. F. de Zúñiga y Ontiveros. 1784.
   8 hs. 16.º

Medina, *México*, VI, n.º 7.432.

—Guatemala. Manuel de Arévalo. 1813. 12
   hojas. 16.º

Medina, *Guatemala*, n.º 1847.

Ejercicio cotidiano

1354

EJERCICIO cotidiano y doctrina
para hacer las obras con la mayor
perfección. Dado a luz por primera
vez por Fr. Ramón Buldú. Barcelona. Libr. y Tip. Católica. 1879. 291
págs. + 2 hs.

OÑATE. *Monasterio de Ntra. Sra. de Arán-*
zazu.

1355

———. Valencia. 1872-75. 6 vols. 4.º

1356

———. Barcelona. 1888.

GRANADA. *Universitaria.* 9-534-40. — SEVILLA.
Colombina. 12-5-26 (N).

1357

———. Madrid. Cisneros. 1975. 124 páginas con ilustr. + 1 h. 15,5 cm.

MADRID. *Nacional.* V-11.098-1; etc.

Aliento de justos

1358

ALIENTO de justos, espejo de per-
fectos, consuelo de pecadores... Madrid. Manuel Martín. 1765.

ZARAGOZA. *Universitaria.* G-11-111.

1359

ALIENTO de justos, espejo de per-
fetos, consuelo de pecadores y for-
taleza de flacos en los trabajos de

Maria Santisima, recopilados de la
V. ———, por Diego del Valle. Madrid. M. Martín. 1770. 328 págs.
21 cm.

MADISON. *University of Wisconsin.*—MADRID.
Consejo. Instituto «P. Flórez». 46-D-11.
Nacional. 2-33.697. — OÑATE. *Monasterio de*
Ntra. Sra. de Aránzazu.—SANTIAGO DE COM-
POSTELA. *Universitaria.*

1360

ALIENTO de justos, espejo de per-
fectos, consuelo de pecadores y for-
taleza de flacos, en los trabajos de
María Santísima, recopilados de...
———... por Diego del Valle. Madrid.
Manuel Martín. 1778. 328 págs. 22 cm.

MADRID. *Nacional.* R-33.697. — MONTPELLIER.
Municipale. 10.003.

1361

———. Madrid. 1830. 6 hs. + 328 págs.
+ 2 hs. 4.º

Palau, I, n.º 3.275.

Novena

1362

NOVENA y duodenario de la Inma-
culada Concepción de María Santí-
sima... que... sacó de los admirables
escritos de la V. ———. Madrid. Andrés Ortega. 1763. 36 + 184 págs. con
música. 14,5 cm.

Ejercicio de la Muerte...

1363

DEVOTISSIMO exercicio de la muer-
te, que la venerable Madre Sor Ma-
ría de Iesus, de Agreda, hazía todos
los días... Méjico. 1683.

V. *BLH*, IX, n.º 2675.

Letanía...

1364

LETANIA y nombres misteriosos de
la Reyna del Cielo, por Miguel Co-
ronel (seud.). Zaragoza. 1664.

V. *BLH*, IX, n.º 370.

1365

LETANIA de Nvestra Señora... Zaragoza. Iuan de Ybar. 1670. 8 hs. 16.º
MADRID. *Nacional.* Mss. 7.618.

Leyes de la Esposa

1366

LEYES de la esposa entre las hijas de Sion dilectisima, ápices de su casto amor. Edición de Santiago Ozcoide y Udave. Barcelona. Herederos de Juan Gili. 1916. 103 págs. 18,5 cm. (Otras obras..., 2).

a) Ivars, A., en *Archivo Ibero-Americano,* VI, Madrid, 1916, págs. 462-67.
BARCELONA. *Universitaria.* 139-7-45. — MADRID. *Particular de «Razón y Fe».* K-IV-286-5.— SORIA. *Convento de PP. Franciscanos.*

1367

LEYES de la Esposa entre los hijos de Sión... Madrid. Libr. Hernando. 1918. 158 págs. 16.º (Biblioteca Universal, 172).

LONDRES. *British Museum.* 739.b.90.

— — —

—1934.

1368

LEYES de la Esposa, conceptos y suspiros del corazón para alcanzar el último y verdadero fin del beneplácito y agrado del Esposo y Señor. Barcelona. Sucs. de J. Gili. 1920. 576 págs. 8.º

AGREDA. *Convento de la Concepción.* — MADRID. *Particular de «Razón y Fe».* K-IV-286-6.

1369

LEYES segundas de la Esposa, conceptos y suspiros del corazón. Madrid. Libr. Hernando. [s. a.].

Escala...

1370

ESCALA para subir a la perfección. Barcelona. Herederos de Juan Gili,

editores. [s. i]. 1915. 128 págs. 18,5 centímetros. (Otras obras..., 1).

Págs. 5-8: Prólogo a esta primera edición de la *Escala,* por Eduardo Royo. («De dos copias de la Escala, pertenecientes al archivo de este convento de Concepcionistas [de Agreda] y deducidas fiel y legalmente por varias personas fidedignas de los escritos originales... tomamos esta Obra.»)

BARCELONA. *Universitaria.* 139-7-46. — MADRID. *Nacional.* 5-11.270. *Particular de «Razón y Fe».* K-IV-286-4. — SORIA. *Convento de PP. Franciscanos.*

Antologías, Compendios, etc.

1371

«*Resumen de las obras de la Esclava del Señor Soror Maria de Jesus... Lo escriuio... Fr. Francisco Aluarez de la Llaue... el año de 1671...*».

Letra del s. XVII. 464 págs. 320 × 208 mm.
Esteve, págs. 44-45.
TOLEDO. *Pública.* Mss. 51.

1372

VIDA y favores del Rey del cielo, hechas al glorioso Patriarcha Señor San Joseph. Trasuntada de las obras de...——, y otros autores, por Agustin de Vetacourt. Méjico. María de Benavides. 1700. 5 hs. + 102 págs. 4.º

Palau, XXVI, n.º 361.223.
LONDRES. *British Museum.* 486.b.26.

TRADUCCIONES

a) ALEMANAS

1373

Geistliche Stadt Gottes, Mirackul Seiner Allmacht, und Abgrund der Gnad. Göttliche Histori und Leben, der Mutter Gottes unser Frauea und Königen Mariae... Augsburg. Johann Caspar Bencards. 1715.

WASHINGTON. *Holy Name College Library.*

— — —

—Augspurg. 1716.
DAYTON. *University of Dayton.*
—Augspurg. 1718.

DAYTON. *University of Dayton.*
—Augspurg. 1740-41. 4 vols.
WASHINGTON. *Holy Name College Library.*

1374

Marianisches Jahr. Das ist: Betrachtungen aus der durch die allerseeligste Jungfrau ihrer dienerin Maria von Jesu... Hrsg. ... Rogerium den Anderen... Augspurg - Franckfurth. G. G. Mundbach von Nördlingen. 1738. 4 vols.
WASHINGTON. *Holy Name College Library.*

1375

AUSZUG aus der geistlichen Stadt Gottes, das ist: Wundervolles und geheimnissreiches Leben Christi und Mariä... Landshut. Jur. Thomann. 1842. 169 págs. 26 cm.
LATROBE. *Saint Vincent College and Archabbey.*

———
—Idem. 1843.
LATROBE. *Saint Vincent College and Archabbey.*

1376

Die Geistliche Stadt Gottes, Leben der jungfräulichen Gottesmutter, userer köning Maria... Aus dem Spanischen übersetz von mehreren Friestern aus der Kongregation des aller heiligsten Erlösers. Regensburg, etc. F. Fustet. 1886. 4 vols. 22 cm.
AGREDA. *Convento de la Concepción.* — ATCHISON. *St. Benedict's College.* —CLEVELAND. *John Carroll Univeristy.* — LATROBE. *Saint Vincent College and Archabbey.*

———
—2.ª ed. Idem. 1893. 4 vols. 22 cm.
ATCHISON. *St. Benedict's College.*
—3.ª ed. Idem. 1907. 4 vols. 23 cm.
DAYTON. *University of Dayton.* — LATROBE. *Saint Vincent College and Archabbey.*

1377

Leben der... María. [*Trad. Franz Vogl*]. Regensburg. 1890.
AGREDA. *Convento de la Concepción.*

1378

Gesetze der braut Christi, wie dieselben von Christus und seiner allerheiligsten Mutter der ehrwürdigen dienerin Gottes Maria von Jesus... Regensbarg. Fr. Fustet. 1892. IV + 136 págs. 16.º
NUEVA YORK. *Union Theological Seminary.*

1379

Mystische Stadt Gottes. Wunder seiner Allmacht und Abgrund der Gnade. Heilige Geschichte und Leben der jungfräulichen Gottesmutter Maria... Reussbähl-Luzern, etc. Immaculata Verlag. 1968-74. 8 vols. 19 cm.
WASHINGTON. *Congreso.* 79A-3840.

b) CROATAS

1380

Mistyczenego Miasta Bozego... Detroit. 1943.
AGREDA. *Convento de la Concepción.*

c) FRANCESAS

1381

La Mistique cité de Dieu, miracle de sa toute puissance, abîme de la grâce, histoire divine et la vie de la Très-Sainte Vierge Marie mère de Dieu... manifestée dans ces derniers siècles par la Sainte Vierge à la sœur Marie de Jésus, abesse du convent de l'Immaculée Conception de la ville d'Agréda... Traduite de l'espagnol, par le P. Thomas Croset. Marsella. H. Martel. 1695.
PARIS. *Arsenal.—Nationale.* D.18141; etc.

1382

La Cité mistique de Dieu, miracle de sa toute puissance, abîme de la grâce, histoire divine et la vie de la Très-Sainte Vierge... manifestée dans ces derniers siècles par la même Sainte

Vierge, à la sieur Marie de Jésus... qui l'a écrite par le commandement de ses supérieurs... Traduite de l'espagnol, par le P. Thomas Croset... Bruselas. F. Foppens. 1715. 3 vols. con un retrato. 4.°.

DAYTON. *University of Dayton.* — LONDRES. *British Museum.* 1501/154. — LYON. *Municipale.* 337.979.—MADRID. *Nacional.* 3-61.963/65.—PARIS. *Nationale.* D.5555.

1383

La Cité mystique de Dieu... Traduite de l'espagnol et abrégée par un docteur de Sorbonne... Nouvelle édition. Aviñón. Seguin aîné. 1819. 2 vols. 12.°.

PARIS. *Nationale.* D. 43347.

1384

La Cité mystique de Dieu, soit la Vie de la T. S. Vierge Marie... Traduite de l'espagnol par le R. P. Croset, revue par un religieux du même ordre. Paris. Vve. Poussielgue-Rusand. 1857. 6 vols. 8.°.

CLEVELAND. *John Carroll University.*—DAYTON. *University of Dayton.*—LONDRES. *British Museum.* 4824.ccc.12.—PARIS. *Nationale.* D.43350.

———

—Reprod. facsímil: Saint-Cénéré. Editions Saint Michel. 1970. 3 vols.

LONDRES. *British Museum.* X.208/3081.—WASHINGTON. *Congreso.* 79-857762.

1385

La Cité mystique de Dieu... Lyon-Paris. Périsse frères. 1860. 2 vols. 12.°.

PARIS. *Nationale.* D. 43348.

1386

Grandeurs et apostolat de Marie, ou la Cité mystique de la vénérable Marie de Jésus... révélation justifiée par de nombreuses annotations basées sur l'Ecriture sainte, les Pères de l'Eglise, la théologie, l'histoire et la science, par le R. P. Séraphin... Paris. De Lossy. 1860-63. 5 vols. 8.°.

LONDRES. *British Museum.* 4867.e.25.—PARIS. *Nationale.* D. 52219.

1387

La Cité mystique de Dieu, vie de la Trés-Sainte vierge Marie... Traduite. par le R. P. Croset; ... revue par un religieux du même, ordre, précédée de la vie de l'auteur. París. Vve. Poussielgue-Rusand. 1862. 6 vols. 8.° (Bibliothèque franciscaine).

PARIS. *Nationale.* D. 43351.

1388

La Cité mystique de Dieu... Lyon-París. Périsse frères. 1862. 2 vols. 12.°

PARIS. *Nationale.* D. 43349.

1390

Abrégé de la douloureuse passion révélee par N. S. lui même... a S. d'Agreda. Traduit de l'Espagnol. Lyon. 1868. 8.°

LONDRES. *British Museum.* 4808.cc.19.

1389

Vie Divine de la très Sainte Vierge Marie... Toulouse. 1916.

AGREDA. *Convento de la Concepción.*

Epistolario

1391

La soeur Marie d'Agréda et Philippe IV roi d'Espagne. Correspondance inédite traduite de l'espagnol d'après un manuscrit de la Bibliothèque Imperiale avec une introduction et des developpements historiques par A. Germond de Lavigne. Paris. Auguste Váton. [Bonaventure et Ducessois]. 1855. LVIII págs. + 1 h. + 299 págs. 17,7 cm.

—Introduction (págs. III-LVIII); Bibliographie; Les Lettres... (págs. 1-222); Appendice: I. Fragments de la Cité Mystique [d'après la traduction publiée en 1695 par le P. Thomas Croset] (págs. 223-77); II. Abrege des disputes causées à l'occasion du livre qui a pour titre *La Mystique Cité de Dieu.* [Brochure in 12° de 21 pages, du commencement du XVIIᵉ siècle] (páginas 279-89).

LONDRES. *British Museum*. 1454.c.18. — MADRID. *Nacional*. 2-30.747 (dedicado por Lavigne a E. de Ochoa). — PARIS. *Nationale*. 8°Oo.182.

———

—*Die Schwester Maria von Agreda und Philipo IV...* Regensburg. G. J. Manz. 1856. 260 págs. 22 cm.

WASHINGTON. *Congreso*. 72-253139.

c) INGLESAS

1392

The admirable life of the glorious patriarch Saint Joseph: to which is added the lives of St. Joachim and St. Anne. Taken from the Cite mystique de Dieu. Tr. from the French of the Abbé J. A. Boullan by Mrs. J. Sadlier. (En Orsini, Mathieu. *Life of the Blessed Virgen Mary*. Nueva York. 1870, págs. 730-831).

VILLANOVA. *Villanova College*.

———

—Nueva York. P. J. Kenedy. [s. a., c. 1885]. 323 págs.

DAYTON. *University of Dayton*.
—Idem. 1895.
—Idem. s. a., 1910? 236 págs.

CLEVELAND. *John Carroll University*. — MUNDELEIN. *Saint Mary of the Lake Seminary*.
—Nueva York. 1972.

1393

DIVINE life of the Most Holy Virgin Mary... Translated from the French of Joseph A. Boullan. Filadelfia. P. F. Cunnigham. 1872. 434 págs. 19 cm.

WASHINGTON. *Congreso*. 57-56117.

1394

CITY of God: popular abridgment of the divine history and life of the Virgin Mother of God... Translated from the original Spanish by Fiscar Marison [seud. de J. Blatter]. Chi-

cago. The Theopolitan. [1915]. 794 págs. 20 cm.

WASHINGTON. *Congreso*. 15-8013 rev.

———

—Santa Fe, N. M. Catholic Information Service of New Mexico. 1949. 4 vols. 20 cm.

DAYTON. *University of Dayton*. — LATROBE. *Saint Vincent College and Archabbey*.

—2.ª ed. Mount Vernon. Rapid Printing Service. 1930. 317 págs.

DAYTON. *University of Dayton*.

—Fresno, Cal. Academy Library Guild. [1958?]. XXI + 577 págs. 20 cm.

BOSTON. *Public Library*.—WASHINGTON. *Catholic University of America Library*.

1395

The life of the Blessed Virgin Mary... Translated from the French of... Joseph A. Boullan. Nueva York. Kenedy. [1920?]. 434 págs.

DAYTON. *University of Dayton*.—SAINT BENEDICT. *Mount Angel College and Abbey*.

1396

The Divine mysteries of the most holy rosary; darly meditations. Wheeling. Corcoran publishing Co. [s. a.]. 3 vols. 20 cm.

LATROBE. *Saint Vincent College and Archabbey*. — WASHINGTON. *Catholic University of America Library*.

d) ITALIANAS

1397

MISTICA Citta di Dio, Miracolo della sua Onnipotenza, & Abbisso della Grazia... Palermo. Nella Regia Stamparia d'Agostino Epiro. 1701-2. 4 volúmenes. 21 cm.

MADRID. *Nacional*. 3-21.722/25.

1398

Mistica Città di Dio, Miracolo della sua Onnipotenza, & Abbiso della Grazia. Istoria divina, e vita della Virgine Madre di Dio, Regina, e Signora nos-

tra Maria SSma. Riparatrice della colpa d'Eva, e Mezzana della grazia. Manifestata in questi ultimi secoli, per mezzo dell'istessa Signora alla sua Serva Suor Maria di Giesù, Abbadessa del Monastero dell'Immaculata Concezione, della Villa d'Agrida... Milán. Nella Regia Ducal Corte, per Marco Antonio Pandolfo Malatesta. [los tomos I, II y IV] y Trento. Giovanni Parone. [los tomos III y V]. 1709. 5 vols. 4.º.

Toda, *Italia*, III, n.º 3.073. (Reproduce el frontis del tomo I).

1399

MISTICA città di Dio o Vita di Maria Vergine. Vi e aggiunta la Vita dell'autrice scritta dal P. Ximenez Samaniego. Trento. G. Paronè. 1713. 5 vols. 24 cm.

DAYTON. *University of Dayton.* — FLORENCIA. *Nazionale.* 15.A.2.15.—GENOVA. *Universitaria.* I.GG.III.28-29.—MADRID. *Facultad de Filología.* 8.275 [el I].

1400

Mistica Citta di Dio... Istoria divina, e vita della Vergine Madre di Dio... Trento. Giovarni Parone. 1714. 4 volúmenes. 4.º.

Toda, *Italia*, III, n.º 3.074.

MADRID. *Facultad de Filología.* 3.315.

— — —

—Idem. 1723.
—Idem. 1731.

1401

MISTICA Città de Dio... Turín. Tip. e Libr. Salesiana. [s. a.]. 5 vols.

AGREDA. *Convento de la Concepción.*

1402

Vita di María Santissima, Madre di Dio e Signora nostra. Rivelata dalla stessa SS. Vergine (come si può piamente e prudentemente credere) alla Venerabile Suor Maria di Ge-

sù... Nuova traduzione italiana... di Antonio Coppola, Accompagnata da preliminari, documenti, annotazioni, ed indici, in parte raccolti dalle altre edizioni, e in parte compilati ed aggiunti dal traduttore; e susseguita dalla vita della serva di Dio, scrittrice dell'opera, nuovamente del pari tradotta dallo spagnuolo. Nápoles. Pe'tipi della Minerva strada s. Anna de' Lombardi, n.º 10. 1827. 16 vols. 4.º.

Toda, *Italia*, III, n.º 3.075.

e) LATINAS

1403

MYSTICA Civitas Dei. Augusta Vindelicorum. 1719.

LONDRES. *British Museum.* 1493.a.1. — PARIS. *Arsenal.*

— — —

—Francfort. 1749.

PARIS. *Arsenal.*

f) PORTUGUESAS

1404

MYSTICA Cidade de Deos. Breve compendio da vida, e mysterios de Maria... Lisboa. Domingos Gonçalves. 1746. XII + 328 + 64 págs. 4.º.

Trad. por Francisco de Fonseca.

DAYTON. *University of Dayton.*—LISBOA. *Nacional.* Res. 3730 P.

ESTUDIOS

BIOGRAFÍA

1405

JIMENEZ SAMANIEGO, Fray JOSE. *Relación de de la vida de* ——, *en Mystica Ciudad de Dios.* Tomo I. Madrid. 1670.

Ediciones posteriores con la misma obra y aparte. (V. *BLH*, XII, núms. 2139-45).

1406

ARBIOL, ANTONIO. *Doxologium sacrum V. Matris Mariae a Jesu de*

Agreda, juxto relata in epilogo brevi ejusdem admirabilis Vitae ab Illustrissimo Domino Samaniego scripto... Opus posthumum. Granada. José de la Puerta. 1738. 22 hs. + 1 lám. + 60 págs. 20 cm.

En los preliminares y al final lleva poesías en honor de Sor María.

MADRID. *Nacional.* 2-12.893.

1407

BRINGAS, DIEGO MIGUEL. *Admirable vida... de... Sor María de Jesús Coronel y Arana (vulgo de Agreda).* 2.ª ed. Santiago. Imp. del Sem. Conc. Central. 1884. 118 págs. 8.º

La primera edición en su *Indice apologético.* 1834. (V. n.º   ).

MADRID. *Nacional.* 4-29.539. — SANTIAGO DE COMPOSTELA. *Universitaria.*

1408

PEREZ, NAZARIO. *La Venerable Sor María de Jesús.* 2.ª ed. corregida. Bilbao. 1913.

AGREDA. *Convento de la Concepción.*

1409

NUEVA vida de la Venerable Sor María de Jesús de Agreda. Barcelona. Herederos de Juan Gili. 1914. 394 págs. 18 cm.

AGREDA. *Convento de la Concepción.* — MADRID. *Facultad de Filología.—Particular de «Razón y Fe».* 1b-IV-217.

1410

FABO DEL CORAZON DE MARIA, PEDRO *La autora de la «Mística Ciudad de Dios».* Madrid. Imp. del Asilo de Huérfanos. 1917.

LONDRES. *British Museum.* Cup. 403.bb.1.— SORIA. *Pública.*

1411

XIMENEZ DE SANDOVAL, FELIPE. *Un mundo en una celda (Sor María de Agreda).* Madrid, etc. Stu-

dium de Cultura. 1951. 190 págs. 20 cm. (Colección Semblanzas).

a) Carpintero, H., en *Celtiberia*, II, Soria, 1952, págs. 309-11.
b) E. de San Juan de la Cruz, Fray, en *Revista de Espiritualidad*, XI, Madrid, 1952, págs. 477-78.
c) Uribe, en *Archivo Ibero-Americano*, XIV, Madrid, 1954, págs. 249-50.
d) *Revista Javeriana*, XL, Bogotá, 1953, pág. 58.

LONDRES. *British Museum.* 04061.b.11. — MADRID. *Facultad de Filología. — Nacional.* 1-136.114.—SORIA. *Pública.*

1412

ZAMORA LUCAS, FLORENTINO. *La Madre Agreda y su Convento. (Correspondencia y visitantes).* (En *Celtiberia*, XV, Soria, 1915, págs. 41-75).

1413

KENDRICK, THOMAS D. *Mary of Agreda. The life and legend of a Spanish nun.* Londres. Routlege and Kegan Paul. [1967]. XII + 178 págs. 22 cm.

LONDRES. *British Museum.* X.100/5061.—MADRID. *Nacional.* 1-121.565; etc.

1414

CARRICO, JAMES A. *Life of Venerable Mary of Agreda, author of The mystical city of God, the autobiography of the Virgin Mary.* San Bernardino, Cal. Crestline Book Co. [s. a., 1962]. 100 págs. con ilustr. 21 cm.

WASHINGTON. *Congreso.* NUC 64-62497.

La «bilocación» y presencia en Méjico

V. Pérez-Rioja, *Proyección...*, págs. 42-46.

Enterramiento. Culto

1415

RECONOCIMIENTO y traslación del cuerpo de la Sierva de Dios, la V. M.

Sor María de Jesús de Agreda, verificados el día 13 de septiembre de 1909. Barcelona. 1909. 8.º

SORIA. *Pública.*

1416

AÑIBARRO, VICTOR. *El sepulcro de la Madre Agreda y un Breve de Inocencio XI.* (En *Archivo Ibero-Americano.* Madrid. 1945, págs. 438-443).

1417

GARCIA ROYO, LUIS. *Lirio en el Moncayo. Sor María de Jesús de Agreda. Conferencias...* [Logroño. Cantabria]. 1946. 160 págs.

MADRID. *Nacional.* 4-42.350.

Varios

1418

GARCIA ROYO, LUIS. *La aristocracia española y Sor María de Jesús de Agreda.* Madrid. Espasa-Calpe. 1951. 280 págs. + 1 h. + 2 láms. 19 cm.

a) Carpintero, H., en *Celtiberia*, II, Soria, 1952, págs. 154-56.
b) Cuevas, M. A., en *Arbor*, XXVII, Madrid, 1954, págs. 116-17.
c) Montañez, M., en *Hispania*, XII, Madrid, 1952, págs. 453-54.
d) P[eers], E. A., en *Bulletin of Hispanic Studies*, XXIX, Liverpool, 1952, pág. 176.
e) Uribe, en *Archivo Ibero-Americano*, XIV, Madrid, 1954, págs. 249-50.

LONDRES. *British Museum.* 4867.de.61. — MADRID. *Nacional.* 1-104.814; etc. — SORIA. *Pública.*

1419

OMAECHEVARRIA, IGNACIO. *Sor María de Jesús de Agreda y la devoción de la divina Peregrina.* (En *Archivo Ibero-Americano*, XXVII, Madrid, 1967, págs. 219-27).

Información sobre su vida.
Causas de beatificación
y de canonización

1420

[*Causas de beatificación y canonización*].

Documentos originales.

TARAZONA. *Archivo del Palacio Episcopal.*

1421

[*Documentos relativos a sus procesos de beatificación y canonización*].

Uribe, págs. 273-79.

ARANZAZU. *Monasterio.*

1422

CONGREGATIONE Sacrorvm Ritvvm, sive Eminentissimo, ac Reuerendissimo D. Car. Portocarrero. Tirazonen. Beatificationis, & Canonizationis Ven. Seruae Dei Sororis Mariae de Iesu Abbatissae Conuentus Immaculatae Conceptionis Beatiss. Virginis de Agreda... Informatio super contentis in processu authoritate ordinaria Episcopi Tirasonen. peracto prointroductione Causae. Roma. Typ. Reu. Camerae Apostolicae. 1672. 90 págs. Fol.

Toda, *Italia*, III, n.º 3.076.

1423

«*Interrogatorio para la beatificacion y canonizacion de la Venerable Mare... Sor Maria de Jesus... y Declaracion juramento y daho de uno de los testigos... Fray Andres de Fuenmayor... Toledo. 1776*».

Esteve, págs. 43-44.

TOLEDO. *Pública.* Mss. 50.

1424

[*PROTESTASE, qve no se pretende culto ninguno a esta Sierva de Dios, ni por este Interrogatorio, ni por el Proceso. Interrogatorio, por donde han de ser examinados los testigos, qve fveren presentados por el P. Fr. Martin de Sobejano... en la informacion sumaria, que se ha de hazer... de la Vida, Virtudes, y Milagros, y obras maravillosas, que Dios nuestro señor se ha servido de obrar por medio de la Venerable Virgen, y Sierva suya Sor Maria de Iesvs...].* [Zaragoza. Iuan de Ybar]. [1666]. 28 págs. 30 cm.

MADRID. *Nacional.* V.E.-216-29.

1425

[FUENMAYOR, ANDRES DE]. «*Dichos del P. Fr. Andres de Fuen Maior en el processo formado por authoridad apostolica para la Canonizacion de la Venerable Madre Sor Maria de Jesus...*».

Letra del s. XVIII. 175 fols. 215 × 155 mm. Esteve, pág. 216.

TOLEDO. *Pública.* Mss. 287.

1426

———. [*Declaración...*].

Letra del s. XVII. 173 hs. Se conservaba en la biblioteca del Centro de Estudios Históricos, de Madrid. (V. Gili Gaya, Samuel. *Un manuscrito referente a Sor María de Agreda,* en *Revista de Filología Española,* XIV, Madrid, 1927, págs. 182-83).

1427

SACRA Ritvvm Congregatione particvlari EEmorum. et RRmorum. DD. Cardenalium Pico Ponentis, Corradini, Gotti, Gentili, Gradagni, et Pieri; atque RRmorum. DD. Consultorum De Hieronymis, Cavalchini, et P. Abbatis Besozzi Ordinis Cisterciensium a Sanctissimo Domino Nostro Deputata in cavsa Tirasonen. Beatificationis, et Canonizationis Ven. ancillae Dei sororis Mariæ a' Iesv de Agreda pro vltima decisione Opusculorum prædictæ Servæ Dei. Responsio ad nouas Censuras, in Congressu habitu in Ædibus dicti Emi. Ponentis die 2 Ianuarii 1734... Roma.

Typ. Reverendae Camerae Apostolicae. 1736. 1 h. + 360 págs. 31 cm.

MADRID. *Nacional.* 3-77.168.

1428

[*Expediente sobre los escritos de la M. Agreda*].

Año 1683. Original. 15 hs. 315 × 215 mm. Autos hechos en Pamplona y Logroño. Publicado por Ivars (1917) y Campos (1966). Castro, n.° 742.

MADRID. *Nacional.* Mss. 18.675[26].

1429

[*BREVES adnotationes super Decreto, quod nuperrimè editum est in Causa Vener. Sor. Mariæ a Jesu de Agreda*]. [s. l.-s. i.]. [s. a.]. Una hoja. 19,5 cm.

Carece de portada.

—Texto.

MADRID. *Nacional.* Mss. 20.973 (fol. 983).

1430

POU Y MARTI, JOSE MARIA. *El arzobispo Eleta y el término de la causa de la Ven. María de J. de Agreda.* (En *Archivo Ibero-Americano,* XI, Madrid, 1951, págs. 455-73; XII, 1952, págs. 347-65).

INTERPRETACIÓN Y CRÍTICA

1431

[ESCARTIN, MIGUEL]. *Carta del Obispo de Tarazona al Padre General de la Orden de San Francisco, dándole su parecer elogioso sobre los escritos de la M. María de Jesús de Agreda.*

Copia de la segunda mitad del s. XVII. Fol.

Cuartero-Vargas Zúñiga, XXV, n.° 38.794.

MADRID. *Academia de la Historia.* 9-138 (folios 102-3).

1432

PALAFOX, FR. JUAN DE. *Parecer sobre los escritos de la M. María de*

Jesús de Agreda, ponderando su sencillez, llaneza, términos, modos y lenguaje.

Copia de la segunda mitad del s. XVII. Fol.

Cuartero-Vargas Zúñiga, XXV, n.º 38.792.

MADRID. *Academia de la Historia.* 9-638 (folios 95-r-99v).

1433

SAC. *Ritvvm Congregatione particvlari a Sanctissimo depvtata Emorum. et Rmorum. DD. Cardinalium Bellvga Ponentis, Pico, Cienfvegos, Gotti, et Cybò in cavsa Tirasonen. Beatificationis, et Canonizationis Ven. ancilla Dei Sororis Mariæ a' Iesv de Agreda pro examine Respontionis ad censuram olim editam super libris misticæ Ciuitatis Dei ab eadem ven. Serua Dei exaratis, et de speciali mandati Summorum Pontificum Innocentii XII et Benedicti XIII Seraphicæ Minorum Religioni communicatam.* Roma. Typ. Reu. Camerae Apostolicae. 1730. 2 hs. + 324 + 94 + 33 págs. 31 cm.

MADRID. *Facultad de Filología.* 30.859; etc. *Nacional.* 2-20.058.

1434

FERNANDEZ BREMON, JOSE. *La Venerable Sor María de Jesús. (La monja de Agreda).* Madrid. 1866, 1.º, págs. 300, con dos grabados).

1435

IVARS, ANDRES. *Expediente relativo a los escritos de la Ven. M. Sor María de Jesús de Agreda. (En Archivo Ibero-Americano,* VIII, Madrid, 1917, págs. 131-42).

1436

MONNER y SANS, RICARDO. *Ideas políticas y morales de Sor María de Agreda.* Buenos Aires. Imp. de la Universidad. 1926. 29 págs. 4.º

SORIA. *Pública.*

1437

ROYO, ZÓTICO. *Una gran misionera.* Granada. 1929.

SORIA. *Pública.*

1438

ROYO, ZÓTICO. *El clasicismo literario de la Madre Agreda.* Granada. 1934.

SORIA. *Pública.*

1439

XIMENEZ DE SANDOVAL, F. *Sor María de Jesús de Agreda, la abadesa de las cartas. (En Varia historia de ilustres mujeres...* Madrid. 1949. Págs. 243-51).

MADRID. *Nacional.* 1-202.165.

1440

GONZALEZ, ANTONIO. *Ideas políticas de Sor María de Agreda. (En Unitas,* XXII-XXIII, Manila, 1950).

Tirada aparte: Manila. Impr. de la Universidad. 1950. 166 págs. 8.º

1441

DONAHUE, WILLIAM H. *Mary of Agreda and the Southwest United States. (En The Americas,* IX, Washington, 1953, págs. 291-314).

1442

OMAECHEVARRIA, IGNACIO. *Un ejemplo maravilloso de contemplación misionera: Sor María de Jesús de Agreda. (En Missionalia Hispanica,* X, Madrid, 1953, págs. 585-94).

1443

CONRADO DE PAMPLONA, FRAY. *Impulso de la Madre Agreda en la definición del Dogma de la Inmaculada por Medio de Felipe IV. (En Estudios Franciscanos,* LX, Barcelona, 1959, págs. 41-65).

1444

CAMPOS, JULIO. *La Venerable Madre Agreda y su obra en Navarra.*

(En *Analecta Calasanctiana*, VII, Madrid, 1965, págs. 303-93).

1445

GARCIA ROYO, LUIS. *La Filosofía en Sor María de Jesús de Agreda.* (En *Celtiberia*, XV, Soria, 1965, páginas 145-52).

1446

OMAECHEVARRIA, IGNACIO. *La Madre Agreda, una gran figura desconcertante.* (En *Verdad y Vida*, Madrid, 1965, n.º 90, págs. 321-51).

1447

OMAECHEVARRIA, IGNACIO. *La Madre Agreda entre los indios de Texas.* (En *Celtiberia*, XV, Soria, 1965, págs. 7-22).

1448

PINAGA, ANESIO. *La Venerable Madre Agreda, escritora.* (En *Celtiberia*, XV, Soria, 1965, págs. 123-38).

1449

GARRIDO, JULIO. *La escala para subir a la perfección y la venerable María de Jesús de Agreda.* (En *Revista de Soria*, Soria, 1969, n.º 8, págs. 67-70).

Mística ciudad de Dios

1450

[*Escritos y documentos referentes a la «Mística Ciudad de Dios»*].

Uribe, págs. 279-97.
ARANZAZU. *Monasterio.*

1451

SATISFACION *por la Religión de S. Francisco a los Reparos hechos contra los libros de la Virgen escritos por* ——. Madrid. Bernardo de Villa-Diego. 1680. 153 págs. 29,5 cm.

GENOVA. *Universitaria.* 1.BB.VII.14. — LONDRES. *British Museum.* 4284.e.6. — MADRID. *Nacional.* 2-35.585; etc.

1452

CENSURA *de la Sacra Facultad de Teología Parisiense dada contra el libro que se intitula «Mystica Ciudad de Dios», escrita por Sor María de Agreda.* Marsella. 1695. 12 págs. 4.º

1453

REPONSE *a un libelle contre la Venerable Mere Maria de Jesus, abesse du monastere de l'Immaculé Conception de la ville d'Agreda...* París. 1696. 84 págs. 12.º

Palau, XVI, n.º 261.458.

1454

«*Sonnet aux docteurs de Paris sur la condemnation du livre attribué à Marie d'Agreda. 1696*».

Pr.: «La clique qui s'échauffe et ne cherche en Sorbonne...».

V. Martin, Henry, *Cat. des ms. de la bibliothèque de l'Arsenal*, VI, 1892, pág. 252, número 6545.

PARIS. *Arsenal.* Recueil Tralage. Tome V, folio 27.

1455

CENSURA *censurae seu Confutatio sententiae DD. Deputatorum Facultatis Theologiae Parisiensis De Propositionibus per illos exceraptis è Tomo primo Vitae SS. Virginis, Hispanicâ Linguâ editae à Venerabili Matre Mariâ à Jesu Abbatissâ Monasterii immaculatae Conceptionis Civitatis de Agreda, & Gallicè redditae à R. P. Thomâ Croset Recollecto: cui expressus Latinè Titulus est,* Mystica Civitas Dei &c. *Cum observationibus et notis in censuram, quae sub ementito Facultatis Theologiae Parisiensis nomine, vulgata est.* Coloniae Agrippinae. [s. i.]. 1697. 2 hs. + 96 págs. 22 cm.

MADRID. *Nacional.* 2-24.590.—ZARAGOZA. *Universitaria.* G-1-36.

1456

[FRIAS, PEDRO DE FR. FRANCIS-CO DE ESPAÑA y FR. JUAN DE LODOZA]. *Sagitta in Saggitarivm, seu quorumdam Parisensium Censura Propositiones qvasdam V. Servae dei Mariae á Iesu Agrediensis, trimenti calamo temerans, per propiam eiusdem Virginis Provinciam funditus, eversa, atque in Authores retorta. Provincia Bvrgensis Fratrvm Minorvm de Observantia. Pro Filia sua dilectissima Maria.* Burgos. [s. i.]. 1697. 208 págs. 4.º

Los nombres de los autores constan en la Licencia de la Orden.

MADRID. *Nacional.* 7-13.810.—SANTIAGO DE COMPOSTELA. *Universitaria.*

1457

ARBIOL, ANTONIO. *Certamen Marianum Parisiense, vbi veritas examinatur in Splendoribvs Sanctorvm, et opvs mirabile Mysticae Civitatis Dei, a censvra Doctororum, a Sacra Facultate Parisiensi Depuratorum, exagitatur liberum...* Zaragoza. Manuel Román. 1698. 24 hs. + 472 págs. + 8 hs. 20 cm.

V. *BLH,* V, n.º 3823.

1458

BECERRA Y CLAROS, FELIPE. *Oppugnatae Mysticae Civitatis Dei Propugnatio in ea quaedam propositiones decerptae à primo tomo Mysticae Civitatis Dei, edita Hispano idiomata a V. Matre de Agreda.* Granada. 1698. 5 hs. + 247 págs. + 13 hs. 4.º

V. *BLH,* VI, n.º 3570.

1459

CAVERO, JOSE NICOLAS. *Antiagredistae Parisienses expvgnati, sive, Apologeticae dissertationes adversvs qvosdam parisienses, censuris insec-* *tatus complutis Propositiones, a V. M. Maria a Iesu, vulgo de Agreda, sua Prima Parte Mysticae Civitatis Dei assertas.* Zaragoza. Domingo Gascón. 1698. 30 hs. + 264 págs. + 2 hs. 20 cm.

V. *BLH,* VII, n.º 7521.

1460

NOVOA, GABRIEL DE. *Palaestra Apologetica Mariana, in qua a censura sub ementito sacrae Facultatis Theologiae Parisiensis nomine evulgata, quaedam Propositiones decerptae e Primo Tomo Mystice, Civitatis Dei, editae Hispano idiomate a V. Matr. de Agreda vindicatur, necnon maiestas gratiarum, Reginae Angelorum, imo & fama almae Universitatis Parisiensis. Elvcubrata por ——.* Salamanca. [Eugenio Antonio García]. 1698. 33 hs. + 156 págs. 20 cm.

SALAMANCA. *Universitaria.* 23.970; etc.

1461

——. *Palestra Mariana Apologetica. Secvundo edita, et longe avcta, in qva a Censura... Facultatis Theologiæ Parisiensis evulgata, qvædam propositiones excerptæ e Primo Tomo Mysticæ Civitatis Dei, edito Hispano Dialecto a V. M. Maria a Iesv, vulgo de Agreda, et Gallicé reddito a R. P. Thoma Croset.* Salamanca. María Estévez. 1699. 2 vols. 20,5 cm.

MADRID. *Nacional.* 3-68.438/39; etc.—SANTIAGO DE COMPOSTELA. *Universitaria.*

1462

GARCIA Y CASTILLA, FR. FRANCISCO. *Censura Complutensis censurae parisiensis, circa primvm tomvm Mysticae Civitatis Dei & Vitae Deiparae, per Ven, Matrem Agredanam Hispano idiomate delineate.* Alcalá de Henares. 1699. 40 págs. 4.º

1463

RODRIGUEZ FEIJOO, ANTONIO. *Catholicum Mysticæ Dei Civitatis praesidivm apologeticvm, et delatorium... impugnans cujusdam nebulonis libellum... cujus est inscriptio:* «Censura sacrae Facultatis Theologiae Parisiensis...». Salamanca. Eugenio Antonio García. 1790. 20 hs. + 634 + 37 págs. 30 cm.

MADRID. *Nacional.* 3-63.586.—SANTIAGO DE COMPOSTELA. *Universitaria.*

1464

SANTA MARIA, FRANCISCO DE. *Copia de carta escrita en Roma, en el mes de julio desde presente año de 1705 a vn devoto de la V. M. María de Jesús de Agreda.* [s. l.-s. i.]. [s. a.]. Una hoja impresa solamente por el recto. 31 cm.

—Texto, fechado en Roma, a 4 de julio de 1705. Sobre la inclusión, en la nueva edición del *Index romano* de 1704, de la *Mystica*, que ya figuraba en unos Apéndices hechos en 1692 y 1696 a la edición de 1681. Reclamación del embajador duque de Uceda al Papa, que tras informe de la Congregación que se ocupa de los libros de la autora, ordenó retirar ese título.

MADRID. *Nacional.* Mss. 6.732 (fol. 249).

1465

«Memoriale circa la proibizione dei libri della v.m. María d'Agreda».
Letra del s. XVII. 8 fols.
Gómez Pérez, n.º 307 (2).

ROMA. *Nazionale.* Mss. Vitt. Eman. 838.

1466

ARBIOL, ANTONIO. *España feliz por la milagrosa venida de la Reyna de los Angeles María Santíssima, viviendo avn en carne mortal, a la dichosa Ciudad de Zaragoza; segun la refiere ilustrada del Cielo (como piadosamente creemos) la V. M. María de Jesus de Agreda, en la Divina Historia de la Mystica Ciudad de Dios. Con algvnas reflexiones pacificas sobre la pura letra, y espiritu de la misma Divina Historia...* Zaragoza. Pedro Carreras. 1718. 82 hs. + 555 págs. + 10 hs. 20 cm.

BARCELONA. *Universitaria.* C.215-6-25.—MADRID. *Nacional.* 3-65.278.—PALMA DE MALLORCA. *Pública.*—ZARAGOZA. *Universitaria.*

1467

FERNANDEZ DEL RIO, MANUEL. *Sac. Ritvvm Congregatione Particvlari a' Santissimo Depvtata. Em. et Rm. DD. Cardinalium Belluga ponentis, Pico, Cienfuegos, Gotti, et Cybó, in causa Tirasonen. Beatificationis et Canonizationis Ven. ancillae Dei Sorores Mariae a' Iesv de Agreda...* Roma. Typ. Reuerendae Camarae Apostolicae. [1730]. 8 hs. + 20 + 324 + 94 + 34 págs. 8.º

———

—Idem. 1737. 176 págs. Fol.

1468

PABLO DE ECIJA, FRAY. *Escudo apologético con que se rebaten los injustos golpes de censura, con que cierto Predicador pretendió borrar de la piadosa memoria de los Fieles la celestial Doctrina, con que la V. Madre de Jesús... explica... la Encarnación del Divino Verbo.* Granada. Joseph de la Puerta. [s. a.]. 12 hs. + 28 págs. 19,5 cm.

Licencias de 1732.

—Texto, que comienza: «Aviendo cierto religioso predicado un Sermón de nuestra Señora en una Villa de la Abadía de Alcalá la Real, dixo en el Púlpito, explicando el Mysterio de la Encarnación, que la opinion que afirma: fue formado el Cuerpo de Christo N. Sr. de tres gotas de Sangre del Corazón de María Santíssima, era una doctrina ap5crifa, inseguible, y vulgaridad. Y como dicha doctrina es expressa de la V. M. María de Agreda...».

MADRID. *Nacional.* V-439-17.

1469

GONZALEZ DE TORRES, EUSE-
BIO. *Rayos de luz que iluminan y
defienden la mystica ciudad de
Dios: consagrados a su inmaculada
madre.* Madrid. Rodríguez. 1733. 16
hojas + 68 págs. 4.º

MADRID. *Nacional.* 2-52.217.

1470

PABLO DE ECIJA, FRAY. *Sagrado
inexpugnable muro de la Mystica
Ciudad de Dios... Con un Tratado-
Apéndice Alegorica Torre de David.*
Madrid. Imp. de la Causa de la Ve-
nerable Madre María de Jesús de
Agreda. 1735. 94 hs. + 248 págs. a
2 cols. + 4 hs. 29,5 cm.

Al fin: «Digression al Catalogo de los Varones ilustres citados en estos dos Libros,
los quales en sus apreciables escritos y
dichos hay honrado, venerado y aprobado la doctrina Celestial de la Ven. ——».

MADRID. *Nacional.* 3-63.049; etc.

1471

*LETTRE sur la censure faite en
Sorbonne du Livre de Marie d'Agre-
da.* [s. l.-s. i.]. [1737]. 14 págs. 4.º
Apología.

SANTIAGO DE COMPOSTELA. *Universitaria.* Varios, n.º 14.

1472

DOMINGO DE SAN PEDRO DE
ALCANTARA, FRAY. *Palma victoriosa de la Mystica Ciudad de Dios,
contra un Satanás enmascarado.* Salamanca. Antonio Villagordo. 1741.

MADRID. *Nacional.* 3-11.763.

— — —

—2.ª impressión añadida. Salamanca. Antonio Villagordo. 1743. 22 hs. + 276 páginas + 2 hs. + 36 págs. + 12 hs. 20 cm.
Se añade al fin, como Apéndice (36 págs.),
un Tratado expositivo latino sobre los siete lugares de Escritura relativos al Misterio de la Inmaculada Concepción y otro

Apologético contra un «Papelón Anonymo»,
del mismo autor que el primero.

MADRID. *Nacional.* 3-53.979.

1473

GONZALEZ MATHEO, DIEGO. *Mystica Civitas Dei vindicata ab observationibus R. D. Ensebii Amort...
Ipsæ observationes examinantur, &
vanæ, atque captiosæ demonstran-
tur per R. P. Fr. ——. Editio prima
in Germania. Augustæ Vindelicorum
et Oeniponti. Sumpt. Mathiæ Wolf-
fii. 1748. 24 hs. + 553 págs. + 10 hs.
19,5 cm.

MADRID. *Nacional.* 2-26.308.

1474

DOMINGO DE SAN PEDRO DE AL-
CANTARA, FRAY. *Muro invencible
mariano contra los tiros de un mu-
rador disfrazado...* Salamanca. Antonio Joseph Villagordo. 1747. 22 hs.
+ 407 págs. 20,5 cm.

Respuesta a Lampridio Muratore.

MADRID. *Nacional.* 3-68.129.

1475

AMORT, EUSEBIO. *Controversia de
Revelationibus Agredanis explicata,
cum Epicrisi ad ineptas earum Revelationum Vindicias, editas á P. Di-
daci Gonzalez Matheo & a P. Landelino Mayr...* Augustae Vind. Herbipoli. Sumpt. Martini Veith. [1749].
XXXVIII + 788 págs. 4.º

MADRID. *Nacional.* 3-69.258/59.—PARIS. *Nationale.* D.3673.—SANTIAGO DE COMPOSTELA. *Universitaria.*

1476

KICK, DALMATIUS. *Revelationum
Agredanarum justa defensio cum
moderamine inculpatæ tutelæ, in
qua non solum Controversia Anti-
Agredana in controversiam vocatur;
sed et plurimæ defficultates ex Theologia Scholastica, Positiva & Mysti-*

ca... examinantur a P. ——... Ratisbona. Sumpt. Ægidis Bernardi Gastl. 1750. 834 págs. 4.º

SANTIAGO DE COMPOSTELA. *Universitaria.*

— — — —

—Madrid. Typ. Causae. 1754. 3 vols.

MADRID. *Nacional.* 3-64.336/38; etc.

1477

AMORT, EUSEBIO. *Nova demonstratio de falsitate revelationum Agredanarum, cum parallelo inter pseudoevangelia et easdem revelationes, addita excussione novae defensionis Agredanae ab... Dalmatio Kick.* Augustae et Herbipoli. Apud Martinum Veith. 1751. 126 págs. 21 cm.

MADRID. *Nacional.* U-895.—PARIS. *Nationale.* Hz. 696.

1478

GONZALEZ MATHEO, DIEGO. *Apodixis Agredana pro Mystica Civitate Dei technas detegens eusebianas.* Madrid. Ex Typographia Causae Venerabilis Matris Mariae à Jesu de Agreda. 1751. 28 hs. + 638 págs. a 2 columnas + 7 hs. 30,5 cm.

Castro, *Notas...,* pág. 72.

AGREDA. *Convento de la Concepción.* — MADRID. *Nacional.* 2-11.631.

1479

ANDRES, ISIDORO FRANCISCO. *Oracion gratulatoria, que en la solemne fiesta que celebro la... Villa de Agreda, por el favorable Decreto de la Sagrada Congregacion de Ritos, en que se declara que la V. M. Maria de Jesus escribio la obra intitulada «Mystica Ciudad de Dios», dixo... dia 17 de Agosto de 1757...* Zaragoza. Francisco Moreno. [1757]. 2 hs. + 32 págs. 20 cm.

Jiménez Catalán, *Tip. zaragozana del siglo XVIII,* n.º 849.

VALENCIA. *Universitaria.* Var. 80 (15).—ZARAGOZA. *Universitaria.*

1480

FIGUEROA, JOSE DE. *Obsequiosa reverente expresión que en fuerza del Decreto pontificio, se declara ser de... María de Agreda... la «Mística Ciudad de Dios».* Madrid. 1757. 7 hs. 4.º

En verso.

LONDRES. *British Museum.* 11451.a.38(2). — SEVILLA. *Facultad de Letras.* Caja 99 (12).

1481

[*NOTA sobre las impugnaciones de las doctrinas de Sor María de Agreda publicadas en los años 1730-1736 por Ferreras y Nasarre*].

Letra del s. XVIII. 3 hs. 210 × 150 mm.

MADRID. *Nacional.* 2-24.590 (al fin).

1482

«*Dictamen sobre el breue de Benedicto XIV, condenando la obra "Mística ciudad de Dios" de la Madre Agreda*».

Fechado en San Ildefonso, a 13 de agosto de 1774. 131 págs. 200 × 140 mm.

Castro, n.º 539.

MADRID. *Nacional.* Mss. 13.538.

1483

[*Apología por la Mística ciudad de Dios de Sor M.ª de Jesús de Agreda, presentada al Supremo Consejo de la Inquisición de España por la Religión de San Francisco*].

Letra del s. XVIII. 2 vols. 305 × 210 mm. Castro, n.º 465.

MADRID. *Nacional.* Mss. 12.306/7.

1484

BRINGAS, DIEGO MANUEL. *Indice apologético de las razones que recomiendan la obra intitulada «Mística Ciudad de Dios» escrita por la Ven. M. Sor María de Jesús Coronel y Arana, con varias cartas apologéticas, escritas en defensa de la misma obra, por algunos sabios franceses y un apéndice que contiene la supuesta y despreciable Censura falsamente atribuida al Ilmo. Sr. Bossuet, con un resumen de la admirable vida de la misma Venerable Madre.* Valencia. Brusola. 1834. 2 hs. + 1 lám. + X + 369 págs. 4.º

MADRID. *Nacional.* 1-11.451.

1485

ARRILLAGA, BASILIO. *Defensa de la Mistica Ciudad de Dios de... —— contra la censura que en nombre propio y bajo el de el illmo. Bossuet ha publicado «El Constitucional»...* Méjico. 1844. 72 págs. 8.º

LONDRES. *British Museum.* 4183.f.17.

1486

ANTONIO MARIA DA VICENZA, FRAY. *Della mistica città di Dio, scritta dalla Ven. Suor Maria di Gesù di Agreda... Allegazione storico-apologetica...* Bolonia. 1873. 150 páginas. 8.º

LONDRES. *British Museum.* 4379.g.12.

1487

ROYO, E. *Autenticidad de la «Mística Ciudad de Dios»...* 1914.

1488

IVARS, A. *Cuestionario. ¿Cuándo escribió la Ven. Sor María de Jesús de Agreda, por primera vez, su «Mística Ciudad de Dios»? ¿Cuándo y por qué motivo la quemó?* (En *Archivo Ibero-Americano*, XVI, Madrid, 1921, págs. 220-36).

1489

ROYO CAMPOS, ZÓTICO. *Agredistas y antiagredistas. (Estudio histórico-apologético).* Totana. [s. i.]. 1929. 470 págs. 23 cm.

a) Bidagor, R., en *Razón y Fe*, CX, Madrid, 1930, págs. 565-66.

b) Colunga, A., en *La Ciencia Tomista*, XLI, Salamanca, 1930, pág. 139.

c) Ivars, A., en *Archivo Ibero-Americano*, Madrid, 1930, págs. 229-30.

MADRID. *Particular de «Razón y Fe».* Ib-III-164.—SORIA. *Pública.*

1490

MONASTERIO, FELIX M. *El Corazón de María en la «Mística Ciudad de Dios».* Barcelona. Gráf. Claret. 1950. 106 págs. + 1 h. 14 cm.

1491

CAMPOS, JULIO. *Para la historia interna de la «Mística ciudad de Dios». Fray Andrés de Fuenmayor, director espiritual de la M. Agreda.* (En *Hispania*, LXXI, Madrid, 1958, págs. 210-236).

a) Pérez-Rioja, José Antonio, en *Celtiberia*, Soria, 1958, n.º 16, págs. 298-300.

1492

ENRIQUE DEL SAGRADO CORAZON, FRAY. *La Corredención mariana a través de una controversia teológica del siglo XVII.* (En *Estudios Marianos*, XIX, Madrid, 1958, páginas 219-41).

1493

CAMPOS, JULIO. *Para la historia externa de la «Mística Ciudad de Dios». Fray José de Falces, procurador de los libros de M. Agreda.* (En *Salmanticensis*, VI, Salamanca, 1959, págs. 273-321).

1494

MARTINEZ, ANGEL. *La Inmaculada Concepción en la «Mística Ciudad de Dios», de la Madre Agreda.* (En *Verdad y Vida*, XXII, Madrid, 1964, n.º 88, págs. 645-65).

1495

CAMPOS, J. *Los PP. Juan de la Palma, Pedro Manero y Pedro de Arriola y la «Mística ciudad de Dios».* (En *Archivo Ibero-Americano*, XXVI, Madrid, 1966, págs. 228-34).

1496

MARTINEZ, ANGEL. *Introducción al estudio teológico de la «Mística Ciudad de Dios».* (En *Celtiberia*, XVII, Soria, 1967, págs. 13-36).

1497

MARTINEZ MOÑUX, ANGEL. *María signo de la creación, receptora de los méritos de Cristo. La cooperación mariana a la redención según la «Mística Ciudad de Dios».* (En *Verdad y Vida*, XXVI, Madrid, 1968, págs. 135-78).

1498

VILLASANTE, LUIS. *La «Mística Ciudad de Dios» y el problema de las revelaciones privadas.* (En *Scriptorium Victoriense*, XIX, Vitoria, 1972, págs. 35-62).

Correspondencia con Felipe IV

1499

R[ODRIGUEZ] DE BERLANGA, MANUEL. *Sor María de Agreda y su correspondencia con Felipe IV*. Málaga. [Imp. del «Correo de Andalucía»]. 1886. 113 págs. 25,5 cm.

MADRID. *Consejo. Patronato «Menéndez Pelayo».* 22-200. *Nacional.* 1-2.995 (dedicado a Juan F. Riaño y con ex libris de Gayangos).—SORIA. *Pública.*

1500

SILVELA, FRANCISCO. *Sor María de Agreda y Felipe IV. Bosquejo histórico.* 1886.

1501

SANCHEZ DE TOCA, JOAQUIN. *Felipe IV y Sor María de Agreda. Estudio crítico.* Madrid. Tip. de los Huérfanos. 1887. 400 págs. 17,5 cm.

LONDRES. *British Museum.* 9181.a.11.—MADRID. *Nacional.* 3-7.822.

1502

BOUVIER, RENÉ. *Philippe IV et Marie d'Agreda. Confidences royales.* Paris. Fernand Sorlot. [1939]. 272 páginas + 2 hs. + 2 láms. 20 cm.

AGREDA. *Convento de la Concepción.*—LONDRES. *British Museum.* 10635.d.28.—MADRID. *Nacional.* 1-102.414.

1503

CONDE, CARMEN. *Una monja que escribe y aconseja. Reinado de Felipe IV. Sor María Jesús de Agreda.* (En *Cuadernos de Literatura*, VI, Madrid, 1949, págs. 261-73).

1504

VILLASANTE, LUIS. *Sor María de Jesús de Agreda a través de su correspondencia con el Rey.* (En *Archivo Ibero-Americano*, XXV, Madrid, 1965, págs. 145-72).

1505

ROYO, ZÓTICO. *Una monja y un rey.* (En *Celtiberia*, XV, Soria, 1965, págs. 23-39).

1506

VILLASANTE, LUIS. *Sor María de Jesús de Agreda a través de su correspondencia epistolar con el Rey. En el III centenario de su muerte.* (En *Archivo Ibero-Americano*, XXV, Madrid, 1965, págs. 145-72).

1507

VILLASANTE, LUIS. *Sor María de Jesús de Agreda, consejera espiritual del rey Felipe IV a través de su co-*

rrespondencia epistolar. (En *Verdad y Vida*, Madrid, 1965, n.º 92, páginas 687-99).

1508

GAIBROIS DE BALLESTEROS, MERCEDES. *Una monja y un rey: Sor María de Agreda.* [Madrid]. Edic. Historia. [Tip. Yagües]. [s. a.]. 38 páginas. 11 cm. (Col. Figuras Históricas).

MADRID. *Consejo. General.*

1509

SECO SERRANO, CARLOS. *La monja y el rey.* (En *Historia y Vida*, I, Barcelona-Madrid, 1968, n.º 4, páginas 58-73).

Otras cartas

1510

CAMPOS, J. *La V. M. Agreda y dos obispos de Albarracín.* (En *Salmanticensis*, XIV, Salamanca, 1967, páginas 581-606).

Su correspondencia con los prelados Jerónimo Salas Malo (1654-64) y Antonio Agustín y Soria (1642-65).

«Leyes de la Esposa»

1511

VAIFRO SABATELLI, GIACOMO. *Una redazione dell'opusculo «Leyes de la Esposa».* (En *Studi Francescani*, LV, 1958, núm. 3-4).

Tirada aparte: s. l.-s. i., s. a. 19 págs. 24,5 centímetros.

MADRID. *Nacional.* Mss. Foll. 1.088.

Homenajes. Centenarios

1512

RELACION verdadera, y puntual de la visita que hizo el Rey nuestro Señor Don Carlos Segundo, assistido del Serenissimo Señor Don Juan de Austria su hermano, y de los Grandes, y Señores de su Corte, al sepulcro de la Venerable Sierva de Dios Sor María de Jesús, cuyo cuerpo yaze en el Monasterio de la Purissima Concepcion de la villa de Agreda. [Sevilla. Juan Cabeças]. [1677]. 4 hs. 20 cm.

Carece de portada.

—Texto.—Colofón.

No citado por Escudero.

SEVILLA. *Universitaria.* 112-111 (47).

1513

CARPINTERO, HELIODORO. *Tercer centenario de la muerte de la Venerable Sor María de Jesús de Agreda.* (En *Celtiberia*, XV, Soria, 1965, págs. 153-58).

1514

VILLASANTE, LUIS. *Ante el tercer Centenario de la venerable Madre Agreda.* (En *Verdad y Vida*, Madrid, 1964, n.º 88, págs. 683-701).

1515

ROYO CAMPOS, ZÓTICO. *Mi mejor ofrenda. En el tricentenario de la M. Agreda.* Granada. 1966. 156 págs. 17 cm.

MADRID. *Nacional.* V-6.257-11.

Interpretaciones dramáticas

1516

ARMESTO Y CASTRO, MANUEL. *Comedias nuevas, Primera, y Segunda parte. La coronista más grande de la mas sagrada historia, Sor María de Jesús de Agreda.* Madrid. Imp. de Alfonso de Mora. 1736. 4 hs. + 88 páginas. 19,5 cm.

V. *BLH*, VI, n.º 604.

1517

REP: Juan de San Antonio, II, págs. 322-326; I. Vázquez, en DHEE, I, pág. 14.

MARIA MATILDE DE SAN JUAN BAUTISTA (SOR)

Franciscana. Abadesa del convento de la Purísima Concepción de Tortosa.

EDICIONES

1518

[*ESCRITO que embió al Autor*]. (En Berlanga, Cristóbal de. *Fundación, origen, progressos, y estado de el... convento de la Puríssima Concepción... de Tortosa*. Barcelona. 1695. Prels.).

V. *BLH*, VI, n.º 4029.

MARIA DE SAN ALBERTO (SOR)

María Sobrino y Morillas n. y m. en Valladolid (1568-1640). Carmelita descalza desde 1588. Priora del convento de su ciudad natal.

CODICES

1519

«*Autobiografía*».

VALLADOLID. *Archivo del Convento de Carmelitas descalzas*.

1520

«*Poesías*».

Autógrafo.

VALLADOLID. *Archivo del Convento de Carmelitas descalzas*.

EDICIONES

1521

[*DOS poesías*]. (En Juan de la Cruz, San. *Obras*. Edición de fray Gerardo de San Juan de la Cruz. Tomo III. Toledo. 1914, págs. 340-41).

ESTUDIOS

1522

P. DE SAN JOSE. *Relación biográfica de las Madres María de San Alberto y Cecilia del Nacimiento*». Mss.

VALLADOLID. *Archivo del Convento de Carmelitas descalzas*.

1523

ALONSO CORTES, B. *Dos monjas vallisoletanas poetisas*. Valladolid. Imp. Castellana. 1944. 155 págs. + 1 h. 24 cm.

Incluye numerosas poesías de la autora.
MADRID. *Nacional*. 1-99.127.

1524

REP: A. de la V. del Carmen, en DHEE, III, págs. 1416-17.

MARIA DE SAN BERNARDO DE LA ASUNCION (SOR)

Dominica. Del convento de Santa Catalina de Zafra.

1525

[*POESIAS*]. (En Fomperosa y Quintana, Ambrosio de. *Días sagrados, y geniales, celebrados en la canonización de S. Francisco de Borja...* Madrid. 1672).

1. *Glosa*. (Fols. 166r-167r).
2. *Soneto*. (Fol. 193v).

MADRID. *Nacional*. 2-12.889.

MARIA DE SAN JOSE (SOR)

María Salazar de Torres n. en Toledo (1548). Carmelita descalza desde 1570, tras haber conocido a Santa Teresa, a quien acompañó a las fundaciones de Beas (1575) y Sevilla, donde quedó como Priora. Denunciada a la Inquisición como alumbrada. En 1584 fundó el convento de Lisboa y al regreso se retiró al monasterio de Cuerva, Toledo, donde m. en 1603.

CODICES

1526

«*Resumptas de la Historia de la fundacion de los descalços y descalças Carmelitas, que fundo Santa Theresa de Jesus...*».

Autógrafo en parte; otra de letra del XVIII. XXI + 172 fols. con dibujos. 212 × 152 mm.

Inventario, VI, págs. 81-83.
MADRID. *Nacional*. Mss. 2.176.

1527

«*Libro de recreaciones*».

Letra del s. XVII. 131 fols. 200 × 145 mm. Perteneció al convento de carmelitas descalzos de Málaga.

Serrano y Sanz, II, págs. 343-44; *Inventario*, X, págs. 108-9.

MADRID. *Nacional*. Mss. 3.508.

EDICIONES

1528

[*RESUMPTAS de la Historia de la fundación de los descalzos y descalzas carmelitas... Edición parcial de Vicente de la Fuente*]. (En Teresa de Jesús, Santa. *Escritos*. Tomo I. Madrid. Rivadeneyra. 1877, páginas 261-64 y 555-61; II, 1879, págs. 442-444. Biblioteca de Autores Españoles, 53 y 55).

1529

[*POESIAS. Edición de Vicente de la Fuente*]. (En Teresa de Jesús, Santa. *Escritos*. Tomo II. Madrid. Rivadeneyra. 1879, págs. 444-49; Biblioteca de Autores Españoles, 57) .

1530

LIBRO de Recreaciones. Burgos. Edit. El Monte Carmelo. [1913]. 216 págs. 24 cm.

1531

RAMILLETE de mirra. Burgos. 1913.

1532

AVISOS y Máximas para el gobierno de las Religiones. Burgos. 1913.

1533

POESIAS. Burgos. 1913.

ESTUDIOS

1534

SIMEON DE LA SAGRADA FAMILIA, FRAY. *Prima Instructio Novitiarum Carmeli Teresiani. Opus huiusque ignotum M. Mariae a*

S. Ioseph (Salazar). (En *Ephemerides Carmeliticae*, XV, Roma, 1964, págs. 130-54).

1535

REP: A. de la V. del Carmen, en DHEE, III, pág. 1417.

MARIA DE SAN JOSE (SOR)

Carmelita descalzo en el covento de la Trinidad, de Soria.

CODICES

1536

«*Relación de un milagro que tuvo lugar en las honras funebres de Fr. Nicolás de Jesús María*».

Fechada en 4 de marzo de 1604. Autógrafa. Una hoja. Fol.

Serrano y Sanz, I, n.° 600.

MADRID. *Nacional*. Mss. 3.537 (fol. 221).

MARIA DE SAN JOSE (SOR)

Carmelita descalza en el convento de Madrid.

CODICES

1537

«*Relación de la vida de algunas religiosas... 1636*».

Letra del s. XVII. 25 hs. 4.°

Serrano y Sanz, I, n.° 599.

MADRID. *Nacional*. Mss. 7.018.

MARIA DE SANTA EUFRASIA (SOR)

Carmelita descalza de Calatayud.

EDICIONES

1538

[*JEROGLIFICO*]. (En Zapata, Sancho. *Justa poetica en defensa de la pureça de la Inmaculada Concepcion de la Virgen*. Zaragoza. 1619, página 148).

MADRID. *Nacional*. 2-68.257.

MARIA DE SANTA ISABEL (SOR)

Franciscana concepcionista. Usa el seudónimo de Marcia Belisarda.

CODICES

1539

[*Poesías*].

Letra del s. XVII. (Original dispuesto para la impresión). 88 fols. 205 × 150 mm.

—Decima al autor. [«Y si por su infelice suerte...].—A quien leyere estos versos, Marcia Belisarda.—Decima del P. Jacinto Quintero. [«Ese aliento que te inspira...»].—Elogio de veras en el sentimiento, aunque en chança al deçir al libro y dueño, del Licdo. Montoya. [«Ingeniosa toledana...»].—Soneto anónimo. [«El nombre de María nos explica...»].—Elogio de un religioso francisco. [«Cuyos sois, que aun no recelo...»].—Texto.

Serrano y Sanz, II, n.º 648 (con relación de contenido y fragmentos); Castro, número 306.

MADRID. *Nacional*. Mss. 7.469.

ESTUDIOS

1540

REP: Serrano y Sanz, II, págs. 362-78.

MARIA DE SANTO DOMINGO (SOR)

EDICIONES

1541

ORACION y contemplación de la muy devota religiosa. [s. l.-s. i.]. [s. a.]. 28 hs. 19 cm.

De Zaragoza, c. 1515.

ZARAGOZA. *Universitaria*. An-7-5.ª-12.

———

—Reprod. facsímil: *Libro de la Oración y Contemplación*... Tirada de 300 ejemplares numerados. Madrid. 1948. 28 fols. + 36 págs. 8.º (Bibliófilos Madrileños, 1).

En la segunda parte: *La figura de Sor María de Santo Domingo*, por José Manuel Blecua.

ANN ARBOR. *University of Michigan*.—BERLELEY. *University of California*. — CAMBRIDGE, Mass. *Harvard University*.—COLUMBUS. *Ohio State University*.—PROVIDENCE. *Brown University*. — ZARAGOZA. *Universitaria*. Caj. 126-2.615.

MARIA DE SANTO TOME (SOR)

CODICES

1542

[*Relación de los favores que recibió de Dios*].

Letra del s. XVIII. 116 hs. 4.º

MADRID. *Academia de la Historia*. 9-3.496/22.

EDICIONES

1543

[*RELACION de los favores que recibió de Dios. Extracto*]. (En Villerino, Alonso de. *Esclarecido solar de las Religiosas Recoletas de... San Augustin*. Tomo II. Madrid. 1691, págs. 144-79).

«MARIA Virgo»

EDICIONES

1544

MARIA Virginis romance.

Abecedarium de la Colombina, n.º 12.277.

1545

MARIA Virgo. Canzionero de un folio.

«Bienauenturado viejo...».

Abecedarium de la Colombina, n.º 14.626.

1546

MARIA Virgo. Espejo de su vida en coplas.

«O princesa de la vida...».

Abecedarium de la Colombina, n.º 13.053.

1547

MARIA Virgo. Romance sobre Retraída está la Infanta.

Abecedarium de la Colombina, n.º 12.251.

1548

MARIA Virgo. Vergel de loores suyos en coplas por un dominicano. 1533.

Abecedarium de la Colombina, n.º 15.131.

MARIANA (P. JUAN DE)

N. en Talavera (1536). Jesuita desde 1554. Residió en Italia y en Francia; en 1574 se retiró a Toledo, donde murió (1624).

BIBLIOGRAFIA

1549

«*Noticia Cronologica de las Ediciones Latinas y Castellanas, Traducciones y Impugnaciones De la Historia General de España del P. Juan de Mariana*».

Letra del s. XVII. 10 fols. 210 × 158 mm.
MADRID. *Nacional*. Mss. 18.662²⁴.

CODICES

Varios escritos

1550

«*El origen de los villanos que llaman christianos viejos.—Discurso sobre la moneda que se labró en Castilla*».

Letra del s. XVII. 293 × 205 mm. Perteneció a G. Argote de Molina, Salvá y Heredia.
Salvá, II, n.º 3.059; *Inventario*, VIII, página 363.
MADRID. *Nacional*. Mss. 2803 (fols. 191*v*-198*v* y 199*r*-229*v*).

1551

«*Historia de España en compendio*».
Letra del s. XVIII. 156 fols. Fol.
Gayangos, I, pág. 201.
LONDRES. *British Museum*. Eg. 291.

1552

«*Historia de Rebus Hispaniae y otras obras*».
Gayangos, I, págs. 1-6 y 194-201.
LONDRES. *British Museum*. Eg. 1869/75.

Tratado de la moneda

1553

«*Discurso sobre la moneda de vellón que al presente se labra en Castilla por mandado de el rey nuestro señor*».

Letra del s. XVIII. 31 fols. 215 × 155 mm.
Inventario, V, págs. 384-85.
MADRID. *Nacional*. Mss. 1.963.

1554

«*Tratado y Discurso sobre la Moneda de Vellón que al presente se labra en Castilla y de algunos desórdenes y abusos*».

Letra del s. XVIII. 76 fols. 205 × 150 mm.
Perteneció a Serafín Estébanez Calderón.
Inventario, VI, pág. 90.
MADRID. *Nacional*. Mss. 2.187.

1555

«*Discurso sobre la Moneda de Bellon que al pressente se labra en Castilla por mandado del Rey Nro. Sr.*».

Letra del s. XVII. 309 × 211 mm.
MADRID. *Nacional*. Mss. 5.791 (fols. 191*r*-218*v*).

1556

«*Tratado de la Moneda, hecho por el Padre Juan de Mariana, de la Compañía de Jesús, traducido por el mismo Padre Mariana*».

Al comienzo: «Discurso sobre la moneda de Vellon, que al presente se labra en Castilla, por mandado del Rey nuestro Señor».
Letra del siglo XVIII. 312 × 216 mm.
MADRID. *Nacional*. Mss. 6.916 (fols. 181*r*-212*v*).

1557

«*Tratado sobre la moneda de vellón que al presente se labra en Castilla y de algunos desórdenes y abusos*».
Letra del s. XVII. 80 fols. 220 × 155 mm.
MADRID. *Nacional*. Mss. 7.145.

1558

«*Tratado de la moneda...*».
Letra del s. XVIII. 30 hs. 287 × 154 mm.
Gutiérrez del Caño, II, n.º 1.384.
VALENCIA. *Universitaria*. Mss.

1559

«*Tratado sobre la moneda de vellón que la presente se labra en Castilla y de algunos desórdenes y abusos*».

Letra del s. XVII. 80 fols. 220 × 155 mm.

MADRID. *Nacional*. Mss. 7.145.

Discurso de las cosas de la Compañía

1560

«*Tratado del gobierno de la Compañía*».

Letra del s. XVII. Fol.
Comienza: «Mi intento es...»
Gayangos, II, pág. 183.

LONDRES. *British Museum*. Eg. 451 (fols. 1-34).

1561

«*Discurso sobre el gobierno de la Compañía de Jesus*».

Letra de la segunda mitad del s. XVII. Fol.

Cuartero-Vargas Zúñiga, XXXIX, n.º 63.066.

MADRID. *Academia de la Historia*. 9-1.059 (fols. 210-44).

1562

«*Enfermedades de la Compañía de Jesús*».

Fragmentos.

MADRID. *Academia de la Historia*. Est. 27, gr. 6.ª E, n.º 103 (fol. 127).

1563

«*Modo de gobierno que tenían los regulares de la Compañía... 1641*».

Letra del s. XVIII. 122 págs. + 3 hs. Perteneció al conde de Campomanes. Con una nota de D. Manuel Bonilla, en que explica cómo lo consiguió.

MADRID. *Fundación Universitaria Española*. Archivo de Campomanes. Gasset, 41-3.

1564

«*Tratado de las cosas que hay que remediar en la Compañía de Jesus. Publicado en Madrid, G. Ramirez, 1769*».

Letra del s. XVIII. Perteneció al conde de Campomanes.

MADRID. *Fundación Universitaria Española*. Archivo de Campomanes, 44-6.

1565

«*Tratado del govierno de la Compañía*».

Letra del s. XVIII. 46 fols. 215 × 150 mm.
Inventario, VIII, pág. 4.

MADRID. *Nacional*. Mss. 2480.

1566

«*Discurso de las cosas de la Compañía...*».

Letra del s. XVII. 72 fols. 210 × 145 mm.

MADRID. *Nacional*. Mss. 3470.

1567

[*Discurso sobre las cosas de la Compañía*].

Letra de fines del XVII. 73 fols. 210 × 155 milímetros.
Inventario, X, pág. 398.

MADRID. *Nacional*. Mss. 5516.

1568

«*Del gobierno de la Compañía*».

El título figura en el «Indice» del volumen.

Letra del s. XVII. 219 × 156 mm.

MADRID. *Nacional*. Mss. 6.794 (fols. 154r-193r).

1569

«*Discurso del Padre Mariana, Religioso de la Compañia de Jhs sobre la reformacion que se debe hazer en su Religion*».

Letra del siglo XVIII. 314 × 209 mm.

MADRID. *Nacional*. Mss. 9.087 (fols. 34v-91r).

1570

«*Hierros* (sic) *del gobierno de la Compañía*».

Letra del s. XVII. 216 × 150 mm.

MADRID. *Nacional*. Mss. 10.722 (fols. 128r-176r).

1571

«*Tratado de el governo de la Compañia de Jesus. Escrito por el P[adr]e Juan de Mariana dela misma Compañia*».

Letra del siglo XVII. 52 fols. 207 × 149 mm.

—Texto, fechado al fin en 13 de diciembre de 1629.

MADRID. *Nacional.* 10.819 (20).

1572

«*Discurso sobre las enfermedades de la Compañia*».

Letra del s. XVII.

MADRID. *Nacional.* Mss. 12.629.

1573

«*Discurso de las cosas de la Compañia*».

Letra del s. XVIII. 48 fols. 25 cm.

PARIS. *Nationale.* Mss. esp. 536.

1574

«*Tratado de las cosas que ay dignas de remedio en la Compañia de Jesus comunmente llamada de los padres Teatinos*».

Letra del s. XVII. 58 fols. 218 × 152 mm.

Jones, I, n.º 110.

ROMA. *Vaticana.* Barb. lat. 3512.

1575

«*Discorso... intorno a grand errori che sono nella forma del gouerno de i Gesuiti. Tradotto di Spagnolo in Francese, e dal Francese in Italiano. In Bordeos. Por Giouani di Bordeos... MDCXXV...*».

Letra del s. XVII. 103 fols. 194 × 150 mm.

Jones, I, n.º 170.

ROMA. *Vaticana.* Barb. lat. 4482.

1576

[*Discurso de las cosas de la Compañia*].

Letra de fines del XVI o principios del XVII. 53 hs. 207 × 145 mm.

Zarco, III, pág. 153.

SAN LORENZO DEL ESCORIAL. *Monasterio.* Z. IV.9.

1577

«*Discurso de las cosas de la Compañia...*».

Letra del s. XVII. 69 fols.

Heredia, IV, n.º 6.689.

Cartas

1578

[*Respuesta a una carta de Lupercio Leonardo de Argensola, sobre el lugar en que nació Aurelio Prudencio*].

Letra del s. XVII. 300 × 210 mm. Fechada en Toledo, a 23 de agosto de 1602.

Inventario, V, pág. 169.

MADRID. *Nacional.* Mss. 1.766 (fols. 177*v*-180*v*).

1579

«*Memorial... para el Ill.º Sr. Cardenal de T.º & que no conviene quitar del todo a las personas doctas los libros de los Rabinos, que escrivieron sobre la divina Escritura*».

Letra del s. XIX. 220 × 170 mm.

Con una certificación de la autenticidad de la copia, fechada en Madrid a 23 de enero de 1828.

MADRID. *Academia de la Historia.* 9-5.952 (fol. 123*r*).

1580

«*Memoria... sobre no convenir el privar a las personas doctas de la lectura de los libros de los rabinos que escribieron de la Sagrada Escritura*».

Col. Villanueva, tomo 3.º

MADRID. *Academia de la Historia.* Est. 19, gr. 4.ª, n.º 63.

1581

«*Memorial... en que expone no conviene quitar del todo a las personas doctas los libros de los rabinos que escribieron sobre la Sagrada Escritura*».

«Varios de Historia» en fol., tomo 4.º, fol. 123.

MADRID. *Academia de la Historia*. Est. 27, gr. 5.ª E, n.º 137.

1582

(Carta original en latin al papa Paulo V. Madrid. 7 de mayo de 1610).

Jones, I, n.º 31(1).

ROMA. *Vaticana*. Barb. lat. 2064 (fol. 37).

Historia de España

1583

«Fragmentos originales de la Historia del ——».

Colección de Grandezas de España, tomo 36.

MADRID. *Academia de la Historia*. Est. 22, gr. 2.ª, n.º 31.

Censuras y pareceres

1584

«Respuesta del P. Juan de Mariana á una consulta que se le hizo sobre puntos tocantes á un Concilio que se habia de celebrar en partes remotas, (tal vez en Mexico) año de 1585».

El título consta en el Indice. Al comienzo, dice:

«Respuesta a las preguntas siguientes».

Letra del siglo XVIII. 310 × 210 mm.

MADRID. *Nacional*. Mss. 13.019 (fols. 116*r*-117*v*).

1585

«Papel del P. Mariana a instancia del Cardenal Quiroga sobre si es necesario que el Papa confirme los Concilios Provinciales para que obliguen á los subditos de la Provincia».

En el fol. 132*r*, no trae título.

Letra del s. XVIII. 308 × 215 mm.

MADRID. *Nacional*. Mss. 13.019 (fols. 132*r*-136*v*).

1586

[Varios pareceres sobre décimas y tercias de las Iglesias y otros apuntamientos].

Letras de los ss. XVI-XVIII. 14 fols.

Olivar, pág. 250.

MONTSERRAT. *Abadía*. Mss. 909.

Otros escritos

1587

«Tratado contra los juegos publicos».

Letra del s. XVII. 126 fols. 325 × 220 mm.

MADRID. *Nacional*. Mss. 5.735.

1588

«Origen que tuvo la tolerancia de que usa la Yglesia Romana con la Griega».

Letra del s. XVIII. 4 hs. 313 × 215 mm.

Gutiérrez del Caño, II, n.º 1.383.

VALENCIA. *Universitaria*. Mss.

1589

«Embargos de los libros del Card[enal] de Burgos».

Letra del siglo XVI. 1 fol. Al final del folio, 4 líneas autógrafas del P. Mariana y su firma. Dicen:

«Esto es todo lo q[ue] pude sacar del depositario g[ene]ral q[ue] son los capítulos del libro de los depósitos ad verbum porq[ue] los papeles por donde se hizieron los embargos dice q[ue] se los llevaron los q[ue] hizieron los d[ic]hos embargos y q[ue] no tiene más noticia dellos.

Ju[an] de Mariana».

291 × 203 mm.

MADRID. *Nacional*. Mss. Res. 261, n.º 93 [antes Mss. 5.785].

OBRAS LATINAS

1590

[«Tractatus de ponderibus et mensuris»].

Letra del siglo XVII. 50 fols. [Incompleto al principio y al final]. 300 × 210 mm.

MADRID. *Nacional*. Mss. 9.174.

1591

«*Censvrae In Biblia Regia Qvae nuper diligentia, et industria D. Benedicti Ariae Montani in Lucem edita
sunt. Pars prima (-secunda)*».

Año 1622. 66 fols. 295 × 203 mm.
1. Tomás Tamayo de Vargas. *Ex Elogiis
Scriptorvm Illvstrivm Carpetanorvm*. (Folios 1r-13v). Fechado en Toledo, 1622.
2. Mariana. *Censurae...* (Fols. 14-66).
Jones, I, n.º 14.
ROMA. *Vaticana*. Barb. lat. 674.

1592

[*Notas marginales y correcciones*].
En Lucas, Obispo de Tuy. *Adversus Albi-
genses sei temporis haereticos disputatio
tribus distinta libris.*
Letras del s. XVI. 306 págs.
Inventario, X, pág. 287.
MADRID. *Nacional*. Mss. 4.172.

1593

[«*Traducción y compendio en latín
de la Biblioteca Griega de Phocio.
Por el P. Mariana*»].

Letra del s. XVII. 384 fols. 302 × 201 mm.
En el lomo: «Phocio compendiado por
Mariana».
MADRID. *Nacional*. Mss. 9.203.

1594

«*Noticia que deste Concilio* [*Provincial de Toledo. 1582-83*] *y seña-
ladamente de D. Garcia Loaysa daba
el P. Mariana en un Cronicon msto.
que dejó y está inédito*». [En el
Indice de papeles de este libro].

«Joannes Mariana è Soc. Jesu in Chronico
quodam tis. sic ait ad an M.D.LXXXII».
Letra fines XVI, princ. XVII. 310 × 199
milímetros.
MADRID. *Nacional*. Mss. 13.033 (fol. 8r).

EDICIONES

Obras

1595

*OBRAS. Colección dispuesta y revi-
sada por* F[*rancisco*] P[*i*] *y* M[*ar-*

gall]. Madrid. Rivadeneyra. 1854. 2
volúmenes. 25 cm. (Biblioteca de Autores Españoles, 30-31).

MADRID. *Facultad de Filología.*
— — —

Reimpresiones:
—1864-72.
—1909-23.
—1950.

Historia general de España

1596

*HISTORIA General de España. Com-
puesta primero en Latin, buelta al
Castellano por* ——. Toledo. Pedro
Rodriguez. 1601. 2 tomos. 30,5 cm.

Tomo I: 3 hs. + 1.015 págs.
—S. de Apr. y L.—Pr. a favor del P. Juan
de Mariana por diez años.—S. Provisión
Real.—T.—Prologo.—Texto.
Tomo II: 2 hs. + 962 págs. + 13 hs.
—E. tomo I y II.—Texto.—Colofón.—Tabla
General.—Tabla de Nombres de Autores.
Pérez Pastor, *Toledo*, n.º 442.

LON ANGELES. *University of California.*—
LONDRES. *British Museum.* 682.g.8; G.4304.—
MADRID. *Academia Española.* S.C.=13-13-38/
39. *Academia de la Historia.* 4-2-6-3194/
95. *Nacional.* 2-71.170/71.—NUEVA YORK. *Hispanic Society.*—PROVIDENCE. *Brown University.*—ROMA. *Vaticana.* Stamp. Barb. S.II.
2-3.

1597

——. Madrid. Luis Sánchez. 1608. 2
volúmenes. 29 cm.

Con adición de dos Tablas, una de capitulos y otra de los Emperadores y Reyes de
España.
Heredia, III, n.º 7.283; Pérez Pastor, *Madrid*, II, n.º 1.010.
ANN ARBOR. *University of Michigan. William
L. Clements Library.*—GRANADA. *Universitaria.* A-29-84 (incompleta). — MADRID. *Facultad de Filología.* 30.471. *Nacional.* 3-71.312/
13.—NUEVA YORK. *Hispanic Society.*—SANTIA-
GO DE COMPOSTELA. *Universitaria.*—VALENCIA.
Municipal. 17-II-3466.—WASHINGTON. *Congreso.* 57-51036.

1598

——. Madrid. Viuda de Alonso Martin (el I) y Iuan de la Cuesta (el II).

A costa de Alonso Pérez. 1617-16. 2 volúmenes. Fol.

Pérez Pastor, *Madrid*, II, n.º 1.472.

CHARLOTTESVILLE. *University of Virginia.* — GRANADA. *Universitaria.* A-38-144.—LONDRES. *British Museum.* 593.f.8. — MADRID. *Academia Española.*—*Nacional.* R.i.-28. — PROVIDENCE. *Public Library.*—SEVILLA. *Universitaria* 147-128.

1599

HISTORIA general de España comqvesta, emendada, y añadida por ——. Madrid. Luis Sánchez (el I) y Toledo. Diego Rodríguez (el II). 1623. 2 vols. Fol.

Pérez Pastor, *Madrid*, III, n.º 1.965, y *Toledo*, n.º 512.

GENOVA. *Universitaria.* 2.R.II.6-7. — GRANADA. *Universitaria.* A-29-164 (incompleta).—LISBOA. *Ajuda.* 15-XII-14 a 16-X-1.—MADRID. *Nacional.* R-23.884/85. *Palacio Real.* VII-1.495/96.—MONTPELLIER. *Municipale.* 10.605.—ROMA. *Vaticana.* Stamp. Barb. S.II.4-5.—SAN LORENZO DEL ESCORIAL. *Monasterio.* M.15-I-19 (el II). ZARAGOZA. *Universitaria.* G-81-27/28.

1600

——. Madrid. Francisco Martínez. 1635. 2 vols. 20,5 cm.

Heredia, III, n.º 7.284.

CORDOBA. *Pública.* 7-223.—GRANADA. *Universitaria.* B-60-32; etc.—MADISON. *University of Wisconsin.*—MADRID. *Municipal.* R-130 y 138. *Nacional.* 3-9.032/33.—PROVIDENCE. *John Carter Brown Library.*—ROMA. *Vaticana.* Stamp. Barb. S.II.6-7.—SANTIAGO DE COMPOSTELA. *Universitaria.* (Imperfecto).

1601

HISTORIA general de España. Ahora nuevamente añadida... por el P. Fr. Hernando de Camargo. Madrid. Carlos Sánchez. A costa de Domingo de Palacio. 1649. 2 vols. 31 cm.

MADRID. *Nacional.* 6.i.-800 [el II].—SANTIAGO DE COMPOSTELA. *Universitaria.*

1602

——. Madrid. Carlos Sánchez. A costa de Gabriel de León. 1650. 2 vols. Fol.

GRANADA. *Universitaria.* A-8-265; etc.—LONDRES. *British Museum.* 9181.g.—LYON. *Municipale.* 107.963.—MADRID. *Nacional.* R-1/2.—SANTIAGO DE COMPOSTELA. *Universitaria.* — WASHINGTON. *Congreso. Priority 4 Collection.*

1603

——. Madrid. Andrés García de la Iglesia. [s. a.]. 2 vols. 30 cm.

Licencias de 1669.
Tomo I: 14 hs. + 618 págs. + 11 hs.
Tomo II: 4 hs. + 830 págs. + 10 hs. + 2 láminas.

Heredia, III, n.º 7.285.

BERKELEY. *University of California.* — CHAPEL HILL. *University of North Carolina.*—MADRID. *Facultad de Filología.* 30.482.—MOSCOW. *University of Idaho.* — NUEVA YORK. *Hispanic Society.* — PAMPLONA. *General de la Diputación Foral.* 109-2-5/1.—SANTIAGO DE COMPOSTELA. *Universitaria.*—SEVILLA. *Universitaria.* 26-29.—URBANA. *University of Illinois.*

1604

HISTORIA general de España, compvesta, enmendada, y añadida por el ——... *Aora nuevamente añadido... por Felix Lucio de Espinosa y Malo, todo lo sucedido desde el año de 1669 hasta el de 78.* Madrid. Andrés García de la Iglesia. A costa de Gabriel de León. 1678. 16 hs. + 752 páginas + 13 hs. 30 cm.

Millares Carlo, *Academia Caracas*, n.º 62.

CARACAS. *Academia Nacional de la Historia.*—LISBOA. *Ajuda.* 16-X-2/3.—LONDRES. *British Museum.* 593.f.11,12.—MADRID. *Academia de la Historia.* 2-2-9-995/96. *Facultad de Filología.* 30.472; etc. *Nacional.* 1-6.694/95.—SEVILLA. *Universitaria.* 212-89.

1605

——. Leon de Francia. Antonio Briasson. 1719. 11 vols. 16,5 cm.

Primera ed. con la continuación de Miniana, traducida del latín.

DURHAM. *Duke University.*—LYON. *Municipale.* 326.435.—MADRID. *Nacional.* 2-69.033/43.—VALLADOLID. *Universitaria.* 13.382/92.

1606

——. *Proseguida hasta 1700 por Fr. Manuel Joseph de Medrano.* Madrid.

Geronymo Roxo. 1733-34. 2 vols. 31 centímetros.

Continuación de Medrano: Tomo III. Madrid. Manuel Fernández. 1741.
Salvá, II, n.º 3.017; Heredia, III, n.º 7.286.
IOWA CITY. *University of Iowa.* — MADRID. *Academia de la Historia.* 15-2-5-8. *Facultad de Filología.* 30.473/75. *Nacional.* 1-10.727/29. *Palacio Real.* IV-197/98. — NUEVA YORK. *Hispanic Society.* — WASHINGTON. *Congreso.* 25-25780. — ZARAGOZA. *Universitaria.* D-39-36/38.

1607

——. Amberes [pero Lyon] [s. i.]. A costa de Marcos-Miguel Bousquet y Compañía. 1737-39. 16 vols. 16,5 cm.

Peeters-Fontainas, II, n.º 760.
CAMBRIDGE, Mass. *Harvard University.* — GRANADA. *Universitaria.* B-1-148/51 (incompleta).—LISBOA. *Ajuda.* 17-IV-51/66.—MADRID. *Consejo. General* (11 vols.). *Facultad de Filología.* 33.796/99.

1608

——. Amberes [pero Lyon] [s. i.]. A costa de Marcos Miguel Bousquet y Compañía. 1751-56. 16 vols. 18,5 cm.

Peeters-Fontainas, II, n.º 761.
BATON ROUGE. *Louisiana State University.*— MADRID. *Facultad de Filología.* 33.660/72. *Nacional.—Palacio Real.* VIII-5.973/88.—VALLADOLID. *Universitaria.* Santa Cruz, 10.215/30.

1609

——. 14.ª impressión. Madrid. Joachin Ibarra. 1780. 2 vols. 34,5 cm.

Salvá, II, n.º 3.018; Heredia, III, n.º 7.297.
GRANADA. *Universitaria.* B-61-10/11.—MADRID. *Academia Española.* K-1-1/2. *Academia de la Historia.* 14-3-5-1.210/11. *Consejo. Instituto «J. Zurita».* 19-3.585/86; etc. *Convento de San Pedro Mártir.* 42-30. *Facultad de Filología.* 30.206/7; etc. *Nacional.* R-16.376/77. *Palacio Real.*—NEW HAVEN. *Yale University.*—NUEVA YORK. *Hispanic Society.—Public Library.*—SANTIAGO DE COMPOSTELA. *Universitaria.*—VALLADOLID. *Universitaria.* Santa Cruz, 2.867-68. — ZARAGOZA. *Universitaria.* G-44-109/10.

1610

——. 15.ª edicion. Madrid. Andrés Ramírez. 1780-82. 2 vols. 32 cm.

BERKELEY. *University of California.*—MADRID. *Facultad de Filología.* 30.476/77. *Nacional.* R-16.376/77. *Palacio Real.*—NUEVA YORK. *Hispanic Society.*—WASHINGTON. *Congreso.* 25-25779.

1611

——. Valencia. Benito Monfort. 1783-1796. 9 vols. 32 cm.

MADRID. *Academia de la Historia.* 3-2-2-2.168/76; 14-2-5-3; etc. *Consejo. Instituto «J. Zurita».* 19-3.591/99. *Nacional.* 1-18.460/68. *Palacio Real.* IV-2.791/99. — PARIS. *Nationale.* 4ºOa.33.—SANTIAGO DE COMPOSTELA. *Universitaria.* — VALLADOLID. *Universitaria.* Santa Cruz, 2.548/53.—ZARAGOZA. *Universitaria.* G-43-67/75.

1612

HISTORIA general de España... Con el Sumario y tablas. 16.ª impression. Valencia. Benito Monfort. 1794. 2 volúmenes. 30 cm.

MADRID. *Consejo. Instituto «J. Zurita».* 19-2.186/87. *Nacional.* R-8.975/76.

1613

——... *y la continuación que escribió en latín el P. Fr. Joseph Manuel Miniana, traducida nuevamente al castellano.* Madrid. Benito Cano. 1794-1795. 10 vols. 18 cm.

Trad. de Miniana por Vicente Romero.
GRANADA. *Universitaria.* IV-7-2 (F. Letras).— MADRID. *Academia de la Historia.* 3-4-8-3.533/42. *Consejo. Instituto «J. Zurita».* 19-2.317/26. *Facultad de Filología.* 33.689/98; etc. *Nacional.* 2-22.797/806; etc. *Palacio Real.* VII-1.615/24.—PARIS. *Nationale.* 8ºOa.32.F.— WASHINGTON. *Congreso.* 7-42031. — ZARAGOZA. *Universitaria.* D-66-22/32.

1614

——. *Enmendada, añadida e ilustrada, con notas históricas y críticas, y nuevas tablas cronológicas desde los tiempos más antiguos hasta la muerte de Carlos III, por José Saban y Blanco.* Madrid. Leonardo Núñez de Vargas. 1817-22. 20 vols. 22,5 cm.

COLUMBUS. *Ohio State University.* — CHAPEL HILL. *University of North Carolina.* — MADRID. *Academia de la Historia.* 3-6-4-5.130/49; 2-3-5-2.579/98. *Consejo. Instituto «J. Zurita».* 19-2.582/620. *Consejo. Instituto «P. Flórez».* 23-A-1/1-20. *Nacional.* 1-21.490/509. *Palacio Real.*—NUEVA YORK. *Public Library.*—PARIS. *Nationale.* 4°Oa.32b.—VALLADOLID. *Universitaria.* 1.274/93.

1615

——. *Nueva edicion que contiene... la continuación del P. Miñana, traducida, y la narración de los sucesos principales desde el año 1600, en que acaba dicha continuación, hasta el de 1808.* Madrid. Hijos de Catalina Piñuela. 1818. 9 vols. 15,5 cm.

AUSTIN. *University of Texas.* — CAMBRIDGE, Mass. *Harvard University.* — CHAPEL HILL. *University of North Carolina.*—MADRID. *Academia de la Historia.* 3-1-6-930/38. *Nacional.* 1-37.062/70.—PARIS. *Nationale.* 8°Oa.32a.

1616

——... *Nueva edición en que, además de la continuación del P. Miñana... contiene las notas del Sr. Sabau.* Valencia. Lopez. 1830-41. 18 vols. con láminas. 20,5 cm.

MADRID. *Academia de la Historia.* 16-7-9-6.840/57. *Nacional.* 5-3.248.—PARIS. *Nationale.* 4°Oa.32.I. — WASHINGTON. *Congreso.* 4-28989.

1617

——... *Aumentada con las tablas del autor, la continuación de Miñano...* Barcelona. Imp. F. Oliva. 1839-40. 10 vols. con 44 retratos.

CHICAGO. *Newberry Library.*—GRANADA. *Universitaria.* C-11-76/85. — MADRID. *Academia Española.* S.C.=5-A-147/56.—NUEVA YORK. *Columbia University.* — PRINCETON. *Princeton University.*

———

—1840-42. 10 vols.

1618

——. *Con la continuación de Miniana y demás autores hasta el año de 1808. Aumentada con todos los sucesos que comprenden la historia de su levantamiento, guerra y revolución, escrita por el Conde de Toreno, y las de los demás escritores de nuestros dias hasta el pronunciamiento de 1.º de septiembre de 1840. Redactada por una Sociedad de Literatos.* Madrid. González. 1841-43. 25 tomos en 2 vols. 22 cm.

GRANADA. *Universitaria.* B-60-100/12.—MADRID. *Academia de la Historia.* 14-4-9-2.195/2.201. *Consejo. Instituto «J. Zurita».* 19-2.289/2.310. *Facultad de Filología.* — *Nacional.* 5-6.337.—WASHINGTON. *Congreso.* 53-56916.

1619

HISTORIA general de España, compuesta, enmendada y añadida por el ——. Ilustrada con grabados, notas históricas y críticas, y nuevas tablas cronológicas desde los tiempos más antiguos, hasta nuestros días. Madrid. Empresa tipográfica de Frossart y Cía. 1845-47. 10 vols. con ilustr. 22 cm.

MADRID. *Nacional.* 7-50.991/51.000

1620

——. *Con notas, la continuación de Miniana y el complemento hasta 1848, por Ortiz de la Vega.* Barcelona. Imp. Luis Tasso. 1847-48. 1028 páginas + 16 láms.

1621

——. *Con la continuación de Miñana completada... por el Conde de Toreno... y Eduardo Chao.* Madrid. Gaspar y Roig. 1848-51. 5 vols. con 38 láminas. 28 cm.

BOULDER. *University of Colorado.*—BURGOS. *Facultad de Teología.* — CAMBRIDGE, Mass. *Harvard University.*—COLUMBUS. *Ohio State University.*—EVANSTON. *Northwestern University.* — LOS ANGELES. *University of Southern California.*—MADRID. *Academia de la Historia.* 1-4-7-2.258/62; etc. *Consejo. Instituto «J. Zurita».* 19-2.011/15. *Facultad de*

Filología.—Nacional. 5-10.695. — PARIS. *Nationale.* 4°Oa.32.I.

1622

——. *Con notas y observaciones críticas, continuada hasta el año 1851.* Madrid. Semanario Pintoresco. 1851-1852. 2 vols. con 297 grabs. Fol.

Al final del tomo II, incluye la *Historia de la decadencia de España*, de A. Cánovas del Castillo.

GRANADA. *Universitaria.* B-62-13; etc. — MADRID. *Academia de la Historia.* 15-3-4-5.

1623

——. *Con la continuación de Miniana; completada con todos los sucesos que comprenden el escrito clásico sobre el reinado de Carlos III, por el conde de Floridablanca, la historia de su levantamiento, guerra y revolución, por el conde de Toreno, y la contemporánea hasta nuestros días.* Madrid. Gaspar y Roig. 1852. 3 volúmenes con 250 grabados en madera. 27 cm.

COLUMBUS. *Ohio State University.*—GAINESVILLE. *University of Florida.*—MADRID. *Consejo. Instituto «J. Zurita».* 19-426/27. *Nacional.* 2-55.098/99. — NUEVA YORK. *Columbia University.*

1624

——. *Con la continuación de Miniana, completada... por Eduardo Chao.* Madrid. Gaspar y Roig. 1852-53. 3 volúmenes. 4.°.

MADRID. *Academia de la Historia.* 20-2-8-657/59. *Nacional.* 2-55.098/99.

1625

HISTORIA general de España... Con la continuación de Miniana: completada con todos los sucesos que comprenden el escrito clásico sobre el reinado de Carlos III, por el conde de Floridablanca, la Historia de su levantamiento, guerra y revolución, por el conde de Toreno, y la

contemporánea hasta nuestros días. Madrid. Gaspar y Roig. 1855. 3 vols. con 250 grabs. 26,5 cm.

MADRID. *Nacional.* 2-57.748/50.

1626

HISTORIA general de España... Continuada hasta nuestros días por Eduardo del Palacio. Madrid. Administración, calle de Valverde, 37; Imprenta, Plazuela del Biombo, 4. 1867-1869. 8 con láminas. 20,5 cm.

AUSTIN. *University of Texas.*—MADRID. *Nacional.* 1-70.364/71.—STANFORD. *Stanford University Libraries.*

1627

——. Madrid. Andrés Ramírez. 1870. 2 vols. 4.°

Fragmentos

1628

JUANA de Arco, la doncella de Orleans... Con una noticia biográfica de... Antonio de Latour. Orléans. H. Herlaison. 1877. 18 págs. 8.°

Texto en español y en francés.

PARIS. *Nationale.* 8°Lb.²⁶194.

1629

HISTORIA de España. Selected readings. Edited with notes and vocabulary by R. J. Conroy. Londres. 1929. IV + 87 págs. 8.° (Longman's Spanish Texts).

LONDRES. *British Museum.* W.P. 9367/10.

1630

HISTORIA de España. Selección, estudio y notas por Manuel Ballesteros. Zaragoza. Ebro. 1939. 126 págs. 17,5 cm. (Biblioteca Clásica Ebro, 3).

MADRID. *Nacional.* 1-91.906.

— — —

—2.ª ed. corr. e ilustrada. 1944.

MADRID. *Nacional.* 4-15.872.

—3.ª ed. 1950.
—4.ª ed. 1964.

MADRID. *Nacional.* V-5.776-25.

Discurso sobre las cosas de la Compañía

1631

TRATADO de las cosas dignas de remedio en la Compañía de Jesús, comúnmente llamada de los Padres teatinos. (En *Le Mercure jésuite, ou Recueil des pièces concernant le progrès des Jésuites. Coll. par Jac. Godefroy.* Ginebra. P. Aubert. 1626).

Texto español y trad. francesa.

Brunet, III, col. 1423.

———

—2.ª ed. 1631, págs. 1-194.

NEW HAVEN. *Yale University.*

1632

DISCURSO de las enfermedades de la Compañía... Con una Disertación sobre el Autor y la legitimidad de la Obra. Y un Apéndice de varios Testimonios de Jesuítas Españoles, que concuerdan con Mariana... Madrid. Gabriel Ramirez. 1768. 2 hs. + XX + 308 págs. + 1 h. 20 cm.

Heredia, IV, n.º 6.690.

GRANADA. *Universitaria.* A-3-375; etc. — MADRID. *Academia Española.* 14-VI-44. *Consejo. Instituto «J. Zurita».* 16-349. *Facultad de Filología.* 17.636. *Municipal.* R-297. *Nacional.* U-5.204. *Palacio Real.* — ORIHUELA. *Pública.* 157-5-24, 2.º—PAMPLONA. *General de la Diputación Foral.* 105-1-2/20.—PARIS. *Institut d'Études Hispaniques.* R-c211.—SANTIAGO DE COMPOSTELA. *Universitaria.*—ZARAGOZA. *Universitaria.* 82-158.

1633

DISCURSO de las enfermedades de la Compañía... Con una disertación sobre el autor y legitimidad de la obra, y un apéndice de varios testimonios de jesuitas españoles, que concuerdan con Mariana... Méjico. I. Cumplido. 1841. XVII + 350 págs. 18,5 cm.

WASHINGTON. *Congreso.* 45-29403.

1634

TRATADO de las cosas íntimas de la Compañía de Jesús. Biografía y comentario de E. Barriobero y Herrán. Madrid. Edit. Mundo Latino. 1931. 206 págs. 16 cm. (Colección Quevedo. Anécdotas y Decires).

MADRID. *Facultad de Filología.—Nacional.* 2-88.318.

Cartas

1635

RESPUESTA [a una carta de Lupercio Leonardo de Argensola]. (En Pellicer y Saforcada, Juan Antonio. *Ensayo de una Biblioteca de traductores españoles.* Madrid. 1778, páginas 59-62).

MADRID. *Nacional.* Cat-460.

1636

[Cartas. Editadas por G. Cirot. 1917].
1. *Al licenciado Temiño, 15 de diciembre de 1580.* Conservada en Simancas. (Pág. 5).
2. *Respuesta a un corresponsal. Toledo, 23 de febrero de 1590.* Del ms. Eg. 1874, n.º 18, fol. 293, del British. (Pág. 6).

V. n.º 1720.

Memoriales

1637

MEMORIAL al Rey solicitando ayuda para editar la Historia de España, 1 de junio de 1596. Edición de G. Cirot. 1917.

V. n.º 1720.

Aprobaciones

1638

[APROBACION. Toledo, 27 de marzo de 1595]. (En Garibay, Esteban. *Illustraciones Genealogicas de los Catholicos Reyes de las Españas...* Madrid. 1596, pág. 3).

V. *BLH,* X, n.º 4980.

Antologías

1639

JUAN de Mariana, cantor de España. Selección y estudio de Manuel

Ballesteros Gaibrois. [s. l.]. Ediciones FE. 1938. 239 págs. + 1 lám. 17 cm. (Breviarios del Pensamiento Español).

MADRID. *Facultad de Derecho.*—NUEVA YORK. *Public Library.*—URBANA. *University of Illinois.*

———

—Madrid. Editora Nacional. Edics. FE. 1939. 238 págs. 17 cm.

—Madrid. Edics. FE. 1941.

WASHINGTON. *Congreso.* 44-5035. — ZARAGOZA. *Universitaria.* D-50/52-332.

—Madrid. Edics. FE. 1943.

1640

JUAN de Mariana, pensador y político. Selección y estudio de M. Ballesteros Gaibrois. [s. l. ¿Barcelona?]. Edics. F. E. 1939. 206 págs. (Breviarios del Pensamiento Español).

a) Camón, J., en *Universidad*, XVI, Zaragoza, 1939, págs. 587-88.

MADRID. *Facultad de Derecho.* — *Nacional.* F-3.750.—WASHINGTON. *Congreso.* 41-19961.

———

—2.ª ed. 1941.

MADRID.

—3.ª ed. 1944.

MADRID. *Nacional.* 1-100.634.

1641

ANTOLOGIA. Prólogo, selección y notas de Víctor Rico González. Méjico. Secretaría de Educación Pública. 1947. 84 págs. 20 cm. (Biblioteca Enciclopédica Popular, 2.ª época, 160).

LONDRES. *British Museum.* 12214.ee.1/160.— WASHINGTON. *Congreso.* 48-12429*.

1642

TIRANIA (La) y los derechos del pueblo... Introducción, selección y notas por José María Gallegos Rocafull. Méjico. 1948. 79 págs. 19 cm. (Biblioteca Enciclopédica Popular, 188).

LONDRES. *British Museum.* 12213.ee.1/188.— WASHINGTON. *Congreso.* 59-24822*.

1643

DE rebus Hispaniae. Selección de textos por Valentín García Yebra. Madrid. Edit. Gredos. 1949. 152 págs. 19 cm.

OBRAS LATINAS

1644

HISTORIAE de rebvs Hispaniae libri XX. Toledo. Typ. Petri Roderici. 1592. 4 hs. + 959 págs. + 6 hs. 32 cm.

Edición que quedó interrumpida en la página 959, al finalizar el libro XX.

—Librarius Lectori.—Juicio de Martín Baillo sobre los XXV libros.—Pr. al autor por diez años.—T.—E.—Prefacio del autor al Rey Felipe II.—Texto.—Indice.

Salvá, II, n.º 3.016; Pérez Pastor, *Toledo*, n.º 402; Millares Carlo, *Museo Canario*, n.º 54.

BURGOS. *Facultad de Teología.* 82-I-1. — LAS PALMAS. *Museo Canario.* — LONDRES. *British Museum.* 183.e.13. — MADRID. *Academia de la Historia.* 4-2-3-1.664/65. *Nacional.* R-475. *Palacio Real.* VII-691.—MURCIA. *Universitaria.*—NUEVA YORK. *Hispanic Society.*—ROMA. *Vaticana.* Stamp. Barb. S.II.1.—SANTANDER. *«Menéndez y Pelayo».* R-III-11-12.—SANTIAGO DE COMPOSTELA. *Universitaria.*—URBANA. *University of Illinois.* — VALENCIA. *Colegio del Corpus Christi.* 1.369.—VALLADOLID. *Universitaria.* 469.—VIENA. *Nacional.* 222.268-D; etc.

1645

HISTORIAE de rebus Hispaniae. Libri XXV. Toledo. Pedro Rodriguez. 1592. 4 hs. + 1168 págs. + 14 hs. 33 centímetros.

Salvá, II, n.º 3.015; Heredia, III, n.º 7.282; Pérez Pastor, *Toledo*, n.º 403.

EVORA. *Pública.* Sec. XVI, 4108. — GENOVA. *Universitaria.* 2.G.VI.8.—MADRID. *Academia Española.* — *Facultad de Filología.* 30.209. *Palacio Real.*—SANTIAGO DE COMPOSTELA. *Universitaria.*—WASHINGTON. *Congreso.* 8-109491. ZARAGOZA. *Universitaria.* D-3-221; etc.

1646

HISTORIAE de rebus Hispaniae. Libri XXV. Toledo. Tomas Guzman. 1595. 4 hs. + 1.168 págs. + 14 hs. 34 centímetros.

CAGLIARI. *Universitaria.* Ross.L.8. — MADRID. *Nacional.* R-28.916.—VALLADOLID. *Universitaria.* 3.757.—VIENA. *Nacional.* B.E.12.K.27.

1647

——. (En HISPANIAE *illustratae.* Tomo II. Francfort. 1603, págs. 205-801).

LONDRES. *British Museum.* 593.i.5.—NUEVA YORK. *Hispanic Society.*

1648

HISTORIAE de Rebus Hispaniae. Libri XXX. Maguncia. Balth. Lipii, impensis haeredum A. Wecheli. 1605. 8 hs. + 619 págs. 24 cm.

GRANADA. *Universitaria.* A-22-169.—LYON. *Municipale.* 345.568. — MADISON. *University of Wisconsin.*—MADRID. *Nacional.* 2-57.113. *Paalacio Real. — Particular de «Razón y Fe».* S-III-59-1-2. — NUEVA YORK. *Hispanic Society.*—PROVIDENCE. *John Carter Brown Library.*—URBANA. *University of Illinois.*

1649

——. [s. l., Maguncia]. Impensis Aubrianorum fratrum & Clementis Schleichii. 1692. 2 vols. 22 cm.

Aparte: *Svmmarivm ad Historiam Hispaniae eorvm qvae acciderunt annis seqventibvs.* 41 págs.

CHICAGO. *Newberry Library.* — NEW HAVEN. *Yale University.*—NUEVA YORK. *Hispanic Society.*—URBANA. *University of Illinois.*

1650

HISTORIAE de rebus Hispaniae libri triginta. Accedunt Fr. Josephi Emmanuelis Minianae... continuationis novae libri decem. Cum Iconibus Regum. Hagae Comitum. Petrus de Hondt. 1733. 4 vols. 38 cm.

LYON. *Municipale.* 24.198.—MADRID. *Academia de la Historia.* 5-5-2-1.996/99. *Facultad de Filología.* 22.882. *Nacional.* 5-4.503. *Palacio Real.* VI-2.255/58.—SANTIAGO DE COMPOSTELA. *Universitaria.*—VALLADOLID. *Universitaria.* Santa Cruz, 1.846/47.

1651

HISTORIAE de rebus Hispaniae libri triginta. Accedunt Josephi Em-

manuelis Minianae... Francfort. Franciscus Varrentrap. 1733. 4 vols. 41 centímetros.

ANN ARBOR. *University of Michigan.*—BERKELEY. *University of California.*—BLOOMINGTON. *Indiana University.*—MADISON. *University of Wisconsin.*

De ponderibus

1652

De ponderibvs et mensuris. Toledo. Tomas de Guzman. 1599. 4 hs. + 192 páginas. 21 cm.

Salvá, II, n.º 2.584; Pérez Pastor, *Toledo,* n.º 436.

BERKELEY. *University of California.*—BURGOS. *Facultad de Teología.* — CAMBRIDGE, Mass. *Harvard University.* — CORDOBA. *Pública.* — EVORA. *Pública.* Sec. XVI, 3251. — LEON. *Pública.*—LONDRES. *British Museum.* 531.g.21. MADRID. *Academia Española.*—*Academia de la Historia.* 16-1-8-730. *Facultad de Filología.* 26.210; etc, *Nacional.* R-29.004; etcétera. *Palacio Real.* IX-4.651; etc. — NUEVA YORK. *Hispanic Society.*—PAMPLONA. *General de la Diputación Foral.* 109-23/32. — POYO. *Monasterio de Mercedarios.* 37-4-31. — SANTANDER. *«Menéndez y Pelayo».* R-V-10-23.— SANTIAGO DE COMPOSTELA. *Universitaria.*—SEVILLA. *Universitaria.*—URBANA. *University of Illinois.* — VALENCIA. *Colegio del Corpus Christi.* 1.186. — VALLADOLID. *Universitaria.* 14.676; etc.—ZARAGOZA. *Universitaria.* H-10-105.

1653

——. Maguncia. Balthasar Lippi. 1605. 160 págs. 12.º.

CHICAGO. *Newberry Library.*—DURHAM. *Duke University.*—FILADELFIA. *University of Pennsylvania.*—MADRID. *Academia de la Historia.* Pasillo, 3.662-2.—NUEVA YORK. *Columbia University.*—*Hispanic Society.*—PARIS. *Nationale.* V.45952; etc. — ROMA. *Vaticana.* Stamp. Barb. P.VI.32. — ROUEN. *Municipale.* Mt.P. 1577(2); etc.—URBANA. *University of Illinois.*

1654

——. [s. l.]. Typis Wechelianis. 1611. 160 págs. 16,5 cm.

ANN ARBOR. *University of Michigan.*—GENOVA. *Universitaria.* 3.KK.II.6(2). — NORMAN. *University of Oklahoma.*—NUEVA YORK. *Columbia University.*—PROVIDENCE. *Brown Univer-*

sity. — TALLAHASSEE. *Florida State University.*—URBANA. *University of Illinois.*

— — —

V. además n.º 1659.

De Rege et Regis Institutione

1655

DE Rege et Regis Institutione Libri III. Toledo. Pedro Rodriguez. 1599. 4 hs. + 446 págs. + 5 hs. 20,5 centímetros.

Salvá, II, n.º 3.700; Heredia, IV, n.º 4.306; Pérez Pastor, *Toledo*, n.º 437.

BURGOS. *Facultad de Teología.* Dv.43.—CAMBRIDGE, Mass. *Harvard University.*—EVORA. *Pública.* Sec. XVI, 3.250.—GENOVA. *Universitaria.* Rari N.VI.21.— HUESCA. *Pública.*— IOWA CITY. *University of Iowa.*—LEON. *Pública.*—MADRID. *Academia de la Historia.* 20-6-6-2.880; etc. *Facultad de Filología.* 33.604. *Nacional.* R-6.783. *Palacio Real.* III-1.636. *Senado.* — MALAGA. *Pública.* — NEW HAVEN. *Yale University.* — NUEVA YORK. *Hispanic Society.* — *Public Library.*—OVIEDO. *Universitaria.*—POYO. *Monasterio de Mercedarios.* 37-4-31.—PRINCETON. *Princeton University.*— SALAMANCA. *Universitaria.*—SANTIAGO DE COMPOSTELA. *Universitaria.*—SEVILLA. *Universitaria.*—TOLEDO. *Pública.*—VALLADOLID. *Universitaria.* Santa Cruz, 12.527.—WASHINGTON. *Congreso.* 10-10887.

1656

——. Maguncia. Balthasar Lippi. 1605. 372 págs. 17 cm.

COLUMBUS. *Ohio State University.* — NUEVA YORK. *Columbia University.*—Hispanic Society.*—PARIS. *Nationale.* *E.3126 (2). — PRINCETON. *Princeton University.*—ROMA. *Vaticana.* Stamp. Barb. P.VI.32.—ROUEN. *Municipale.* Mt.P.1577 (1); etc.

1657

——. [s. l.]. Typis Wechelianis, apud haeredes Ioannis Aubrii. 1611. 4 hs. + 372 págs. 16,5 cm.

BOSTON. *Public Library.*—GENOVA. *Universitaria.* 3.KK.II.69(1).—LOS ANGELES. *Los Angeles County Law Library.*—University of California. William Andrews Clark Memorial.*—MADRID. *Nacional.* R-11.508.—NEW HAVEN. *Yale University.* — PROVIDENCE. *Brown University.*

1658

DE Rege et Regis Institvtione Libri III... Eiusdem de ponderibus & mensuris Liber. Editio secunda. [s. l., Franfort del Mein?]. Typ. Wechelianis, apud haeredes Ioannis Aubrii. 1640. 372 + 160 págs. 18 cm.

NUEVA YORK. *Columbia University.*—SANTIAGO DE COMPOSTELA. *Universitaria.* — STANFORD. *Stanford University Libraries.*

1659

——. Aalen. Scientia Verlag. 1969. 446 págs. 21 cm.

WASHINGTON. *Congreso.* 74-465361.

Tractatus VII

1660

TRACTATUS VII. De adventu B. Iacobi Apostoli in Hispaniam: pro editione Vulgata: de spectaculis: de monete mutatione: de die mortis Christi: de annis Arabum: de morte & inmortalitate. Colonia Agrippina. Sumpt Antonii Hierati. 1609. 4 hojas + 444 págs. + 8 hs. 32 cm.

Ed. del P. Andrés Schott.

GRANADA. *Universitaria.* A-5-60.—LONDRES. *British Museum.* 1012.f.9.—MADRID. *Academia de la Historia.* 4-2-6-2.188. *Facultad de Filología.* 26.566; etc. *Nacional.* U-5.272. — ROMA. *Vaticana.* Stamp. Barb. V.VI.18. — SANTANDER. «*Menéndez Pelayo*».—R-IV-5-3.— SANTIAGO DE COMPOSTELA. *Universitaria.*—VALLADOLID. *Universitaria.* 5.410.—ZARAGOZA. *Universitaria.* G-55-124.

1661

DISSERTATIO pro editione Vulgata. (En Menochio, G. S. *Commentarii totius S. Scripturae...* Tomo II. París. 1719).

LONDRES. *British Museum.* 4.e.1. — MADRID. *Nacional.* 3-18.730.

— — —

—En idem. Tomo III. 1758.

LONDRES. *British Museum.* Tomo III. 1758. LONDRES. *British Museum.* L.16.g.7.

1662

PRO editione Vulgata dissertatio. (En Migne, Jacques-Paul. *Scripturae Sacrae Cursus Completus.* Tomo I. París. 1839, cols. 587-698).

LONDRES. *British Museum.* 1214.1.

Scholia...

1663

SCHOLIA in Vetvs et Novvm Testamentvm. Madrid. Luis Sánchez. 1619. 6 hs. + 1.108 págs. + 10 hs. 30 cm.

Pérez Pastor, *Madrid,* II, n.º 1.608.

BURGOS. *Facultad de Teología.*—GENOVA. *Universitaria.* 1.K.III.2. — GRANADA. *Universitaria.* A-8-75; etc.—ITHACA. *Cornell University.* LISBOA. *Ajuda.* 5-VIII-33.—MADRID. *Academia de la Historia.* 14-3-4-1.176. *Nacional.* 3-7.018.—NUEVA YORK. *Union Theological Seminary.* — PAMPLONA. *General de la Dipución Foral.* 109-5-5/14. — SANTIAGO DE COMPOSTELA. 4.512. — VALLADOLID. *Universitaria.* 4.512.—ZARAGOZA. *Universitaria.* G-42-61.

1664

——. París. [Michel Sonnius]. 1620. 8 + 896 págs. 34,5 cm.

GENOVA. *Universitaria.* 1.K.V.21. — LATROBE. *Saint Vincent College and Archabbey.* — LISBOA. *Ajuda.* 101-VII-19.—ROMA. *Vaticana.* Stamp. Barb. B.V.9. — ROUEN. *Municipale.* A.75.—ST. LOUIS. *St. Louis University. School of Divinity Library.* — ZARAGOZA. *Universitaria.* G-15-10.

1665

——. (En BIBLIA *Sacra Vulgatae editionis.* Amberes.... 1624. 2 vols).

LONDRES. *British Museum.* L.13.e.1.—MADRID. *Facultad de Filología.* 18.500/1.—ROUEN. *Municipale.* A.76 (I-II).

—— —— ——

—1745.

LONDRES. *British Museum.* 3109.e. and f.

Edición de Lucas de Tuy

1666

Lucas, Obispo de Tuy. *De altera vita, fideiqve controversiis aduersus*

albigensium errores libri III. [Ed. por ——]. Ingolstadii. Andreas Angermarius. 1612. 21 hs. + 196 págs. + 11 hs.

LONDRES. *British Museum.* 3832.b.4.—MADRID. *Facultad de Filología.* 127².—ROMA. *Vaticana.* Stamp. Barb. G.II.42.—ROUEN. *Municipale.* Mt.P.7682.

Otros escritos

1667

LUCUBRATIONES in omnes canonicas epistolas. (En Van Gorcum, Jan. *Medulla paulina, sive Dilucida ac perbrevis Epistolarum B. Pauli apostoli expositio...* Lugduni. 1623).

PARIS. *Nationale.* A.8981.

1668

[*BREVIS Historia Regum Majoricensium ex Joanne Mariana et Joanne Samblacato ab eodem congesta*]. (En THESAURUS *Ecclesiastique Antiquitatis et Sacrae ac Profanae Eruditianis...* Tomo I. Venecia. 1749, n.º 20).

OBRAS APÓCRIFAS

1669

Juan de Mariana oder die Entwickelungsgeschichte eines Jesuiten. Berlín. Johann Friedrich Unger. 1804. 416 págs. 8.º

Trad. anónima de una supuesta autobiografía de Mariana. Se atribuye a Friedrich Buchholz.

a) Cirot, G., *Le roman du P. Mariana,* en *Bulletin Hispanique,* XXII, Burgos, 1920, págs. 269-94. Resumen y crítica.

TRADUCCIONES

a) CASTELLANAS

1670

DEL Rey, y de la Institución de la dignidad real... Traducido de la Segunda edición hecha el año 1640. Madrid. Imp. de la Soc. Literaria y

Tipográfica. 1845. IV + 463 págs. 23 centímetros.

BERKELEY. *University of California.*—BURGOS. *Facultad de Teología.* — CAMBRIDGE, Mass. *Harvard University. Law School Library.*— CHAPEL HILL. *University of North Carolina.*— DEUSTO. *Universitaria.*—GRANADA. *Universitaria.* B-58-82; etc.—MADRID. *Consejo. General.*—*Nacional.* 1-27.308. — PRINCETON. *Princeton University.* — ZARAGOZA. *Universitaria.* G-21-160.

1671

DEL Rey y de la institución real... Versión castellana de Crelion Acivaro, con la biografía del célebre Jesuíta por... Jaime Balmes. Barcelona. La Selecta. 1880. 694 págs. 18 cm. (Biblioteca de obras raras, 2).

BLOOMINGTON. *Indiana University.*—CAMBRIDGE, Mass. *Harvard University.* — MADISON. *University of Wisconsin.* — MADRID. *Nacional.* 1-80.891.

1672

DEL Rey y de la institución de la dignidad real. Tradución de E. Barriobero. Madrid. C. I. A. P. 1930. 205 páginas. 17 cm. (Colección Quevedo).

GRANADA. *Universitaria.* BXX-2-50 (F. Derecho).—MADRID. *Consejo. Instituto «J. Zurita».* 19-768. *Nacional.* 2-36.688.

1673

DEL rey y de la institución real. Madrid. Publicaciones españolas. 1961. 2 vols. 16 cm. (El libro para todos).

MADRID. *Facultad de Derecho.* — *Particular de «Razón y Fe».* N-IV-842-12.—WASHINGTON. *Congreso.* 65-74320.

1674

DEL Rey y de la institución real. Madrid. Doncel. 1976. 381 págs. + 4 hs. 18 cm. (El libro de bolsillo Doncel, 106).

MADRID. *Facultad de Derecho.*

1675

DIGNIDAD (La) real y la educación del rey. (De rege et regis institutio-

ne). Edición y estudio preliminar de Luis Sánchez Agesta. (El P. Juan de Mariana, un humanista precursor del constitucionalismo). Madrid. Centro de Estudios Constitucionales. 1981. LXV + 481 págs. 18,5 cm.

MADRID. *Facultad de Derecho.*

b) FRANCESAS

1676

DISCOVRS... des grands défauts qui sont en la forme du gouuernement des Jesuites. Traduict d'Espagnol en françois. [Burdeos]. 1625. 207 páginas. 16 cm.

CHICAGO. *Newberry Library.*—LONDRES. *British Museum.* 860.c.5. — LYON. *Municipale.* 314.116.—PARIS. *Nationale.* H.16483; etc.

1677

HISTOIRE générale d'Espagne... Traduite en François avec des notes et des cartes, par le P. Ioseph Nicolas Charenton. Paris. Le Mercier Père. 1725. 6 vols. con ilustraciones. 4.º

ANN ARBOR. *University of Michigan.*—BOSTON. *Public Library.*—CAMBRIDGE, Mass. *Harvard University.*—FILADELFIA. *University of Pennsylvania.* — LYON. *Municipale.* 314.110. — MADRID. *Nacional.* 2-67.629/34. — MONTPELLIER. *Municipale.* 10.606.—NUEVA YORK. *Public Library.*—URBANA. *University of Illinois.*

1678

HISTOIRE chronologique d'Espagne, commençant à l'origine des premiers habitans du Pays: et continuée jusqu'à présent. Tireé de Mariana et des plus célèbres auteurs espagnols. Par Mad.*** [D'Aulnoy]. París. 1725. 5 vols. 4.º

LONDRES. *British Museum.* 179.d.12-16 (1).

c) INGLESAS

1679

THE general history of Spain, to which are added two supplements, the first by F. Ferdinand Camargo y

Salcedo, the other by F. Basil Varen de Soto... Translated... by... John Stevens. Londres. Richard Sare, etc. 1699. 2 vols. 35,5 cm.

BOSTON. *Public Library.* D.121.5.º — LONDRES. *British Museum.* 1482.g.21. — NUEVA YORK. *Hispanic Society.* — PARIS. *Nationale.* Fol. Oa. 34.—WASHINGTON. *Congreso.* 4-28988.

1680

An English translation of Book I of... «De rege et regis institutione», with introd. by Georg Albert Moore. Washington. 1947. XV + 269 págs. + 1 lámina. 33 cm.

WASHINGTON. *Congreso.* A54-1327.

1681

The king and the education of the king, tr. by George Albert Moore. Washington. Country Dollar Press. [1948]. XXIII + 440 págs. con ilustr. 24 cm.

WASHINGTON. *Congreso.* 48-2923*.

d) ITALIANAS

1682

DISCORSO intorno a' grand' errori che sono nella forma del gouerno dei Giesuiti. Bordeos. Giovanni de Bordeos. 1625. 8.º.

LONDRES. *British Museum.* 860.k.11.(4). — ROMA. *Vaticana.* Stamp. Barb. G.VI. 140 y H.I. 129.

1683

——. Lugano, Nella Stamperia Privilegiata della Suprema Superiorità Elvetica nelle Prefetture Italiane. 1760. 110 págs. 17,5 cm.

GUASTALLA. *Maldotti.* 3.JJ.6.76.

ESTUDIOS

De conjunto

1684

VALENTI, IGNACIO. *El P. Juan de Mariana. Noticia histórica de su vida*

y escritos... Palma de Mallorca. Vda. e Hijos de Gelabert. 1887. 2 hs. + 36 págs. 22 cm.

SANTANDER. «*Menéndez Pelayo*». 2.461.

— — —

—2.ª ed. Palma. 1897. 76 págs.

1685

PI Y MARGALL, FRANCISCO. *Juan de Mariana. Breves apuntes sobre su vida y sus escritos.* Madrid. Manuel Ginés Hernández. 1888. 68 págs. 23 centímetros.

LONDRES. *British Museum.* 10603.i.20.(7). — MADRID. *Consejo. Patronato* «Menéndez Pelayo». F-52. *Nacional.* V-8-32.

BIOGRAFÍA

1686

CIROT, G. *La famille de Juan de Mariana.* (En *Bulletin Hispanique,* VI, Burdeos, 1904, págs. 309-31).

1687

CIROT, G. *A propos du* «De rege», *des* «Septem Tractatus» *de Mariana et de son ou des ses procès.* (En *Bulletin Hispanique,* X, Burdeos, 1908, págs. 95-99).

1688

BALMASEDA, A. DE. *El P. Juan de Mariana (de la Compañía de Jesús).* Madrid. Edit. Colón. 1930. 63 págs. 8.º (Revista «Biografías». Moderno Plutarco. Ser. B, 2).

MADRID. *Nacional.* V-433-27.

1689

CIROT, GEORGES. *Mariana, jésuite. La jeunesse. Alcalá et Simancas (1554).* (En *Bulletin Hispanique,* XXXVIII, Burdeos, 1936, págs. 295-352).

1690

BALLESTEROS GAIBROIS, MANUEL. *El Padre Juan de Mariana.*

La vida de un sabio. Barcelona. Edit. Amaltea. 1944. 258 págs. 20,5 centímetros.

MADRID. *Nacional.* 1-98.580.

1691

HOYOS SAINZ, LUIS DE. *Identificación de los cráneos de los padres jesuitas Mariana y Ripalda.* (En *Boletín de la R. Academia de la Historia,* CXXII, Madrid, 1948, págs. 673-705, más 4 láminas).

1692

ASENSIO, FELIX. *El profesorado de Juan de Mariana y su influjo en la vida del escritor.* (En *Hispania,* XIII, Madrid, 1953, págs. 581-639).

Iconografía

1693

CIROT, G. *Les portraicts du P. Juan de Mariana.* (En *Bulletin Hispanique,* VII, Burdeos, 1905, págs. 409-411).

Documentos

1694

[*Proceso contra el P. Juan de Mariana, a instancia del Fiscal D. Gilimón de la Mota. Madrid, 1610*].

Letra del s. XVIII. 142 fols. 313 × 213 mm.
Inventario, VIII, pág. 382.
MADRID. *Nacional.* Mss. 2.819.

1695

[*Causas contra el P. Juan de Mariana*].

Letra del s. XVIII. 28 + 177 fols
Olivar, pág. 246.
MONTSERRAT. *Abadía.* Mss. 905.

1696

[*Documentos relativos al P. Juan de Mariana*].

Letra del s. XVII. 3 vols.
Olivar, págs. 246-50.
MONTSERRAT. *Abadía.* Mss. 906-8.

1697

[*DOCUMENTOS sobre el P. Juan de Mariana*]. (En Pérez Pastor, Cristóbal. *Bibliografía madrileña.* Tomo III. Madrid. 1907, págs. 423-24).

1698

CIROT, G. *Quelques lettres de Mariana et nouveaux documents sur son procès.* (En *Bulletin Hispanique,* XIX, Burdeos, 1917, págs. 1-25).

Reproduce documentos del Archivo de Simancas y otros.

1699

ASTRANA MARIN, LUIS. *Un documento inédito del P. Mariana: el contrato de impresión de la «Historia de España».* (En *La Estafeta Literaria,* Madrid, 1956, n.º 74, págs. 1 y 4).

INTERPRETACIÓN Y CRÍTICA

1700

«*Prefacio acerca de las obras del P. Mariana, con su apología y defensa (dicese del P. Feijoo)*».

Letra del s. XVIII. 4.º.
Gayangos, I, pág. 595.
LONDRES. *British Museum.* Add. 10.250 (folios 161-69).

1701

PI Y MARGALL, FRANCISCO. *Amadeo de Saboya.—Juan de Mariana.* Madrid. El Progreso Tipográfico. 1890. 108 págs. 13 cm.

MADRID. *Nacional.* V-31-5.

1702

BESSON, P. *La crítica textual según Juan de Mariana.* (En *Revista Cristiana,* XXXIX, Madrid, 1918, páginas 132-33).

1703

ZAYAS, ANTONIO DE. *El Padre Juan de Mariana.* (En sus *Ensayos de crítica histórica y literaria.* Madrid. A. Marzo. 1907, págs. 155-89).

SANTANDER. *«Menéndez y Pelayo».* 1.423 (dedicado).

1704

TALLMADGE, G. KASTEN. *Juan de Mariana.* (En JESUIT *Thinkers of the Renaissance. Essays presented to John F. McCormick...* Milwaukee. 1939, págs. 157-92).

1705

MARTIN ACERA, FERNANDO. *Juan de Mariana, humanista y filósofo.* (En *Durius,* III, Valladolid, 1975, págs. 237-45).

La lengua

1706

CIROT, GEORGES. *Quelques remarques sur les archaïsmes de Mariana et la langue des prosateurs de son temps. (Conjugaison).* (En MÉLANGES *Chabaneau...* Erlangen. 1907, páginas 883-904).

El historiador

1707

[*ADUERTENCIAS a la Historia del Padre Iuan de Mariana*]. [s. l.-s. i.]. [s. a.]. 25 fols. 20 cm.

MADRID. *Nacional.* U-10.370.

1708

[*ANTIRESPVESTA a lo qve escriuio Iuan de Mariana contra las Aduertencias que salieron a su Historia*]. [s. l.-s. i.]. [s. a.]. 10 hs. 19,5 cm.

MADRID. *Nacional.* V.E.-34-22.

1709

«Apuntamientos contra la Historia del P. Juan de Mariana».

Letra del s. XVII. Perteneció a Gayangos. ¿De Antonio de Mendoza? (Roca, n.º 88).

MADRID. *Nacional.* Mss. 18.550³.

1710

MANTUANO, PEDRO. *Advertencias a la Historia del P.* ——. Milán. 1611.

V. n.º 861.

1711

——. ——. Madrid. 1613.

Añade réplicas a Mariana y al P. Pineda. V. n.º 862.

1712

TAMAYO DE VARGAS, TOMAS. *Historia general de España del P. D. Iuan de Mariana defendida por —— contra las Advertencias de Pedro Mantuano.* Toledo. Diego Rodríguez. 1616. 4 hs. + 341 + LV págs. + 6 hs. 18,5 cm.

Pérez Pastor, *Toledo,* n.º 487.

LISBOA. *Ajuda.* 10-VI-98.—MADRID. *Academia de la Historia.* 5-4-8-1.778. *Nacional.* R-30.653; etc.—SANTIAGO DE COMPOSTELA. *Universitaria.*

1713

SANZ DE VENESA Y ESQUIBEL, MIGUEL. *Relación de lo qve al R. P. M. Iuan de Mariana... pone en consideración... en nombre de la muy noble y leal villa de Fuenterrabía, sobre la enmienda que piden el capítulo 5 del libro 23, y el capítulo 23 del libro 29 de la segunda parte de su Historia de España, que tratan del Río Vidasoa.* [s. l.-s. i.]. [s. a.]. 15 fols. 29,5 cm.

—Texto, fechado en Madrid a 20 de noviembre de 1621.

MADRID. *Nacional.* V.E.-59-4.

1714

[RIBEIRO DE MACEDO, DUARTE]. *Advertencias al adicionador de la Historia de España del P. Iuan de Mariana, impresso en Madrid en el año 1669. Escritas por Mr. Cohon Truel* [seud.]... París. [s. i.]. 1676. 6 hs. + 228 págs. + 1 h. 13,5 cm.

MADRID. *Nacional.* 2-44.709. — NUEVA YORK. *Hispanic Society.*—OVIEDO. *Universitaria.*—PARIS. *Nationale.* Oa.38.—SEVILLA. *Colombina.* 74-1-50.

1715

DEZA, LOPE DE. *Defensa a la Historia General de España que en latín y castellana escrivió el P. Iuan de Mariana».*

Letra del s. XVII. 94 fols. 315 × 208 mm.
MADRID. *Nacional.* Mss. 6.946.

1716

IBAÑEZ DE SEGOVIA, GASPAR. *Advertencias a la Historia del P. Juan de Mariana... Publicadas por Gregorio Máyans i Siscár.* Valencia. Viuda de Antonio Bordazar de Artazu. 1746. 8 hs. + XII + 131 págs. 30 centímetros.

V. *BLH*, XII, n.° 110.

1717

——. ——. Madrid. Real. 1795.

V. *BLH*, XII, n.° 111.

1718

PLAN de una nueva impresion de la Historia de España que escribió Juan de Mariana, con la continuación del P. Fr. Joseph Manuel Miñana, y varias ilustraciones y adornos, que ofrece por subscripcion Benito Monfort impresor de Valencia. [s. l.-s. i.] [s. a.]. 3 hs. 32 cm.

MADRID. *Nacional.* 2-57.912.

1719

UBACH Y VINYETA, FRANCES L. *Discursos leídos ante la Real Academia de Buenas Letras de Barcelona en la pública recepción de —— el día 18 de marzo de 1888.* Barcelona. Imp. de Jaime Jepús y Roviralta. 1888. 33 págs. 27 cm.

Con la contestación de José Coroleu. Se cita con tres títulos diferentes, uno de los cuales es: «Parcialidad de Mariana y Lafuente en la historia de Cataluña».

MADRID. *Nacional.* G.M.-2.867.

1720

CIROT, GEORGES. *Etudes sur l'historiographie espagnole. Mariana historien.* Burdeos. Feret et fils. [Imp. G. Gounouilhou]. 1905. 1 lám. + XIV + 481 págs. (Bibliothèque de la Fondation Thiers, VIII).

Págs. 473-78: Bibliographie.

a) P[az] y M[elia], A., en *Revista de Archivos, Bibliotecas y Museos*, XIII, Madrid, 1905, pág. 63.

LONDRES. *British Museum.* Ac.443. — MADRID. *Consejo. Patronato «Menéndez Pelayo».* 6-2.103. *Nacional.*

1721

GARCIA VILLADA, ZACARIAS. *El P. Juan de Mariana, historiador.* (En *Razón y Fe*, LXIX, Madrid, 1924, páginas 455-462).

1722

BALLESTEROS Y BERETTA, ANTONIO. *Discurso en elogio del P. Juan de Mariana.* Madrid. Voluntad. 1925. 19 págs. 24 cm. (Publicaciones de la R. Academia de la Historia).

1723

ASIN PALACIOS, MIGUEL. *El juicio del P. Mariana sobre Alfonso el Sabio.* (En *Al-Andalus*, VII, Madrid, 1942, pág. 479).

1724

SANCHEZ ALONSO, BENITO. *Juan de Mariana.* (En *Historia de la Historiografía española.* Tomo II. Madrid. 1944, págs. 169-76, 282).

MADRID. *Consejo. Patronato «Menéndez Pelayo».* E-1.082 .

1725

CEPEDA ADAN, JOSE. *Una visión de América a fines del siglo XVI.*

Las Indias en la Historia del P. Mariana. (En *Estudios Americanos*, VI, Sevilla, 1953, págs. 397-421).

1726
MARTIN ACERA, FERNANDO. *Notas críticas a la obra histórico latino-castellana del P. Mariana. (Estudio bio-bibliográfico).* (En *Durius*, III, Valladolid, 1975, págs. 9-42).

Aspecto político-moral
1727
ARREST de la Cour de Parlement, ensemble la Censure de la Sorbonne, contre le livre de —— intitulé «De Regis et Rege inatitutione»... [s. l., París?]. [1610]. 2 partes. 8.º
Con fecha 27 de mayo 1610.
LONDRES. *British Museum.* 860.d.6.(9). — ROUEN. *Municipale.* Leb. 4187 (5); etc.

— — —

—1611.
LONDRES. *British Museum.* 860.d.10.(1-8).

1728
The Copie of a late decree of the Sorbone... Condemning of that... opinion, touching the marthering of princes... maintained by the Jesuites, and amongst the rest, by J. Mariana. 1610.
LONDRES. *British Museum.* 4091.d.32.

1729
[ROUSSEL, MICHAEL]. *L'Antimariana ou refutation des propositions de Mariana, pour montrer que les Princes Souverains ne dependent que de Dieu en leur temporel...* París. P. Mettayer. 1610. 8.º
LONDRES. *British Museum.* 867.g.19.(2). — MADRID. *Nacional.* 2-58.981.—SANTANDER. *«Menéndez y Pelayo».* R-V-10-27.

1730
Estat de la question agitée en Sorbonne le premier Jour de Feburier, Sçavoir, si Mariana en son Livre du Roy et de l'Institution Royalle est d'accord en quelque chose avec le Concile de Constance et les decrets de Sorbonne. (En RECUEIL *de plusieurs actes et mémoires remarquables pour l'histoire de ce temps...* Tomos II-III. s. l., París? 1612).
LONDRES. *British Museum.* 1195.c.4 (2 and 3).

1731
GARZON, FRANCISCO DE PAULA. *El P. Juan de Mariana y las escuelas liberales.* Madrid. A. Pérez Dubrull. 1889. 664 págs. 19 cm.
a) *La Controversia*, III, Madrid, 1889, página 232.
LONDRES. *British Museum.* 8009.b.26.—MADRID. *Consejo. Instituto «P. Flórez».* 51-C-15. — *Facultad de Filología.*

1732
COSTA, JOAQUIN. *El P. Juan de Mariana, socialista colectivista.* (En *Vida Nueva*, Madrid, 7 de agosto de 1898, n.º 9).

1733
GONZALEZ DE LA CALLE, PEDRO URBANO. *Ideas político-morales del P. Juan de Mariana. Apuntes y notas.* (En *Revista de Archivos, Bibliotecas y Museos*, XXIX, Madrid, 1913, págs. 388-406; XXX, 1914, págs. 46-60, 201-28; XXXI, págs. 242-62; XXXII, 1915, págs. 400-19).
Tirada aparte: Madrid. 1915. 101 págs.
a) Labiada, L., en *La Lectura*, XIV, Madrid, 1914, abril, págs. 454-69; mayo, páginas 82-94.

1734
BESSON, P. *Juan de Mariana, expurgado.* (En *Revista Cristiana*, XXXVII, Madrid, 1916, págs. 110-112).

1735
GONZALEZ DE LA CALLE, P. U. *Algunas notas complementarias acerca*

de las ideas morales del P. Juan de Mariana. (En Revista de Archivos, Bibliotecas y Museos, XXXIX, Madrid, 1918, págs. 267-87; XXIII, 1919, págs. 130-40; XL, 1919, págs. 231-47; 418-30, 536-51).

1736

SIJÉ, R. El golpe de pecho o de cómo no es lícito derribar al tirano. (En Cruz y Raya, Madrid, 1934, n.º 19, págs. 27-42).

1737

KOEHLER, GOTTFRIED. Juan de Mariana als polistischer Denker. Ein Beitrag zum spanischen Anti-Absolutismus im sechzehnten Jahrhundert. Leipzig. Universität. 1938. 137 páginas. 8.º

LONDRES. British Museum. 20043.b.23.

1738

PASA, A. Un grande teorico della politica nella Spagna del secolo XVI, il gesuita Giovanni Mariana. Nápoles. A. Rondinella. 1939. 212 págs. 26,5 centímetros.

LONDRES. British Museum. 20013.ff.42. — MADRID. Consejo. Patronato «Menéndez Pelayo». 18-804. Nacional. 1-131.279.

1739

LLORENS, E[DUARDO] L[UIS]. Über Juan de Mariana Staatsauffassung. (En Spanische Forschungen der Görresgesellschaft, VIII, Münster, 1940, págs. 381-412).

1740

GIACON, CARLO. La seconda scolastica. Tomo III: I Problemi juridico-politici: Suárez, Bellarmino, Mariana. Milán. Edit. De Fratell Bocca. 1950. 304 págs.

1741

GANDIA, ENRIQUE DE. Las ideas políticas de Juan de Mariana. (En

La Nueva Democracia, XXXVIII, Nueva York, 1958, págs. 100-9).

1742

MACEDO DE STEFFENS, D. C. La doctrina del tiranicidio. Juan de Salisbury (1115-1180) y Juan de Mariana (1535-1621). (En Anales de Historia Antigua y Medieval, Buenos Aires, 1958-59, págs. 123-33).

1743

LEWY, GÜNTHER. Constitutionalism and statecraft during the Golden Age of Spain: a study of the political philosophy of Juan de Mariana, S. J. Ginebra. Droz. 1960. 201 páginas.

a) Elliot, en The English Historical Review, LXXVI, Londres, 1961, págs. 719-20.

b) Lach, en The Journal of Modern Histiry, XXIII, Chicago, 1961, pág. 191.

LONDRES. British Museum. W.P.A.31/36. — MADRID. Nacional. 1-131.279.

1744

HANSEN ROSES, CHRISTIAN. Ensayo sobre el pensamiento político del P. Juan de Mariana. Santiago de Chile. Universidad Católica de Chile. 1959. 349 págs. 8.º (Colección de Historia de las Ideas políticas y sociales, 1).

MADRID. Nacional. H.A.-59.717; etc.

1745

DEMPF, ALOIS. La doctrina política de Juan de Mariana. (En La Filosofía cristiana del Estado en España. Madrid. 1961, págs. 209-34).

Obra original: Christliche Staatsphilosophie in Spanien. Salzburg. Anton Pustet. 1937.

MADRID. Nacional. 1-221.880.

1746

DOERIG, J[OHANNES] A[NTON]. Juan de Mariana (1535-1624), referente pensador político del clasicis-

mo español. (En *Folia Humanística,* XI, Barcelona, 1973, págs. 259-65).

1747
MARTINEZ MARTINEZ, JULIO GE-
RARDO. *El problema de la resisten-
cia y otras cuestiones de dinámica
socio-política con él relacionadas: el
P. Juan de Mariana.* Granada. Uni-
versidad. Facultad de Derecho. 1978.
53 págs. 71 cm.
Tesis doctoral.
MADRID. *Nacional.* V-12.890-90.

El escriturario

1748
MORA, J. J. DE. *Opiniones políticas
del P. Juan de Mariana.* (En *Revista
de España, de Indias y del Estran-
jero,* VI, Madrid, 1846, págs. 258-301).

1749
BESSON, P. *Estudios sobre Juan
de Mariana. Juan de Mariana y la
Vulgata latina.* (En *Revista Cristiana,* XXXIX, Madrid, 1918, págs. 154-
156).

1750
RIOS, M. DE LOS. *El P. Juan de Mariana, escriturario. El Tratado «Pro
Editione Vulgata».* (En *Estudios Bíblicos,* II, Madrid, 1943, págs. 279-89).

1751
ASENSIO, S. *Juan de Mariana y la
Políglota de Amberes. Censura ofi-
cial y sugerencias de M. Bataillon.*
(En *Gregorianum,* XXXVI, Roma,
1955, págs. 50-80).

1752
REY, EUSEBIO. *Censura inédita del
P. Juan de Mariana a la Políglota Re-
gia de Amberes (1575).* (En *Razón y
Fe,* CLV, Madrid, 1957, págs. 525-48).

1753
ASENSIO, F. *Huellas biblicas de
Juan de Mariana en sus años de To-
ledo.* (En *Estudios Bíblicos,* XVII,
Madrid, 1958, págs. 393-410).

1754
ASENSIO, FELIX. *Encuentro bibli-
co entre Juan de Mariana y Francisco de Ribera.* (En *Estudios Bíblicos,*
XXVII, Madrid, 1968, págs. 129-52).

1755
——. *Juan de Mariana ante el bino-
mio Vulgata-decreto tridentino.* (En
Estudios Bíblicos, XVII, Madrid,
1958, págs. 275-88).

El economista

1756
LAURES, JOHN. *The political eco-
nomy of Juan de Mariana...* Nueva
York. Fordham University Press.
1928.
LONDRES. *British Museum.* 08229.s.11. — MA-
DRID. *Consejo. Patronato «Menéndez Pela-
yo».* LE-490.

1757
BENSABAT AMZALAK, MOSES. *As
Teorías monetárias do Padre João
de Mariana.* Lisboa. 1944. 57 págs. 8.º
LONDRES. *British Museum.* 8204.dd. 26.

1758
SAIZ ESTIVARIZ, CIPRIANO. *Doctrinas económicas del P. Juan de
Mariana, S. J. Sus ideas sobre una
política agraria y ganadera.* (En *Boletín de Estudios Económicos,* Bilbao, 1955, n.º 35, págs. 37-43).

1759
NAVAS-BRUSI, J. LL. *Los estudios
monetarios del P. Mariana.* (En *Caesaraugusta,* Zaragoza, 1960, núms. 15-
16, págs. 149-84).

1760

LLUIS Y NAVAS, JAIME. *Los estudios del P. Mariana sobre el valor de la moneda a través de los tiempos*. (En *Caesaragusta*, Zaragoza, 1961, núms. 17-18, págs. 93-120).

1761

LLUIS Y NAVAS, JAIME. *Las ideas de Mariana sobre las características generales de la moneda y el problema del valor*. (En *Caesaraugusta*, Zaragoza, 1962, núms. 19-20, págs. 89-119).

1762

LLUIS Y NAVAS, JAIME. *Las doctrinas de Mariana sobre el derecho del Rey a regular la fabricación de la moneda*. (En *Caesaraugusta*, Zaragoza, 1964, núms. 21-22, págs. 123-53).

1763

LLUIS Y NAVAS-BRUSI, JAIME. *Las ideas de Mariana sobre la historia e inconuenientes de las alteraciones monetarias*. (En *Caesaraugusta*, Zaragoza, 1966, n.º 27-28, páginas 127-47).

1764

BOERIG, J[OHANN] A. *Juan de Mariana (1536-1624), relevante pensador español, ante la economía política del Siglo de Oro (1500-1680)*. (En *Folia Humanistica*, X, Barcelona, 1972, págs. 637-47).

1765

LLUIS NAVAS, JAIME. *El análisis del P. Mariana de la política monetaria de su época*. (En sus *Estudios sobre Historia del Derecho y la política económica - social*. Barcelona. 1978, págs. 63-106).

1766

RAHOLA, FEDERICO. [*El «Tratado y Discurso sobre la moneda de ve-*

llón», del P. Mariana]. (En *Economistas españoles de los siglos XVI y XVII*. [s. a.]. Págs. 21-27).

El poeta

1767

CIROT, GEORGES. *Une élégie latine du P. Mariana avec la réponse*. (En MÉLANGES *de littérature, d'histoire et de philologie offerts a Paul Laumonier...* París. 1935, págs. 369-76).

EL censor

1768

REY, EUSEBIO. *Censura inédita del J. J. de Mariana*. (En *Razón y Fe*, CLV, Madrid, 1957, págs. 525-48).

1769

ASENSIO, FELIX. *Juan de Mariana ante el Indice Quiroguiano de 1583-1584*. (En *Estudios Bíblicos*, XXXI, Madrid, 1972, págs. 135-78).

Siete Tratados

1770

«En el libro q[ue] de nueuo ha salido del Padre Mariana de la compañia de Jesus q[ue] contiene siete tratados diferentes y se imprimieron en Colonia este año de 1609 ay muchas cosas dignas de expurgacion por ser contra la autoridad del Papa y del Rey ntro. S. de sus ministros...».

Letra del s. XVII. 302 × 210 mm.

MADRID. *Nacional*. Mss. 12.179 (fols. 138r-141r).

El Discurso sobre los males de la Compañía

1771

BESSON, P. *Un libro de Mariana quemado por los jesuitas*. (En *Revista Cristiana*, XXXVIII, Madrid, 1917, págs. 3-4).

Elogios

1772

VEGA CARPIO, LOPE DE. [*Prólogo al Tito Livio Christiano, Luz de la Historia de España, el P. D. ——*]. (En *Triunfo de Fee, en los Reynos del Iapon*... Madrid. 1619. Prels.).

1773

VEGA, LOPE DE. [*Elogio del P. Mariana*]. (En *El jardín de Lope*, folio. 156v, en *La Filomena*... Madrid. 1621).

MADRID. *Nacional*. R-3.074.

1774

REP: Backer-Sommervogel, V, cols. 547-567; E. Rey, en DHEE, III, págs. 1417-18.

MARIANA DE JESUS (MADRE)

Franciscana descalza.

CODICES

1775

[*Obras*].

Letra del s. XVII. 144 fols. 210 × 145 mm.
1. *Vida de la venerable Madre Mariana Jesus religiosa de la primera Regla de Santa Clara en el conuento de las Descalzas franciscanas de San Antonio de*... *Trugillo*...». (Fols. 1-114).
2. *Fundación del monasterio de S. Clara de Trujillo*. (Fols. 115r-126v).
3. *Copia de algunas que escriuió a diferentes religiosas*... (Fols. 127r-144v).
Castro, n.° 322.

MADRID. *Nacional*. Mss. 7.999.

1776

«*Obras*».

Letra del s. XVII. V + 177 fols. 210 × 150 milímetros.
—*Espejo purísimo*. (Fols. 1-170).—*Contemplación verdadera y unión con Christo*. (Fols. 170v-174r).—*Poesías*. (Fols. 175-77).
Castro, n.° 538.

MADRID. *Nacional*. Mss. 13.531.

1777

«*Espejo purissimo de la vida y pasion, muerte y resurrección de Chris-*

to... *manifestada por el mismo a la madre María* (sic) *de Jesus*... *Año de 1617*».

Letra del s. XVII. 111 fols. 222 × 161 mm.
Inventario, I, pág. 129.

MADRID. *Nacional*. Mss. 158.

1778

«*Espexo puríssimo de la vida, Passión y muerte y Resurecion de Cristo bien nuestro manifestado por el mismo a una sierua suya Religiosa descalza de la orden del serafico Padre San Francisco en San Antonio de la Ciudad de Truxillo*».

Letra del s. XVII. 243 fols. 203 × 135 mm.
El nombre de la autora consta en una nota en el folio I.
Inventario, I, págs. 249-50.

MADRID. *Nacional*. Mss. 381.

1779

«*Espejo purissimo de la vida, muerte y Resurreçión de Christo bien nuestro*».

Letra del s. XVII. 138 × 94 fols.
Inventario, II, págs. 481-82.

MADRID. *Nacional*. Mss. 872 (fols. 1-252).

1780

«——».

Letra del s. XVIII. 164 fols. 305 × 215 mm.
Castro, n.° 240; *Inventario*, X, pág. 291.

MADRID. *Nacional*. Mss. 4.186.

1781

«*Espejo puríssimo de la vida, passion y muerte y resureción de Christo bien nuestro*».

Letra del s. XVII. 132 fols. 215 × 150 mm.
MADRID. *Nacional*. Mss. 4.284.

1782

«*Espexo Pvrissimo de la Vida, Passion, Mverte, i Resurreccion de Christo Bien Nro. Manifestada por el mismo a vna sierua suya*...».

Año 1617. 378 págs. + 4 hs. 205 × 150 mm.
Castro, n.° 475.

MADRID. *Nacional*. Mss. 12.668.

1783

«*Espejo purissimo de la uida, passion y muerte y resurreccion de Christo bien nuestro manifestada a —— por el mismo...*».

Letra del s. XVIII. 26 + 28 + 9 + 9 fols. 290 × 205 mm. Perteneció a la duquesa de Abrantes.

Olivar, págs. 127-28.

MONTSERRAT. *Abadía*. Mss. 598.

MARIANA DE JESUS (SOR)

N. en Escalona. Franciscana. M. en 1670.

EDICIONES

1784

[*VIDA espiritual*]. (En Mesa, Luis de. *Vida*... Toledo. 1661).

Serrano y Sanz, n.º 1.310.

ESTUDIOS

1785

MESA, LUIS DE. *Vida, favores, y mercedes, que Nuestro Señor hizo a la venerable hermana Mariana de Jesus, de la Tercera Orden de San Francisco, natural de la villa de Escalona, que vivió, y murió en Toledo*. Toledo. Francisco Calvo. 1661. 9 hs. + 1207 págs. a 2 cols. + 3 hs. + 23 págs. 29,2 cm.

CORDOBA. *Pública*. 32.188. — MADRID. *Facultad de Filología.—Nacional*. 2-10.507. — SANTIAGO DE COMPOSTELA. *Universitaria*.

———

—Madrid. [Imp. Real]. [s. a., 1678?]. Fol. MADRID. *Nacional*. 3-41.348.

MARIANA DE JESUS (SOR)

N. en Valdeolivas (1606). Franciscana. M. en 1683.

CODICES

1786

«*Traslado de un papel que escribió la M. ——... Trata de cosas de su espíritu*».

Letra del s. XVII. 150 hs. 215 × 145 mm. Serrano y Sanz, II, n.º 1.312; Castro, número 535.

MADRID. *Nacional*. Mss. 13.474.

EDICIONES

1787

VIDA de la Venerable Mariana de Jesvs, por otro nombre Doña Mariana de Baqvero, Tercera del Orden Nvestro Padre San Francisco que dexó escrita de sv mano, por obediencia de sv confessor. Sacada a lvz por... Pedro Baqvero, sv hermano... Madrid. Francisco Sanz. 1688. 3 hs. + 377 págs. + 12 hs. 8.º

Serrano y Sanz, II, n.º 1.311.

ROMA. *Casanatense*. U.XIII.25.

1788

[*Extracto de la censura de un libro, en dos tomos, que contenía la vida y revelaciones de la hermana Mariana de Jesús, por un teólogo que no se nombra, pero muy hábil y de mucho juicio*].

Letra del s. XIX. (Copia del original). 8 hs. 250 × 200 mm.

Castro, n.º 870.

MADRID. *Nacional*. Mss. 20.242³⁵ (n.º 31).

MARIANA DE JESUS (BEATA)

N. en Madrid (1565). Mercedaria desde 1613. M. en 1624. Beatificada en 1792.

CODICES

1789

[*Relación que escribió de su vida espiritual y favores celestiales*].

Letra del s. XIX. Copia hecha en 1801 del original que se conservaba en el convento de mercedarios de Santa Bárbara de Madrid.

MADRID. *Nacional*. Mss.

1790

«*Breve resumpta de la vida de nuestra Santa Madre Mariana de Jesús, la qual dictó por obediencia de su Padre spiritual... Fray Juan Baptista del Santísimo Sacramento...».*

Letra del s. XVII. 69 hs. 4.º
Serrano y Sanz, I, n.º 1.296.
MADRID. *Nacional.* Mss.

1791
[*Cartas*].

Copias del s. XVII. 220 × 150 mm.
MADRID. *Nacional.* Mss. 5.615.

EDICIONES

1792
[*AUTOBIOGRAFIA*]. (En Juan de la Presentación, Fray. *La Corona de Madrid.* Madrid. 1673).

— — —

—En Gilabert Castro, J. *Vida de la Beata Mariana de Jesús.* Madrid. 1924, págs. 207-266.
—En Gómez, Elías. *La Beata Mariana de Jesús.* Madrid. 1965, págs. 235-82.

1793
[*CARTA espiritual a D.ª María de Luján.—Poemas. — Sentencias*]. (En Juan de la Presentación, Fray. *Vida...* 1784, págs. 248-58).

1794
DEVOTOS poemas de la ínclita hija de Madrid, Beata Mariana de Jesús. Llamados por ella misma «Bocaditos de oro». Madrid. Imp. de Lezcano y Cía. 1881. 8 págs.
Placer, II, n.º 3.113.

ESTUDIOS

HAGIOGRAFÍAS

1795
FRANCISCO DE SANTA MARIA, FRAY. *Vida de la Venerable Madre Mariana de Jesús de el Orden de los Religiosos Descalços de nuestra Sra. de la Merced...».*

Letra del s. XVII. 215 × 155 mm.
Placer, II, n.º 5.803.
MADRID. *Nacional.* Mss. 5.615 (fols. 89-348).

1796
JUAN DE LA PRESENTACION, FRAY. *La Corona de Madrid. Vida de la Venerable Madre Mariana de Iesús, Religiosa del Sacro, Real, y Militar Orden de N. Señora de la Merced...* Madrid. Iulian de Paredes. 1673. 16 hs. + 410 págs.
MADRID. *Consejo. Patronato «Menéndez Pelayo».* 15-674.

— — —

—*Guirnalda Sacra texida de varias flores, de la admirable vida, y virtudes de la Venerable Madre Mariana de Jesus...* 2.ª impresión. Madrid. Iulian de Paredes. 1693. 11 hs. + 278 págs. 8.º
—*Guirnalda...* Valencia. Joseph y Thomas de Orga. 1783. 8 hs. + 288 págs. 8.º
—*Vida Devota de la Beata Madre María Ana de Jesús...* Madrid. Isidoro de Hernández Pacheco. 1784. 9 hs. + 308 páginas + 3 hs. Es un compendio.
MADRID. *Nacional.* 3-69.271; etc.
—*Guirnalda...* Valencia. Joseph y Thomas de Orga. 1785. 9 hs. + 292 págs. 8.º
—Barcelona. Carlos Gilbert y Tutó. [s. a.]. 5 hs. + 1 lám. + 239 págs.

1797
LLAMAS, JOSE ANTONIO DE. *Breve resumen de la portentosa vida de la Bienaventurada Sor María-Ana de Jesús... en rithmas castellanas...* Madrid. Joseph Otero. 1784. 26 págs. 4.º

1798
PEREIRA, M. MARIANA DE JESUS. *Beata Mariana de Jesús. La taumaturga madrileña mercedaria (1565-1624). Notas de su vida.* Madrid. Centro Coordinador pro Centenario. Madrid. 1961. 77 págs. 21 centímetros.

1799
GOMEZ, ELIAS. *La M. Mariana de Jesús. (Aportaciones a la biografía*

de una madrileña). Madrid. Edit. Tirso de Molina. 1965. 346 págs. con grabs. 25 cm.

MADRID. *Consejo. Instituto «P. E. Flórez».* 50-X-4.

1800

COMPENDIO breve de la vida de la Venerable Madre Mariana de Jesús... [s. l.-s. i.]. [s. a.]. 7 hs. 4.º

Beatificación. Culto. Fiestas

1801

TESTIMONIO en relacion de las informaciones, qve por Breve y letras de comission de... don Inocencio Maximo... Nuncio, y Colector general Apostolico en estos Reynos de España, ha hecho el señor don Sancho de Contreras... acerca de las virtudes heroycas, fama, y milagros de la venerable sierua de Dios, Madre Mariana de Iesvs, Religiosa professa de la Recolecion, y Descalçez de nuestra Señora de la Merced. Y asis mismo la Iunta, que por Breue... del Señor Nuncio se hizo, para admitir los votos, y ofrendas, que se hazen a esta sierua de Dios... Madrid. Iuan de la Cuesta. 1624. 6 hs. Fol.

Pérez Pastor, *Madrid,* III, n.º 2.130.

1802

[Informe sobre el proceso de beatificación].

Letra del s. XVII. 220 × 150 mm.

MADRID. *Nacional.* Mss. 5.615.

1803

BENEGASI Y LUJAN, JOSE JOAQUIN. *Metros diferentes, assi serios, como festivos, que con el plausible motivo de haver declarado... Clemente XIII fueran en grado heroy-*co *las virtudes de la Venerable Mariana de Jesus... escrivia su afectissimo paysano ——. Madrid.* Madrid. Imp. de la Gaceta. 1761. 16 págs. 20 cm.

MADRID. *Nacional.* U-10.514; etc. — NUEVA YORK. *Hispanic Society.*—ZARAGOZA. *Universitaria.* Caja 65-1370.

1804

GARCIA, TADEO. *Octavas Reales, a la iluminacion, y fiesta, hecha por los vecinos de la Parroquial de Santiago, de esta Corte, en la Beatificacion de la B. María Ana de Jesus... este presente año de 1783.* Madrid. Hilario Santos. [s. a.]. 11 págs. 8.º

BOSTON. *Public Library.* D.158.25.2 (n.º 2).

1805

PEDRO DEL CORAZON DE MARIA, FRAY. *Glorias de la Beata María Ana de Jesús, Mercenaria Descalza, publicadas en las solemnes fiestas que a su Beatificación celebró el Colegio de su Orden en la ciudad de Salamanca. Año de 1783.* Salamanca. En la Oficina de la Santa Cruz, por Domingo Casero. [s. a.]. 80 págs. 4.º

1806

RELACION de la solemne Beatificacion de la Venerable Maria Ana de Jesus, Religiosa profesa de la Tercera Orden de PP. Mercenarios Descalzos... celebrada con devota y sagrada magnificencia en la Sacrosanta Basilica Vaticana el dia 25 de Mayo de 1783. [s. l.-s. i.]. [s. a.]. 4 hs. 4.º

1807

JOSE DE SAN BENITO. *María Ana dormida. Sermón panegírico que en... el convento de Padres Mercedarios Descalzos de Ciudad Real, en la solemne beatificación de... María Ana*

de Jesús... 11 de maio... 1784, dixo
——. Salamanca. Andrés García Rico.
[s. a.]. XXII + 50 págs. 4.º
SANTIAGO DE COMPOSTELA. *Universitaria.*

1808

ZEBALLOS, EUGENIO DE. *Oracion panegirica que en la festiva aclamación con que las Señoras hijas, y naturales de Madrid celebraron la Beatificacion de su compatriota la Beata Maria Ana de Jesus el dia 9 de Marzo de 1784 en el Convento de Santa Barbara de esta Corte...* Madrid. Pedro Marín. 1784. 28 págs. + 1 lám. 4.º

1809

ESPINOSA, MANUEL DE. *Sermón panegírico de la Beata Mariana de Jesús, sobre el conocimiento que tuvo de Dios: predicado... en el Convento de Santa Bárbara de esta Corte, día 24 de Abril de 1794.* Madrid. Benito Cano. 1794. 54 págs. 4.º

1810

GILABERT CASTRO, JUAN. *Capital remanente de la causa de la beata Mariana de Jesús, celebradas en la Basílica Vaticana las fiestas de su beatificación; y algo de la historia de este capital.* (En *Estudios*, XV, Madrid, 1959, págs. 473-75).

1811

NOVENA de la mística azucena de Madrid, la prudentísima Virgen y bienaventurada María Ana de Jesús. [s. l.-s. i.]. [s. a.]. 1 hs. + 45 págs. 8 cm.

«Se hallará en la Sacristía de la Merced descalza de Valladolid».
Alcocer, n.º 1.967.

1812

REP: E. Gómez, en DHEE, III, pág. 1418.

MARIANA DE SAN JOSE (SOR)

N. en Alba de Tormes (1568). Fundadora de las agustinas recoletas. M. en Madrid (1638).

EDICIONES

1813

VIDA de la V. M. ——, *fundadora de la Recoleccion de las Monjas Augustinas, Priora del Real Convento de la Encarnacion, hallada en unos papeles escritos de su mano. Sus virtudes observadas por sus Hijas. Publicalas... Luis Muñoz.* [Madrid. Impr. Imperial]. 1645. 9 hs. + 1 lámina + 462 págs. + 3 hs. 30,5 cm.

—Ded. al Rey por la M. Aldonza del Stmo. Sacramento, priora del R. Convento de la Encarnacion, y demas Religiosas del.— A la M. Aldonza y demas Religiosas, Luis Muñoz.—Apr. de Fr. Angel Manrique.— L. V.—Apr. de Pedro de Avalos.—Parecer de Fr. Francisco de Araujo.—Fr. Luis Cabrera y Fr. Thomás de Herrera, Consultores y Calificadores del Consejo de la Inquisición a la M. Aldonça.—Fr. Andres de Villa, al autor.—El P. Agustin de Castro, a la M. Aldonza.—Protesta del autor.—S. Pr.—E.—T.—Retrato de la M. —— por Juan de Noort.—Texto.— Protesta.—Tabla.

Incluye: Autobiografía, escritos espirituales, discursos sobre algunos capítulos de los Cantares de Salomón.

CORDOBA. *Pública.* 13-291.—MADRID. *Academia de la Historia.* 5-4-6-1603.—SEVILLA. *Universitaria.* 95-103. — VALLADOLID. *Universitaria.* 8.431.

1814

[*CARTA a doña Luisa de Carvajal*]. (En *Biblioteca de Autores Españoles.* Tomo CLXXIX. Madrid. 1965, págs. 454-57).

ESTUDIOS

1815

MUÑOZ, LUIS. *Vida de la V. M. Mariana de S. Joseph, fundadora de la Recoleccion de las monjas Augustinas, Priora del Real Convento de la Encarnacion...* Madrid. Imp. Imperial. 1645. 9 hs. + 1 lám. + 462 páginas + 3 hs. 30,5 cm.

1816
REP: N. Antonio, II, pág. 87; C. M. Abad, en DHEE, III, pág. 1418.

MARIANA DE SAN SIMEON (SOR)

N. en Denia (1569). Agustina descalza desde 1606. Priora del convento de Almansa. M. en Murcia (1631).

EDICIONES
1817
[*ESCRITOS*]. (En Carrasco, José. *La Phenix de Murcia*... Madrid. 1746).

ESTUDIOS
1818
CARRASCO, JOSE. *La Phenix de Murcia. Vida, virtudes y prodigios de la Venerable Madre Mariana de San Simeón, fundadora de los conventos de Almansa y Murcia*. Madrid. Manuel Fernández. 1746. 12 hs. + 489 págs. + 4 hs. 4.º
MADRID. *Nacional*. 3-13.538.

1819
ESTEBAN, EUSTAQUIO. *La sierva de Dios Sor Mariana de San Simeón, religiosa agustina fundadora de los conventos de agustinas descalzas de Almansa y de Murcia. Posiciones y artículos para la causa de beatificación*. Murcia. Imp. Escuela-Asilo Purísima. 1921. 126 págs. + 2 hs. 4.º

1820
REP: Santiago Vela, VII, págs. 267-69.

MARICHALAR (FERMIN DE)

EDICIONES
1821
[*APROBACION. Madrid, 17 de julio de 1679*]. (En Antonio de Jesús Maria, Fray. *Manifiesto de la injusta persecución que padecen las Católi-*

cas Romanas en Inglaterra. Madrid. 1680. Prels.).
MADRID. *Nacional*. V.E.-107-26.

MARICHALAR
(FRANCISCO ANTONIO DE)
Capitán

EDICIONES
1822
[*CENSURA. Pamplona, 9 de abril de 1672*]. (En Pérez de Mendoza y Quijada, Miguel. *Principios de los cinco sujetos principales de... la Philosophia y Matematica de las Armas*. Pampliona. 1672. Prels.).
MADRID. *Nacional*. R-1.216.

MARIETA (FR. JUAN DE)
Dominico.

CODICES
1823
«*Relación que da al Rey D. Phelipe III sobre la venida del Apostol Santiago a España*».
Copia.
LISBOA. *Nacional*. Mss. 173 (fol. 84).

1824
«*Calendario o Reportorio perpetuo de las fiestas mobiles y modo de reçar conforme al breuiario de la Orden de los predicadores de Santo Domingo, emendado todo conforme al calendario gregoriano, y añadidas las fiestas que el papa Sisto V manda de nuebo reçar, y nuestro capitulo general celebrado en Roma Año de 1589*».
Letra del s. XVI. 357 fols. 205 × 140 mm. A dos tintas, roja y negra.
MADRID. *Nacional*. Mss. 6.350.

EDICIONES
1825
HISTORIA ecclesiastica, y flores de Santos de España. Cuenca. Iuan Ma-

sselin. A costa de Christiano Bernabe. 1594. 12 hs. + 160 fols. a 2 cols.
+ 8 hs. 28,5 cm.

—Indice.—L. O.—Apr. de Fr. Diego de Guzmán.—Pr. al autor por diez años.—Ded.
al Dr. Pedro de Çarate, Inquisidor de
Toledo, etc.—Prologo al lector.—Argumento desta obra.—Soneto de Fr. Estevan Sanchez. [«Si el nombre de Colona
es celebrado...»].—Otro del mismo. [«De
nuestra illustre España la riqueza...»].—
Otro del mismo. [«Si el orden hermosea,
y engrandece...»].—A los lectores, el M.º
Alonso de Villegas.—Nombres de los autores que van citados en esta obra.—Tabla de los meses.—Grab. y versos latinos.—Texto.—Rotulo en que se lee el
nombre del autor a todas partes.—Tabla
de los capitulos.—Tabla de los Santos y
otras cosas notables.—Colofón.—Fols. 86r-
91r: Breve relación de la vida y muerte
de la madre santa Mari Diaz, por un
Padre de la Compañía de Jesus. [«A vos
eterno Padre en cuya mente...»].

CAGLIARI. *Universitaria.* Ross. H.2. — EVORA.
Pública. Sec. XVI, 4886.—HUESCA *Pública.*—
LONDRES. *British Museum.* 4825.h.11. — MA-
DRID. *Academia Española.* — *Nacional.* R-
28.941. *Palacio Real.* XIV-1.871. *Senado.* —
MONTSERRAT. *Abadía.*—NUEVA. YORK. *Hispanic
Society.* — OVIEDO. *Universitaria.* — PALMA DE
MALLORCA. *Pública.* — SAN LORENZO DEL ESCO-
RIAL. *Monasterio.* 34-I-25.—SEVILLA. *Univer-
sitaria.* 46-71; 96-95.—VALENCIA. *Colegio del
Corpus Christi.* 1.234.—VALLADOLID. *Univer-
sitaria.* 8.675.

1826

*SEGUNDA parte de la Historia ecle-
siastica de España, que trata de la
vida de santo Domingo, fundador de
la Orden de Predicadores, y de san
Vicente Ferrer, y otros Santos naturales de España de la mesma Orden.*
Cuenca. Pedro del Valle. A costa de
Christiano Bernabe. 1596. [Colofón:
1595]. 2 hs. + 212 fols. a 2 cols. + 10
hojas. 28 cm.

—Ded. a D.ª Beatriz de Haro, Marquesa
del Carpio, y religiosa de la Orden de
Santo Domingo, etc.—Texto.—Tabla de
los capítulos.—Tabla de algunas cosas
notables.—Colofón.

BARCELONA. *Universitaria.* — CORDOBA. *Pública.*

2-111.—EVORA. *Pública.* Sec. XVI, 4887.—MA-
DRID. *Academia de la Historia.* 4-2-5-2.039.
Nacional. R-28.942. *Palacio Real.* XIV-1.871.
VALENCIA. *Colegio del Corpus Christi.* 1234,
int. 1.º

1827

*TERCERA parte de la Historia ecle-
siástica de España, que trata de la
vida de san Diego de Alcala, y de San
Antonio de Padua de la orden de san
Francisco, y otros santos naturales
de España de la mesma Orden.* Cuenca. Pedro del Valle. A costa de Christiano Bernabe. 1596. 117 fols. + 5 hs.
28 cm.

—Ded. a D. Fernando de Ribera y D.ª María Manrique, Marqueses de Villanueua,
etc.—Prólogo.—Texto.—Tabla de los Capítulos.

Fol. 57: Portada: *Qvarta parte de la His-
toria eclesiastica de España, que trata de
algunos Santos de las Ordenes de san
Benito, san Agustin y Cartuxos: Santas
Virgines, Concilios y Doctores de España.*
Cuenca. Pedro del Valle. 1596.
Al fin: Tabla de la 3.ª y 4.ª parte.

BARCELONA. *Universitaria.* B.28-4-8. — EVORA.
Pública. Sec. XVI, 4888/89.—MADRID. *Nacio-
nal.* R-28.943.—VALENCIA. *Colegio del Corpus
Christi.* E234, int. 2.º y 3.º

1828

*TRATADO de las fundaciones de las
Ciudades y Villas principales de España...* Cuenca. Pedro del Valle. A
costa de Christiano Bernabe. 1596.
53 fols. + 3 hs. 29 cm.

—Ded. a D. Sancho Davila, Obispo de Cartagena.—Texto.—Tabla de las cosas memorables.
Comienza en el Libro XXII, continuando
la numeración de la *Cuarta parte.*
Gallardo, III, n.º 2.918.

BARCELONA. *Universitaria.* B.50-6-12. — EVORA.
Pública. Sec. XVI, 4890.—MADRID. *Nacional.*
R-28.943. — VALENCIA. *Colegio del Corpus
Christi.* 1234, int. 4.º

— — —

Ejemplares de las cinco partes se unieron
en un volumen, con portada de *Historia
eclesiastica de todos los Santos de España.
Primera, segvnda, tercera y quarta parte.*
Cuenca. Pedro del Valle. 1596.

MADRID. *Facultad de Filología.* 13.118. *Nacional.* R-26.955.

1829

HISTORIA de la vida, muerte, milagros y canonizacion de San Raymundo de Peñafort... Madrid. Pedro Madrigal. 1601.

BARCELONA. *Universitaria.* C.190-8-15.

1830

[*CATALOGO de los Obispos y Arçobispos de Granada*]. [Madrid. Pedro de Madrigal]. [1602]. 4 hs. 19 cm.

Carece de portada.
—Ded. a D. Pedro de Castro y Quiñones, Arçobispo de Granada.—Texto.—Colofón.
Pérez Pastor, *Madrid*, II, n.º 814.

MADRID. *Nacional.* V.E.-58-8 (con adiciones mss.).

1831

[*CATALOGO de los Obispos de Cvenca*]. [s. l.-s. i.]. [s. a., ¿1602?]. 4 hs. 18,5 cm.

Carece de portada.
—Texto.
Pérez Pastor, *Madrid*, II, n.º 813.

MADRID. *Nacional.* V.E.-57-103 (con notas manuscritas).

1832

[*CATALAGO* (sic) *de los Obispos de Avila, desde san Segundo hasta aora*]. [Madrid. Pedro de Madrigal]. [1602]. 8 fols. 18,5 cm.

Carece de portada.
—Ded. a D. Lorenço de Otadui y Auendaño, Obispo de Auila.—Texto.—Colofón.
Pérez Pastor, *Madrid*, II, n.º 812.

MADRID. *Nacional.* V.E.-57-104.—SEVILLA. *Universitaria.* 109-41 (27).

1833

HISTORIA de la santissima Imagen de nuestra Señora de Atocha, que está en la capilla Real de su Magestad, en el conuento de la orden de Predicadores de la villa de Madrid, con la vida del padre Maestro fray Iuan Hurtado de Mendoça, fundador

del mismo conuento. Madrid. Iuan de la Cuesta. 1604. 8 hs. + 85 fols. + 3 hojas. 14,5 cm.

—T.—E.—C. Pr. al autor por diez años.—L. O.—Ded. a Felipe III.—Prologo.—Texto.—Tabla de los capitulos.
Pérez Pastor, *Madrid*, II, n.º 875.

MADRID. *Academia de la Historia.* 4-1-9-1.486. *Facultad de Filología.* 8.465. *Nacional.* 3-30.094.

1834

TRATADO del Santo Inocente de la Guardia, martyr, natural de la ciudad de Toledo. Y de santa Casilda virgen, de la mesma Ciudad... Madrid. Iuan de la Cuesta. 1604. 8 hs. + 57 págs. + 3 hs. 14,5 cm.

—S. Pr.—Apr. de la Orden.—Apr. del Provincial Fr. Tomás de Guzmán (Alcalá, 11 abril 1592) y Fr. Iuan de Villafranca (Valladolid, 9 diciembre de 1595).— T.— Licencia de Murcia de la Llana (Alcalá, 12 abril 1604).—Protestación del Autor.—Ded. a Don Bernardo de Rojas y Sandoval, Cardenal, Arzobispo de Toledo.—Texto.—Tabla de los capítulos de este tratado.
Pérez Pastor *(Madrid,* II, n.º 876) no pudo encontrarla y remite a N. Antonio y a un documento.

BARCELONA. *Universitaria.* B. 9-6-10.

1835

VIDA del Venerable P. Fr. Luis de Granada. Madrid. Juan de la Cuesta. 1604.

N. Antonio.

1836

——. (En Luis de Granada. *Doctrina christiana.* Barcelona. 1604. Prels.).

V. *BLH,* XIII, n.º 4319 y siguientes.

1837

——. Barcelona. 1612.
BARCELONA. *Universitaria.*

1838

——. Valladolid. Juan Godinez de Millis. 1615.
Alcocer, n.º 612.
MADRID. *Nacional.* 2-64.918.

1839

HISTORIA de la vida del padre y célebre maestro Fr. Luis de Granada. Barcelona. Sebastián Cormellas. 1625. 4.º

SEVILLA. *Universitaria.* 197-96.

1840

CATALOGO de algunos prelados de la Orden de Predicadores. Madrid. Juan de la Cuesta. 1605.

BARCELONA. *Universitaria.* C.186-4-25.

1841

CATALAGO (sic) *de los Obispos de Cartagena, y Iaen.* Madrid. Iuan de la Cuesta. 1605. 10 fols.

—Fol. 1v: Ded. a D. Sancho Dauila y Toledo, Obispo de Iaen.—Fols. 2r-5v: Obispos de Cartagena.—Fols. 6r-10v: Obispos de Iaen.

Pérez Pastor, *Madrid*, II, n.º 88.

MADRID. *Nacional.* V.E.-58-10 (con adiciones mss.).

1842

HISTORIA de los milagros de Nuestra Señora del Rosario que está en el convento de Vitoria. Madrid. Luis Sánchez. 1611. 8.º

1843

HISTORIA de Nuestra Señora del Rosario de Vitoria. Vitoria. Thomas de Robles y Navarro. [s. a., ¿1611?]. 8 hs. + 24 págs. 14,5 cm.

—T. (1611).—E. (1611).—Censura de Fr. Diego Lorenzana.—L. O.—Apr. del P. Juan de Escamilla.—L. del Consejo.—Ded. al Ayuntamiento, y Senado de la ciudad de Vitoria.—Soneto de Pedro de Unanue [«Vitoria ilustre que la Ilustre Historia...»].—Prologo.—Texto.

MADRID. *Nacional.* 3-38.979.

1844

[*RELACION que... da al Rey don Felipe III... sobre la venida del Apostol Santiago a España*]. [s. l.-s. i.]. [s. a.]. 6 fols. 32 cm.

Carece de portada.
—Texto.

MADRID. *Nacional.* V.E.-60-84. — SAN LORENZO DEL ESCORIAL. *Monasterio.* 39-IV-29.

ESTUDIOS

1845

REP: N. Antonio, I, pág. 733.

MARIGO (FR. ANTONIO)

Mercedario. Residente en el convento de Valencia.

CODICES

1846

«*Tratado de la presencia de Dios nro. Señor para que los Viadores, o creyentes, vivan en continua fe, y memoria de que su Divina Magestad siempre les oye y mira... Valencia, 18 de Abril de 1678*».

Fechado y firmado por el autor. 269 págs. 8.º Se guardaba en el monasterio del Puig, en Valencia.

Placer, II, n.º 3.488.

MARIN (FR. ANDRES)

Franciscano.

EDICIONES

1847

COPLAS de la missa de nuestra señora: desde el principio de la confesion fasta el ite missa est: fechas por vn reuerendo frayle de la orden de sant francisco. [s. l.-s. i.]. [s. a.]. 4 hs. a 2 cols. 4.º gót.

—Texto. [«Con asaz temor prosigo...»].

Abecedarium de la Colombina, números 12.354 y 12.402; Rodríguez Moñino, *Diccionario*, n.º 337.

VIENA. *Nacional.*

MARIN (BRAULIO)

EDICIONES

1848

[*SONETO*]. (En Ruiz, Francisco. *Relacion de las fiestas que hizo el Co-*

legio de la Compañía de Iesus de Girona... Barcelona. 1623, fol. 124r).

MADRID. *Nacional*. 2-64.205.

MARIN (P. JUAN)

N. en Ocón (1654). Jesuita. Maestro de Teología en el Colegio de Alcalá de Henares. M. en Madrid (1725).

EDICIONES

1849

VIDA, virtudes y missiones del V. P. Gerónimo Lopez, misionero apostólico de la Compañía de Jesus. Roma. Por el Varesio. 1682. 6 hs. + 1 lám. + 222 págs. + 1 h. 21 cm.

Toda, *Italia*, III, n.° 3.082.

LONDRES. *British Museum*. 1373.f.18.(1).— MADRID. *Facultad de Filología*. 34.834. *Nacional*. 3-23.183.

1850

SERMON, qve consagra el Colegio Mayor de San Ildephonso, a la gloriosa memoria del Santo Cardenal D. Fr. Francisco Ximenez de Cisneros, Arçobispo de Toledo, Governador de España, y Fundador de la Vniversidad de Alcalá. Alcalá. Francisco García Fernández. 1691. 4 hs. + 23 fols. a 2 cols. 4.°

—Ded. a D. Juan Joseph Otalora, Rector de la Universidad, etc.—Apr. de Fr. Bernardo de Cartes y Valdivieso.—L. V.— Texto.

J. Catalina García, *Tip. complutense*, número 1.277.

LONDRES. *British Museum*. 4856.s.12 (2). — ZARAGOZA. *Universitaria*. Caja 70-1.471.

1851

SERMON en las Honras de la Reyna N. Señora Doña Mariana de Austria, que celebro el Colegio Mayor de san Ildefonso Vniversidad de Alcala. Alcalá. Francisco Garcia Fernandez. 1696. 4 hs. + 24 págs. a 2 cols. 22 cm.

—Ded. a Carlos II, por Lucas de Norueña y Caniego.—Censura de Joseph Ruiz Delgado.—L. V.—Texto.

J. Catalina García, *Tip. complutense*, número 1.297.

MADRID. *Nacional*. V.E.-114-35.

1852

SERMON Real de la Virgen, qve predico... en el dia 26 de Noviembre de 1697, ultimo de el Novenario, que en la S. Iglesia Magistral de San Iusto, y Pastor de... Alcalá se celebró por Orden de el Rey... Alcalá. Imp. de la Universidad. 1697. 16 hs. + 21 págs. a 2 cols. 4.°

—Carta al cardenal Protocarrero. — Carta del Rey mandando hacer funciones a la Virgen (1697).—Ded. al Abad y Cabildo de la Magistral.—Apr. de Fr. Eugenio de Torres.—L. V.—Texto.

J. Catalina García, *Tip. complutense*, número 1.303.

1853

SERMON en las honras del Rey Nuestro Señor D. Carlos II que celebro el Colegio Mayor de San Ildefonso Universidad de Alcalá. Alcalá. Julian Francisco Garcia Briones. 1700. 3 hs. + 24 págs. a dos columnas. 19 centímetros.

—Ded. a Doña Mariana de Neoburg, por Valeriano Silvestre.—Censura por el P. Vicente Ramirez.—L. V.—Texto.

J. Catalina García, *Tip. complutense*, número 1.319.

MADRID. *Academia de la Historia*. 14-8.654. *Naciaonal*. V.E.-219-72.

1854

PRINCIPE Catholico. Madrid. Gabriel del Barrio. 1720. 2 vols. 15,5 cm.

GENOVA. *Universitaria*. 1.AA.I.67-68.—LISBOA. *Academia das Ciências*. E.732/23D.—MADRID. *Facultad de Filología*. 6.764; etc. *Nacional*. 3-35.692/93; etc.

Aprobaciones

1855

[APROBACION. Huesca, 11 de mayo de 1644]. (En Andres de Urtarroz,

Juan Francisco. *Monumento de los santos mártires Iusto i Pastor en la ciudad de Huesca...* Huesca. 1644. Preliminares).

MADRID. *Nacional.* 2-44.700.

1856

[*APROBACION. Alcalá, 16 de febrero de 1707*]. (En Marqués, Antonio. *Vida de... San Francisco de Assis.* Alcalá. 1710. Prels.).

MADRID. *Nacional.* 2-56.198.

OBRAS LATINAS

1857

TRACTATVS de Actibvs Hvmanis. Alcalá. Julián García. 1705. 8 hs. + 414 págs. + 9 hs. 8.º

J. Catalina García, *Tip. complutense*, número 1.393; Fernández, n.º 402.

GENOVA. *Universitaria.* 1.D.I.44.—MADRID. *Facultad de Filología.* 1.767. *Nacional.* 3-47.856.

— — —

—Madrid. Gabriel del Barro. 1712. 450 págs.
MADRID. *Facultad de Filología.* 1.768. *Nacional.* 7-16.830; etc.

1858

TRACTATVS de libero arbitrio. Alcalá. Julián García. 1706. 6 hs. + 622 págs. + 11 hs. 12.º

J. Catalina García, *Tip. complutense*, número 1.399.

MADRID. *Facultad de Filología.* 7.637.

— — —

—Madrid. Gabriel del Barrio. 1713. 8 hs. + 695 págs. + 4 hs. 15 cm.

MADRID. *Facultad de Filología.* 6.557. *Nacional.* 3-55.643.—TERUEL. *Casa de la Cultura.*

1859

TRACTATVS de Peccatis. Alcalá. Julián García. 1706. 4 hs. + 538 págs. + 3 hs. 8.º

J. Catalina García, *Tip. complutense*, número 1.400.

MADRID. *Nacional.* 3-27.459.

—2.ª ed. Madrid. G. del Barrio. 1713. 587 páginas. 15 cm.

MADRID. *Facultad de Filología.* 1.749. *Nacional.* 3-76.739.

1860

TRACTATVS de bonitate, et malitia. Alcalá. Julián García. 1707. 4 hs. + 475 págs. + 3 hs. 16.º

J. Catalina García, *Tip. complutense*, número 1.404.

MADRID. *Facultad de Filología.* 1.747. *Nacional.* 3-42.167.

— — —

—Madrid. Joaquín Benito del Río. 1707. 475 págs. + 2 hs.

MADRID. *Facultad de Filología.* 25.254.

—2.ª ed. Madrid. Gabriel del Barrio. 1714. 510 págs. + 1 h. 15 cm.

MADRID. *Facultad de Filología.* 3.457. *Nacional.* 7-11.952.

1861

TRACTATUS de merito. Alcalá. Julián García. 1707. 4 hs. + 502 págs. + 3 hs. 16.º

J. Catalina García, *Tip. complutense*, número 1.405.

MADRID. *Facultad de Filología.* 3.392. *Nacional.* 7-16.536.

— — —

—2.ª ed. Madrid. G. del Barrio. 1715. 540 págs. 15 cm.

MADRID. *Facultad de Filología.* 25.999. *Nacional.* 2-41.376.

1862

TRACTATVS de Visione, et Beatitudine. Alcalá. Julián García. 1707. 4 hs. + 574 págs. + 3 hs. 8.º

J. Catalina García, *Tip. complutense*, número 1.406.

MADRID. *Facultad de Filología.* 26.000. *Nacional.* 3-56.327.

— — —

—2.ª ed. Madrid. Gabriel del Barrio. 1714. 625 págs. 15 cm.

MADRID. *Facultad de Filología.* 6.558. *Nacional.* 7-15.355.

1863

TRACTATVS de Fide Divina. Alcalá. Julián García. 1708-9. 2 vols. 8.º

J. Catalina García, *Tip. complutense,* número 1.411.

MADRID. *Facultad de Filología.* 7.233. *Nacional.* 3-73.497/98; etc.

— — —

—Madrid. G. del Barrio. 1716. 464 págs. + 3 hs. 15 cm.

MADRID. *Facultad de Filología.* 7.231; etc.

1864

TRACTATVS de iustificatione. Alcalá. Julián García. 1708. 4 hs. + 511 págs. + 2 hs. 16.º

J. Catalina García, *Tip. complutense,* número 1.410.

MADRID. *Facultad de Filología.* 6.559. *Nacional.* 3-56.099; etc.

— — —

—2.ª ed. Madrid. G. del Barrio. 1715. 450 páginas + 2 hs. 15 cm.

MADRID. *Facultad de Filología.* 7.230. *Nacional.* 7-14.845.

1865

TRACTATVS de Spe et Charitate. Alcalá. Julián García. 1709. 2 hs. + 484 págs. + 4 hs. 8.º

J. Catalina García, *Tip. complutense,* número 1.412.

MADRID. *Nacional.* 2-2-5.642; etc.

— — —

—Madrid. G. del Barrio. 1716. 506 págs. + 3 hs .16 cm.

MADRID. *Facultad de Filología.* 2.038.

1866

TRACTATUS de Incarnatione. Alcalá. Julián García Briones. 1710. 2 volúmenes. 8.º

J. Catalina García, *Tip. complutense,* número 1.415; Fernández, n.º 405.

MADRID. *Facultad de Filología.* 6.555/56. *Nacional.* 3-28.800/1.—SAN LORENZO DEL ESCORIAL. *Monasterio.*

— — —

—Madrid. G. del Barrio. 1716. 17 hs. + 536 págs. + 4 hs. 16 cm.

MADRID. *Facultad de Filología.* 7.232; etc.

1867

TRACTATUS de Scientia Dei. Alcalá. Julián García Briones. 1710. 2 volúmenes. 8.º

J. Catalina García, *Tip. complutense,* número 1.416.

MADRID. *Facultad de Filología.* 6.562 [el II]. *Nacional.* 3-73.484/85.

1868

TRACTATUS de angelis. Madrid. G. del Barrio. 1711. 490 págs. + 2 hs. 15,5 cm.

MADRID. *Facultad de Filología.* 272. *Nacional.* 3-61.607.

— — —

—Madrid. G. del Barrio. 1734. 15 hs. + 488 págs. + 4 hs. 15,5 cm.

MADRID. *Facultad de Filología.* 7.246.

1869

TRACTATUS de praedestinatione. Madrid. G. del Barrio. 1711. 8 hs. + 498 págs. 15 cm.

MADRID. *Facultad de Filología.* 6.554. *Nacional.* 2-25.946.—TERUEL. *Casa de la Cultura.*

— — —

—Madrid. G. del Barrio. 1734. 8 hs. + 498 págs. 16 cm.

MADRID. *Facultad de Filología.* 7.635.

1870

TRACTATUS de voluntate. Madrid. G. del Barrio. 1711.

MADRID. *Facultad de Filología.* 15.966. *Nacional.* 2-55.025; etc.

1871

TRACTATUS de Trinitate. Madrid. G. del Barrio. 1712. 452 págs. 15,5 cm.

MADRID. *Nacional.* 7-11.756.

—Madrid. 1719.

MADRID. *Facultad de Filología.* 6.823.

1872

TRACTATUS de venerabili Eucharistiae Sacramento. Madrid. G. del Barrio. 1712. 502 págs. 15 cm.

MADRID. *Facultad de Filología.* 2.932. *Nacional.* 3-77.294; etc.

— — —

—Madrid. G. del Barrio. 1719. 502 págs. + 4 hs. 15,5 cm.

MADRID. *Facultad de Filología.* 15.369.

1873

TRACTATUS de baptismo. Madrid. Gabriel del Barrio. 1713. 432 págs. 16 cm.

MADRID. *Nacional.* 3-3.414; etc.

1874

TRACTATUS de voto. Madrid. G. del Barrio. 1714. 606 págs. + 1 h. 15,5 cm.

MADRID. *Nacional.* 7-11.757.

1875

TRACTATUS de matrimonio. Madrid. G. del Barrio. 1714-15. 5 vols. 15,5 cm.

MADRID. *Facultad de Filología.* 1.615/18; etc. *Nacional.* 3-73.479/83; etc.

1876

TRACTATUS de Sacramentis. Madrid. Francisco Fern. 1719. 1 h. + 166 + 134 págs. + 1 h. 21,5 cm.

MADRID. *Facultad de Filología.* 13.230.

1877

TRACTATUS de Sacramento Poenitentia. Madrid. G. del Barrio. 1712. 474 págs. + 3 hs. 15,5 cm.

MADRID. *Consejo. Instituto «P. Flórez».* 44-B-2. *Facultad de Filología.* 16.641; etc.

—*Tractatus de poenitentia.* Madrid. Franc. Fern. 1719. 1 h. + 154 págs. + 1 h. + 174 págs. + 2 hs. 21,5 cm.

MADRID. *Facultad de Filología.* 12.975.

1878

THEOLOGIÆ Speculativæ et Moralis. Venecia. Typ. Balleoniana. 1720. 3 vols. 34 cm.

Toda, *Italia*, III, n.º 3.084.

GENOVA. *Universitaria.* 1.D.IV.3.—LISBOA. *Academia das Ciências.* E.543/4.—MADRID. *Facultad de Filología.* 1761/62; etc. *Nacional.* 3-34.549/51; etc.

— — —

—Venecia. Typ. Balleoniana. 1748. 591 páginas. 37 cm.

MADRID. *Facultad de Filología.* 1.763; etc.

Aprobaciones

1879

[APROBACION]. (En Torres, Isidoro de. *Selecta Theologia, de Peccato et Gratia.* Alcalá. 1707. Prels.).

TRADUCCIONES

a) ITALIANAS

1880

VITA del Venerabile P. Girolamo Lopez Missionario Apostolico della Compagnia di Giesv... Tradotta dallo Spagnuolo da un Sacerdote della medesima Compagnia. Roma. Michel' Ercole. 1683. 8 hs. + 218 págs. + 1 hs. 4.º

Toda, *Italia*, III, n.º 3.083.

MARIN (MATIAS)

Licenciado. Catedrático de Teología.

EDICIONES

1881

APOLOGIA... a favor de vnas notas, qve consvltado en Roma el R. P. Pablo Señeri... hizo sobre la vida interior escrita de el ilvstrissimo señor D. Jvan de Palafox: Respvesta al R. P. Fray Jvan de la Anunciacion... Valencia. Iayme Bordaçar. 1695. 6 hs. + 424 págs. 20,5 cm.

—Prólogo al Lector.—E.—Indice de los Capitulos.—Texto.

Medina, *Biblioteca hispano-americana*, III, n.º 1.942.

CORDOBA. *Pública*. 33-86. — LISBOA. *Academia das Ciências*. E.662/3. *Ajuda*. 4-H-32. — MADRID. — *Facultad de Filología*. 8724; 10354. *Nacional*. 2-54.930.—SEVILLA. *Colombina*. 88-1 detrás-4. *Universitaria*. 97-30; 172-61.

MARIN (PEDRO)

EDICIONES

1882

[*DEDICATORIA a San Joseph*]. (En Gavarri, José. *Noticias singularissimas... de las preguntas que deuen hazer los PP. Confessores... Sacalo a luz* ——. Granada. 1676. Prels.).

V. *BLH*, X, n.º 5134.

MARIN (FR. PEDRO)

Benedictino. Abad del monasterio de Nájera. Calificador de la Inquisición.

EDICIONES

1883

[*APROBACION. Nájera, 28 de abril de 1630*]. (En Martínez, Martín. *Apología por San Millán de la Cogolla...* Aro. 1632. Prels.).

MADRID. *Nacional*. R-11.384.

MARIN (FR. PEDRO)

Dominico. Calificador de la Inquisición.

EDICIONES

1884

[*APROBACION. Córdoba, 6 de noviembre de 1599*]. (En Cabrera, Alonso. *Libro de consideraciones sobre los Euangelios...* Córdoba. 1601. Preliminares).

V. *BLH*, VII, n.º 124.

1885

[*APROBACION. Córdoba, 10 de Mayo de 1604*]. (En Méndez, Esteban.

XII Libros de la dignidad Altissima de la Virgen... en tres tomos repartidos. Barcelona. 1606. Prels.).

MADRID. *Nacional*. 6.i.-3.096.

MARIN (RODRIGO)

Colegial del Real de la Universidad de Granada. Canónigo lectoral de la catedral de Almería. Magistral de la de Granada. Rector de su Universidad dos veces. Capellán y predicador real.

EDICIONES

1886

ORACION panegyrica en la festividad de la dedicacion de vn altar nuevo, y colocacion de vna reliquia de S. Justo, que se celebro en la iglesia parroquial de los Santos Martyres S. Justo y S. Pastor... 27 de septiembre de 1693 años. Granada. Imp. de la SS. Trinidad, por Antonio de Torrubia. [s. a.]. 6 hs. + 23 páginas. 20 cm.

—Apr. del P. Francisco Tamariz.—L. V.— Apr. de Balthasar Santos de San Pedro. L. del Juez de Imprentas.—Ded. a D. Martin de Ascargorta, arzobispo de Granada, por Martín de Valcarcel.—Texto.— Protesta.

GRANADA. *Universitaria*. A-31-265 (9); etc.— MADRID. *Nacional*. V.E.-73-25.

1887

ORACION funebre, que en las Exequias que hizo a la Serenissima Señora Doña María Luisa de Orleans, nuestra Señora, la S. Iglesia Metropolitana y Apostólica de Granada... día 29 de Março... de 1689, dixo —— ... [Granada. s. i.]. [s. a.]. 4 hs. + 27 páginas. 19 cm.

—Port. orlada.—Ded. a D. Tomás Marín de Poveda, Conde de Oropesa, electo Governador y Capitán General del Reyno de Chile, etc. (Madrid, 6 de junio de 1689).—Apr. de Fr. José de Madrid.—L. V. de Madrid (Madrid, 25 de mayo de 1689).—Texto.

SEVILLA. *Colombina*. 63-2-27 (11).

1888

ORACION... en las exequias que hizo el muy religioso Convento de Agustinas Recoletas de Corpus Christi de Granada a la M. R. y V. M. Antonia de la Madre de Dios, su Fundadora y Priora, el dia 4 de julio de este año de 1699. Granada. Antonio López Hidalgo. 1699. 2 hs. + 32 págs. 18 cm.

Herrero Salgado, n.º 1.165.

1889

ORACION en las exequias que el Real Acverdo de Granada hizo a su Presidente el Sr. D. Lucas Trellez... Granada. Antonio Torrubia. A costa del Real Acuerdo. 1700. 6 hs. + 27 págs. 19 cm.

Herrero Salgado, n.º 1.186.

GRANADA. Universitaria. 8-11-355 (14).—MADRID. Academia de la Historia. Col. Salazar, F-35.—SEVILLA. Universitaria. 113-83.

1890

SERMON en las exequias, que el Real Acuerdo de Granada celebró en el observantissimo convento del Angel Custodio de Franciscas Descalças, a la V. M. Sor Beatriz María de Iesus, religiosa, y abadesa que avía sido de dicho Monasterio, el dia 6 de Abril de 1702. [s. l.-s. i.]. [s. a.]. 8 hs. + 28 págs. 19,5 cm.

—Censura del P. Luis de Montes Doca.—
L. V. de Granada (1702).—Apr. de Diego Luis del Castillo.—Texto.

GRANADA. Universitaria. A-31-232 (3).—MADRID. Nacional. R-23.967.

1891

SERMON que en el tercero día de la Pasqua de Resurrección... predicó ——... en 29 de Março de 1701. [Granada. Imp. de la Santissima Trinidad, por Antonio de Torrubia]. [s. a.]. 4 hs. + 31 págs. 19,5 cm.

«En la Solemne acción de gracias por el arribo a su Corte de... Felipe V...».
—Apr. del P. Pedro de Escalera.—L. V. (1701).—Censura de Fr. Luis Montiel.—L. del Juez (1701).—Texto.—Colofón.

Herrero Salgado, n.º 1.229.

GRANADA. Universitaria. A-31-232 (28).

1892

SERMON en la rogativa solemne que por la invasion de la Armada enemiga y felicidad de las Armas Catholicas hizieron... el Arzobispo y el Cabildo de la S. Iglesia Apostolica de Granada, en el dia... 17 de agosto. Granada. Antonio de Torrubia. 1704. 9 hs. + 29 págs. 18,5 cm.

Herrero Salgado, n.º 1.293.

Aprobaciones

1893

[APROBACION. Granada, 23 de mayo de 1692]. (En Gadea y Oviedo. Sebastian Antonio. Triunfales fiestas a... S. Juan de Dios... Granada. 1692. Preliminares).

MADRID. Nacional. 2-61.501.

1894

[CENSURA. Granada, 19 de junio de 1695]. (En Salazar y Castro, Luis de. Historia Genealogica de la Casa de Lara. Tomo I. Madrid. 1696. Prels.).

MADRID. Nacional. U-6081.

1895

[APROBACION. Granada, 17 de julio de 1695]. (En Rosique, Pedro. Sermón, en que se da noticia de la vida admirable, virtudes heroycas y preciosa muerte del V. P. Fray Francisco Molinero... Granada. 1695. Prels.).

SEVILLA. Universitaria. 113-20 (24).

1896

[APROBACION. Granada, 27 de junio de 1697]. (En Montalvo, Tomás.

*Vida prodigiosa y heroycas virtudes
del V. P. Fr. Francisco Molinero...*
Granada. 1698. Prels.).

MADRID. *Nacional.* R-16.537.

1897

[*APROBACION*]. (En Caro Davila,
Manuel. *Discurso fisico, y moral sobre la questión theológica, que pre-
gunta: si el chocolate quebranta el
ayuno.* Granada. s. a., 1699? Prels.).

CORDOBA. *Pública.* 6-73.

MARIN (FR. TOMAS)

EDICIONES

1898

*QUATRO partes de un milagro epi-
logadas a las quatro de un sermón
panegírico que en la Iglesia del Real
Convento de Predicadores de Valencia, a 23 de enero del año 1699, dia
sexto de la solemne Octava, que en
desagravios del Sacrilegio del Pan
Eucharistico, y en hazimiento de
gracias por su feliz hallazgo, celebró la devoción de sus hijos y afectos...* Valencia. Diego de Vega. A costa de Félix Montesinos. 1699. 10 hs.
+ 38 págs. 19,5 cm.

Herrero Salgado, n.º 1.162.

ORIHUELA. *Pública.* 92-3-27. — ZARAGOZA. *Universitaria.* Caj. 59-1.191.

1899

*SAGRADO panegírico que a la sole-
dad gloriosa de María y en su devota Capilla del Real Convento de
Predicadores de Valencia predicó...*
——. Valencia. Jaime de Bordazar.
1699. 4 hs. + 40 págs. 19 cm.

Herrero Salgado, n.º 1.180.

ORIHUELA. *Pública.* 92-3-27; etc.

1900

*EXEQUIAS del angustissimo Empe-
rador Joseph Primero celebradas
por el Magnifico Magistrado de la
Lonja del Mar, de... Barcelona, en
su Capilla de dicha Lonja, el dia 21
de julio de 1711... Oracion funebre
que dixo...* ——. Barcelona. Rafael
Figueró. 1711. 20 hs. + 44 págs. 20
centímetros.

Herrero Salgado, n.º 1.450.

1901

*HERMOSO vinculo de los canones
de la Iglesia con los Libros de las
Leyes, que como abogado en la causa de su solemne Canonizacion presentó S. Andrés Avellino: glorioso
assumpto de la Oracion panegyrica
que en la... Fiesta consagrada por
los... Abogados de... Barcelona...
dixo...* ——. Barcelona. Rafael Figueró. 1713. 4 hs. + 44 págs. 20 cm.

Herrero Salgado, n.º 1.519.

MARIN (VIDAL)

Doctor. Catedrático de la Universidad de
Alcalá. Canónigo de las catedrales de Santo
Domingo de la Calzada y Sevilla.

EDICIONES

1902

[*APROBACION. Sevilla, 24 de marzo
de 1693*]. (En Burgos, Nicolás de. *A
la venerable, y piadosa memoria, y
piadosa memoria de... D. Ambrosio
Ignacio Spinola...* Sevilla. 1693. Preliminares).

SEVILLA. *Universitaria.* 113-83.

1903

[*APROBACION. Sevilla, 9 de mayo
de 1693*]. (En Martin Braones, Alonso. *Noticia quinta del estado, y pro-
gresso, que tiene dentro, y fuera...
de Sevilla la devocion del Santissimo
Rosario...* s. l.-s. a. Al fin).

MADRID. *Nacional.* V.E.-109-3.

MARIN ALFEREZ (MELCHOR)

EDICIONES

1904

BEXAMEN en la Vniversidad de Granada. Granada. Impr. Real de Nicolás Antonio Sanchez. 1675.

NUEVA YORK. *Hispanic Society.*

MARIN POVEDA (BARTOLOME)

Catedrático de Prima de Cánones en la Universidad del Plata.

EDICIONES

1905

[FUNDAMENTO Legal sobre que el Illmo. Señor Doctor Don Bartolome Gonçalez Poveda, Presidente actual de la Real Audiencia de la Plata, del Consejo del Rey N. Señor y Arzobispo del Arzobispado de las Charcas, puede y deve exercer el Pontifical sin la recepción del Palio, que se halla detenido en Madrid por falta de embarcaciones seguras en que pueda venir a estos Reynos]. [s. l.-s. i.]. [s. a.]. 38 págs. 30 cm.

Carece de portada.

—Texto.—Apr. del Rector y Claustro de la Real Universidad de la Ciudad de la Plata.—Apr. de Fr. Fernando Chacón y de los Padres maestros del Orden de Predicadores deste Convento de la Plata.—Apr. de Fr. Christoval Daza Davalos. Apr. del R. P. Comendador de la Merced y de los P. Maestros deste Convento.— Sentir del Convento de N. Sra. del Rosario de Lima.—Apr. y voto del P. Provincial, Definidores y Maestros del Convento de S. Agustin de Lima.—Apr. del Rector del Colegio de S. Ildefonso.—Apr. del Convento Grande de S. Miguel de Lima de la Orden Mercedaria.—Apr. del Colegio de N. P. San Pedro Nolasco, Mercedario.—Apr. del Rector y Padres del

Colegio de San Pablo de la Compañía de Jesús.

MADRID. *Nacional.* V.E.-141-104.

MARIN RODEZNO (FRANCISCO)

Doctor. Señor de la villa de Rodezno. Colegial mayor del del Arzobispo de Salamanca, en cuya Universidad regentó cátedras. Inquisidor de Logroño (1634) y de Granada. Fiscal y Consejero en el Supremo de la Inquisición. Presidente de la Real Chancillería de Granada (1650).

EDICIONES

1906

[MEMORIAL]. [s. l.-s. i.]. [s. a.]. 2 hs. 30 cm.

Carece de portada.

MADRID. *Nacional.* V.E.-209-131.

MARIN DE SEGOVIA (JOSE)

Racionero de la catedral de Toledo. Administrador de las rentas del cardenal Aragón.

EDICIONES

1907

REVERENCIA humilde, a la sagrada presencia de el Eminentissimo señor D. Balthasar Ossorio, de Moscoso, y Sandoval, Cardenal de la Santa Iglesia de Roma, del titulo de Santa Cruz in Hierusalen, Primado de las Españas, Chanciller mayor de Castilla, &. Toledo. Iuan Ruiz de Pereda. 1646. 4 hs. + 7 fols. + 1 h. 4.º

Pérez Pastor, *Toledo,* n.º 546.
MADRID. *Nacional.* 2-67.983.

Poesías sueltas

1908

[ROMANCE]. (En Luis de Santa Maria, Fray. *Octava sagradamente culta...* Madrid. 1664, págs. 126-128).
MADRID. *Nacional.* U-6.289.

MARIN DE VILLANUEVA (MIGUEL)

N. en Zaragoza. Conde de San Clemente. Caballero de Alcántara. Diputado del Reino de Aragón (1678).

CODICES

1909

«*Tratado de las milagrosas campanas de Velilla de Ebro. 1676*».

Cit. por Dormer. (Latassa).

EDICIONES

1910

[*CARTA del conde de San Clemente a los Diputados del Reyno de Aragon, y Censura de esta Obra. Zaragoza, 4 de diciembre de 1632*]. (En Dormer, Diego José. *San Laurencio defendido*... Zaragoza. 1673. Prels.).

V. *BLH*, IX, n.º 3.990.

1911

[*CENSURA. Zaragoza, 6 enero 1675*]. (En La Ripa, Domingo. *Defensa Historica por la Antiguedad del Reino de Sobrarbe*. Zaragoza. 1675. Prels.).

MADRID. *Nacional*. 2-46464.

ESTUDIOS

1912

REP: Latassa, 2.ª ed., II, pág. 240.

MARINI (LELIO)

Veneciano.

EDICIONES

1913

[*DEDICATORIA a D. Enrique de Cardona, Gouernador del Principado de Cataluña. Barcelona, 20 de marzo de 1591*]. (En Acosta, José de. *Historia natural y moral de las Indias*. Barcelona. 1591. Prels.).

V. *BLH*, IV, n.º 1767.

MARINEO SICULO (LUCIO)

CODICES

1914

«*Del principio que tuvieron los Reyes de Aragón*».

Letra del s. XVII. 290 × 205 mm.
Arco, n.º 190.

MADRID. *Nacional*. Mss. 18.673[14] (fols. 161r-210v).

EDICIONES

De las cosas memorables de España

1915

OBRA compuesta por ——... *de las cosas memorables de España*. Alcalá. Miguel de Eguía. 1530, 14 de julio. 12 hs. + 253 fols. 28 cm. gót.

—Prólogo al Emperador D. Carlos y a la Emperatriz D.ª Ysabel Catholicos Reyes de España.—Prologo segundo en loor de la hystoria a los mesmos Principes.—Carta del Conde D. Baltasar de Castilion, Orador del Sumo Pontifice.—Respuesta del autor.—Otra de Castilión.—Tabla.—Sepa el lector.—Al lector.—Poesía de Gaspar Hieronymo Valles. [«La lumbre de España su fama su gloria...»].—Poesía de Diego Hernández de Herrera. [«Por honrra de España para escreuir della...»].—Texto.—Colofón.

Catalina García, *Tip. complutense*, n.º 126 (describe el ejemplar incompleto de la Nacional); Fernández, n.º 36.

MADRID. *Nacional*. R-2496 (falto de portada). SAN LORENZO DEL ESCORIAL. *Monasterio*. 32-I-29.

1916

——. [Alcalá de Henares. Miguel de Eguía]. [1533, mayo]. 10 hs. + 191 folios. Fol. gót.

J. Catalina García, *Tip. complutense*, número 144; Vindel, V, n.º 1.615.

BARCELONA. *Universitaria*. B.15-4-7-2.457.—CAGLIARI. *Universitaria*. Ross. F.18. — EVORA. *Pública*. Sec. XVI, 1102.—MADRID. *Nacional*. R-6.459. *Particular del duque de Alba*. 6.489. *Senado*. — POYO. *Monasterio de Mercedarios*. 39-2-2. — SEVILLA. *Colombina*. 87-7-21.

1917

——. [Alcalá de Henares. Juan de Brocar]. 1539 [14 de julio]. 10 hs. + 192 fols. Fol. gót.

Los mismos prels. que la de 1530, cuyo texto copia a plana y renglón hasta el folio 192, en que termina.

Salvá, II, n.º 3.024; J. Catalina García, *Tip. complutense*, n.º 167; Vindel, V, n.º 1.616; Millares Carlo, *Museo Canario*, n.º 55.

BARCELONA. *Central. — Universitaria.* B-19-3-4/5-3051/52.—CORDOBA. *Pública.* 6-218.—EVORA. *Pública.* Res. 557. — GENOVA. *Universitaria.* 2.P.XII.38.—GRANADA. *Universitaria.* C-46-4.— LAS PALMAS. *Museo Canario.* — LONDRES. *British Museum.* 179.f.20. — MADRID. *Academia Española.* S.C. = 13-D-7. *Museo «Lázaro Galdiano».—Nacional.* R-1.697. *Palacio Real.* NUEVA YORK. *Hispanic Society.—*OVIEDO. *Universitaria.* A-13.—SEVILLA. *Academia de Bellas Letras.* 13-4-13. *Colombina.* 35-6-13. *Universitaria.* 211-93.—VIENA. *Nacional.* 60.D.23. WASHINGTON. *Congreso.* 2-9022 rev.

Sumario de la vida y hechos de los Reyes Católicos

1918

SUMARIO de la clarissima vida: y heroycos hechos de los catholicos reyes Don Fernando y Doña Ysabel de immortal memoria. Sacada de la obra grande de las cosas memorables d'España compuesta por el muy docto varon ——... [Toledo. Juan de Ayala]. [1546, 24 de noviembre]. 76 folios + 2 hs. 18,5 cm. gót. (menos las 2 hojas finales).

—Texto.—Tabla.—Colofón.

Aparecio como segunda parte de *El vellocino dorado...*, de Alvar Gómez. (Pérez Pastor, *Toledo*, n.º 214).

MADRID. *Nacional.* R-7.358 (ex libris de Fernando José de Velasco).—NUEVA YORK. *Public Library.*

1919

——. Valladolid. Sebastián Martínez. 1553. 8.º gót.

Vindel, V, n.º 1.617.

LONDRES. *British Museum.* 10632.bbb.10.

1920

——. Madrid. Biuda de Alonso Gómez. Y a su costa impresso. 1587. [8 de enero]. 4 hs. + 171 fols. + 1 h. 8.º

—T.—Apr. de Lucas Gracián Dantisco.— L.—Texto.—Colofón.

Salvá, II, n.º 3.025; Pérez Pastor, *Madrid*, I, n.º 260.

EVORA. *Pública.* Séc. XVI, 2.641. — MADRID. *Nacional.* U-4.169; R-6.799. *Palacio Real.*— ROUEN. *Municipale.* Mt.P.17409.—SAN LORENZO DEL ESCORIAL. *Monasterio.* 22-V-41.—SANTIAGO DE COMPOSTELA. *Universitaria.* — WASHINGTON. *Congreso.* 4-26793 rev.

1921

VIDA y Hechos de los Reyes Católicos. Nota preliminar por Jacinto Hidalgo. Madrid. Edic. Atlas. 1943. 191 págs. 19,5 cm. (Colección Cisneros, 52).

GRANADA. *Universitaria.* CXXII-1-33 (F. y Letras).—MADRID. *Consejo. Patronato «Menéndez Pelayo».* 25-219. *Nacional.* 7-34.206.

OBRAS LATINAS

1922

De Hispaniae laudibus. [Burgos. Fadrique de Basilea]. [1497].

BARCELONA. *Universitaria.* Incun. n.º 637.— CHICAGO. *Newberry Library.—*LONDRES. *British Museum.* IB.53255.

1923

...DE Hispaniae lavdibvs... [s. l.-s. i.]. [s. a.].

«El papel es magnífico, y de hermosa letra redonda la impresión, que demuestra ser del siglo XV y de Salamanca». (Salvá, II, n.º 3.021).

1924

DE primis Aragonie regibus: et eorum rerum gestarum per breui narratione. [Zaragoza. Georgii Coci]. [1509, pridie Calendas Maias]. 49 folis 26 cm. gót.

Salvá, n.º 3.019.

BARCELONA. *Central.* Res. 169-4.º; etc. — CAGLIARI. *Universitaria.* Ross. G.4. — LONDRES.

British Museum. C.63.m.6.—MADRID. *Fundación «Lázaro Galdiano».* — *Nacional.* R-16.147; etc.—TOLEDO. *Pública.*—ZARAGOZA. *Universitaria.* An-7-4.ª-13.

1925

EPISTOLARUM familiarum libri decem et septem... Valladolid. Arnaldum Gulielmum Brocarium. 1514, pridie Kalendas martias. 139 hs. con un grab. 33 cm.

Alcocer, n.º 46.

EVORA. *Pública.* Sec. XVI, 988. — LONDRES. *British Museum.* C.48.h.1.—MADRID. *Academia Española.* 19-V-9. *Nacional.* R-20.765; etc. *Palacio Real.* — SALAMANCA. *Universitaria.*

1926

OPVS de rebvs Hispaniae memorabilivs. Alcalá de Henares. Miguel de Eguía. 1530. 10 hs. + 175 fols. Fol.
Salvá, II, n.º 3.022; J. Catalina García, *Tip. complutense,* n.º 127.

MADRID. *Nacional.* R-9.043.

1927

OPUS de rebus Hispaniae... [Alcalá. Miguel de Eguía]. [1533]. 8 hs. + 128 fols. 30 cm.

Se suprimieron las vidas de los españoles ilustres (fols. 128 al fin).

Salvá, II, n.º 3.023; J. Catalina García, *Tip. complutense,* n.º 143; *Fernández,* número 40; Millares Carlo, *Academia Caracas,* n.º 33.

BARCELONA. *Central.* Res. 76.—BURGOS. *Facultad de Teología.* 82-4-5. *Pública.* — CARACAS. *Academia Nacional de la Historia.*—CORDOBA. *Pública.* — EVORA. *Pública.* Sec. XVI, 1831.—LEON. *Pública.*—LONDRES. *British Museum.* C.63.l.23. — MADRID. *Nacional.* R-524; etc. *Senado.* — NUEVA YORK. *Hispanic Society.*—OVIEDO. *Universitaria.*—PALMA DE MALLORCA. *Pública.*—SALAMANCA. *Universitaria.*—TOLEDO. *Pública.*—ZARAGOZA. *Universitaria.* G-16-32.

1928

[*DE Rebus Hispaniae memorabilibus opus, libri XXII comprenhensus*]. (En RERUM *Hispanicarum Scriptores aliquot... ex Bibliotheca... Ro-*

berti Beli. Tomo II. Francfort. 1579, págs. 738-1004).

1929

DE rebus Hispaniae memorabilium... (En HISPANIAE *illustratae.* Tomo I. Francfort. 1603, págs. 291-517).

Reimprime la ed. mutilada de Alcalá. 1533.

1930

GRAMMATICA breuis ac perutilis. [Alcalá de Henares. Michael de Eguía]. 1532 [agosto]. 8.º

J. Catalina García, *Tip. complutense,* número 141.

LONDRES. *British Museum.* C.63.d.28.—MADRID. *Nacional.* R-1.508.—SALAMANCA. *Universitaria.*

TRADUCCIONES

1931

CRONICA de Aragón. Valencia. 1524.

V. MOLINA (JUAN DE)

ESTUDIOS

De conjunto

1932

LYNN, CARO. *A college professor of the Renaissance: Lucio Marineo Siculo among the Spanish humanist.* Chicago. University Press. 1937. IX + 302 págs.

a) Bell, A. F. G., en *The Modern Language Review,* XXXIII, Cambridge, 1938, págs. 447-49.
b) Gould y Quincy, A., en *Simancas,* I, Valladolid, 1950, págs. 257-70. (Con documentos del Archivo de Simancas).
c) Green, O. H., en *Hispanic Review,* VI, Filadelfia, 1938, págs. 176-78.
d) Lida, M. R., en *Revista de Filología Hispánica,* V, Buenos Aires, 1943, páginas 287-92.

MADRID. *Particular de los Duques de Alba.* 9.541.

1933

VARGAS PONCE, JOSE. *Vida de* ——.

Mss. Incompleta.

MADRID. *Academia de la Historia.* (Col. Vargas Ponce, II). Est. 20, gr. 1.ª, n.º 11.

1934

«*Noticia del historiador* ——, *en italiano*».

MADRID. *Academia de la Historia.* (Varios de Historia, en fol, XIV, fol. 83). Est. 27, gr. 5.ª E, n.º 147.

Interpretación y crítica

1935

VERRUA, PIETRO. *Cultori della poesia latina in Ispagna, durante il regno di Fernando il Cattolico. (Note desunte delle opere di Lucio Marineo Siculo).* Adria. Vidale. 1906. 50 págs. 20 cm.

MADRID. *Consejo. Patronato «Menéndez Pelayo».* F-1.143.

1936

VERRUA, PIETRO. *L'eloquenza di Lucio Marineo Siculo.* (En STUDI *di Storia e di Critica letteraria in onore di Francesco Flamini,* Pisa, 1915, págs. 213-40).

Tirada aparte: Pisa. F. Mariotti. 1915. 28 págs. 31 cm.

MADRID. *Consejo. Patronato «Menéndez Pelayo».* F-1.146. — ROMA. *Nazionale.* Misc. C. 548.6.

1937

CIROT, GEORGES. *La description de l'Espagne par Lucio Marineo.* (En MISCELÂNEA *scientífica e literária dedicar ao Dr. J. Leite de Vasconcellos.* Tomo I. Coimbra. 1934, páginas 208-34).

Epistolario

1938

VERRUA, PIETRO. *Nel mundo umanistico spagnolo. (Spigolando dall' Epistolario di Lucio Marineo Siculo).* Rovigo. Tip. Corriere. 1906. 25 págs. 20 cm.

MADRID. *Consejo. Patronato «Menéndez Pelayo».* F-1.148.

1939

——. *In Ispagna, con gli Umanisti.* (En *Colombo,* III, Roma, 1928, páginas 335-50).

MARINER (VICENTE)

N. en Valencia a fines del XVI. Estudió en su Universidad. Bibliotecario de El Escorial. Tesorero de la Colegial de Ampurias. M. en Madrid (1642).

CODICES

1940

[Juliano, emperador. *In regem Solem ad Salustium Panegiricum... Vicentio Marinerio Valentino interprete*].

Original, autógrafo. 205 × 135 mm. Perteneció al marqués de Mondéjar.

Inventario, X, pág. 376.

MADRID. *Nacional.* Mss. 4.488 (fols. 1-39).

1941

«*Ad serenissimum Principem Vuolphangum Guilielmum epigrammata*».

Original, autógrafo. 215 × 135 mm.

Un epigrama en griego y 29 en latín.

Inventario, X, pág. 376.

MADRID. *Nacional.* Mss. 4.488.

1942

«*Nonni Panopolitani paraphrasis Sancti, secundum Iohannem, Euangelii, ex Graeco Latina fucta Vincentio Marinerio... interprete*».

Letra del s. XVII. 7 hs. + 3 blancas + 313 páginas. 215 × 150 mm. Perteneció al convento de Trinitarios descalzos de Madrid.

Menéndez Pelayo, *Traductores,* III, páginas 75-76.

MADRID. *Nacional.* Mss. 9.794.

1943

«*La Lógica de Aristóteles... traducida del texto Griego en lenguaje castellano, por el M.º Vicente Marinerio...*».

1193 págs. Fechado en 11 de abril de 1626.
Menéndez Pelayo, *Traductores*, III, páginas 76-78.
MADRID. *Nacional.* Mss 9.795.

1944

«*Troia expugnata sive Supplementum Homeri eorum omnium quae urbi illi acciderunt ab interitu Hectoris, donec tandem ommino excinderetur, Auctore Quinto Calabro, Graecè interprete latino Vincentio Marinerio...*».
Menéndez Pelayo, *Traductores*, III, páginas 73-75.
MADRID. *Nacional.* Mss. 9.796.

1945

«*Quadragesima; nempe in quodque Evangelium, quod singulis diebus apponitur, multa sententiarum copia paraphrastico more enucleata, et demùm passio domini nostri Jesu-Christi fluido carminum lenocinio intertexta*».
Letra del s. XVII. 436 págs. 205 × 140 mm.
Menéndez Pelayo, *Traductores*, III, páginas 88-89.
MADRID. *Nacional.* Mss. 9.798.

1946

«*Hierymnodion, quod est sacrorum hymnorum cantus ad varios Divos et ad varia Christi mysteria consecrati*».
84 + 836 págs.
Menéndez Pelayo, *Traductores*, III, páginas 45-46.
MADRID. *Nacional.* Mss. 9.799.

1947

«*Historia de rebus gestis Ferdinandi et Isabellæ, regum catholicorum*».
5 + 1210 págs. 4.° Poema en hexámetros.
Menéndez Pelayo, *Traductores*, III, página 47.
MADRID. *Nacional.* Mss. 9.800.

1948

«*Ausiae Marci opera... ex vernaculâ lingua Lemovicensi, quâ tunc Valen-*

tini utebantur et ipse author haec composuit in Latinum versa eloquium...».
390 págs. 4.°
Menéndez Pelayo, *Traductores*, III, páginas 90-91.
MADRID. *Nacional.* Mss. 9.801.

1949

«*Bumachopaegnium*».
Poema en hexámetros latinos, en que describe los juegos de toros y cañas celebrados en la Plaza Mayor de Madrid por la venida del príncipe de Gales.
Menéndez Pelayo, *Traductores*, III, páginas 47-48.
MADRID. *Nacional.* Mss. 9.803.

1950

«*Musomania*».
21 fols. + 1000 págs.
Menéndez Pelayo, *Traductores*, III, páginas 42-43.
MADRID. *Nacional.* Mss. 9.804.

1951

«*Melpomene*».
960 págs. 4.°
Menéndez Pelayo, *Traductores*, III, páginas 41-42.
MADRID. *Nacional.* Mss. 9.805.

1952

«*Parnasseum nemus. V. M. V. opera poetica quae stichonaxia voluit nuncupare*».
6 + 1014 + 40 + 24 + 15 + 14 págs.
Menéndez Pelayo, *Traductores*, III, páginas 39-40.
MADRID. *Nacional.* Mss. 9.806.

1953

«*Varia obra poetica et oratoria...*».
1306 págs.
Menéndez Pelayo, *Traductores*, III, páginas 43-45.
MADRID. *Nacional.* Mss. 9.807.

1954

«*Interpretatio epistolae primae D. Isidori Pelusiotae Antiocho*».

Borrador autógrafo. 855 fols.
Menéndez Pelayo, *Traductores*, III, página 88.
MADRID. *Nacional*. Mss. 9.807.

1955

«*Varia epigrammata*».
1086 págs. 4.º
Menéndez Pelayo, *Traductores*, III, pág. 45.
MADRID. *Nacional*. Mss. 9.808.

1956

«*De la historia de las hazañas, y milicia de Alexandro rey de Macedonia, compuesta por Arriano Griego, ocho libros. Traducidos a la uerdad del Texto Griego en lenguaje castellano por el maestro Vicente Marinerio, etc.*».
Letra del s. XVII. 835 págs. 195 × 130 mm.
Al fin: «29 Martii 1633».
Menéndez Pelayo, *Traductores*, III, páginas 85-88.
MADRID. *Nacional*. Mss. 9811.

1957

«*Eustathy Archiepiscopi Thessalonices in Homeri Iliada Commentaria. Tum et ipsa Homeri & Ilias Heroico carmine Latina facta... Vincentio Marinerio Valentino Interprete. Tomus secundus*».
Letra del s. XVII. 2 vols. 300 × 205 mm.
Al fin: «24 octobris 1621». Falta el tomo I, que contendría los cinco primeros libros de la *Ilíada*.
Menéndez Pelayo, *Traductores*, III, páginas 52-54.
MADRID. *Nacional*. Mss. 9.859/60.

1958

«*Eustathii Archiepiscopi Thesalonices in Homeri Odysseam Commentaria*».
2 vols.
Menéndez Pelayo, *Traductores*, III, pág. 54.
MADRID. *Nacional*. Mss. 9.861/62.
MADRID. *Nacional*. Mss. 9.861/62.

1959

«*Scholia in Homeri Iliada*».
Menéndez Pelayo, *Traductores*, III, páginas 56-58.
MADRID. *Nacional*. Mss. 9.863.

1960

«*Scholia doctissimi interpretis Didymi in Odysseam Homeri*».
354 págs.
Menéndez Pelayo, *Traductores*, III, páginas 58-59.
MADRID. *Nacional*. Mss. 9.864.

1961

«*Hesiodi Ascræi opera omnia quæ extant cum græcis scholiis Procli, Moschopuli, Tzetzes in Opera et Dies et Johannis Diaconi et incerti in reliqua. Vincentio Marinerio Valentino Interprete*».
907 págs.
Menéndez Pelayo, *Traductores*, III, páginas 50-62.
MADRID. *Nacional*. Mss. 9.865.

1962

«*Index omnium operum quae... usque ad annum 1630 composuit*».
Menéndez Pelayo, *Traductores*, III, páginas 62-65.
MADRID. *Nacional*. Mss. 9.866.

1963

«*Scholia in septem Euripidis Tragedias ex antiquis exemplaribus ab Arsenio episcopo Monembasiæ collecta*».
Menéndez Pelayo, *Traductores*, III, páginas 67-68.
MADRID. *Nacional*. Mss. 9.868.

1964

«*Lycophronis Chalcidensis Alexandra cum eruditissimis Isaaci Tzetzes commentariis, ex fide manuscripti emendatioribus factis. Omnia ex Græco Latina facta. Vincentio Marinerio... Interprete...*».

374 págs. Fol.
Menéndez Pelayo, *Traductores*, III, página 68.
MADRID. *Nacional*. Mss. 9.869.

1965

«*Theocriti, Moschi, Bionis et Simmii opera omnia quæ extant, cum scholiis in Theocritum et in alios, Vincentio Marinerio Valentino Interprete*».
Menéndez Pelayo, *Traductores*, III, páginas 69-72.
MADRID. *Nacional*. Mss. 9.870.

1966

«*Procli Diadochi in primum Euclidis de elementis librum... Vincentio Marinerio... Interprete*».
266 págs. 4.º
Menéndez Pelayo, *Traductores*, III, página 72.
MADRID. *Nacional*. Mss. 9.871.

1967

«*La Philosophia de Aristóteles Stagirita, traducida a la verdad de la letra del texto griego en lenguage castellano por el m.º Vicente Marinerio...*».
871 págs. Fol.
Menéndez Pelayo, *Traductores*, III, páginas 78-81.
MADRID. *Nacional*. Mss. 9.872.

1968

«*Los libros de la historia de los animales de Aristóteles Stagirita y los de las partes de los animales y de las causas de ellas y de la generación de los animales. Vertidos a la verdad de la letra del texto Griego en lengua vulgar castellana por el m.º Vicente Marinerio...*».
Menéndez Pelayo, *Traductores*, III, páginas 82-83.
MADRID. *Nacional*. Mss. 9.873.

1969

«*Fabula Phaetontis... ab... Joahnne Tasio, Comite de Villamediana... in Latinum sermonem hexametro versa...*».
105 págs.
Menéndez Pelayo, *Traductores*, III, página 92.
MADRID. *Nacional*. Mss. 9.934.

1970

«*Bumachopegnion*».
244 fols. 320 × 215 mm. Con diligencias y aprobaciones fechadas en 1624.
MADRID. *Nacional*. Mss. 9.972.

1971

«*La arte de Rethórica de Aristóteles. La Rhethórica que Aristóteles dedicó a Alejandro Magno, El libro de la Poética de Aristóteles. Vertidos a la verdad de la letra del texto Griego por el m.º Vicente Marinerio...*».
Letra del s. XVIII.
Menéndez Pelayo, *Traductores*, III, página 83.
MADRID. *Nacional*. Mss. 9.973.

1972

«*Varia epigrammata facetissima, lepidissima, angutissima hymni varii, Elegiæ multæ, Epistolæ nonnullæ tum latino, tum graeco scripta sermone*».
Autógrafo. 682 fols.
Con cartas a Mariana, Lope de Vega, Quevedo, Figueroa, etc.
Menéndez Pelayo, *Traductores*, III, página 48.
MADRID. *Nacional*. Mss.

1973

«*Historia de la Conquista del Perú*».
Perdido.

1974

«*Historia de España, succesos antiguos y dignos de memoria*».
Perdido.

EDICIONES
1975

AL doctor Duarte Váez, Doctíssimo Médico de Familia de su Magestad... [Madrid. Juan González]. [1633]. 2 hs. Fol.

Cuartero-Vargas Zúñiga, XXVII, n.° 62.027.
MADRID. *Academia de la Historia.* 9-1.063 (fols. 268-69).

1976

A Francisco Daza, secretario del Duque de Lerma... mi señor de ———. Epistola. Madrid. Imprenta del Reino. 1636. 2 fols. 30 cm.

—Texto.
GENOVA. *Universitaria.* 2.Q.IV.30 (24); etc.—
MADRID. *Academia de la Historia.* Jesuitas, CLXXXII, n.° 3. *Nacional.* V.E.-184-62. —
NUEVA YORK. *Hispanic Society.*

1977

DISCURSO a Don Ivan Idiaques y de Isacio. Madrid. Imprenta del Reyno. 1636. 2 hs. 30 cm.

—Texto.
GENOVA. *Universitaria.* 2.Q.IV.30 (25). — MADRID. *Academia de la Historia* .Jesuitas, CLXXXII, n.° 4. *Nacional.* V.E.-184-81.—SEVILLA. *Universitaria.* 111-96 (1).

Poesías sueltas
1978

[POESIAS]. (En Gómez, Vicente. *Relación de las famosas fiestas que hizo Valencia a la canonización de... S. Raymundo de Peñafort...* Valencia. 1602).

1. *Estanças a la tierra que mana en el sepulcro de S. Raymundo.* (Págs. 138-39).
2. *Redondillas.* (Págs. 267-70).
3. *Soneto.* (Pág. 429).

V. *BLH,* X, n.° 5685 (17, 56, 108).

1979

[ESTANÇAS]. (En Aguilar, Gaspar de. *Fiestas que... Valencia ha hecho por la beatificación del Santo Fray*

Luys Bertrán. Valencia. 1608, páginas 344-45).

MADRID. *Nacional.* R-8.218.

1980

[POESIA]. (En Gomez, Vicente. *Los sermones y fiestas que...* Valencia. 1609, págs. 381-84).

MADRID. *Nacional.* R-14.652.

1981

[APROBACION. Valencia, 3 de mayo de 1614] (En Monserrate, Andrés de. *Arte breve y compendiosa de las dificultades que se ofrecen en la musica practica del canto llano.* Valencia. 1614. Prels.).

MADRID. *Nacional.* R-9.666.

OBRAS LATINAS
1982

OPERA omnia poetica et oratoria in IX libros divisa. Turnoni. [Tournay]. Apud Ludovicum Pillhet. 1633. 863 págs. + 1 h. 17 cm.

MADRID. *Facultad de Filología.* 10.480. *Nacional.* 2-66.146; etc.

1983

PANEGYRIS. A D. Serenissimvm Carolum Stubardum Yvalliae Principem, Magnae Britanniae Haeredem. Madrid. Tomas Iunta. 1623. 2 hs. + 63 págs. 20 cm.

MADRID. *Nacional.* R-11.818 (ex libris de Gayangos).

1984

PANEGYRIS. Ad Serenissimvm Ferdinandum ab Austria Hispanorum Infantem S. R. E. Cardinalem... Madrid. Tomás Junta. 1624. 4 hs. + 56 páginas. 21 cm.

—S. L.—E.—T.—Apr. latina.—Praefatio. Ad. D. Melchiorem Moscosum de Sandoual, Episcopum electum Segouie.—Epigrama latino del autor al Conde-Duque.—Otro al duque de Uceda. — Otro al Infante

Cardenal. — Texto. — Epigrama griego a Felipe IV. — Traducción latina del mismo.

Pérez Pastor, *Madrid*, III, n.º 2.082 (con documentos biográficos).

MADRID. *Academia de la Historia*. 9-17-3-3.513. *Facultad de Filología*. 15.585. *Nacional*. 2-67.011; V.E.-43-35.

1985

[*AL Autor. Elogio*]. (En Sueyro, Emanuel. *Anales de Flandes*. Amberes. 1624. Prels.).

MADRID. *Nacional*. 3-8.511.

1986

IN varias virtvtvm dotes et thaumata B. Francisci Borgiadae Dvcis Gandiae, Tertij Praepositi Generalis Societatis Iesv, Hymi, & Epigrammata. Madrid. Pedro Tazo. 1625. 8 hs. 20 cm.

—Texto. Elegía, Himno y cuatro poesías en latín y un himno en griego.

MADRID. *Nacional*. V.E.-169-23.

1987

[Julianus. Flavius Claudius, emperador de Roma]. *Iuliani Caesaris in regem solem ad Salustium panegyricus Vincentio Marinerio valentino interprete*. Madrid. Pedro Tazo. 1625. 16 hs. + 60 fols. + 4 hs. 8.º

Praefatio y *Epigramma* a Quevedo, reproducidos en las *Obras* de éste, Biblioteca de Autores Españoles, XLVIII, págs. 528, y XXIII, pág. CXXX.

Pérez Pastor, *Madrid*, III, n.º 2.172.

MADRID. *Nacional*. 2-28.372. — NUEVA YORK. *Hispanic Society*.

1988

MELODIMATA Platonica, Diogenica, Theophrastica, Aristotelica... Madrid. Vda. Juan Gonçalez. 1635. 4 págs. 31,5 cm.

GENOVA. *Universitaria*. 2.Q.IV.30 (23).

1989

A don Juan Idiaquez y de Isasi, cavallero del Hábito de San Iago, &c.

[Madrid. Impr. del Reyno]. [1636]. 2 hs. Fol.

Cuartero-Vargas Zúñiga, XXVII, n.º 62.026. MADRID. *Academia de la Historia*. 9-1.043 (fols. 264-65).

1990

——. [s. l.-s. i.]. [s. a., 1637]. 2 hs. Fol.

En latín y castellano.

Cuartero-Vargas Zúñiga, XXVII, n.º 62.025. MADRID. *Academia de la Historia*. 9-1.043 (fols. 262-63).

1991

PANEGYRIS heroica ad clarissimum virum D. B. Joannem Fernandum Pizarrum. Madrid. María de Quiñones. 1642. 4 hs. + 33 fols. + 1 h. 19 cm.

MADRID. *Facultad de Filología*. 35.740. *Nacional*. 2-67.010; etc.

1992

GENETHLIACON in faustissimum et panolbium hispaniarum principis natalem auspicium. Sevilla. 1707.

«Este poema, incluso en las obras latinas del autor (Tornay, 1633), tuvo celebridad por sus pronósticos de la sucesión al trono de España de un príncipe galohispano. Por esta razón se suprimieron algunos de sus fragmentos, en Sevilla, por algún parcial de Felipe V». (Escudero, n.º 2.005).

Poesías sueltas

1993

[*POESIA*]. (En Gómez, Vicente. *Verdadera relación de la vida, muerte y hechos milagrosos de... Fr. Domingo Anadón...* Valencia. 1607. Preliminares).

V. *BLH*, X, n.º 5.691.

1994

[*POESIA*]. (En Aguilar, Gaspar de. *Fiestas que... Valencia ha hecho por*

la beatificación del Santo Fray Luys
Bertrán... Valencia. 1608, pág.

MADRID. Nacional. R-8.218.

1995

[POESIAS]. (En Gomez, Vicente. Los
sermones y fiestas que... Valencia
hizo por la beatificación de S. Luys
Bertrán... Valencia. 1609).

1. (Págs. 117-118).
2. (Págs. 459-460).
3. (Págs. 145-146).

MADRID. Nacional. R-14.652.

1996

[POESIAS]. (En Aguilar, Gaspar.
Expulsión de los moros de España...
Valencia. 1610).

1. Ad Philippum III... Ænomolpium. (Páginas 211-12).
2. Ode, Dicolos tetrastrophos, Hendecasy-
llaba, sapphica, cum Adonico, in laudem
Gasparis Aguilar Poëtae Valentini celebe-
rrimi. (Págs. 213-16).
3. In tvrcarvm principem carmen phalev-
cium. (Págs. 217-18).
4. De maurorum expulsione, carmen
Achrostichum... (Pág. 218).

MADRID. Nacional. R-12.484.

1997

[EPIGRAMMA]. (En Vega Carpio,
Lope de). Pastores de Belén. Madrid. 1612. Prels.).

MADRID. Nacional. R-30.712.

1998

[POESIA]. (En Herrera, Pedro de.
Descripción de la Capilla de N.ª S.ª
del Sagrario... Madrid. 1617, 4.ª parte, fol. 119v).

V. BLH, n.º 4502 (145).

1999

[Ad clarissimum poetam et musarum
alumnum Lupium de Vega. Elegía].
(En Vega Carpio, Lope de. Triunfo
de la Fee en los Reynos del Japón...
Madrid. 1618. Prels.).

MADRID. Nacional. R-5.086.

— — —

—Reproducida en Biblioteca de Autores
Españoles, XXXVIII, pág. 160.

2000

[EPIGRAMMA]. (En Virgilio. Las
Eclogas y Georgicas. Traducidas por
Cristóbal de Mesa. Madrid. 1618. Pre-
liminares).

MADRID. Nacional. R-8.734.

2001

[AL Autor. Poesía]. (En Perez de Herrera, Cristóbal. Proverbios morales, y consejos christianos provechosos... Madrid. 1618. Prels.).

MADRID. Nacional. R-1.727.

2002

[EPIGRAMMA]. (En Vega Carpio,
Lope de. Justa poética... que hizo
Madrid al bienaventurado San Isi-
dro... Madrid. 1620, fol. 139v).

MADRID. Nacional. R-4.901.

2003

[POESIAS]. (En Martinez de la Vega, Jeronimo. Solenes i grandiosas
Fiestas... Valencia. 1620, págs. 338,
354, 380, 474, 477).

MADRID. Nacional. R-10.717.

2004

[EPIGRAMMA]. (En Sossa, Juan
Bautista de. Sossia perseguida. Madrid. 1621. Prels.).

2005

[POESIA]. (En Blasco de Lanuza,
Vicente. Peristephanon... Zaragoza.
1623. Prels.).

MADRID. Nacional. 3-27.975.

2006

[POESIA]. (En Figueroa, Francisco
de. Obras. Lisboa. 1625. Prels.).

V. BLH, X, n.º 1727.

2007

[*EPIGRAMMA*]. (En Tomás de Aquino, Santo. *Tratado del Govierno de los Principes. Traduzido por Alonso Ordoñez das Seyjas y Tobar*. Madrid. 1625. Prels.).

MADRID. *Nacional.* 3-29.966.

2008

[*EPIGRAMMA*]. (En Aristóteles. *La Poética. Dada a nuestra lengua castellana por Alonso Ordóñez das Seygas y Tobar*. Madrid. 1626. Prels.).

MADRID. *Nacional.* R-5.472.

2009

[*AL Autor. Poesía*]. (En Salazar Mardones, Cristobal de. *Ilustración y defensa de la Fábula de Pínamo y Tisbe*. Madrid. 1636. Prels.).

MADRID. *Nacional.* R-6.833.

2010

[*POESIA*]. (En Jerónimo de la Cruz, Fray. *Defensa de los estatutos y noblezas españolas*. Zaragoza. 1637. Preliminares).

MADRID. *Nacional.* 7-13.768.

2011

[*ELEGIA*]. (En Abreo de Lima, Francisco de. *Carta... sobre esgrima*. Prels.).

Año 1639. 215 × 150 mm.

MADRID. *Nacional.* Mss. 2.308.

2012

[*POESIAS*]. (En Grande de Tena, Pedro. *Lágrimas panegiricas a la temprana muerte del... Dr. Juan Pérez de Montalban*. Madrid. 1639, folios 34*v* y 42*v*).

MADRID. *Nacional.* 2-44.053.

2013

[*IN laudem Authoris. Epigramma*]. (En Sparke et Centelles, Nouello de.

Exequiæ Serenissimæ et Potentiss. Reginæ Dom. Margaritæ Austriacæ... s. l.-s. a. Prels.).

MADRID. *Nacional.* V.E.-55-69.

OBRAS GRIEGAS

2014

[*EPIGRAMMA*]. (En Aguilar, Gaspar. *Expulsión de los moros de España...* Valencia. 1610, pág. 210).

MADRID. *Nacional.* R-12.484.

2015

[*POESIA*]. (En Martinez de la Vega, Jerónimo. *Solenes i grandiosas Fiestas...* Valencia. 1620, pág. 531).

MADRID. *Nacional.* R-10.717.

2016

[*POESIA*]. (En León, Francisco Jerónimo de. *Decisiones Sacrae Regiae Audientiae Valentinae...* Madrid. 1620. Prels.).

Seguida de su traducción latina.

ESTUDIOS

2017

CAÑIGRAL, LUIS DE. *Un entusiasta admirador de Francisco de Quevedo: Vicente Mariner*. (En MEMORIA de la Reunión Plenaria... Ciudad Real. 1981, págs. 13-21).

Elogios

2018

VEGA, LOPE. [*Elogio*]. (En *El jardín de Apolo*, en *La Filomena...* Madrid. 1621, fol. 157*r*).

MADRID. *Nacional.* R-3.074.

2019

VEGA, LOPE DE. [*Elogio*]. (En *Laurel de Apolo*. Madrid. 1630, fol. 68*r*).

MADRID. *Nacional.* R-14.177.

2020

REP: N. Antonio, II, págs. 326-28; Ximeno, I, págs. 333-38; Menéndez Pelayo, *Traductores*, III, págs. 20-101.

MARINER Y DE ALAGON (NICOLAS)

EDICIONES

2021

[*APROBACION. Valencia, 3 de mayo de 1614*]. (En Monserrat, Andrés de. *Arte breve, y compendiosa, de las dificultades que se ofrecen en la música práctica del canto llano.* Valencia. 1614. Prels.).

MADRID. *Nacional.* R-9.666.

MARINHO DE AZEVEDO (LUIS)

N. y m. en Lisboa (?-1652). Comisario militar y Secretario de D. Martim Affonso de Mello, conde de S. Lourenço, gobernador del ejército de Alentejo, tras la proclamación de Juan IV.

EDICIONES

2022

PRINCIPE (El) encubierto, manifestado en quatro discursos politicos, exclamados al rey Don Philippe IIII... por Lucindo Lusitano (seud.). Lisboa. Domingos Lopes Rosa. A costa de Lourenço de Queirós. 1642. 55 fols. 4.º

CAMBRIDGE, Mass. *Harvard University.*—CHICAGO. *Newberry Library.*—EVORA. *Pública.*—LONDRES. *British Museum.* 1568/5753. — MADRID. *Nacional.* R-23.992.—NUEVA YORK. *Hispanic Society.*

2023

APOLOGIA militar en defensa de la victoria de Montijo. Contra las Relaciones de Castilla, y gazeta de Geneba... Lisboa. 1644. 14 hs. 4.º

Pinto de Mattos.

2024

EXCLAMACIONES politicas, iuridicas y morales. Al Sumo Pontifice, Reyes, Principes, Republicas amigas, y confederadas con el Rey Don Iuan IV de Portugal en la injusta prision del serenissimo infante D. Duarte su hermano. Lisboa. Lorenço de Anveres. 1645. 4 hs. + 188 páginas. 20 cm.

Palau, VIII, n.º 152.165.

ANN ARBOR. *University of Michigan.* — CAMBRIDGE, Mass. *Harvard University.* — EVORA. *Pública.*

2025

[*SONETO*]. (En Méndez Silva, Rodrigo. *Catálogo real de España.* Madrid. 1637. Prels.).

Reproducido en Salvá, II, n.º 3.573.

OBRAS PORTUGUESAS

2026

APOLOGETICOS Discursos offerecidos á Magestade del Rei Dom Joam... quarto... Em defença da fama, e boa memoria de Fernão d'Albuquerque do seu Conselho, etc. Contra o que delle escreueo D. Gonçalo de Cespedes na Chronica del Rei D. Pelippe quarto de Castella. Lisboa. Manoel da Silva. [1641]. VIII + 144 fols. 20 centímetros.

Pinto de Mattos.

CAMBRIDGE, Mass. *Harvard University.*—NEW HAVEN. *Yale University.*

2027

ORDENAÇÕES militares pera disciplina da milicia Portugueza. Lisboa. 1641. 4.º

Pinto de Mattos.

2028

RELAÇÃO da entrada, que o Governador Martim Affonso de Mello, fez na Villa de Valverde, e victoria, que alcançou dos Castelhanos. Lisboa. Iorge Rodriguez. 1641. 12 páginas. 4.º

Salió anónima.

CAMBRIDGE, Mass. *Harvard University.*

2029

RELAÇÃO verdadeira da milagrosa victoria, que alcançarão os Portuguezes, que assistem na fronteira de Olivença em 17 de Setembro de 1641. [Lisboa. Jorge Rodríguez. A custa de Lourenço de Queiros]. [1641]. 6 hs. 4.º

Salió anónimo.

CAMBRIDGE, Mass. *Harvard University.*

2030

RELAÇAM de duas vitorias, que os moradores da aldeya de S. Aleixo, e das villas de Mourão, e Monsarãs alcançarão dos Castelhanos a 6 e 16 deste mes de oct., e socorros que lhes mandou o general Martim Affonso de Mello, e de outro sucesso na villa de Campo Mayor em o mesmo mes de out. 641. [Lisboa. Iorge Rodrigues]. [1641]. 8 págs. 4.º

CAMBRIDGE, Mass. *Harvard University.*

2031

COMMENTARIOS dos valerosos feitos, que os portuguezes obraram em defenza de seu Rey, & patria na guerra de Alentejo, etc. Lisboa. Lourenço de Anveres. 1644. XII + 272 págs. 4.º

Pinto de Mattos.

CAMBRIDGE, Mass. *Harvard University.*—LONDRES. *British Museum.* 1060.c.29.(1).—ROMA. *Vaticana.* Stamp. Barb. S.VII.75.

2032

DOCTRINA politica civil, e militar, tirada do Livro V dos que escreveo Justo Lipsio. Lisboa. 1644. 4.º

Pinto de Mattos.

2033

PRIMEIRA parte da fundação, antiguidades e grandezas da mui insigne cidade de Lisboa, e seus varoens illustres em Santidade, armas, & letras. Catalogo de seus prelados, e mais cousas ecclesiasticas, & politicas até o Anno 1147, em que foi ganhada aos Mouros por el Rey D. Afonso Henriquez. Lisboa. Officina Craesbeeckiana. 1652. 9 hs. + 397 páginas. 29 cm.

BOSTON. *Public Library.* — CAMBRIDGE, Mass. *Harvard University.*—CHICAGO. *Newberry Library.*

— — —

—Lisboa. Manoel Soares. 1753. 2 partes en 1 vol. 20,5 cm.

WASHINGTON. *Congreso.* 8-8.614.

2034

REP: N. Antonio, II, págs. 48-49; Barbosa, III, págs. 112-13; Pinto de Mattos, págs. 375-76; García Peres, págs. 349-50.

MARIÑO (MARTEL DE)

EDICIONES

2035

[*VILLANCICO*]. (En JUSTA *literaria en loor y alabança del bienauenturado sant Juan euangelista. Año M.D. XXXI.* s. l. s. a.).

MADRID. *Nacional.* R-6.086.

MARIÑO DE LOBERA (PEDRO)

N. en Pontevedra (c. 1520). Capitán. Marchó a América en 1545 y residió en Méjico, Perú y Chile, participando en diversas expediciones y campañas. M. en Los Reyes (1594).

EDICIONES

2036

CRONICA del Reino de Chile... Reducida a nuevo método y estilo por el P. Bartolomé de Escobar... Santiago de Chile. Imp. del Ferrocarril.

1865. 456 págs. 25 cm. (Colección de historiadores de Chile, 6).

BERKELEY. *University of California.* — BLOOMINGTON. *Indiana University.*—BOSTON. *Public Library.* — NUEVA YORK. *Hispanic Society.*—WASHINGTON. *Congreso.* 3-2775.

2037

[*CRONICA del Reino de Chile... Reducido a nuevo metodo y estilo por el P. Bartolomé de Escobar. Edición de Francisco Esteve Barba*]. (En CRÓNICAS *del Reino de Chile.* Madrid. Atlas. 1960, págs. 225-325. Biblioteca de Autores Españoles, 131).

2038

CRONICA del Reino de Chile. Reducida a nuevo método y estilo por el P. Bartolomé de Escobar... Introducción y notas de Juan Uribe Echevarría. [Santiago de Chile]. Edit. Universitaria. [1970]. 115 págs. con ilustraciones. 18, 5 cm. (Escritores Coloniales de Chile, 7).

MADRID. *Nacional.* H.A.-51.013.

MARIS CARNEYRO (ANTONIO)

Cosmógrafo del Rey de Portugal.

EDICIONES

2039

HYDROGRAFIA la mas cvriosa qve asta oy a salido recopilada de varios y escogidos avthores de la Nauegacion. Compvesto por ——... *y por... Andres de Poza...* San Sebastián. Martín de Huarte, a su costa. 1675. 4 hs. + 60 + 194 págs. + 2 hs.

—Ded. a la provincia de Guipúzcoa, por Martin de Huarte.—Apr. de Fr. Francisco Picado.—Apr. de Antonio de Landayda.—L. del Obispo de Pamplona.—Texto.—Tabla.

GRANADA. *Universitaria.* A-23-279. — LONDRES. *British Museum.* 533.e.45. — MADRID. *Nacional.* R-7.311.

OBRAS PORTUGUESAS

2040

REGIMENTO de pilotos e roteiro da navegaçam, e conquistas do Brasil, Angola... Cabo Verde... e Indias. Lisboa. Lourenço de Anueres. 1642. 2 vols. 18,5 cm.

BOSTON. *Public Library.* — LONDRES. *British Museum.* 795.d.2. — WASHINGTON. *Congreso.* 13-16489.

— — —

—[Lisboa]. Manoel da Sylua. 1655. 36 + 115 fols. + 11 mapas plegados. 4.º

Salvá, II, n.º 3.783.

CAMBRIDGE, Mass. *Harvard University.*

MARMANILLO (IGNACIO FELIX DE)

Beneficiado de la parroquial de Uruñuela. Tio de Francisco Fernández de Marmanillo.

EDICIONES

2041

[*SONETO*]. (En Fernández de Marmanillo, Francisco. *Vida de S. Pedro Arbués...* Logroño. 1665. Prels.).

MADRID. *Nacional.* R-11.454.

OBRAS LATINAS

2042

[*POESIA*]. (En Ximenez de Enciso y Porres, José Esteban. *Relación de la memoria funeral a... D.ª Isabel de Borbón...* Logroño. 1645, pág. 170).

MADRID. *Nacional.* R-11.418.

MARMOL (ANDRES DEL)

N. en Madrid. Licenciado.

EDICIONES

2043

EXCELENCIAS, vida, y trabaios del Padre Fray Geronimo Gracian de la Madre de Dios Carmelita. Recopilada de lo qve escrivio del Santa Teresa de Iesvs, y otras personas, por

——. Valladolid. Francisco Fernandez de Cordoua. 1619. 4 hs. + 132 folios. 20 cm.

—S. Pr. al autor por diez años.—T.—E.—Apr. del P. Pedro de la Paz.—Censura de Francisco Sanchez de Villanueua.—L. V. Endechas del P. Tomas Gracian. [«El prodigio de los siglos...»].—Ded. a la Condesa del Castellar.—Texto.—Colofón.

Alcocer, n.º 648.

BARCELONA. *Universitaria.* B.10-5-4.—CORDOBA. *Pública.* 10-91; 22-93.—MADRID. *Academia de la Historia.* 16-7-8-6.744. *Nacional.* R-11.827 (ex libris de Gayangos). *Palacio Real.* — ROMA. *Vaticana.* Stamp. Barb. T.VII.20.

2044

[*DEDICATORIA a Juana de Corpus Christi, fundadora y priora del monasterio de Corpus Christi de Madrid*]. (En Gracián de la Madre de Dios, Jerónimo. *Obras.* Madrid. 1616. Prels.).

ESTUDIOS
2045

REP: N. Antonio, I, pág. 79; Alvarez y Baena, I, págs. 96-97.

MARMOL (P. DIEGO DEL)

Jesuita. Lector de Teología. Calificador de la Inquisición.

EDICIONES
2046

[*CENSURA. Granada, 1 de junio de 1629*]. (En León y Moya, Diego de. *Aforismo y Reglas para más bien exercer el alto oficio de la predicación euangélica...* Antequera. 1629. Preliminares).

CORDOBA. *Pública.* 2-77.

2047

[*APROBACION*]. (En Alcaraz Clavijo, Bartolomé de. *Sermón en las honras... al Licenciado Antonio Velázquez de Mampaso...* Granada. 1634, fol. 2r).

SALAMANCA. *Universitaria.* 56.088.

2048

[*APROBACION. Sevilla, 18 de mayo de 1641*]. (En Piñero, Juan. *Sermón fúnebre, predicado en las honras... del... Cardenal Arçobispo de Burgos, Don Antonio Zapata...* Sevilla. 1641. Preliminares).

SEVILLA. *Universitaria.* 113-59 (19).

2049

[*APROBACION, 3 de abril de 1645*]. (En Ahumada y Hortiz, Fernando de. *Sermon de la Encarnación... en la Fiesta de la congregacion del Anunciata.* Sevilla. 1645. Prels.).

SEVILLA. *Universitaria.* 113-20.

MARMOL (PEDRO DEL)

EDICIONES
2050

[*PARECER, 22 de enero de 1571*]. (En Monardes, Nicolás de. *Libro que trata de la nieue...* Sevilla. 1571. Al fin).

MADRID. *Nacional.* R-13.357.

MARMOL CARVAJAL (LUIS DEL)

CODICES
2051

«*Descripcion de la ziudad de Ceuta, sacado de la descripcion de Africa*».

Letra del s. XVIII. 7 hs. 4.º Sacada de la ed. de Granada, 1573, fol. 127.

MADRID. *Academia de la Historia.* 9-3.545/3.

2052

«*Descripcion del Africa*».

Letra del s. XVI.

Sólo el 2.º volumen. Es el original para la impresión.

MADRID. *Academia de la Historia.* 9-24-1-B-5.

2053

«*Crónica del Conde Don Pedro de Portugal. Recopilada por Luis del*

Marmol, de la general que escribió el mismo conde D. Pedro en lengua Portuguesa».

Letra del s. XVII. 82 fols. Fol.

Cuartero y Vargar Zuñiga, XI, n.º 19.351.

MADRID. *Academia de la Historia.* Col. Salazar; 9-230.

2054

«*Relacion que dio... para declaracion del estandarte de la armada turquesca*».

Letra del s. XVI. Con un dibujo del estandante. 288 × 198 mm.

Zarco, III, pág. 34.

SAN LORENZO DEL ESCORIAL. *Monasterio.* Y.II. 13 (fol. 149).

EDICIONES

2055

[*DESCRIPCION general de Africa*]. Granada. René Rabut. 1573. 2 vols.

—*Parte primera...* Granada. R. Ruleut. 1573.

—Pr. al autor por diez años. — Apr. de Ambrosio de Morales.—Apr. de Fr. Geronymo Roman. — Ded. a Phelipe II. — Prologo al lector.—Octava de Hernando de Acuña. [«Affrica en fama y nombre esclarescida...»].—T.—E.—Texto. — Tabla de los capitulos.—Tabla de nombres propios y de cosas memorables.—Grab.

Vindel, V, n.º 1.688a.

BARCELONA. *Universitaria.* B.49-4-15. — BERKELEY. *University of California.* — CAMBRIDGE, Mass. *Harvard University.*—CHICAGO. *Newberry Library.* — EVANSTON. *Northwestern University.* — EVORA. *Pública.* Sec. XVI, 3.944.—GENOVA. *Universitaria.* 2.1.II.4.—LONDRES. *British Museum.* 147.f.10; etc.—MADRID. *Academia de la Historia.* 3-5-3-3.906. *Nacional.* R-2.993. *Palacio Real.* VIII-15.739.—NEW HAVEN. *Yale University.*—NUEVA YORK. *Hispanic Society.—Public Library.* — PARIS. *Nationale.* Rés. O³.5.—ROMA. *Vaticana.* Stamp. Barb. S.II-40. — SALAMANCA. *Universitaria.* 30.376.—SEVILLA. *Universitaria.* F-96.—VALLADOLID. *Universitaria.* Santa Cruz, 12.300.—VIENA. *Nacional.* 65.Q.10.—ZARAGOZA. *Universitaria.* G-61-100.

—*Libro tercero y segvndo volvmen de la primera parte de la descripcion general*

de Affrica con todos los successos de guerra, y cosas memorables. Granada. René Rabut. 1573. 1 hs. + 308 fols. a 2 cols. + 7 hs. 27,5 cm.

—E.—Pr. al autor por diez años.—Apr. de Ambrosio de Morales.—Apr. de Fr. Geronymo Roman.—Texto.—Tabla de los reynos, provincias, etc., que se contienen.—Tabla de nombres proprios, y de cosas memorables.

Salvá, II, n.º 3.356.

BERKELEY. *University of California.* — CAMBRIDGE, Mass. *Harvard University.*—CHICAGO. *Newberry Library.* — EVANSTON. *Northwestern University.* — EVORA. *Pública.* Sec. XVI, 3944-A. — LONDRES. *British Museum.* 147.f.11; etc.—MADRID. *Academia de la Historia.* 3-5-3-3.907. *Facultad de Filología.—Nacional.* R-2.994. — NEW HAVEN. *Yale University.* — NUEVA YORK. *Hispanic Society.—Public Library.* — ROMA. *Vaticana.* Stamp. Barb. S.II.41. — ROUEN. *Municipale.* Mt.G. 2377 (I).—SALAMANCA. *Universitaria.* 30.377.—SAN LORENZO DEL ESCORIAL. *Monasterio.* 39-IV-2-5.—SEVILLA. *Universitaria.* F-96. — VALLADOLID. *Universitaria.* 15.176.—VIENA. *Nacional.* 65.Q.10. — ZARAGOZA. *Universitaria.* G-61-101.

2056

SEGVNDA parte y libro septimo de la Descripción general de Africa, donde se contiene las Prouincias de Numidia, Libia, la tierra de los Negros, la baxa y alta Etiopia, y Egipto, con todas las cosas memorables della. Málaga. Iuan Rene. A costa del Autor. 1599. 2 hs. + 117 fols. a 2 cols. 27,5 cm.

—Pr. al autor (cuyo nombre no figura en la port.) por diez años (1584).—Otro para que los diez años se cuenten de ahora en adelante (1599).—Texto.—Escudo.

Vindel, V, n.º 1.688b.

BERKELEY. *University of California.* — CAMBRIDGE, Mass. *Harvard University.*—CHICAGO. *Newberry Library.* — EVANSTON. *Northwertern University.*—EVORA. *Pública.* Res. 663; etc. — LEON. *Pública.*—LONDRES. *British Museum.* 147.f.12; etc.—MADRID. *Academia Española.* — *Academia de la Historia.* 3-5-3-3.908. *Museo «Lázaro Galdiano».—Nacional.* R-2.995.—NEW HAVEN. *Yale University.*—NUEVA YORK. *Hispanic Society.—Public Library.* PARIS. *Nationale.* Rés. O³.5.—ROUEN. *Muni-*

cipale. Mt.G.2377 (II).—SEVILLA. *Universitaria*. 315-206.

— — —

—Reprod. facsímil. Madrid. Instituto de Estudios Africanos. 1953.

MADRID. *Nacional.* 5-19.758. — WASHINGTON. *Congreso.* 63-58505.

2057

HISTORIA del rebelion y castigo de los moriscos del Reyno de Granada. Málaga. Iuan René. A costa del Auctor. 1600. 4 hs. + 245 fols. a 2 cols. + 3 hs. 28 cm.

—Pr. al autor por diez años.—Ded. a D. Iuan de Cardenas y Çuñiga, conde de Miranda, etc., cuyo escudo va en la portada.—Prologo.—Texto.—Grab.—Tabla.

Salvá, I, n.º 3.028.

BARCELONA. *Universitaria.* C.215-2-8. — BERKELEY. *University of California.*—BOSTON. *Public Library.* — CAMBRIDGE, Mass. *Harvard University.*—CORDOBA. *Pública.* 15-172. — CHICAGO. *Newberry Library.* — EVORA. *Pública.* Sec. XVI, 5361.—GENOVA. *Universitaria.* 2.C. VI.29.—LONDRES *British Museum.* C.78.d.9; etc.—MADRID. *Academia Española.* S.C.=13-B-2. *Academia de la Historia.* 4-1-5-516; etc. *Facultad de Filología.*—*Museo «Lázaro Galdiano».*—*Nacional.* R-51; etc. *Palacio Real. Senado.* — MALAGA. *Pública.* 13.021. — NUEVA YORK. *Hispanic Society.*—*Public Library.*— PARIS. *Nationale.* Fol.Oc.174; etc.—ROMA. *Vaticana.* Stamp. Barb. S.IV.24. — SANTANDER. *«Menéndez Pelayo».* R-IV-8-1.—SEVILLA. *Colombina.* 91-4-16. *Universitaria.* 188-164.—URBANA. *University of Illinois.*—ZARAGOZA. *Universitaria.* D-48-20.

2058

——. 2.ª impresión. Madrid. Sancha. 1797. 2 vols. 23 cm.

Salvá, II, n.º 3.029.

BARCELONA. *Universitaria.* 179-2-31/32.—DEUSTO. *Universitaria.*—LYON. *Municipale.* 345.585. MADRID. *Academia de la Historia.* 2-1-9-526/7; etc. *Nacional.* U-2.573/74. *Palacio Real.* VII-1199/20.—PARIS. *Nationale.* 4ºOc.174A.

2059

[*HISTORIA del Rebelión y castigo de los moriscos del reino de Granada. Edición de Cayetano Rosell*]. (En

HISTORIADORES *de sucesos particulares.* Tomo I. Madrid. 1876, págs. 123-365. Biblioteca de Autores Españoles, 21).

TRADUCCIONES

a) FRANCESAS

2060

L'Afrique de Marmol, de la traduction de Nicolas Perrot... Avec l'Histoire des chérifs, traduite de l'espagnae de Diego Torrés, par le duc d'Angoulesme le père. Reveuë et retouchée par P[ierre] R[ichelet] A[vocat]. París. T. Jolly. 1667. 3 vols. 4.º

LYON. *Municipale.* 304.386; etc.—MADRID. *Nacional.* 2-40.396/98. — NUEVA YORK. *Hispanic Society.*—PARIS. *Nationale.* Rés. O³.6.

— — —

—París. L. Billaine. 1667. 3 vols. 24,5 cm.

BLOOMINGTON. *Indiana University.*—CAMBRIDGE, Mass. *Harvard University.*—NEW HAVEN. *Yale University.*—NUEVA YORK. *Public Library.*—PARIS. *Nationale.* 4º.O³.6A; etc.—WASHINGTON. *Congreso.* 6-2021 rev.

ESTUDIOS

2061

SERRANO Y SANZ, MANUEL. *Literatos españoles cautivos. VI: Cautiverio de Luis del Mármol Carvajal.* (En *Revista de Archivos, Bibliotecas y Museos,* I, Madrid, 1897, págs. 504-505).

2062

SANCHEZ ALONSO, BENITO. *Luis de Mármol Carvajal.* (En *Historia de la Historiografía española.* Tomo II. Madrid. 1944, págs. 63-64).

MADRID. *Consejo. Patronato «Menéndez Pelayo».* E-1.082.

2063

GARCIA FIGUERAS, TOMAS. *Luis del Mármol Carvajal (1520-1599). Conferencia.* (En *Archivos del Ins-*

tituto de Estudios Africanos. Madrid. 1949, n.º 10, págs. 69-101).

2064

REP: N. Antonio, II, pág. 49; Picatoste, págs. 180-81.

MARMOLEJO (FR. FRANCISCO)

Comendador de los conventos de Nuestra Señora de la Victoria de Baeza y de Ubeda.

EDICIONES

2065

[*APROBACION. Baeza, 14 de julio de 1616*]. (En Bonilla, Alonso de. *Nuevo jardín de flores divinas.* Baeza. 1617. Prels.).

MADRID. *Nacional.* R-12.954.

MARMOLEJO (PEDRO DE)

EDICIONES

2066

FIESTAS que hizo la Universidad de Mexico al Misterio de la Concepcion de la Virgen María. Méjico. Calderón. 1653. 4.º

Ref. a Beristain (Medina, *México*, II, número 785).

2067

[*SONETO*]. (En Corchero Carreño, Francisco. *Desagravios de Christo en el triumpho de su Cruz contra el judaísmo...* Méjico. 1649. Prels.).

MADRID. *Nacional.* R-5.309.

MAROJA (CIPRIANO DE)

Médico de S. M. y de la Inquisición. Catedrático de Prima de Medicina en la Universidad de Valladolid.

EDICIONES

2068

AL Excelentissimo Señor Dvque de Sanlvcar, Marqves de Leganes, Poza, y Mayrena. General de las armas de *España, en los distritos de Badajoz, &c. El Doctor Cypriano de Maroja... humilde dedica, y consagra este breue escripto.* [s. l.-s. i.]. [s. a.]. 16 hs. 4.º

—Ded.—Texto.

Gallardo, III, n.º 2.921.

OBRAS LATINAS

2069

Opera omnia medica. Editio altera recognita, emendata et completata. Lugduni. Sumpt. L. Arnau et P. Borde. 1674. 10 hs. + 632 págs. + 18 hs. 37 cm.

MADRID. *Nacional.* 3-54.F33; etc.—WASHINGTON. *U.S. National Library of Medicine.*

———

—Lugduni. P. Borde. 1688.

MADRID. *Nacional.* 3-52.896.—WASHINGTON. *U.S. National Library of Medicine.*

2070

TRACTATUS de febrium natura communi et singulari... Cui accesit Brevis tractatus de Morbi-gallici natura, et curatione. Item et celebris Questio e Philosophiaĕ visceribus extracta, De partium materialium diversitate in mixtis... Valladolid. Jerónimo Murillo. 1641. 8 hs. + 187 fols. + 11 hs. Fol.

Gallardo, III, n.º 2.919.

LISBOA. *Academia das Ciências.* E.744/4.

2071

PRAXIS universalis de internorum morborum natura et curatione... Valladolid. Jerónimo Murillo. 1642. 5 hs. + 267 págs. a 2 cols. + 5 hs. Fol.

Gallardo, III, n.º 2.920. («El libro está en mal papel, mala estampa, rudo buril: si además está mal escrito, ¡maldito libro!»).

ESTUDIOS

2072

REP: N. Antonio, I, pág. 260.

MARONA (FR. MARCELO)

N. en Valencia (1612). Dominico. Doctor en Teología. Catedrático de Teología y Examinador de la Universidad de Valencia. Examinador sinodal. Obispo electo de Orihuela. M. en 1694.

CODICES

2073

«Sermones».

Letra del s. XVII. 294 hs. 203 × 152 mm. Comprende 48.
Gutiérrez del Caño, II, n.º 1.386.
VALENCIA. Universitaria. Mss.

2074

«Poesías» (en valenciano).

Letra del s. XVII. Una hoja. 312 × 210 mm.
Gutiérrez del Caño, II, n.º 1.385.
VALENCIA. Universitaria. Mss.

2075

«Tractatus Chronologicas ab orbe Condito ad finem Hebdomadum Danielis, seu Christi mortem».

Letra del s. XVIII. 44 hs. 201 × 145 mm.
VALENCIA. Universitaria. Mss. 1.388.

2076

«Oratio... in solemnitate generalium comitiorum habita... Valentiæ. 1647».

Letra del s. XVII. 6 hs. 202 × 155 mm.
Gutiérrez del Caño, II, n.º 1.387.
VALENCIA. Universitaria. Mss.

EDICIONES

2077

[SERMON. 15 de Mayo de 1659]. (En Ortí Marco Antonio. Solenidad festiva, con que en... Valencia se celebró... la canonización de... Santo Tomás le Villanueva. Valencia. 1659, págs. 83-130).
MADRID. Nacional. 3-35.873.

2078

[ORACION panegírica]. (En JARDIN de Sermones de varios assvntos, y de diferentes oradores evangelicos. Zaragoza. 1676, págs. 88-130).
MADRID. Nacional. 5-7.770.

2079

ORACION panegirica... Valencia. Viuda de Benito Macé. 1682.
TERUEL. Casa de la Cultura.

2080

[ELOGIO]. (En Boneta, José. Vida exemplar de... Fr. Raymundo Lumbier... Zaragoza. 1687. Tercera parte).
V. BLH, VI, n.º 4839.

Aprobaciones

2081

[APROBACION de Fr. Francisco Faxardo, Fr. Mateo Baesa y ——, sin datos]. (En Ortiz y Moncayo, Diego. Oración evangélica... al glorioso San Antonio de Padua... Valencia. 1662. Prëls.).
GRANADA. Universitaria. A-31-209 (11).

2082

[APROBACION. Valencia, 5 de agosto de 1664]. (En Clavero de Falzes y Carroz, Ceferino. San Nicolás el Magno... Valencia. 1668. Prels.).
V. BLH, VIII, n.º 4504.

2083

[APROBACION. Valencia, 26 de mayo de 1667]. (En Catalán de Monzonís, Gaspar. Tratado de la explicación del Pater Noster. Valencia. 1667. Preliminares).
MADRID. Nacional. 3-59.078.

2084

[APROBACION. Valencia, 1 de noviembre de 1669]. (En Alfaura, Joaquín. Vida del patriarca San Bruno. Valencia. 1671. Prels.).
MADRID. Nacional. 2-67.817.

2085

[APROBACION. 21 de agosto de 1671]. (En Ballester, Juan Bautista. Panegírico en las exequias... a la memoria de... *Dotor Gaspar Blas Ar-buxech...* Valencia. 1671. Prels.).

MADRID. *Nacional.* V.E.-123-11.

2086

[*APROBACION por —— y Fr. Francisco Gavaldá. Valencia, 13 de Mayo de 1681*]. (En Dolz del Castellar, Esteban. *Tres diamantes... del meior esposo virgen S. Joseph...* Valencia. 1681. Prels.).

MADRID. *Nacional.* V-284-23.

2087

[*CENSURA. Valencia, 4 de febrero de 1682*]. (En Busquets Matoses, Jacinto. *Idea exemplar...* Valencia. 1683. Prels.).

MADRID. *Nacional.* 3-40.404.

2088

[*APROBACION. Valencia, 2 de febrero de 1687*]. (En Fajardo y Acebedo, Antonio. *Varios Romances, escritos a los sucesos de la Liga Sagrada...* Valencia. 1687. Prels.).

LONDRES. *British Museum.* 1072.g.26(3).

2089

[*PARECER. Valencia, 4 de octubre de 1688*]. (En Luis Bertrán, San. *Obras y Sermones...* Tomo I. Valencia, 1688. Prels.).

MADRID. *Nacional.* 2-9.050.

ESTUDIOS

2090

REP: Ximeno, II, pág. 117.

MARQUES (FR. ANDRES)

EDICIONES

2091

[*SONETO*]. (En Reyes, Gaspar de los. *Tesoro de concetos divinos...* Sevilla. 1613. Prels.).

MADRID. *Nacional.* R-11.542.

MARQUES (FR. ANTONIO)

Franciscano.

EDICIONES

2092

[*SONETO*]. (En Santos, Francisco. *El vivo y el difunto.* Pamplona. 1692. Prels.).

MADRID. *Nacional.* R-31.684.

MARQUES (FR. ANTONIO)

N. en Seo de Urgel. Jesuita y luego agustino (1627). M. en Seo de Urgel (1649).

CODICES

2093

«*Tratado contra el afeyte, y mundo mugeril*».

Año 1617. 154 fols. 320 × 220 mm.

Santiago Vela, V, págs. 172-73 (reproduce el índice de capítulos); Miquel, III, página 59.

BARCELONA. *Universitaria.* Mss. 1.017.

2094

«*Expostulatio apologetica adversus quosdam Comaediarum blandos Patronos eas licitas ferendes esse asserentes... Adiuncti sunt duo Tractatus, alter de Choreis, de Ludis alter*».

6 hs. + 309 págs. 4.°

Contra las comedias.

BARCELONA. *Universitaria.* 17-5-1.

2095

«*De magnae Matris mysteriis et encomiis, ejusque Sponsi et parentibus*».

Original preparado para la imprenta, que se conservaba en el convento de San Agustín de Barcelona. Perdido. (Santiago Vela, V, pág. 171).

EDICIONES

2096

ASVNTOS predicables, sobre los tres mayores Estados de la Iglesia; es a saber, del Sacerdote, Predicador, y Obispo. Donde se trata de su dignidad, offício, y obligacion. Tarragona. Gabriel Roberto. 1636. 7 hs. + 516 páginas a 2 cols. + 40 hs. 4.º

—Ded. a Fr. Gregorio Parcero, obispo de Girona.—Juicio de Fr. Antonio Mandri.— L. O.—Censura de Iuan Buxeda. — Apr. del P. Mandri.—L. del arzobispo de Tarragona.—Apr. de Francisco de Valcarcel.—Pr. de Aragón.—E.—Epigramma latino de Narciso Cassart.—Texto.—Sermón predicado al Concilio Provincial de Tarragona.—Nota.—Tabla.

Hay ejemplares con variantes.

Santiago Vela, V, págs. 169-70.

BARCELONA. *Universitaria.*

2097

CATALVÑA defendida de svs emvlos. Illvstrada con svs hechos. Fidelidad, y servicios a svs Reyes... por el Dr. Antonio Ramques (anagr.). Lérida. Enrique Castañ. 1641. 4 hs. + 71 folios + 1 h. 20 cm.

—Ded. a los Diputados y Oydores de Cataluña.—Apr. de Juan Bautista de Monjo.—L. del Capitán General de Cataluña.—Soneto de Monjó. — E.—Texto.— Indice.

Jiménez Catalán, *Tip. ilerdense*, n.º 85; santiago Vela, V, págs. 170-71.

GENOVA. *Universitaria.* 2.I.III.47.

2098

SANTOS (De los) de la Orden agustiniana. 3 vols.

Santiago Vela.

2099

AFEITE y mundo mujeril. Introducción y edición de Fernando Rubio. Barcelona. Juan Flors. 1964. 341 páginas.

a) Camblor, L., en *Religión y Cultura*, XI, Madrid, 1966, pág. 313.

MADRID. *Nacional.* 4-55.494.

2100

REP: N. Antonio, I, pág. 143; Santiago Vela, V, págs. 169-73; A. Manrique, en DHEE, III, pág. 1.426.

MARQUES (FR. ANTONIO)

Franciscano.

EDICIONES

2101

ORACION panegyrica del gran Padre y Angélico Doctor de la Iglesia Santo Thomas de Aquino... Alcalá. Francisco García. A costa de Gregorio Ortiz y Moncayo. 1695. 4 hs. + 28 págs. 19 cm.

Herrero Salgado, n.º 1.063.

2102

[SERMON del Patrocinio de Ntra. Señora que... predicó en la Santa Iglesia Primada de las Españas]. Toledo. 1700. 7 hs. + 10 fols. 19 cm.

Herrero Salgado, n.º 1.214.

MARQUES (JERONIMA)

EDICIONES

2103

[RIMAS encadenadas]. (En Zapata, Sancho. *Justa poetica en defensa de la pureça de la Inmaculada Concepcion de la Virgen...* Zaragoza. 1619, págs. 114-17).

MADRID. *Nacional.* 2-68.257.

MARQUES (FR. JUAN BAUTISTA)

EDICIONES

2104

SERMON en el Domingo de la Pasqua del Espiritu Santo predicado a entrambos Cabildos... en la Catedral de... Orihuela... Valencia. Viuda de

Benito Maci. 1684. 6 hs. + 9 fols. 19 cm.

Herrero Salgado, n.º 854.

MARQUES DE LA BORDA (JUAN)

EDICIONES

2105

COPLAS en que se da relacion como la nao de Miguel de la borda se hundio viniendo por capitan de la Flota que vino de Sancto Domingo que es la isla española. A veynte y siete de junio. De M.D.L.VII. anos (sic). *Donde se ahogaron personas conoscidas desta ciudad de seuilla y de otras partes, y de lo que acaecio a las demas naos que en ella venían.* [s. l.-s. i.]. [s. a.]. 4 hs. 19 cm. gót.

—Texto. [«Ynmenso dios criador...»].

Gallardo, III, n.º 2.922; Rodríguez-Moñino, *Diccionario,* n.º 338.

MADRID. *Nacional.* R-12.175¹² (ex libris de Gayangos).

———

Reprod. facsímil en *Pliegos,* I, n.º 15.

MARQUES DE CAREAGA (DIEGO)

EDICIONES
2106

[*SONETO*]. (En Díaz y Frías, Simón. *Encenias...* Valladolid. 1614. Prels.).

V. *BLH,* IX, n.º 3218.

MARQUES DE CAREAGA (GUTIERRE)

N. en Almería. Señor de la Casa de Careaga en Bilbao. Doctor. Teniente de Corregidor de Madrid. Alcalde de las Guardas de Castilla, gente de guerra y caballería de España.

CODICES
2107
[*Decima*].

Letra del s. XVII. En Frontino, Sexto Iulio. *Estrataxemas militares. Traduzidas por Gil Arcos y Alferez.* Fol. 2r.

MADRID. *Nacional.* Mss. 8.894.

EDICIONES

2108

DESENGAÑO de Fortvna, mvy provechoso y necessario para todo genero de gentes y estados. Barcelona. Francisco Dotil. A costa de Ioan Simon. 1611. 24 hs. + 211 fols. + 4 hs. 15 cm.

—Censura y apr. de Fr. Thomas de Sierra (1608).—Apr. del P. Rafael Guarau (1611).—L. del Obispo de Barcelona.—Pr. al autor por diez años.—Idem del Virrey.—Soneto del autor. [«Si Phebo por ser solo Sol se llama...»].—Soneto de un religioso de la Orden de San Hieronymo. [«Aquel magno Alexandro poderoso...»]. Soneto de Martin Urtiz de Careaga, hermano del Autor. [«Quando algun Capitan triumphando entraua...»].—Liras de Ioachin de Aviñon y Mendoça. [«Comiença lyra bronca...»].—Ad D. Rodricum Calderon. Poesía latina de Diego Saavedra Fajardo.—Poesía latina de Pedro Pablo Andosilla.—Otra de Jerónimo de Castro Verde.—Quintillas de Bartolomé Perez Montero. [«Si conforme dirigiste...»]. Quintillas de Martin Lopez de Val de Eluira. [«Un tebano en Marques veo...»]. Quintillas de Diego de Saavedra y Fajardo. [«Cantas con tal plectro y Lyra...»].—Quintillas de Martin Urtiz de Careaga. [«Del murmurador Labala...»]. Quintillas de Gil de Silva y Tenoco. [«Oy fama quedas atras...»].—Soneto de Fr. Rodrigo de Llerena. [«Vana Aganipe, a un premio desseado...»].—Otro del mismo. [«Quien a lo dulce y prouechoso aduna...»].—Soneto de Pedro de Vergara y Arçola. [«Oy Fortuna que a muchos diste estado...»].—Soneto de Gaspar de Mesa. [«Para veloz Fortuna el mouimiento...»].—Poesía de Francisco Antonio de Alarcón. [«Minerua se enriquece con tu sciencia...»].—Soneto de Ioan Ruiz Piernas. [«Diuino don Gutiere, a quien dio el cielo...»].—Soneto de Pedro Ariaz Verastigui. [«Celebre Apolo con su dulce Lyra...»].—Soneto de Ioan del Villar Quadrado. [«Dichoso tiempo, venturosos dias...»].—Decima de Iuan Catalan Ocon.

[«Fama apresura tu buelo...»].—Decima de Ioan Ruiz de Alarcon y Mendoça. [«Soys don Gutierre mas fuerte...»].— Quintillas de Bartolomé Perez Montero. [«Tu solo Gutierre fuiste...»].—Decima de Luis Perez de Vargas. [«Que no ay Fortuna dezis?...»].—El autor a los Poetas. Respuesta. Soneto. [«Muestrase Clicie al Sol agradecida...»].—Soneto de Martin Lopez de Val de Eluira a los Lectores. [«Dixo de Indimion, el vulgo loco...»].—El autor a Martin Lopez de Val de Eluira. Respuesta. Soneto. [«Con bellos ramos de Heli consagrado...»].— Otra. [«Buela la fama con ligeras alas...»].—Ded. a D. Rodrigo Calderon, Señor de las Villas de la Olyua, Placençuela y siete Iglesias, etc. (1607).—Prólogo al lector.—Texto.—Fol. 207v: Soneto de Pedro Díaz Navarro. [«Famoso don Gutierre, en quien influye...»].—Fols. 208r-211v: Repertorio de lo sautores alegados en este Libro.—Repertorio de los Capítulos.—Colofón.

BARCELONA. *Central.* 1-III-7.—LONDRES. *British Museum.* 8408.a.4. — MADRID. *Nacional.* R-8.233.—URBANA. *University of Illinois.*

2109

DESENGAÑO de Fortuna. Madrid. Alonso Martín. 1612. 24 hs. + 240 folios + 7 hs. 14 cm.

—E.—T.—Apr. de Sierra.—Apr. de Guarau.—Apr. de Fr. Pedro de Ledesma (1607).—Pr.—Las mismas poesías que en ed. anterior, con la única diferencia de que en la latina de Andosilla se sustituye su apellido por Andofilas.—Ded.— Prólogo.—Texto.—Al lector.—Repertorio de los capitulos.—Repertorio de los autores alegados.—Colofón.

Salvá, II, n.° 1.889; Pérez Pastor, *Madrid*, II, n.° 1.185. (Dice: «Primera edición»).

GRANADA. *Universitaria.* A-15-372.

2110

POR el estado eclesiastico y monarchia española. Respvesta al Discvrso de Geronimo de Cevallos, persuadiendo que esta monarchia de España se yua acabando y destruyendo de todo punto, a causa del estado eclesiastico, fundacion de religiones, capellanías, y aniuersitarios, y mayoraz-

gos. Granada. Martín F. Zambrano. 1620. 3 + 51 + 1 fols. 4.°

BOSTON. *Public Library.* D.270.b.60 (con notas mss. de Ticknor).—LONDRES. *British Museum.* 4051.c.19.—NUEVA YORK. *Hispanic Society.*—ZARAGOZA. *Universitaria.* G-3-2.

2111

SOBRE el Estado Ecclesiastico. Respuesta al Doctor Zevallos acerca de si esta Monarquia se iba acabando por causa del Estado Ecclesiastico. Madrid. 1620.

Ref. a un Catálogo mss. que poseía Juan Pérez de Guzmán. (Pérez Pastor, *Madrid*, II, n.° 1.673).

2112

LLANTO en la muerte del Serenissimo Señor don Carlos Archiduque de Austria: Hermano de la Magestad Cesarea y de la Reyna N. Señora Doña Margarita de Austria, de gloriosa y santa memoria, madre de nuestro Rey y Señor Don Felipe Quarto y nieto de Fernandino Emperador Augusto, Infante de España, hermano del Emperador Carlos Quinto, el maximo, el fuerte. Alcalá. Juan de Orduña. 1625. 1 h. + 14 págs. 19,5 centímetros.

—Ded. a Fernando, Cardenal de la Iglesia, Infante de España.—Texto. [«Austriaco, esplendor, infausto duelo...»].

J. Catalina García, *Tip. complutense*, número 912.

MADRID. *Nacional.* V.E.-164-2.

2113

LAGRIMAS en la mverte de la catolica, y christianissima Reyna Doña Ysabel de Borbon nuestra señora, de piadosa, y inmortal memoria. Iueues a las quatro y tres quartos de la tarde, seis de Otubre. Año 1644. Madrid. Iuan Sánchez. 1644. 6 hs. 21 cm.

—Cita bíblica.—Ded. al Rey.—Canción real. [«Pues que son de la causa, los efectos...»].—Geroglifico.—Epigrama. [«Puso termino, y limite tassado...»]. — Epigrama. [«Oy de la muerte la enemiga mano...»].—Apr. de Francisco Galaz y Varona.

MADRID. *Nacional.* V.E.-164-3.

2114

MEMORIAL informativo, ivridico, politico, y historico. En defensa de la Verdad, y de la jurisdiccion ciuil, y criminal, mero mixto imperio que tiene el Supremo, y Real Consejo de la Guerra. Madrid. [s. i.]. 1647. 28 folios. 22 cm.

—Texto, dirigido a Felipe IV.

MADRID. *Nacional.* V.E.-18-1.

2115

INVECTIVA en discvrsos apologeticos. Contra el Abuso publico de las Guedejas. Madrid. María de Quiñones. A costa de Pedro Coello. 1637. 8 hs. + 53 fols. + 2 hs. 14 cm.

—Cita de Séneca.—S. Pr. al autor por diez años.—S. T.—E.—L. V.—Apr. de Pedro de la Escalera Guevara.—Apr. de Fr. Miguel de Cardenas.—Texto, dirigido al Consejo de Castilla.—Repertorio de los Autores, i de las autoridades que apoyan estos discursos.

Salvá, II, n.º 3.942.

LONDRES. *British Museum.* 5385.a.19.—MADRID. *Nacional.* 2-58.578.—NUEVA YORK. *Hispanic Society.*—SEVILLA. *Colombina.* 67-1-34. VALLADOLID. *Universitaria.* 15.653.

2116

[POESIA (La) defendida, y difinida, Montalban alabado]. [s. l.-s. i.]. [s. a.]. 18 fols. 19,5 cm.

Carece de portada.

—Ded. a Fr. Diego Niseno.—Texto, referente a Juan Pérez de Montalbán (Madrid, 26 de junio de 1639). — Soneto. [«Mientras la Fama con sonora trompa...»].

MADRID. *Nacional.* V.E.-43-23. — NUEVA YORK. *Hispanic Society.*

2117

[MEMORIAL]. [s. l.-s. i.]. [s. a.]. Fol.

—Texto. [«El Dotor D. Gutierre Marqués de Careaga...»]. Sobre sus servicios.

¿De Madrid, 1635?

LONDRES. *British Museum.* 1324.i.2.(97).

Poesías sueltas

2118

[POESIAS]. (En Alcalá Yáñez y Ribera, Jerónimo de. *Milagros de Nuestra Señora de la Fuencisla...* Salamanca. 1615).

1. *Soneto.* (Prels.).
2. *Décima.* (Prels.).
3. *Canción...* (Fols. 69r-71r).
4. *Redondilla sa la Encarnación de nuestro Señor.* (Fols. 71r-73v).
5. *A D. Antonio Idiaquez y Manrique, Obispo de Segovia. Soneto.* (Fol. 74r).
6. *A la Annunciación de nuestra Señora. Soneto.* (Fol. 74v).
7. *En alabança de nuestra Señora. Soneto.* (Fol. 75r).

V. *BLH,* V, n.º 283.

2119

[SONETO]. (En Pérez de Montalbán, Juan. *Sucessos y prodigios de Amor...* Madrid. 1624. Prels.).

MADRID. *Nacional.* R-30.983.

2120

[SONETO]. (En Pérez de Montalban, Juan. *Fama posthuma a la vida y muerte de... Lope Felix de Vega Carpio...* Madrid. 1636, fol. 30v).

MADRID. *Nacional.* 3-53.447.

2121

[AL Autor. Dezima]. (En Mendez Silva, Rodrigo. *Vida y hechos heroicos del gran Condestable de Portugal D. Nuño Alvarez Pereyra...* Madrid. 1640. Prels.).

MADRID. *Nacional.* 2-1.727.

2122

[SONETOS]. (En EXEQUIAS *Reales que Felipe el Grande quarto de este*

nombre... mandó hazer en San Felipe de Madrid a los soldados que murieron en la batalla de Lerida... Madrid. 1641. fols. 9v y 10r).

MADRID. *Nacional.* V.E.-164-29.

2123

[*SONETO*]. (En Salzedo Coronel, García de. *Cristales de Helicona. Rimas.* Madrid. 1650. Prels.).

MADRID. *Nacional.* R-15.847.

OBRAS LATINAS

2124

[*POESIA*]. (En Pérez de Montalban, Juan. *Fama posthuma a la vida y muerte de... Lope Felix de Vega Carpio...* Madrid. 1636, fol. 30v).

MADRID. *Nacional.* 3-53.447.

2125

[*POESIAS*]. (En Grande de Tena, Pedro. *Lágrimas panegiricas a la temprana muerte del... Dr. Juan Pérez de Montalban.* Madrid. 1629).

1. *Epigrama.* (Fol. 13r).
2. *Decima.* (Fol. 13v).
4. *Epigrama.* (Fol. 164r).
5. *La Poesía defendida y difinida...* (2.ª Parte. Fols. 1r-18r).
6. *Soneto* (2.ª Parte. Fol. 18r).

MADRID. *Nacional.* 2-44.053.

ESTUDIOS

2126

PEREZ DE MONTALBAN, JUAN. [*Dedicatoria de la novela «La villana de Pinto», a D. Gutierre Marqué, de Careaga*]. (En *Sucesos y prodigios de Amor...* Madrid. 1624).

2127

JIMENEZ PATON, BARTOLOME. [*Al Dr. Gutierre Marqués de Careaga*]. (En *Discurso de los tufos, copetes y calvas.* Baeza. 1639. Prels.).

MADRID. *Nacional.* R-5.194.

2128

SALCEDO CORONEL, GARCIA DE. *A Gutierre Marqués de Careaga... en el libro que compuso intitulado «Sol de Reyes en la tierra...».* (En *Cristales de Helicona.* Madrid. 1650, folios. 27v-28v).

MADRID. *Nacional.* R-15.847.

MARQUES DE CUENCA (JUAN)

EDICIONES

2129

[*ENCOMIO del libro*]. (En Cabrera Núñez de Guzmán, Melchor. *Idea de un abogado perfecto...* Madrid. 1683. Prels.).

V. *BLH,* VII, n.º 282.

MARQUES TORRES (RODRIGO)

EDICIONES

2130

[*JEROGLIFICO*]. (En Diego de San José, Fray. *Compendio de las solenes fiestas... en la Beatificación de N. B. M. Teresa de Iesus...* Madrid. 1615, fol. 70v).

MADRID. *Nacional.* R-461.

MARQUEZ (FR. ANDRES)

Agustino.

EDICIONES

2131

[*POESIAS*]. (En Guzman, Juan de. *Relación de las honras que se hicieron en... Cordova a... D.ª Margarita de Austria.* Córdoba. 1612).

1. *Soneto.* (Fol. 10v).
2. *Soneto.* (Fols. 10v-11r).
3. *Soneto.* (Fol. 11r).
4. *Soneto.* (Fol. 11).

5. *Soneto*. (Fol. 11*v*).
6. *Soneto*. (Fols. 11*v*-12*r*).
7. *Estancias*. (Fols. 15*v*-16*r*).
MADRID. *Nacional*. R-11.699.

OBRAS LATINAS

2132
[*POESIAS*]. (En Guzman, Juan de. *Relación de las honras que se hicieron en... Cordova a... D.ª Margarita de Austria*. Cordoba. 1612, fols. 21*v*-22*r*).

MARQUEZ (FR. CRISTOBAL)
N. y m. en Madrid (1566-1632). Carmelita calzado. Definidor y Prefecto de la provincia de Castilla).

EDICIONES
2133
TESORO de ignorantes. Donde se declaran los puntos essenciales de la dotrina Christiana, y los frutos que han de sacar los Fieles de la meditacion dellos. Con vn Dialogo de auisos muy importantes, para el que se dessea saluar, y exercitar en el exercicio santo de la Oracion Mental. Madrid. Viuda de Alonso Martín. 1614. 16 hs. + 260 fols. 8.º prologado.
—T.—E.—Pr. al autor por diez años.—Apr. de Fr. Francisco Guerau.—L. O.—Apr. de Fr. Juan Erias.—Carta de Fr. Diego Lopez de Andrada al autor.—Escudo de la Orden del Carmen (grab.).—Ded. y prólogo al piadoso lector.—Tabla. — Advertencia.—Texto.
Pérez Pastor, *Madrid*, II, n.º 1.286.
BARCELONA. *Universitaria*. B.12-5-21.—MADRID. *Nacional*. R-31.250.

2134
ESTADO de los bienaventurados en el cielo... Gerona. Gaspar Garrich. 1627.
BARCELONA *Universitaria*. D.386-5-8.

ESTUDIOS
2135
REP: N. Antonio, I, pág. 247; Alvarez y Baena, I, págs. 262-63.

MARQUEZ (FR. FRANCISCO)
Regente del convento de Ntra. Sra. de la Victoria de Sanlúcar de Barrameda.

EDICIONES
2136
[*APROBACION. Sanlúcar de Barrameda, 8 de octubre de 1647*]. (En Quiroz, Lucas de. *Nombre dulcissimo de María Santissima... s. l.-s. a*. Prels.).
SEVILLA. *Universitaria*. 111-52 (8).

MARQUEZ (JOSE MIGUEL)
Barón de San Demetrio. Caballero Imperial de San Jorge y su Vice-Canciller. Capellán real.

EDICIONES
2137
DELEITE y amargura de las dos Cortes, celestial y terrenal. Madrid. Juan Sánchez. 1642. 98 fols. + 2 hs.
CORDOBA. *Pública*. 25-96.

2138
TESORO militar de cavallería. Madrid. 1647.
FLORENCIA. *Marucelliana*. 1-DD-III-55.—SEVILLA. *Colombina*. 11-1-14.

2139
NAPOLES consolada en sv alvoroto, y sosiego Gouernando la Alteza Serenissima de don Iuan de Austria, Plenipotenciario de su Magestad Catolica, Triunfador felicissimo en aquel Reyno. Zaragoza. [s. i.]. 1648. 19 fols. 20,5 cm.
MADRID. *Nacional*. V.E.-165-5.

MARQUEZ (FR. JUAN)

N. en Madrid (c. 1564). Agustino desde 1581. Bachiller y Maestro en Teología por la Universidad de Toledo. Rector del Colegio de San Agustín de Alcalá. Catedrático de la Universidad de Salamanca. Definidor de la provincia de Castilla (1598 y 1609). Calificador de la Inquisición. Predicador real (1616). Prior del convento de San Agustín de Salamanca, donde m. (1621).

CODICES

2140

«*Opusculo del Maestro* ——... *Si los Predicadores euangelicos pueden reprehender publicamente a los Reyes y perlados Eclesiasticos, y en que casos lo deuen hacer: y como se deuen auer los Principes reprehendidos, quando se vieren reprehender nombradamente en la reprehensión*».

Letra del s. XVII (1656). 283 × 207 mm.

MADRID. *Nacional*. Mss. 11.206 (fols. 1r-12r).

2141

«*Los dos estados de la spiritual Jerusalem triumphante y militante...*».

Original, fechado a 25 de marzo de 1602. Con licencias y censuras. Al final del texto de la exposición de cada salmo va parafraseado éste en verso castellano. 320 × 205 mm.

Santiago Vela, IV, págs. 181-82.

MADRID. *Nacional*. Mss. 19.211.

2142

«*Materia de iustificatione*».

SALAMANCA. *Universitaria*.

2143

«*De libero et libertate actus humani*».

SAN LORENZO DEL ESCORIAL. *Monasterio*. Particular de los PP. Agustinos.

2144

«*Tractatus de Misterio Sanctissimae Trinitatis*».

230 × 175 mm.

TOLEDO. *Seminario*. Mss. 14.

EDICIONES

2145

GOVERNADOR (El) Christiano dedvcido de las vidas de Moysen, y Iosve, Principes del pveblo de Dios. Salamanca. Francisco de Cea Tesa. 1612. 6 hs. + 393 págs. a 2 cols. + 23 hs. Fol.

—Pr.—Apr. de Fr. Luis de la Oliva.—L. O.—Pr. de Aragon.—Apr. de Fr. Iuan Bautista.—Ded. a D. Gomez Suarez de Figueroa y Cordoua, duque de Feria, etc. Al lector.—Epistola del duque de Feria. T. E.—Texto.—Tablas.

Santiago Vela, págs. 184-85.

BARCELONA. *Universitaria*. C.191-3-8.—COIMBRA. *Universitaria*. R-29-14. — LISBOA. *Ajuda*. 95-VII-8.—LOS ANGELES. *University of California*.—MADRID. *Academia Española*. S.C.=7-A-95. *Nacional*. 3-68.395.—WASHINGTON. *Folger Shakespeare Library*.

2146

——. Salamanca. Francisco de Cea Tesa. 1614. 5 hs. + 393 págs. + 23 hs. Fol.

Santiago Vela, V, pág. 186. («Repetición de la ed. anterior sin otras variantes que la que la colocación de los preliminares que no siguen el mismo orden»).

2147

——. Pamplona. Carlos de Labayen. 1615. 6 hs. + 393 págs. + 23 hs.

Santiago Vela, V, pág. 186; Pérez Goyena, II, n.º 309.

BARCELONA. *Universitaria*. B.9-3-2. — BURGOS. *Facultad de Teología*.—DEUSTO. *Universitaria*.—MADRID. *Nacional*. R-27.171.—ZARAGOZA. *Universitaria*. G-76-50.

2148

GOVERNADOR (El) Christiano dedvcido de las vidas de Moyses, y Iosve, Principes del pveblo de Dios... Salamanca. Francisco de Cea Tesa. 1618. 6 hs. + 393 págs. + 23 hs. 29 cm.

—Pr. al autor por diez años.—Apr. de Fr. Luys de la Oliua.—L. O.—Pr. de Aragon. Apr. de Fr. Iuan Bautista.—Ded. al Duque de Feria.—Al letor.—Epistola del duque de Feria (Mecina, 11 de junio de 1604).—T. E.—Texto.

No citada por Santiago Vela.

CORDOBA. *Pública.* 4-272; 14-307.—GRANADA. *Universitaria.* A-27-124.—MADRID. *Academia de la Historia.* 20-4-5-1.774; 5-3-6-919. *Facultad de Filología.—Nacional.* 3-50.968 (sólo 372 págs.). — SEVILLA. *Colombina.* 71-1-bis-1. *Universitaria.* 19-150.

2149

——. Salamanca. Francisco de Cea Tesa. 1619. 5 hs. + 393 págs. Fol.

Santiago Vela, V, pág. 186.

LONDRES. *British Museum.* 4806.i.4.—ZARAGOZA. *Universitaria.* G-20-35.

2150

——. Barcelona. Esteuan Liberos. 1619. Fol.

No citada por Santiago Vela.

BARCELONA. *Instituto Municipal de Historia.* B.1619-4.° (1). *Universitaria.* B.61-2-20.

2151

——. Madrid. Teresa Iunti. 1625. 6 hojas + 227 págs. + 28 hs. Fol.

Con las Adiciones que el autor había dejado hechas a su muerte. Lleva una nueva apr. de Fr. Gregorio de Pedrosa.

Salvá, II, n.° 3.943; Heredia, IV, n.° 4.024; Santiago Vela, V, págs. 186-88; Pérez Pastor, *Madrid*, III, n.° 2.180.

CORDOBA. *Pública.* 1-103; 21-147.—GRANADA. *Universitaria.* IV-4-28 (F. Derecho).—LONDRES. *British Museum.* 476.d.21.—MADRID. *Academia Española.—Academia de la Historia.* 2-4-3-2.012. *Nacional.* 2-70.953. — ORIHUELA. *Pública.* 46-2-17. — ROMA. *Vaticana.* Stamp. Barb. P.IV.11. — SANTIAGO DE COMPOSTELA. *Universitaria.—SEVILLA. Universitaria.* 218-84.—ZARAGOZA. *Universitaria.* G-41-97.

2152

——. 3.ª impression, aumentada en diferentes partes. Alcalá. Antonio Vázquez. A costa de Pedro Ezquerra de Rozas. [Colofón: Madrid. Francisco de Ocampo]. 1634. [Colofón: 1633]. 4 hs. + 227 págs. + 26 hs. Fol.

J. Catalina García, *Tip. complutense*, número 949. (Supone que la ed. se empezó en Alcalá y se acabó en Madrid); Santiago Vela, V, pág. 188.

BURGOS. *Facultad de Filología.*—DEUSTO. *Universitaria.*—MADRID. *Nacional.* 7-15.888.—SANTIAGO DE COMPOSTELA. *Universitaria.*—SEVILLA. *Universitaria.* 116-170; 218-87.—URBANA. *University of Illinois.*—VALLADOLID. *Universitaria.* 5.675.

2153

——. 4.ª impression. Madrid. Impr. del Reyno. A costa de Antonio Ribero. 1640. 6 hs. + 432 págs. 31 cm.

Santiago Vela, V, págs. 188-89.

AUSTIN. *University of Texas.* — CORDOBA. *Pública.* 22-120. — GERONA. *Pública.* A-6.815.—LONDRES. *British Museum.* 476.e.11.—MADRID. *Nacional.* 3-31.955. — SEVILLA. *Universitaria.* 91-144.—TERUEL. *Casa de la Cultura.*—VALLADOLID. *Colegio de Filipinos.*—ZARAGOZA. *Universitaria.* G-42-96.

2154

——. 5.ª impresión. Madrid. Gregorio Rodríguez. 1651.

LISBOA. *Ajuda.* 95-VII-10.—ORIHUELA. *Pública.* 46-2-18.—ZARAGOZA. *Universitaria.* G-20-26.

2155

——. 5.ª impression. Madrid. Gregorio Rodriguez. A costa de Antonio Ribero. 1652. 4 hs. + 410 págs. + 22 hs. Fol.

Santiago Vela, V, pág. 189.

CORDOBA. *Pública.* 29-140.—GRANADA. *Universitaria.* XVI-8-9 (F. Letras).—MADRID. *Nacional.* 2-21.652.—VALLADOLID. *Universitaria,* 5.648; Santa Cruz, 5.919.

2156

——. Bruselas. Francisco Foppens. 1664. 4 hs. + 432 págs. + 20 hs. 30 centímetros.

Hay ejemplares con la fecha de 1665. Peeters-Fontainas, II, n.° 768.

ANN ARBOR. *University of Michigan.*—BALTIMORE. *Johns Hopkins University.*—CAMBRIDGE, Mass. *Harvard University. Law School Library.*—MADRID. *Academia de la Historia.* 4-1-5-502. *Palacio Real.* III-3.789.—NASHVILLE,

Joint University Libraries.—NUEVA YORK. *Public Library.*

2157

——. Amberes. Jacobo Meursio. 1664. 4 hs. + 432 págs. + 38 hs. Fol.

Es la misma ed. anterior.

Santiago Vela, V, pág. 190; Peeters-Fontainas, II, n.º 769.

GRANADA. *Universitaria.* A-7-292; etc.—LONDRES. *British Museum.*—LYON. *Municipale.* 107.290.—MADRID. *Nacional.* 3-42.948. *Palacio Real.* XIV-2.355.—ROUEN. *Municipale.* A.525. SEVILLA. *Universitaria.* 263-71; etc.

2158

——. Madrid. Impr. Real. A costa de Antonio Ribero. 1664. 3 hs. + 410 páginas + 44 hs. Fol.

Santiago Vela, V, pág. 189.

DEUSTO. *Universitaria.*—GRANADA. *Universitaria.* XIII-1-6 (F. y Letras).—LISBOA. *Academia das Ciências.* E.720/28.—MADRID. *Nacional.* U-8.801.—VALLADOLID. *Colegio de Filipinos.*—ZARAGOZA. *Universitaria.* G-20-116.

2159

——. Nueva sexta impresión... Madrid. Manuel Martín. 1773. 19 hs. + 448 págs. 4.º.

Santiago Vela, V, pág. 190.

BLOOMINGTON. *Indiana University.* — DEUSTO. *Universitaria.* — MADRID. *Nacional.* 3-73.735/36.—VALLADOLID. *Colegio de Filipinas.*

Los dos estados

2160

DOS (Los) estados de la espiritval Hiervsalem, sobre los psalmos CXXV y CXXXVI. Medina del Campo. Pedro y Thomas Lasso. 1603. 8 hs. + 434 fols. + 5 hs. 19 cm.

—E.—L. O.—Apr. de Fr. Iuan Negron.— Pr. al autor por diez años.—Ded. a D. Christoval Gomez de Sandoval, Marques de Cea, etc.—Al lector.—Texto.—Tabla de las advertencias y consideraciones.

Pérez Pastor, *Medina,* n.º 259; Santiago Vela, V, págs. 181-83.

BURGOS. *Facultad de Teología.*—CORDOBA. *Pú-*

blica. 5-50; etc.—GRANADA. *Universitaria.* A-13-175.—MADRID. *Nacional.* R-11.019. *Palacio Real.* Pas. Arm. 1-95.—NUEVA YORK. *Hispanic Society.* — ORIHUELA. *Pública.* XXVII-5-26.—SANTIAGO DE COMPOSTELA. *Universitaria.*—SEVILLA. *Universitaria.* 87-56; etc.—VALLADOLID. *Colegio de Filipinos.*—*Universitaria.* 8-260; etc.—ZARAGOZA. *Universitaria.* G-20-228.

2161

——. Barcelona. Iayme Cendrat. A costa de Miguel Menescal. 1603. 4 hojas + 304 fols. + 50 hs. 21 cm.

Se añade una Apr. de Fr. Francisco Fernández.

Santiago Vela, V, pág. 183.

BARCELONA. *Central.* 9-V-24. *Universitaria.* B-63-4-22; etc.—CAMBRIDGE, Mass. *Harvard University.*—FLORENCIA. *Marucelliana.* 6-E-V-19. GERONA. *Pública.* A-419. — MADRID. *Academia Española.* S.C.=6-B-48. *Academia de la Historia.* 13-5-6-4.104. *Nacional.* 3-58.745; 2-69.142 (con una variante en la portada). *Palacio Real.* V-283.—NASHVILLE. *Joint University Libraries.* — NUEVA YORK. *Augustinian Historical Institute.*—ORIHUELA. *Pública.* 81-2-16. — SEVILLA. *Universitaria.* 86-A-426; 23-24.—URBANA. *University of Illinois.*—ZARAGOZA. *Universitaria.* G-26-192.

2162

——. Lisboa. Iorge Rodriguez. 1609. 4 hs. + 284 fols. + 48 hs. 20 cm.

Santiago Vela, V, pág. 183.

BARCELONA. *Convento de Capuchinos de la Avda. del Generalísimo, 450.* Vitrina. *Universitaria.* C.195-5-3.—COIMBRA. *Universitaria.* R-41-6.—CHICAGO. *Newberry Library.*—LISBOA. *Academia das Ciências.* E.688/23. *Ajuda* 1-III-19.

2163

——. Salamanca. Antonia Ramirez. 1610. 8 hs. + 687 págs. + 87 hs. 20 centímetros.

Santiago Vela, V, págs. 183-84.

BARCELONA. *Convento de Capuchinos de la Avda. del Generalísimo, 450.* Vitrina.—BURGOS. *Facultad de Teología.*—CORDOBA. *Pública.* 4-100; 29-33; etc.—MADRID. *Academia Española.* S.C.=6-B-38. *Academia de la Historia.* 13-1-7-1.932.—SAN FRANCISCO. *California State Library. Sutro Branch.*—SAN LORENZO DEL ESCORIAL. *Monasterio.* 45-II-68/69.—SAN-

TANDER. *«Menéndez Pelayo».* R-VIII-3-14. — SEVILLA. *Colombina.* 108-4-18 detrás. *Universitaria.* 126-102.—ZARAGOZA. *Universitaria.* G-82-170.

2164

———. Barcelona. Cendrat. 1613.

BARCELONA. *Instituto Municipal de Historia.* B.1603-8.º (2).

Origen de los frailes ermitaños...

2165

ORIGEN de los frayles ermitaños de la Orden de San Avgvstin, y su verdadera institvcion antes del gran Concilio Lateranense. Salamanca. Antonia Ramirez. 1618. 3 hs. + 442 páginas + 5 hs. 28,5 cm.

—Ded. al Duque de Lerma.—Pról. al lector.—Pr. por diez años.—Apr. de Pedro de Valencia.—L. V.—Apr. de Luis Cabrera.—T.—E.—Texto.—Tabla de cosas notables.—Colofón.

Gallardo, III, n.º 2.923; Salvá, II, n.º 3.944; Heredia, IV, n.º 6.691; Santiago Vela, páginas 193-95.

CAMBRIDGE, Mass. *Harvard University.* — CORDOBA. *Pública.* 29-103 y 110.—LONDRES. *British Museum.* 490.i.16. — MADRID. *Academia Española.*—*Academia de la Historia.* 5-3-6-931. *Facultad de Filología.*—*Nacional.* 3-23.859.—NUEVA YORK. *Augustinian Historical Institute.*—SANTIAGO DE COMPOSTELA. *Universitaria.* — SEVILLA. *Colombina.* 42-4-28.—*Universitaria.* 126-176; 153-58; etc.—TERUEL. *Casa de la Cultura.*—VALLADOLID. *Colegio de los Filipinos.*—*Universitaria.* 11.759; etc.

Relación de las fiestas...

2166

RELACION de las fiestas que la Universidad de Salamanca celebró desde 27 hasta el 31 de Octubre del año de 1618 al juramento del nuevo estatuto, hecho en 2 de mayo del dicho año, de que todos los graduados defenderan la pura y limpia Concepción de la Virgen N. S. concebida sin mancha de pecado original. Salaman-ca. Antonia Ramirez. 1618. 111 páginas. 4.º

Santiago Vela, V, págs. 196-97.

Caso moral

2167

[CONSULTA moral]. [s. l.-s. i.]. [s. a.]. 4 fols.

—Texto, fechado en Salamanca, a 5 de febrero de 1619. Comienza: «CASO. El Rey nuestro Señor propone al Reyno el flaco estado de su Real hazienda...».

MADRID. *Nacional.* V.E.-27-22.

Vida de Fr. Alonso de Orozco

2168

VIDA del Venerable P. Fr. Alonso de Orozco, Religioso de la Orden de N. P. S. Agustín, y Predicador de las Catolicas Magestades de Carlos III y Felipe II. Compvesta por ———... *Sacada a luz por... Fr. Tomas de Herrera...* Madrid. Iuan Sanchez. 1648. 8 hs. + 240 págs. 14,5 cm.

—L. O.—Apr. del M.º Gil Gonçalez Dauila. L. V.—Apr. de Antonio de Terrones.—F S. T.—S. Pr.—Ded. a D.ª Ana de Herrera y Padilla, Marquesa de Auñon, por Fr. Tomas de Herrera.—Prologo al Letor, y protestacion en nombre del Autor.—Indice de los Capitulos.—Texto.

Santiago Vela, V, pág. 198.

MADRID. *Academia de la Historia.* 3-2-6-1.745. *Facultad de Filología.* 7.244. *Nacional.* 3-27.703.—ROMA. *Angélica.* X.9.71.

2169

———. (En Alonso de Orozco, Fray. *Obras...* Tomo III. Madrid. 1736).

MADRID. *Nacional.* 3-43.535.

Opúsculo. Si los Predicadores...

2170

[OPUSCULO. Si los Predicadores euangelicos pueden reprehender publicamente a los Reyes... Edición

del P. Francisco Blanco García]. (En *La Ciudad de Dios*, LXVI, El Escorial, 1898).

Reproduce el ms. de la Biblioteca Nacional. Este texto fue incluido en *El gobernador cristiano*.

2171

——. [*Edición del P. Gabriel del Estal*]. (En idem, CLXIII, 1951, páginas 489-528).

Sigue el mismo manuscrito.

Antologías
2172

ANTOLOGIA, por Manuel Cardenal de Iracheta. [Madrid]. Editora Nacional. 1949. 166 págs. 17 cm. (Breviarios del Pensamiento Español).

TRADUCCIONES

a) FRANCESAS
2173

L'homme d'etat chrétien, tiré des vies de Moyse et Iosvé princes dv pevple de Diev. Tradvit d'espagnol... por... D. de Virion. Nancy. Jacob Garnich. 1621. 2 tomos. 31 cm.

LYON. *Municipale*. 105.555.

b) ITALIANAS
2174

ORIGINE delli Frati Eremitani dell' Ordine di S. Agostino... Tradotta da Fra Innocenzo Rampini... Tortona. Nicoló Viola. 1620. 6 + 634 págs. 29,5 cm.

Toda, *Iealia*, III, n.º 3.086; Santiago Vela, V, pág. 195.

BARCELONA. *Central*. Toda, 14-II-9. — GENOVA. *Universitaria*. 2.G.IV.10. — ROMA. *Vaticana*. Stamp. Barb. H.V.51. — URBANA. *University of Illinois*.

2175

Il Gobernator Christiano, dalle vite di Mosé, e Giosve Prencipi del po-

polo di Dio... Tradotto... da... Martino di San Bernardo... Nápoles. Francesco di Tomasi. 1646. 6 hs. + 248 + 231 págs. + 15 hs. 29,5 cm.

Toda, *Italia*, III, n.º 3.087.

BARCELONA. *Central*. 21-III-4. — GENOVA. *Universitaria*. 3.Q.VII.5.—MADRID. *Academia de la Historia*. 4-I-6-686.

———

—1696. 2 vols. 4.º

BARI. *Nazionale*. 149-77.

2176

VITA del V. P. F. Alfonso d'Orosco... 3.ª ed. Bolonia. [s. i.]. 1661. 4 hs. + 199 págs. 8.º

No consta el nombre del autor. Traducida por Fr. Eloy Torelló.

Toda, *Italia*, IV, n.º 4.963.

ROMA. *Angélica*. X.8.60. *Vaticana*. Stamp. Barb. T.VII.34.

ESTUDIOS

Biografía
2177

LEON PINELO, ANTONIO DE. [*Noticia de la muerte de Fr. Juan Márquez*]. (En sus *Anales de Madrid*. Año 1621).

MADRID. *Nacional*. Mss. 1.255 (fol. 139r).

2178

[*DOCUMENTOS para la biografía de Fr. Juan Márquez*]. (En Pérez Pastor, Cristóbal. *Bibliografía madrileña*. Tomo III. Madrid. 1907, págs. 282-284 y 424).

2179

[*DOCUMENTO sobre Fr. Juan Marquez*]. (En Pérez Pastor, Cristóbal. *Noticias y documentos relativos a la Historia y Literatura Españolas...* Tomo I. Madrid. 1910, págs. 240-41).

2180

AGULLÓ Y COBO, MERCEDES. *Documentos sobre la familia de Fr. Juan Márquez*. (En *Anales del Ins-*

tituto de Estudios Madrileños, VI, Madrid, 1970, págs. 177-78).

Interpretación y crítica

2181
«*Considerationi sopra alcune propositioni contenute nel libro del P. M. Gio. Marquez... intitolati "Origine delli fratri Eremitani" & tradotto in italiano...*».
Letra del s. XVII. 73 fols. 213 × 147 mm.
ROMA. *Angélica*. S.5.11.

2182
MONASTERIO, FR. IGNACIO. *Estudios críticos sobre el M.° Fr. Juan Márquez*. (En *La Ciudad de Dios*, XIV, Valladolid, 1887, págs. 744-801).

2183
CARDENAL IRACHETA, MANUEL. *Nota sobre el P. Juan Márquez, O. S. A*. (En *Boletín de la Biblioteca Menéndez Pelayo*, XXII, Santander, 1946, págs. 339-55).

2184
ESTAL, GABRIEL DEL. *Una inadvertencia de los críticos. En torno a un opúsculo del P. Márquez*. (En *La Ciudad de Dios*, CLIII, El Escorial, 1951, págs. 489-528).

Elogios

2185
VEGA, LOPE DE. [*Elogio*]. (En *El peregrino en su patria*. Sevilla. 1604, fol. 156r).
MADRID. *Nacional*. R-9.660.

2186
VEGA, LOPE DE. [*Elogio*]. (En *Laurel de Apolo*. Madrid. 1630, fol. 61r).
MADRID. *Nacional*. R-14.177.

2187
REP: N. Antonio, I, págs. 733-34; Alvarez y Baena, I, págs. 262-63; Cotarelo, *Contro-*

versias, CXXXVI; Santiago Vela, V, páginas 174-231; L. A. Martín, en DHEE, III, págs. 1426-27.

MARQUEZ (FR. JUAN)
Franciscano.

EDICIONES

2188
EMPLEOS seraphicos, ministerios angélicos y privilegios sagrados del Angel llagado N. P. S. Francisco. Oracion panegyrica, que formó y predicó el día 4 de octubre... de 1689. Murcia. Vicente Llofrín. A costa de Alonso Marqués Pérez de Tudela. 1690. 4 hs. + 51 págs. 20 cm.
Herrero Salgado, n.° 936.

MARQUEZ (FR. MIGUEL)

EDICIONES

2189
[*CENSURA. Sevilla, 22 de marzo de 1643*]. (En Pancorbo, Jerónimo de. *Disquisición de Santa Potenciana Virgen*. Sevilla. 1643. Prels.).
SEVILLA. *Universitaria*. 111-30 (9).

MARQUEZ (P. MIGUEL)
Jesuita.

EDICIONES

2190
[*APROBACION. Pamplona, 28 de febrero de 1625*]. (En Villalobos, Enrique. *Manual de Confesores*. Pamplona. 1625. Prels.).

MARQUEZ CABRERA (JUAN)

EDICIONES

2191
ESPEJO en que se debe mirar el bven soldado. Madrid. Domingo Gar-

cía Morras. 1664. 8 hs. + 158 págs. +
3 hs. 18,5 cm.

ANN ARBOR. *University of Michigan.*—MADRID.
Academia de la Historia. 1-1-3-198; etc.
Facultad de Filología. 22.150. *Nacional.* R-
4.016; etc.—PROVIDENCE. *John Carter Brown
Library.*

ESTUDIOS
2192
REP: N. Antonio, I, pág. 734.

MARQUEZ DE CAREAGA
(GUTIERRE)

V. MARQUES DE CAREAGA
(GUTIERRE)

MARQUEZ DE CISNEROS

Licenciado. Abogado de los Consejos.

EDICIONES
2193
*INFORME Extraivdicial de palabra
por los Diputados del General del
Principado de Cataluña... Sobre los
procedimientos hechos por los Oficiales Reales, y de la Capitanía General del dicho Principado en las
Aduanas, y Magazenes del General
de las Villas de Mataron, y Arenys,
por ocasion de ropas, y mercadurías
de contravando.* Madrid. Andres de
Parra. 1639. 13 fols. 32 cm.

BARCELONA. *Central.* F. Bon. 5.121 y 5.355.

Aprobaciones
2194
[*APROBACION. Madrid, 5 de julio
de 1621*]. (En Pradilla Barnuevo,
Francisco de la. *Suma de todas las
Leyes Penales, Canonicas, Civiles, y
destos Reynos...* Madrid. 1621. Preliminares).

MADRID. *Nacional.* R-14.175.

2195
[*APROBACION. Madrid, 30 de agosto de 1629*]. (En León Pinelo, Antonio de. *Tratado de confirmaciones
reales...* Madrid. 1630. Prels.).

MADRID. *Nacional.* R-14.226.

2196
[*APROBACION. Madrid, 8 de julio
de 1637*]. (En Escalante, Antonio de.
*Discurso breve a... D. Felipe Quar-
to...* Madrid. s. a. Prels.).

MADRID. *Nacional.* 3-54.168.

MARQUEZ DE CUENCA Y MESCUA
(JUAN)

Abogado de pobres y presos del Santo
Oficio y de la Real Academia de Sevilla.

EDICIONES
2197
*MANIFIESTO jurídico - apologetico
por los Capellanes de la Parroquial
de Santa Ana de Triana sobre plura-
lidad de Capellanías en pleitos con
el Fiscal del Arzobispado.* Sevilla. [s.
i.]. 1667. 27 fols. Fol.

Escudero, n.º 1.726.

SEVILLA. *Colombina.* 101-9-22.

2198
*MEMORIAL Juridico, qve por los
Abogados de presos del Tribvnal del
Santo Oficio de la Inqvisicion de la
Ciudad de Sevilla Presenta al Consejo de la Svprema y General Inquisicion el Licdo. ——... Sobre la pre-
cedencia de los lugares, y assientos,
que los dichos Abogados han de tener en qualesquier actos publicos,
que concurran con el dicho Tribunal.*
[s. l.-s. i.ı. [s. a.]. 74 fols. + 15 hs.
19 cm.

—Distribución de la Obra.—Texto.—Indice
de las materias que se contienen en este
Memorial Juridico.

¿De Sevilla, 1670?

Gallardo, III, n.º 2.924.

MADRID. *Academia de la Historia.* 9-29-1-5.755.—SEVILLA. *Universitaria.* 77-134.

2199

MEMORIAL legal, y politico, al Rey Ntro. Sr. en sv Real, y Svpremo Consejo de Camara... Sobre la merced de plaza qve pretende en remuneracion de sus estudios, y seruicios. [s. l.-s. i.]. [s. a.]. 29 fols. 31 cm.

—Texto.

MADRID. *Nacional.* V.E.-68-31.

ESTUDIOS

2200

REP: Méndez Bejarano, II, n.º 1548.

MARQUEZ DE HONTIVEROS Y CALDERON (JUAN)

Colegial del Mayor de San Ildefonso de la Universidad de Alcalá. Licenciado.

EDICIONES

2201

SERMON Panegirico. A los Triunfos que Maria Santissima Señora Nvestra alcançó el dia de su Purificacion Sagrada. A cuyos felices trofeos consagra obsequiosa annuales cultos la Congregacion de Escrivanos de esta Villa de Alcalá, y oy no con menos pompa, magestad, y grandeza, que la que se acostumbra, la ha celebrado en nombre de su Congregacion Diego de Peña-fiel su Prioste. Predicole estando patente el Santissimo Sacramentos ——*...* Alcalá. María Fernandez. 1664. 4 hs. + 22 págs. 19,5 centímetros.

—Ded. a D. Pedro de Guzman, Conde de Villa-Umbrosa, etc.—Apr. de Fr. Gregorio Zisneros. — Apr. de Fr. Francisco Becerra.—L. V.—Texto.

MADRID. *Academia de la Historia.* 14-10-4-8654.

2202

ORACION panegyrica, festivas aclamaciones a la pureza virginal de María Santissima... Alcalá. Imp. de la Universidad. 1667.

No citada en la *Tip. complutense,* de J. Catalina García.

ORIHUELA. *Pública.* 92-4-18.

MARQUEZ Y LOAYSA (LUIS)

EDICIONES

2203

[SONETO]. (En Hidalgo y Bourman, Andrés. *Exemplar de castigos y piedades que se experimentaron en la ciudad de Málaga...* Málaga. 1650. Prels.).

V. *BLH,* XI, n.º 4853.

MARQUEZ MALDONADO (P. MELCHOR)

Jesuita.

EDICIONES

2204

[APROBACION. Méjico, 18 de mayo de 1630]. (En Dalcovia Cotrin, Luis. *Primera parte del Symbolo de la vida christiana...* Méjico. 1646. Preliminares).

Medina, *México,* II, n.º 624.

MARQUEZ PINES (JUAN)

EDICIONES

2205

[APROBACION. Tyrocimo, 12 Julio 1649]. (En Hoz Villegas, Juan de la. *Deprecacion que haze el alma peca-*

dora a Christo en estos miserables tiempos, que oy goza la Monarquia de Filipo Quarto... s. l., s. a., al fin).
MADRID. *Nacional.* V.E.-196-57.

MARQUEZ DE LA ROSA (ALONSO)

EDICIONES
2206
[*ROMANCE*]. (En NUEVO *Parnaso...* Nápoles. 1660, fols. 22*v*-23*v*).
MADRID. *Nacional.* R-11.882.

MARQUEZ TORRES (FRANCISCO)

Licenciado. Capellán y Maestro de pajes del cardenal D. Bernardo Sandoval y Rojas, arzobispo de Toledo. Capellán de S. M. en la Real de Granada.

EDICIONES
2207
DISCVRSOS consolatorios al Excelentisimo Sr. Don Christoual de Sandoual y Rojas, Duque de Vceda &ª en la temprana muerte del Señor Don Bernardo de Sandoual y Rojas, primer Marques de Belmonte su charo hijo. Madrid. Luis Sanchez. 1616. 3 hs. + 1 blanca + 84 fols. 20,5 cm.

—Frontis, por Corn. Boel.—S. Pr. al autor por diez años.—E.—Apr. del Dr. Gutierre de Zetina.—Apr. de Fr. Hortensio Felix Paranisino.—Prologo.—Texto.

Gallardo, III, n.º 2.925; Pérez Pastor, *Madrid,* II, n.º 1.405; Vindel, V, n.º 1.619.
GRANADA. *Universitaria.* A-23-213. — MADRID. *Academia Española.—Nacional.* 3-53.467.— SEVILLA. *Universitaria.* 109-57 (2).

2208
[*REGLAS precisas, y observaciones no escusables, reduzidas a breve epitome, para la reduccion, consumo, ó subrogacion que se pretende de la moneda de bellon...*]. [s. l.-s. i.]. [s. a.]. 6 fols. 30 cm.

Carece de portada. Dirigido «al excelentissimo señor Conde Duque, gran Chanciller, que le tiene penetrado».
MADRID. *Nacional.* V.E.-47-26.

2209
MEDIO suaue y facil para impossibilitar a los estrangeros la introduccion de moneda de vellón falsa. [s. l.-s. i.]. [s. a.]. Fol.
¿De Granada, c. 1640?
LONDRES. *British Museum.* 965.i.9.(15).

Poesías sueltas
2210
[*POESIAS*]. (En Herrera, Pedro de. *Descripción de la Capilla de Ntra. Sra. del Sagrario.* Madrid. 1617).
1. *Soneto.* (4.ª Parte, fol. 94*v*).
2. *Hieroglifico.* (4.ª Parte, fol. 104*r*).
MADRID. *Nacional.* 2-42.628 y 3-59.097.

Aprobaciones
2211
[*APROBACION. Madrid, 27 de febrero de 1615*]. (En Cervantes Saavedra, Miguel de. *Segunda parte del ingenioso cavallero don Quixote de la Mancha.* Madrid. 1615. Prels.).
Dice «Licenciado Marquez Torres».
V. *BLH,* VIII, n.º 190.

ESTUDIOS
2212
REP: N. Antonio, I, pág. 444.

MARQUEZI (MIGUEL)

EDICIONES
2213
PRONOSTICO general de este Año de 1645... Zaragoza. Pedro Lanaja Lamarca. 1645. 13,5 cm.
Jiménez Catalán, *Tip. zaragozana del siglo XVII,* n.º 478 (sólo conocía la portada).

MARQUINA (FRANCISCO)

EDICIONES

2214

*AQUI comiençan vnas glosas nueua-
mente hechas z glosadas por ——.
Las quales son las siguientes. Una
glosa de tiempo bueno z otra de O
belerma. Otra de vn romance que
dize descubrase mi pensamiento: y
otra glosa de Acordaos de quien se
oluida: y vn romance que dize: Pues
de amor fuystes dotada del mesmo
auctor agora nueuamente hechos.*
[s. l.-s. i.]. [s. a.]. 4 hs. a 2 cols.
con grabs. 4.º gót.

—Texto:
1. [«Tiempo bueno tiempo bueno...»].
2. *Glosa.* [«Por la glia. antepassada...»].
3. *Canción.* [«Nadie no tenga en el mundo...»].
4. *Glosa al romance de O belerma.* [«En
los tiempos que en la francia...»].
5. *Romance.* [«Descubrase mi pensamiento...»].
6. *Glosa.* [«Saliendo de una espessura...»].
7. *Otra glosa al romance de acordaos de
quien se oluida.* [«Serena luz deleyta-
ble...»].
8. *Romance.* [«Pues damor fuystes dotado...»].
Rodríguez-Moñino, *Diccionario*, n.º 339.

PRAGA. *Nacional.*

2215

——. [s. l.-s. i.]. [s. a.]. 4 hs. a 2
cols. 4.º gót.

El mismo contenido.

Salvá, I, n.º 60; Rodríguez-Moñino, *Diccionario*, n.º 340.

MADRID. *Nacional.* R-3.664.

MARQUINA (FRANCISCO DE)

EDICIONES

2216

[*JEROGLIFICOS*]. (En Salazar, Alonso de. *Fiestas que hizo el... Collegio
de la Compañia de Jesus de Sala-*

*manca a la beatificacion de... San
Ignacio...* Salamanca. 1610, fol. 76r).

MADRID. *Nacional.* 2-68.001.

MARQUINA (IGNACIO DE)

EDICIONES

2217

[*APROBACION de* ——; *Fr. Antonio
de Gongora; F. Antonio de Palma;
Fr. Christoval Lozano. Ecija, 9 de Octubre 1691*]. (En PAPEL *que contiene
diversos pareceres y Aprobaciones
del Manifiesto a ocho dudas de Juan
Jacinto de Mena.* s. l. 1691).

MADRID. *Nacional.* V.E.-196-46.

MARRADON (BARTOLOME)

N. y vivió en Marchena. Médico.

EDICIONES

2218

*DIALOGO del vso del tabaco i del
chocolate y otras bevidas.* Sevilla.
Gabriel Ramos Vejarano. 1618. 8.º

ROMA. *Vaticana.* Stamp. Barb. N.VI.102.

TRADUCCIONES

a) FRANCESAS

2219

*Un dialogue touchant le mesme cho-
colate.* (En Colmenero de Ledesma,
Antonio. *Du chocolate... Trad. par
René Moreau.* París. 1643).

CAMBRIDGE, Mass. *Harvard University. Ar-
nold Arboretum.*—LONDRES. *British Museum.*
451.g.28. — PARIS. *Nationale.* S.4231; etc. —
ROMA. *Vaticana.* Stamp. Barb. M.II.8.

2220

*DU Chocolate, dialogue entre un
médecin, un Indien et un bourgeois.*
(En Dufour, Phillippe Sylvestre. *De
l'usage du caphé...* Lyon. J. Ginn et
B. Rivière. 1671).

LONDRES. *British Museum.* 450.b.24. — PARIS. *Nationale.* S.14.832; etc.

— — —

—En Dufour, Ph. S. *Traitez nouveau et curieux du café, du thé et du chocolate.* Lyon. J. Girin et B. Rivière .1685. 445 páginas.
LONDRES. *British Museum.* 236.k.44. — PARIS. *Nationale.* 8°Tc²⁴.11.
—En idem. 2.ª ed. Lyon. Deville. 1688.
LONDRES. *British Museum.* 1145.a.15.—PARIS. *Nationale.* 8°TC²⁴.11.A.
—En idem. 1693.
LONDRES. *British Museum.* 449.a.6.

2221
[*DU Chocolate. Dialogve entre vn Medecin, vn Indien, & un Bourgeois. Tourné à present de l'Espagnol, & accommodé a la Françoise*]. (En NOVI *Tractatus de potu caphe, de chininsium the, et de Chocolata.* Ginebra. Cramer y Perachon. 1699, págs. 165-87).
MADRID. *Nacional.* R-5.508.—PARIS. *Nationale.* 8°Tc²⁴.13.

b) ITALIANAS
2222
Dialogo trà un medico. [Trad. ital. da Alessandro Vitroli]. (En Colmenero de Ledesma, Antonio. *Della cioccolata.* Roma. 1667, págs. 78-94).
LONDRES. *British Museum.* 449.a.23. — NUEVA YORK. *Hispanic Society.*

ESTUDIOS
2223
REP: N. Antonio, I, pág. 197; Méndez Bejarano, II, n.° 1.553.

MARRON (EMANUEL)
Doctor en Teología

EDICIONES
2224
[*APROBACION. Pechalbas, 7 noviembre 1698*]. (En Batlle, José. *Itinera-*
rio del alma pia. Barcelona. 1699. Preliminares).
MADRID. *Nacional.* 3-66.216.

MARROQUI DE MONTEHERMOSO (TOMAS)

EDICIONES
2225
[*AL Autor. Soneto*]. (En Arce Solorzeno, Juan. *Tragedias de Amor.* Madrid. 1607. Prels.).
MADRID. *Nacional.* R-5.438.

MARROQUIN DE MONTEHERMOSO (JUAN)

EDICIONES
2226
[*DECIMA*]. (En Plata, Juan de la. *Discvrso en exaltacion de las sagradas imagenes de Maria Santissima... sacrilegamente injuriadas a manos de la heretica perfidia...* Sevilla. 1638. Preliminares).
MADRID. *Nacional.* V.E.-163-2.

MARSAL (JUAN)

EDICIONES
2227
TESORO de virtudes el qual contiene muy excellentes sentencias y prouechosos documentos para induzir a biuir honestamente sacados de los primeros autores Hebreos, Griegos y Latinos, traduzido y de muchos documentos y sentencias acrecentado por ——. Barcelona. Sansón Arbús. 1576. 144 fols. + 2 hs. 15 cm.
Salvá, II, n.° 2.104 (con facsímil de la portada).
BARCELONA. *Universitaria.* B-58-9-17/19 (tres ejemplares).

MARSAL (LUCIANO)

Doctor en Artes y en Teología. Presbítero. Catedrático de Prima de Teología en la Universidad de Barcelona. Examinador sinodal del Obispado.

EDICIONES

2228

PANEGIRICO a la gracia de María Señora Nuestra en el instante primero de su Concepcion purissima. Dixole en la Santa Iglesia Cathedral de Barcelona... Barcelona. Rafael Figueró. 1683. 2 hs. + 26 págs. 19 cm.

Herrero Salgado, n.º 836.

BARCELONA. Universitaria. B.72-3-1 (11).

Aprobaciones

2229

[APROBACION. Barcelona, 20 de octubre de 1678]. (En Montalt, Pedro. Panales muy sabrosos... Barcelona. 1679. Prels.).

BARCELONA. Central. R(2)-8.º-352.

2230

[APROBACION. Barcelona, 29 de Noviembre y 1 de Diciembre de 1678]. (En Felix de Barcelona. Tratado póstumo... Barcelona. 1679. Prels.).

BARCELONA. Universitaria. B.63-4-2.

2231

[APROBACION. Barcelona, 16 de março de 1679]. (En Costa, Raimundo. Conclusiones publicas. Cervera. 1679. Prels.).

MADRID. Nacional. 3-58.912.

2232

[APROBACION. Barcelona, 15 de agosto de 1690]. (En Ramírez y Orta, Juan Agustín. Práctica de curas y missioneros... Barcelona. 1690. Preliminares).

SEVILLA. Universitaria. 168-29.

2233

[PARECER y Aprobación. Barcelona, 23 de febrero de 1694]. (En Potao, Pedro Dimas de. Oracion funebre en las exequias del... Señor Don Fernando Joachin Fajardo de Requesens... Barcelona. 1694. Prels.).

MADRID. Nacional. V.E.-116-35.

2234

[APROBACION. Barcelona, 28 de abril de 1695]. (En Sera, Francisco. Arco triunfal... Barcelona. 1695. Preliminares).

BARCELONA. Central.

2235

[CENSURA. Barcelona, 19 de marzo de 1697]. (En Francisco de Mallorca, Fray. El Sol de la Iglesia S. Thomas de Aquino... Aplaudido en el Real Convento de Santo Domingo de Mallorca... Barcelona. 1697. Prels.).

MADRID. Nacional. R-20.431-11.

2236

[APROBACION. Barcelona, 8 de febrero de 1698]. (En Rovira y Arnella, José. El Cedro del Libano caído a la voraz guadaña de la muerte... Barcelona. 1698. Prels.).

SEVILLA. Universitaria. 113-128 (14).

2237

[APROBACION. Barcelona, 14 de julio de 1699]. (En Costa, Raimundo. Quinta essencia de Mutacion... Barcelona. s. a. Prels.).

MADRID. Nacional. V.E.-81-34.

OBRAS LATINAS

2238

DISCURSUS apologeticus pro antigua consuetudine... Barcelona. Rafael Figueró. 1695.

BARCELONA. Universitaria.—NUEVA YORK. Hispanic Society.

MARSILLA (LORENZO DE)

V. MARTINEZ DE MARCILLA (LORENZO)

MARTA (FR. JERONIMO DE)

N. en Zaragoza. Agustino. Prior del convento de San Agustín de Zaragoza. Provincial (1654). Catedrático de Escritura de la Universidad. Calificador de la Inquisición. Predicador real. M. en Villarroya (1660).

CODICES

2239

[Comentarios a la Sagrada Escritura].

Latassa.

EDICIONES

2240

[APROBACION. Zaragoza, 28 de marzo de 1619]. (En Perez Carrillo, Francisco. Via Sacra, y Exercicios Espiritvales, y Arte de bien morir. Zaragoza. 1619. Prels.).

MADRID. Nacional. 3-65.897.

2241

[APROBACION. Zaragoza, 28 de enero 1634]. (En Arbues, Luis Vicente. Discurso y verdadera inteligencia del Fuero de Aragón llamado de nueve por ciento... Zaragoza. 1647. Al fin).

MADRID. Nacional. V.E.-192-7.

2242

[APROBACION. Zaragoza, 20 de Octubre de 1639]. (En Padilla, Luisa de.] Lagrimas de la Nobleza. Zaragoza. 1639. Prels.).

MADRID. Nacional. R-11.966.

2243

[APROBACIONES]. (En Pastor, Pedro Enrique. Nobleza virtuosa. Zaragoza. 1637-42. Prels.).

1. Tomo II: Apr. fechada en Zaragoza.
2. Tomo III: Apr. S. Agustin de Zaragoza, 20 de Octubre de 1639.
3. Tomo IV: Apr. S. Agustin de Zaragoza, 10 de Abril de 1644.

MADRID. Nacional. 3-41.621/26.

2244

[APROBACION. Zaragoza, 28 de marzo de 1644]. (En Seyner, Antonio. Historia del levantamiento de Portugal. Zaragoza. 1644. Prels.).

MADRID. Nacional. 3-30.717.

2245

[APROBACION. Zaragoza, 5 Marzo 1646]. (En Rius, Gabriel Agustin. Cristal de la Verdad, espeio de Cataluña. Zaragoza. 1646. Prels.).

MADRID. Nacional. 2-64.999.

2246

[APROBACION. Zaragoza, 23 de octubre de 1647]. (En Coreno, Jacobo. Escudo de Paciencia. Traduzido por Diego Castellón. Zaragoza. 1648. Preliminares).

MADRID. Nacional. 2-69.585.

2247

[APROBACION. Zaragoza, 27 de de abril de 1652]. (En García Romeo, Pablo. Tratado de la execucion de la union, tesoro y reparo de labradores del lugar de Cosuenda. Zaragoza. 1654. Prels.).

V. BLH, X, n.º 4376.

2248

[APROBACION. Zaragoza, 24 de diciembre de 1647]. (En García, Jerónimo. Política regular... Tomo I. Zaragoza. 1648. Prels.).

V. BLH, X, n.º 4205.

2249

[APROBACION. Madrid, 1 de febrero de 1653]. (En Ibañez de Segovia,

Miguel. *Immunidad de María...* Madrid. 1653. Prels.).

MADRID. *Nacional.* 2-25.896.

2250
[*APROBACION. Zaragoza, 12 de marzo de 1683*]. (En Dormer, Diego José. *Discursos varios de Historia.* Zaragoza. 1683. Prels.).

V. *BLH*, IX, n.º 3.994.

ESTUDIOS
2251
REP: Latassa, 2.ª ed., II, págs. 249-50.

MARTA Y MENDOZA (MIGUEL)

Doctor. Catedrático de Digesto viejo de la Universidad de Huesca y de Prima de Leyes de la de Zaragoza. Canónigo Arcediano de la catedral de Tarazona y de Calatayud, Visitador general de la ciudad de Zaragoza.

CODICES
2252
[*Carta a J. F. Andrés de Uztarroz*]. Original.

MADRID. *Nacional.* Mss. 8.390 (pág. 118).

EDICIONES
2253
ORDINACIONES Reales de la Civdad de Tarazona, hechas por... —... *y demas personas nombradas por el Consello General de la dicha Ciudad...* Zaragoza. Iuan de Ibar. 1655. 4 hs. + 168 págs. 28 cm.

Jiménez Catalán, *Tip. zaragozana del siglo XVII,* n.º 628.

ZARAGOZA. *Universitaria.* G-53-109.

——— ———

—2.ª ed. 1675.

Aprobaciones
2254
[*APROBACION. Zaragoza, 6 de julio de 1637*]. (En Pastor, Pedro Enrique.

Nobleza virtuosa. Zaragoza. 1637. Preliminares).

MADRID. *Nacional.* 3-41.621.

2255
[*APROBACIONES*]. (En Pastor, Pedro Enrique. *Nobleza virtvosa.* Zaragoza. 1637-42. Prels.).

1. *Apr. Zaragoza, 6 de Julio de 1637.* Tomo I.
2. *Apr. Zaragoza, 25 de Abril de 1644.* Tomo IV.

MADRID. *Nacional.* 3-41.621/26.

2256
[*APROBACION. Zaragoza, 28 de noviembre de 1643*]. (En Seyner, Antonio. *Historia del levantamiento de Portugal.* Zaragoza. 1644. Prels.).

MADRID. *Nacional.* 3-30.717.

2257
[*CENSURA. Zaragoza, 2 Mayo 1681*]. (En Lastanosa, Vincencio Juan de. *Tratado de la Moneda Inglesa.* Zaragoza. 1681. Prels.).

MADRID. *Nacional.* R-22.748.

2258
[*CENSURA. Tarazona, 1 de agosto de 1682*]. (En Hebas y Casado, Juan de las. *Nueva estrella en el cielo de Aragón de... San Paterno.* Zaragoza. 1682. Prels.).

V. *BLH*, XI, n.º 3797.

2259
[*APROBACION. Zaragoza, 17 Diciembre 1692*]. (En Cavero, José Nicolas. *Oración funebre...* Zaragoza. 1692. Preliminares).

MADRID. *Nacional.* V.E.-95-22.

OBRAS LATINAS
2260
BELLICA tritogeniae Palladis encyclopaedia... Zaragoza. Pedro Lanaja. 1674. 6 hs. + 112 págs. 28 cm.

Jiménez Catalán, *Tip. zaragozana del siglo XVII,* n.º 850.

2261

PRO altera, illvstrioreqve bellicae encyclopediae luce... Zaragoza. Pedro Lanaja y Lamarca. 1675. 6 hs. + 49 págs. + 3 hs. 20 cm.

Jiménez Catalán, *Tip. zaragozana del siglo XVII*, n.º 867.

ESTUDIOS

2262

REP: N. Antonio, II, pág. 139; Latassa, 2.ª ed., II, pág. 249.

«MARTE académico...»

CODICES

2263

«*Marte académico y político*».

Letra del s. XVII. 4.º

MADRID. *Academia de la Historia.* 9-24-3-B-72.

«MARTE católico...»

EDICIONES

2264

MARTE Catholico, Astro politico, Planeta de heroes, y Ascendiente de principes qve en las lvcidas sombras de vna triumphal Portada offrece, representa, dedica la siempre esclarecida, sacra, avgvsta Iglesia Metropolitana de Mexico al Excmo. Señor Don Francisco Fernandez de la Cveva, Dvque de Albvrqverqve... Virrey, Gobernador, Capitan General de la Nueva España... Méjico. Viuda de Bernardo Calderón. 1657. 2 hs. + 7 fols. + 5 hs.

Con varias poesías.

Medina, *México*, II, n.º 786.

MARTEL (JERONIMO)

N. en Zaragoza. Cronista del Reino de Aragón (1597).

CODICES

2265

«*Chronologia universal...*».

Año 1598. III + 767 fols. 315 × 217 mm. Perteneció al marqués de Montealegre. ¿Borrador autógrafo?

Inventario, II, pág. 139.

MADRID. *Nacional.* Mss. 639.

2266

«*Çeremonial de los asientos de los Consistorios de los Diputados, Inquisidores, Contadores y Iudicantes del Reyno de Aragon y del lugar que an de tener los Officiales Reales, Dignidades, Iuezes, y señores de Titulo quando van a ellos... 1603*».

Letra del s. XVII. 23 fols. 284 × 205 mm.

Inventario, II, págs. 406-7.

MADRID. *Nacional.* Mss. 799.

2267

«*Forma de celebrar Cortes en Aragón*».

Arco, n.º 904.

MADRID. *Nacional.* Mss. 184.

2268

«*Cortes de Aragón*».

2 vols. Fol.

Arco, n.º 905.

MADRID. *Academia de la Historia.* Col. Salazar, P-2 y 3.

2269

«*Forma de como se han de celebrar las Cortes en el Reino de Aragón*».

Letra del s. XVI. 206 × 147 mm. Con Ded. a D. Jorge Fernández de Heredia, gentilhombre de la boca de S. M., formada por el autor en Zaragoza, a 1 de mayo de 1592.

Inventario, I, pág. 315.

MADRID. *Nacional.* Mss. 453 (fols. 1-87).

2270

«*Forma de cómo se han de celerar las Cortes en el Reino de Aragón... MDCI*».

Letra del s. XVII. 187 págs. + VII fols. 230 × 160 mm.

Esteve, págs. 185-86.

TOLEDO. *Pública.* Mss. 236.

2271

«*Forma de como se han de celebrar las cortes en el reino de Aragon...*».
Letra del s. XVII. 75 fols. 290 × 205 mm.
VALLADOLID. *Santa Cruz.* Mss. 38.

2272

«*Modo de proceder en las causas que se llevan ante el justicia de Ganaderos*».
Letra del s. XVII.
Arco, n.º 397.
ZARAGOZA. *Archivo de la Casa de Ganaderos.*

EDICIONES

2273

RELACION *de la fiesta que se ha hecho en el convento de Santo Domingo de la Ciudad de Çaragoça a la Canonizacion de San Hyacintho.* Zaragoza. Lorenço de Robles. [1595]. 6 + 417 hs. + 1 h. 14,5 cm.

—L. de Fray Diego Murillo a Hieronymo Martel, que recopiló y ordenó el libro.—L. al impresor.—Privilegio.—Ded. «a D.ª Isabel de la Cueva y Cordoba, duquesa de Alburquerque».—Texto, en el que se incluyen versos latinos y castellanos.—E.

Sánchez, II, n.º 774.

BARCELONA. *Universitaria.* B.4-5-16-533.—LONDRES. *British Museum.* C.62.aa.12 (perteneció a Sánchez).—NUEVA YORK. *Hispanic Society.*—SAN LORENZO DEL ESCORIAL. *Monasterio.* 33-V-29.—URBINO. *Universitaria.* G.XIII.402.

2274

FORMA *de celebrar Cortes en Aragón... Publícala el Dr. Iuan Francisco Andres de Uztarroz, con algunas Notas.* Zaragoza. Diego Dormer. A costa del Reyno. 1641. 10 hs. + 108 páginas + 4 hs. 20 cm.

—Ded. a los Diputados del Reyno (1601).—Prefacion.—Escudo del autor.—A la memoria de ——, Iuan Francisco Andres de Uztarroz (con datos biográficos y genealógicos).—Tabla de los capitulos.—E.—Texto.—Indice de las cosas notables.

Jiménez Catalán, *Tip. zaragozana del siglo XVII*, n.º 419.
CAMBRIDGE, Mass. *Harvard University.*—MADRID. *Nacional.* 2-20.643. *Palacio Real.* VII-1.629.—URBANA. *University of Illinois.*

———

Se encuentra también encuadernada con las *Coronaciones de los Sereníssimos Reyes de Aragón.* (V. *BLH*, VI, n.º 4485).

Aprobaciones

2275

[*APROBACION. Zaragoza, 5 de septiembre de 1601*]. (En Lasso de la Vega, Gabriel. *Elogios en loor de los tres famosos varones...* Zaragoza. 1601. Prels.).

MADRID. *Nacional.* R-3.247.

ESTUDIOS

2276

SANCHEZ ALONSO, BENITO. *Jerónimo Martel.* (En su *Historia de la historiografía española.* **Tomo II.** Madrid. 1944, págs. 180-81).

MADRID. *Consejo. Patronato «Menéndez Pelayo».* E-1.082.

2277

REP: N. Antonio, I, págs. 588-89; Latassa, II, pág. 250.

MARTEL (MIGUEL)

CODICES

2278

«*De la fundación de Soria, del origen de los doce linages y de las antigüedades de esta ciudad...*».
Letra del s. XVII. 114 fols. 210 × 150 mm.
Inventario, X, pág. 98.
MADRID. *Nacional.* Mss. 3.452.

EDICIONES

2279

CANTO *tercero de la Numantina y su comento: De la fundación de So-*

ria y origen de sus doce linajes. Soria. Caja General de Ahorros de la
Provincia. 1967. 235 págs. con grabs.
24,5 cm. (Biblioteca Soriana, 5).

MADRID. *Nacional.* 4-81.202; etc.

ESTUDIOS

2280

AYUSO, MANUEL HILARIO. *El manuscrito de Martel.* Madrid. Imp. de
«La Enseñanza». 1922. 166 págs. +
1 h. 19 cm.

Reproduce numerosos fragmentos.

MADRID. *Nacional.* Mss.-Imp.-Full. 195.

2281

SAENZ GARCIA, C. *Las dos «Numantinas».* (En *Celtiberia,* XV, Soria, 1965, págs. 247-79).

Las de Martel y Francisco Mosquera de
Barnuevo.

2282

HIGES CUEVAS, V. *Nuevos datos
relativos a la cronología de las dos
«Numantinas».* (En *Celtiberia,* XVI,
Soria, 1966, págs. 123-28).

2283

REP: N. Antonio, II, pág. 139.

MARTEL (MIGUEL JERONIMO)

N. y m. en Zaragoza (1604-1678). Doctor.
Rector de su Universidad (1654 y 1659).
Chantre de la Santa Iglesia Metropolitana.
Gobernador y Vicario general del arzobis-
pado (1677).

EDICIONES

2284

PARECER de Don ——, *chantre de
la Santa Iglesia de Zaragoza. Sobre
lo que se ha escrito por el Señor
Prior del Sepulcro de Calatayud, en
orden a la exclusion del Señor Patriarca de Ierusalen, y inclusión suya
sin su dependencia, en la jurisdiccion
del conuento de Señoras Religiosas*

del Sepulcro de Zaragoça. [s. l.-s. i.].
[1656]. 48 págs. + 2 hs. 32 cm.

Carece de portada.
—Texto.—Indice.

SEVILLA. *Universitaria.* 109-170 (11).

2285

*ASTROLABIO ivridico, para medir
la altvra, y descendencia de las lineas, y grados en la svcession de los
mayorazgos de la Casa de Ablitas, y
Murillo, en el Reyno de Navarra, qve
oy pende en ivyzio de propiedad.* Zaragoza. Diego Dormer. 1658. 2 hs. +
132 págs. + 2 hs. 31 cm.

—Arbol geneaológico.—Texto.—Dase razon
del estilo que este papel obserua para la
aueriguacion de la verdad de los puntos
del pleyto.

No citado en la *Tip. zaragozana del siglo XVII,* de Jiménez Catalán.

MADRID. *Nacional.* R-24.242. — SANTIAGO DE
COMPOSTELA. *Universitaria.*—SEVILLA. *Universitaria.* 110-113 (31 y 37).

ESTUDIOS

2286

ANDRES DE UZTARROZ, JUAN
FRANCISCO. [*Elogio*]. (En su *Aganipe de los cisnes aragoneses.* Zaragoza. 1890, pág. 19).

2287

REP: Latassa, II, págs. 251-52.

MARTEL GUERRERO
(FRANCISCO)

Beneficiado de las iglesias de Ronda y
Médico de ella.

EDICIONES

2288

*AVISOS para purgarse, en que se
contiene oposicion à la empyrica introduccion de la flor del melocoton.
Y una carta escrita al Illustris. Se-*

ñor D. Fr. Alonso de S. Thomas, dig-
nissimo Obispo de Malaga, mi Señor,
dividida en partes, y explicada. En
que se refieren los infelizes sucessos
que han sucedido con la conserva de
la flor del melocoton. Y se impugna
vna carta del Doctor D. Pedro de
Biozca sobre este punto. Granada.
En la Imprenta del Convento de la
S. S. Trinidad, por Antonio de Torrubia. 1687. 7 hs. + 30 págs. 20 cm.

—Apr. de Joseph Pablo Fernandez.—Lic.
del Juez.—Ded. a Fr. Alonso de Santo
Thomás, Obispo de Málaga.—Al lector.—
Carta del Lic. D. Antonio de Luna, Abogado de los Reales Consejos, al Doctor
D. Francisco Martel Guerrero, sobre la
impugnacion que le ha comunicado saca
a luz contra el uso que se començava a
introducir de la flor de los persicos melocotones para purgar.—Texto.

GRANADA. *Universitaria.* A-38-175.

MARTELL (CARLOS)

«Gentilhombre celtíbero».

EDICIONES

2289

ANALES del Mvndo, desde la creación de el y vn Tratado del origen de
las poblaciones de toda Evropa. Zaragoza. Iuan de Ybar. 1662. 4 hs. +
444 págs. a 2 cols. + 12 hs. 30 cm.

—Apr. de Pedro Gaudioso Hernandez de
Lara.—L. del arzobispo de Zaragoza.—
Apr. de Fr. Tomas Frances de Urrutigoy-
ti.—L. Regens.—Ded. a D. Fernando de
Gurrea, Duque de Villa-Hermosa, etc.—
S. de los libros y capitulos.—Texto.—
Elenco de las cosas mas notables.—E.

Salvá, II, n.° 2.770; Jiménez Catalán, *Tip.
zaragozana del s. XVII*, n.° 711.

BARCELONA. *Universitaria.* C.215-3-7.—GRANA-
DA. *Universitaria.* C-10-2. — LONDRES. *British
Museum.* 580.i.16.—MADRID. *Academia de la
Historia.* 2-2-2-565. *Facultad de Filología.*—
Nacional. 2-20.643. — NUEVA YORK. *Hispanic
Society.*—SEVILLA. *Colombina.* 95-6-19. *Uni-
versitaria.* 197-104. — VALLADOLID. *Universita-
ria.* Santa Cruz, 9.438.

ESTUDIOS

2290

REP: N. Antonio, I, pág. 232. (Dice «Martel»).

MARTHON (FR. JERONIMO)

Benedictino. Predicador general.

EDICIONES

2291

PRIMERA parte de Discursos, o Sermones evangelicos, dominicales y
santorales, desde el domingo primero
de Adviento, hasta las fiestas del Nacimiento de nuestro Redemptor. Valladolid. Francisco Fernandez de Cordoba. 1614. 5 fols. + 4 hs. + 855 páginas + 46 hs. 28 cm.

—Apr. de Fr. Gregorio de Criales y Fr.
Alonso de Herrera.—L. O.—Apr. de Fr.
Hortensio, trinitario.—Pr.—T.—E.—Epís-
tola ded. a D. Pedro Fernandez de Cas-
tro, conde de Lemos, etc.—Prologo.—
Sanctorales.—Texto.—Recomendación. —
Tabla de las authoridades de la Sagrada
Escritura.—Tabla de los mas notables
apuntamientos que se tratan.

Alcocer, n.° 604.

GRANADA. *Universitaria.* A-28-137. — MADRID.
Palacio Real. III-1.265.

2292

[PROLOGO]. (En Antonio de Ye-
pes, Fray. *Coronica general de la
Orden de San Benito.* Tomo VII.
Valladolid. 1621. Prels.).

V. *BLH*, V, n.° 5080.

Aprobaciones

2293

[APROBACION. *Valladolid, 28 Deziembre 1612*]. (En Alvarado, Antonio
de. *Guía de los devotos*... Barcelona.
1613. Prels.).

BARCELONA. *Universitaria.* B.62-8-11.

ESTUDIOS

2294

REP: N. Antonio, I, pág. 589.

MARTI (ANTONIO)

Catedrático de la Universidad de Valencia.

EDICIONES

2295

[*DECIMAS*]. (En Valda, Juan Bautista de. *Solenes fiestas que celebró Valencia a la Inmaculada Concepcion...* Valencia. 1663, págs. 52-57).

MADRID. *Nacional.* 3-18.636.

2296

[*JEROGLIFICOS*]. (En Valda, Juan Bautista de. *Solenes fiestas que celebró Valencia a la Inmaculada Concepcion...* Valencia. 1663, págs. 119-125).

MADRID. *Nacional.* 3-18.636.

MARTI (FRANCISCO)

Canónigo y Arcediano de Corbera en la catedral de Tortosa.

EDICIONES

2297

[*DEDICATORIA a Fr. Severino Thomas Auther, Obispo de Tortosa. Tortosa, 15 de diciembre de 1686*]. (En Barutell y de Erill, Luis de. *Mudanzas de la Fortuna... Sacala a luz* ——. Barcelona. 1686. Prels.).

MARTI (JAIME)

Doctor.

EDICIONES

2298

INFORMACION por el Principado de Cataluña. A instancia de Don Francisco de Monsuar, Canónigo y Hospitalario de la Santa Iglesia de Tortosa, Embaxador de los Diputados del general del dicho Principado. Sobre la pretensión suplicada a su Magestad, en razón del nombramiento del Cargo de Vicecanciller de los Reynos de la Corona de Aragón.

Madrid. Iuan Gonzalez. 1625. 20 folios. 28 cm.

No citado en Pérez Pastor, *Madrid.*

SEVILLA. *Universitaria.* 109-124 (6).

MARTI (FR. JOSE)

Carmelita observante. Maestro en Artes por la Universidad de Valencia. Doctor en Teología. Calificador de la Inquisición. Examinador sinodal del arzobispado de Valencia. Prior del convento del Carmen de esa ciudad. Vicario provincial de los conventos de su Orden del Reino de Valencia. Predicador real.

EDICIONES

2299

FLOR del discurso en la aurora, y aurora del discurso en flor. Valencia. Gerónimo Vilagrasa. 1673. 4 hs. + 91 págs. 19 cm.

Herrero Salgado, n.° 693.

2300

SERMON en las exequias del Ilmo. y Rmo. Señor Don Fr. Atanasio Vivas de Rocamora, Obispo de Segorbe... que hizo el Convento del Carmen Observante de Valencia. Valencia. Gerónimo Vilagrasa. 1674. 10 hs. + 15 págs. 19 cm.

Herrero Salgado, n.° 709.

2301

[*SERMON*]. (En JARDÍN de Sermones... Tomo II. Zaragoza. 1676).

Jiménez Catalán, n.° 889.

2302

[*PAPEL*]. (En FÚNEBRES *elogios, a la memoria de D. Pedro Calderón de la Barca.* Valencia. 1681. Prels.).

V. *BLH,* VII, n.° 3269.

2303

[*SERMON*]. (En José de Jesús, Fray. *Cielos de fiesta, Musas de pascua, en fiestas reales, que a S.*

Pascual coronan... Valencia. 1692, págs. 294-313).

V. *BLH*, XII, n.° 2393.

2304

SERMON en la fiesta de acción de gracias por el hallazgo del Smo. Sacramento que luzieron en su Real Casa y Capilla los Muy Illustres Señores Diputados de Valencia... a 31 de diziembre del año 1698. Valencia. Vicente Cabrera. 1699. 4 hs. + 7 fols. 18,5 cm.

Herrero Salgado, n.° 1.150.

Poesías sueltas

2305

[POESIAS]. (En Rodriguez, José. *Sacro y solemne novenario.* Valencia. 1669).

1. *Octavas.* (Págs. 390-391).
2. *Glosa.* (Págs. 391-392).

MADRID. *Nacional.* 3-67.912.

Aprobaciones

2306

[CENSURA. Valencia, 7 de noviembre de 1674]. (En Lopez de los Rios, Tomás. *Auto glorioso, festejo sagrado...* Valencia. 1674. Prels.).

MADRID. *Nacional.* 2-71.303.

2307

[CENSURA]. (En Sapena y Zarzuela, Baltasar. *Auto Glorioso...* Valencia. 1674. Prels.).

VALENCIA. *Universitaria.* I-5.232.

2308

[CENSURA. Valencia, 8 de Noviembre 1689]. (En Rodríguez, José. *Sermón Funebre de las celebres honras a N. S. P. Inocencio Undezimo.* Valencia. 1690. Prels.).

MADRID. *Nacional.* V.E.-135-9.

2309

[SENTIR. Valencia, 17 de agosto de 1695]. (En Rocaberti, Hipólita de Jesús. *Exposición literal, mystica y moral, sobre los lugares más selectos de los Hechos apostólicos...* Valencia. 1695. Prels.).

MADRID. *Nacional.* 7-14..383.

2310

[APROBACION. Valencia, 25 de Enero de 1688]. (En Aguilar, Juan Bautista. *Tercera parte del Teatro de los dioses de la gentilidad.* Valencia. 1688. Prels.).

MADRID. *Nacional.* 6.i.-6.357.

ESTUDIOS

2311

REP: N. Antonio, I, págs. 809-10.

MARTI (JUAN)

N. en Orihuela (c. 1570). Perteneció a la Academia de los Nocturnos de Valencia con el nombre de «Atrevimiento».

EDICIONES

2312

SEGVNDA parte de la vida del pícaro Gvzman de Alfarache. Compvesta por Matheo Luxan de Sayauedra, natural vezino de Sevilla. Barcelona. Ioan Amello. A costa de Ioan Simón. 1602. 4 hs. + 197 fols. + 14. 15 cm.

—L. del Conde de Benavente, Lugarteniente y Capitan General del Reino de Valencia.—Apr. del Dr. Pedro Juan Asensio. L. V.—Ded. a D. Gaspar Mercader y Carroz, legitimo successor en las Baronías de Bunyol y Siete Aguas.

CAMBRIDGE, Mass. *Harvard University.* — MADRID. *Nacional.* R-15.989.—NUEVA YORK. *Hispanic Society.*—WASHINGTON. *Congreso.* 19-1468.

2313

SEGVNDA Parte de la vida del pícaro Gvzman de Alfarache. Compves-

ta por Matheo Luxan de Sayauedra, natural vezino de Seuilla. Zaragoza. Angelo Tauano. 1603. 7 hs. + 1 con blanco + 391 págs.

—Apr. de Juan Briz Martinez.—L. y Pr. a Angelo Tauano.—Ded. a D. Gaspar Mercader y Carroz.—Tabla de los Capitulos. Escudo del Reino.—Texto.—Colofón.

Jiménez Catalán, *Tip. zaragozana del siglo XVII,* n.º 22.

NUEVA YORK. *Hispanic Society.*

2314

SEGVNDA parte de la vida del Picaro Guzman de Alfarache. Compuesta por Mateo de Luxan de Sayavedra... Madrid. Impr. Real. [Colofón: Iuan Flamenco]. 1603. 12 hs. + 437 págs. 8.º

Salvá, II, n.º 1.880.

LONDRES. *British Museum.* 12489.a.8.

2315

——. Salamanca. A. Renaut. 1603. 586 págs. 8.º

PARIS. *Nationale.* Y².11135.

2316

——. Barcelona. S. de Cormellas. 1603. 203 fols. 8.º

PARIS. *Nationale.* Y².11127.

2317

——. Milán. Bordón. 1603. 6 hs. + 384 págs. 15 cm.

MADRID. *Nacional.* R-1.020 (falto de portada).—PARIS. *Nationale.* Y².11137.

2318

——. Lisboa. Antonio Alvarez. 1603.

NUEVA YORK. *Hispanic Society.*

2319

——. Lisboa. Iorge Rodríguez. 1603.

NUEVA YORK. *Hispanic Society.*

2320

——. Barcelona. Iayme Cendrat. 1603.

NUEVA YORK. *Hispanic Society.*

2321

SEGVNDA parte de la vida del picaro Gvzman de Alfarache. Compvesto por Matheo Luxan de Sayauedra, natural vezino de Seuilla. Bruselas. Roger Velpius. 1604. 7 hs. + 1 blanca + 382 págs. 15 cm.

—Apr. de Iuan Briz Martinez.—Ded. a D. Gaspar Mercader y Carroz, legitimo sucesor en las Baronyas de Bunyol y Siete Aguas.—Tabla de los Capitulos.—Pr. de los principes Alberto e Ysabel Clara Eugenia, duques de Brabante.—Texto.

Gallardo, III, n.º 2.836; Salvá, II, n.º 1.881.

BRUSELAS. *Royale.* II-13.994.—ITHACA. *Cornell University.*—LONDRES. *British Museum.* 12490. c.9.—MADRID. *Facultad de Filología.*—*Nacional.* R-17.456.—NEW HAVEN. *Yale University.*—NUEVA YORK. *Hispanic Society.*—PARIS. *Nationale.* Y²11139. — ROMA. *Casanatense.* J.XIV. 17.—SANTANDER. *«Menéndez Pelayo».* R-V-3-15.

2322

[GUZMAN de Alfarache. Segunda parte]. (En NOVELISTAS *anteriores a Cervantes.* Madrid. 1846, págs. 363-430. Biblioteca de Autores Españoles, 3).

TRADUCCIONES

a) ITALIANAS

2323

VITA del picaro Guzman de Alfarache. Parte Secondi. Traduz. di Mario Penna. (En NARRATORI *picareschi spagnoli del cinque e seicento.* Milán. Vallardi. 1965, págs. 455-537).

MADRID. *Nacional.* 1-123.390.

ESTUDIOS

2324

CASTRO, A. *Una nota al «Guzmán», de Mateo Luján de Sayavedra.* (En *Revista de Filología Española,* XVII, Madrid, 1939, págs. 285-86).

2325

TERZANO, ENRIQUETA y J. F. GATTI. *Mateo Luján de Saavedra y*

Alejo Vanegas. (En Revista de Filología Española, V, Madrid, 1943, páginas 251-63).

2326

LABOURDIQUE, BERNARDETTE y MICHEL CAVILLAC. Quelques sources du «Guzmán» apocryphe de Mateó Luján. (En Bulletin Hispanique, LXXI, Burdeos, 1969, págs. 191-217).

2327

FRANCIS, ALAN. El Guzmán apócrifo: ¿Picaresca decadente o problemática? (En Revista Hispánica Moderna, XXXIX, Nueva York, 1976-1977, págs. 85-95).

MARTI (JUAN JOSE)

EDICIONES

2328

[POESIAS]. (En CANCIONERO de la Academia de los Nocturnos de Valencia... Valencia. 1905-12).

1. Alabanza de la Academia en esdrújulos (I, págs. 156-58).
2. Romance a la ausencia de una dama. (II, págs. 157-59).
3. Glosa. (III, págs. 109-10).

MADRID. Nacional. I-66.772/74.

ESTUDIOS

2329

REP: Cotarelo, Controversias, CXXXVII; Martí Grajales, págs. 291-94.

MARTI (FR. LUIS)

N. en Valencia. Dominico desde 1563. Maestro.

CODICES

2330

«Gozos y loares al glorioso S. Onofre...».

En Taix, Fr. Jerónimo. Vida de S. Onofre. Se conservaba mss. en el convento de San Onofre de Valencia. (Fuster, I, pág. 157).

2331

«Rezo propio del glorioso S. Onofre hermitaño con himnos y Misa».

Fuster y Ximeno.

EDICIONES

2332

PRIMERA parte de la historia del bienaventurado padre fray Luis Bertrán en octava rima. Valencia. Martín Esparza. 1583. 8.º

Palau, VIII, n.º 153.303.

2333

PRIMERA parte de la Historia del bienauenturado padre fray Luis Bertran de la orden de Predicadores, y natural de la ciudad de Valencia. [Valencia. En casa de los herederos de Ioan Nauarro, por Vincente de Mirauet]. [1584]. 16 hs. + 144 fols. + 4 láms. 8.º

—Pr. por diez años.—L. del arzobispo D. Juan de Ribera.—Apr. de Pedro Monçon. L. O.—Apr. de Fr. Ioan Martinez.—Apr. de Fr. Vincente Iustiniano Antist.—Retrato de S. Luis Bertran.—Poemas latinos.—Soneto del Auctor. [«No permitio el amigo verdadero...»].—Ded. a D. Iuan de Ribera, Patriarcha de Antiochia y Arçobispo de Valencia.—A D. Iuan de Ribera. Soneto del Auctor. [«Qual el sabio esculptor, que su pintura...»].—Tabla.—E.—Soneto del impresor Vincente de Mirauet. [«Aqui hallaras, Lector, una gran pieça...»].—Soneto con estrambote de Fray Ioan Martinez Alegría. [«Entre las suaues flores y olorosas...»].—Poesia latina de Fr. Francisco Oliueyra.—Soneto con estrambote, de un deuoto del sancto. [«A nuestro nueuo sancto Valenciano...»].—Emblema de la Orden de Santo Domingo.—Retrato de Fr. Luis Bertran.—Versos latinos.—Pag. 1. Prefacion del Auctor, a los deuotos, y Christianos Lectores. La qual porque dé menos fastidio, va compuesta en copla Redondilla. [«Al beneuolo Lector...»].—(Folios 1r-2v).—Soneto de Esteuan Burgues. [«Un spiritu que a Dios siempre esta intento (sic)...»]. (Fol. 13r).—Otro del mismo. [«Los que gustays del Nectar, y beuido...»]. (Fol. 13v).—Soneto de Hieronymo Abella. [«Cantad fray Luys Marti, con fertil vena...»]. (Fol. 14r).—De aquella deuota señora que compuso las Estanças del tercer Canto. Soneto. [«Por ser tan alto, y raro el argumento...»]. (Fol. 14v).—Soneto del mismo auctor, cuyas primeras letras contienen su nombre, y sobrenombre. [«Fin, y principio, muerte, y vida junto...»]. (Fol. 15r).—Soneto de todo lo contenido en el primer Canto. [«Inuocase el fauor aqui del sancto...»]. (Fol. 15v).—Texto. [«No canto armas, amor, no gentilezas...»].—Tabla.—Colofón.

MADRID. *Nacional.* R-27.207 (deteriorado).—NUEVA YORK. *Hispanic Society.*—VALENCIA. *Colegio del Corpus Christi.* 1026.

ESTUDIOS
2334
REP: Ximeno, I, pág. 190; Martí Grajales, págs. 294-95.

MARTI DE MITJAVILA (LUIS)
EDICIONES
2335
[*APROBACION de —— y Fr. Andres del Fau. Valencia, 8 de Septiembre 1629*]. (En Gomez, Vicente. *Relación de milagros.* Lérida. 1629. Prels.).

MADRID. *Nacional.* 2-4367.

MARTI Y SORRIBAS (FR. FRANCISCO)
Jerónimo. Predicador de Corte de la Casa Grande de Sevilla.

EDICIONES
2336
ORACION panegirica a las svmptuosas honras, que en la sancta Iglesia de Sevilla se hazen por los dos illustrissimos Cabildos a las dulces y reconocidas memorias de el Sancto Rey Don Fernando, su Conquistador. Dixola... ——... Sacala a luz D. Luis Sarmiento de Rojas... Sevilla. Juan Gomez de Blas. 1651. 12 fols. 19,5 cm.

—Censura de Fr. Iuan de Breña.—Ded. a D. Mathías de Bayethola y Cavanillas, Presidente del Consejo de Aragón, etc.—Soneto de Rodrigo Martinez de Consuegra. [«Honras de un Santo Rey, que muerto vive...»].—A el autor. Dezima en esdrujulos, de Estefanía de Consuegra Cerbantes y Ribera, hija del anterior. [«El Orador Evangelico...»].—Soneto de Francisco Ximenez Sedeño. [«Si Artaxerxes Assuero, agradecido...»].—Thema. Texto.

GRANADA. *Universitaria.* A-31-204 (13).

2337
ACCION de Gracias que hizo la insigne Iglesia Colegial de San Salvador de la augustissima Ciudad de Sevilla, el segundo domingo de Noviembre, al Santissimo Sacramento del Altar, por especial carta de su Magestad, de la victoria de sus Catholicas Armas en la entrega de Barcelona. Predicó en ella... ——... Sacala a luz el Dr. D. Alfonso de Salazar... Sevilla. Francisco Ignacio de Lyra. 1652. 4 hs. + 11 fols. 18,5 cm.

—Apr. de Christoval de Porras.—L. V.—Ded. a Fr. Alonso Enriquez, dominico, Maestro de Estudiantes de la Casa Grande de San Pablo de Sevilla.—Texto.

SEVILLA. *Universitaria.* 113-74 (15).

MARTI Y VILADAMOR (FRANCISCO)
Doctor. Abogado Fisca lde la Bailía General de Cataluña por la ciudad de Barcelona.

EDICIONES
2338
NOTICIA vniversal de Catalvña. En Amor, Seruicios, y Finezas, admirable. En Agrauios, Opresiones, y Desprecios, svfrida. En Constituciones, Priuilegios y Libertades, valerosa. En Alteraciones, Mouimientos y Debates, discvlpada. En Defensas, Repulsas y Euasiones, encogida. En Dios, Razon y Armas, prevenida. Y siempre en su

fidelidad, constante. Por el B. D. A. V. Y. M. F. D. P. D. N. [s. l.-s. i.]. [s. a.]. 4 hs. + 208 págs. + 2 hs. 19,5 cm.

De Barcelona, 1640.

Salvá, II, n.º 3.080.

BARCELONA. *Central.* F. Bon. 76. *Universitaria.* B.58-4-1; etc. — BERKELEY. *University of California.*—CAMBRIDGE, Mass. *Harvard University.*—CHICAGO. *Newberry Library.*

2339

——. [s. l.-s. i.]. [s. a.]. 2 hs. + 131 págs. + 2 hs. 20,5 cm.

De 1640.

BARCELONA. *Central.* F. Bon. 75.

2340

NOTICIA universal de Cataluña. Lisboa. Antonio Aluarez. [1641]. 1 h. + 169 págs. + 1 h. 19,5 cm.

BARCELONA. *Central.* F. Bon. 77.—MADRID. *Nacional.* R-20.031.—NUEVA YORK. *Hispanic Society.*

2341

NOTICIA universal de Cataluña. [s. l.-s. i.]. 1641. 4 hs. 21 cm.

MADRID. *Nacional.* V-170-60.

2342

AVISOS del Castellano Fingido, al insigne Principado de Cataluña. En 26 de Febrero del Año 1640. Bercelona *(sic).* Gabriel Nogues. 1641. 8 hs. 21 centímetros.

BARCELONA. *Central.* F. Bon. 69. *Universitaria.*—MADRID. *Nacional.* V-170-51.

2343

CATALVÑA en Francia, Castilla sin Catalvña, y Francia contra Castilla, Panegyrico glorioso al Christianissimo Monarca Lvis XIII el Ivsto. Barcelona. Lorenço Deu. 1641. 16 hs. + 426 págs. + 23 hs. 20 cm.

—Censura de Fr. Francisco Reguer de Soldeuila.—Censura de Fr. Vincente Merla. L. V.—Ded. a Luis XIII.—Ded. al Cardenal Iuan Armand Duque de Richelieu.—Al Lector.—Relación y Censura del P. Honorato Rio y Tort.—Relación y Censura de Fr. Ioseph de Iesus Maria.—Decreto Real.—El Autor.—Catalogo de los Autores que en esta Obra se citan.—Tabla de los capitulos.—Texto.—Protesta.—Elenco de los lugares de la Sagrada Escritura que en esta obra se declaran.—Indice copioso de las materias.

Salvá, II, n.º 3.030; Vindel, V, n.º 1.621.

BARCELONA. *Universitaria.*—MADRID. *Academia de la Historia.* 5-5-8-2547. *Nacional.* 2-66.752. MONTPELLIER. *Municipale.* 9700.

2344

DELIRIOS de la Passion en la Muerte de la Embidia. Barcelona. Lorenço Deu. 1641. 4 hs. + 80 págs. 19,5 cm.

—Ded. a los Conselleres y Sabio Consejo de Ciento de la Ciudad de Barcelona.—De Dimas Pobla, a Francisco Martí. Carta y redondillas. [«Martín dió la capa a Dios...»].—Respuesta a Dimas Pobla. Carta y redondillas. [«Martín dió la capa: y vos...»].—L.—Texto.—E.

BARCELONA. *Central.* F. Bon. 10.801.—MADRID. *Nacional.* V.E.-35-83.—MONTPELLIER. *Municipale.* 12207.

2345

DEFENSA de la Avctoridad Real en las personas ecclesiasticas del Principado de Catalvña... Barcelona. P. J. Dexen. 1646. 6 hs. + 180 págs. + 2 hojas. 20 cm.

BARCELONA. *Central.* F. Bon. 6.208.

2346

MANIFIESTO de la Fidelidad Catalana, Integridad Francesa, y Perversidad Enemiga. De la ivsta conservacion de Cataluña en Francia. Pvrgatorio de los engaños que la offenden en el tratado de la Paz general en Munster... [s. l.-s. i.]. 1646. 4 hs. + 106 págs. + 1 h. 19 cm.

Peeters-Fontainas, II, n.º 769 bis. (De Amberes. Oficina Plantiniana?).

BARCELONA. *Central.* F. Bon. 147.—MADRID. *Academia de la Historia.* 3-9-3-3.989.

2347

TEMAS de la Locvra, o embvstes de la Malicia. Impvgnados por la verdad avthenticada, que, en Apologeticos Assumptos, consagra a los mvy illvstres señores Conselleres, y sabio Concejo de Ciento de la Ciudad de Barcelona, ...——... Añadese a la fin vna Proclamacion. París. Iulian Iacquin. 1648. 4 hs. + 147 págs. 35 cm.

—Portadilla con el título: *Respuesta irridica y verdadera... a la alegacion contraria, publicada en la civdad de Barcelona año 1647.*—Port.—Inyzio de esta obra, por Fr. Francisco de S. Agustin.—L. del Lugartiniente *(sic)* Ciuil de S. M. en Paris. Ded. a los Conselleres y Concejo de Ciento de Barcelona. (París, 15 de marzo de 1648).—A quien no leere *(sic).*—Texto.—E. Tabla.

Es respuesta a Cistoller.

BARCELONA. *Central.* F. Bon. 516. — MADRID. *Academia de la Historia.* 3-3-1-2.152. *Nacional.* 7-11.820. *Palacio Real.* VI-3.515.—ROMA. *Vaticana.* Stamp. Barb. FF.VI.57.

OBRAS LATINAS

2348

PRAESIDIUM inexpvgnabile principatvs Cataloniae. Pro Ivre Eligendi Christianissimvm Monarcham... Barcelona. Sebastián de Cormellas. 1644. 10 hs. + 1 lám. + 184 págs. + 18 hs. 29,5 cm.

Con un retrato de Luis XIII de Francia.

BARCELONA. *Central.* F. Bon. 5.160; etc. *Universitaria.* B.64-1-18/9-12.—CAMBRIDGE, Mass. *Harvard University.*—CHICAGO. *Newberry Library.*—LISBOA. *Academia das Ciências.* E. 23/19. — ROMA. *Vaticana.* Stamp. Barb. S. II.42.

ESTUDIOS

2349

CISTELLER, DIEGO. *Alegacion en Derecho contra el D. Francisco Martí y Viladamor, Abogado Fiscal que fve de la Baylía General de Cataluña. Y en Ivstificacion de los procedimientos hechos por el... Lugarti-*

niente de Bayle General, y su Consistorio... Barcelona. Viuda Deú. 1647. 9 hs. + 129 págs. + 2 hs. 20,4 centímetros.

BARCELONA. *Central.* F. Bon. 687; etc.

2350

SANCHEZ ALONSO, BENITO. *Francisco Martí y Viladomar.* (En *Historia de la Historiografía española.* Tomo II. Madrid. 1944, págs. 368-369).

MADRID. *Consejo.* Patronato «Menéndez Pelayo». E-1.082.

2351

REP: N. Antonio, I, pág. 444.

MARTIN

EDICIONES

2352

Martini. *De la Carzel del mundo en coplas.*

«Obra quise comenzar...».

Abecedarium de la Colombina, n.º 1.222.

MARTIN (FR. ANDRES)

Franciscano. Colegial del Mayor de San Pedro y San Pablo. Lector de Teología en el convento de Santa María de Jesús de Alcalá.

EDICIONES

2353

ORACION panegyrica en las exequias funerales que celebró el conuento de S. Diego de Alcalá... al Señor D. Fr. Iuan Merinero, Obispo de Valladolid. Alcalá. Angélico Doctor. 1663. 4 hs. + 24 págs. 20 cm.

Herrero Salgado, n.º 519.

BARCELONA. *Universitaria.*—NUEVA YORK. *Hispanic Society.*—SEVILLA. *Universitaria.* 112-123 (1).

2354

AFECTO Panegyrico, Filial Obsequio, monumento plausible del Religioso

Principe guerreador Sagrado Gover-
nador eminente D. Fr. Francisco Xi-
menez de Cisneros... Alcalá. Imprenta de la Universidad. 1665. 4 hs. +
24 págs. 20 cm.

—Ded. a Fr. Gabriel de Guillestegui, Obis-
po del Paraguay.—Censura de Fr. Martin
Ybañez de Villanueva.—Censura de Fr.
Ivan Sendín.—L. V.—Texto.

Fernández, n.º 368; Herrero Salgado, número 550.

MADRID. *Nacional.* V.E.-153-19.—ORIHUELA. *Pú-*
blica. 92-4-18. — SEVILLA. *Universitaria.* 111-
58 (9); 111-39 (10).

2355

ORACION panegyrica en las honras
de la Sra. Inés de Castro, Condesa
de Chinchón... Alcalá. María Fernández. 1667. 6 hs. + 20 págs.

Herrero Salgado, n.º 587.

BARCELONA. *Universitaria.*

2356

LLANTO de la amistad, y fraternal
sentimiento Pronvnciado en el entie-
rro del P. Fr. Domingo la Fuente,
Religioso de N. P. S. Francisco... Ce-
lebrado en el Convento de Santa Ma-
ria de Iesvs con assistencia de la
Universidad Religiones, y Colegios...
Alcalá. Imprenta de la Universidad.
[s. a.]. 8 hs. + 22 págs. 19 cm.

—Ded. a Fr. Antonio de Ribera, Lector ju-
bilado, etc.—Censura de Fr. Bernardo
Reyno, y Fr. Alonso Lopez Magdaleno.—
L. O. (1668).—Censura de Fr. Ioseph de
Villanveva.—L. V.—Texto.

Herrero Salgado, n.º 608.

CORDOBA. *Pública.* 35-56.—MADRID. *Academia*
de la Historia. 9-17-4-3.547. *Nacional.* V.E.-
119-59; R-23.967.

2357

DECLAMACION Complvtense, ora-
cion consolatoria. Por la esperanza
de la vltima sentencia en la causa
de la canonizacion del gran siervo
de Dios nuestro Eminentissimo Se-
ñor D. Fr. Francisco Ximenez de Cis-

neros del Orden de los Menores...
Dixola en el Colegio Mayor, Univer-
sidad Complutense... ——... [s. l.-
s. i]i. 1672. 5 hs. + 30 págs. 20 cm.

—Escudo (grab.).—Ded. al Principal y Mayor Colegio de S. Ildefonso, Universidad
de Alcalá.—Apr. de Francisco Campuzano.—L. V.—Texto.

MADRID. *Academia de la Historia.* 9-3.547/
11.—MONTPELLIER. *Municipale.* V.9698, n.º 8.—
ORIHUELA. *Pública.* XXI-5-8.—TERUEL. *Casa de*
la Cultura.

2358

GRITOS del dolor. Sentidos, por la
mverte de N. M. R. P. Fr. Christobal
Delgadillo... Pronvnciados en las
honras, que celebro el Convento de
Santa Maria de Iesus de Alcalá... Alcalá. Imp. de la Universidad. [s. a.,
1671]. 8 hs. + 32 págs. 8.º

J. Catalina García, *Tip. complutense,* número 1.177; Herrero Salgado, n.º 678.

MADRID. *Nacional.* V.E.-82-15.

2359

MARAVILLA Seraphica, Santa Rosa
de Viterbo, celebrada en la extension
del Culto para las tres Ordenes de
N. P. S. Francisco, en el Convento de
Sta. Maria de Jesus de la Universi-
dad de Alcalá. Alcalá. Nicolás de Xa-
mares. 1674. 40 págs. 20 cm.

Herrero Salgado, núms. 698 y 710.

SANTIAGO DE COMPOSTELA. *Universitaria.*

2360

METAFORA panegírica, aclamación
victoriosa de los elogios del Serafín
humano, nuestro Padre San Fran-
cisco. Predicava el P. ——. Valladolid. José de Rueda. 1675. 4 hs. +
23 fols. 20 cm.

Herrero Salgado, n.º 721.

Poesías sueltas

2361

[POESIAS]. (En Porres, Francisco
Ignacio de. *Justa poética zelebrada*

por la Universidad de Alcalá... Alcalá. 1658).

1. *Glosa.* (Pág. 197).
2. *Redondillas.* (Págs. 394-95).
3. *Jeroglíficos.* (Págs. 418-19).

MADRID. *Nacional.* R-5764.

Aprobaciones

2362

[*CENSURA. Alcalá, 15 de febrero de 1667*]. (En González de San Pablo, Andres. *Oración funebre en las honras del Rmo. P. M. Fray Miguel de las Heras...* Madrid. 1667. Prels.).

SEVILLA. *Universitaria.* 113-44.

2363

[*CENSURA. Alcalá, 6 de abril de 1669*]. (En López Magdaleno, Fr. Alonso. *Elogios honoríficos, y sublimes privilegios de la cabeza del serafico Doctor de la Iglesia S. Buenaventura...* Alcalá. 1669. Prels.).

MADRID. *Nacional.* V.E.-71-24.

2364

[*CENSURA. Alcalá, 8 de agosto de 1674*]. (En Díaz, Francisco. *Oración panegyrica, afectuosa memoria...* Alcalá. 1674. Prels.).

MADRID. *Nacional.* 2-62.292.

2365

[*CENSURA. Madrid, 20 de octubre de 1678*]. (En Lorea, Antonio de. *El bienaventurado Toribio Alfonso Mogrovejo...* Madrid. 1679. Prels.).

MADRID. *Facultad de Filología.*

MARTIN (P. ANTON)

EDICIONES

2366

[*A María Santissima. Romance*]. (En Santos, Francisco. *Cárdeno lirio...* Madrid. 1690. Prels.).

MADRID. *Nacional.* 3-26.534.

MARTIN (ANTONIO)
Bachiller.

EDICIONES

2367

TRACTADO de Arithmetica y Geometria muy vtil para todas las quentas y la mesura de tierras... Con un diálogo disputatorio compuesto por el mismo. Alcalá. Juan de Brocar. 1544. 94 fols. 4.º

Con un soneto de Tomás Guzmán.
Picatoste, n.º 450.

MARTIN (DIEGO)

EDICIONES

2368

[*SONETO*]. (En Herrera, Fernando de. *Versos.* Sevilla. 1619, págs. 142-143).

V. *BLH,* XI, n.º 4249 (138).

MARTIN (FR. DIONISIO)

EDICIONES

2369

[*APROBACION. Segorbe, 19 de Noviembre de 1613*]. (En Salcedo de Loayza, Domingo. *Breve y sumaria relación de la vida, muerte y milagros de... Fr. H. Simón.* Segorbe. 1614. Prels.).

MADRID. *Nacional.* 3-24.515.

MARTIN (ESTEBAN)
Vecino de Castromocho.

EDICIONES

2370

AQUI comiença el Auto, como San Juan fue concebido: y como nra. Señora fue a visitar a santa Isabel: y el Nacimiento de San Juan... [s. l.-s. i.]. [s. a.]. 8 hs. 19 cm. gót.

1. *Auto*. [«—Dios mantenga...»].
2. *Romance de San Juan Batista*. [«El santo san Juan Batista...»].
3. *Canción. Se canta al tono de aquella que dize: En el valle Ines*. [«En Belen Ines...»].
4. *Otra al tono de aquella que dize:* [«Ven Silvio, si quieres ver...»].
5. *Otra Cancion al tono que dize: De Pascuala soy amado*. [«De Maria estoy pasmado...»].
6. *Otra al tono de: Zagala mal me agradays*. [«Zagala mas me agradays...»].
7. *Cancion*. [«De donde vienes Pedruelo...»].
8. *Cancion*. [«Quien nunca vio Pastorcica...»].
9. *Cancion*. [«Muy bien os esta el sayal...»].
10. *Villancico*. [«No vine yo pecadores...»].
11. *Otra Cancion de la Madalena al tono de: Vuestros cabellos Leonor*. [«Estos cabellos Señor...»].
12. *Glosa que dize: De mil an/...a rodeado, apucada a ia passion de nuestro Señor Jesu Christo*. [«Estando Cristo enclavado...»].

Rodríguez-Moñino, *Diccionario*, n.º 342.

MADRID. *Nacional*. R-13.715 (ex libris de Gayangos).

— — —

Reprod. facsímil en *Autos*, I, n.º VII.

2371

[*AUTO. Cómo San Juan fue concebido (1528). Publicado con notas por J. E. Gillet*]. (En *Romanic Review*, XVII, Nueva York, 1926, págs. 41-64).

ESTUDIOS

2372

REP: La Barrera, pág. 237.

MARTIN (FR. FRANCISCO)

Vicario del convento de Santa Clara de Salamanca.

EDICIONES

2373

[*APROBACION. Salamanca, 16 de diciembre de 1674*]. (En Bohón y Arxona, Francisco. *Hora seráfica...* Salamanca. 1675. Prels.).

MADRID. *Nacional*. 2-49.717.

MARTIN (GASPAR)

N. en Daroca.

EDICIONES

2374

[*SONETO*]. (En Marcuello, Francisco. *Primera Parte de la Historia Natural y Moral de las Aves*. Zaragoza. 1617. Prels.).

MADRID. *Nacional*. R-15.598.

ESTUDIOS

2375

ANDRES DE UZTARROZ, JUAN FRANCISCO. [*Elogio*]. (En su *Aganipe de los cisnes aragoneses*. Zaragoza. 1890, pág. 96).

V. *BLH*, V, n.º 4965.

MARTIN (JUAN)

EDICIONES

2376

Martini Joanis. *Coplas sobre el saco de Genoua*.

«El inefable dolor...».

Abecedarium de la Colombina, n.º 14.795.

MARTIN (JUAN)

Doctor.

EDICIONES

2377

[*ROMANCE burlesco*]. (En Paracuellos Cabeza de Vaca, Luis. *Elogios a Maria Santissima...* Granada. 1651, fols. 274v-276v).

MADRID. *Nacional*. 3-27.884.

MARTIN (JUAN)

CODICES

2378

«*Elementos geometricos de Euclides... demostrados en Barcelona el año 1690*».

Año 1690. 112 fols. 215 × 155 mm.

Miquel, I, pág. 412.

BARCELONA. *Universitaria*. Mss. 321.

MARTIN (LUIS)

V. MARTIN DE LA PLAZA (LUIS)

MARTIN (MIGUEL)

EDICIONES

2379

[*DEZIMAS*]. (En Ferriol y Caycedo, Alonso de. *Libro de las fiestas... en honor de la immaculada Concepción...* Granada. 1616, fols. 41r-42v).

MADRID. *Nacional*. R-4.019.

MARTIN (FR. NICOLAS)

EDICIONES

2380

[*GEROGLIFICO*]. (En Briz Martínez, Juan. *Relación de las exequias que... Çaragoça a celebrado por el Rey Don Philipe...* Zaragoza. 1599, págs. 260-261).

MADRID. *Nacional*. R-4.520.

MARTIN (FR. PEDRO)

Dominico.

EDICIONES

2381

[*APROBACION. Córdoba, 6 de noviembre de 1599*]. (En Cabrera, Alonso. *Libro de consideraciones...* Barcelona. 1602. Prels.).

V. *BLH*, VII, n.º 125.

MARTIN (FR. PEDRO)

Aragonés. Mercedario.

EDICIONES

2382

CERTAMEN poético a las fiestas de la translación de la reliqvia de San Ramon Nonat. Recopilado por... ——... Zaragoza. 1618.

V. *BLH*, VII, n.º 7.881.

ESTUDIOS

2383

REP: Latassa, 2.ª ed., II, pág. 253.

MARTIN (FR. PEDRO MARTIN)

N. en Begis. Dominico desde 1584. Presentado. M. en 1633.

EDICIONES

2384

TRADUCCION de la Regla de S. Agustín, y Constituciones de N. P. Santo Domingo, que professan las Religiosas. Con adición de un Tratado de los tres Votos. Valencia. Chrisostomo Garriz. 1626. 8.º

Ximeno.

2385

[*POESIAS*]. (En Gómez, Vicente. *Fiestas a la canonizacion de San Raymundo.* Valencia. 1602, págs. 214-216, 250-53, 322-25).

ESTUDIOS

2386

REP: Ximeno, I, pág. 323; Martí Grajales, págs. 296-97 (con documentos).

MARTIN (RODRIGO)

Doctor. Magistral de la Metropolitana de Granada.

EDICIONES

2387

ORACION en las exequias que el Real Acuerdo de Granada hizo a su

Presidente el Señor D. Lucas Trelles Coaña y Villamil... en el Real Convento de N. Señora de Gracia de Padres Trinitarios Descalços... el dia dos de Março de 1700. Granada. Imp. de la Santísima Trinidad. 1700. 6 hs. + 27 págs.

Cuartero-Vargas Zúñiga, XX, n.º 33.286.

MADRID. *Academia de la Historia.* 9-441 (folios 184-204).

MARTIN (TORIBIO)
[seud.]

Sacristán menor del Algava.

V. FERNANDEZ DE RIBERA
(RODRIGO)

MARTIN DE BARRIO (JUAN)
Licenciado.

EDICIONES

2388

[*SONETO*]. (En Grande de Tena, Pedro. *Lágrimas panegíricas a la temprana muerte del... Dr. Juan Pérez de Montalbán.* Madrid. 1693, folio 160r).

MADRID. *Nacional.* 2-44.053.

MARTIN DE BRAONES (ALONSO)

V. BRAONES (ALONSO
MARTIN DE)

[*BLH*, VI, núms. 5279-89]

MARTIN DE BUENACASA
(FR. PEDRO)

V. BUENA CASA (FR. PEDRO
MARTIR)

[*BLH*, VI, núms. 5546-54]

MARTIN DE CAMUÑAS (FR. JUAN)
Carmelita calzado.

EDICIONES

2389

[*APROBACION. Toledo, 6 de agosto de 1692*]. (En Cristóbal de los Santos, Fray. *Tesoro del Cielo...* Madrid. 1695. Prels.).

MADRID. *Nacional.* 3-15.300.

MARTIN CARMONA (ANDRES)
Bachiller.

EDICIONES

2390

MARINA la porquera. (En DOZE *comedias nuevas de Lope de Vega Carpio, y otros autores. Segunda parte.* Barcelona. 1630. 20 fols.).

MADRID. *Nacional.* R-23.136.

MARTIN DE LA CONCEPCION
(FRAY)

Carmelita descalzo.

EDICIONES

2391

[*APROBACION. Madrid, 25 de enero de 1693*]. (En Molina, Carlos de. *Sermones morales. Para las tres principales Ferias de Quaresma...* Granada. 1696. Prels.).

MADRID. *Nacional.* 3-63.289.

MARTIN CORDERO (JUAN)

V. CORDERO (JUAN MARTIN)

MARTIN DE LA CRUZ (FRAY)
Agustino descalzo. Procurador general de la provincia de Aragón.

EDICIONES

2392

ESPAÑA restavrada en Aragon, por el valor de las mvgeres de Iaca, y sangre de Santa Orosia. Zaragoza. Pedro Cabarte. 1627. 8 hs. + 226 páginas + 3 hs. 20,5 cm.

—Apr. de Fr. Andres Ramirez.—L. V.—Apr. de Francisco Mirauete.—L. del Regente.—Apr. de Fr. Geronimo de San Agustín.—Apr. de Fr. Gregorio de Santa Ana y San Ioseph.—L. O.—Ded. a los Sres. Iusticia, Prior y Iurados de la ciudad de Iaca.—Epistola a D.ª Orosia de Latrás y Agullana (con datos genealógicos).—E.—Texto.—Tabla de los Capitulos.

Jiménez Catalán, *Tip. zaragozana del siglo XVII*, n.º 261.

BARCELONA. *Universitaria.*—MADRID. *Academia de la Historia.* 4-1-8-1077. *Nacional.* R-9.088. ZARAGOZA. *Universitaria.* D-24-182.

MARTIN DE LA CRUZ (FRAY)

Franciscano descalzo. Ministro provincial de la de San Pablo. Profesor de Teología.

EDICIONES

2393

[*CALIFICACION. Valladolid, 25 de julio de 1635*]. (En Mateo de la Natividad, Fray. *Catedra de la Cruz...* Valladolid. 1639. Prels.).

MADRID. *Nacional.* 2-57.790.

MARTIN FERNANDEZ (DOMINGO)

Licenciado. Presbítero. Notario apostólico. Beneficiado. Vicario de Mazariegos de Campo.

EDICIONES

2394

[*AL Autor. Silva*]. (En Mendez Silva, Rodrigo. *Vida y hechos heroicos del gran Condestable de Portugal D. Nuño Alvarez Pereyra...* Madrid. 1640. Preliminares).

MADRID. *Nacional.* 2-1.727.

MARTIN FLORES (DOMINGO)

EDICIONES

2395

[*SONETO*]. (En Cayrasco de Figueroa, Bartolomé. *Templo militante...* Lisboa. 1613. Prels.).

MADRID. *Nacional.* R-15.434.

MARTIN GARCIA (MANUEL)

Licenciado.

EDICIONES

2396

[*BREVE apuntamiento por la Vniversidad de Salamanca, para la pretension, qve compite con el Protomedicato de esta Corte. Sobre que los Graduados de Doctor, y Licenciado por la Capilla de Santa Barbara en la Facultad de Medicina, no deben comparecer a examen ante dicho Protomedicato, para exercer la curativa*]. [s. l.-s. i.]. [s. a.]. 14 folios. 28 cm.

Carece de portada.

—Texto. El nombre del autor consta al final.

MADRID. *Nacional.* V.E.-27-4.

MARTIN Y HUALDE (JUAN)

Escribano real de la villa de Uztarroz.

CODICES

2397

«*Relacion de la union y nobleça de la Valle del Roncal y como binieron a tener y el gozamiento de las Bardenas Reales... y el combate que tubieron con los Tudelanos...*».

Año 1630. 137 fols. 210 × 142 mm.

Inventario, VIII, págs. 19-20.

MADRID. *Nacional.* Mss. 2.505.

MARTIN JORDAN (FR. LORENZO)

V. JORDAN (FR. LORENZO MARTIN)

MARTIN IGNACIO DE LOYOLA (FRAY)

N. en Loyola. Franciscano descalzo. Residió en Méjico (1580) de donde pasó a Filipinas y China. Custodio de la provincia de Malaca (1582). Regresó a España y en 1585 volvió a China. Después fue profesor en Segovia y misionero en Tucumán, obispo de Paraguay (1661) y arzobispo de Charcas, donde m.

EDICIONES

2398

[*ITINERARIO del Padre Custodio Fray Martin Ignacio... que paso a la China en compañia de otros religiosos... y de la buelta que dio por la India Oriental y otros Reynos, rodeando el mundo*]. (En González de Mendoza, Juan. *Historia de las cosas más notables del gran Reyno de la China*. Roma. 1585, págs. 341-440).

TRADUCCIONES

a) ITALIANAS

2399

VIAGGIO fatto da Siviglia alla China... Venecia. Andrea Muschio. 1590. 96 págs. 8.º

Toda, *Italia*, III, n.º 3.101.

MARTIN DE JESUS MARIA (FRAY)

Carmelita descalzo. Lector de teología en el convento de Salamanca.

CODICES

2400

«*Apología en defensa de la antigüedad del Monacato*».

50 fols.

MADRID. *Nacional*. Mss. 3.545.

MARTIN LOZANO (PEDRO)

Licenciado. Rector propio y perpetuo de la parroquial de Omnium Sanctorum de Córdoba.

EDICIONES

2401

[*JUICIO. Córdoba, 22 de abril de 1680*]. (En Vaca de Alfaro, Enrique. *Vida y martirio... de Sancta Marina de Aguas Sanctas...* Córdoba. 1680. Prels.).

MADRID. *Nacional*. 3-37.624.

MARTIN DE LA MADRE DE DIOS (FRAY)

Carmelita descalzo.

EDICIONES

2402

PRACTICA y exercicio de bien morir... Zaragoza. Pedro Vergés. 1628.

No citado en la *Tip. zaragozana del siglo XVII*, de Jiménez Catalán.

BARCELONA. *Universitaria*. C.195-9-6.

2403

——. Zaragoza. Diego Dormer. 1650.

BARCELONA. *Universitaria*.

2404

ARBITRIO espiritual para enriquecer el alma. Zaragoza. Hospital General. 1649. 210 págs. 12.º

No citado en la *Tip. zaragozana del siglo XVII*, de Jiménez Catalán.

2405

——. Madrid. Ortega. 1764. 16 hs. + 190 págs. + 1 h.

MADRID. *Academia de la Historia*. 3-8-5-8.999. *Nacional*. 3-62.269.

2406

ARBITRIO espiritual. Introducción, edición y revisión del texto por José María de la Cruz. (En *El Monte Carmelo*, LXII, Burgos, 1954, págs. 98-112, 205-19).

2407

ESTACIONES del hermitaño de Christo. Zaragoza. Diego Dormer. 1651. 10 hs. + 522 págs. + 7 hs. 20 centímetros.

—L. O.—Apr. de Fr. Francisco de San Iulian.—L. Reg.—Censura de Fr. Pablo Pedro.—L. V.—Ded. a los religiosos carmelitas descalços, hermitaños del santo desierto de Monte Cardon.—Carta del autor a Fr. Geronimo de la Concepcion, General de los Descalços de Ntra. Sra. del Carmen.—Carta de Fr. Iuan Ciuera, Monje Cartuxo, al Autor.—E.—Texto.—Memorial de lo mas notable que se contiene en estas Estaciones.—Memoria breve de los puntos mas importantes que ha de ponderar el Hermitaño en casa un día de la semana.

MADRID. *Nacional.* 3-75.961.—SEVILLA. *Universitaria.* 106-71; 129-47.

2408

TRES (Las) Assistentes de Jesvs. Zaragoza. Juan de Ibar. A costa de Martin Navarro. 1654. 16 hs. + 274 páginas. 14,5 cm.

—Censura de Fr. Pablo Pedro.—Razon de lo que contiene este Libro.—L. O.—Carta.—Ded. a los Padres y Hermanos, Moradores en los Desiertos de los Descalços de nuestra Señora del Carmen de España, y fuera de ella.—Tabla de lo que contiene este Libor.—E.—Texto.

No citado en la *Tip. zaragozana del siglo XVII,* de Jiménez Catalán.

MADRID. *Academia de la Historia.* 3-7-6-7665. VALENCIA. *Municipal.* 2258.

2409

ARPA Christifera. Templada a la veneracion de la Imagen de Christo nuestro Señor crucificado: destroça-da por los Hereges, y restaurada por Don Pablo Francisco Frances de Urrutigoyti... Zaragoza. Diego Dormer. 1655. 20 hs. + 392 págs. + 10 (?) hojas. 20 cm.

—L. O.—Censura de Fr. Valero Monçon.—L. V.—Carta ded. a los hermanos de D. Pablo Francisco Frances.—Hymno de Fr. Geronimo de San Jose (alias) Ezquerra.

[«Segunda vez (Dios mío)...»].—Razon de lo que contiene el Arpa Christifera.—Tabla de los capitulos, conceptos y consideraciones espirituales.— E.— Texto.—Tabla de lo mas electo y notable que ay en este libro.

Jiménez Catalán, *Tip. zaragozana del siglo XVII,* n.º 630.

MADRID. *Academia de la Historia.* 2-4-8-1.923. *Nacional.* 3-65.294.—TERUEL. *Casa de la Cultura.*—ZARAGOZA. *Universitaria.* D-21-188.

Poesías sueltas

2410

[LIRAS]. (En Díez de Aux, Luis. *Retrato de las fiestas que a la beatificación de... Santa Teresa de Iesus... hizo... Zaragoça...* Zaragoza. 1615. páginas 46 y 72).

MADRID. *Nacional.* R-457.

OBRAS LATINAS

2411

GIMMASIUM philosophiae christianae, hoc est: Praxit seu exercitium bene moriendi... Accedit hac editione Praxis altera ac bene moriendum Ven. P. Joannis a Jesu Maria. [Viena]. G. Gelbhaar. 1640. 412 págs. 24.º

PARIS. *Nationale.* D.88614.

— — —

—Colonia Agrippina. Apud J. Kalckhoven. 1641. 383 págs. 12.º

PARIS. *Nationale.* D.88280.

MARTIN MALDONADO (FR. JUAN)

N. en Lima. Agustino desde 1625. Doctor en Teología. Definidor general y Procurador de su provincia en Roma por 1650. Regresó a Lima, donde presidió un Capítulo general en 1661.

EDICIONES

2412

BREUE svmma (si se puede dar en lo grande) de la Provincia del Perv del Orden de los Ermitaños de San

Avgvstin Nuestro Padre y de los insignes y memorables Conventos, Hijos, y sugetos, que tiene en el estado, y siglo presente... Roma. Francisco Moneta. 1651. 51 págs. 4.º

Medina, *Biblioteca hispano-americana*, III, n.º 1.158.

ESTUDIOS
2413
REP: Santiago Vela, V, págs. 251-52.

MARTIN MERINERO (JUAN)

EDICIONES
2414
[*DEDICATORIA a D. Francisco de Herrera Enríquez..., Cavallero de Alcántara, etc.*]. (En PARTE *veinte y dos de Comedias nuevas...* Madrid. 1665. Preliminares).

MADRID. *Nacional.* R-22.675.

2415
[*DEDICATORIA a D.ª Isabel Correas Ximénez..., Señora de la Casa del Valle de Mena, etc.*]. (En PARTE *veinte y seis de Comedias nuevas, escogidas de los mejores ingenios de España.* Madrid. A costa de ——. 1666. Preliminares).

MADRID. *Nacional.* R-22.679.

2416
[*DEDICATORIA a D. Pedro Calderón de la Barca*]. (En OCIOSIDAD *entretenida, en varios entremeses, bayles, loas, y jacaras. Escogidos de los mejores Ingenios de España.* Madrid. 1668. Prels.).

MADRID. *Nacional.* R-18.573.

2417
[*DEDICATORIA al Dr. D. Iuan Gonzalez de Zaragoza, Cura y Beneficiado de la Villa de Gauia, etc.*]. (En PARTE *treinta y tres de Comedias*

nuevas... de los mejores ingenios de España. Madrid. A costa de ——. 1670. Prels.).

MADRID. *Nacional.* R-22.686.

2418
[*DEDICATORIA a D.ª Isabel Correas..., Señora de la Casa del Valle de Mena, etc.*]. (En PARTE *treinta y seis. Comedias escritas por los mejores ingenios de España.* Madrid. A costa de ——. 1671. Prels.).

MADRID. *Nacional.* R-22.689.

2419
[*DEDICATORIA a D. Fernando de Soto y Vaca, Cavallero y Procurador General de la Orden de Alcántara, etc.*]. (En PARTE *quarenta y dos de Comedias nuevas...* Madrid. A costa de ——. 1676. Prels.).

MADRID. *Nacional.* R-22.695.

2420
[*DEDICATORIA a D. Gaspar Marquez de Prado, Cauallero de Calatrava, etc.*]. (En PARTE *quarenta y quatro de Comedias nuevas...* Madrid. A costa de ——. 1678. Prels.).

MADRID. *Nacional.* R-22.697.

MARTIN DE MORA (FR. PEDRO)
Dominico. Maestro Presentado. Calificador de la Inquisición. Prior del Convento de Santo Domingo de Bonaval.

EDICIONES
2421
[*APROBACION. Santiago, 6 de julio de 1689*]. (En Zuñiga y Villamarín, Eliseo de. *Oracion funebre que predico... el día veinte y ocho de Mayo en... las Reales Exequias de la Reyna Maria Luisa de Borbón...* s. l.-s. a. Preliminares).

MADRID. *Nacional.* V.E.-114-40.

MARTIN PINEDA (ANDRES)

EDICIONES

2422

[*SONETO al zoylo y detractor*]. (En Sanpedro, Jerónimo. *Libro de Cauallería Celestial del Pie de la Rosa Fragante*. Amberes. 1554, fol. 5r).

MADRID. *Nacional*. R-3.756.

MARTIN DE LA PLAZA (LUIS)

N. y m. en Antequera (1577-1625).
Licenciado.

CODICES

2423

«*Quintillas a una persona muy flaca...*».

Letra del s. XVII. 210 × 150 mm. Es un Cancionero.

«Pluma menester aveis...».

Inventario, VI, pág. 143.

MADRID. *Nacional*. Mss. 2.244 (fols. 22-23).

2424

[*Traducciones de Horacio*].

Letra del s. XIX.

MADRID. *Nacional*. Mss. 3.715/16.

2425

[——].

Letra del s. XIX.

Inventario, X, pág. 170.

MADRID. *Nacional*. Mss. 3.745.

2426

[*Traducciones de Horacio*].

Letra del s. XVIII.

1. *Oda VII. Lib. 2.* [«Passó el elado y perezoso ibierno...»]. (Fols. 196r-198v).
2. *Oda X. Lib. 3.* [«O Lice, aunque bevieras...»]. (Fols. 236r-237r).

MADRID. *Nacional*. Mss. 17.526 (ex libris de Gayangos).

2427

[*Poesía*].

«Goza tu primauera Lesbia mía...». Como anónimo.

MADRID. *Nacional*. Mss. 20.355 (fol. 81v).

EDICIONES

Poesías sueltas

2428

[*POESIAS*]. (En PRIMERA *parte de las Flores de poetas ilustres de España... Ordenada por Pedro Espinosa*. Valladolid. 1605).

V. *B.L.H.*, IV, 2.ª ed., n.º 93 (4, 25, 28, 31, 33, 49, 52, 98, 106, 118, 138, 149, 152, 156, 177, 181, 191-92, 195, 197-98, 201, 204, 207, 210, 213-14).

MADRID. *Nacional*. R-2.757.

2429

[*SONETO*]. (En Reyes, Gaspar de los. *Tesoro de concetos divinos...* Sevilla. 1613. Prels.).

MADRID. *Nacional*. R-11.542.

2430

[*CANCION*]. (En Diego de San José, Fray. *Compendio de las solenes fiestas... en la Beatificación de N. B. M. Teresa de Iesus...* Madrid. 1615. 2.ª parte, fols. 195v-196v).

MADRID. *Nacional*. R-461.

2431

[*POESIAS*]. (En Paez de Valenzuela, Juan. *Relación breve de las fiestas que en... Cordoba se celebraron a la beatificacion de... santa Theresa de Iesus*. Córdoba. 1615).

1. *Canción*. (Fols. 7r-8r).
2. *Glossa en soneto*. (Fols. 17v-18r).

MADRID. *Nacional*. 3-39.118.

2432

[*DECIMA*]. (En Guerren de Espinar, Juan. *Información de concordias y discursos... en fauor del misterio de la limpia Concepcion de la... Virgen María...* Madrid. 1620. Preliminares).

V. *BLH*, XI, n.º 2885.

2433

[*POESIAS*]. (En SEGUNDA *parte de las Flores de poetas ilustres de Es-*

paña. Ordenada por Juan Antonio Calderón... Sevilla. 1896).

V. *B.L.H.,* IV, 2.ª ed., n.º 107 (57-92, 203-10).
MADRID. *Nacional.* 2-35.873.

2434
[*POESIAS*]. (En CANCIONERO *Antequerano. Recogido por los años de 1627 y 1628...* Madrid. 1950).

V. *B.L.H.,* IV, 2.ª ed., n.º 16 (17-33, 74-101, 221-24, 264-73).

ESTUDIOS
2435
MARASSO ROCCA, A. *Luis Martín de la Plaza. Apuntes para un estudio.* (En *Humanidades,* I, La Plata, 1921, págs. 247-86).

2436
RODRIGUEZ MARIN, FRANCISCO. [*Documentos sobre Luis Martín de la Plaza*]. (En *Nuevos datos para las biografías de algunos escritores...* Madrid. 1923, págs. 425-43).

MADRID. *Nacional.* 2-71.703.

2437
JÖRDER, OTTO. *Luis Martín de la Plaza pro und contra Lope de Vega. Eine harmlos-hintergründige Sonettenrache.* (En *Zeitschrift für romanische Philologie,* LXX, Tübinga, 1954, págs. 98-103).

2438
REP: N. Antonio, II, pág. 49; R. M. de Hornedo, en DHEE, III, pág. 1431.

MARTIN POBEDA (TOMAS)
Teniente General de la Caballería. Gobernador y Capitán general del Reino de Chile.

EDICIONES
2439
[*MEMORIAL*]. [s. l.-s. i.]. [s. a.]. 6 fols.

Carece de portada.

—Texto. Sobre los daños que se siguen del remitir en ropa y por mar desde Lima la paga de los soldados del reino de Chile.
MADRID. *Nacional.* V.E.-69-50.

MARTIN DEL PRADO (FR. JUAN)
N. en Zaragoza. Dominico desde 1590. Prior del convento de Alcañiz. M. en 1636.

EDICIONES
2440
TRATADO de espirituales documentos para visitar enfermos. Zaragoza. Vergés. 1627.

GRANADA. *Universitaria.* A-16-341. — SEVILLA. *Universitaria.* 48-10.

ESTUDIOS
2441
REP: Latassa, 2.ª ed., II, pág. 252.

MARTIN DE LA PUENTE (ESTEBAN)
EDICIONES
2442
CASAMIENTO (El) gracioso del famoso Codillo con la hermosa Chacona. Con vna loa muy curiosa. Y vn Romance nueuo y muy sentido. [Barcelona. Sebastián de Cormellas]. [1608]. 2 hs. a 2 cols. con un grab. 20 cm.

Carece de portada.
1. [«Publiquense ya las fiestas...»].
2. *Loa.* [«Sale una famosa armada...»].
3. *Letra.* [«La tragedia lastimosa...»].
Gallardo, III, n.º 3.528.

MADRID. *Nacional.* R-12.571 (ex libris de Gayangos).

MARTIN REDONDO (SANTIAGO)
EDICIONES
2443
[*DEDICATORIAS*]. (En Gracián, Baltasar. *Obras.* Madrid. 1664-74. 2 vols).

Tomo I: A. D. García de Velasco, Vicario de la villa de Madrid y su partido. (Prels.).
Tomo II: A Fr. Miguel de Aguirre, catedrático de la Universidad de Lima.
V. *BLH*, XI, n.º 1643.

2444

[*DEDICATORIA a Fr. Francisco de San Antonio, General de la Sagrada Religion de San Iuan de Dios*]. (En Avisos *para la Muerte...* 7.ª edición. Madrid. 1672. Prels.).

MADRID. *Nacional.* R-3.264.

2445

[*DEDICATORIA a Fr. Ioseph Lopez de la Madera*]. (En Calvo, Juan. *Primera y segunda parte de la Cirugía universal y particular del cuerpo humano...* Madrid. s. a. Prels.).

V. *BLH*, VII, n.º 3.509.

MARTIN DE LA RESURRECCION (FRAY)

Trinitario descalzo. Lector de Teología en Alcalá. Ministro de los conventos de Baeza, Alcazar y de Gracia de Granada.

EDICIONES

2446

SERMON panegírico al apostólico predicador de la Evropa toda S. Vicente Ferrer... Valencia. Iuan Lorenço Cabrera. 1668. 4 hs. + 22 págs.

—Virgen de los Desamparados (grab.).— Ded. a la Virgen de los Desamparados, Patrona de Valencia, por Ioseph Lorenço de Saboya.—Censura de Juan Bautista Ballester. — Al que leyere. — L. — Texto.

BARCELONA. *Universitaria.* B.54-4-1. — MADRID. *Nacional.* V.E.-79-26.

2447

SERMON Panegyrico al Regalado Discipulo de Christo y Evangelista San Ivan en el Martyrio de la Tina, con el Santissimo Sacramento Des- cubierto. Valencia. Juan Lorenço Cabrera. 1668. 20 hs. 19 cm.

—Soneto ded. a S. Juan. [«Al Aguila, caudal de virtud rara...»].—Decima laudatoria al Autor de un devoto. [«Martin, como otro Martin...»].—Apr. de Gaspar de Tahuenga...—Texto.

MADRID. *Nacional.* V.E.-147-23.

2448

COMPETENCIA en la Alabanza del Cordobes Laureado. Sermón Panegyrico al Invicto español, esforzado Andaluz, esclarecido Cordoves y glorioso Martyr S. Lorenzo. Predicado en la solemnissima Celebridad, que con fiesta del Santissimo Sacramento le consagró su Iglesia parrochial de la Ciudad de Cordova con asistencia de la misma Nobilissima Ciudad. Año de 1672. Granada. Francisco Ochoa. 1677. 21 hs. 19 cm.

—Ded. a Francisco Manuel de Laudo.—Apr. de Fr. Juan Baptista de la Expectación. L. O.—Apr. de Ioseph Vazquez.—L. V.

GRANADA. *Universitaria.* A-31-209 (20).—MADRID. *Nacional.* V.E.-147-25.

MARTIN DE SAN JOSE (FRAY)

N. en Plasencia. Franciscano descalzo. Lector de Teología moral. Custodio de la provincia de San Pablo de Castilla la Vieja. Comisario Visitador de la de San Juan Bautista de Valencia. M. en 1649.

EDICIONES

2449

CEREMONIAL de la Misa en el qual se ponen todas las Rubricas generales y algunas particulares del Missal Romano, que dibulgo Pio V y mando reconocer Clemente VIII con advertencias y resoluciones de muchas dudas que se pueden ofrecer... Valladolid. Viuda de Francisco de Cordoua. 1623. 6 hs. + 86 fols. + 6 hs. 20 cm.

—L.—E.—Censura de Fr. Diego de Herce.—Censura de Fr. Antonio de Castro.—

Parecer de Fr. Antonio de Sosa.—L. O.—
A los sacerdotes de la provincia de S.
Pablo.—Texto.—Tabla.

Alcocer, n.º 694.

2450

*BREVE explicación de los preceptos
que a los Frailes Menores obligan a
pecado mortal...* Sevilla. 1583.

SEVILLA. *Universitaria.* 12-169.

2451

*BREVE exposicion de los preceptos,
que en la Regla de los Frailes Menores obligan a pecado mortal, segun
la mente de los Pontifices y de S.
Buenaventura.* Aora de nuevo muy
añadida. Salamanca. Diego de Cossío. 1635. 12 hs. + 560 págs. + 12 hs.
15 cm.

—E.—T. (1629).—S. Pr. (1629).—Apr. de Fr.
Lucas de la Cruz.—Apr. de Fr. Juan de
la Resurrección.—Apr. de Fr. Matheo de
la Natividad.—L. O. (1629).—Apr. de Fr.
Juan Ponce de Leon.—L. V.—Apr. de Melchor Albistur.—Apr. de Francisco Ramos.
Apr. de Fr. Juan de la Trinidad.—Apr.
de Fernan Darias de Messa.—Apr. de Fr.
Joseph Vazquez.—Apr. de Bernardo de
Cervera.—Apr. de Fr. Bernardino Rodriguez.—Apr. de Antonio Calderón.—Ded. a
la Reyna de los Angeles, María S. N.—
Prólogo al lector.—Texto.—Tabla alphabetica de lo que se contiene en este libro.
Oratio.

SEVILLA. *Universitaria.* 79-219.

2452

——. 3.ª ed. aum. y corr. Zaragoza.
Hospital Real y General de N. Sra.
de Gracia. 1638. 16 hs. + 675 págs. +
... hs. 15 cm.

Prels. de 1628, 1634 y 1635, más Apr. de Fr.
Raimundo Tremiño.

Jiménez Catalán, *Tip. zaragozana del siglo XVII,* n.º 386.

BARCELONA. *Universitaria.* — GRANADA. *Universitaria.* A-4-65.—MADRID. *Nacional.* 2-30.827.—
SEVILLA. *Universitaria.* 178-17.—TERUEL. *Casa
de la Cultura.*—ZARAGOZA. *Universitaria.* D-
25-210.

2453

——. 4.ª ed. Sevilla. 1642.

MADRID. *Nacional.* 7-16.524.—SEVILLA. *Universitaria.* 12-169.

2454

——. 5.ª edición. Aora de nuevo visto, reconocido, corregido de algunas
erratas y con nuevas adiciones. Madrid. María de Quiñones. [Al fin. A
costa de Juan de Valdes]. 1655. 12
hojas + 566 págs. + 33 hs. 14 cm.

—L. del Consejo.—T.—E.—Apr. de Ponce
de Leon (1629), Ramos del Manzano
(1635), P. Agustin de Castro (1642).—Ded.
a la Reyna de los Angeles.—Texto.—Tabla.—Adiciones.

GRANADA. *Universitaria.* A-21-309. — LONDRES.
British Museum. 4071.aa.37.—SEVILLA. *Universitaria.* 80-210.

2455

*EPITOME del orden ivdicial religio-
so.* Zaragoza. Diego Dormer. 1638. 9
hojas + 287 págs. + 28 hs. 16 cm.

—Censura de Fernando Arias de Mesa.—
Censura de Fr. Alonso Briceño.—L. O.—
Apr. de Martín de Funes.—L. V.—Apr.
de Augustin de Mendoça.—Pr. de Aragón
al autor por diez años.—Ded. a Fr. Iuan
Baptista Campaña, Ministro general de
toda nuestra Serafica Religion.—Al lector.—E.—L. del Consejo Real de Castilla.
Texto.—Escudo grab. y textos latinos.—
Tabla de los capítulos.—Tabla de las materias más notables.

Jiménez Catalán, *Tip. zaragozana del siglo XVII,* n.º 387.

GRANADA. *Universitaria.* A-21-259. — MADRID.
Nacional. 7-15.179.—PARIS. *Nationale.* E.6511.
ROMA. *Vaticana.* Stamp. Barb. JJ.I.61.—SAN
LORENZO DEL ESCORIAL. *Monasterio.* 3-XIII-
27.—SANTIAGO DE COMPOSTELA. *Universitaria.*—
SEVILLA. *Universitaria.* 54-17.

2456

*HISTORIA de las vidas y milagros
de nvestro Beato Padre Frai Pedro
de Alcantara De el Venerable Frai
Francisco de Cogolludo y de los
Religiosos insignes en virtudes que*

¡ha hauido en la reforma de Descalços que el Bienauenturado Padre instituyo en la Orden de nuestro Seraphico Padre San Francisco con la fundacion de las Prouincias que de ella han proçedido. Arévalo. Gerónimo Murillo. 1644. 4 hs. + 666 págs. 28 cm.

—Censura de Fr. Alonso de San Bernardino y Fr. Francisco de Montemayor.— L. O.—Apr. del P. Francisco Pimentel.— L. V.—Censura de Fr. Alonso de Herrera.—Pr. por diez años.—Ded. a la Virgen Maria, Reina de los Angeles.— Pról. al lector.—Protestación del Autor.— E.—T.—Texto.

2.ª parte: 1 h. + 655 págs. + 24 hs.

—L. O.—E.—T.—Protestación del Autor.— Texto.—Tabla de cosas notables y sentencias de la obra.

BARCELONA. *Universitaria.* C.215-3-19/20.—GRANADA. *Universitaria.* A-29-130-31.—LISBOA. *Academia das Ciências.* E.468/17. — LONDRES. *British Museum.* 487.i.33. — MADRID. *Academia de la Historia.* 5-4-6-1.563/64. *Nacional.* 3-65.260/61.—PARIS. *Nationale.* H.1645-1646.— ROMA. *Vaticana.* Stamp. Barb. H.XI.57-58.

2457

AVISO de confessores, y Gvia de penitentes, cuyas materias morales se fundan en los Derechos Natural, Canónico, Ciuil, y Municipal destos Reynos... Tomo I. Madrid. Gregorio Rodriguez. 1649. 667 págs. Fol.

GRANADA. *Universitaria.* A-30-144. — MADRID. *Nacional.* 6.i.-1.337.—ROMA. *Vaticana.* Stamp. Barb. E.III.42.—SANTIAGO DE COMPOSTELA. *Universitaria.* — SEVILLA. *Universitaria.* 134-106.—VALLADOLID. *Universitaria.* Santa Cruz, 12.279.

2458

[*DISCVRSO apologetico a la información en derecho, qve se imprimió por la santa Prouincia de S. Gabriel de Descalços, de Estremadura. En que se prueua, que nuestro B. P. fr. Pedro de Alcantara, no pertenece a la dicha Prouincia de S. Gabriel, sino a las Prouincias de S. Ioseph y*

S. Pablo de Castilla la Nueua y Vieja, y a las demas que se han originado de la reforma que el mismo Santo instituyó, que son las que absoluta y propriamente le pueden llamar suyo]. [s. l.-s. i.]. [s. a.]. 70 páginas. 20,5 cm.

Carece de portada y presenta varios errores en la paginación. El nombre figura en las págs. 61 y 62.

Discurso... (Págs. 1-61).

Carta del autor para el Dr. Francisco Ramos del Mançano. Madrid, 20 de junio de 1642. (Pág. 62). *Respuesta del Dr. Francisco Ramos del Mançano, a la carta del Autor. Salamanca, 20 de agosto de 1642.* (Págs. 63-69).

Díaz y Pérez supone que se imprimió en Palermo, 1633, mientras que N. Antonio cita ed. de Madrid, 1642. (Toda, *Italia*, III, n.º 3.102).

MADRID. *Nacional.* V.E.-1-18.

TRADUCCIONES

a) LATINAS

2459

ORDO iudicialis aliis religiosis hispaniae exhibitus nunc latine clericis regularibus... Studio Emmanuelis de Puteo Mediolanensis... [Roma. Typis Ignatii de Lazaris]. [1678]. 7 hs. + 197 págs. 24.º

BARI. *Nazionale.* 52-G-7.

MARTIN DE SAN JOSE (FRAY)

Carmelita descalzo. Predicador del convento de San Hermenegildo de Madrid.

EDICIONES

2460

SERMONES varios. Madrid. Antonio Gonçalez de Reyes. 1679. 12 hs. + 518 páginas + 12 hs. 20,5 cm.

—Ded. a D.ª Juana de Noroña Meneses, Duquesa de Abrantes, etc.—L. O.—L. V.— Apr. de Fr. Ginés Barrientos.—Apr. de Fr. Diego Enríquez.—Pr.—E.—T.—Al lector.—Tabla de Sermones.—Texto.—Indice de los lugares de la Sagrada Escritura que se citan.—Indice de algunas cosas mas particulares que excluye este libro. Colofón.

CORDOBA. *Pública.* 4-96.—MADRID. *Nacional.* 3-67.176.—SANTIAGO DE COMPOSTELA. *Universitaria.*—SEVILLA. *Colombina.* 87-2-18. *Universitaria.* 128-16.—VALLADOLID. *Universitaria.* Santa Cruz, 10.971.

MARTIN DE SANTA MARIA (FRAY)

EDICIONES

2461

[*DEZIMA*]. (En Soto Real, Efisio José de. *Compendiosa explicación de el Antechristo...* Toledo. s. a. Prels.).

MADRID. *Academia de la Historia.* 9-17-4-3.539.

MARTIN DE SANTA TERESA

EDICIONES

2462

RELACION verdadera de la venturosa desgracia, sucedida en Velez Malaga, en 26 de iunio. Sevilla. Iuan Cabezas. 1676. 4.°.

LONDRES. *British Museum.* 1445.f.17.(17).

MARTIN DE TORRECILLA (FRAY)

Capuchino. Provincial de Castilla. Definidor General de toda la Orden. Calificador de la Inquisición.

EDICIONES

2463

REGLA de la Tercera Orden elvcidada. Y resolucion de todas las dificultades, que se pueden ofrecer, assi acerca de los Terceros, como acerca de la Cofradia de la Cuerda, y de los que traen la Cuerda, sin ser Cofrades. Madrid. Impr. Real. A costa de Mateo de la Bastida. 1672. 13 hojas + 114 fols. + 23 págs. + 3 hs. 19,5 cm.

—Ded. a D. Iuan de Astorga, Canonigo y Arcediano, Fiscal del R. Consejo de la Cruzada, etc.—Apr. de los theologos de la Orden.—L. O.—Apr. de Iuan Matheo Lozano. — L. V. — Apr. de Fr. Domingo Gutierrez.—Pr. al autor por diez años.—E.—S. T.—Soneto de Francisco Tabares. [«No assi del Sol los rayos luminosos...»].—Prologo a los Lectores.—Nota sobre los intentos de impedir la salida de este libro por algunos frailes de la Observancia. — Texto. — Satisfacese brevemente al informe del P. Fr. Francisco de Cauanço, contra el libro «Regla de la Tercera Orden elucidada» (págs. 1-23). Indice de los capitulos, questiones y otras cosas que se contienen en este Libro.

BARCELONA. *Convento de Capuchinos, de Card. Vives y Tutó,* 23. 2-4-17.—MADRID. *Nacional.* 3-29.174.—SEVILLA. *Universitaria.* 192-92.

2464

EXAMEN de la potestad, y iurisdicion de los señores Obispos... Madrid. Juan García Infanzón. 1682. 6 hs. + 643 págs. + 24 hs. 30 cm.

BARCELONA. *Convento de Capuchinos, de Card. Vives y Tutó,* 23. 3-6-8.—MADRID. *Academia de la Historia.* 14-3-4-1.184.—SEVILLA. *Universitaria.* 26-73.

2465

EXAMEN de la potestad, y jvrisdicon de los señores Obispos, assi en comun, como de los Obispos regvlares, y titvlares, con algunas Consultas concernientes a la materia. Nuevamente corregido, y añadido mucho por el mesmo Autor en esta impression segunda. Madrid. Antonio González de Reyes. A costa de los Herederos de Gabriel de León. 1693. 12 hs. + 420 págs. a 2 cols. + 14 hs. 29 cm.

BARCELONA. *Convento de Capuchinos, de Card. Vives y Tutó,* 23. 3-6-9. *Universitaria.* 176-1-19; etc.—DEUSTO. *Universitaria.*—GENOVA. *Universitaria.* 3.S.III.51. — MADRID. *Academia de la Historia.* 16-3-3-2.491. *Nacional.* 3-67.471.—SAN LORENZO DEL ESCORIAL. *Monasterio.* 73-VI-7.—SANTIAGO DE COMPOSTELA. *Uni-*

versitaria. — SEVILLA. *Universitaria.* 220-187; etc.

2466

CONSULTAS *morales y exposición de las proposiciones condenadas por... Inocencio XI y Alexandro VII.* Madrid. Juan García Infançon. A costa de G. de León. 1684. 491 págs. + 14 hs. Fol.

BARCELONA. *Convento de Capuchinos, de Card. Vives y Tutó,* 23. 3-6-12.—MADRID. *Academia de la Historia.* 14-3-7-1.296. *Nacional.* 3-31.684.

2467

CONSVLTAS *morales, y exposición de las proposiciones condenadas por nvestros mvy Santos Padres Inocencio XI y Alexandro VII.* Nuevamente corregido, y añadido mucho por el mesmo Autor, en esta impression segunda. Madrid. Bernardo de Villa-Diego. A costa de Gabriel de León. 1686. 14 hs. + 492 págs. + 20 hs. 30 centímetros.

—Port. a dos tintas: roja y negra.—Ded. al muy ilustre señor baylio D. Manuel Arias y Porres, Comendador de las Encomiendas de el Viso, de Yevenes y Quiroga, etc., precedida de su escudo.— Apr. de los teologos de la Orden (1682). L. O.—Apr. de Fr. Iuan Ioseph de Baños (1683).—L. V.—Apr. de Fr. Christoval de Herrera (1683).—S. Pr.—T.—E.— Decreto primero de Alxendro VII, en que condena las primeras 28 Proposiciones.—Decreto de Inocencio XI condenatiuo de las 65 Proposiciones.—Edicto de la Santa Inquisicion. — Question proemial acerca de dichos Decretos en general.—Texto.—Indice copiosissimo de las cosas mas particulares.

BARCELONA. *Convento de Capuchinos, de Card. Vives y Tutó,* 23. 3-6-13.—MADRID. *Nacional.* 2-51.243.—SEVILLA. *Universitaria.* 86-C-144.

2468

——. 3.ª impressión. Madrid. Juan García Infançon. 1688. 490 págs. Fol.

BARCELONA. *Convento de Capuchinos, de*

Card Vives y Tutó, 23. 3-6-14.—SANTIAGO DE COMPOSTELA. *Universitaria.*—SEVILLA. *Universitaria.* 176-158.

2469

——. Madrid. Juan García Infanzón. 1693. 14 hs. + 492 págs. a 2 cols. + 22 hs. 4.º

Hay dos ed. del mismo año.

BARCELONA. *Convento de Capuchinos, de Card. Vives y Tutó,* 23. 3-6-15 y 15.—GENOVA. *Universitaria.* 3.S.III.30. — MADRID. *Nacional.* 3-20.874.—SAN LORENZO DEL ESCORIAL. *Monasterio.* 59-VII-15. — SEVILLA. *Universitaria.* 220-193.

2470

VENTILABRO *formal, legal, apologetico, y serafico. Con qve se separa de lo incierto lo cierto, y se saca en limpio el grano de la verdad. Ventilase el derecho de los Capuchinos a la Serafica Tercera Orden Secular.* Madrid. Roque Rico de Miranda. 1686. [Colofón: 1685]. 12 hs. + 568 págs. + 20 hs. 20,5 cm.

—Ded. a la villa de Torrecilla, de la Orden de San Iuan, muy amada y muy venerada Patria mía.—Apr. de los teologos de la Orden.—L. O.—Censura de Fr. Christoval de Herrera.—L. V.—Apr. de Fr. Iuan Ioseph de Baños.—S. Pr. al autor por diez años.—S. T.—Prologo a los lectores, y motivo desta obra.—Texto.—Indice de las cosas mas particulares de este libro.—Colofón.

BARCELONA. *Convento de Capuchinos, de Card. Vives y Tutó,* 23. 4-5-21. *Universitaria.* C-257-4-10.—MADRID. *Nacional.* 3-9.706.—SEVILLA. *Universitaria.* 185-36.

2471

——. Madrid. 1699.

SEVILLA. *Universitaria.* 263-65.

2472

SUMA *de todas las materias morales, arregladas a las condenaciones pontificias de... Alexondro VII e Inocencio XI.* Madrid. Impr. Real, por Mateo de Llanos. 1691. 2 vols.

BARCELONA. *Convento de Capuchinos, de*

Card. *Vives y Tutó*, 23. 4-6-2.—MADRID. *Academia de la Historia*. 15-2-5-12. *Nacional*. 5-10.299.—SEVILLA. *Universitaria*. 119-117.

2473

——. *Nuevamente Corregido, y Añadido todo el Tratado de Sacramentis in genere, & in specie, y otras muchissimas cosas...* Madrid. Antonio Román. 1696. 2 vols. Fol.

BARCELONA. *Convento de Capuchinos, de Card. Vives y Tutó*, 23. 4-6-3/4. — GENOVA. *Universitaria*. I.FF.V.37.—MADRID. *Nacional*. 3-32.428/29.—SAN LORENZO DEL ESCORIAL. *Monasterio*. 59-VIII-18/19. — SANTIAGO DE COMPOSTELA. *Universitaria*.—SEVILLA. *Universitaria*. 10-79-84.

2474

CONSVLTAS, alegatos, apologia, y otros tratados, assi regulares, como de otras materias morales, con la refutacion de las proposiciones del inpio herege Molinos. Madrid. Antonio Román. A costa de los Herederos de Gabriel de León. 1694-99. 3 volúmenes. 30 cm.

Tomo I: 12 hs. + 538 págs. a 2 cols. + ?? hs.

—Port. a dos tintas: roja y negra.—Ded. a la Virgen.—Apr. de los Teologos de la Orden.—L. O.—Censura de Fr. Andres Gonçalez de San Pablo.—L. V.—Apr. de Fr. Juan Joseph de Baños.—S. Pr.—E.—S. T.—Prologo al Lector.—Indice de los tratados, articulos y quaesetos.—Texto.—Indice copiosisimo de las cosas particulares.

BARCELONA. *Convento de Capuchinos, de Card. Vives y Tutó*, 23. 4-6-7 y 9.—GENOVA. *Universitaria*. 3.S.III.47/49.—MADRID. *Nacional*. 5-10.305 [el I].—SAN LORENZO DEL ESCORIAL. *Monasterio*. 59-VIII-9-14.—SEVILLA. *Universitaria*. 8-1-229/30.

Aprobaciones

2475

[CENSURA y Aprobación. Madrid, 2 de octubre de 1671]. (En José de Náxera, Fray. *Espejo mystico...* Madrid. 1672. Prels.).

SEVILLA. *Universitaria*. 133-26.

MARTINEZ (FR. BARTOLOME)

Franciscano.

EDICIONES

2476

[CENSURA. Trujillo, 26 de septiembre de 1610]. (En Pacheco, Baltasar. *Espejo de Sacerdotes...* Madrid. 1611. Prels.).

MADRID. *Nacional*. 7-13.480.

2477

[APROBACION de Fr. Basilio de Zamora y ——. Madrid, 4 de abril de 1674]. (En Gaspar de Viana, Fray. *Discursos quadragesimales*. Madrid. 1675. Prels.).

MADRID. *Nacional*. 2-11.633.

ESTUDIOS

2478

OLMO, JUAN DEL. *Respvesta apologética a vna apología de... Fr. Martin de Torrecilla, en razon de la grande autoridad de los Prelados regvlares, sobre el pvnto de casos reservados y se esplica con graves doctrinas la Bula... de Inocencio XII.* Zaragoza. Diego de Larumbe. 1702. 19 hs. + 400 págs. + 4 hs. Fol.

Sobre el tomo V de las *Consultas*.

MADRID. *Nacional*. 3-22.438; etc.

MARTIN DE VEDIA (PEDRO)

Valenciano.

EDICIONES

2479

[POESIAS]. (En Gómez Vicente. *Relacion de las... fiestas que hizo... Valencia, a la canonizacion del bienaventurado S. Raymundo de Peñafort...* Valencia. 1602).

1. *Redondillas*. (Págs. 133-135).
2. *Quintillas*. (Págs. 214-216).
3. *Quintillas*. (Págs. 250-253).
4. *Decimas*. (Págs. 322-25).

V. *BLH*, X, n.º 5.685.

MARTIN DE LA VERA (FRAY)
Jerónimo.

EDICIONES
2480

INSTRUCION de Eclesiasticos, previa y necessaria, al buen vso i practica de las Ceremonias mui vtil i provechosa a Eclesiasticos i seglares para saber como an de orar i adorar a Dios en lo diuino i onrrar a los ombres en lo politico. Madrid. Imprenta Real. 1630. 9 hs. + 363 págs. a 2 cols. + 24 hs. 29 cm.

—Frontis firmado por Courbes.—Retrato de Felipe IV (grabado firmado por Noort).—E.—S. Pr. al Autor por diez años.—S. T.—E.—Apr. de Fr. Francisco de Cuenca.—L. O.—L. V.—Apr. de Fr. Luis Cabrera.—L. V.—Apr. de Fr. Jvan Bravo de Lagunas.—Ded. al Rey Felipe IV.—Tabla de los Capitulos.—Texto.—Colofón.—Indice de los Lugares de la S. Escritura.—Tabla de las cosas que en este libro se contienen.

MADRID. *Nacional.* 3-6.600.—SAN LORENZO DEL ESCORIAL. *Monasterio.* M.2-I-1.

MARTINEZ (Doctor)
N. en Valencia.

EDICIONES
2481

AQUI se contienen tres obras, aora nueuamente compuesta en verso castellano... La primera dellas tracta del aparecimiento de la madre de Dios de la Fuen santa en el reyno de Torase. La segunda del conuertimiento de la Reyna del dicho reyno por consejo de vna captiua christiana ,y martyrio que el Rey le mando dar. La tercera de la conuersion del Rey por los notables milagros que la madre de Dios hizo... Con vn romance buelto a lo diuino... Alcalá. Hernán Ramírez. 1590. 4 hs. a 2 cols.

1. [«Discanta lengua la historia...»].
2. *Romance.* [«Elo elo por do viene...»].

Cátedra-Infante, *Los pliegos sueltos de Thomas Croft*, págs. 137-38.

CAMBRIDGE, Mass. *Harvard University. Houghton Library.*

MARTINEZ (FR. ALBERTO)
Franciscano.

EDICIONES
2482

[APROBACION. Zaragoza, 7 de enero de 1678]. (En SERMONES varios predicados en la ciudad de Lima... Zaragoza. 1678. Prels.).

MARTINEZ (ALONSO)
N. en Laguna de los Cameros, por lo que en ocasiones se le llama Martínez de Laguna. Bachiller.

EDICIONES
2483

SUMA de Doctrina cristiana. Salamanca. J. de Canova. 1555. 10 hs. + 185 fols. + 1 h. 4.º

—Frontis.—L.—Ded. a D. Bernal Díaz de Luco, obispo de Calahorra.—Prologo.—Estampa.—Texto.—Tabla.

Gallardo, III, n.º 2.927.

SAN LORENZO DEL ESCORIAL. *Monasterio.* 32-IV-13.

ESTUDIOS
2484

REP: N. Antonio, I, pág. 35; T. Marín, en DHEE, III, pág. 1934.

MARTINEZ (ALONSO)

EDICIONES
2485

[DEDICATORIA a D. Antonio de Contreras, cavallero de Calatrava, etc.]. (En Colmenares, Diego de. Honras y funeral ponpa, con que... Segovia celebró las exequias de... Doña Isabel de Borbón... Madrid. 1645. Prels.).

V. *BLH,* VIII, n.º 4845.

MARTINEZ (AMBROSIO)

Pintor.

EDICIONES

2486

[*DEZIMAS*]. (En Nuñez Sotomayor, Juan. *Descripción panegyrica de las fiestas que la S. Iglesia Catedral de Jaén celebró...* Málaga. 1661, páginas 586-88).

MADRID. *Nacional.* 2-7.347.

MARTINEZ (FR. AMBROSIO)

Lector de Teología del convento de Santa Cruz de Segovia. Examinador sinodal del Obispado.

EDICIONES

2487

[*APROBACION. Segovia, 7 de diciembre de 1690*]. (En Francisco de San Marcos, Fray. *Historia del origen y milagros de Ntra. Sra. de la Fuencisla de Segovia.* Madrid. 1692. Prels.).

MADRID. *Nacional.* 2-61.690.

2488

[*APROBACION. Segovia, 11 de abril de 1692*]. (En Rodríguez de Neira, Francisco. *Historia de la vida del divino Hieroteo.* Madrid. 1693. Preliminares).

MADRID. *Nacional.* 3-22.238.

MARTINEZ (FR. AMBROSIO)

Dominico. Presentado. Prior del convento de San Vicente de Plasencia.

EDICIONES

2489

[*APROBACION. Plasencia, 19 de junio de 1698*]. (En Urbina, Francisco. *Sermón...* Salamanca. 1698. Prels.).

MADRID. *Nacional.* V.E.-131-26.

MARTINEZ (ANDRES)

Vecino de Sevilla.

EDICIONES

2490

RELACION verdadera de los trabajos y fortunas que an passado los que fueron al Viaje del Rio de la plata. [Sevilla. Alonso de Coca]. [s. a.]. 2 hs. Fol. gót.

—Texto.—Colofón.

Gallardo, III, n.º 2.928.

MADRID. *Fundación «Lázaro Galdiano».*

TRADUCCIONES

a) INGLESAS

2491

True narrative of the hardships and fate of those who sailed on the voyage to the Río de la Plata. [Translated by G. Ballon Landa]. [New Haven. The Printing office of the Yale University Press]. 1946. 4 + 4 páginas. 30 cm. (Americanum nauticum, 1).

Con facsímil de la ed. original.

ESTUDIOS

2492

REP: Méndez Bejarano, II, n.º 1.561.

MARTINEZ (FR. ANDRES)

Trinitario.

EDICIONES

2493

[*SERMON fvnebre predicado en las honras del Excelmo. Señor Don Enrique de Guzman, Conde de Olivares, y demas progenitores, que son en gloria, nuestros patronos... Predicado en dicho convento [de Badajoz]. Domingo, 3 de Noviembre... de 1624...*]. (En SERMONES *funebres predicados... en la Provincia del Anda-*

lucía del Orden de la Santissima Trinidad... en las Honras de... D. Enrique de Guzman... y demas progenitores. Recopilados por Fr. Luis de Cordova Ronquillo. Sevilla. Francisco de Lira. 1624, págs. 185-214).

—Pág. 185: Apr. de Fr. Iuan de Hojeda.—Pág. 186: L. O.—Apr. del P. Pedro de Urtiaga.—L.—Págs. 187-214: Texto.

CORDOBA. *Pública.* 4-155.—SEVILLA. *Universitaria.* 116-155 (7).

MARTINEZ (ANGELO)

Licenciado.

EDICIONES

2494

[*AL Autor. Poesia*]. (En Mendoza, Manuel. *Fiestas que el convento de Ntra. Sra. del Carmen de Valencia hizo a... Sta. Teresa de Jesús...* Valencia. 1622. Prels.).

MADRID. *Nacional.* R-12.949.

MARTINEZ (ANTONIO)

Médico.

EDICIONES

2495

DE la complexion de las mugeres... Medina. 1529. 8.º

N. Antonio.

ESTUDIOS

2496

REP: N. Antonio, I, pág. 143.

MARTINEZ (ANTONIO)

V. MARTINEZ DE MENESES (ANTONIO)

MARTINEZ (FR. ANTONIO)

Agustino. Predicador mayor del convento de San Felipe de Madrid.

EDICIONES

2497

PANTEON sagrado y cvlto a todos los Santos, y Medicina Vniversal de todos los males, Corporales, y Espirituales. Primera parte. Madrid. Lorenço García. 1685. 16 hs. + 472 páginas. 20 cm.

—Tabla de los Compendios de las Fiestas y vidas de Santos que se contienen, por sus meses.—Tabla de las Oraciones contenidas dentro de los meses por sus días. — Tabla de las Fiestas movibles.—Tabla de las Oraciones que están en las Fiestas Movibles. — Ded. a D.ª Antonia de Luna, Marquesa del Fresno.—Apr. de Fr. Francisco de Ribera.—L. O.—Apr. de Fr. Pedro de la Hoz.—L. V.—Apr. de Fr. Luis Criado. — Pr. al autor por diez años.—E.—T.—Texto.

BARCELONA. *Universitaria.* B.12-4-6. — SAN LORENZO DEL ESCORIAL. *Monasterio.* 89-VII-20.

MARTINEZ (BARTOLOME)

N. en Granada (?). Licenciado.

CODICES

2498

[*Traducciones de Horacio*].

Letra del s. XIX.
Inventario, X, pág. 170.
MADRID. *Nacional.* Mss. 3.735.

2499

[——].

Roca, n.º 773.
MADRID. *Nacional.* Mss. 27.526.

EDICIONES

2500

[*POESIAS*]. (En PRIMERA *parte de las Flores de poetas ilustres de España... Ordenada por Pedro Espinosa.* Valladolid. 1605).

1. *De Horacio. Oda I.* (Fols. 20r-21v).

2. *Oda 12 de Horacio.* (Fols. 39v-41v).

3. *De Horacio. Oda 15.* (Fols. 45r-46v).

4. *De Horacio. Oda 5. Libro I.* (Fols. 81v-82r).

5. *De Horacio. Oda 8. Libro I.* (Fols. 87v-88r).

MADRID. *Nacional.* R-2.757.

ESTUDIOS

2501

REP: Menéndez Pelayo, *Traductores*, III, págs. 102-5.

MARTINEZ (FR. BARTOLOME)

Franciscano.

EDICIONES

2502

[*CENSURA. Trujillo, 26 de septiembre de 1610*]. (En Pacheco, Baltasar. *Espejo de sacerdotes*... Madrid. 1611. Preliminares).

MADRID. *Nacional*. 3-62.025.

MARTINEZ (FR. BENITO)

Cisterciense.

CODICES

2503

«*Discursos morales para predicadores*».

N. Antonio.

ESTUDIOS

2504

REP: N. Antonio, I, pág. 211.

MARTINEZ (BERNARDO)

EDICIONES

2505

[*GLOSA*]. (En Amada y Torregrosa, José Félix de. *Palestra numerosa austríaca*... Huesca. 1650, fol. 53v).

V. *BLH*, V, n.º 2157.

MARTINEZ (BLAS)

Impresor.

EDICIONES

2506

[*DEDICATORIA a D. Francisco Zapata, del Consejo de S. M.*]. (En Mata, Juan de. *Santoral de*... *Santo Domingo y S. Francisco*... Granada. 1635. Prels.).

MADRID. *Nacional*. 2-70.059.

MARTINEZ (CRISTOBAL)

EDICIONES

2507

[*SONETO*]. (En Gómez, Vicente. *Relación de las*... *fiestas que hizo*... *Valencia, a la canonizacion de S. Raymundo de Peñafort*... Valencia. 1602, pág. 133).

VALENCIA. *Universitaria*. A-119-6.

MARTINEZ (DIEGO)

EDICIONES

2508

FORMVLARIO de las Provisiones que en Latin y Romance dan los Prelados, segun lo que cerca dellas esta dispuesto, por el sacro Concilio de Trento. Y de cartas familiares que ellos, y qualquier Señor de titulo escriuen a todo genero de personas... *Hecho recopilar por* ——. Medina. Francisco del Canto. 1576. 8 hs. + 107 folios + 5 hs. + 348 fols. + 23 hs. 14,5 centímetros.

—Pr. al recopilador por seis años.—Prólogo.—Al M.º Hieronymo Paulo, secretario del Obispo D. Gaspar de Quiroga, que inició esta obra.—Prólogo al Lector. Soneto al libro. [«Si los diuersos gustos tanto pueden...»].—Grab.—Texto. Provisiones en latín.—Tabula.—Port.: *Provisiones en romance*...—Fol. 2r: Soneto. Al Lector. [«Si del todo pretendes ser curioso...»].—Texto.—Tabla.—Grab.

Pérez Pastor, *Medina*, n.º 175, que no le vio, remite a N. Antonio.

LONDRES. *British Museum*. 1375.a.12.—MADRID. *Nacional*. R-29.068.—SAN LORENZO DEL ESCORIAL. *Monasterio*. 21-V-31.—SANTIAGO DE COMPOSTELA. *Universitaria*.

ESTUDIOS

2509

REP: N. Antonio, I, pág. 297.

MARTINEZ (DIEGO)

N. en Segovia. Escribano de S. M. y del número y Junta de Nobles Linajes de la ciudad de Segovia.

EDICIONES

2510

DESCRIPCION de las fiestas que al Alcides del cielo, San Miguel Arcangel, celebraron, con igual desempeño a su obligacion, los feligreses de su iglesia parroquial de... Segovia, con ocasion de la renouacion de su Templo y retablo nuevo. Madrid. Joseph Fernández Buendía. 1673. 12 hs. + 72 fols. 4.°

SEGOVIA. *Catedral.*

2511

NOTICIA breve, relacion diaria, de los sagrados cvltos, y festivas demostraciones, qve la... civdad de Segovia... celebró en obseqvio de Maria Santissima Señora Nvestra, en ocasion, qve sv soberana imagen, con titvlo de la Fvencisla, sv Patrona, se svbio a la Santa Iglesia Cathedral, por la falta qve el agva hazia a los campos, donde estvvo desde 15 hasta 27 de mayo de este año de 1691. Salamanca. Viuda de Lucas Perez. 1692. 8 hs. + 88 págs. 20,5 cm.

—Ded. a la ciudad de Segovia, precedida de su escudo.—Prologo al lector.—Apr. de Fr. Iuan de Cueto.—L. V.—Soneto de Francisco de Campos Salazar. [«Fuente de gracia, que con tus raudales...»].— Del mismo a el autor. Soneto. [«Las hazañas heroicas no lo han sido...»].— Soneto de Pedro de Cazeres y Hermosa. [«Deseando, Martínez, elogiarte...»].—Dezima del mismo. [«Si con una pluma solo...»].—Dezima de Francisco Antonio Ruiz de Santurde y Portillo. [«Si de Alexandro, Pintor...»].—Octava de un amigo del autor. [«Faltos de entendimiento a la censura...»].—Texto. (Con poesías anónimas).

Jerez, pág. 96.

MADRID. *Academia de la Historia.* 3-7-6-7.546-2. *Nacional.* 2-61.690.—NUEVA YORK. *Hispanic Society.*—SEGOVIA. *Catedral.*

ESTUDIOS

2512

REP: Baeza, págs. 269-70.

MARTINEZ (DIEGO)

EDICIONES

2513

[SONETO]. (En Juana Inés de la Cruz, Sor. *Fama, y Obras posthumas...* Madrid. 1700, pág. 176).

V. *BLH,* VII, n.° 4678.

MARTINEZ (FR. DIEGO)

Agustino. Prior del convento de San Agustín de Pamplona.

EDICIONES

2514

[APROBACION. Pamplona, 18 de Septiembre de 1616]. (En Puente, Luis de la. *De la perfeccion del Christiano en todos sus estados.* Tomo. III. Valladolid. 1612. Prels.).

MADRID. *Nacional.* 3-11.770.

2515

[APROBACIONES]. (En Puente, Luis de la. *Obras espirituales...* Tomo III. Madrid. 1690. Prels.).

1. *Apr. del tercer tomo de Estados. S. Agustin de Pamplona, 18 de Septiembre de 1616.*
2. *Apr. del cuarto tomo de Estados. S. Agustin de Pamplona, 18 de Septiembre de 1616.*

MADRID. *Nacional.* 2-41.937.

MARTINEZ (P. DIEGO)

Jesuita.

EDICIONES

2516

[APROBACION. Sevilla, 6 de octubre de 1616]. (En Sarmiento de Mendo-

za, Manuel. *Sermón...* Sevilla. 1616.
Preliminares).

2517

[*APROBACION. Sevilla, 17 de octubre de 1616*]. (En Ayrolo Calar, Gabriel de. *Pensil de Príncipes.* Sevilla. 1617. Prels.).

V. *BLH*, VI, n.° 1966.

MARTINEZ (ESTEBAN)

EDICIONES

2518

ARTE fundamental del segundo ser del hombre por medio de las letras del A.B.C. que contiene, y enseña a los niños el fijo, y natural conocimiento de la pronunciacion y sonido... Madrid. Impr. del Reino. 1637. 12 hs. + 29 fols. 14 cm.

—S. Pr. al autor por diez años.—E.—S. T.—Apr. de Phelipe de Zavala.—L. V.—Apr. del P. Blas Ortiz de Colonia.—Soneto de Pedro Calderón de la Barca. [«No ay milagro en la gran Naturaleza...»].—Soneto de Luis Velez de Guevara. [«Estos primeros breves elementos...»].—Décima de Diego Bravo. [«Este libro es una planta...»].—Soneto de Gabriel Fernandez de Roças. [«Ya de Esteban Martinez la experiencia...»].—Decimas de Mateo del Mas. [«Si a Dios en primer lugar...»].—Ded. al Justo Juez.—Prólogo al Letor.—Texto.

MARTINEZ (ESTEBAN)

Licenciado.

EDICIONES

2519

[*POESIAS*]. (En Tárrega, Francisco. *Relación de las fiestas... de Valencia... en la translación de la reliquia de S. Vicente Ferrer.* Valencia. 1600).

1. *Redondillas.* (Págs. 220-22).
2. *Redondillas.* (Págs. 274-76).

2520

[*REDONDILLAS*]. (En Gomez, Vicente. *Relación de las... fiestas que hizo... Valencia, a la canonización del bienaventurado S. Raymundo de Peñafort...* Valencia. 1602, págs. 429-431).

2521

[*GLOSA a un soneto*]. (En Páez de Valenzuela, Juan. *Relacion brebe de las fiestas...* Córdoba. 1615, fols. 22v-23r).

MARTINEZ (EUGENIO)

N. en Toledo. Cisterciense. Residió en el monasterio de Huerta.

EDICIONES

2522

LIBRO de la vida y martyrio de la divina virgen y martyr Sancta Ines. Alcalá de Henares. Hernan Ramirez. A costa de Diego Martinez. 1592. 8 hojas + 305 fols. + 8 hs. 8.°.

—L. del Consejo.—E.—Pr.—Prólogo.—Advertencia.—Texto, en verso.—Colofón.—Tabla.

Salvá, I, n.° 776; Gallardo, III, n.° 2.929; J. Catalina García, *Tip. complutense*, número 679; Fernández, n.° 268.

2523

GENEALOGIA de la Toledana discreta. Primera parte. Alcalá de Henares. En casa de Iuan Gracián que sea en gloria. 1604. 12 hs. + 378 fols. + 5 hs. 19 cm.

—Pr. al autor por diez años.—Apr. de Thomas Gracián Dantisco.—E.—Prologo al lector.—Ded. a la ciudad de Toledo, precedida de su escudo.—Del Autor a su obra. Soneto. [«Andad libro y poned vuestra baxeza...»].—Soneto de Lucía de

Guzmán y Toledo. [«Qual te engrandezca mas y mas te ilustre...»].—Soneto del Complutense Damelo. [«Si fue por Belo Babylonia honrada...»].—Soneto de Bartolome Ordoñez. [«Si os llamo porque os vi cantar armado...»].—Texto. [«Canto de Marte ayrado las brauezas...»].—Tabla de los cantos.—Colofón.

Gallardo, III, n.º 2.930; Salvá, II, n.º 1.637; J. Catalina García, *Tip. complutense*, número 784; Vindel, V, n.º 1.626.

LONDRES. *British Museum.* 1073.k.31.—MADRID. *Academia Española.* 37-V-6. *Facultad de Filología.—Nacional.* R-28.646; R.1.788. *Palacio Real.* — NASHVILLE. *Joint University Libraries.—*NUEVA YORK. *Hispanic Society.*

2524

[*SONETO*]. (En Lobera, Atanasio de. *Historia de la vida y milagros de... S. Atilano...* Valladolid. 1596. Prels.).

ESTUDIOS

2525

REP: N. Antonio, I, pág. 361.

MARTINEZ (FRANCISCO)

N. en Castrillo de Oniello. Bachiller. Residente en Valladolid.

EDICIONES

2526

COLOQUIO *breve y compendioso sobre la materia de la dentadura y maravillosa obra de la boca. Con muchos remedios y avisos necesarios y la orden de curar y adereçar los dientes.* [Valladolid. Sebastian Martinez]. 1557 [20 de marzo]. 151 hs. con grabados. 8.º

—Pr.—Ded. al Principe D. Carlos.—Al lector.—Tabla.—Texto.—Nota final.

Gallardo, III, n.º 2.944; Alcocer, n.º 210; Vindel, V, n.º 1.627.

FILADELFIA. *University of Pennsylvania.* — NUEVA YORK. *Hispanic Society.—*SAN LORENZO DEL ESCORIAL. *Monasterio.* 20-VI-36.

2527

TRACTADO *breve y compendioso sobre la marauillosa obra de la boca*

y dentadura. Madrid. Alonso Gomez. 1570. [Al fin: Valladolid. Sebastián Martínez. 1557]. 12 hs. + fols. 9-151. Con grabs. 8.º

Es la misma ed. de Valladolid, con cambio de las 4 primeras hojas.

Gallardo, III, n.º 2.945; Pérez Pastor, *Madrid,* I, n.º 45.

LONDRES. *British Museum.* 783.b.34.—MADRID. *Nacional.* R-5.434.

2528

TRATADO *sobre la maravillosa obra de la boca y dentadura...* Segunda edición. Corregida, enmendada y añadida por el mismo autor. Madrid. Alonso Gómez. 1570. 116 fols. 8.º

Refundición de la edición anterior.

Pérez Pastor, *Madrid,* I, n.º 46.

MARTINEZ (FRANCISCO)

N. en Orihuela. Doctor.

EDICIONES

2529

EXEQVIAS *(Las) y fiestas fvnerales, qve hizo la Santa Iglesia de Origuela, y sus Parroquias, á la dichosa muerte del Venerable y Angelico P. Mossen Francisco Geronymo Simon: Beneficiado en la Parroquia de S. Andres de la Ciudad de Valencia Con vna breve svmma de sv vida y muerte...* Origuela. Agustin Martinez. A costa de Manuel Varage. 1612. 8 hojas + 208 fols. + 2 hs. 14 cm.

—Apr. de Iuan Tremiño.—Apr. de Francisco Perez Collado.—L. V.—Ded. a los representantes de la ciudad de Orihuela. Al christiano Letor.—Decimas de Roque Beneyto. [«En este libro el Lectó...»].—Soneto de Fr. Agustín Mendoça. [«Grande es Dios en sus santos y magnifico...»]. Soneto de Fr. Theofilo Mascaros. [«Divino y soberano pensamiento...»].—Texto. Con las siguientes piezas intercaladas:

1. *Geroglifico, de Pedro Rocamora.* [«Aquel que me resistía...»]. (Fol. 23r).

2. *Soneto.* [«Excelsos muros, fuertes coronados...»]. (Fol. 24r).
3. *Geroglifico, de Gines Biudes.* [«Ambos ojos en el sol...»]. (Fol. 24v).
4. *A la vision que tuuo este Angelico Sacerdote, quando vio a Christo con la Cruz a cuestas. Soneto.* [«Si la Virgen, si Ioan, si Madalena...»]. (Fol. 25r).
5. *Geroglifico, de Bartholomé Gil.* [«A Simón hijo del justo...»]. (Fol. 25v).
6. *Geroglifico, de Iusepe Alenda.* [«Dadme aqueste lirio vos...»]. (Fol. 26r).
7. *En alabança de los passos de la passion que los Viernes hazia en la estacion quando vio a Christo el Padre Mossen Simon con la Cruz a cuestas. Soneto.* [«Siendo San Pedro en Roma perseguido...»]. (Fol. 26v).
8. *Al espiritual desposorio que la Virgen santissima hizo con el sieruo de Dios Mossen Simon. Soneto.* [«Esposo virgen, pobre Carpintero...»]. (Fol. 26r).
9. *Carmen heroicum de Ioanne Tremiño.* (Fols. 27v-28v).
10. *Panegyricus, de Franciscus Leo.* (Folios 29r-31r).
11. *Dos Geroglificos, por Antonio Bellot.* (Fol. 35).
12. *Decimas, por Francisco Sans.* [«Simon bendito, oy intento...»]. (Fols. 35v-37r).
13. *Geroglificos, por Miguel Galí.* (Fol. 37).
14. *Soneto, por Fr. Theofilo Mascaros.* [«Los Angeles del cielo. Simon santo...»]. (Fol. 38r).
15. *Discurso en quintillas, por Bartholomé Gil.* [«Si Dios tan marauilloso...»]. (Folios 39v-45r).
16. *Geroglificos, por Fernando de la Gassa.* (Fol. 45).
17. *Quartetos, por Gaspar Gil.* [«Lo que alabó Geremias...»]. (Fol. 46).
18. *Decimas, por Marcos Armero.* [«El Espejo christalino...»]. (Fols. 48r-49r).
19. *Geroglificos, por Andres Valles.* (Folio 49).
20. *Dos Geroglificos y un Enigma, por Francisco Ochoa.* (Fols. 49v-50v).
21. *Soneto, por una monja devota del convento de S. Sebastian de esta ciudad.* [«Si Dios siempre ha tenido gran cuydado...»]. (Fol. 51r).
22. *Poesía latina de Francisco Leone.* (Folios 52v-54v).
23. *Enigmas y Geroglificos, por Iusepe Biudes.* (Fols. 55v-56v).
24. *Dos Geroglificos, por Miguel Balaguer.* (Fol. 58).
25. *Tercetos, por Fr. Agustín de Mendoça.*

[«Enfermos, sanos, necios, y discretos...»]. (Fols. 59r-62v).
26. *Décimas, por Fr. Theofilo Mascaros.* [«Diuino santo encubierto...»]. (Fols. 63v-64v).
27. *Geroglifico.* (Fol. 64v).
28. *Quintillas, por Serafín Buenauentura de Coçar.* [«Ioan Baptista el justo era...»]. (Fols. 65v-67v).
29. *Dos Geroglificos, por Pedro Rocamora.* (Fols. 67v-68r).
30. *Geroglificos, por Roque Beneito.* (Folios 69v-71r).
31. *Geroglificos, por Baltasar Sober.* (Folio 72v).
32. *Quartillas, por un deuoto seglar.* [«Haze el diuino Simon...»]. (Fols. 73r-74r).
33. *Romance, por Bartholome Torres.* [«Quien vido despues de muerto...»]. (Folios 75v-77v).
34. *Dos Geroglificos por Iuan Martinez, medico.* (Fols. 77v-78v).
35. *Sermon que predicó Ioan García.* (Folios 83v-131v).
Fol. 141r: *Breve tratado de la fundacion y antiguedad de la... Ciudad de Origuela... por Francisco Martinez...* Origuela. Francisco Martinez, 1612.

—Fols. 142r-143r: Prologo al Letor.—Folio 143v: Soneto de Iusepe Alenda en alabança de la Obra y de su Autor. [«Mil cosas a la fama consagradas...»].—Texto. (Fols. 144r-205v).—Poesía latina de Iuan Tremiño. (Fols. 206v-208v).—Aduertencias al Letor. (Fol. 209).—E. (Fols. 209v-210r).

Salvá, I, n.° 285; Heredia, II, n.° 1.714; Vindel, V, n.° 1.628.

ESTUDIOS

2530
REP: N. Antonio, I, pág. 444.

MARTINEZ (FRANCISCO)

Licenciado. Clérigo presbítero.

EDICIONES

2531
[*APROBACION. Madrid, 19 de julio de 1633*]. (En Durán, Antonio. *Cercos de Moçambique...* Madrid. 1633. Preliminares).

MARTINEZ (FRANCISCO)

EDICIONES

2532

[*DECIMAS*]. (En Manrique de Lujan, Fernando. *Relación de las fiestas de... Salamanca en la beatificación de la Sta. M. Teresa de Jesús...* Salamanca. 1615, págs. 159-60).

MADRID. *Nacional.* R-4471.

MARTINEZ (FR. FRANCISCO)

EDICIONES

2533

[*POESIAS*]. (En Cortes, Pedro Luis. *Demonstraciones festivas con que... Almansa celebró la canonización de... San Pascual Baylón...* Madrid. 1693).

1. *Glossa.* (Pág. 147).
2. *Soneto.* (Pág. 159).

MADRID. *Nacional.* 3-7.331.

MARTINEZ (FR. FRANCISCO)

Trinitario. Regente de estudios y ministro del convento de Ntra. Sra. del Remedio de Valencia. Elector general y visitador de la provincia de la Corona de Aragón. Examinador sinodal del arzobispado de Valencia.

EDICIONES

2534

[*APROBACION. Valencia, 18 de octubre de 1636*]. (En Rodríguez, José. *Sermón del sacro Cáliz...* Valencia. 1687. Prels.).

MADRID. *Nacional.* V.E.-102-36.

MARTINEZ (P. FRANCISCO)

No en Monterrey (1574). Jesuita desde 1596. M. en Pamplona (1624).

EDICIONES

2535

VIDA de S. Francisco Xavier... Escrita en latín por el P. Horacio Tur-
selino. Y traduzida en Romance por el P. Pedro de Guzmán. Van añadidas en esta nueva impresión muchas cosas... Pamplona. Carlos de Labayen. 1620. 19 + 310 hs. 8.º

Es autor de las adiciones. (Pérez Goyena, II, n.º 349).

(V. *BLH*, XI, n.º 3712).

Aprobaciones

2536

[*APROBACION. Pamplona, 26 de julio de 1619*]. (En Vega, Lope de. *Romancero Espiritual.* Pamplona. 1624. Preliminares).

VALENCIA. *Universitaria.* V-1440.

ESTUDIOS

2537

REP: N. Antonio, pág. 444.

MARTINEZ (GABRIEL)

EDICIONES

2538

[*DECIMA*]. (En DEZIMAS *a la Inmaculada Concepción de Nuestra Señora...* Granada. 1650).

MADRID. *Particular de D. Bartolomé March.*

MARTINEZ (FR. GREGORIO)

Dominico. Lector de Teología. Secretario de la provincia de la Concepción.

EDICIONES

2539

[*COPIA de una carta que el Padre* ——..., *escribio a un su amigo religioso de la misma Provincia*]. [s. l.-s. i.]. [1635]. 2 hs. 30 cm.

—Texto, fechado en Valladolid el 31 de marzo de 1635.—Soneto a la Villa de Carrión. [«Aumentas de Jacob la causa dieron...»].

MADRID. *Nacional.* V.E.-219-12.

Aprobaciones

2540

[*APROBACION. Valladolid, 2 de diciembre de 1614*]. (En Maldonado, Alonso. *Resoluciones cronológicas*. Zaragoza. 1617. Al fin).

MADRID. *Nacional*. Mss. 9.073 (fol. 8v).

2541

[*APROBACION. Toledo, 30 de marzo de 1627*]. (En Soria y Vera, Melchor de. *Tratado de la justificación y conveniencia de la tassa de el pan...* Toledo. 1627. Prels.).

MADRID. *Nacional*. 3-18.855.

2542

[*APROBACION. Medina del Campo, 13 enero de 1633*]. (En Mata, Juan de. *Triunfos...* Granada. 1634. Prels.).

MADRID. *Nacional*. 3-11.609.

OBRAS LATINAS

2543

COMMENTARIA svper Primam Secvndae D. Th. Valladolid. Francisco Fernández de Cordoua. 1617-22. 3 volúmenes. 28,5 cm.

Alcocer, núms. 630 y 2.598.

MADRID. *Nacional*. 2-48.515/17.—SANTIAGO DE COMPOSTELA. *Universitaria*.

2544

TOMVS secvndvs, Commentaria svper primam secvndae D. Tomae. Toledo. Diego Rodriguez. 1622. 4 hs. + 906 págs. + 21 hs. Fol.

Pérez Pastor, *Toledo*, n.º 506.

MARTINEZ (HENRICO)

Cosmógrafo real. Intérprete de la Inquisición de la Nueva España. M. en 1632.

EDICIONES

2545

REPORTORIO de los tiempos, y historia natural desta Nueva España. Méjico. En la emprenta del mesmo autor. 1606. 12 hs. + 75 fols. + 21 hs. 4.º

—Apr. de Fr. Hernando Bazán.—L. del Virrey.—Apr. de Hernando Franco Risueño.—L. V.—Ded. a D. Iuan de Mendoça y Luna, marqués de Montesclaros, Virrey de Nueva España, etc.—Tabla.—Texto.—Escudo del impresor.

En pág. 285: «Breve relación del tiempo en que han succedido algunas cosas notables en México y en España desde 1520 a 1590». Pág. 277: Relación de obras inéditas del autor.

Medina, *México*, II, n.º 228.

LONDRES. *British Museum*. 1609/756. [Deteriorado]. — NEW HAVEN. *Yale University*. — NEW ORLEANS. *Tulane University Library*.— NUEVA YORK. *Hispanic Society*.—WASHINGTON. *Congreso*. 2-10072.

2546

——. *Apéndice bibliográfico de Francisco González de Cossío*. Méjico. Secretaría de Educación Pública. 1948. XLVII + 317 págs. facs. 24 cm.

WASHINGTON. *Congreso*. 49-4001*.

ESTUDIOS

2547

REP: N. Antonio, I, pág. 564; Picatoste, pág. 182.

MARTINEZ (HERNAN)

N. en Santisteban de Gormaz. Clérigo.

EDICIONES

2548

VIDA (La) del Bienaventurado Sant Pedro de Osma, traducida de lengua latina en metro castellano por ——... *Y una Suma de loas deste glorioso sancto sobre su vida y miraglos, compuesta por el mesmo auctor*. [s. l.-s. i.]. [s. a.]. 152 fols. 8.º

—Apr. de Fr. Antonio de Medina (1549).—Del.—Texto, en décimas. [«Mi vida, muy atrevida...»].—Octavas en honor de diversos santos.—Suma de loas de Sant Pedro de Osma. [«Descantar sin ser cantante...»].

Gallardo, III, n.º 2.932.

MARTINEZ (P. IGNACIO)

Jesuita.

EDICIONES

2549

[*SERMON que hizo en el dia de la colocacion de las sanctas Reliquias*]. (En Campos, Manuel de. *Relación del solemne recebimiento que se hizo en Lisboa a las sanctas Reliquias que se lleuaron a la Iglesia de San Roque, de la Compañia de Iesus, a 25 de Enero 1588. Traduzida por Alvaro de Veancos.* Alcalá. 1589, páginas 221-37).

MADRID. *Nacional.* R-27.222.

MARTINEZ (FR. JAIME)

EDICIONES

2550

[*A la Orden de Cistel. Soneto*]. (En VIDA, *penitencia y milagros de... San Bernardo. Traduzida por Fr. Juan Alvaro.* Valencia. 1597. Prels.).

V. *BLH*, V, n.º 2106.

MARTINEZ (FR. JAIME)

EDICIONES

2551

[*APROBACION. Orihuela, 24 de enero de 1699*]. (En León, Juan Bautista de. *El animado cielo de María, San Joaquín.* Orihuela. 1701. Prels.).

ZARAGOZA. *Seminario de San Carlos.* 20-6-15.

MARTINEZ (JERONIMO)

EDICIONES

2552

[*SONETO*]. (En Mera, Pablo de. *Tratado del cómputo general de los tiempos.* Madrid. 1614. Prels.).

MADRID. *Nacional.* R-8.450.

MARTINEZ (JOSE)

EDICIONES

2553

[*JEROGLIFICO*]. (En JUSTA *poética por la Virgen... del Pilar.* Zaragoza. 1629, pág. 125).

Dice «Jusepe».

MADRID. *Nacional.* 3-70.301.

2554

Entremés de yo lo vi. (En RASGOS *del Ocio... Segunda parte.* Madrid. 1644, págs. 106-15).

BARCELONA. *Instituto del Teatro.*

2555

ULTIMO examen de la verdad, sobre los Tratados de la Cathedra vacante de la Universidad de Zaragoza, año 1691. [s. l.-s. i.]. [s. a.]. 2 hs. 27 cm.

Carece de portada.

—Texto. El nombre del autor consta al final.

MADRID. *Nacional.* V.E.-69-85.—SEVILLA. *Universitaria.* 109-84 (54).

2556

MEMORIAL que el arzobispo de Sta. Crvz del Reyno de Armenia, Don Thomas Bardapiet de Banand, por sí, y por su hermano D. Andres Quarto Nieto del Rey Aladulo, vltimo Rey de Armenia, y por los Patriarcas, Arzobispos, y Obispos, y de los Armenios Católicos Christianos, pone en las manos del gran Monarca Don Carlos Segundo, Rey de las Españas. Madrid. Imp. Real. 1691. 12 fols. 30,5 centímetros.

—Texto.

MADRID. *Nacional.* V.E.-207-1.

MARTINEZ (FR. JOSE)

EDICIONES

2557

[*APROBACION. Salamanca, 10 de noviembre de 1695*]. (En Manuela de

la Santísima Trinidad, Sor. *Fundación del convento de la Puríssima
Concepción de Franciscas Descalzas
de... Salamanca...* Salamanca. 1696.
Preliminares).

SEVILLA. *Universitaria.* 68-50 (1).

MARTINEZ (P. JOSE)

N. en Pareja c. 1603. Jesuita desde 1620.
Rector de Badajoz.

EDICIONES

2558

[*CENSURA y Aprobación. Madrid,
11 de septiembre de 1640*]. (En Mendoza, Gabriel de. *Pronóstico...* Madrid. 1640. Prels.).

MADRID. *Nacional.* V.E.-19-36.

2559

[*APROBACION. Madrid, 4 de julio
de 1662*]. (En Guerrero y Morcillo,
Mateo. *Libro de conjuros contra
tempestades...* Madrid. 1662. Prels.).

MADRID. *Nacional.* 3-38.749.

MARTINEZ (P. JOSE)

N. en Villarroya (1652). Jesuita desde 1670.
M. en Zaragoza (1702).

EDICIONES

2560

*DIRECTORIO Espiritval. En Tres
Tratados. El primero, de la Oracion
mental, y obras meritorias. El segvndo, del vso de los Sacramentos. El
tercero, remedios contra los pecados.*
Zaragoza. Pasqual Bueno. 1692. 12
hojas + 351 págs. + 2 hs. 15,1 cm.

—Ded. a la Virgen del Pilar.—Apr. de Fr.
Baltasar de Arin.—L. V.—Censura de Ioseph Boneta.—L. Reg.—L. O.—E.—Al que
leyere.—Texto.—Indice de los capitulos.

MADRID. *Nacional.* 3-10.906.

Aprobaciones

2561

[*CENSURA y Aprobación. Madrid,
26 de octubre de 1662*]. (En Martí-

nez Guindal, José. *Poema sagrado de
Christo paciente...* Madrid. 1663. Preliminares).

MADRID. *Nacional.* R-6.975.

2562

[*APROBACION. Madrid, 16 de febrero de 1663*]. (En Leon, Gabriel de.
*Compendio del origen de la esclare-
cida y milagrosa imagen de N. S. de
Copacabana, Patrona del Peru.* Madrid. 1663. Prels.).

MADRID. *Nacional.* H.A.-28.557.

2563

[*APROBACION. Madrid, 9 de julio
de 1666*]. (En Murillo, Tomás de. *Resolucion Philosophica, y medica...
del verdadero temperamento, frio, y
humedo de la nieve...* Madrid. 1667.
Preliminares).

MADRID. *Nacional.* V.E.-113-69.

2564

[*CENSURA. Zaragoza, 5 de agosto
de 1693*]. (En Bernal del Corral, Antonio. *Confadría y devoción de las
Almas del Purgatorio...* Zaragoza.
1693. Prels.).

ESTUDIOS

2565

REP: Latassa, 2.ª ed., II, págs. 274-75.

MARTINEZ (JUAN)

V. BRIZ MARTINEZ (JUAN)

MARTINEZ (JUAN)

N. en Fuenteovejuna.

EDICIONES

2566

PRINCIPIOS de Gramática latina.
Sevilla. Francisco Pérez. 1584. 2 hs.
+ 62 fols. 4.º

Palau, VII, n.º 154.420.

2567

PRINCIPIOS de la Gramatica latina, Compuestos por Juan Sanchez, natural de Cordova (seud.). Sevilla. Andrea Pescioni i Juan Leon. 1586. 3 hs. + 109 fols. 13 × 9 cm.

—Apr. de Luis de la Cruz Vasco.—Pr. a Baltasar de Castro, vecino de Sevilla, por diez años (1584).—Avisos acerca destos Principios.—Texto.—Colofón.

Ramírez de Arellano, I, n.º 1.020 .

MADRID. Nacional. R-3.312.

ESTUDIOS

2568

REP: Ramírez de Arellano, I, n.º 1.020.

MARTINEZ (JUAN)

N. en Sevivlla. Clérigo. Maestro de los mozos de coro de la catedral de Sevilla.

EDICIONES

2569

ARTE de Canto llano puesta y reducida nueuamente en su entera perficion: según la practica del canto llano. Va en cada vna de las reglas su exemplo puntado: en las Intonaciones puntadas. [Alcalá de Henares. s. i.]. [1532, 16 de enero]. 20 hs. 8.º gót.

Gallardo, III, n.º 2.933; J. Catalina García, *Tip. cumplutense*, n.º 139.

Se conservaba un ejemplar en la Colombina.

2570

ARTE de canto llano puesta y reducida nuevamente en su entera perfeccion segun la practica. Sevilla. Juan Gutiérrez. 1560. 8.º

N. Antonio.

2571

COMPENDIO de canto llano. Barcelona. 1586. 4.º

Palau, VIII, n.º 154.417.

2572

[ARTE de canto llano...] puesta, y reducida nueuamente en entera perfection, segun la practica del canto llano. Va en cada vna de las reglas su exemplo puntado con las intonaciones puntadas. Ordenada por ——. Salamanca. 8.:

Fragmento del frontis (Salvá, II, col. 348).

TRADUCCIONES

a) PORTUGUESAS

2573

ARTE de canto chão... agora de novo revista & emmendada... por Antonio Cordeiro. Coimbra. Nicolas Carualho. 1612. 80 págs. con música. 15 cm.

WASHINGTON. Congreso. 27-1417.

2574

——. Coimbra. Nicolas Carualho. 1614. 80 págs. con música. 14 cm.

BOSTON. Public Library.

ESTUDIOS

2575

REP: Méndez Bejarano, II, n.º 1.567.

MARTINEZ (JUAN)

N. en Oropesa.

EDICIONES

2576

[SONETO]. (En López de Hoyos, Juan. Historia y relación verdadera de la enfermedad, felicissimo tránsito y exequias de... D.ª Isabel de Valoys... Madrid. 1569. Prels.).

MARTINEZ (JUAN)

Vecino de Alfaro.

CODICES

2577

«Glossa sobre el credo.—Glosa sobre el pater noster».

Letra del s. XVII. 215 × 160 mm. De la Colección Mateos Murillo, *Miscelánea histórica*, VII.

1. «De la judayca nacion...».
2. «Soberano y sumo Rey...».

MADRID. *Academia de la Historia.* 9-5.848 (folios 63*r*-69*v*).

MARTINEZ (JUAN)

Doctor. Racionero de la Seo y Vicerrector de la Universidad en Zaragoza.

EDICIONES

2578

RELACION *de las exeqvias, qve la mvy insigne civdad de Çaragoça, á celebrado, por el Rey Don Philipe nuestro señor I deste nombre; dilatada con varias cosas de antiguedad y curiosidad... Con el Certamen que la Vniuersidad propuso, los Versos, Letras y Geroglificos que se hizieron, y vna Relacion de la enfermedad y muerte de su Magestad, y el Sermon de dichas Exequias.* Zaragoza. Lorenço de Robles. 1599. 8 hs. + 318 páginas + 1 h. en blanco + 52 págs. + 4 hojas. 20 cm.

Salvá, I, n.º 287; Sánchez, II, n.º 838.

BARCELONA. *Universitaria.* B.49-5-12; etc.—CAGLIARI. *Universitaria.* Ross. E. 88/1. — GRANADA. *Universitaria.* A-14-219.—LONDRES. *British Museum.* 1060.i.17(1). — MADRID. *Academia de la Historia.* 4-1-8-1.050. *Nacional.* R-4.520.—NUEVA YORK. *Hispanic Society.*—ROUEN. *Municipale.* U.1386.

ESTUDIOS

2579

REP: N. Antonio, I, pág. 734; Latassa, 2.ª ed., II, págs. 263-64.

MARTINEZ (JUAN)

Licenciado.

EDICIONES

2580

[SONETO]. (En Robles, Eugenio de. *Compendio de la vida y hazañas del* Cardenal... Cisneros... Toledo. 1604. Preliminares).

MADRID. *Nacional.* 4-1.338.

MARTINEZ (JUAN)

Doctor. Catedrático de Prima de Santo Tomás de la Universidad de Alcalá.

EDICIONES

2581

[APROBACION. *Alcalá, 2 de febrero de 1634*]. (En Arbués, Luis Vicente de. *Discurso y verdadera inteligencia del Fuero de Aragón llamado de nueve por ciento...* Zaragoza. 1647. Preliminares).

MADRID. *Nacional.* V.E.-192-7.

MARTINEZ (JUAN)

Doctor. Cura de la parroquia de Santiago de Madrid. Examinador sinodal del arzobispado de Toledo.

EDICIONES

2582

[APROBACION. *Madrid, 9 de junio de 1687*]. (En Cabrera, Martín. *Panegíricos y Sermones varios.* Valencia. s. a. Prels.).

MADRID. *Nacional.* 3-44.834.

2583

[APROBACION. *Madrid, 26 Agosto 1687*]. (En Gante, Francisco. *Vida de... Santa Rita...* Madrid. 1687. Preliminares).

MADRID. *Nacional.* 2-51.818.

2584

[APROBACION. *Madrid, 21 de marzo de 1689*]. (En OFICIOS *Funerales... en la muerte de... D.ª María Luisa de Orliens...* Madrid. s. a. Prels.).

MADRID. *Nacional.* V.E.-110-34.

2585

[CENSURA. *Madrid, 4 de noviembre de 1691*]. (En Angel, Buenaventura.

El príncipe Melchisedech. Parte primera. Madrid. 1692. Prels.).

MADRID. *Nacional.* 3-75.291.

2586

[*APROBACION. Madrid, 15 Agosto 1694*]. (En Juan de San Jerónimo, Fray. *Vida de Fr. Lope de Olmeda.* Madrid. 1693. Prels.).

MADRID. *Nacional.* 3-19.629.

MARTINEZ (FR. JUAN)

Dominico. Maestro en Teología. Prior del convento de S. Honofrio de Valencia.

EDICIONES

2587

[*APROBACION, 16 de mayo de 1583*]. (En Martí, Luis. *Primera parte de la Historia de... fray Luys Bertrán...* Valencia. s. a. Prels.).

MADRID. *Nacional.* R-27.207.

2588

[*CENSURA del Colegio de Santo Tomás de... Madrid, por —— y Fr. Bernabé Gallego de Vera. Madrid, 10 de abril de 1638*]. (En González Barroso, Agustín. *Memorial...* s. l.- s. a. Al fin).

MADRID. *Nacional.* V.E.-134-36.

MARTINEZ (FR. JUAN)

N. en Calatayud. Franciscano.

EDICIONES

2589

HISTORIA de la Virgen de Magallon, en verso castellano. Zaragoza. Lucas Sanchez. 1610. 8 hs. + 154 fols. 15 cm.

—Port. con un grab. de la Virgen.—Apr. de Domingo Villalua.—L. V.—Apr. de Fr. Diego Murillo.—Pr. de Aragón.—Apr. de Fr. Iuan Carrillo.—L. O.—Soneto de Fr. Matheo Mauricio del Castillo. [«Si desde los rompidos pedernales...»].—Prologo al lector. — Texto. [«La Diuina translacion...»].

Gallardo, III, n.º 2.934.

MADRID. *Nacional.* 2-65.910. — NUEVA YORK. *Hispanic Society.*

Poesías sueltas

2590

[*SONETO*]. (En Ferrero, Juan. *Certamen poético a... San Ramón Nonat.* Zaragoza. 1618, fol. 44r).

MADRID. *Nacional.* 3-3.338.

ESTUDIOS

2591

REP: N. Antonio, I, págs. 734-35; Latassa, 2.ª ed., II, pág. 267.

MARTINEZ (FR. JUAN)

Confesor de S. M. Del Supremo Consejo de la Inquisición.

CODICES

2592

«*Fr. Juan Martinez, confesor de su Magestad, dice los inconuenientes que se siguen de que las Comediantas se vistan de hombres en las representaciones de comedias que hacen en los corrales y assi mismo suplica se sirva S. M. mandar al Nuncio no permita que se hagan comedias ni otro genero de representaciones en la Iglesia y lugares sagrados*».

Fechado en Madrid, a 4 de abril de 1656.

LONDRES. *British Museum.* Add. 26850 (folios 131-33).

2593

«*Parecer sobre hacer la guerra a Portugal. 1656*».

Original, firmado en Madrid, a 23 de noviembre.

Roca, n.º 268-II-23. Perteneció a Gayangos.

MADRID. *Nacional.* Mss. 18.176.

EDICIONES

2594

DISCVRSOS Theologicos y Polyticos. Alcalá de Henares. En la Oficina del Colegio de S. Thomas, por Fr. Diego García. 1664. 48 hs. + 769 págs. a 2 cols. + 31 hs. 29,5 cm.

—Frontis, por Pedro de Villafranca.—Tabla de discursos. — Pr. al autor por diez años. — Apr. de Fr. Francisco de Arcos.—L. V.—Otra Apr. de Fr. Francisco de Arcos.—Prologo.—Apéndice.—Apr. y L. de Fr. Juan Martinez de Prado.—E.—S. T.—Parecer de D. Martín de Ontiveros.—Parecer de Fr. Francisco de Aragón.—Parecer de Fr. Pedro de Godoy.—Apr. de Fr. Francisco Rois, Fr. Pedro de Oviedo, Fr. Miguel de Fuentes y Fr. Antonio de San Pedro.—Apr. de Fr. Iuan Aguila.—Apr. de Fr. Martin de Montalvo. — Apr. de Fr. Ioseph Romero.— Apr. de Fr. Mauro Ormaza, Fr. Plácido de Puga y Fr. Antonio del Castillo.— Parecer de Ioseph de Retes. — Apr. de Iuan Rodriguez Armenteros.—Apr. de Manuel de la Parra y Tapia.—Apr. de Bernardo de Quirós.—Apr. de Marcelo Francisco de Valdes.—Apr. de Iuan Lapilla.—Apr. de Diego de Ros Medrano.—Apr. de Fr. Martin Ibañez de Villanueva.—Apr. de Fr. Francisco de Mendoza.—Apr. de Fabian de Villegas.—Apr. de Iuan Antonio de Morales.—Parecer de Fr. Domingo de Santa Teresa.—Apr. del P. Tomas Hurtado.—Parecer de Fr. Iuan de Toledo.—Parecer de Antonio de Piña.—Parecer de Diego Escolano.—Parecer de Nicolás Hermosilla.—Bula de Clemente VIII sobre obispados.—Texto.—Tabla de cosas notables.—Tabla de autores.

J. Catalina García, *Tip. complutense*, número 1.116; Fernández, n.º 366.

LISBOA. *Academia das Ciências.* E.667/3. — MADRID. *Facultad de Filología.—Nacional.* 3-88. *Palacio Real.* III-421. — ORIHUELA. *Pública.* 31-3-6.—SAN LORENZO DEL ESCORIAL. *Monasterio.* M.4-I-16. — SEVILLA. *Colombina.* 9-216. *Universitaria.* 51-73; etc. — VALLADOLID. *Universitaria.* Santa Cruz, 4.770.—ZARAGOZA. *Universitaria.* G-18-55.

ESTUDIOS

2595

REP: N. Antonio, I, pág. 735.

MARTINEZ (FR. JUAN)

EDICIONES

2596

[*SONETO*]. (En JUSTA *literaria, Certamen poetico... en la... Canonización de... San Juan de Dios...* Madrid. 1692, págs. 112-13).

MADRID. *Nacional.* R-15.239.

MARTINEZ (LUCAS)

Médico real en Borgoña.

EDICIONES

2597

[*APROBACION. 17 Diciembre 1681*]. (En Guerrero, Juan. *Sol de la Medicina.* Madrid. 1682. Prels.).

MADRID. *Nacional.* 3-38.071.

MARTINEZ (LUIS)

EDICIONES

2598

NOTAS al Memorial de el Licenciado Blas de Ribera, en respvesta de el que presentó la Vniuersidad... de Zaragoça a la Reyna, sobre la nulidad de las censuras en que pretenden estar incursos los Capitulares de la Santa Iglesia Metropolitana en aquella Ciudad. [s. l.-s. i.]. [s. a., 1622]. 24 fols. 28 cm.

—Texto, fechado en Madrid, a 16 de diciembre de 1672 y con el nombre del autor al fin.

MADRID. *Nacional.* V.E.-25-4.

MARTINEZ (MANUEL)

EDICIONES

2599

[*SONETO, de laberinto acróstico*]. Una hoja plegable intercalada en

Boneta, José. *Vidas de santos y venerables varones de la Religión de Nuestra Señora del Carmen...* Zaragoza. 1680, fols. 243-45.

V. *BLH*, VI, n.º 4838 (39).

MARTINEZ (FR. MANUEL)

N. en Zaragoza. Mercedario. Maestro en Artes y Teología. Visitador de los conventos de Sicilia.

EDICIONES

2600

PANEGIRICO que en 24 de Enero se hizo al Patriarca San Ioseph, estando patente el Señor Sacramentado: En Rogativa, por los buenos sucessos del viaje de su alteza, y bien de la monarquia. [s. l., pero Zaragoza, s. i.]. 1677. 3 hs. + 18 págs. 19 cm.

—Ded. de Francisco Ruiz de Azagra a D. Juan de Austria.—Apr. de Fr. Raymundo Lumbier.—Apr. de Fr. Ivan Arque.—Texto.

Jiménez Catalán, *Tip. zaragozana del siglo XVII,* n.º 1.400; Herrero Salgado, número 742.

MADRID. *Nacional.* V.E.-104-44.

2601

PANEGIRICO al Santíssimo Sacramento por los bvenos svçesos de la Armada... Predicado en la fidelissima civdad de Palermo... Palermo. Domingo de Anselmo. 1678. 16 págs. 4.º

—Ded. a D. Juan de Austria.—L. O.—Apr. de Juan Muniesa.—Apr. de Fr. Pedro Police.—Texto.

Toda, *Italia*, III, n.º 3.120.

BARCELONA. *Central.* Toda, 7-VI-17-27. *Universitaria.*

ESTUDIOS

2602

REP: Latassa, 2.ª ed., II, pág. 273.

MARTINEZ (MARCELINO)

Vicario de Santiago.

EDICIONES

2603

[*APROBACION. Zaragoza, 16 febrero 1634*]. (En Arbues, Luis Vicente de. *Discurso y verdadera inteligencia del Fuero de Aragón llamado del nueve por ciento...* Zaragoza. 1647. Al fin).

MADRID. *Nacional.* V.E.-192-7.

MARTINEZ (MARCOS)

N. en Alcalá de Henares. Licenciado.

EDICIONES

2604

TERCERA [*y quarta*] *parte del Espejo de Principes y Cavalleros donde se cuentan los altos hechos de los hijos y nietos del Emperador Trebacio con las cavallerías de las belicosas damas.* Alcalá de Henares. 1589. Fol.

N. Antonio.

SANTANDER. «*Menéndez y Pelayo*». R-IV-8-19 (incompleto).

2605

ESPEJO de Principes y Cavalleros. Tercera y Quarta parte. Zaragoza. Pedro Cabarte. A costa de Juan de Bonilla. 1623. 8 hs. + 172 + 161 fols. a 2 cols. 28,5 cm.

—Port. a dos tintas: roja y negra, con un grabado.—Ded. a D. Rodrigo Sarmiento de Silua, Conde de Salinas, etc.—Escudo del impresor.—Prólogo al lector, con varias poesías intercaladas.—Texto de la Tercera parte (fols. 1-172).—Texto de la Cuarta parte.

Salvá, II, n.º 1.599; Jiménez Catalán, *Tip. zaragozana del s. XVII,* n.º 222.

BARCELONA. *Universitaria.* B.12-2-20.—LONDRES. *British Museum.* G.10265.—MADRID. *Facultad de Filología.—Nacional.* R-14.340 (ex libris de Gayangos. Lleva repetida la hoja de la Ded.); R-2.528. *Palacio Real.* VIII-1.498; etc.—SANTIAGO DE COMPOSTELA. *Universitaria.*

ESTUDIOS

2606
REP: N. Antonio, II, pág. 85.

MARTINEZ (FR. MARTIN)

Benedictino. Calificador de la Inquisición.

EDICIONES
2607
*APOLOGIA por San Millan de la Co-
golla, patron de España... Primera
parte.* Aro. Iuan de Mongaston. 1632.
8 hs. + 76 fols. 20,5 cm.

—T.—E.—Pr. al autor por diez años.—Apr.
de Fr. Pedro Marin.—Apr. de Fr. Facundo de Torres.—Apr. de Fr. Domingo Cano.—Apr. de Fr. Luys Cabrera.—Apr. de
Fr. Ioan de la Puente.—L. O.—Ded. al
Rey en su Consejo de Guerra.—A los
letores.—Soneto de Bernardino de Robredo. [«Renace Fenix, Fenix que a la
muerte...»]. — Grabado. — Texto. — Protesta.

Gallardo, III, n.º 2.935.

MADRID. *Academia de la Historia.* 5-5-7-2438.
Nacional. R-11.384 (ex libris de Gayangos)
Palacio Real.

2608
*APOLOGIA por San Millán de la
Cogolla, Patrón de España.* Primera
parte. Madrid. [s. i.]. 1643. 10 hs. +
1 lám. + 148 págs. + 36 págs. 20 cm.

Contiene además: *Vida y milagros de...
San Millán de la Cogolla... traducida por
el Señor Obispo Sandobal...* s. l.-s. i., s. a.
Gallardo, III, n.º 2.936.

MADRID. *Academia de la Historia.* 13-1-9-
2.572. *Facultad de Filología.* — NUEVA YORK.
Hispanic Society.—ZARAGOZA. *Universitaria.*
G-27-160.

ESTUDIOS
2609
REP: N. Antonio, II, pág. 105.

MARTINEZ (MIGUEL)

Doctor. Catedrático de Prima del Colegio
de San Lorenzo el Real.

CODICES
2610
[Obras].

Quirógrafo. 430 hs. 320 × 220 mm.
1. *Sermones de Tempore y de los Santos.*
(Fols. 1r-422v).
2. *[Tratado del derecho que el rey Felipe II tiene al trono de Portugal].* (Folios
423r-430v).

Zarco, I, págs. 250-52.

SAN LORENZO DEL ESCORIAL. *Monasterio.* &.
II.6.

MARTINEZ (NICOLAS)

EDICIONES
2611
*RELACION verdadera, que trata de
dos batallas crueles que han sucedido al Preste Iuan de las Indias,
con el Gran Sufi. Fue trayda esta
nueua de Marruecos a Seuilla por
Fray Iuan Bautista, Frayle Trinitario. Compuesta en dos curiosos Romances.* Salamanca. Antonia Ramírez. 1607. 7 hs. 4.º

Palau, VIII, n.º 154.559.

MARTINEZ (P. NICOLAS)

N. en Sevilla (1617). Jesuita desde 1629.
Enseñó en el Colegio de Roma y otros.
M. en Ecija (1676).

EDICIONES
2612
*AUTO general de la Fee. Esto es la
verdad catolica triunfante contra el
error. La Iglesia esposa legitima de
Christo vengada de la repudiada sinagoga de los enemigos desertores
del nombre christiano, perdonados
unos, castigados otros, todos venci-
dos a los pies de la Santissima Cruz.
Por la oliva justa. Por la espada mi-
sericordiosa del Tribunal de la Santa
Inquisicion de Cordova. Lunes tres
de Mayo de 1655.* Cordoba. Salvador
de Cea Tesa. 1655. 9 hs. 30 cm.

—Cita latina de S. Juan Crisóstomo.—Ded.
a D. Diego de Arce de Reinoso; inquisidor general, etc., firmada por —— (único
lugar donde consta su nombre).—Texto.

Ramírez de Arellano, I, n.º 1.022; Valdenebro, n.º 203.

GRANADA. *Universitaria*. A-31-130 (26).—SEVI-
LLA. *Colombina*. 102-9-8.

2613

*ORACION panegyrica de la B. Rosa
de Santa Mária, Virgen de Lima.
Dijola en la solemne Fiesta que a su
Beatificacion izo la Nacion Española
en su Iglesia del Apostol Santiago de
Roma... en 10 de junio de... 1668.*
Roma, Nicol' Angel Tinas. 1668. 222
págs. 4.º

Toda, *Italia*, II, n.ª 3.122.

NUEVA YORK. *Hispanic Society.*—SEVILLA. *Universitaria* 113-29 (2).

OBRAS LATINAS

2614

*DEUS Sciens, sive de Scientia Dei
controversiae quatuor scholasticae...*
Monachii. 1678. 4.º

GRANADA. *Universitaria*. A-25-205. — LONDRES.
British Museum. 3835.de.34.

2615

*DEUS sciens sive de Scientia Dei
controversiae quatuor scholasticae.*
Venecia. Andrea Poleti. 1738. 5 hs. +
424 págs. 24 cm.

Toda, *Italia*, III, n.º 3.123.

GUASTALLA. *Maldotti*. 3C728.—LISBOA. *Academia das Ciências*. E.127/12.

ESTUDIOS

2616

REP: Backer-Sommervogel, V, col. 634;
Méndez Bejarano, II, págs. 28-29; Ramírez de Arellano, I, págs. 316-17.

MARTINEZ (PASCUAL)

EDICIONES

2617

[POESIAS]. (En Díez de Aux, Luis.
*Compendio de las fiestas que ha
celebrado... Caragoça...* Zaragoza.
1619).

1. *Tercetos*. (Págs. 197-99).
2. *Liras*. (Págs. 212-14).

MADRID. *Nacional*. R-4.908.

MARTINEZ (PEDRO)

N. en Alcañiz.

EDICIONES

2618

*RELACION de la mverte de Migvel
Morell cabeça de quadrilla de ban-
doleros, y de otros siete compañeros
suyos.* Barcelona. Esteuan Liberos.
1613. 2 hs. 21 cm.

—Texto. [«Ya se va acercando el tiempo...»].

LISBOA. *Nacional*. Res. 254¹⁴.

2619

[NUEVE Geroglificos]. (En Briz
Martínez, Juan. *Relación de las exequias que... Çaragoça a celebrado
por el Rey Don Philipe...* Zaragoza.
1599, págs. 275-80 y 282-84).

MADRID. *Nacional*. R-4.520.

MARTINEZ (PEDRO)

EDICIONES

2620

[SONETO]. (En Barrios, Juan de.
*De la verdadera Medicina, Astrolo-
gía y Cirugía.* Méjico. 1607. Prels.).

Medina, *México*, II, n.º 232.

MARTINEZ (PEDRO)

EDICIONES

2621

*CONSIDERACIONES devotas de la
frequente Comunion, y de la Pasion
de Christo nuestro Señor. Traducido del italiano por* ——. Madrid.
Luis Sánchez. 1615. 8.º

Es obra del P. Fulvio Androti o Androcio.
N. Antonio; Palau, I, n.º 12.343.

MARTINEZ (FR. PEDRO)

Dominico. Presentado. Prior del convento de Santo Domingo y el Rosario de Cádiz.

EDICIONES

2622

[*APROBACION. Cádiz, 13 de junio de 1640*]. (En Liaño y Leiva, Lope de. *Relación de las fiestas que se an hecho en... Puerto de Santa María a los desagrauios de la Ley de Gracia...* Cádiz. 1640. Prels.).

MADRID. *Academia de la Historia.* 9-3.541.

2623

[*CENSURA. Cádiz, 21 de julio de 1640*]. (En Chirino Bermúdes, Alonso. *Panegyrico nupcial...* Cádiz. 1640. Prels.).

V. *BLH*, IV, n.º 2.191.

MARTINEZ (PEDRO LUIS)

Licenciado.

EDICIONES

2624

DISCVRSO y alegaciones... en qve trata y declara el origen, y principio del nobilissimo y fidelissimo Reyno de Aragon, y la excelencia de su gouierno y leyes, y la justicia clarissima que tiene, en el pleyto en que defiende en el Consistorio del Iusticia de Aragon, que la Magestad del Rey nuestro Señor (salua su clemencia) no puede nombrar Virrey estrangero para su gouierno, ni conuiene a su Real seruicio. Zaragoza. En casa del Prior del Pilar, por Lorenço de Robles. 1591. 3 hs. + 426 páginas + 1 h. blanca + 17 hs. 33 cm.

—Ded. a los Diputados del Reyno de Aragón.—Texto.—Indice alphabetico copiosissimo.

LONDRES. *British Museum.* C.66.L.7.—MADRID. *Nacional.* R-6.390. *Palacio Real.* III-712.—

SEVILLA. *Universitaria.* 116-180. — VALLADOLID. *Universitaria.* Santa Cruz, 7.988.—ZARAGOZA. *Universitaria.* G-19-28; etc.

OBRAS LATINAS

2625

RESPONSVM Petri Lvdovici Martinez... in causa vertente in clarissimo Illvstrissimi Iustitiae Aragonum Senatu, super Baronia de Sanctę Chrochę. Zaragoza. Lorenzo y Diego Robles. 1587. 5 hs. + 48 fols. Fol.

Vindel, V, n.º 1.631.

MARTINEZ (SEBASTIAN)

Vecino de Las Mesas, en el marquesado de Villena.

CODICES

2626

«*Las partidas de la gran Ciudad de Granada en metro en manera de perque... Con un villancico. Año de MDL*».

Letra de la 2.ª mitad del s. XIX. 27 págs. 208 mm. Copia del pliego suelto.

«—Dezir quiero de Granada...».

Rodríguez Moñino-Brey, II, pág. 277.

NUEVA YORK. *Hispanic Society.* Mss. CLXII.

EDICIONES

2627

[*PARTIDAS (Las) de la gran Ciudad de Granada en metro, o en manera de perq[ue]... Con vn villancico*]. [s. l.-s. i.]. [1550] 4 hs. a 2 cols. y con un grab. 20 cm. gót.

1. [«Dezir quiero de Granada...»].
2. *Villancico.* [«Granada es la gran ciudad...»].

Rodríguez-Moñino, *Diccionario*, n.º 345.

MADRID. *Nacional.* R-31.364, n.º 16.

— — —

Reprod. facsímil en *Pliegos*, I, n.º 14.

2628

——. Granada. Hugo de Mena. 1571. 4 hs. a 2 cols. 4.º gót.

Rodríguez-Moñino, *Diccionario*, n.º 347. CRACOVIA. *Biblioteka Jagiellonska*.

MARTINEZ (FR. SEBASTIAN)

Prior de los conventos de San Pablo de Burgos y del Rosario de Madrid. Vicario provincial del Reino de Galicia. Calificador de la Inquisición.

EDICIONES
2629

[*APROBACION. Burgos, 24 de marzo de 1671*]. (En Villalva, José de. *Antorcha espiritual...* Madrid. 1673. Preliminares).

SEVILLA. *Universitaria*. 21-23.

2630

[*CENSURA por —— y Fray Bernardo Cano. Madrid, 12 de septiembre de 1681*]. (En Martínez de Llamo, Juan. *Marial...* Madrid. 1682. Prels.).

MADRID. *Nacional*. 2-11.429.

2631

[*APROBACION de Fr. Benito de la Parra y ——. Madrid, 21 de junio de 1682*]. (En Ferrer de Valdecebro, Andrés. *Historia de la vida... de... San Vicente Ferrer*. Madrid. 1682. Prels.).

MADRID. *Nacional*. 2-9.094.

MARTINEZ (SIMON)

Clérigo presbítero. Capellán en el Hospital de la Visitación de Nuestra Señora o del Nuncio de Toledo.

CODICES
2632

«*Demonstracion y conocimiento del sitio y lugar donde fue edificado el monasterio Agaliense en el qual el glorioso S. Illefonso tomo el abicto de sant Benito, con otros algunos acaecimientos que en aquellos tiem-*

pos subcedieron en espicial en Toledo».

Letra del s. XVII. 155 fols. 210 × 150 mm.

MADRID. *Nacional*. Mss. 6.807.

2633

«——».

MADRID. *Nacional*. Mss. 7.445.

MARTINEZ (FR. TOMAS)

Dominico.

EDICIONES
2634

[*AL Autor. Soneto*]. (En Santacruz, Miguel. *Libro de Arithmetica Speculativa y Practica*. Sevilla. 1603. Preliminares).

MADRID. *Nacional*. 3-44.530.

MARTINEZ (VICENTE)

EDICIONES
2635

[*POESIAS*]. (En Tarrega, Francisco. *Relación de las fiestas... de Valencia... en la translación de la reliquia de S. Vicente Ferrer*. Valencia. 1600).

1. *Redondillas*. (Págs. 104-8).
2. *Redondillas*. (Págs. 194-98).
3. *Redondillas*. (Págs. 272-74).

MADRID. *Nacional*. R-12.414.

MARTINEZ DE ABARCA (P. JUAN)

Clérigo menor. Maestro de Teología por Salamanca.

EDICIONES
2636

[*APROBACION. Madrid, 27 noviembre1678*]. (En Guerra y Ribera, Manuel. *Primera parte de la Quaresma Continua*. Madrid. 1679. Prels.).

MADRID. *Nacional*. 6-i.-328.

MARTINEZ AGUADO (JUAN)

Maestro. Patrón del Colegio de San Isidro. Catedrático de Elocuencia de la Universidad de Alcalá.

EDICIONES

2637

[APROBACION. Alcalá de Henares, 15 de julio de 1595]. (En Horacio. Sus Obras, con la declaración magistral de Villén de Biedma. Granada. 1599. Prels.).

MADRID. Nacional. R-6.484.

MARTINEZ DEL AGUILA (GABRIEL)

EDICIONES

2638

[GLOSSA]. (En Paracuellos Cabeza de Vaca, Luis. Elogios a Maria Santissima... Granada. 1651, fols. 264v-265r).

MADRID. Nacional. 3-27.884.

MARTINEZ DE AGUILERA (ALONSO)

EDICIONES

2639

RELACION verdadera del socorro que a Fuenterrabia dieron los Excelentissimos Almirantes de Castilla, y el Marqués de los Velez Virrey de Navarra, generales de ambas Coronas en esta faccion, vispera de N. Señora de Setiembre deste año de 1638. Escriviola ——, que se halló en el esquadron volante, governado por el Marqués de Torrecuso Maesse de Campo general de los tercios de Navarra. Logroño. Matías Mares. 1638. 8 hs. 20 cm.

LONDRES. British Museum. 1444.f.18.(29).— MADRID. Academia de la Historia. 9-17-4-3.553.—SEVILLA. Universitaria. 19-34 (2).

2640

TERCERA Relacion, y muy copiosa del socorro de Fuente-Rabia... Madrid. Diego Diaz. 1639. 4 hs. 29,8 cm.

—Texto.

MADRID. Nacional. V.E.-177-101.

MARTINEZ Y AGUIRRE (JOSE)

N. en Zaragoza. Catedrático de Santo Tomás en la Universidad de Valencia. Beneficiado de la parroquia de San Pablo de Zaragoza. Maestro de Pajes del Arzobispo y Examinador sinodal en Zaragoza.

EDICIONES

2641

[DEDICATORIA. Zaragoza, 12 de mayo de 1700]. (En José de Jesús, Fray. Sermon de la... conversion de el Apostol San Pablo. Zaragoza. 1700. Preliminares).

Latassa le atribuye el Sermón.

MADRID. Nacional. V-2128-8.

2642

[DEDICATORIA a D. Antonio Ibáñez de la Riva Herrera, arzobispo de Zaragoza]. (En José de Jesús, Fray. Sermón de San Blas... Sacale a la luz... ——... Zaragoza. 1700. Prels.).

Latassa lo cita como suyo.

ZARAGOZA. Universitaria.

Aprobaciones

2643

[APROBACION. Zaragoza, 25 de junio de 1691]. (En Núñez y Quílez, Cristóbal. Antigüedades de... Daroca. Zaragoza. 1691. Prels.).

MADRID. Nacional. 2-71.317.

2644

[APROBACION. Zaragoza. 6 de marzo de 1700]. (En Hebrera y Esmir, José Antonio de. Vida prodigiosa de... don Martín García, Obispo de Barcelona... Zaragoza. 1700. Prels.).

V. BLH, XI, n.° 3823.

2645

[*APROBACION. Zaragoza, 3 de septiembre de 1700*]. (En Millán Lumbreras, José. *Oración panegyrica al glorioso... San Juan Bautista...* Zaragoza. 1700. Prels.).

MADRID. *Nacional.* V.E.-62-55.

ESTUDIOS

2646

REP: Latassa, 2.ª ed., II, pág. 276.

MARTINEZ ALAMOS Y GRIERA (DIEGO)

EDICIONES

2647

[*JEROGLIFICO*]. (En Rios Hevia Ceron, Manuel de los. *Fiestas que hizo Valladolid... en la beatificación de la Santa M. Teresa de Jesús.* Valladolid. 1615, fol. 118*r*).

MADRID. *Nacional.* U-2.278.

MARTINEZ DE ALARCON (JERONIMO)

EDICIONES

2648

MEMORIAL al Rey sobre la baja de los censos en el Clero. [s. l.-s. i.]. [s. a.]. 5 fols. + 1 h. 30 cm.

Carece de portada.
—Texto.

MADRID. *Nacional.* V.E.-200-16.

Poesías sueltas

2649

[*SONETO*]. (En Alarcón, Alonso de. *Corona sepulcral. Elogios en la muerte de Don Martín Suárez de Alarcón...* s. l., s. a., 1653?, fol. 94*v*).

V. *BLH*, V, n.º 71 (66).

2650

[*POESIAS*]. (En Perez de Rua, Antonio. *Funeral hecho en Roma en la Yglesia de Santiago de los Españoles... A la gloriosa memoria del Rei Catolico de las Españas... Felipe Quarto...* Roma. 1666. 2.ª Parte).

1. *Soneto.* (Pág. 23).
2. *Soneto.* (Pág. 24).

MADRID. *Academia de la Historia.* 3-5-5-4294.

MARTINEZ ALARCON Y FIGUEROA (JOSE)

EDICIONES

2651

[*A D. Joseph Micheli y Marquez... Soneto*]. (En Micheli Marquez, José. *Tesoro militar de Cavallería.* Madrid. 1642. Prels.).

MADRID. *Nacional.* R-33.

MARTINEZ ALEGRIA (JUAN)

N. en Valencia. Religioso de la Orden de Montesa desde 1531.

EDICIONES

2652

[*AL Auctor. Soneto*]. (En Martí, Luis. *Primera parte de la Historia de... fray Luys Bertrán...* Valencia. s. a. Prels.).

MADRID. *Nacional.* R-27.207.

OBRAS LATINAS

2653

EPITOME eorvm qvae apud varios scriptores de Dijs gentium leguntur. Valencia. Viuda de Pedro de Huete. Idibus Maij. 1584. 6 hs. + 31 fols. 15,5 cm.

MADRID. *Nacional.* R-29.185.

ESTUDIOS

2654

REP: Ximeno, I, pág. 181.

MARTINEZ ALFONSO (JUAN)

EDICIONES

2655

[*SONETO*]. (En JARDIN *de Apolo.*
Madrid. 1655. 2.ª Parte, fol. 7).

MADRID. *Nacional.* R-1551.

MARTINEZ DE AMAYA (JUAN)

Doctor. Cura del Sagrario de la catedral
de Sevilla. Colector de su arzobispado.

EDICIONES

2656

[*APROBACION. Sevilla, 2 de marzo
de 1642*]. (En Otañez, Pedro. *Principe muerto...* Sevilla. 1642. Prels.).

SEVILLA. *Universitaria.* 113-57 (16).

2657

[*APROBACION*]. (En Núñez, Juan.
*Sermón predicado en el Real Con-
vento de S. Pablo de Sevilla...* Sevilla. 1642. Prels.).

CORDOBA. *Pública.* 1-98 bis.

2658

[*APROBACION. Sevilla, 17 de noviembre de 1643*]. (En Saavedra, Silvestre de. *Discurso para la solenni-
ssima fiesta de la Concepción Purissima de nuestra Señora...* Sevilla. 1643.
Preliminares).

MADRID. *Nacional.* V.E.-45-89.

2659

[*PARECER. Sevilla, 6 de setiembre
de 1645*]. (En Cotiño, Ignacio. *Prom-
tuario espiritual de elogios de los
Santos.* Madrid. 1650. Prels.).

MADRID. *Nacional.* 2-44.756.

2660

[*APROBACION*]. (En Silva, José de.
*Brillante Escudo de la Deidad de
Apolo...* Cadiz. 1645. Prels.).

SEVILLA. *Colombina.* 67-1-42.

MARTINEZ DE AMILETA
(ANDRES)

N. en Vergara. Residente en Lima.

EDICIONES

2661

*DISCVRSOS politicos y cessareos a
la Magestad Catolica de Don Felipe IV... en qve se da forma, y cventa de las conveniencias, y avmento,
que tendran los reales tesoros de
S. M., y el que gozaran tambien sus
vassallos, con el acrecentamiento del
valor de la plata, y oro. Siruiendose
de mandar se ponga en execucion lo
que este papel contiene, y a suplicado varias vezes el Reyno por sus
Procuradores en Corte.* [s. l.-s. i.].
1632. 2 + 31 hs. 28 cm.

¿De Lima?

URBANA. *University of Illinois.*

2662

[*MEMORIAL*]. [Lima. s. i.]. [s. a.,
c. 1632]. 19 fols. Fol.

—Texto. [«Señor. Dase cuenta a V. M. de
las conveniencias y acrecentamientos que
tendrán sus Reales Tesoros...»].

Palau, VIII, n.º 154.695.

MARTINEZ DE ARAUJO (JUAN)

Primer Colegial del Colegio de San Ramón
Nonnato de Méjico. Bachiller. Abogado de
la R. Audiencia de Méjico. Comisario de
la Inquisición. Juez eclesiástico.

EDICIONES

2663

*MANVAL de los Santos Sacramen-
tos en el idioma de Michuacan. (Con-
fessionario).* Méjico. María de Benavides, viuda de Juan de Ribera. 1690.
7 hs. + 93 fols. + 1 h. 4.º

—Ded. a D. Iuan Ortega Montañés, obispo
de Michuacán.—Parecer de Fr. Juan de
Castillo.—L. del Virrey.—L. V.—Apr. de
Bernardo de Riofrio.—Parecer de Roque
Uriarte.—A los Curas del obispado de
Michuacán.—Texto.

Págs. 573-83: Texto bilingüe, en ambos idiomas, a 2 columnas.

Medina, *México*, III, n.° 1.476.

LONDRES. *British Museum*. C.36.e.6.

MARTINEZ DE AVILES
(MIGUEL)

Vecino de Granada. Sirvió en diversos lugares de Italia y otras partes.

EDICIONES

2664

BREVE compendio, y tratado de reglas militares, guardadas y obseruadas por muchos y valerosos Soldados. Granada. Martín Fernández Zambrano. 1633. 8 hs. + 12 fols. 19 cm.

—Ded. a la ciudad de Granada.—Acuerdo de la ciudad de Granada sobre la Ded. ofrecida por el autor y su petición de que lo mande imprimir.—Parecer de Diego Fernandez de Cordova. — Parecer de Francisco de Torres Arias.—Parecer de Matias Lopez de Moncayo.—Acuerdo del Cabildo para que se imprima.—Apr. de Fr. Alonso de Mendoza.—L. V.—Soneto de Alvaro Cubillo, al Autor. [«Tan diestramente las distancias mides...»].—Decimas de Miguel de Cieça Tufiño. [«Quien cantar las armas puede...»].—Poesía de de Iuan de Salazar y Mendoça. [«Reglas, obligaciones, y preceptos...»].—Al Lector. Texto.

MADRID. *Academia de la Historia*. 2-3.788 (ex libris de San Román).

ESTUDIOS

2665

REP: N. Antonio, II, pág. 139.

MARTINEZ DE AZAGRA
(ANTONIO)

Licenciado. Prebendado en la parroquial de Calahorra.

EDICIONES

2666

CAMINO a la vnion, y comvnion con Dios. Para principiantes aprouechados, y perfectos Christianos. Recogido de diuersos Autores de la Compañia de Iesvs. Alcalá. Iuan de Villodas Orduña. 1630. 12 hs. + 367 págs. 14 centímetros.

—S. Pr.—T.—E.—Apr. de Andres Merino. L. V.—Apr. de Fr. Luis de San Iuan.— Ded. al Sacramento milagroso de las santissimas Formas de Alcalá.—Ded. a D. Francisco Nevares de Santoyo, escriuano mayor de Seuilla.—Tabla de las cosas que contiene este libro.—Texto

J. Catalina García, *Tip. complutense*, número 940.

Uriarte, *Anónimos*, III, n.° 3.766, la atribuye al P. Francisco García del Valle.

MADRID. *Nacional*. 3-41.080.

ESTUDIOS

2667

REP: N. Antonio, I, pág. 143; Latassa, 2.ª ed., II, pág. 270.

MARTINEZ DE BAHAMONDE
(JUAN)

EDICIONES

2668

ELOGIOS de algunos santos y santas canonizados y beatificados, y de algunos varones excelentes en virtud, con... descendencias suyas. Moguncia. A expensas de J. T. Schönwetter. 1624. XI + 223 págs. Fol.

MADRID. *Nacional*. R-6.364; etc.—PARIS. *Nationale*. H. 1401; etc.

ESTUDIOS

2669

[*NOTICIAS de Martínez Bahamonde y de su obra en carta del Obispo de Bujía a su sobrino Juan Antonio de Vera y Zúñiga*]. (En Pérez Pastor, Cristóbal. *Bibliografía madrileña*. Tomo III. Madrid. 1907, pág. 95).

2670

REP: N. Antonio, I, pág. 735.

MARTINEZ BARROS (JUAN)

N. en Manzanares del Real. Vecino de Madrid.

CODICES

2671

«*Coplas de Mingo Revulgo glosadas por* ——...».

Letra del s. XVIII. 69 fols. 4.º
Gallardo, III, n.º 2.937.

MADRID. *Academia de la Historia.* Col. Juan Isidro Fajardo. D.150.

EDICIONES

2672

[*COPLAS de Mingo Revulgo, glosadas por* —— *año de 1564*]. (En Enríquez del Castillo, Diego. *Crónica del rey D. Enrique el IV*... 2.ª edición. Madrid. 1787. 2.ª parte, págs. 41-105).

MADRID. *Nacional.* U-1.434.

MARTINEZ DE BIZCARGUI (GONZALO)

EDICIONES

2673

ARTE de canto llano e contrapunto e canto de organo con proporciones e modos breuemente compuesta por ——. [Zaragoza. George Coci]. [1508, 23 de mayo]. 14 hs. 21 cm. gót.

—Ded. a Fr. Pascual, obispo de Burgos.—Texto.—Colofón.

Sánchez, I, n.º 22 (con facsímiles del título y del colofón); Vindel, V, n.º 1.633; Norton, n.º 621.

LONDRES. *British Museum.* MK.8.f.22 (ex libris de Juan M. Sánchez).

2674

ARTE de canto llano e contrapunto e canto de organo con proporciones e modos brevemente compuesta por ——. [Burgos. Fadrique Aleman de Basilea]. [1509, 30 de agosto]. 15 hojas. 20 cm. gót.

—Ded. a fray Pascual, obispo de Burgos, cuyo escudo figura en la port.—Texto, con música.—Colofón.—Escudo del impresor. El colofón dice: «Esta presente arte... agora nueuamente reuista por ——: el qual ha añadido ciertas cosas muy necessarias.»

Vindel, V, n.º 1.634; Norton, n.º 249.

MADRID. *Nacional.* R-30.859.

2675

ARTE de canto llano z canto de organo con proporciones z modos breuemente compuesta por ——. [Burgos. Fadrique Alemán de Basilea]. [1511, 3 de abril]. 20 fols. 16 cm.

Anglés-Subirá, II, n.º 251; Norton, n.º 252.

MADRID. *Nacional.* I-2.165⁵.

2676

ARTE de canto llano y contrapunto. Zaragoza. 1512.

2677

ARTE de canto llano z contrapunto z canto de organo con proporciones y modos breuemente compuesta z nueuamente añadida z glosada por ——. [Burgos. Fadrique Alemán de Basilea]. [1515, 20 de octubre]. 36 folios. 16 cm.

Norton, n.º 277.

LISBOA. *Nacional.* Res. 380 (1) P.—MADRID. *Nacional.* R-9.405.

2678

ARTE de canto llano y contrapunto, z canto de organo: con proporciones z modos. [Zaragoza. s. i.]. [1517]. 24 hs. 4.º gót.

—Titulo.—Ded.—Texto.—Colofón: «Y es de las que agora nueuamente han estado revistas y algunas cosas necessarias por el mismo —— añadidas».

Sánchez, I, n.º 83.

BARCELONA. *Central.* Res. 1428-12.º

2679

ARTE de canto llano e contrapunto e canto de organo con proporciones y modos breuemente compuesta y nueuamente añadida y glosada por ——. [Burgos. Juan de Junta]. [1528, 8 de mayo]. ?? hs. con música. 19,5 cm.

—Ded. a D. Juan Rodriguez de Fonseca, Arçobispo de Rosano y obispo de Burgos, cuyo escudo figura en la portada.

Gallardo, III, n.º 2.938-39; Vindel, V, número 1.636; Anglés-Subirá, II, n.º 253.

LONDRES. *British Museum.* M.k.8.f.21. — MADRID. *Nacional.* R-9.405.

2680

ARTE de canto llano ɀ contrapunto... [Zaragoza. s. i.]. [1531]. 72 hs. 4.º gót.

—Ded.—Texto.—*Intonationes segun uso de los modernos...*—Colofón.

Sánchez, I, n.º 179 (con facsímil de dos páginas); Vindel, V, n.º 1.637.

MADRID. *Nacional.* R-31.259.

2681

ARTE de canto llano y contrapunto y canto de organo... [Zaragoza. s. i.]. [1538]. 84 hs. 8.º gót.

Sánchez, II, n.º 211; Vindel, V, n.º 1.638.

BARCELONA. *Central.* M.1318.

2682

ARTE d'canto llano y contrapunto y canto de organo con proportiones ɀ modos breuemente compuesta: y nueuamente, añadida y glosada. [Zaragoza. s. i.]. [1541]. Sign. a-g, A-C. 8.º

—Ded.—Texto.—Tabla. — [Advertencia]. — Escudo del impresor.—Intonaciones segun uso de los modernos que hoy cantan e intonan en la iglesia romana.

Gallardo, III, n.º 2.941.

2683

ARTE de canto llano y contrapunto y canto de organo... [Zaragoza. s. i.]. [1542]. 82 hs. 8.º gót.

—Ded.—Texto. — Escudo de Jorge Coci. — *Intonationes...*—Colofón.

Sánchez, I, n.º 228.

2684

ARTE de canto llano y contra punto y canto de Organo con proporciones y modos breuemente compuesta y nueuamente añadida y glosada por ——. [Burgos. Juan de Junta]. [1543, 20 de abril]. 36 hs. 19,5 cm.

—Texto.—Colofón.

EVORA. *Pública.* Inc, 226 (Sec. XVI, 6371).— MADRID. *Nacional.* R-31.625.

2685

ARTE de canto llano y contrapunto y canto de organo... [Zaragoza. s. i.]. [1549]. 84 hs. 8.º gót.

—Ded.—Texto. — *Intonaciones.*—Colofón.— Escudo del impresor.

Sánchez, I, n.º 295.

2686

ARTE de canto llano y contrapunto y canto de organo... [Zaragoza. s. i.]. [1550]. 84 hs. 4.º gót.

—Ded.—Texto.—Tabla.—Advertencia.—*Intonaciones...*—Colofon.—Escudo del impresor.

Sánchez, I, n.º 305.

LONDRES. *British Museum.* Mk.8.f.7.

2687

ARTE de canto llano, contrapunto y canto de órgano. Zaragoza. 1592.

Intonaciones

2688

INTONACIONES segvn el vso de los modernos que hoy cantan et intonan en la Iglesia Romana.

Primera edición desconocida, citada por el autor en su ed. del *Arte* de Zaragoza, 1531, en que se incluye, lo mismo que en las siguientes.

2689

ENTONACIONES corregidas según el uso de los modernos. Burgos. 1511. 4.º

N. Antonio, I, pág. 558.

2690

INTONACIONES nueuamente corri-
gidas por el mesmo —— segun vso
de los modernos que oy cantan z intonan en la yglesia Romana. [Bur-
gos. Fadrique Alemán]. [1515, 15 de
setiembre]. 16 fols. 15,2 cm.

Norton, n.º 276.

LISBOA. Nacional. Res. 380 (2) P.

ESTUDIOS

2691

ESPINOSA, JUAN DE. Retractacio-
nes de los errores y falsedades que
escribio Gonzalo Martinez de Bizcar-
guien (sic). Toledo. 1514, 15 de abril.
4.º

Registrum de la Colombina, n.º 4.041.

2692

ASENJO BARBIERI, FRANCISCO.
[Notas para la biografía de Gonzalo
Martínez de Bizcargui].

Letra del s. XIX.

MADRID. Nacional. Mss. 14.035.

2693

REP: N. Antonio, I, pág. 558.

MARTINEZ DE BUENDIA
(P. FRANCISCO)

Clérigo menor. Prepósito de la Casa
de Granada.

EDICIONES

2694

NOTICIA breve de la vida, y hechos
del gloriosissimo S. Gregorio Iliberitano, llamado el Betico, primero de
este Nombre, en lo primitiuo de la
Iglesia Catolica. Y fvndamentos de
la immemorial tradicion de el Patronato que obtiene de la Ciudad de
Granada. Y de las excelencias de el

sitio de sv Iglesia. [s. l.-s. i.]. [s. a.].
18 págs. 29 cm.

—Ded. a la alma con que anima la... ciudad de Granada, en sus dos nobilissimos
Cabildos (1693).—Texto.

MADRID. Nacional. V.E.-65-65.

MARTINEZ DE BURGOS (ANDRES)

Licenciado. Vecino de Astorga.

EDICIONES

2695

REPORTORIO de todas las prematicas y capitulos de cortes, hechos
por su magestad, desde el año de mil
y quinientos y veynte y tres, hasta
el año de mil y quinientos y quarenta y quatro. [Medina del Campo. Pedro de Castro. A costa de Guillelmo
de Miles y Ioan Pedro]. [1547, 19 de
noviembre]. 3 hs. + 80 fols. + 18 hs.
30 cm.

—Pr. al autor por seis años.—Tabla.—E.—
Ded. al Principe D. Felipe.—Texto.—Tabla y repertorio decisiuo de la presente
obra.—Copilación de las prematicas su-
perfluas, que no fueron proueidas en
cortes.—Colofón.—Escudo del impresor.

Pérez Pastor, Medina, n.º 55.

LONDRES. British Museum. T.89* (9).—MA-
DRID. Academia de la Historia. 14-10-3-8596.
Nacional. R-31.755.

2696

REPORTORIO de todas las prematicas, y capitulos de cortes, hechos
por su magestad, desde el año de mil
y quinientos y veynte y tres, hasta
el año de mil y quinientos y cincuenta y vno, hecho por... Andres de
Burgos... Medina del Campo. Guillermo de Millis. 1551. 4 hs. + 45 fols. +
11 hojas. Fol.

Gallardo, III, n.º 2.942; Pérez Pastor, Medina, n.º 78.

LONDRES. British Museum. 503.g.19; etc.—
MADRID. Nacional. R-30.577.—SEVILLA. Universitaria. 122/109; 136/36.

MARTINEZ DE BUSTOS
(AGUSTIN)

Maestro. Beneficiado de la parroquia de Ntra. Sra. de las Angustias de Granada. Comisario de la Inquisición. Abad de la Universidad de Beneficiados de Granada.

EDICIONES

2697

DISCURSO y Defensa en favor de la Reducción funeral que de Mayor a Menor Número de Missas hizo el Señor D. Pedro de Castro y Quiñones. Por el Abad y Uniuersidad de Beneficiados desta Ciudad. Al Ilustrissimo y Reverendissimo Señor Don Martín Carrillo y Aldrete, Arçobispo de Granada, del Consejo de Su Magestad. [Granada]. [s. i.]. [s. a., ¿1650?]. 8 fols. 31,5 cm.

SEVILLA. *Universitaria.* 109-78 (16); 110-128 (5).

2698

INFORMACION canonica y moral, por los beneficiados de N. Señora de las Angustias de esta Ciudad. En el pleyto, con el Hermano Mayor, y Cofrades de la Cofradia de N. S. de las Angustias, que se sirve en la dicha Iglesia. Sobre revocar la sentencia de el Provisor de este Arçobispado y de el Doctor don Francisco de Pedraza, juez Apostolico en esta causa, en que declararon pertenecer las ofrendas que se hazen a la Santisima Imagen, a la dicha Cofradia. Por —— y Agustín de Garavito. Granada. Impr. Real, por Baltasar de Bolibar. 1655. 16 fols. 28 cm.

—Texto.

GRANADA. *Universitaria.* A-31-134 (11); etc.— SEVILLA. *Universitaria.* 111-150 (14).

2699

POR los regulares expulsos de su religion, en quanto al uso de sus ordenes. Informe teologico, juridico y resolución moral. Granada. En la Imprenta Real, por Baltasar de Bolibar. 1656. 8 fols. 30 cm.

—Texto.

GRANADA. *Universitaria.* A-31-129 (7).

2700

RESOLUCION Jurídica y Moral, sobre si el Abad, y Beneficiados de esta Ciudad de Granada pudieron reuocar una de sus constituciones. Granada. Impr. Real, por Baltasar de Bolibar. 1660. 3 hs. + 1 lám. + 13 folios. 29,5 cm.

—Ded. a D. Ioseph de Argaiz, arzobispo de Granada.—Texto.

GRANADA. *Universitaria.* A-31-134 (17); etc.— SEVILLA. *Universitaria.* 111-97 (8).

2701

RESOLUCION moral, y canonica, en la consulta de un Religioso Lego de cierta Religion, que recibió los Ordenes Sagrados sin licencia de sus Superiores. Granada. En la Impr. Real de Baltasar de Bolibar. 1663. 12 fols. 29 cm.

—Texto.

CORDOBA. *Pública.* 2-132.—GRANADA. *Universitaria.* A-31-156 (2).—SEVILLA. *Universitaria.* 109-93 (8).

2702

POR los Beneficiados, y Cvras de la yglesia de Nuestra Señora de las Angustias. En la competencia de los derechos Parroqviales de vn entierro. Con la parroqvial de señor San Andres desta Ciudad. Informe Juridico, y Moral. Granada. En la Impr. Real de Baltasar de Bolibar. 1663. 7 fols. Fol.

GRANADA. *Universitaria.* A-31-156 (3).

2703

DESCRIPCION de la solemne y sumptuosa fiesta, aparato y ceremo-

nias, que el Tribunal del Santo Oficio desta Ciudad de Granada hizo en la celebración de la Beatificación del glorioso invicto martir Pedro de Arbués, Canónigo de la Santa Iglesia Metropolitana de Zaragoza, primer Inquisidor del Reyno de Aragon, en el dia diez y siete de Setiembre deste año de 1664, en el Convento Real de Santa Cruz desta Ciudad. Granada. Impr. Real de Baltasar de Bolibar. 1664. 14 fols. 30 cm.

—Ded. al Santo Oficio.—Texto.

GRANADA. *Universitaria.* A-31-130 (25).

2704

RESOLUCION moral y canonica sobre si los que teniendo domicilio propio en la ciudad viuen en las aldeas la mayor parte del año deven pagar las Primicias a los Parrocos de la Ciudad, y de su domicilio, o a los de los lugares donde habitan. Granada. Impr. Real de Baltasar de Bolibar. 1667. 2 hs. + 8 fols. 29 cm.

GRANADA. *Universitaria.* A-31-156 (4); etc.— NUEVA YORK. *Hispanic Society.*

MARTINEZ DE BUSTOS (AMBROSIO)

EDICIONES

2705

[SONETO]. (En CERTAMEN *poetico que celebró la Hermandad de los Escrivanos Reales de... Granada... Gra*nada. 1663, fol. 14).

MADRID. *Nacional.* U-2.826.

2706

[DEZIMA]. (En Fajardo Acevedo, Antonio. *Resumen historial de las edades del mundo.* Madrid. 1671. Preliminares).

MADRID. *Nacional.* 2-7.597.

MARTINEZ DE CABAÑAS (ANASTASIO)

EDICIONES

2707

[SONETO]. (En Aguirre [Cabeza de] Vaca, Félix de. *Enigmas sacros panegíricos...* Zaragoza. 1689. Prels.).

VALENCIA. *Universitaria.* Var.-72[17].

MARTINEZ CABERO (SEBASTIAN)

Doctor. Colegial del de San Jerónimo de la Universidad de Alcalá. Presbítero de la Congregación del Salvador.

EDICIONES

2708

[APROBACION. Madrid, 19 de junio de 1685]. (En Mateo de Anguiano, Fray. *Vida y virtudes del Capuchino español... Fray Francisco de Pamplona...* Madrid. s. a. Prels.).

MADRID. *Academia de la Historia.* 5-4-7-1682.

MARTINEZ CANTERO (BERNARDO)

EDICIONES

2709

DECLARACION de las Reglas que pertenecen a los cinco libros de la Institucion de la Gramatica, conforme al Arte de Antonio de Nebrija; como se lee y enseña en el Colegio Seminario de Sr. San Julian de la ciudad de Cuenca. Alcalá de Henares. María Fernandez. 1667. 50 + 538 páginas.

Gallardo, III, n.º 2.943.

MARTINEZ DE LAS CASAS (JOSE)

N. en Uceda. Doctor por la Universidad de Alcalá. Párroco de San Pedro y de San Ginés en Madrid. Predicador real. Capellán de honor de S. M. Examinador sinodal del arzobispado de Toledo.

EDICIONES

2710

GLORIAS sin dvdas, qve svponen las prvebas del mysterio de la Pvrissima Concepcion de Maria Santissima Señora Nuestra. En el estado presente, qve en la Catholica Iglesia, tiene la sentada verdad deste plausible Mysterio. Sermon predicado en la Real, y Celebre Octava, que se celebra en el muy Religioso y Docto Convento de Santa Maria de Jesvs de Alcalá: de la Esclarecida Religion Seraphica; el Domingo infra octavo 13. de Diziembre; Dia en que le tocó assistir a su celebridad, al muy Docto, y Ilustre Colegio de la Madre de Dios de los Theologos, en Comunidad plena. Alcalá. Imprenta de la Universidad. 1666. 6 hs. + 24 págs. 20 cm.

—Ded. al Vicerrector y Comunidad del Colegio de la Madre de Dios.—Apr. de Fr. Martin Ibañez de Villanueva.—Apr. de Francisco Campuzano.—L. V.—Texto.

J. Catalina García, *Tip. complutense,* número 1.129, y *Guadalajara,* n.º 720.

MADRID. *Academia de la Historia.* 9-17-3-3511. *Nacional.* V.E.-90-3.

2711

ORACION Panegyrica. Aclamación Evangelica; de las Glorias y Virtudes Heroycas de San Pedro de Alcantara. En la celebre y sumptuosa octava que se celebró a su canonización en el Real Convento de San Gil este año de 1669. Madrid. Francisco Nieto. 1669. 4 hs. + 12 fols. + 1 h. 20 cm.

—Ded. a D. Pascual de Aragón, Arzobispo de Toledo.—Apr. de Antonio de Ibarra.— L. V.—Texto.—Colofón.

LONDRES. *British Museum.* 4824.cc.14.—MADRID. *Nacional.* V.E.-138-35.

2712

[SERMON]. (En Huerta, Antonio de. *Triunfos heroicos a la canonización de S. Pedro de Alcantara.* Madrid. 1670, págs. 402-17).

MADRID. *Nacional.* 3-39.678.

2713

OFFICINA Concionatorum. Sermon diez y siete. De San Pedro de Alcantara. [s. l., pero Madrid. Lucas Antonio de Bedmar]. 1670. 12 págs. a 2 cols. 31 cm.

—Texto. — Colofón. — Apr. de Antonio de Ibarra.—L. V.—Nota.

J. Catalina García, *Guadalajara,* n.º 721.

MADRID. *Nacional.* V.E.-199-56.

2714

[DOS Sermones]. (En POMPA *festiva, en la solemnidad de la translación del Santíssimo Sacramento a la Iglesia Nueva de San Luis... el dia 19 de Agosto... de 1689...* Madrid. s. a., págs. 89-160).

Firma además la Ded. de la obra al cardenal Portocarrero.

MADRID. *Nacional.* 2-65.002.

Aprobaciones

2715

[APROBACION. Madrid, 22 de octubre de 1670]. (En Méndez de San Juan, José. *Theologia Moralis.* Madrid. 1671. Prels.).

2716

[CENSURA. Madrid, 10 de agosto de 1673]. (En Fernández del Pulgar, Pedro. *Vida y motivos...* Madrid. 1673. Preliminares).

MADRID. *Nacional.* 3-6.204.

2717

[*CENSURA. Madrid, 5 de abril de 1677*]. (En Paredes Baraona, Eugenio de. *Sermon de la Feria Tercera, despues del segundo Domingo de Quaresma, en la Real Capilla de su Magestad...* Alcalá. s. a. Prels.).

MADRID. *Nacional.* V.E.-138-27.

2718

[*APROBACION. Madrid, 12 de agosto de 1677*]. (En Ronquillo, Juan. *Duelo espiritual.* Sevilla. 1678. Prels.).

MADRID. *Nacional.* 3-54.472.

2719

[*CENSURA. Madrid, 13 de noviembre de 1680*]. (En Trujillo, Antonio de. *Aristarco y Anotaciones Seraficas...* Valencia. 1683. Prels.).

SEVILLA. *Universitaria.* 80-121.

2720

[*CENSURA. Madrid, 12 marzo 1681*]. (En Heredia, Antonio de. *Vidas de Santos... de la Sagrada Religión de S. Benito.* Tomo I. Madrid. 1683. Preliminares).

MADRID. *Nacional.* R-28.670.

2721

[*CENSURA. Madrid, 10 de mayo de 1682*]. (En Amigo y Beltrán, Luis. *Apología en defensa de la Medicina del agua de la vida.* Zaragoza. s. a. Prels.).

2722

[*CENSURA*]. (En Heredia, Antonio de. *Vidas de Santos, Bienaventurados y Venerables de la Orden de S. Benito.* Tomo I. Madrid. 1683. Prels.).

2723

[*CENSURA. Madrid, 4 de noviembre de 1683*]. (En Garcés y de la Sierra, José Carlos de. *Libro nuevo, Juego de Damas...* Madrid. 1684. Prels.).

MADRID. *Nacional.* R-128.

2724

[*CENSURA*]. (En Juan Buenaventura de Soria, Fray. *Breve historia de la vida... de D.ª María Teresa de Austria...* Madrid. 1684. Prels.).

MADRID. *Academia de la Historia.* 2-6-5-5.569.

2725

[*CENSURA. Madrid, 3 de febrero de 1690*]. (En Fraile, Bernardo. *Breve historia de N. Señora de Bella-Escusa...* Alcalá. 1690. Prels.).

MADRID. *Nacional.* 2-24.790.

2726

[*APROBACION y Censura. Madrid, 30 de octubre de 1692*]. (En Santos, Juan. *Lauros panegíricos...* Madrid. 1693. Prels.).

MADRID. *Nacional.* 1-13.191.

2727

[*PARECER y Censura*]. (En Cano de Olmedilla, Agustín. *La verdad triunfante...* Madrid. 1694. Prels.).

MADRID. *Nacional.* 2-25.845.

ESTUDIOS

2728

ELLACURIA BEASCOECHEA, JESUS. *Posición de los teólogos españoles frente a Miguel de Molinos.* (En *Revista de Espiritualidad*, XVIII, Madrid, 1959, págs. 51-68).

2729

REP: J. Catalina García, *Guadalajara*, número CXLIII.

MARTINEZ DE CASTRILLO (FRANCISCO)

V. CASTRILLO (FRANCISCO)

MARTINEZ DE CASTRO
(FR. FRANCISCO)

Predicador, Maestro de Estudiantes y Lector de Artes en el convento de la Vitoria de Valladolid.

EDICIONES

2730

[*DECIMAS*]. (En Cantero Jiménez, José. *Plausibles elogios...* Valladolid. 1659. Prels.).

MADRID. *Nacional.* 2-8.501.

2731

[*LAUDATORIA. A la provechosa obra que saca a luz el Dr. D. Geronimo Pardo...*]. (En Pardo, Jerónimo. *Tratado del vino aguado...* Valladolid. 1661. Prels.).

MADRID. *Nacional.* R-5.337.

MARTINEZ DE CASTRO
(JERONIMO)
Licenciado.

EDICIONES

2732

[*GLOSA*]. (En Monforte y Herrera, Fernando de. *Relación de las fiestas que ha hecho el Colegio Imperial...* Madrid. 1622, fols. 38r-39r).

MADRID. *Nacional.* R-154.

2733

[*DECIMAS*]. (En Díaz Morante, Pedro. *Segunda parte del Arte de escrivir...* Madrid. 1624. Prels.).

MADRID. *Nacional.* U-10.864.

2734

[*SONETO*]. (En Díaz Morante, Pedri. *Tercera parte del Arte nueva de escrivir.* Madrid. 1629. Prels.).

MADRID. *Nacional.* U-10.865.

2735

[*SONETO*]. (En Díaz Morante, Pedro. *Quarta parte del Arte nueva de escribir.* Madrid. 1631. Prels.).

V. *BLH,* IX, n.º 3309.

MARTINEZ CONSUEGRA
(RODRIGO)

Secretario de la Contratación y de la Real Audiencia de Sevilla. Escribano real.

EDICIONES

2736

[*SONETO y Décima*]. (En Esquivel Navarro, Juan de. *Discursos sobre el Arte del Dançado...* Sevilla. 1642, Prels.).

V. *BLH,* IV, n.º 5886.

2737

[*AL autor. Décimas*]. (En Palomares, Tomás de. *Estilo nvevo de Escritvras Pvblicas...* Sevilla. 1645. Prels.).

MADRID. *Nacional.* HA-20.757.

2738

[*SONETO*]. (En Martí y Sorribas, Francisco. *Oración panegírica a las sumptuosas honras... a... el Sancto Rey Don Fernando...* Sevilla. 1651. Preliminares).

GRANADA. *Universitaria.* A-31-204 (13).

2739

[*AL Autor. Soneto*]. (En Ahumada, Fernando de. *Sermon de la Encarnacion... Predicado en la Congregación de la Anunciata... de Sevilla...* Sevilla. 1663. Prels.).

SEVILLA. *Universitaria.* 113/19.

2740

[*GLOSA*]. (En Torre Farfan, Fernando de la. *Templo panegírico...* Sevilla. 1663, fols. 186v-187r).

MADRID. *Nacional.* R-31.019.

2741

[*AL Autor. Soneto*]. (En Juan de S. Agustin, Fray. *Triumpho Panegyrico... celebracion festiva; que al nuevo culto, que a S. Fernando III... concedio... Clemente Decimo. Consa-*

gro la... *Patriarcal Iglesia de Sevilla...* Sevilla. 1671. Prels.).

MADRID. *Nacional.* V.E.-113-29.

2742
[*DECIMA*]. (En Veitia Linaje, José de. *Norte de la contratación de las Indias.* Sevilla. 1672. Prels.).

2743
[*SONETO*]. (En Cepeda y Guzmán, Carlos Alberto de. *Origen, y fundación de la imperial religión militar... de San Jorge...* Sevilla. 1676. Prels.).

MADRID. *Nacional.* 2-13.040.

MARTINEZ CORDERO (JUAN)
Doctor.

EDICIONES
2744
[*POESIA*]. (En Torres, Pedro de. *Sermón predicado en el convento de San Francisco de... Ronda...* Sevilla. 1628. Prels.).

SEVILLA. *Universitaria.* 112-22 (12).

OBRAS LATINAS
2745
[*POESIA*]. (En idem).

MARTINEZ DE CORDOBA (FR. RAFAEL)

Mercedario. Rector del Colegio de la Concepción de Alcalá. Juez y Conservador de su Universidad. Predicador real.

EDICIONES
2746
[*CENSURA. Alcalá, 14 de enero de 1666*]. (En Ortiz Muñoz, Felix. *Oracion panegirica en obsequio doloroso del Rey... D. Phelipe IIII...* Alcala. 1666. Prels.).

MADRID. *Nacional.* V.E.-119-75.

2747
[*CENSURA. Madrid, 7 de abril de 1675*]. (En José de Santa Teresa, Fray. *Resunta de la vida de... San Juan de la Cruz.* Madrid. 1675. Preliminares).

V. *BLH,* XII, n.° 2.515.

MARTINEZ DE CORIA MALDONADO (FR. DIEGO)
N. en Utrera. Carmelita.

EDICIONES
2748
MANVAL de las beatas y hermanos terceros de la horden de la siempre Virgen, y madre de Dios, sancta Maria del monte Carmelo. Sevilla. Fernando de Lara. 1591. 16 hs. + 246 folios. 14 cm.

—T.—L. O.—Apr. de Fr. Martin Sanz.—Pr. al autor por diez años.—Tabla de los capitulos.—Apr. antigua de Fr. Augustin Suares.—Apr. de Fr. Iuan Correa.—Ded. a D.ª Catharina Fernandez de Cordoua y Figueroa, hija del marques de Priego, en el monasterio de Santa Clara de Montilla.—Soneto de Fr. Angel de Leon. [«Si Mardocheo (o sancto glorioso...»].—Otro del mismo. [«Fortissimas colunas del Carmelo...»].—Grab.—Texto.

Escudero, n.° 779.

SAN LORENZO DEL ESCORIAL. *Monasterio.* 23-V-18; 22-V-53.—SEVILLA. *Universitaria.* 115-207.

ESTUDIOS
2749
REP: B. Velasco, en DHEE, III, pág. 1433.

MARTINEZ CUBERO (SEBASTIAN)
Doctor.

EDICIONES
2750
[*APROBACION. Madrid, 19 de junio de 1685*]. (En Anguiano, Mateo de. *Vida y virtude de... Fray Francisco de Pamplona...* Madrid. 1685. Prels.).

MARTINEZ DE CUELLAR (JUAN)

EDICIONES

2751

DESENGAÑO del Hombre, en el Tribvnal de la Fortvna. Y casa de descontentos. Ideado por ——. Madrid.
Andres García de la Iglesia. A costa
de Iuan Martin Merinero. 1663. 15
hojas + 88 págs. 14 cm.

—Ded. al Dr. Francisco Ramos del Mançano, Gobernador del Real Consejo de
Indias, etc.—Apr. de Fr. Antonio Agustín.—L. V.—Apr. de Fr. Antonio de Moya.
S. Pr.—S. E.—Epistola de Iuan Martinez
de Cuellar, al Autor su primo.—Décima
de un ingenio desta Corte. [«Es tu agudeza de suerte...»].—Dezima de Francisco
de Aluarado. [«Don Iuan, tu ingenio loçano...»].—Soneto de Benito Olguin de
Tapia. [«Are el buril el bronce perdurable...»].—Soneto de Francisco Brauo de
Sobremonte. [«Corone Apolo de laurel
florido...»].—Soneto de un amigo del autor. [«O tu, D. Iuan, el hombre mas dichoso...»].—Al lector.—Texto.

Salvá, II, n.º 1.890.

MADRID. *Facultad de Filología. — Nacional.*
R-3.761.—NUEVA YORK. *Hispanic Society.*

2752

——. Madrid. Antonio Ulloa. 1792. 10
hojas + 187 págs. 15 cm.

MADRID. *Nacional.* 2-18.498.—SANTANDER. *«Menéndez Pelayo».* R-III-1-29.

2753

DESENGAÑO del hombre en el tribunal de la Fortuna. Y casa de descontentos. Ideado por D. ——. [s. l.-
s. i.]. [s. a.]. 150 págs. 17 cm.

—Texto.—E.

Del siglo XVIII.

Salvá, II, n.º 1.891. («Parece de principios
del siglo XVIII»).

MADRID. *Municipal.* R-574. *Nacional.* 2-66.110
(ex libris de Gayangos). — SANTANDER. *«Menéndez y Pelayo».* R-X-3-4.

2754

——. Nueva edición, revisada y pro-
logada, por Luis Astrana Marín. Ma-

drid. CIAP. 1928. XVI + 166 págs. 22
centímetros. (Clásicos Olvidados, 5).

a) Valbuena, A., en *Revista de Filologia
Española,* XVII, Madrid, 1930, págs. 188-89.

MADRID. *Nacional.* 4-29.510.

2755

SERMONES. Madrid. 1676. Fol.

N. Antonio.

ESTUDIOS

2756

REP: N. Antonio, I, pág. 735.

MARTINEZ DE CUELLAR (JUAN)

Primo del anterior.

EDICIONES

2757

[EPISTOLA al Autor su primo]. (En
Martínez de Cuellar, Juan. *Desengaño
del Hombre...* Madrid. 1663. Prels.).

MADRID. *Nacional.* R-3.761.

MARTINEZ DE ESPINAR (ALONSO)

«Que da el Arcabuz a S. M. y Ayuda de
Cámara del Príncipe».

EDICIONES

2758

ARTE de ballesteria, y monteria, escrita con metodo, para escvsar la fatiga, que ocasiona la ignorancia...
Madrid. Impr. Real. 1644. 16 hs. + 4
láminas + 252 fols. 20,5 cm.

—Envío a censura.—Apr. de Francisco de
Queuedo Villegas.—L. V.—Apr. del Marques de Mirabel.—Apr. del Conde de Al-
ua de Liste.—S. Pr.—E.—S. T.—Retrato
del Principe Baltasar Carlos, por Juan
de Noort.—Ded. al Principe.—D. Francisco de Quevedo Villegas: Al que leyere
este libro.—El autor, a todos.—Tabla de
los capitulos.—Tabla de las cosas que se
contienen en este libro.—Retrato del autor.—Texto.

Salvá, II, n.º 2.639; Vindel, V, n.º 1.640.

MADRID. *Academia de la Historia.* 1-7-2-3744; 2-2-7-916. *Nacional.* R-11.375 (ex-libris de Gayangos).—MILAN. *Ambrosiana.* S.N.V.VIII. 1.—NUEVA YORK. *Hispanic Society.*—SEVILLA. *Colombina.* 44-158.—ZARAGOZA. *Universitaria.* A-7-2⁵-32.

2759

——. Nápoles. Francisco Ricciardo. 1739. 4 hs. + 268 págs. + 5 láms. 4.º

Salvá, II, n.º 2.640; Toda, *Italia*, III, número 3.110.

2760

——. Madrid. Antonio Marín. 1761. 6 hojas + 420 págs. + 5 láms.

Salvá, II, n.º 2.641; Vindel, V, n.º 1.641. MADRID. *Academia de la Historia.* 6-2-9-930. *Nacional.* U-598.

2761

ARTE de Ballestería y Montería, escrita con methodo, para escusar la fatiga que ocasiona la ignorancia... Prólogo del duque de Medinaceli y Comentario del conde de Yebes. Madrid. EPESA. [1946]. XXXV + 455 págs. con 6 láms. 25 cm.

a) Segura Covarsí, E., en *Revista Bibliográfica y Documental*, I, Madrid, 1947, páginas 286-87. MADRID. *Nacional.* F-6.194 [el n.º 231].—ZARAGOZA. *Universitaria.* D-47-36.

ESTUDIOS

2762

SALAS, FRANCISCO GREGORIO DE. *A Don Alonso Martínez de Espinar, Ballestero principal de Felipe III y IV.* (En sus *Poesías.* Tomo I. Madrid. 1797, págs. 213-14).

2762a

REP: N. Antonio, I, pág. 35.

MARTINEZ FALCON (FRANCISCO)

EDICIONES

2763

[*APROBACION. Segovia, 12 abril 1673*]. (En Bustamante Cuevas, Lope de. *Elogios Epicos a las pausibles fiestas, que con admiración emuladas celebró la Parroquial inclita de S. Miguel de... Segovia... Madrid. 1673.* Prels.).

MADRID. *Nacional.* V.E.-194-44.

2764

[*APROBACION. Alcalá, 17 de diciembre de 1678*]. (En López, Francisco. *Suspiros en la Honoracion annua que el Colegio Mayor de San Ildefonso, Universidad de Alcalá, celebra la memoria de... Fray Francisco Ximenez de Cisneros... Alcalá. 1679.* Prels.).

MARTINEZ DE LA FUENTE (FR. HIPOLITO)

Franciscano. Guardián del convento de San Francisco de Murcia.

EDICIONES

2765

[*APROBACION de —— y Fr. Sebastián Sánchez. Murcia, 24 de mayo de 1602*]. (En Huélamo, Melchor de. *Libro primero de la vida y milagros de... Sant Ginés de la Xara. Murcia. 1607.* Prels.).

MADRID. *Nacional.* 3-64.915.

MARTINEZ DE LA FUENTE (LUCAS)

EDICIONES

2766

[*GLOSA*]. (En Avila, Tomás de. *Epinicio sagrado... Salamanca. 1687,* página 398).

MADRID. *Nacional.* 2-10.720.

MARTINEZ GALTERO (SOR INES)

Religiosa en el convento de Santa Ana de Murcia.

EDICIONES

2767

[*DECIMAS*]. (En Castro y Anaya, Pedro de. *Justa poética y festividad votiva a honor de... santa Luzía... celebradas en el convento de S. Agustín de... Murcia...* Orihuela. 1635, folios 43-44).

NUEVA YORK. *Hispanic Society.*

MARTINEZ GALLARDO (JUAN)

Bachiller. Beneficiado de Ayutla.

EDICIONES

2768

[*APROBACION. Méjico, 23 de agosto de 1642*]. (En Sáenz de la Peña, Andrés. *Manual de los santos Sacramentos...* Méjico. 1642. Prels.).

MADRID. *Nacional.* R-1.794.

MARTINEZ DE GANCHEGUI (TOMAS)

Licenciado.

EDICIONES

2769

[*AL Autor del libro. Decimas*]. (En Lorente Bravo, Miguel. *Compendio militar...* Zaragoza. 1644. Prels.).

MADRID. *Nacional.* R-8.177.

MARTINEZ DE GRANADA (FRANCISCO)

EDICIONES

2770

[*MEMORIAL*]. [s. l.-s. i.]. [s. a.]. 4 hs. Fol.

—Texto, fechado en Cádiz, a 25 de enero de 1665.

Relata un viaje de ida y vuelta a Nueva España con los galeones.

Medina, *Biblioteca hispano-americana*, III, n.º 1.390.

SEVILLA. *Colombina.* 10-9-14.

MARTINEZ DE GRIMALDO (JOSE)

N. y m. en Madrid (1608-1677). Secretario de Felipe IV. Presbítero.

EDICIONES

2771

RAMILLETE de las flores que del Jardin del Ingenio, regado con el Rocio de la devocion brotaron Algunos de los Elegantes y devotos congregantes del Santissimo Sacramento; para cantar sus glorias en las festividades, que este año de 1650 ha celebrado su Esclavitud en el Convento de Santa Maria Madalena de esta Corte. Atadas por ——. [s. l.-s. i.]. [s. a.]. 15 hojas. 20,3 cm.

Carece de portada.

—Presentalé a Iuan Francisco Pacheco.— Texto.

1. *Romance de Geronimo de Camargo a la conversión del Apostol S. Pablo.* [«De Pablo la gran cayda...»].
2. *Romance al mismo tema de Sebastian de Olivares.* [«Para templar à mi lira...»].
3. *Romance de Sebastian de Olivares que se cantó el Domingo de Carnestolendas.* [«Oy por hazerse admirable...»].
4. *Romance de Agustin de Palacios.* [«El Bravo, el hijo del hombre»].
5. *Poesia de Ioseph de Miranda y la Cotera.* [«Ioseph, Carpintero Santo...»].
6. *Romance de Geronimo de Camargo.* [«Allá van, escuchen todos...»].
7. *Romance de Luis de Benavente.* [«Contava una labradora...»].
8. *Poesía de Sebastian de Olivares.* [«Escuchen, que entre las nuevas...»].
9. *Romance de Agustin de Palacios.* [«Atención, pues este dia...»].
10. *Romance de Lucas Fernandez de Olivera.* [«A Fuera, que va un Vexamen...»].
11. *Poesía de Luis de Benavente.* [«En esta Ochava del Corpos...»].
12. *Poesía de Geronimo de Camargo.* [«Bien podrá una letra mala...»].
13. *Otro Romance de Agustin de Palacios que cantó el dia del Corpus.* [«A Señor, el disfraçado...»].
14. *Romance de Luis de Benavente.* [«A Señor el de lo branco...»].
15. *Seguidilla de Carlos Magno.* [«Oygan todas las voces...»].

16. *Redondillas de Geronimo Camargo.* [«Hablar de un Galan, oid...»].

17. *Poesia de Sebastian de Olivares.* [«Atiendan que va de Altar...»].

18. *Romance de Jeronimo de Camargo.* [«El Monarca soberano...»].

19. *Romance de Lucas Fernandez de Olivera.* [«En esta octava Señores...»].

MADRID. *Nacional.* V.E.-164-5.

2772

PARAISO celestial plantado por la divina omnipotencia. Madrid. 1652. 4.º

2773

IARDIN de fragrantes flores, mesa de gloriosos frvtos, taller de las mayores maravillas, compendio de las fuerzas del amor, todo lo comprehende el maravilloso, y esclarecido nombre de la Congregacion de Esclavos del Santissimo Sacramento... [s. l.-s. i.]. [s. a., 1653?]. 24 fols. 19 centímetros.

—Ded. al marqués de Aytona.—Texto:

1. *Romance de Sebastian de Oliuares.* [«Atiendan oy los curiosos...»]. (Fols. 3v-4r).

2. *Romance de Agustin de Palacios.* [«Desde Galicia he venido...»]. (Fols. 4v-5r).

3. *Quintillas de Iuan de Contreras y Mitarte.* [«Como a la Paloma hermosa...»]. (Fol. 5).

4. *Quintillas de Francisco de Baus y Frias.* [«Oygan vn Ciego, señores...»]. (Folios 5v-6r).

5. *Romance de Francisco de Baus y Trias.* [«Oy, Maria, ha defenderos...»]. (Fol. 6).

6. *Romance de Sebastian de Oliuares.* [«Escuchen, que va de Altar...»]. (Fols. 6v-7r).

7. *Romance de Sebastian de Olivares.* [«De los ojos del Esposo...»]. (Fol. 7r).

8. *Romance de Sebastian de Oliuares.* [«Para cantar con destreza...»]. (Fols. 7v-8r).

9. *Romance de Sebastian de Oliuares.* [«Por las injurias de Londres...»]. (Fol. 9).

10. *Romance de Carlos Magno.* [«Con mucha atencion, mi Dios...»]. (Fols. 9v-10r).

11. *Seguidillas de Sebastian de Oliuares.* [«Oygan los que dudaren...»]. (Fols. 10v-11r).

12. *Quintillas de Agustín de Palacios.* [«El que esta Congregacion...»]. (Fol. 11).

13. *Quintillas de Agustín de Palacios.* [«Que es Pan el que aqui se vè...»]. (Folio 12v).

14. *Romance de Sebastian de Oliuares.* [«Oy, aunque vengo de fiesta...»]. (Folio 13r).

15. *Romance de Carlos Magno.* [«Tanto ay siempre en vuestra Mesa...»]. (Fol. 14r).

16. *Seguidillas de Francisco de Avellaneda.* [«Aunque tan Cortesano...»]. (Fol. 14v).

17. *Romance de Gabriel Bocangel.* [«A preguntaros, Señor...»]. (Fol. 15).

18. *Romance de Ramón de Zagarriga.* [«Dió una cena à Marco Antonio...»]. (Folios 15v-16r).

19. *Quintillas de Fermin de Disarasa.* [«Todo oyente atento estè...»]. (Fol. 16v).

20. *Romance de vn Oculto Esclavo.* [«En los braços de la culpa...»]. (Fol. 17r).

21. *Romance de Carlos Magno.* [«Amante Sacramentado...»]. (Fols. 17v-18r).

22. *Vexamen de Francisco de Frías.* [«Darà Dios un vexamen...»]. (Fol. 18v).

23. *Romance del Marques de Aytona.* [«Que repetidos afectos...»]. (Fols. 19v-21v).

24. *Romance de Sebastian de Oliuares.* [«Ha Señor el emboçado...»]. (Fol. 22).

25. *Romance de Francisco de Frias.* [«Oy, Señor, que en blancas señas...»]. (Folios 22v-23r).

26. *Quintillas de Carlos Magno.* [«Versos me mandan hazer...»]. (Fols. 23v-24r).

27. *Romance de Francisco de Baus, y Frias.* [«Maria a quien el pincel...»]. (Folio 24).

Gallardo, II, n.º 2.948.

MADRID. *Nacional.* V.E.-155-50.—NUEVA YORK. *Hispanic Society.*

2774

ABRASADO Corazón en llamas amorosas, ofrece por humilde y Reverente trono la Congregación Ilustre de los Indignos Esclavos del SS. Sacramento, a su Real y Suprema Magestad, para que revida perpetuamente en él y le conserve contrito y humilde Bañado de suave alegría sus rendidos pechos. Pues este divino manjar da verdadero regocijo al Alma.

Madrid. Diego Diaz de la Carrera. 1656. 27 hojas. 20 cm.

—Epigrama.—Ded. al Conde de Peñaranda.—Al que leyere.—Texto.

1. *Romance de Gabriel Bocangel.* [«Omnipotente ingenioso...»].
2. *Quintillas de Isidro de Angulo.* [«Pues nadie esta Octava pinta...»].
3. *Romance de Agustin de Palacios.* [«Señores, alla va en coplas...»].
4. *Romance de Sebastian de Olivares Vadillo.* [«De los ojos del Esposo...»].
5. *Romance de Sebastian de Olivares Vadillo.* [«No admiren que de Ioseph...»].
6. *Romance de Agustin de Palacios.* [«Una letra me han mandado...»].
7. *Romance de Sebastian de Olivares.* [«Señor, de quantos Altares...»].
8. *Quintillas de Felipe Lopez.* [«Señor, si en esta ocasión...»].
9. *Quintillas de Agustin de Galarça.* [«Mi Dios, mi pluma he tomado...»].
10. *Romance de D. Carlos Magno.* [«A Señor el emboçado...»].
11. *Redondillas de Ioseph de la Torre.* [«Para hablar mejor con Dios...»].
12. *Romance de Isidro de Angulo.* [«En aqueste Altar se cifran...»].
13. *Romance de Ambrosio de Arce.* [«Al Altar mas misterioso...»].
14. *Redondillas con pie quebrado de Diego de la Dueña.* [«Oy, pues, a cantar me arrojo...»].
15. *Quintillas de Gabriel Bocangel.* [«Señor, en quintillas llego...»].
16. *Romance de Ioseph de la Torre.* [«Que lindo que esta el altar...»].
17. *Romance de pie quebrado de Vicente Suarez.* [«En buen romance, Dios mio...»].
18. *Romance del Marques de Aytona.* [«Pues se repiten las culpas...»].
19. *Quintillas de Melchor de Fonseca.* [«Quintillas de ciego haré...»].
20. *Romance de Carlos Magno.* [«Bien es darle el Sacramento...»].
21. *Quintillas de Isidro de Angulo.* [«Este Altar he de pintar...»].
22. *Romance del Marques de Aytona.* [«De las ofensas de Londres...»].
23. *Endechas de Tomas de Oña.* [«Enigma misterioso...»].
24. *Romance de Agustin de Palacios.* [«Oygan, que pido atención...»].
25. *Romance de Agustin de Palacios.* [«Oy da fin aquesta Octava...»].
MADRID. *Nacional.* V.E.-164-13.

2775
VIÑA escogida. Madrid. 1656. 4.º
N. Antonio.

2776
VIDA de S. Felipe Neri. 1665.
N. Antonio.

2777
FVNDACION, y fiestas de la Congregacion de los indignos esclavos del SS. Sacramento, qve esta en el religioso convento de Santa María Magdalena, de la Orden de S. Agvstín de esta Corte. Celebradas en los primeros cinqventa años de sv edad felice. Descripcion de los excelentes adornos, qve para ellas se han dispuesto, y de los sumptuosos Altares, que se han erigido. Recopilanse los svtiles conceptos, y admirables motetes, que al assumpto glorioso de estas Festiuidades han escrito los mayores Ingenios desta Corte. Madrid. Diego Díaz de la Carrera. 1657. 6 hs. + 250 folios. 20,5 cm.

—Ded. a D. Guillen Ramon de Moncada, Marques de Aytona, etc.—Apr. del P. Manuel de Naxera.—L. O.—Apr. de Francisco de Lobera.—L. del Consejo.—E.—T. Indice de las personas que han empleado felizmente sus ingenios en celebrar las glorias del Santissimo Sacramento... Texto.

1. *Romance de Ioseph de la Torre.* [«La perfidia del herege...»]. (Fol. 9v).
2. *Romance anónimo.* [«Su cuerpo de luz el cielo...»]. (Fols. 11r-12v).
3. *Soneto de Francisco de Cabreros.* [«A qué espera, Señor, tu Omnipotente?...»]. (Fol. 13r).
4. *Dezimas de Ambrosio de Arce.* [«Eterna Deidad, ceñida...»]. (Fol. 13).
5. *Dezimas anónimas.* [«No podrá mi sentimiento...»]. (Fols. 13v-14r).
6. *Romance de Diego Gutierrez.* [«Que á vista del ofensor...»]. (Fol. 14r).
7. *Romance anónimo.* [«Para honrar su nueuo Infante...»]. (Fol. 15r).
8. *Bula que expidió Paulo V en primero de Nouiembre deste año de 609, en fauor de la Congregacion.* (Fols. 15r-16v).

9. *Redondillas de Sebastian de Oliuares Vadillo.* [«Señor, un comun cuidado...»]. (Fol. 17).

10. *Geroglíficos anónimos.* (Fols. 18v-20r)

11. *Romance de Sebastian de Oliuares.* [«Atencion, y de Matias...»]. (Fol. 21r).

12. *Glossa anónima.* [«Cierto Gil, que en tu porfia...»]. (Fol. 23r).

13. *Glossa de Isidro de Angulo.* [«Angel, si sois Guarda vos...»]. (Fol. 23v).

14. *Romance anónimo.* [«Finezas de un Dios amante...»]. (Fol. 24v).

15. *Geroglíficos anónimos.* (Fols. 25v-27r).

16. *Romance anónimo.* [«La mas hermosa Zagala...»]. (Fol. 27).

17. *Romance de Isidro de Angulo.* [«Para hazerle su Ministro...»]. (Fol. 28v).

18. *Quintillas de Sebastian de Oliuares Vadillo.* [«Oigan con grande solaz...»]. (Folio 30).

19. *Romance de Diego de la Dueña.* [«Oy decorosos aplausos...»]. (Fol. 31).

20. *Romance de Isidro de Angulo.* [«Oy á un santo convertido...»]. (Fols. 31v-32r).

21. *Glossa de Ioseph de Miranda y Cotera.* [«O Parcal fenecimiento...»]. (Fol. 32).

22. *Romance de Ambrosio de Arce.* [«Oy passa el Rey de la gloria...»]. (Fol. 35r).

23. *Romance de Agustín de Palacios.* [«El brauo, el Hijo del hombre...»]. (Fols. 37v-38r).

24. *Forma del iuramento que de la confession de la Inmaculada Concepcion de la Ssma. Virgen María... hizo la... Congregacion de Esclauos del SS. Sacramento por Fr. Iuan Perez de Espinosa. Domingo 4 10 de Febrero de 1619.* (Fols. 39v-40r).

25. *Romance de Ambrosio de Arce.* [«Delante del mejor Dueño...»]. (Fol. 40v).

26. *Octauas de Sebastian de Oliuares.* [«Aún dura de la noche el ceño obscuro...»]. (Fols. 42v-43v).

27. *Liras anónimas.* [«Quisiera en este Assumpto (musa mia)...»]. (Fols. 43v-44r).

28. *Soneto anónimo.* [«Del Verbo Eterno, ostentacion Gloriosa...»]. (Fol. 44v).

29. *Romance de Ioseph de Miranda y Cotera.* [«Señores, este Conuento...»]. (Folio 46).

30. *Romance de Geronimo Camargo y Zarate.* [«Para que se dissimula...»]. (Folios 47v-48r).

31. *Romance de Gerónimo de Sandoual.* [«Escuchen del Sacramento...»]. (Fol. 49r).

32. *Soneto de Fr. Pedro de Herrera.* [«Quando os miro, Señor, en un madero...»]. (Fol. 49v).

33. *Soneto anónimo.* [«Tumbarse el Sol, caliginarse el viento...»]. (Fol. 50v).

34. *Romance de Luis de Benauente.* [«En esta Ochaua del Corpos...»]. (Fol. 52).

35. *Romance de Ioseph de Valdiviesso.* [«Legado à latere vino...»]. (Fol. 54).

36. *Cancion Real de Lope de Vega Carpio.* [«Substancias Soberanas, con quien tiene...»]. (Fols. 55v-57v).

37. *Romance de Isidro de Angulo.* [«Que es esto dulce Señor?...»]. (Fols. 57v-58r).

38. *Romance del Lic. Luis de Benauente.* [«Oy un firme enamorado...»]. (Fol. 60r).

39. *Quintillas de Agustin de Palacios.* [«El que esta Congregacion...»]. (Fols. 60v-61r).

40. *Romance del Lic. Luis de Benauente en Sayagues.* [«Señor vestido de Branco...»]. (Fol. 62r).

41. *Quintillas de Isidro de Angulo.* [«Venturosos amantes...»]. (Fol. 63r).

42. *Romance de Ioseph de la Torre.* [«Salga la hermosa Belona...»]. (Fols. 65r-65v).

43. *Romance de Carlos Magno.* [«Señor, vuestros desagrauios...»]. (Fol. 66v).

44. *Soneto anónimo.* [«Pender de un leño, traspassado el Pecho...»]. (Fol. 67r).

45. *Quintillas de Agustin de Palacios.* [«Que es Pan el que aqui se vè...»]. (Folio 68).

46. *Romance del Lic. Luis de Benauente.* [«Albricias, que llueue al Iusto...»]. (Folios 69v-70r).

47. *Romance de Isidro de Angulo.* [«Amante Dueño mio...»]. (Fols. 70v-71r).

48. *Redondillas de Geronimo de Camargo y Zarate.* [«Hablar de un Galan, oid...»]. (Fols. 72v-73r).

49. *Romance anónimo.* [«Resuelto en lenguas de fuego...»]. (Fols. 73v-74r).

50. *Romance de Ramon de Zagarriga.* [«Aqui doctos, aqui sabios...»]. (Fols. 74v-75r).

51. *Quintillas de Ioseph de Miranda y la Cotera.* [«Vaya en Quintillas sucintas...»]. (Fols. 75v-76r).

52. *Hymno anónimo.* [«O gloriosa Señora!...»]. (Fols. 77r-78r).

53. *Romance del Lic. Luis de Benauente.* [«Pelicano amoroso...»]. (Fols. 78v-79r).

54. *Romance de Geronimo de Sandoual.* [«A Señor el de la Hostia...»]. (Fols. 79v-80r).

55. *Quintillas de Isidro de Angulo.* [«De una Niña sin desgracia...»]. (Fol. 83r).

56. *Romance del Marques de Aytona.* [«De las ofensas de Londres...»]. (Fol. 86r).

57. *Romance anónimo.* [«Amorosa prenda mia...»]. (Fols. 87v-88v).

58. *Romance de Sebastian de Oliuares Badillo.* [«Para templar à mi Lyra...»]. (Fol. 91r).

59. *Romance de Ioseph de Miranda y la Cotera.* [«Quan buena dicha, señores...»]. (Fol. 92r).

60. *Romance de Geronimo Camargo y Zarate.* [«Allá van, escuchen todos...»]. (Folio 92v).

61. *Romance de Ioseph de Miranda.* [«Oy à gran fiesta combida...»]. (Fol. 94). [«De gloria se vista el mundo...»]. (Fo-

62. *Romance de Gaspar Ruiz de Sandoual.* lios 94v-95r).

63. *Romance del Lic. Luis de Benauente.* [«De aquel circulo de nieue...»]. (Fols. 95v-96r).

64. *Romance de Ioseph de Miranda.* [«Yo soy un cojo, señores...»]. (Fol. 96v).

65. *Romance de Gaspar Ruiz de Sandoual.* [«A Señor al hombre anido...»]. (Fols. 94v-95r).

66. *Romance de Ioseph de Miranda y la Cotera.* [«Como es fiesta del Amor...»]. (Fol. 98).

67. *Romance de Geronimo Camargo y Zarate.* [«Oy cantar quiero al Pan viuo...»]. (Fol. 99).

68. *Quintillas de Geronimo Camargo y Zarate.* [«Oy que la fiesta se acaba...»]. (Fol. 100v).

69. *Romance en Sayagues del Lic. Luis de Benauente.* [«Oy diz que sale de casa...»]. (Fol. 101).

70. *Quintillas de Ioseph de la Torre.* [«Quando el contagio despierto...»]. (Folio 103r).

71. *Romance de Geronimo Camargo y Zarate.* [«De Pablo la gran caida...»]. (Folios 104v-105r).

72. *Romance de Sebastian de Oliuares.* [«Oy por hazerse admirable...»]. (Folios 105v-106r).

73. *Romance de Ioseph de Miranda.* [«Ioseph Carpintero Santo...»]. (Fol. 106).

74. *Romance de Sebastian de Oliuares.* [«Escuché, que entre las nueuas...»]. (Folio 108v).

75. *Romance del Lic. Luis de Benauente.* [«Contaua una Labradora...»]. (Fol. 109).

76. *Romance de Agustin de Palacios.* [«Atencion, pues este dia...»]. (Fol. 110r).

77. *Romance de Geronimo de Camargo y Zarate.* [«Bien podrá una letra mala...»]. (Fols. 110v-111r).

78. *Romance de Sebastian de Oliuares.* [«Atiendan, que vá de Altar...»]. (Fol. 111v).

79. *Romance de Lucas Fernandez de Oli-*

uera. [«En esta Octaua señores...»]. (Folio 112).

80. *Romance de Geronimo de Camargo y Zarate.* [«El Monarca soberano...»]. (Folio 113r).

81. *Romance del Lic. Luis de Benauente.* [«A Señor el de lo branco...»]. (Fol. 114).

82. *Romance de Sebastian de Oliuares.* [«A Señor el emboçado...»]. (Fols. 114v-115r).

83. *Romance de Francisco de Baus y Frias.* [«Oy Maria a defenderos...»]. (Folio 115v).

84. *Romance de Agustin de Palacios.* [«De Saulo cantar me mandan...»]. (Fol. 116).

85. *Romance de Agustin de Palacios.* [«Con un Romance celebro...»]. (Fol. 117v).

86. *Quintillas de Ioseph de Miranda.* [«Oy Musa no andes auara...»]. (Fol. 118).

87. *Romance de Geronimo Camargo y Zarate.* [«Del Altar, y sus Espejos...»]. (Folios 119v-120r).

88. *Romance de Sebastian de Oliuares.* [«Por este Altar me parece...»]. (Fol. 121r).

89. *Romance en Sayagues del Lic. Luis de Benauente.* [«Voto al Sol, que estó atordido...»]. (Fol. 122r).

90. *Romance de Gabriel Bocangel.* [«En nueuo abismo de luzes...»]. (Fols. 122v-123r).

91. *Romance de Agustin de Palacios.* [«Despues de lo que está dicho...»]. (Folio 124r).

92. *Otro de Geronimo de Camargo y Zarate.* [«A la luz de los Espejos...»]. (Folios 124v-125r).

93. *Otro de Manuel de la Peña.* [«Grande original del Sol...»]. (Fols. 125v-126r).

94. *Otro del Marques de Aytona.* [«Pedir premio solo puede...»]. (Fol. 126).

95. *Otro de Sebastian de Oliuares.* [«Bertol, de mi mal pergeño...»]. (Fol. 127).

96. *Otro anónimo.* [«Oyd, escuchad Zagales...»]. (Fol. 127v).

97. *Otro de Ioseph de Miranda.* [«Aunque ciego, rezo siempre...»]. (Fols. 129r-130r).

98. *Quintillas de Ioseph de Miranda y Cotera.* [«De un Santo de Dios vassallo...»] (Fol. 130).

99. *Romance de Agustin de Palacios.* [«Pues los Domingos del año...»]. (Folio 131).

100. *Otro del mismo.* [«En un romance de versos...»]. (Fol. 132v).

101. *Otro del mismo.* [«Oygan un romance nueuo...»]. (Fol. 134v).

102. *Otro del mismo.* [«Si en Iubileo, y Altar...»]. (Fol. 136r).

103. *Otro de Sebastian de Oliuares.* [«Para cantar con destreza...»]. (Fols. 136v-137r).
104. *Otro de Agustin de Palacios.* [«Lleguen al Pan desta mesa...»]. (Fol. 137v).
105. *Letra del mismo.* [«Si ay quien a ver à comer y llenar...»]. (Fol. 138).
106. *Romance del mismo.* [«Oygan que pido atencion...»]. (Fol. 139r).
107. *Quintillas de Sebastian de Oliuares.* [«Con preuenida atencion...»]. (Fol. 140r).
108. *Romance de Geronimo de Urnieta y Aguirre.* [«Venid ya de vuestro agrauio...»] (Fols. 140v-141r).
109. *Romance de Sebastian de Oliuares.* [«Oy al Monarca mayor...»]. (Fol. 143v).
110. *Otro de Iuan de Zaualeta.* [«Que contento estais Señor...»]. (Fol. 144r).
111. *Otro de Ambrosio de Arce.* [«Sin equiuocar mi impulso...»]. (Fols. 144v-145r).
112. *Quintillas de Francisco de Frias.* [«Del Altar quiero tratar...»]. (Fol. 145v).
113. *Romance del mismo.* [«Oy, Señor, quiere deuoto...»]. (Fol. 146).
114. *Quintillas de Gabriel Bocangel.* [«Unas Quintillas sencillas...»]. (Fol. 147r).
115. *Quintillas de Sebastian de Oliuares.* [«Oygan en Verso Español...»]. (Fols. 147v-148r).
116. *Redondillas de Francisco de Auellaneda.* [«Vaya de gracias señores...»]. (Folio 149r).
117. *Quintillas de Agustin de Galarça.* [«De aquel Pan que dió en la Cena...»]. (Fol. 150r).
118. *Romance de Ramon de Zagarriga.* [«Dio una cena à Marco Antonio...»]. (Folios 150v-151r).
119. *Otro de Sebastián de Oliuares.* [«Fertiliçada à un rocio...»]. (Fol. 151v).
120. *Otro del mismo.* [«A vuestra mesa, Dios mio...»]. (Fol. 152).
121. *Otro de Ioseph de Miranda.* [«Ponerle la mesa al Rey...»]. (Fol. 153r).
122. *Endechas de Agustin de Palacios.* [«Llegue cualquiera a comer...»]. (Folios 153v-154r).
123. *Romance del Lic. Luis de Benauente.* [«Oye Señor emboçado...»]. (Fol. 154v).
124. *Vejamen de Agustin de Palacios.* [«A Iudas vejamen oy...»]. (Fol. 155v).
125. *Soneto de Geronimo Camargo.* [«Hasta quando, hasta quando tus amores...»]. (Fol. 156v).
126. *Romance de Sebastian de Oliuares.* [«Señora, como la dizen?...»]. (Fol. 157r).
127. *Quintillas de Iuan de Contreras y Mitarte.* [«Como a la Paloma hermosa...»]. (Fol. 159v).

128. *Romance de Sebastian de Oliuares.* [«Por las injurias de Londres...»]. (Folio 161v).
129. *Otro de Carlos Magno.* [«Con mucha atencion mi Dios...»]. (Fol. 162).
130. *Otro de Sebastian de Oliuares.* [«Oy aunque vengo de fiesta...»]. (Fol. 163r).
131. *Otro de Gabriel Bocangel.* [«A preguntaros, Dios mio...»]. (Fols. 163v-164r).
132. *Quintillas de Fermin de Lisarasa.* [«Todo oyente atento estè...»]. (Fols. 164v-165r).
133. *Romance de Francisco de Frias.* [«Oy Señor, que en blancas señas...»]. (Fol. 165).
134. *Otro del Marques de Aytona.* [«Que repetidos afectos...»]. (Fols. 166r-166v).
135. *Otro de Francisco de Baus y Frias.* [«Maria a quien el pincel...»]. (Fol. 169r).
136. *Otro de Sebastian de Oliuares.* [«Que canten mandan de veras...»]. (Fols. 169v-170r).
137. *Glossa de Ioseph de Miranda.* [«Mi insignia de Esclauitud...»]. (Fol. 170v).
138. *Romance de Isidro de Angulo.* [«Dulce Iesus de mi vida...»]. (Fols. 171v-172r).
139. *Otro de Sebastian de Oliuares.* [«Aunque las flores, y plumas...»]. (Fol. 174).
140. *Otro de Gabriel Bocangel Unçueta.* [«Señor, aqui de vos todo...»]. (Fol. 175r).
141. *Otro de Ioseph de Miranda.* [«Altar, que por ser de plumas...»]. (Fols. 175v-176r).
142. *Quintillas de Tomas de Oña.* [«Contaros con deuocion...»]. (Fol. 176v).
143. *Romance de Ioseph de Bolea.* [«Sacramentado Señor...»]. (Fol. 177).
144. *Otro de Iuana de Figueroa.* [«Amado, y Diuino Dueño...»]. (Fol. 178).
145. *Quintillas de Agustin de Galarça.* [«Esta fiesta singular...»]. (Fol. 179).
146. *Quintillas de Alonso de Zarate y de la Hoz.* [«Atencion os pido a vos...»]. (Folio 180).
147. *Romance de Isidro de Angulo.* [«El Escudo de la Fe...»]. (Fol. 181).
148. *Otro del mismo.* [«Para vos el Emboçado...»]. (Fol. 182r).
149. *Otro del mismo.* [«Quien se ha de poner con vos...»]. (Fols. 182v-183r).
150. *Otro de Gabriel Bocangel Unzueta.* [«Omnipotente Ingenioso...»]. (Fol. 184v).
151. *Quintillas de Isidro de Angulo.* [«Bien se vè que con amor...»]. (Fol. 185).
152. *Romance de Agustin de Palacios.* [«Señores allà và en coplas...»]. (Fol. 186).
153. *Redondillas de Christoval de Aguero.* [«Sufrid esta vez mi Dios...»]. (Folio 186v).

154. *Quintillas de Isidro de Angulo.* [«Pues nadie esta Octaua pinta...»]. (Fol. 187).
155. *Papel de Baltasar de Moscoso y Sandoual al Marques de Aytona.* (Fol. 190).
156. *Romance de Sebastian de Oliuares Badillo.* [«Oy a lograr beneficios...»]. (Folios 190v-191r).

157. *Otro de Francisco de Auellaneda.* [«Leon à quien todo el Sol...»]. (Fol. 191v).
158. *Otro de Sebastian de Oliuares.* [«Atiendan oy los curiosos...»]. (Fol. 192v).
159. *Otro de Ioseph Pellicer.* [«Señor, tu que reducido...»]. (Fols. 193v-194r).
160. *Otro de Sebastian de Oliuares.* [«No admiren que de Ioseph...»]. (Fol. 194v).
161. *Otro anónimo.* [«Señor mio Iesu Christo...»]. (Fols. 194v-195r).
162. *Otro de Agustín de Palacios.* [«Una letra me han mandado...»]. (Fol. 198).
163. *Redondillas de Ioseph de la Torre.* [«Para hablar mejor con Dios...»]. (Folio 199).
164. *Quintillas de Gabriel Bocangel Unçueta.* [«Señor, en quintillas llego...»]. (Folio 200r).
165. *Romance de Isidro de Angulo.* [«En aqueste Altar se cifran...»]. (Fol. 201r).
166. *Otro del Marques de Aytona.* [«Pues se repiten las culpas...»]. (Fols. 201v-202r).
167. *Quintillas de Melchor de Fonseca.* [«Quintillas de ciego harè...»]. (Fols. 202v-203r).

168. *Romance de Vicente Suarez.* [«En buen romance, Dios mio...»]. (Fol. 204r).
169. *Otro de Tomas de Oña.* [«Enigma misterioso...»]. (Fol. 205r).
170. *Quintillas de Felipe Lopez.* [«Señor, si en esta ocasion...»]. (Fol. 206).
171. *Quintillas de Isidro de Angulo.* [«Pues desta Congregacion...»]. (Fol. 209).
172. *Romance de Agustin de Palacios.* [«Con la caida de Pablo...»]. (Fol. 211r).
173. *Quintillas de Isidro de Angulo.* [«De Dios ante el Tribunal...»]. (Fol. 213).
174. *Quintillas de Carlos Magno.* [«Hasta los del otro mundo...»]. (Fols. 214v-215r).
175. *Romance de Manuel de la Peña.* [«Ya muere el Sol, ya se apagan...»]. (Fol. 215).
176. *Romance de Agustin de Palacios.* [«Hombres à la fruta nueua...»]. Fol. 218r).
177. *Quintillas de Agustin de Galarça.* [«Para pintar este Altar...»]. (Fol. 219).
178. *Romance de Gabriel Bocangel Unzueta.* [«Señor, aunque el sueño, y pasmo...»]. (Fol. 220r).
179. *Otro de Tomas de Oña.* [«Al Señor que se reboza...»]. (Fols. 220v-221r).

180. *Otro del Marques de Aytona.* [«Finezas se repiten...»]. (Fol. 221v).
181. *Otro de Gil Lopez de Arnesto y Castro.* [«Al pie de un Arbol robusto...»]. (Folio 222r).
182. *Otro de Christoual Subizano.* [«A desmentir ignorancias...»]. (Fols. 222v-223r).
183. *Otro de Francisco de Palacios.* [«Por vuestras misericordias...»]. (Fol. 223v).
184. *Otro de Isidro de Angulo.* [«Excesso noble de amor...»]. (Fol. 224).
185. *Quintillas de Andres Gil Enriquez.* [«Oy de un Arbol, Musa, vos...»]. (Folios 224v-225r).
186. *Romance de Francisco de Auellaneda.* [«O como en aqueste tenplo...»]. (Fol. 225v).
187. *Otro de Francisco de Ariz Valle.* [«Sacramentado, Señor...»]. (Fol. 226r).

MADRID. *Nacional.* 3-62.584.—URBANA. *University of Illinois.*

2778

SUMARIO *de la fundación y constituciones de la Congregación y exercicios...* Madrid. 1665. 4.º

Alvarez y Baena.

2779

VIDA *de S. Felipe Neri.* 1665.

N. Antonio.

ESTUDIOS

2780

REP: N. Antonio, I, pág. 810; Alvarez y Baena, III, págs. 37-39.

MARTINEZ GUINDAL (JOSE)

Licenciado. Clérigo presbítero de la villa de Pareja.

EDICIONES

2781

POEMA *sagrado de Christo paciente, primera vez introdvcido en el mundo, en las Sombras del Viejo Testamento, desde el Genesis hasta los Machabeos, segun San Pablo, I. a los Hebreos.* Madrid. Francisco Nieto y Salcedo. 1663. 20 hs. + 116 fols. 14,5 centímetros.

—Ded. a D. Iuan Francisco Pacheco, Obispo de Cuenca, etc.—L. V.—Censura y apr.

del P. Ioseph Martinez.—Apr. de Fr. Gabriel de Leon.—Prologo. [«O tu, Lector Christiano, tu quien seas...».]—Invocacion al Padre Eterno. [«De un Verbo Eterno, y Hombre lo possible...».]—E.—Indice.—Texto. [«Los testimonios dos, o Testamentos...».].

Salvá, I, n.º 777; J. Catalina García, *Guadalajara*, n.º 730.

LONDRES. *British Museum*. 011451.e.42.—MADRID. *Facultad de Filología. — Nacional*. R-6.975.—NUEVA YORK. *Hispanic Society*.

2782

SOLILOQVIOS *a Christo Sacramentado, para los siete días de la semana. Y a la hermosvra de la Virgen del Bven Consejo, y camino que esta Señora hizo a Belen*. Madrid. Francisco Nieto. 1663. 16 hs. + 92 fols. 14,5 cm.

—Port. sin nombre de autor.—Ded. a la piadosa y noble devocion de las almas que frequentan la Capilla de N. Señora del Buen Consejo, comulgando en ella.—Apr. del P. Geronimo de Perea.—L. V.—Apr. del P. Alexandro Escoto.—S. L.—Invocacion al Espiritu Santo. [«A Ti, o amor diuino...».]—Al Catolico Lector. [«Catolico, no te espantes...».]—Texto.

Salvá, I, n.º 778; J. Catalina García, *Guadalajara*, n.º 731.

LONDRES. *British Museum*. 011451.e.38.—MADRID. *Nacional*. R-6.947. — NUEVA YORK. *Hispanic Society*.

ESTUDIOS

2783

REP: J. Catalina García, *Guadalajara*, CXLV.

MARTINEZ DE HERRERA (FR. PEDRO)

Carmelita. Doctor en Teologia. Procurador General de la Orden en las provincias de España.

EDICIONES

2784

PRINCIPE *advertido y declaracion de las Epigramas de Napoles la Vís-*

pera de S. Ivan. Nápoles. Lázaro Scoriggio. 1631. 4 hs. + 155 págs. 20,5 cm.

—Ded. a D.ª Leonor María de Guzman, Condesa de Monterey, etc., cuyo escudo va en la port.—Apr. de Fr. Iuan Bermuy. L. O.—Prologo.—Texto.—L.

Gallardo, III, n.º 2.949; Toda, *Italia*, III, n.º 3.124.

MADRID. *Nacional*. 3-40.982.—ZARAGOZA. *Seminario de San Carlos*. 128-3-22.

Aprobaciones

2785

[APROBACION. *Madrid, 12 de junio de 1625*]. (En Castillo Solorzano, Alonso. *Jornadas alegres*. Madrid. 1626. Prels.).

MADRID. *Nacional*. R-279.

2786

[APROBACION. *Napoles, 6 enero 1634*]. (En Andrada, Jeronimo de. *Tratados de la purissima Concepcion*. Napoles. 1633. Prels.).

MADRID. *Nacional*. 2-50.855.

MARTINEZ HIDALGO MONTEMAYOR (LUIS)

Mejicano. Doctor en ambos Derechos. Catedrático de la Universidad de Méjico. Fiscal de las Audiencias de Santo Domingo y Guadalajara.

EDICIONES

2787

DISERTACION *legal por la Real Justicia en causa de inmunidad local*. Méjico. 1650. Fol.

Beristain.

2788

[SONETO]. (En Santa Cruz Aldana, Ignacio de. *Solemne festividad, y sacra pompa que celebró... la Inquisicion desta Nueva España...* Méjico. 1667. Prels.).

Medina, *México*, II, n.º 984.

ESTUDIOS

2789
REP: Beristain, II, pág. 89.

MARTINEZ DE HINOJOSA (FR. AGUSTIN)

Doctor en Teología. Agustino. Vicario general del convento de Nápoles.

2790
[*APROBACION. Nápoles, 16 de noviembre de 1701*]. (En Juan del Santísimo Sacramento, Fray. *Vida de el venerable siervo de Dios Vicente de Paul...* Nápoles. 1701. Prels.).

MADRID. *Academia de la Historia.* 3-7.032.

MARTINEZ IZQUIERDO (RODRIGO)

EDICIONES
2791
[*QUINTILLAS*]. (En Nuñez Sotomayor, Juan. *Descripción panegyrica de las fiestas que la S. Iglesia Catedral de Jaén celebró...* Málaga. 1661, páginas 524-27).

MADRID. *Nacional.* 2-7.347.

MARTINEZ DE JAEN

Licenciado.

CODICES
2792
«*Quartillas a una dama que estaua a la muerte*».

En el *Cancionero de Duque de Estrada.* Letra del s. XVII.

V. *BLH,* IV, n.º 30 (20).

MARTINEZ DE LAGUNA (ALONSO)

V. MARTINEZ (ALONSO)

MARTINEZ DE LEACHE (MIGUEL)

N. en Sádaba, Zaragoza (1615). Estudió Farmacia en Roma y fue boticario en Tudela.

EDICIONES
2793
CONTROVERSIAS pharmacopales, a donde se explican las Preparaciones, y Elecciones de Mesue. Pamplona. Martin de Labayen y Diego de Zabala. 1650. 14 hs. + 153 fols. 19,2 cm.

—Apr. de Pedro de Murugarren.—S. L. y T. del Real Consejo.—E.—Ded. al Licdo. D. Luis de Mur, Alcalde de S. M. en la Corte Mayor del Reyno de Nauarra, cuyo escudo figura en la port.—Catalogo de los Autores que cito.—Prologo a mi Lector.—Index de las Questiones, y cosas notables.—Epigrama latino de Fr. Ambrosio de Espinosa.—Soneto de Antonio de Egea y Guerrero. [«Nuevo Fenix de Arabia, renacido...»].—Dezima de Pedro Martinez de Ximen Perez. [«Trabaxa en el verde prado...»].—Texto.

Pérez Goyena, II, n.º 552.

SAN LORENZO DEL ESCORIAL. *Monasterio.* 25-V-22.

2794
CONTROVERSIAS Pharmacopales, adonde se explican las Preparaciones y Elecciones de Mesue... Añadido nuevamente el Balsamo de Don Pedro de Flores, Medico Hispalensi. Corregido, y enmendado en esta segunda impression. Madrid. Iuan García Infançon. A costa de Francisco Sazedon. 1688. 8 hs. + 153 fols. + 7 hs. 20,5 cm.

Prels. de 1649, más E. y S. T.

MADRID. *Nacional.* 3-5.408. — SEVILLA. *Colombina.* 16-3-13.

2795
TRATADO de las condiciones qve ha de tener el boticario para ser docto en sv arte. Zaragoza. Herederos de Pedro Lanaja. 1662. 15 hs. + 164 páginas. 14,5 cm.

—Apr. del Dr. Matias de Llera.—Censura del Dr. Ioseph Zamora, y Claveria.— Grab.—Ded. a Santa Teresa de Iesvs.— Parecer del Colegio de Medicos, Boticarios y Cirujanos de Tudela.—Ded. en latin de Melchior de Girona al autor.— Prólogo al lector.—Indice de capitulos.— Texto.

Jiménez Catalán. *Tip. zaragozana del siglo XVII*, n.º 712.

MADRID. *Nacional*. 3-46.461.

OBRAS LATINAS

2796

DE vera et legitima Aloes electione juxta Mesues textum in duas sectiones divisa disputatio. Pamplona. 1644. 8.º

N. Antonio.

ESTUDIOS

2797

REP: N. Antonio, II, pág. 139; Roldán, III, pág. 263.

MARTINEZ DE LEYVA (ANTONIO)

Caballero de Santiago. Comendador de la Barra.

EDICIONES

2798

[*DECIMA*]. (En Verdugo de la Cueva, Pablo. *Vida, mverte, milagros, y fundaciones de la B. M. Teresa de Iesus...* Madrid. 1615. Prels.).

MADRID. *Nacional*. R-3748.

MARTINEZ DE LEYVA (MIGUEL)

N. en Santo Domingo de la Calzada. Criado de Felipe III.

EDICIONES

2799

REMEDIOS preservativos y cvrativos, para en tiempo de la peste: y otras curiosas experiencias... Ma-

drid. Impr. Real. [Colofón: Por Iuan Flamenco]. 1597. 23 hs. + 169 fols. 8.º

—Poesia del autor.—Apr. de Fr. Pedro de Padilla.—Censura del Dr. Salinas.—T.—E.—Pr. al autor por diez años.—Tabla.— Ded. al principe D. Felipe, hijo de Felipe II.—Prólogo al Lector.—Texto.—Colofón.

Sobre varias epidemias de peste habidas en España entre 1535 y 1583.

Pérez Pastor, *Madrid*, I, n.º 539.

LONDRES. *British Museum*. 1167.c.10 (2).— MADRID. *Academia Española*. 21-XI-47. *Nacional*. R-25.258; R-3.289. *Palacio Real*. IX-4.893.—ROMA. *Vaticana*. Stamp. Barb. M.XI. 17.—SAN LORENZO DEL ESCORIAL. *Monasterio*. 107-VIII-16.—WASHINGTON. *U.S. National Library of Medicine*.

ESTUDIOS

2800

REP: N. Antonio, II, pág. 139.

MARTINEZ DE LEYVA (SANCHO)

Conde de Baños. Señor de la Casa de Leyva. Comendador de Alcuesca en la Orden de Santiago.

EDICIONES

2801

[*SONETO*]. (En Matute, Fernando. *El triumpho del Desengaño*. Parte segunda. Nápoles. 1682. Prels.).

MADRID. *Nacional*. 3-21.420.

MARTINEZ DE LUNA (FR. DIEGO)

Mercedario. Doctor en Teología por la Universidad de Zaragoza. Calificador de la Inquisición.

EDICIONES

2802

[*APROBACION. Zaragoza, 31 de agosto de 1666*]. (En Fernández, José. *Apostolica y penitente...* Zaragoza. 1666. Prels.).

MADRID. *Nacional*. 3-7.533.

2803

[*APROBACION*]. (En Cortés del Rey, Bonifacio. *Escuela de las verdades de la muerte.* Zaragoza. 1667. Prels.).

Jiménez Catalán, *Tip. zaragozana del siglo XVII*, n.º 763.

MARTINEZ DE LLAMO (FR. JUAN)

Dominico. Presentado. Predicador general. Residente en el convento de Santo Tomás de Madrid. Examinador sinodal del arzobispado de Toledo.

EDICIONES

2804

SERMONES para las Festividades de Cristo Nvestro Señor, y Rosario de Maria Santissima. Madrid. Andres Garcia de la Iglesia. 1676. 5 hs. + 326 páginas + 25 hs. 29 cm.

—Ded. a D. Francisco de Moscoso y Osorio, Arcediano de Madrid y canonigo de la catedral de Toledo.—Apr. de Fr. Isidro Rodriguez y Fr. Iacinto de Parra.—L. O.—Apr. de Francisco Suarez de Salazar.—L. V.—Apr. de Fr. Francisco Ceron.—S. Pr.—E.—S. T.—Prólogo al lector. Texto.—Indice de los testimonios de la Sagrada Escritura contenidos en la obra. Tabla de los puntos mas notables de la obra.—Elenco con apuntaciones para las fiestas de Santos.

CORDOBA. *Pública.* 3-184.—GRANADA. *Universitaria.* A-25-69.—LISBOA. *Academia das Ciências.* E.640/7.—MADRID. *Nacional.* 3-55.506.—ORIHUELA. *Pública.* 89-1-17; etc.—SANTIAGO DE COMPOSTELA. *Universitaria.*—SEVILLA. *Universitaria.* 54-111; 121-136.

2805

SERMONES para los miercoles, viernes, y domingos de Quaresma, con Semana Santa, para todos los dias della, con cinco Sermones para los Domingos por la tarde. Madrid. [s. i.]. 1679. 6 hs. + 328 + 69 págs. a 2 columnas + 10 hs. a 2 cols. 29,5 cm.

—Ded. a Fr. Tomas Carbonel, Obispo y Señor de Sigüença, etc.—Apr. de Fr. An-tonio de Vergara.—Apr. de Fr. Pedro Nuñez de Tineo.—L. O.—Apr. de Fr. Geronimo de Arbizu Angulo,—L. V.—Apr. de Fr. Manuel de Guerra y Ribera.—Pr. al autor por diez años.—E.—T.—Prologo al lector.—Texto.—Indice de los testimonios de la Sagrada Escritura.—Elenco para algunos Sermones de tiempo.

CORDOBA. *Pública.* 31-142.—LISBOA. *Academia das Ciências.* E.640/1. — MADRID. *Nacional.* 2-30.199; 2-13.759.—ORIHUELA. *Pública.* 89-1-15; etc. — SEVILLA. *Universitaria.* 92-165; 108-127 (falto de portada).—ZARAGOZA. *Universitaria.* G-20-36.

2806

[*SERMONES*]. (En COLLECTANEA de *Sermones...* Madrid. 1680).

1. Tomo I, págs. 1-13.
2. Tomo I, págs. 13-31.
3. Tomo I, págs. 32-43.

MADRID. *Nacional.* 3-66.781/82.

2807

MARIAL de todas las fiestas de Nuestra Señora, desde su concepción purissima, hasta la festividad más moderna de sus desposorios con el Patriarca San Ioseph. Con otros tres Sermones de la descensión de la Imagen de el Glorioso Patriarca Santo Domingo traida por manos de María Santissima a la Villa de Soriano. Madrid. Antonio de Zafra. 1682. 7 hs. + 219 págs. a 2 cols. + 13 hs.

—Ded. a D.ª Catalina Gomez de Sandoval y Mendoza, Duquesa del Infantado, etc., precedida de su escudo, que va también en la portada.—Censura de Fr. Sebastian Martinez y Fr. Bernardo Cano.—Censura de Fr. Bernardo Cano y Fr. Alonso Moreno.—L. O.—Censura de Fr. Ioseph Xente y Ribera.—L. V.—Censura y Apr. de Fr. Anselmo Gomez de las Cuevas.—E.—S. Pr. a favor de Fr. Iuan Martinez de Llamo, por 10 años.—S. T.—Al Lector.—Texto.—Indice de Sagrada Escritura.—Tabla de cosas notables.—Elenco para Sermones de tiempo.

MADRID. *Nacional.* 2-11.429.—ORIHUELA. *Pública.* 89-1-14.—SEVILLA. *Universitaria.* 117-138.—VALLADOLID. *Universitaria.* Santa Cruz, 4.709. ZARAGOZA. *Universitaria.* G-55-131.

Aprobaciones

2808

[*APROBACION. Madrid, 23 de julio de 1684*]. (En Arellano Marino, Juan de. *Tratado politico y moral de la verdadera amistad christiana.* Murcia. 1684. Prels.).

MADRID. *Nacional.* 2-35.024.

2809

[*APROBACION. Madrid, 5 de junio de 1685*]. (En Rafael de San Juan, Fray. *De la redención de cautivos...* Madrid. 1686. Prels.).

MADRID. *Nacional.* 2-47.852.

2810

[*CENSURA. Madrid, 4 de marzo de 1690*]. (En Villa-Señor, Juan Antonio de. *Panegíricos del... nombre de María.* Madrid. 1690. Prels.).

MADRID. *Nacional.* 3-54.505.

2811

[*APROBACION. Madrid, 3 de diciembre de 1690*]. (En Angela María de la Concepción, Sor. *Riego espiritual para nuevas plantas...* Madrid. 1691. Prels.).

MADRID. *Nacional.* 3-55.028.

2812

[*APROBACION. Madrid, 5 de noviembre de 1693*]. (En José de San Juan, Fray. *Ceremonial dominicano.* Madrid. 1694. Prels.).

MADRID. *Nacional.* 3-27.654.

2813

[*APROBACION. Madrid, 8 de abril de 1695*]. (En Francisco de Santo Tomás, Fray. *Medula Mystica...* Madrid. 1695. Prels.).

V. *BLH*, X, n.º 3029.

2814

[*APROBACION de Fr. Agustín Cano y Olmedilla, Fray Tomás Reluz, Fray Francisco Blanco, Fr. Domingo Pe-*

rez y ——. Madrid, 9 de octubre de 1696]. (En Samper y Cordejuela, Hipólito de. *Sagrada defensa de las Reliquias, Calizes, Corporales, Vasos y Ornamentos de la Real Capilla del Rey nuestro Señor.* Madrid. 1696. Preliminares).

SEVILLA. *Universitaria.* 111-147(2).

ESTUDIOS

2815

REP: N. Antonio, I, pág. 735.

MARTINEZ LLOR (FRANCISCO)

Maestro.

EDICIONES

2816

[*CANCION*]. (En Torre y Sebil, Francisco de la. *Luzes de la Aurora...* Valencia. 1665, págs. 320-323).

MADRID. *Nacional.* R-17.374.

MARTINEZ MALO MORENO (JOSE)

EDICIONES

2817

[*APROBACION*]. (En Cabeza de Vaca Quiñones y Guzmán, Francisco. *Resumen de las politicas ceremonias con que se govierna... León...* Valladolid. 1693. Prels.).

MADRID. *Nacional.* R-30.882.

MARTINEZ DE MANSILLA (LORENZO)

N. en Zaragoza. Caballero de Calatrava. Caballerizo de la Reina. Virrey de Mallorca.

EDICIONES

2818

CRONICON de Christiano Adricomio Delfo. Traducido de Latín en Español por ——... Zaragoza. 1631.

MADRID. *Nacional.* 3-38.880.

— — —

—Madrid. Imp. del Reyno. 1638. 326 págs.
MADRID. *Nacional.* 2-33.765.—SANTIAGO DE COM-
POSTELA. *Universitaria.*—SEVILLA. *Universita-
ria.* 8-19.

—Sevilla. Simón Faxardo. 1644. 6 hs. +
316 págs. + 11 hs. 20,5 cm.

L., y E. y S. T. de 1644, y Apr. de 1631
y 1637.

CORDOBA. *Pública.* 30-56; 31-42.—MADRID. *Na-
cional.* 2-23.721. — SANTIAGO DE COMPOSTELA.
Universitaria. — SEVILLA. *Colombina.* 25-3-44.
Universitaria. 219-108; etc.

—Sevilla. 1649. 4.°
—Valencia. 1651. 8.°

SEVILLA. *Universitaria.* 253-224.

—Madrid. Impr. Real. 1656. 316 págs. +
1 h. + Fols. 317-28. 4.°

BURGOS. *Pública.* 78-145.—NUEVA YORK. *Hispanic Society.*—SANTIAGO DE COMPOSTELA. *Universitaria.* — SEVILLA. *Universitaria.* 50-34.—
TERUEL. *Casa de la Cultura.*

—Madrid. 1663. 4.°

—Madrid. Imp. Imperial. 1679. 4 hs. + 284
págs. 8.°

BURGOS. *Pública.* 85-71.—MADRID. *Nacional.*
2-26.512.—NUEVA YORK. *Hispanic Society.*—
SANTIAGO DE COMPOSTELA. *Universitaria.*—SE-
VILLA. *Colombina.* 53-3-16. *Universitaria.* 133-
61; etc.

—Madrid. 1723. 4.°
—Madrid. 1761. 4.°
—Barcelona. 1765. 4.°
—Madrid. 1780. 4.°

SEVILLA. *Colombina.* 108-4-17. *Universitaria.*
22-44.

ESTUDIOS
2819
REP: N. Antonio, II, pág. 4 (le llama Lorenzo de Marsilla; Latassa, 2.ª ed., II,
págs. 270-71 (dice «Marcilla»).

MARTINEZ DE MATA
(FRANCISCO)

N. en Motril. Hermano de la Tercera Orden de Penitencia.

EDICIONES
2820
[*MEMORIAL*]. [s. l.-s. i.]. [s. a.].
2 hs. 29 cm.
Carece de portada.

—Texto. [«Señor. = Francisco Martinez de
Mata, sieruo de los pobres afligidos.
Digo que con orden a cumplir con esta
vocacion por agradar a Dios...»].
Nota mss. de la época: «Sobre los forza-
dos que han cumplido sus condenas en
galera. Año 1648».
MADRID. *Nacional.* V-250-31 (ex libris de
Gayangos).

2821
[*MEMORIAL de* ——..., *sieruo de los
pobres afligidos, en razon de la despoblacion, pobreza de España, y su
remedio*]. [s. l.-s. i.]. [s. a.]. 8 fols.
30,5 cm.
Carece de portada.
MADRID. *Nacional.* V.E.-47-18.

2822
*MEMORIAL... en razón de el reme-
dio de la despoblacion, pobreza y
esterilidad de España; y el medio
como se ha de desempeñar la Real
Hazienda, y la de los Vassallos, por
Francisco de Mata.* 2.ª impresión. Za-
ragoza. [s. i.]. 1677, 10 de junio. 2
hojas.
Carece de portada.
—Texto.
MADRID. *Nacional.* V.E.-200-31.

2823
MEMORIAL de ——..., *siervo de los
pobres afligidos, en razón del remedio de la despoblación, pobreza y esterilidad de España, y el medio como se ha de desempeñar la Real Hazienda, y la de los vasallos.* [s. l.-s. i.]
[s. a.]. 2 hs. 30 cm.
SEVILLA. *Universitaria.* 330-128 (34).

2824
[*OCTAVO discvrso... en el qual manifiesta de raiz la causa de auer men-
guado la Real Hazienda de V. M. y
la que ocasiona a no poder salir de
los empeños en que se halla, y se
propone el medio facil, y suaue de*

su restauración]. [s. l.-s. i.]. [s. a.].
12 hs. a 2 cols. 31 cm.

—Texto.

MADRID. *Nacional.* V.E.-23-10 y 213-49.

2825

[*LAMENTOS apologicos de abvsos
dañosos, bien recibidos, por mal en-
tendidos, en apoyos del memorial de
la despoblacion, pobreza de España,
y su remedio*]. [s. l.-s. i.]. [s. a.]. 4
hojas. 30 cm.

—Texto.

LONDRES. *British Museum.* Dept. of Mss.
Add.Ms.10262. (FF. 632-655).—MADRID. *Nacional.* V.E.-213-41.

2826

*MEMORIALES y Discursos. Edición
y nota preliminar de Gonzalo Anes.*
Madrid. Edit. Moneda y Crédito.
1971. 631 págs. 19 cm.

ESTUDIOS

2827

GONZALEZ VELAZQUEZ, JERONI-
MO. *Confusiones del común y expulsión de la Pobreza, siguiendo los escritos de Francisco Martínez de
Mata.*

Mss. del s. XVII. (V. *BLH*, XI, n.º 1514).

**MARTINEZ DE MENESES
(ANTONIO)**

Obras en colaboración con autores
ya citados

—*El arca de Noé.* (V. Cáncer y Velasco,
Jerónimo, en *BLH*, VII, núms. 4009-13).
—*El Hamete de Toledo.* (V. Belmonte Ber-
múdez, Luis de, en *BLH*, VI, núms. 3703-
3705).
—*El mejor representante. Hacer su papel
de veras.* (V. Cáncer y Velasco, Jeróni-
mo, en *BLH*, VII, núms. 3976 y 4060).
—*El príncipe perseguido.* (V. Belmonte
Bermúdez, Luis de, en *BLH*, VI, nú-
mero 3663).
—*El rey don Enrique el Enfermo.* (V. Cán-

cer y Velasco, Jerónimo, en *BLH*, VII,
núms. 3981-83, 4078 y 4543).
—*Fiar en Dios.* (V. Belmonte Bermúdez,
Luis de, en *BLH*, VI, núms. 3670 y 3702).
—*La luna africana.* (V. Alfaro, Alonso de,
en *BLH*, V, n.º 984).
—*La razón haze dichosos.* (V. Cáncer y Velasco, Jerónimo de, en *BLH*, VII, número 4076).
—*La verdad en el engaño.* (V. Cáncer y Velasco, Jerónimo, en *BLH*, VII, n.º 4087).

CODICES

2828

«*El mejor alcalde, el Rey, y No hay
cuenta con serranos*».

Letra del s. XVII. 53 hs. 4.º Perteneció a
Durán.

«—Huye, que ya se cumplió...».

Paz, I, n.º 2.329.

MADRID. *Nacional.* Mss. 15.212.

2829

«*El tercero de su afrenta (No es rey
el que no se vence)*».

Letra del s. XVIII. 66 hs. 4.º Con dos
loas y un entremés.

«—A quien habrá sucedido...».

Paz, I, n.º 3.498.

MADRID. *Nacional.* Mss. 15.189.

2830

«*La campana de Aragón*».

Comedia. En la segunda jornada dice: «de
Luis de Belmonte».

Letra del s. XVII. 64 hs. 4.º Procede de
la biblioteca ducal de Osuna.

«—Ya con publica alegría...».

Paz, I, n.º 543.

MADRID. *Nacional.* Mss. 16.929.

2831

«*Las locuras y amores del Príncipe
Fisberto*».

Letra de principios del s. XVII. 13 hs. Fol.
Procede de la biblioteca ducal de Osuna.
Según nota ms. de letra del XVII: «de
Lope». La Barrera la atribuye a ——.

«—Ya te he dicho, Mauricio, que no ha-
bles...».

Paz, I, n.º 2.109.

MADRID. *Nacional.* Mss. 14.673.

2832

«*Los Esforcias de Milán (Juan Galea-zo)*».

Letra del s. XVII. (Con licencia de Madrid, 15 de enero de 1646). 52 hs. 4.º
«—A esta infeliz mujer...».
Paz, I, n.º 1.311.
MADRID. *Nacional*. Mss. 17.144.

2833

«——».

Letra de mano de Matos Fragoso. 46 hs. 4.º Procede de la biblioteca ducal de Osuna.
Paz, I, n.º 1.311.
MADRID. *Nacional*. Mss. 16.563.

2834

«*Pedir justicia al culpado*».

Letra del s. XVII. 49 hs. 4.º Procede de la biblioteca ducal de Osuna.
«—Siendo quien eres, el Rey...».
Paz, I, n.º 2.788.
MADRID. *Nacional*. Mss. 15.640.

2835

«——».

Letra del s. XVII. 48 hs. 4.º
MADRID. *Nacional*. Mss. 17.059.

2836

«*Vida y persecuciones de San Esta-cio*».

Letra de principios del s. XVII. 13 hs. Fol. Dudosa.
«—Señor, que siendo un Dios solo eres trino...».
Paz, I, n.º 3.785.
MADRID. *Nacional*. Mss. 14.641.

EDICIONES

A lo que obliga el honor

2837

A lo que obliga el honor. Edición de Ramón de Mesonero Romanos. (En DRAMÁTICOS *posteriores a Lope de Vega.* Tomo I. Madrid. 1858, pági-nas 501-14. Biblioteca de Autores Españoles, 47).

Amar sin ver

2838

Amar sin ver. (En PARTE *veinte y una de Comedias nuevas...* Madrid. 1663, páginas 364-404).
MADRID. *Nacional*. R-22.674

Celos no ofenden al sol

2839

Celos no ofenden al Sol. Edición de Ramón de Mesonero Romanos. (En DRAMÁTICOS *posteriores a Lope de Vega.* Tomo I. Madrid. 1858, pági-nas 481-99. Biblioteca de Autores Españoles, 47).

El mejor alcalde, el Rey

2840

El mejor Alcalde el Rey, y no ay cuenta con serranos. (En PARTE *veinte de Comedias varias...* Madrid. 1663, págs. 328-63).
BARCELONA. *Instituto del Teatro.* 58.519. — LONDRES. *British Museum.* 11725.b.20. — MADRID. *Nacional.* R-22.673.

2841

La gran comedia. El mejor alcalde de (sic) *el rey, y no ay quenta con serranos.* [s. l.-s. i.]. [s. a.]. 16 hs. a una y dos cols. 21 cm.
«—Huye, que ya se cumplió...».
BARCELONA. *Instituto del Teatro.* 57.393. — LONDRES. *British Museum.* 11728.d.5.—PARIS. *Arsenal.* 8.ºB.L. 4079.

El platero del cielo

2842

El platero del cielo. (En PARTE *veinte y una de Comedias nuevas...* Madrid. 1663, págs. 211-46).
LONDRES. *British Museum.* 11725.b.21. — MADRID. *Nacional.* R-22.674.

El príncipe de la estrella

2843

El principe de la Estrella, y Castillo de la vida. La primera jornada de Antonio Martinez, la segunda de Iuan de Zavaleta, la tercera de Vicente Suarez. (En PARTE *quarenta y tres de Comedias nuevas...* Madrid. 1678, págs. 429-69).

BARCELONA. *Instituto del Teatro.* 58.719 bis.— LONDRES. *British Museum.* 11725.d.2. — MADRID. *Nacional.* R-22.696.

El tercero de su afrenta

2844

El tercero de su afrenta. (En PARTE *quinze. Comedias nuevas...* Madrid. 1661, fols. 135r-154v).

MADRID. *Nacional.* R-22.668.

2845

El tercero de su afrenta. [s. l.-s. i.]. [s. a.]. 32 págs.

Al fin: «Hallárase... en Madrid en la Imprenta de Antonio Sanz... 1756».

N.º 126.

BARCELONA. *Instituto del Teatro.* 56.909.—MADRID. *Nacional.* T-14.998⁸. — NUEVA YORK. *Public Library.* NPLp.v.540.

2846

El tercero de su afrenta. Comedia famosa. [Valencia. Joseph y Thomás de Orga]. [1772]. 32 págs.

N.º 175.

«—Acabadme de vestir...».

CHAPEL HILL. *University of North Carolina.* TAB25,7.

2847

Comedia Famosa. El Tercero de su Afrenta, de D. ——. Fiesta que se hizo a Su Magestad en el Real Palacio. [Sevilla. Nicolás Vazquez]. [s. a.]. 28 págs. 20 cm.

N.º 53.

«—Acabadme de vestir...».

BARCELONA. *Instituto del Teatro.* 39.605.— CHAPEL HILL. *University of North Carolina.* CTAE 4,1. — MADRID. *Academia Española.*— SEVILLA. *Facultad de Letras.* Ca. 7/97; etc.— TORONTO. *University Library.*

2848

El tercero de su afrenta. [Sevilla. Impr. Real]. [s. a.].

NUEVA YORK. *Public Library.* NPLp.v.790.

2849

El tercero de sv afrenta. Comedia famosa por Antonio Martinez. Fiesta, qve se hizo a su Magestad en el Real Palacio. Sevilla. Joseph Padrino. [s. a.]. 28 págs. 20 cm.

N.º 55.

«—Acabadme de vestir...».

MADRID. *Academia Española.—Nacional.* T-12.774.

2850

Comedia famosa. El tercero de su afrenta... [s. a.]. 32 págs. 20,5 cm.

N.º 12.

Al fin: «Hallaràse... en Salamanca en la Imprenta de la Santa Cruz».

«Acabadme de vestir...».

BARCELONA. *Instituto del Teatro.* 35.332. — COLUMBUS. *Ohio State University.—LONDRES. British Museum.* 11728.d.6. — MADRID. *Nacional.* T-12.765; etc. — OVIEDO. *Universitaria.* P-64-5.—WELLESLEY. *Wellesley College.*

2851

El tercero de su afrenta. Comedia de Antonio Martínez. Fiesta que se hizo a S. M. en el Real Palacio. [Madrid]. Libr. Quiroga. [s. a.]. 30 págs. + 1 h. 21 cm.

«—Acabadme de vestir...».

CAMBRIDGE. *University Library.* Hisp. 5.76.31 (15).—CHAPEL HILL. *University of North Carolina.* TA19,9.—MADRID. *Academia Española.—MINNEAPOLIS. University of Minnesota.*— NEW HAVEN. *Yale University.* — WELLESLEY. *Wellesley College.*

2852

[EL tercero de su afrenta. Edición de Ramón de Mesonero Romanos].

(En DRAMÁTICOS *posteriores a Lope de Vega*. Tomo I. Madrid. Rivadeneyra. 1858, págs. 463-79. Biblioteca de Autores Españoles, 47).

Juez y reo de su causa

2853

Comedia famosa. Juez, y reo de su causa, de un Ingenio de esta Corte. [Madrid]. [Antonio Sanz]. [1751]. 16 hs. 21 cm.

«—Siendo quien eres, Señor...».

LONDRES. *British Museum.* T.1734 (2). — MADRID. *Nacional.* T-15.058; etc.

2854

Juez y reo de su causa. Comedia, por Un Ingenio de esta Corte. [Madrid]. Ruiz. [s. a.]. 32 págs.

N.º 115.

«—Siendo quien eres, señor...».

CHAPEL HILL. *University of North Carolina.* TA19,8; etc.—MADRID. *Academia Española.*

La mujer contra el consejo

2855

La muger contra el consejo. La primera jornada de Iuan de Matos. La segunda de Antonio Martinez. La tercera de Iuan de Zabaleta. (En TEATRO *poético en doce Comedias... Séptima parte.* Madrid. 1654, fols. 24v-46v).

LONDRES. *British Museum.* 11725.b.7. — MADRID. *Nacional.* R-22.660.

2856

La muger contra el consejo. Comedia famosa de tres ingenios, Don Juan de Matos, Don Antonio Martinez, y Don Juan de Zabaleta. [s. l.-s. i.]. [s. a.]. 32 págs.

N.º 43.

Al fin: «Hallarase... en Madrid en la Imprenta de Antonio Sanz... 1729».

«—Señor, pues has despedido...».

CHAPEL HILL. *University of North Carolina.* TAB25,14.

2857

Comedia famosa. La mujer contra el consejo, por Juan de Matos, Antonio Martinez y Juan de Zabaleta. [Valencia. Viuda de Joseph de Orga]. [1762]. 34 págs. 20 cm.

N.º 33.

«—Señor, pues has despedido...».

BARCELONA. *Instituto del Teatro.* 57.445. — CAMBRIDGE. *University Library.* Hisp. 5.76. 2 (13). — CHAPEL HILL. *University of North Carolina.* TAB25,15. — MADRID. *Nacional.* T-14.843.—PARIS. *Nationale.* Yg.297(3).—TORONTO. *University Library.*

2858

La muger contra el consejo. Comedia famosa. La primera Jornada de Juan de Matos. La segunda de Antonio Martinez. La tercera de Juan de Zabaleta. [Sevilla. Joseph Padrino]. [s. a.]. 32 págs. 20 cm.

N.º 103.

«—Señor, pues has despedido...».

CHAPELL HILL. *University of North Carolina.* TAB25,16. — SEVILLA. *Facultad de Letras.* Caja 38 (35).—TORONTO. *University Library.* [Tres ejemplares].

2859

La muger contra el consejo. Comedia famosa. La primera Jornada de Juan de Matos. La segunda de Antonio Martinez. La tercera de Juan de Zabaleta. [Sevilla. Imp. del Correo Viejo]. [s. a.]. 32 págs.

N.º 22.

«—Señor, pues has despedido...».

NUEVA YORK. *Public Library.* NPLp.v.75. — TORONTO. *University Library.*

2860

La muger contra el consejo. De tres ingenios. [Sevilla. J. A. de Hermosilla]. [s. a.]. 32 págs. 20 cm.

TORONTO. *University Library.* [Falto de las dos primeras páginas].

2861

——. [s. l.-s. i.]. [s. a.]. 46 págs. 18 cm.

«—Señor, pues has despedido...».
MADRID. *Nacional.* T-14.982.

La Reina en el Buen Retiro

2862

La Reyna en el Buen-Retiro. (En PARTE *diez y nueve de Comedias nuevas...* Madrid. 1663, fols. 154r-172r).
MADRID. *Nacional.* R-22.672.

La silla de San Pedro

2863

La silla de San Pedro. (En COMEDIAS *nuevas escogidas de los mejores ingenios de España. Onzena parte.* Madrid. 1658, fols. 196v-216v).
MADRID. *Nacional.* R-22.664.

Los Esforcias de Milán

2864

Los Esforcias de Milán. (En PARTE *quinze. Comedias nuevas...* Madrid. 1661, fols. 241r-258r).
BARCELONA. *Instituto del Teatro.* 58.488. — LONDRES. *British Museum.* 11725.b.15. — MADRID. *Nacional.* R-22.668.

2865

Los Esforcias de Milán. Comedia famosa, de Antonio Martínez. Madrid. Antonio Sanz. 1731. 16 hs. 4.º
MADRID. *Nacional.* T-14.998⁹.

2866

Los Esforcias de Milán. Comedia famosa. Barcelona. Carlos Sapera. A costa de la Compañía. 1773. 16 hs.
N.º 196.
«—A esta infeliz muger...».
MADRID. *Academia Española.*

2867

Comedia famosa. Los Esforcias de Milán, de Antonio Martínez. [Valencia. Joseph y Thomas de Orga]. [1776]. 32 págs.
N.º 208.

«—A esta infeliz muger...».
BARCELONA. *Instituto del Teatro.* 44.997. — CAMBRIDGE. *University Library.* Hisp. 5.76. 11 (12).—LONDRES. *British Museum.* 1342.e.11. (7); etc.—MADRID. *Nacional.* T-4.394; etc.— NUEVA YORK. *Public Library.* APLp.v.341.— OVIEDO. *Universitaria.* P-11-11.—TORONTO. *University Library.*

2868

Comedia famosa. Los Esforcias de Milán. [Barcelona. Francisco Suriá. A costa de la Compañía]. [s. a.]. 18 cm.
N.º 198.
«—A esta infeliz muger...».
AUSTIN. *University of Texas.* — BARCELONA. *Instituto del Teatro.* 39.603; etc. — CINCINNATI. *Public Library.*—CHAPEL HILL. *University of North Carolina.* TA19,7. — MADRID. *Nacional.* T-3.313.—OVIEDO. *Universitaria.* P-23-7.

2869

Los Esforcias de Milán. Comedia famosa de Antonio Martínez. [Sevilla. Francisco de Leefdael]. [s. a.]. 32 páginas.
N.º 224.
«—A esta infeliz muger...».
NUEVA YORK. *Public Library.* NPLp.v.790.

2870

Los Esforcias de Milán. [s. l.-s. i.]. [s. a.]. 18 hs.
N.º 287.
MADRID. *Nacional.* T-3.456; etc.

Oponerse a las estrellas

2871

Oponerse a las estrellas, de Iuan de Matos, —— y Agustín Moreto. (En QUINTA *parte de Comedias escogidas de los mejores ingenios de España.* Madrid. 1653, págs. 1-47).
MADRID. *Nacional.* R-22.658.

2872

Oponerse a las estrellas. Comedia famosa de Juan de Matos Fragoso,

Antonio Martínez y Agustín Moreto.
[Valencia. Viuda de Joseph de Orga]. [1763]. 36 págs.
N.º 48.
«—Viva Eugenio, Rey de Grecia...».
BARCELONA. *Instituto del Teatro.* 57.446. — CAMBRIDGE. *University Library.* Hisp.5.76. 3(11).—CHAPEL HILL. *University of North Carolina. TAB25,20.*—LONDRES. *British Museum.* 1342.e.11(30).—MADRID. *Academia Española.* TORONTO. *University Library.*

2873
Comedia famosa. Oponerse a las estrellas. Por Juan Matos, —— y Agustin Moreto. [Madrid. Juan Sanz. s. a.]. 20 hs. 21 cm.
—Texto. [«Viva Egenio, Rey de Grecia»]. MADRID. *Nacional.* T-14.823.

2874
Oponerse a las Estrellas. Comedia famosa de Juan de Matos, —— y Agustin Moreto. [Sevilla. Francisco de Leefdael]. [s. a.]. 32 págs. 4.º.
Escudero, n.º 2.814.
SANTIAGO DE COMPOSTELA. *Universitaria.*

2875
Oponerse a las estrellas. Gran comedia, de Juan de Matos, Antonio Martínez y Agustín Moreto. [s. l.-s. i.]. [s. a.]. 20 hs.
«—Viva Egenio, Rey de Grecia...».
MADRID. *Academia Española.*

2876
Oponerse a las estrellas. Gran comedia, por Iuan de Matos, Antonio Martínez y Agustín Moreto. [s. l.-s. i.]. [s. a.]. 39 págs.
«—Viva Egenio, Rey de Grecia...».
MADRID. *Academia Española.*

2877
Oponerse a las estrellas. Comedia famosa, de Ivan de Matos, Antonio Martinez, y Augustin Moreto. [Sevi-
lla. Impr. Real]. [s. a.]. 32 págs. 20 cm.
N.º 214.
«—Viva Eugenio, Rey de Grecia...».
CHAPEL HILL. *University of North Carolina.* TAB25,19.—MADRID. *Nacional.* T-663.—NUEVA YORK. *Public Library.* NPLp.v.790.

Pedir justicia al culpado

2878
Pedir justicia al culpado. (En PARTE *diez y seys de Comedias nuevas...* Madrid. 1662, fols. 1r-16v).
MADRID. *Nacional.* R-22.669.

También da amor libertad

2879
Tambien da Amor Libertad. (En PARTE *diez y siete de Comedias nuevas...* Madrid. 1662, fols. 149r-168v).
MADRID. *Nacional.* R-22.670.

2880
Comedia famosa. Tambien da amor libertad. [s. l.-s. i.]. [s. a.]. 4.º.
LONDRES. *British Museum.* T.1736.(19).

Poesías sueltas

2881
[*AL Autor. Soneto*]. (En Villaviciosa, Iosé de. *La Moschea.* Cuenca. 1615. Al fin).
MADRID. *Nacional.* R-12012.

2882
[*GLOSA*]. (En Monforte y Herrera, Fernando de. *Relación de las fiestas que ha hecho el Colegio Imperial...* Madrid. 1622, fols. 39r-40r).
MADRID. *Nacional.* R-154.

2883
[*SONETO*]. (En Pérez de Montalbán, Juan. *Fama posthuma a la vida y*

muerte de... Lope Felix de Vega Carpio... Madrid. 1636, fol. 155*r*).

MADRID. *Nacional.* 3-53.447.

2884
[*SONETO*]. (En Funes, Juan Agustín de. *Coronica de la ilustrissima milicia y sagrada religion de San Juan Bautista de Ierusalem.* Tomo II. Zaragoza. 1639. Prels.).

MADRID. *Nacional.* R-14.430.

2885
[*SONETO*]. (En Grande de Tena, Pedro. *Lágrimas panegiricas a la temprana muerte del... Dr. Juan Pérez de Montalban.* Madrid. 1639, folio 111*r*).

MADRID. *Nacional.* 2-44.053.

2886
[*DECIMA*]. (En Querini, Sebastián. *El Manual de Grandes... Traducido por Mateo Prado.* Madrid. 1640. Preliminares).

MADRID. *Nacional.* R-8.874.

2887
[*SONETO*]. (En EXEQUIAS *Reales que Felipe el Grande quarto de este nombre, mandó hazer en San Felipe de Madrid a los soldados que murieron en la batalla de Lerida.* Madrid. 1644. fol. 8*v*).

MADRID. *Nacional.* V.E.-164-29.

2888
[*EPIGRAMA*]. (En Barros, Alonso de. *Proverbios.* Baeza. 1615. Prels.).

V. *BLH*, VI, n.° 3257.

2889
[*SONETO*]. (En Alarcón, Alonso de. *Corona sepulcral. Elogios en la muerte de Don Martín Suárez de Alarcón...* s. l., s. a., 1653?, fol. 46*v*).

V. *BLH*, V, n.° 71 (24).

2890
[*ROMANCE*]. (En Angulo y Velasco, Isidro. *Triunfos festivos que al Crucificado Redemtor del Mundo, erigió la Real Congregación del Santo Christo de San Ginés...* Madrid. 1656, págs. 14-15).

V. *BLH*, V, n.° 2901 (2).

2891
[*DEZIMA*]. (En Bernardo de Quirós, Francisco. *Obras...* Madrid. 1656. Preliminares).

MADRID. *Nacional.* R-11.368.

2892
ROMANCE. (En ACADEMIA *burlesca en Buen Retiro a la Magestad de Philippo IV el Grande.* Valencia. 1952, págs. 109-11).

MADRID. *Academia Española.* 16-II-8.

ESTUDIOS

2893
[*DOCUMENTOS sobre Antonio Martínez Meneses*]. (En Pérez Pastor, Cristóbal. *Noticias y documentos relativos a la Historia y Literatura...* Tomo I. Madrid. 1910, págs. 241-42).

2894
REP: La Barrera, págs. 237-38.

MARTINEZ DE MIOTA (ANTONIO)
Licenciado.

EDICIONES

2895
[*DECIMA*]. (En Ximénez Patón, Bartolomé. *Perfeto predicador.* Baeza. 1612. Prels.).

MADRID. *Nacional.* R-1.594.

2896
[*POESIA*]. (En Ximénez Patón, Bartolomé. *Epítome de la Ortografia Latina y Castellana.* Baeza. 1614. Prels.).

MADRID. *Nacional.* R-1.118.

2897

[*SONETO*]. (En Plinio Segundo, Cayo. *Historia Natural. Traducida por Jerónimo Gómez de Huerta.* Tomo I. Madrid. 1624. Prels.).

MADRID. *Nacional.* R-15.783.

2898

[*DEZIMA*]. (En Justiniano, Juan Bautista. *Relación verdadera... de la manera que en el río de Huecar... se corren los toros...* Cuenca. 1625. Prels.).

V. *BLH*, XII, n.° 5155.

OBRAS LATINAS

2899

[*EPIGRAMMA*]. (En Plinio Segundo, Cayo. *Historia Natural...* Tomo I. Madrid. 1624. Prels.).

2900

[*EPIGRAMMA*]. (En CONSTITUCIONES del *Collegio Seminario de Señor San Iulian de la ciudad de Cuenca...* Cuenca. 1628. Al fin).

MADRID. *Nacional.* 2-67.189.

2901

[*POESIA*]. (En Ximénez Patón, Bartolomé. *Historia de... Jaén...* Jaén. 1628. Prels.).

MADRID. *Nacional.* R-1.730.

2902

[*DISTICO*]. (En Ximénez Patón, Bartolomé. *Declaración magistral de la Epigrama 75 de Marcial, lib. 13.* s. l.-s. a. Al fin).

MADRID. *Nacional.* R-13.210.

2903

[*AL Autor. Poesía*]. (En Villaviciosa, José de. *La Moschea.* Cuenca. 1615. Preliminares).

MADRID. *Nacional.* R-12.012.

MARTINEZ MONTAÑES (FR. BERNARDINO)

Franciscano.

EDICIONES

2904

[*APROBACION. Jérez de la Frontera, 15 de diciembre de 1646*]. (En BREVE *epílogo de los funerales exequias que... Xerez de la Frontera celebró... a la temprana muerte de D. Baltasar Carlos... Jerez de la Frontera.* 1646. Prels.).

MADRID. *Nacional.* V.E.-153-7.

MARTINEZ MONTERO (GABRIEL)

Doctor en Teología. Calificador de la Inquisición.

EDICIONES

2905

PARAISO espiritval de las almas amigas de Dios. Tesoro patente a las codicias espirituales. Tratados siete en todo genero de verso Español. Madrid. Alonso de Paredes. 1651. 8 hojas + 154 fols. 22 cm.

—Ded. a la Virgen María.—Censura del P. Agustín de Castro.—L. V.—Censura de Fr. Francisco de Valdes.—Pr. al autor por diez años.—T.—E.—A los lectores.—Indice de los Tratados.—Texto.—Protesta.

Gallardo, III, n.° 2.950; Salvá, I, n.° 779.

CORDOBA. *Pública.* 14-129.—GRANADA. *Universitaria.* A-27-279.—MADRID. *Nacional.* 3-21.492. NUEVA YORK. *Hispanic Society.*

2906

PENAS de la mas inculpable inocencia, passiones de Christo. Madrid. Diego Díaz. 1659. 8.°

Jerez, pág. 96.

NUEVA YORK. *Hispanic Society.*

2907

PSALMO aplicado a la Concepción Purísima de... María Santísima. [s. l.-s. i.]. [s. a.]. 8.°

Jerez, pág. 96.

MARTINEZ MONTIÑO (FRANCISCO)

Cocinero mayor de S. M.

EDICIONES

2908

ARTE de cozina, pastelería, vizcochería, y conseruería. Madrid. Luis Sánchez. 1611. 8 hs. + 317 fols. + 1 h. con 2 grabs. + 10 hs. 13,5 × 8,5 cm.

—T.—E. (ninguna).—Pr. al autor por diez años. — Prologo al Letor. — Aduertencia, acerca de la medida que han de tener los cucharones para hazer vizcochos.— Tabla de los Banquetes que van este libro.—Texto.—Dos grabs (cucharones).— Tabla, o indice de los guisados y cosas de cozina, y conseruas que en este libro de contienen.

MADRID. *Nacional.* R-1.472 (ex libris de la Bibliotheca Sobolewskiana y de Heredia).—NUEVA YORK. *Hispanic Society.*—ROMA. *Vaticana.* Stamp. Barb. N.XI.59.

2909

ARTE de cozina, pastelería, vizcochería, y conseruería. Madrid. Iuan de la Cuesta. A costa de Antonio Rodríguez. 1617. 8 hs. + 316 fols. + 12 hs. 14 cm.

—T.—L.—Pr.—Prólogo al lector. — Advertencia.—Tabla...—Texto.—Grab.—Tabla de lo que se contiene en este libro.

Salvá, II, n.º 4054 ; Pérez Pastor, *Madrid*, II, n.º 1.473.

LONDRES. *British Museum.* 7955.a.37. [Muy deteriorado].—MADRID. *Nacional.* R-1.491 (ex libris de Salvá).—PARIS. *Nationale.* V.47121.

2910

——. Madrid. 1623.

PARIS. *Nationale.* V.47122.

2911

——. Madrid. 1628.

LISBOA. *Ajuda.* 39-III-24. — PARIS. *Nationale.* V.47123.

2912

——. Madrid. María Quiñones. 1635. 8 hs. + 231 fols. + 1 lám. + 8 hs. 16 cm.

BARCELONA. *Universitaria.* B.13-5-7.

2913

——. Alcalá. Antonio Vázquez. 1637. 8 hs. + 302 fols. + 9 hs. 14 cm.

BARCELONA. *Universitaria.* B.12-6-19.—LONDRES. *British Museum.* 1037.c.10.—MADRID. *Nacional.* R-11.648 (ex libris de Gayangos).

2914

——. Madrid. María de Quiñones. A costa de Manuel López. 1653. 7 hs. + 231 fols. + 1 lám. + 9 hs. 14 cm.

BARCELONA. *Universitaria.*—MADRID. *Nacional.* R-5.525.

2915

——. Madrid. Joseph Fernández de Buendía. 1662. 7 hs. + 231 fols. + 1 lám. + 7 hs. 14 cm.

Jerez, pág. 106.

LONDRES. *British Museum.* 1037.s.11.—MADRID. *Nacional.* R-5.515.—NUEVA YORK. *Hispanic Society.*—SEVILLA. *Colombina.* 50-2-19.

2916

——. Madrid. Iulian de Paredes. 1676. 8 hs. + 231 fols. + 9 hs. 14,5 cm.

LONDRES. *British Museum.* 1037.c.12.—MADRID. *Nacional.* R-13.951.

2917

——. Barcelona. Carlos Sapera y Jaime Osset. [s. a.].

Licencias de 1754.

BARCELONA. *Universitaria.* B.62-9-16/17.

2918

——. Madrid. J. Carrasco. 1760. 483 págs. 11 cm.

ANN ARBOR. *University of Michigan.*—BOSTON. *Public Library.*

2919

——. Barcelona. María Angela Martí. 1763. 8 hs.+510 págs.+8 hs. 15 cm.

BARCELONA. *Central.* A.64-8.º-67. *Universitaria.* B.65-8-39.—WASHINGTON. *Congreso.* 46-36226*.

2920

——. Madrid. Pantaleón Aznar. 1778. 480 págs. 15 cm.

NUEVA YORK. *Hispanic Society.*

2921

——. Valencia. Doblado. 1790.

NUEVA YORK. *Public Library.*

2922

——. Madrid. J. Doblado. 1797. 4 hs. + 480 págs. 8.º

PROVIDENCE. *Brown University.*

2923

——. 16.ª edición. Madrid. Joseph Doblado. 1809. 4 hs. + 480 págs. 15 cm.

BARCELONA. *Popular de la Mujer.* 641.5 Mar.

2924

——. Madrid. 1822. VI + 262 + VIII págs. + 1 lám. 8.º

MADRID. *Nacional.* U-4.679.

2925

——. Barcelona. J. F. Piferrer. [s. a.]. 415 págs.

BERKELEY. *University of California.* — NUEVA YORK. *Hispanic Society.*

ESTUDIOS

2926

REP: N. Antonio, I, pág. 445.

MARTINEZ DE MONTOYA (FR. JAIME)

EDICIONES

2927

[*GEROGLIFICO*]. (En Briz Martinez, Juan. *Relación de las exequias que... Çaragoça a celebrado por el Rey Don Philipe...* Zaragoza. 1599, págs. 273-274).

MADRID. *Nacional.* R-4.520.

MARTINEZ DE MORA (FR. JUAN)

Dominico. Prior del convento de Santo Tomás de Madrid.

EDICIONES

2928

[*APROBACION, por* —— *y Fr. Juan de la Concha. Madrid, 18 de setiem-*

bre de 1690]. (En Fuster, Tomás. *Resumen histórico de los prodigios acaecidos en el monasterio... Luchente...* Valencia. 1691. Prels.).

MADRID. *Nacional.* 3-62.933.

2929

[*CENSURA. Madrid, 5 de abril de 1691*]. (En EPITOME *Historial, de la vida, virtudes, y portentos de... San Juan de Capistrano...* Madrid. 1691. Preliminares).

MADRID. *Nacional.* V.E.-120-4.

2930

[*APROBACION de* —— *y Fr. Francisco Pimentel*]. (En Cano de Olmedilla, Agustín. *La Verdad triunfante...* Madrid. 1691. Prels.).

MADRID. *Nacional.* 2-25.845.

2931

[*APROBACION de Fr. Thomás Reluz y* ——. *Madrid, 9 de octubre de 1693*]. (En José de San Juan, Fray. *Ceremonial dominicano.* Madrid. 1694. Prels.).

MADRID. *Nacional.* 3-27.654.

2932

[*APROBACION de* —— *y de Fr. Alonso Pimentel. Madrid, 15 de diciembre de 1697*]. (En Peralto, Guillermo. *La cura y la enfermedad...* Madrid. 1699. Prels.).

MADRID. *Nacional.* 3-10.418.

MARTINEZ Y MOSQUERA (MIGUEL)

EDICIONES

2933

[*DEZIMA*]. (En Díez de Leiva, Fernando. *Antiaxiomas morales...* Madrid. 1682. Prels.).

MADRID. *Nacional.* 3-78.366.

MARTINEZ DE MOYA (JUAN)

Secretario del conde de Montijo y Gobernador de su estado de Guetor.

EDICIONES

2934

EPITOME de las Fiestas Reales, que celebro Granada en diez y seys de Setiembre del año de mil y seyscientos y veinte y ocho. Granada. Martín Fernández Zambrano. 1628. 12 hs. 4.º

En verso.

Alenda, n.º 902; Vindel, V, n.º 1.643.

2935

FANTASIAS de vn svsto. Granada. Francisco Heylan. 1630. 2 hs. + 26 folios. 20 cm.

—Apr. de Fr. Pedro de Cuenca y Cardena.—Ded. a D. Christoval Portocarrero de Luna, conde del Montijo, etc.—Soneto de Alvaro Cubillo de Aragón. [«Esta cifra de ingenio, está en fragmentos...»].— Fol. 1: Epístola de Agustín Collado del Hierro al Autor.—Texto, con poemas intercalados (fols. 2r-25v).—Fol. 26: Epístola de Ramón de Morales.

MADRID. *Nacional.* R-4.095.

2936

FANTASIAS de vn svsto. Añadido en esta segunda impression el Libro intitulado: *Meritos disponen premios, discurso Lyrico, escrito sin A.* Madrid. Pedro Joseph Alonso y Padilla. 1738. 8 hs. + 314 págs. + 8 hs. 14 cm.

Págs. 1-128: *Fantasías de un susto.*

Págs. 129-314: *Méritos disponen premios,* por Fernando Jacinto de Zurita y Haro.

Salvá, II, n.º 1.892.

MADRID. *Nacional.* U-4.368; etc.—SANTANDER. «*Menéndez y Pelayo*». R-III-3-19.

Poesías sueltas

2937

[*DECIMAS*]. (En Villar, Francisco del. *Relación de la fiesta que cele-*

bró el... Conuento de San Francisco de Andujar al glorioso San Pedro Baptista y sus compañeros... Granada. 1629. Prels.).

MADRID. *Academia de la Historia.* 9-29-1-5.755.

MARTINEZ MURILLO (PEDRO)

EDICIONES

2938

FACIL y breve declaración de la Syntaxis del P. Bartolomé Bravo... Pamplona. Carlos Labayen. 1630. 8.º

Palau, VIII, n.º 155.400.

2939

COPIA de nombres y verbos conforme las reglas y classes de Juan Torrella. Valencia. Claudio Macé. 1643. 8.º

Palau, VIII, n.º 155.401.

2940

——. Valencia. Viuda de Silvestre Esparsa. 1663. 8.º

MADRID. *Academia Española.* 23-XI-77.

2941

PROSODIA con un tratado breve de Ortografía... Valencia. Claudio Macé. 1643. 8.º

Palau, VIII, n.º 155.403.

MARTINEZ NIETO (BLAS)

Doctor. Médico de las villas de Belinchón, Uceda, Santa Cruz de la Zarza y Chinchón. Catedrático de Medicina de la Universidad de Alcalá.

EDICIONES

2942

CONSVLTA, que se hizo para el conocimiento del achaque, que padece Doña Iosepha Lopez Alonso, vezina de la Villa de Colmenar de Oreja. Madrid. [s. i.]. 1679. 4 hs. + 29 fols. + 3 hs. 20,5 cm.

—Ded. a D.ª Francisca de Castro y Ribera, condesa de Chinchón, etc.—Apr. de Diego de Madrid y Xara. — Apr. de Francisco Ribas del Castillo.

MADRID. *Academia Española.—Academia de la Historia.* 9-29-1-5.753-11. *Nacional.* 3-7.523.

2943
DISCVRSO breve, sobre la natvraleza, condicion, preservacion, causas, señales, pronostico, y curacion; y reglas generales para qualquiera contagio de peste, y infeccion maligna. Madrid. [s. i.]. 1679. 4 hs. + 20 fols. 20,5 cm.

—Ded. a D.ª Catalina Velez de Guevara y Tarsis, condesa de Oñate y de Villamediana, etc.—Apr. de Francisco Enriquez de Villacorta.—Apr. de Juan de Peribañez. — Al Lector. — Prefacion. — Texto. — L. V.

MADRID. *Academia Española. — Nacional.* 3-7.523; etc.

MARTINEZ DE PAREDES (GARCIA)

Licenciado. Catedrático de Vísperas de Cánones de la Universidad de Salamanca.

EDICIONES
2944
[*CENSURA. Salamanca, 20 de marzo de 1638*]. (En González Barroso, Agustín. *Memorial...* s. l.-s. a. Al fin).

MADRID. *Nacional.* V.E.-134-36.

MARTINEZ DE LA PARRA (JOSE)
Doctor.

EDICIONES
2945
[*DEDICATORIA al Dr. Manuel Fernández de Santa Cruz*]. (En Gómez de la Parra, José. *Yo de el sagrado Príncipe de los Apóstoles...* Puebla. s. a. Prels.).

Medina, *Puebla,* n.º 118.

MARTINEZ DE LA PARRA (P. JUAN)

N. en Puebla (1655). Jesuita desde 1670. Residió en Guatemala y en Méjico, donde murió en 1701.

CODICES
2946
«*Luz de verdades catholicas... Segunda parte*».

Roca, n.º 992.

MADRID. *Nacional.* Mss. 17.908.
—— —— ——
V. además: Backer-Sommervogel, V, cols. 638-39.

EDICIONES
2947
SERMON panegirico, y elogio sacro de San Eligio Obispo de Noyons, Abogado, y Patrono de los Plateros. Dixólo... en la anual fiesta que le celebra la Platería en la Santa Iglesia Cathedral de México... Méjico. María de Benavides. 1685. 5 hs. + 9 fols. 4.º

—Ded. al capitán D. Domingo de Larrea y Zárate, cavallero de Santiago, precedida de su escudo.—Parecer del P. Francisco Antonio Ortiz.—Parecer de Fr. Juan de Mendoza.—L.—Texto.

Medina, *México,* III, n.º 1.377.

LONDRES. *British Museum.* 851.k.18.(9).

2948
[*SERMON que predicó —— el dia de S. Francisco Xavier, en la casa Profesa de esta Corte*]. Madrid. 1689. 3 hs. + 12 fols. a 2 cols. 19 cm.

Carece de portada.

—Parecer del P. Agustin Franco.—L. Virrey.—Parecer de Pedro de Avendaño.— L. V.—L. O.—Texto.

MADRID. *Nacional.* V.E.-106-48.

2949
SERMON panegirico. Sepvlcral elogio de el admirable Seraphin y glorioso Patriarcha S. Francisco de Assis. Dixolo... en la solemnidad que

en su dia 4 de Octubre en el Conven-
to de señoras Religiosas de Regina
Coeli le celebra su... Hermandad...
Méjico. María de Benavides. 1688.
5 hs. + 8 fols. 4.º

—Ded. a Fr. Ioseph Sanchez, provincial
del Sto. Evangelio de la Orden de S.
Francisco, etc., por la Hermandad. —
Sentir del P. Francisco Díaz Pimienta.—L. del Virrey.—Parecer del P. Pedro de Avendaño.—L. V.—Texto.

Medina, *México*, III, n.º 1.416.

2950

SERMON panegirico a las virtudes
y milagros de el prodigioso Apostol
de la India nvevo thavmaturgo del
Oriente San Francisco Xavier. Pre-
dicado en su dia tres de Diziembre
en la Casa Professa de la Compañia
de Jesus de Mexico año de 1689.
Méjico. Herederos de la Viuda de
Bernardo Calderón. 1620. 4 hs. +
12 fols. 4.º

—Parecer del P. Agustin Franco.—L. del
Virrey.—Parecer del P. Pedro de Avendaño.—L. V.—L. O.—Texto.

Medina, *México*, III, n.º 1.477.

LONDRES. *British Museum.* 851.k.18.(8).

2951

LVZ de verdades catholicas y Expli-
cacion de la Doctrina Christiana. Que
segun la costumbre de la Casa pro-
fessa de la Compañia de Jesvs de
Mexico, todos los Jueves del año se
platica en su Iglesia. Dala a la es-
tampa el P. Alonso Ramos... Méjico.
Diego Fernández de León. [y Juan
Guillena Carrascoso, el III]. 1691-96.
3 vols. 4.º

Tomo I: 17 hs. + 400 págs.

—Ded. al Dr. D. Francisco de Deza y
Ulloa, Fiscal del Tribunal de la Inqui-
sición, etc., precedida de su escudo.—
Parecer del P. Fernando de Valtierra.—L.
del Virrey. — Parecer del P. Pedro de
Echagoyan.—L. del Arzobispo.—L. O.—
Al lector.—Texto.—Indice de las plati-
cas.—Indice de cosas notables.

Tomo II: 1695. 8 hs. + 657 págs.

—Ded. a D. Carlos de Luna y Arellano,
Mariscal de Castilla, Maestre de Campo
general de la Nueva España, etc., precedida de su escudo.—Parecer del P. Antonio Jardón.—L. del Virrey.—Parecer del
P. Benito Andrade.—L. V.—L. O.—Texto.

Tomo III: 8 hs. + 740 págs. + 12 hs.

—Ded. a D. Alonso Davalos Bracamonte,
conde de Mira Valle, Canchiller del Tribunal de la Santa Cruzada de la Nueva
España, precedida de su escudo.—Apr.
del P. Antonio Xardón.—L. del Virrey.—
Parecer del P. Diego Felipe de Mora.—
L. del Arzobispo.—L. O.—Texto.—Indices.

Medina, *México*, III, núms. 1.494, 1.524 y
1.640.

2952

——. Sevilla. Juan Francisco de Blas.
1699. 13 hs. + 400 págs. a 2 cols. 4.º

NUEVA YORK. *Columbia University.*

— — —

—Barcelona. Rafael Figueró. 1701. 10 hs. +
628 págs. + 14 hs. Fol.
—Barcelona. Juan Jolis. 1701. 10 hs. + 628
págs. + 14 hs. Fol.
—Barcelona. Juan Jolis. [s. a.]. 10 hs. +
628 págs. + 14 hs. Fol.

WASHINGTON. *Congreso.* 39-12384.

—Barcelona. Rafael Figueró. 1705. 8 hs. +
434 págs. + 11 hs. Fol.

Heredia, IV, n.º 4.025-26.

GENOVA. *Universitaria.* 1.BB.VII.37.—LISBOA.
Ajuda. 6-VIII-1.—MADRID. *Nacional.* 2.280.—
PARIS. *Institut d'Études Hispaniques.* R-D-
447.

—Madrid. Antonio González de Reyes. 1705.
8 hs. + 434 págs. + 11 hs. Fol.
—Madrid. [s. i.]. A costa de Pedro del
Castillo y Vicente de Sinofiayn. 1722.
9 hs. + 455 págs. + 10 hs. Fol.

MADRID. *Nacional.* 3-73.744/46.

—Madrid. Francisco del Hierro. A costa
de Francisco Laso. 1722. 12 hs. + 257 folios + 10 hs. Fol.

MADRID. *Nacional.* 3-73.744/46.

—Lisboa. 1722. 4 vols.

LISBOA. *Ajuda.* 2-IV-24/27.

—10.ª ed. Madrid. Alonso Balvas. 1724.
8 hs. + 434 págs. + 11 hs. Fol.

MADRID. *Facultad de Filología.* 1060. *Nacio-*

nal. 2-1.364.—SANTIAGO DE COMPOSTELA. *Universitaria.*

—Sevilla. Francisco Sánchez Reciente. 1725. 6 hs. + 454 págs. + 9 hs. Fol.

Escudero, n.° 2.120.

MADRID. *Nacional.* 9-63.784.

—Madrid. Viuda de J. García Infançón. 1727. 8 hs. + 434 págs. + 11 hs. Fol.

MADRID. *Nacional.* 2-3.304.

—Sevilla. Viuda de Francisco Lorenzo de Hermosilla. 1729. 6 hs. + 450 págs. + 9 hs. Fol.

Escudero, n.° 2.154.

—Madrid. Imp. Real, por J. Rodríguez de Escobar. 1731. 8 hs. + 434 págs. + 11 hs. Fol.

—Madrid. María Fernández. 1732. 8 hs. + 434 págs. + 11 hs. Fol.

—Sevilla. Viuda de Francisco Lorenzo de Hermosilla. 1733. 6 hs. + 450 págs. + 9 hs. Fol.

Escudero, n.ª 2.205.

—Madrid. Impr. Real, por Miguel Francisco Rodríguez. 1737. 2 vols. 4.°

MADRID. *Nacional.* 6.i.-2.870 [el I].

—Madrid. Alonso y Padilla hermano. 1747. 9 hs. + 450 págs. + 10 hs. Fol.

MADRID. *Nacional.* 2-2.782.—TERUEL. *Casa de la Cultura.*

—Madrid. Juan de San Martın. 1748. 6 hs. + 475 págs. + 9 hs. Fol.

—Barcelona. Lucas de Bezares. 1755. 8 hs. + 455 págs. + 13 hs. Fol.

MADRID. *Nacional.* 2-2.774.

—Madrid. Joachin Ibarra. 1759. 6 hs. + 475 págs. + 10 hs. Fol.

MADRID. *Nacional.* 2-1.366.

—Madrid. Gabriel Ramírez. 1760. 6 hs. + 487 págs. Fol.

—Lisboa. Manescal da Costa. 1761. 5 hs. + 515 págs. Fol.

—Madrid. Antonio Marín. 1767. Fol.

MADRID. *Nacional.* 7-24.816.

—Madrid. Sancha. 1775. 4 hs. + 487 págs. Fol.

—Madrid. Andrés Ortega. 1777. 4 hs. + 487 págs. Fol.

—Madrid. Pedro Marín. 1783. 4 hs. + 487 págs. Fol.

—Madrid. Pedro Marín. 1708. 4 hs. + 505 págs. Fol.

—Madrid. Pedro Marín. 1793. Fol.

—Madrid. Saturnino Calleja. 1902. 3 vols. 8.°

2953

ORACION fvnebre en las annvales honras, qve por mandado, y reales expensas de Nuestro Catholico Rey, y Señor Carlos II se celebraron en la Casa Professa de la Compañia de Jesus de Mexico, por los Soldados, que han muerto en defensa de las Catholicas armas de España. Méjico. Iuan Ioseph Guillena Carrascoso. 1696. 8 hs. + 8 fols. 4.°

—Ded. a D. Iuan de Ortega Montañés, Obispo de Michoacán y Virrey de Nueva España, precedida de su escudo, por Juan Joseph de Brizuela.—Parecer del P. José de Porras.—L. del Virrey.—Sentir de Fr. Pedro Antonio de Aguirre.—L. V.—L. O.—Texto.

Medina, *México,* III, n.° 1.641.

2954

MEMORIA agradecida a la dedicacion del nuevo sumptuoso retablo del Salvador del mundo, que le consagró su Ilustrissima Congregacion en la Casa Professa de la Compañia de Jesus de Mexico... Méjico. María de Benavides. 1698. 8 hs. + 8 fols. 4.°

—Ded. a la Congregacion de N. Salvador.—Sentir de Fr. Clemente de Ledesma.—Parecer de Fr. Baltasar de Alcocer y Sariñana.—L. del Virrey.—L. V.—L. O.—Texto.

Medina, *México,* II, n.° 1.698.

2955

NADA (La), y todas las cosas, vnidas en la santidad admirable del glorioso Patriarcha, el Humano Serafin S. Francisco de Assis, que discurrió a sus glorias... en el... Convento de S. Phelipe de Iesvs de Señoras Religiosas Capuchinas de Mexico... Méjico. María de Benavides. 1698. 7 hs. + 8 fols. 4.°

—Ded. a las Capuchinas por Antonio Carrasco de Retortillo. — Parecer de Fr. Juan de Ribera.—Sentir de Agustin de

Cabañas.—L. O.—Suma L. Virrey y V.—Texto.

Medina, *México*, III, n.° 1.699 .

Aprobaciones

2956

[*APROBACION. Méjico, 9 de noviembre de 1694*]. (En Alvarez de Toledo, Juan. *Sermón de la Dominica Sexagesima...* Méjico. 1694. Prels.).

Medina, *México*, III, n.° 1.558.

2957

[*CENSURA. Méjico, 18 enero 1697*]. (En Avendaño, Pedro de. *Sermón de la esclarecida Virgen y inedita Martyr de Christo St.ª Barbara.* Méjico. 1697. Prels.).

MADRID. *Nacional.* V.E.-106-43.

2958

[*PARECER. Méjico, 21 de mayo de 1698*]. (En Espinosa, Juan. *Sermón panegyrico...* Méjico. 1698. Prels.).

Medina, *México*, III, n.° 1.692.

2959

[*APROBACION. Méjico, 24 de noviembre de 1699*]. (En Endaya y Haro, Manuel José de. *Sermón de la Conmemoración de los fieles difuntos...* Méjico. 1699. Prels.).

Medina, *México*, III, n.° 1.725.

TRADUCCIONES

a) PORTUGUESAS

2960

LUZ de Verdades catholicas, e explicação da doutrina Christã. Traduzidas pelo P. Fr. Simão Antonio de Santa Catharina. Lisboa. 1744. Fol.

ESTUDIOS

2961

REP: Backer-Sommervogel, V, cols. 635-39.

MARTINEZ PEDERNOSO (BENITO)

Colegial y Rector del de Santo Portaceli de Alcalá. Catedrático de Universidad. Canónigo de la Magistral. Capellán de honor y predicador de S. M.

EDICIONES

2962

[*ORACION fúnebre*]. (En PIADOSAS *declamaciones, que en quatro Oraciones Funebres se formaron... a las... memorias... de Fr. Thomás Carbonel...* Madrid. 1692, págs. 1-28).

MADRID. *Particular de D. Miguel Herrero Garcia.*

2963

FUNEBRE panegyrica oracion, en las exequias, que a la gloriosa... memoria de... Doña Maria-Ana de Austria... celebró la... Catedral de Sigüença en 17 de Julio del año de 1696. Madrid. Antonio Román. [s. a.]. 4 hs. + 35 págs. 19 cm.

MADRID. *Nacional.* V.E.-95-8.

2964

ORACION funebre, que en las exequias, que la... Universidad de Siguença celebró en la muerte del señor D. Carlos Segundo... predicó... ——. [s. l., Sigüenza? s. i.]. [1700]. 4.°

LONDRES. *British Museum.* 4865.dd.20.(15).

2965

——. Madrid. Diego Martínez Abad. 1701. 7 hs. + 23 págs. 19 cm.

Herrero Salgado, n.° 1.207.

2966

ORACION evangelica, en la celebre accion de gracias, que por el feliz nacimiento del Serenissimo Principe N. S. Luis Primero, hizo la... Santa Iglesia Cathedral de... Sigüenza. Alcalá. Julián García Briones. 1707. 8 hs. + 24 págs. 4.°

J. Catalina García, *Tip. complutense*, número 1.407.

MARTINEZ DE PEDROSO (BERNABE)

Primo de Fernando Albia de Castro.

EDICIONES

2967

[SONETO]. (En Albia de Castro, Fernando. *Memorial y discurso político por... Logroño... Lisboa. 1633. Preliminares).

V. *BLH*, V, n.º 212.

MARTINEZ POLO

Licenciado.

EDICIONES

2968

[AL Ovidio. Sonetos]. (En Ovidio. *Las transformaciones. Traduzidas por el Licenciado Viana*. Valladolid. 1589. Prels.).

MADRID. *Nacional*. R-5.758.

2969

[CANCION]. (En Rios Hevia Ceron, Manuel de los. *Fiestas que hizo Valladolid... en la beatificación de la Santa M. Teresa de Jesús*. Valladolid. 1615, fols. 53r-55v).

MADRID. *Nacional*. U-2.278.

MARTINEZ POLO Y PARDO (GREGORIO JOSE)

EDICIONES

2970

[AL illustre clavstro y real Vniversidad de la civdad de Valladolid]. [s. l.-s. i.]. [s. a.]. 2 hs. orladas. 28 cm.

Carece de portada.

—Ded.—Decima de un amigo. [«Poco dexa que temer...»].—Citas de autores latinos.—En la muerte de Carlos II. Soneto. [«Morir para viuir, que pesadumbre...»].

MADRID. *Nacional*. V.E.-204-59.

MARTINEZ DE PORRES (GARCIA)

Catedrático de Víspera de Cánones de la Universidad de Salamanca.

EDICIONES

2971

[CENSURA. Cuenca, 20 Marzo 1638]. (En Gonzalez Barroso, Agustin. *Memorial en defensa del Habito que debe traer la Sagrada Religión. Premanstratense*. Barcelona. s. a. Al fin).

MADRID. *Nacional*. V.E.-134-36.

MARTINEZ DE PORTICHUELO (FRANCISCO)

CODICES

2972

«Apología en fauor de Don Luys de Gongora, Archipoeta español, contra el Licenciado Francisco de Nauarrete... Año 1627».

Letra del s. XVII. 54 fols. 21 cm.

—Ded. autógrafa a D. Pedro de Cárdenas y Angulo.—Texto.

Ramírez de Arellano, I, n.º 714.

CORDOBA. *Pública*. M.52.

EDICIONES

2973

[POESIA]. (En Sannazaro, Jacobo. *Sanazaro Español. Los tres libros del Parto de la Virgen... Traducción... por Francisco de Herrera Maldonado*. Madrid. 1620. Prels.).

MARTINEZ DE PRADO (FR. JUAN)

N. en Valladolid. Dominico. Catedrático de la Universidad de Alcalá. Provincial de España. Desterrado a la Peña de Francia. M. en Segovia (1668).

CODICES

2974

«Memorial que dio a su Magestad».

Letra del s. XVIII. 200 × 150 mm.

Anguita, n.º 110.

MADRID. *Nacional*. Mss. 12.631 (pág. 608).

EDICIONES

2975

[*EPISTOLA. Alcalá, 12 de agosto de 1651*]. (En López Navarro, Gabriel. *El Prelado religioso*. Madrid. 1651. Preliminares).

MADRID. *Nacional*. 2-66.038.

2976

A los RR. PP. Maestros, Priores, Rectores... y Madres Prioras, y Superioras... y demás Religiosos y Religiosas de nuestra Provincia de España del Orden de Predicadores. [s. l.-s. i.] 1663. 2 hs. 30 cm.

—Texto, fechado en el convento de la Peña de Francia a 1 de junio de 1663.

LONDRES. *British Museum*. 4783.e.2.(37).—MADRID. *Nacional*. V.E.-185-8.—NUEVA YORK. *Hispanic Society*.

2977

[*MEMORIAL que dio a sv Magestad*] 2.ª edición. [Madrid. s. i.]. [1663, 8 de enero]. 2 hs. + 29 págs. 29 cm.

—Memorial (2 hs.). Replica del P. Iuan Euerardo Nidhardo, S. J. (29 págs.).

GRANADA. *Universitaria*. A-31-162(5).—MADRID. *Nacional*. V.E.-211-75.

Aprobaciones

2978

[*CENSURA. Alcalá, 27 de abril de 1651*]. (En Diego de Jesús María, Fray. *Desierto de Bolarque...* Madrid. 1651. Prels.).

MADRID. *Nacional*. 2-67.190.

2979

[*APROBACION. Valladolid, 26 de enero de* [*1664*]. (En Martínez, Juan. *Discursos teológicos*. Alcalá. 1664. Prels.).

MADRID. *Nacional*. 3-88.

OBRAS LATINAS

2980

CONTROVERSIAE metaphysicales Sacrae Theologiae ministrae. Alcalá.

María Fernandez. 1649. 12 hs. + 614 páginas + 7 hs. 30 cm.

J. Catalina García, *Tip. complutense*, número 1.032.

GRANADA. *Universitaria*. A-6-249.—MADRID. *Nacional*. 5-3.446.—ZARAGOZA. *Universitaria*. G-44-64.

2981

QVAESTIONES Logicae in tres Libros distributae... Alcalá. In Collegio S. Thomae, Fray Didacus García. 1649. 584 págs. 4.º.

GRANADA. *Universitaria*. A-22-252. — MADRID. *Nacional*. 2-46.158.—SANTIAGO DE COMPOSTELA. *Universitaria*.

2982

THEOLOGIAE Moralis Qvaestiones praecipvae. Alcalá. En el Colegio de Santo Tomás por Fr. Diego García. 1645-56. 2 vols. 29,5 cm.

J. Catalina García, *Tip. complutense*, número 1.065.

GENOVA. *Universitaria*. 1.NN.V.42-43. — GRANADA. *Universitaria*. A-5-111/12—.MADRID. *Nacional*. 3-34.426/27.—SANTIAGO DE COMPOSTELA. *Universitaria*.

2983

DIALECTICA institvtiones, qvas svmmvlas vocant. Alcalá. María Fernández. 1649. 4 hs. + 296 págs. + 4 hs. 8.º

MADRID. *Nacional*. R-27.546; etc.

— — —

—2.ª ed. Alcalá. En el Colegio de Santo Tomás, por Fr. Diego García. 1651. 4 hs. + 336 págs. 8.º

J. Catalina García, *Tip. complutense*, número 1.046.

MADRID. *Nacional*. 3-56.826.

2984

QVAESTIONES svper tres libros Aristotelis de anima. Alcalá. In Collegio S. Thomae. 1652. 6 hs. + 702 páginas + 1 h. 21 cm.

J. Catalina García, *Tip. complutense*, número 1.054.

MADRID. *Facultad de Filología*.

2985

QUAESTIO utrùm sacratissima virgo Senensis Catharina Ordinis Praedicatorum possit depingi cum stigmatibus? [Alcalá]. [1652]. 4.°.

LONDRES. British Museum. 4824.cc.16.

2986

DE Eucharistiae... Alcalá. 1662.

Fernández, n.° 365.

TERUEL. Casa de la Cultura.

2987

DE Sacramentis in genere et in specie... Alcalá. Didacus García. 1660. 12 hs. + 723 págs. 30 cm.

J. Catalina García, Tip. complutense, número 1.086.

GRANADA. Universitaria. A-2-146/48. — MADRID. Nacional. 2-10.322.—ZARAGOZA. Universitaria. G-14-38.

2988

DUBITATIONES Scholasticae, et Morales de Poenitentia. Segovia. 1669 Fol.

Fernández, n.° 365.

LISBOA. Academia das Ciências. E.547/14.— MADRID. Nacional. 3-56.658.

TRADUCCIONES

a) ITALIANAS

2989

COPIA delle lettre del Molto R. P. M. ——. Trad. dall'idioma spagnolo nell' italiano. [Nápoles-Lecce. Pietro Micheli]. [1664]. 5 hs. 24.°

Toda, Italia, III, n.° 3.115.

BARI. Nazionale.

ESTUDIOS

2990

CALDERON DE PERAMATO, JUAN. Respuesta a un Memorial de Fr. Juan Martínez de Prado... Zaragoza. 1662.

V. BLH, VII, núms. 3434-35.

2991

HURRIGARRO, FR. BERNARDINO DE. Memorial al Rey N. S. Phelipe

Qvarto el Grande. En qve se responde, y se satisface a las proposiciones y doctrinas, qve el R. P. M. Fr. Iuan Martinez de Prado... escriuio en un memorial que presentó ante V. M. [s. l.-s. i.]. [s. a., 1663?]. 19 págs. 29,5 cm.

V. BLH, XI, n.° 5414.

2992

VILLALOBOS, FR. ALONSO DE (seud.?). Consvlta qve hizo vn predicador cerca de algvnos escrvpvlos que tenia en orden a la observancia de la Bvla de su Santidad Alexandro Septimo, en que declara el objeto de la fiesta, y cvlto de la Concepcion de Nuestra Señora. A... ——... [s. l.-s. i.]. [s. a.]. 13 fols. 28,5 cm.

—Texto fechado en Pamplona, a 12 de enero de 1663. Se supone obra de un jesuita.

Uriarte, Anónimos, n.° 3.077; Pérez Goyena, II, n.° 614.

SALAMANCA. Universitaria.

2993

NITHARD, JUAN EVERARDO. Respvesta a vn Memorial dado a... Phelipe Qvarto, por... Fr. Iuan Martinez de Prado... en el que propone algunas escusas para no poder ni deber dezir... Alabado... 2.ª impression. Madrid. Joseph Fernández de Buendía. 1673. Sin fol. Fol.

SANTIAGO DE COMPOSTELA. Universitaria.

2994

«Carta desconsolatoria escrita de la otra Vida, por D. Francisco de Quevedo y Villegas al P. Fr. Juan Martínez de Prado, Don Quixote de la Mancha original».

Roca, n.° 875-I-9.

MADRID. Nacional. Mss. 18.182.

2995

RIESCO TERRERO, J. El ser en la metafísica de Martínez de Prado.

(En *Revista de Filosofia*, XV, Madrid, 1956, págs. 529-42).

2996

REP: N. Antonio, I, pág. 736; Baeza, página 266; Cotarelo, *Controversias*, CXXXVIII; G. Fraile, en DHEE, III, página 1435.

MARTINEZ DE LA PUENTE (JOSE)

EDICIONES

2997

YRIS (El) en dos qvestiones; la primera dize, como se forman svs colores? Por que son tres los que se ven, y no mas? Como se podran ver artificialmente qualquier dia; y sus diferentes formas, con otras curiosidades. La segvnda, si se pvdo formar, y ver, ò no en la primera edad del mundo? y se absuelve una duda, que se puede ofrecer sobre esto. Madrid. Domingo García Morras. 1660. 4 hs. + 24 fols. 4.º

—Ded. a D. Tomás Francisco de Onís.—Censura del P. Claudio Ricardo.—Al lector.—Texto.

Gallardo, III, n.º 2.952.

2998

HISTORIA (La) del Emperador Carlos Qvinto Maximo fortissimo rey de las Españas. Qve escrivio en treinta y tres libros el M. D. Fr. Prudencio de Sandoval... Abreuiados, y añadidos con diuersas, y curiosas noticias, pertenecientes a esta Historia. Madrid. Ioseph Fernández de Buendía. 1675. 14 hs. + 518 págs. Fol.

Salvá, II, n.º 3.034.

2999

EPITOME de la Cronica del Rey Don Iuan el Segvndo de Castilla. Madrid. Antonio Gonçalez de Reyes. 1678. 6 hs. + 342 págs. a 2 cols. + 15 hojas. 30 cm.

—Portadilla.—Port. a dos tintas: negra y roja.—Ded. a D. Ambrosio de Onís, Cavallero de Santiago, etc. (Con datos genealógicos).—Apr. de Alonso Nuñez de Castro.—Apr. de Fr. Baltasar de Figueroa.—Pr. al autor por diez años.—Cesión del Pr. a Gabriel de Leon.—E. T.—Al lector.—Texto.—Indice de los capitulos.—Indice de las cosas notables.

Gallardo, III, n.º 2.951; Salvá, II, n.º 3.033.

LONDRES. *British Museum.* 594.g.13.—MADRID. *Academia Española.* S.C.=5-A-72. *Academia de la Historia.* 2-1-9-507. *Facultad de Filología.* — *Nacional.* R-16.170; 3-32.426. — PARIS. *Institut d'Etudes Hispaniques.* R-D622. — SAN LORENZO DEL ESCORIAL. *Monasterio.* 70-IX-5.—SEVILLA. *Universitaria.* 86-C-261.—URBANA. *University of Illinois.*—VALLADOLID. *Universitaria.* 5.332; etc.

3000

COMPENDIO de las historias de los descvbrimientos, conqvistas, y gverras de la India Oriental, y sus Islas, desde los tiempos del infante Don Enrique de Portugal su inventor... hasta los del Rey D. Felipe II de Portugal y III de Castilla. Y la introdvccion del Comercio Portugues en las Malucas, y sus operaciones Politicas, y Militares en ellas..., Añadida vna descripcion de la India y sus Islas, y de las Costas de Africa... Madrid. En la Impr. Imperial, por la Viuda de Ioseph Fernandez de Buendia. 1681. 8 hs. + 380 págs. + 17 hs. 21,5 centímetros.

—Portadilla.—Port. a dos tintas, negra y roja.—Ded. a San Antonio de Padua.—Censura de Esteuan de Aguilar y Zuñiga. L. V.—Censura de Alonso Nuñez de Castro.—S. Pr. al autor por diez años.—E.—S. T.—Prologo.—Texto.—Indice de los capitulos.—Indice de las cosas notables.

Vindel, V, n.º 1.642.

BARCELONA. *Universitaria.* C.215-6-23.—CORDOBA. *Pública.* 6-83. — GRANADA. *Universitaria.* A-14-220.—LISBOA. *Ajuda.* 18-VI-47.—LONDRES. *British Museum.* 582.e.5.—MADRID. *Academia Española.* 14-VI-17. *Academia de la Historia.* 16-1-9-914; 2-914; 2-7-2-3580; etc. *Facultad de Filología.*—*Nacional.* R-18.961.—NUE-

VA YORK. *Hispanic Society.*—SEVILLA. *Universitaria.* 253-259; etc. — VALLADOLID. *Universitaria.* 6.746.—ZARAGOZA. *Universitaria.* G-64-43.

ESTUDIOS

3001

REP: N. Antonio, I, pág. 810.

MARTINEZ DE QUINTANA (BARTOLOME)
Secretario.

EDICIONES

3002

CANCION Primera... Con Anotaciones de Luis de Heredia. Palermo. Filipo Paruta. 1594. 28 hs. 4.º

—Ded. a D. Hieronimo de Guzman, sucesor de la casa de Olivares, por Filipo Paruta.—Texto. [«Musa, que un tiempo en dulce Don cantaste...»].—Anotaciones, por Luis de Heredia.

Gallardo, III, n.º 2.954 (reproduce la dedicatoria y fragmentos de la Canción y de las anotaciones); Toda, *Italia,* III, número 3.111.

3003

CANCION del Secretario —— a la niñès del Exelentissimo (sic) *Señor Don Gaspar de Guzman Conde de Oliuares... Con las anotaciones de... Placido Castillo y Aragón...* Perpiñán. Esteuan Bartau. 1637. 20 hs. 19,5 cm.

—Apr. de Antonio Pegarolis.—L. V.—Espinela de Miguel Sobira Burges. [«Aunque es de mucho valor...»].—Soneto del mismo. [«De la cimera de tu ingenio raro...»].—Decima de Bernardo Bravo y Sotronca. [«Fuerte Apollo Docto Marte...»]. Decima de Alonso de Villa Mayor. [«Esta ingeniosa Cancion...»].—Versos latinos de Miguel Sobirá.—Ded. al Conde Duque de San Lucar, por Placido Carrillo y Aragón.—Texto. [«Musa que un tiempo en dulce son cantaste...»].—Anotaciones de Carrillo.—E.—Colofón.

Gallardo, III, n.º 2.955.

MADRID. *Nacional.* V.E.-154-28.

Aprobaciones

3004

[APROBACION. Madrid, 17 de mayo de 1612]. (En Perez del Barrio Angulo, Gabriel. *Direccion de secretarios de señores...* Madrid. 1613. Preliminares).

MADRID. *Nacional.* R-30.629.

MARTINEZ DE RIBERA MARTEL (JUAN)

EDICIONES

3005

[DEDICATORIA a D.ª María Noserra. (En RAMILLETE *de Saynetes escogidos de los mejores ingenios de España.* Zaragoza. A costa de ——. 1672. Prels.).

BARCELONA. *Instituto del Teatro.*

MARTINEZ DE RIPALDA (P. JERONIMO)
Jesuita.

BIBLIOGRAFIA

3006

SANCHEZ, JUAN M. *Intento bibliográfico de la Doctrina Cristiana del P. J. de Ripalda.* (En *Cultura Española,* Madrid, 1908, 3.º, págs. 835-80).

Tirada aparte: [s. l.-Imp. Ibérica]. [s. a.]. 52 págs.

Comprende sólo la Primera parte, dedicada a los principales Catecismos españoles anteriores al de Ripalda.

3007

——. *Intento bibliográfico...* 1909. V. n.º 3021.

EDICIONES

3008

CATECISMO... 1586.

Ed. supuesta por Ricard. (V. n.º 3024).

3009

——. Burgos. Philippe de Iunta. 1591.

3010

CATECISMO de la doctrina cristiana. Madrid. Luis Sánchez. 1600.

Sánchez, n.º 1.

3011

CATECISMO que es doctrina christiana. Madrid. 1604. 5 pliegos.

Ref. a un documento. (Pérez Pastor, *Madrid,* II, n.º 863).

3012

CATECISMO de la doctrina christiana. Madrid.

Ref. a un documento. (Pérez Pastor, *Madrid,* II, n.º 864).

3013

——. Madrid. Impr. Real. 1607.

Dos ediciones distintas. (Sánchez, números 4-5).

3014

——. Madrid. Miguel Serrano de Vargas. 1609.

Ref. a un documento. (Pérez Pastor, *Madrid,* II, n.º 1.034); Sánchez, n.º 6.

3015

——. Madrid. 1614.

N. Antonio; Sánchez, n.º 7.

3016

——... *declarado por imagenes por el P. Jorge Mayn.* Ausburgo. Cristobal Mang. 1616. 121 págs. 8.º

Sánchez, n.º 8.

3017

——. Madrid. Juan de la Cuesta. 1617.

Sánchez, n.º 9.

3018

——. Madrid. Luis Sánchez. 1617.

Sánchez, n.º 10.

Para las numerosísimas ediciones y traducciones siguientes, véase Backer-Sommervogel, Sánchez, etc.

3019

EXPOSICION breve de la doctrina christiana compuesta por el P. M. Geronimo de Ripalda... Vilbao. Iuan de Azpiroz. 1656. 4 hs. + 155 págs. 14,5 cm.

—Port. con grab. de N. S. de Uribarri de la villa de Durango.—Nota: Traducido del lenguaje castellano al bascongado por Martin Ochoa de Capanaga....—Ded. a D. Iuan Ioaniz y Echalaz, Obispo de Calahorra y la Calçada, «en su idioma natural» (vasco), por Ochoa.—L. V. de Calahorra y la Calzada.—Prólogo.—Tabla.— Texto bilingüe, a dos columnas.

MADRID. *Nacional.* R-2.884.

3020

CATECISMO y Exposición breve de la Doctrina Christiana. Compuesta por Gerónymo de Ripalda... Madrid. Imp. Real de la Gazeta [1771]. 3 hojas + 234 págs., con una lám. 8.º

SANTIAGO DE COMPOSTELA. *Universitaria.*

3021

DOCTRINA Cristiana del P. Jerónimo de Ripalda e intento bibliografico de la misma. Años 1591-1900, por Juan M. Sánchez. Madrid. Impr. Alemana. 1909. XIV págs. + 46 fols. + 110 págs. + 2 hs. 25 cm.

—*Doctrina Christiana...,* Burgos, Felipe de Junta, 1591, según el único ejemplar conocido. A plana y renglón, 46 fols.
—*Intento bibliográfico. Años 1591-1900.*

MADRID. *Academia de la Historia.* 13-1-1-13. *Nacional.* R-22.477.

Explicaciones. Arreglos

3022

LOZANO, MARCOS. *Pan pequeño desmigajado o explicación breve del Cathecismo del P.* ——. Génova. Estevan de Cubillas. [1732]. 142 págs. 10 cm.

MADRID. *Facultad de Filología*. 8.875.

3023
CAMPO MOYA, JUAN. *Doctrina Christiana sobre el Cathecismo del P. Ripalda... dispuesta en forma de coloquio, entre Cura, y Niño.* Alcalá. Francisco García Fernández. 1676. 24 hs. + 487 págs. 8.º

V. *BLH*, VII, n.º 3870.

ESTUDIOS
3024
RICARD, ROBERT. *¿Hubo ya en 1586 una edición del Catecismo de Ripalda?* (En *Revista de Archivos, Bibliotecas y Museos*, LXXVII, Madrid, 1974, págs. 347-49).

3025
RESINES, L. *La lectura crítica de los catecismos de Astete y Ripalda.* (En *Estudio Agustiniano*, XVI, Valladolid, 1981, págs. 241-97, 405-48).

MARTINEZ DE RIPALDA (P. JUAN)
N. en Pamplona (1594). Jesuita desde 1609. Enseñó Filosofía y Teología en Salamanca y Madrid, donde murió (1648).

CODICES
3026
«*Parecer que dio a su Magestad... sobre si su Magestad puede sin contrauenir a las leies Ecclesiasticas permitir y assistir al Duque de Medinasydonia en el desafio publico que á hecho a Juan de Berganza assegurandole el Campo*».

Letra del siglo XVII. 310 × 200 mm.

MADRID. *Nacional*. Mss. 9394 (fols. 463r-469r).

3027
«*Parecer que dio a su Magestad... sobre si su Magestad puede sin con-*

trauenir a las leyes eclesiasticas permitir y asistir al Duque de Medina Sidonia en el desafio publico que a hecho a Juan de Verganza asegurandole el campo de las violencias ynjustas que pueden atrauesarse en el».

Letra del s. XVII. 5 hs. 300 × 205 mm.

MADRID. *Nacional*. Mss. 18.653[24].

EDICIONES
3028
DISCVRSO sobre la eleccion de svcessor del Pontificado en vida del Pontifice. Del Doctor Martín Jirón de Palazeda [anagr.]. Sevilla. Christoual Nogues. [s. a.]. 4 + 63 págs. 29,5 cm.

MADRID. *Nacional*. V.E.-181-22.—ROMA. *Vaticana*. Stamp. Barb. HH.V.85.int.4.

3029
REPRESENTACION al Rey N. S. por el ——, Procurador General de las Provincias de Indias, para que les sea restituida la posesión de su fuero ordinario y nombramiento de conservadores, suspendido por Real Cédula de 21 de Noviembre de 1696. [s. l.-s. i.]. [s. a.]. 14 fols. 31 cm.

SANTIAGO DE COMPOSTELA. *Universitaria*.

3030
[*MEMORIAL*]. [s. l.-s. i.]. [1700]. Fol.

Comienza: «Señor: Juan Martinez de Ripalda...».

LONDRES. *British Museum*. 4782.dd.8.(14).

Aprobaciones
3031
[*CENSURA, 30 agosto 1639*]. (En Salmerón, Marcos. *Tesoro escondido en el campo de la Humanidad del Hijo de Dios*. Barcelona. 1641. Prels.).

MADRID. *Nacional*. 3-10.835.

3032

[*APROBACION. Madrid, 4 de mayo de 1642*]. (En Peñafiel y Araujo, Alonso de. *Obligaciones y excelencias de las tres Ordenes Militares Santiago, Calatrava, y Alcantara.* Madrid. 1643. Prels.).

MADRID. *Nacional.* 2-70.767.

OBRAS LATINAS

3033

EXPOSITIO brevis Litterœ Magistri Sententiarvm, cvm Qvæstionibvs, qvæ circa ipsam moveri possvnt, et Avctoribvs qvi de illis disservnt. Salamanca. Hyacinthus Tabernier. 1635. 494 págs. + 1 h. 20 cm.

LONDRES. *British Museum.* 3835.de.30.—MADRID. *Facultad de Filología.* 7.236. *Nacional.* 2-38.049.—SANTIAGO DE COMPOSTELA. *Universitaria.*

— — —

—*Brevis Expositio...* Lugduni. Sumptibus Gabrielis Boissat et Soc. 1635.

ROMA. *Vaticana.* Stamp. Barb. E.VI.73.

—Lugduni. Sumptibus Laurentius Arnaud. 1676. 779 págs. 8.º

MADRID. *Nacional.* 3-76.666. — SANTIAGO DE COMPOSTELA. *Universitaria.*—TERUEL. *Casa de la Cultura.*

—Lugduni. Anisson et Posuel. 1696. 16 hs. + 779 págs. 18 cm.

MADRID. *Nacional.* 3-62.969.

—Venecia. Apud Joannem Radici. 1737. 12 hs. + 647 págs. 15 cm.

Toda, *Italia,* III, n.º 3.116.

MADRID. *Facultad de Filología.* 20.374. *Nacional.* 3-70.737.

—Venecia. 1772.

Toda, *Italia,* III, n.º 3.117.

3034

De ente svpernatvrali dispvtatione, in universam theologiam tomus prior [*—posterior, y III*]. Burdigalae. Apud Guillemum (sic) Millangium, 1634 [el I]; Lugduni. Sumptibus haered. Petri Prost, Philippi Borde, et Laurentii Arnaud. 1645 [el II]; Colonia Agrippina. Apud Cornelium ab Egmondt. 1648 [el III]. 3 vols. 33,5 cm.

GENOVA. *Universitaria.* I.D.4.IV.5-6 [tomos II-III].—ROMA. *Vaticana.* Stamp. Barb. F. IX.11-13.

— — —

—Tomo I. Lugduni. H. Boissat et G. Remeus. 1663.

GENOVA. *Universitaria.* 1.D.IV.4.

—*De Ente supernaturali disputationes theologiae.* París. Apud Victorem Palmé. [Bruselas. Typis Francisci Vromant]. 1870. 2 vols. Fol.

Toda, *Italia,* III, n.º 3.118.

3035

VULPES capta per Theologis Sacrae Facultatis Academiae Lovaniensis... [Lovaina. Georgius Lipsius]. 1649. 75 págs. 19 cm.

MADRID. *Nacional.* V.E.-66-47.

3036

TRACTATUS theologici, et scholastici de virtutibvs fide, spe, et charitate. Lugduni. Sumptib. Philip. Borde, Laur. Arnaud, et Cl. Rigaud. 1652. 560 págs. 33,5 cm.

GENOVA. *Universitaria.* 1.D.IV.7.—MADRID. *Nacional.* 2-14.164. — ROMA. *Vaticana.* Stamp. Barb. F.IX.14.

ESTUDIOS

3037

ARBELOA, A. *La doctrina de la Predestinación y de la Gracia Eficaz en Juan Martínez de Ripalda.* Madrid. 1950. 194 págs. 4.º

3038

ALDAMA, ANTONIO DE. *Bayo y el estado de naturaleza pura, a través de la refutación bayana de Ripalda.* (En *Salmanticensis,* Salamanca, 1954, n.º 1, págs. 50-71).

3039

REP: N. Antonio, I, pág. 736; Backer-Sommervogel, V, cols. 640-43.

MARTINEZ ROMANO (FRANCISCO)

EDICIONES

3040

[*DECIMA*]. (En Liaño y Leyva, Lope de. *Relación de las fiestas que se an hecho en... Puerto de Santa María a los desagravios de la Ley de Gracia, y de María Santissima...* Cadiz. 1640. Prels.).

MADRID. *Academia de la Historia.* 9-3.541.

MARTINEZ DE ROZAS Y VELASCO (JUAN)

Secretario de Cámara y Receptor de número de la Chancillería de Granada.

CODICES

3041

«*Compendio historial de la casa de Cordoba y Aguilar*».

Letra del s. XVII (1633). XIII + 432 fols. con dibujos. 275 × 210 mm.
Inventario, VII, pág. 445.

MADRID. *Nacional.* Mss. 2461.

ESTUDIOS

3042

REP: N. Antonio, I, pág. 737.

MARTINEZ RUBIO (PEDRO)

N. en Ródenas (1614). Doctor en Teología y en Leyes. Auditor de la Rota Romana. Familiar del papa Alejandro VII. Arzobispo de Palermo, donde m. (1667).

EDICIONES

3043

... *RELACION del milagro sucedido... en Roma, en la persona del... cardenal Rapaccioli.* [s. l.-s. i.]. [s. a., ¿1657?]. 4.º.

LONDRES. *British Museum.* 1323.l.11.(15).

MARTINEZ DE RUEDA (FRANCISCO)

Doctor.

EDICIONES

3044

[*APROBACION. Granada, 6 de diciembre de 1611*]. (En Rodriguez de Ardila, Pedro. *Las honras que celebró... Granada a... Margarita de Austria...* Granada. 1612. Prels.).

MADRID. *Nacional.* U-11.293.

3045

[*APROBACION. Granada, 16 de agosto de 1613*]. (En González de Mendoza, Pedro. *Historia del Monte Celia...* Granada. 1616. Prels.).

V. *BLH,* XI, n.º 1314.

3046

[*APROBACION. Granada, 10 de septiembre de 1614*]. (En Sorapán de Rieroa, Juan. *Medicina española contenida en proverbios vulgares...* s. l. 1616. Prels.).

MADRID. *Nacional.* R-30.864.

3047

[*APROBACION. Granada, 12 de agosto de 1623*]. (En Valdivieso, Alonso de. *Sermón predicado... en la Synodo que se celebró en... Murcia los ultimos de Mayo deste Año de 1623.* Granada. 1623. Prels.).

MADRID. *Nacional.* 2-54.749.

MARTINEZ Y SALAFRANCA (MIGUEL)

EDICIONES

3048

RESPUESTA de la Dama curiosa, a quien Don Eugenio Ximenez de la Tarfal escrivió en sana paz el Discurso de el Globo de Sion ó Semicometa que se vió en Salamanca y

Madrid... 1626. [s. l.-s. i.]. [s. a.].
2 hs. + 11 págs. 20 cm.

«Se hallará en el Puesto de Pedro Díaz, en las Gradas de San Felipe el Real».

MADRID. *Nacional.* V-293-19.

MARTINEZ DEL SALTO (FR. PEDRO)

Franciscano. Calificador de la Inquisición. Ministro Provincial de Andalucía y Reino de Granada.

EDICIONES

3049

[*APROBACION. Granada, 14 de febrero de 1649*]. (En González, Pedro. *Sermón del Santissimo Sacramento...* s. l.-s. a. Prels.).

MADRID. *Nacional.* 2-54.749.

MARTINEZ SANCHEZ CALDERON (JUAN ALONSO)

CODICES

3050

«*Epitome de las Historias de la gran Casa de Guzman, y de las progenies Reales que la procrean, y las que procrea; donde se da noticia de esta antigua familia y de otras muchas de Europa*».

Letra del s. XVII (1636). 3 vols., con árboles genealógicos y dibujos. 420 × 290 mm. Perteneció a José Alfonso Guerra.

Tomo I: 209 fols.

—Contiene: Censura del marqués Virgilio Maluezzi.—S. Pr.—L. V.—Apr. de Francisco Caro de Torres.—Censura del P. Claudio Clemente. — Censura de Alonso de Uzero.—Tabla de apellidos.—Tabla de los capitulos.—Epilogo de los autores de que principalmente se a valido el autor.— Portada caligrafica.—Ded. a D. Gaspar de Guzman, Conde duque de Oliuares.— Aduertencia al lector.—Sumarios.—Texto.

Tomo II: Fols. 210-436.

Tomo III: Fols. 437-733.

Gallardo, III, n.º 2.956.

MADRID. *Nacional.* Mss. 2.256/58.

MARTINEZ SANZ (FRANCISCO JOSE)

EDICIONES

3051

[*DEDICATORIA*]. (En Neyla, Francisco de. *Trabaxos del Cautiverio. Miserias de la Esclavitud.* Zaragoza. 1681. Prels.).

MADRID. *Nacional.* V.E.-140-29.

MARTINEZ SILICEO (JUAN)

N. en Villagarcía de Extremadura (c. 1486). Estudió en la Sorbona, donde fue catedrático. Luego en la Universidad de Salamanca, por 1508. Maestro del príncipe don Felipe. Obispo de Cartagena (1541), arzobispo de Toledo (1545), cardenal. M. en 1557.

CODICES

3052

«*Estatutos de limpieza de la Sagrada y Primada Iglesia de Toledo*».

Letra del s. XVI. 315 × 220 mm.

MADRID. *Nacional.* Mss. 6.170 (fols. I-VIII + 1-55).

EDICIONES

3053

ARITHMETICA Ioannis Martini Silicei, theoricen praxinque luculenter complexa, innumeris mendarum officiis a Thomas Rhaeto haud ita pridem accuratissime vindicata. París. Simon Colineo. 1514.

—París. 1518.

—París. Ex officina Henrici Stephani. 1519. 64 fols. Fol.

MADRID. *Nacional.* R-29.129.—PARIS. *Nationale.* Rés. m. V.38.

—París. Apud Simonem Colinaeum. 1526. 63 fols. Fol.

LYON. *Municipale.* R.126.672.—MADRID. *Nacional.* R-14.059².—SALAMANCA. *Universitaria.*

—Valencia. 1544.

3054

SILICEUS in eius primam Alfonseam sectionem in qua primaria dya-

lectices elementa comperiuntur argutissime disputata. [Salamanca. Laurentius de Hōdedeis]. [1517]. 2 hs. + 112 fols. Fol.

MADRID. *Nacional.* R-3.404.—SALAMANCA. *Universitaria.*

3055
LOGICA breuis... [Salamanca. s. i.]. [1530]. 103 fols. + 1 h. 8.°

MADRID. *Nacional.* R-11.560.

3056
DE diuino nomine Iesus, per nomen tetragrammaton significato liber vnus. Cui accessere in orationem dominicā, salutationemq; Angelicam, Expositiones duae ab eodem autore nunc primum typis excussae. [Toledo. Juan Ferrer]. [1550]. 190 fols. 8.°

Pérez Pastor, *Toledo,* n.° 243.

COIMBRA. *Universitaria.* R-71-10.—MADRID. *Nacional.* R-29.408; etc.—SALAMANCA. *Universitaria.* 20.918. — SEVILLA. *Universitaria.* 86²-233.—TOLEDO. *Pública.*—VALENCIA. *Universitaria.*

TRADUCCIONES

a) CASTELLANAS

3057
DECLARACION del Pater noster, y Aue Maria, aora nuevamente compuesta: Por... ——. Traduzida de latin en castellano, por un su criado y capellan. Toledo. Iuan Ferrer. 1551. 54 fols. 13 cm.

SAN LORENZO DEL ESCORIAL. *Monasterio.* 36-V-57.

ESTUDIOS

3058
«*Relacion de las cosas que pasaron entre el arçobispo y cavildo de la santa yglesia de Toledo sobre el estatuto de limpieza*».

Letra del s. XVII. 294 × 205 mm.

Morel-Fatio, pág. 240.

PARIS. *Nationale.* Mss. esp. 630 (fols. 1r-61v).

3059
MOTA AREVALO, HORACIO. *Cuarto centenario de la muerte del cardenal Silíceo (1486-1557).* (En *Revista de Estudios Extremeños,* XII, Badajoz, 1956, págs. 299-310).

3060
REP: N. Antonio, I, pág. 737; Tejera, II, págs. 25-27.

MARTINEZ DE SIQUEIRA (FRANCISCO)

EDICIONES

3061
[SONETO]. (En Pérez de Montalban, Juan. *Fama posthuma a la vida y muerte de... Lope Felix de Vega Carpio...* Madrid. 1636, fol. 152v).

MADRID. *Nacional.* 3-53.447.

MARTINEZ DE SOTO (JUAN)

EDICIONES

3062
RESPUESTA a cierto memorial que Fr. Juan Martinez de Prado dio a D. Magestad. Por ——. Barcelona. Ioseph Forcada. 1663.

—Texto.

MADRID. *Nacional.* V.E.-186-59.

3063
[RESPUESTA a cierto memorial que Fr. Juan Martinez de Prado... dió a S. Magestad]. s. l., s. a., 4 fols. 28,3 centímetros.

—Texto.

MADRID. *Nacional.* V.E.-185-7.

MARTINEZ DE TOBAR (DIEGO)

EDICIONES

3064
[OCTAVAS]. (En APLAUSO *gratulatorio de la insigne escuela de Salaman-*

ca... al Sr. D. Francisco de Borja y Aragón... Barcelona. s. a., 1639?, págs. 48-51).

V. *BLH*, V, n.º 3308 (23).

MARTINEZ DE TORO (MIGUEL)

EDICIONES

3065

DECLARACION de la l. unica c. si quis imperatori maledixerit y freno de maldicientes. Nápoles. Roberto Mollo. 1640. 4 hs. + 56 págs. 4.º

NUEVA YORK. *Hispanic Society.*

MARTINEZ DE TRILLARES (GASPAR JOSE)

EDICIONES

3066

MEMORIAL a la Magestad Catholica de la Señora Doña Maria Ana de Austria, Reyna y Governadora de los Reynos y Monarquia de España. Por La Sagrada y Serafica Religión de nuestro Padre San Francisco. Madrid. [s. i.]. 1667. 1 h. + 9 fols. 29,5 centímetros.

—Texto.

LONDRES. *British Museum.* 4783.e.3.(19).—MADRID. *Nacional.* V.E.-218-98.

MARTINEZ DE URSANGUI (P. RODRIGO)

EDICIONES

3067

[*APROBACION. Jaén, 25 de abril de 1651*]. (En José de Santa Teresa, Fray. *Tratado en que se ofrecen los fundamentos de... la opinión de la Concepción Purísima de la Madre de Dios.* Jaén. 1651. Prels.).

MADRID. *Nacional.* V.E.-185-82.

MARTINEZ DE LA VEGA (JERONIMO)

N. en Valencia. Presbítero. Beneficiado de la catedral de Valencia, donde m. en 1678.

CODICES

3068

«*Vidas de Varones ilustres Valencianos*».

Original. Letra del s. XVII. 1.026 + 66 folios + 4 hs. sueltas. Fol.

Cuartero-Vargas Zúñiga, XXI, n.º 33.860 (reproducen el índice).

MADRID. *Academia de la Historia.* 9-546.

EDICIONES

3069

SOLENES, i grandiosas Fiestas, que la noble, i leal Ciudad de Valencia a echo por la Beatificacion de su Santo Pastor, i Padre D. Tomas de Villanueva... Con un discurso de los Obispos, i Arçobispos, desde el día de su conquista por el Rey don Iayme, i otras cosas memorables. Valencia. Felipe Mey. 1620. 8 hs. + 580 págs. + 2 hs. + 1 lám. plegable. 15 cm.

—L. V.—Ded. al Cabildo y Canonigos de la Santa Iglesia Metropolitana de Valencia.—Letor.

Poesías intercaladas del autor:

1. *Decima.* [«Crece en vos, Tomas de suerte...»]. (Pág. 100).
2. *Decima.* [«Da el liberal, i abundante...»]. (Pág. 102).
3. *Decima.* [Aúyenta el Sol el invierno...»]. (Pág. 104).
4. *Decima.* [«Tuerce la pasion, a vezes...»]. (Pág. 106).
5. *Decima.* [«El que ya a subir empieça...»]. (Pág. 108).
6. *Decima.* [«Dos cosas ciertas no mas...»]. (Pág. 110).
7. *Decima.* [«Dizen que las letras son...»]. (Pág. 112).
8. *Decima.* [«Niegan sin tener disculpa...»]. (Pág. 114).
9. *Decima.* [«Es el necio, i arrogante...»]. (Pág. 116).
10. *Decima.* [«Da el ave mayor el buelo...»]. (Pág. 118).

11. *Decima*. [«Es el tesoro de aca...»]. (Pág. 120).
12. *Decima*. [«Bien claramente se ve...»]. (Pág. 122).
13. *Decima*. [«Tomas, porque conoceys...»]. (Pág. 124).
14. *Decima*. [«Si os llena Dios el granero...»]. (Pág. 126).
15. *Decima*. [«Llamada Valencia a sido...»]. (Pág. 128).
16. *Decima*. [«Dios i vos, ambos a dos...»]. (Pág. 130).
17. *Decima*. [«Son tus obras, si se advierte...»]. (Pág. 132).
18. *Decima*. [«Los reciprocos amores...»]. (Pág. 134).
19. *Decim*. [«Cual el buen Pastor, que vela...»]. (Pág. 136).
20. *Decima*. [«Cuanto mayoh la distancia...»]. (Pág. 138).
21. *Decima*. [«La fe, el amor, i amistad...»]. (Pág. 140).
22. *Decima*. [«Apenas, por la insolencia...]. (Pág. 142).
23. *Decima*. [«Sale tras la tempestad...»]. (Pág. 144).
24. *Decima*. [«Si manda Dios, nos ayamos»]. (Pág. 146).
25. *Decima*. [«Tanto su ingenio acredita...»]. (Pág. 148).
26. *Elogio en latin de Geronymo Martinez de la Vega*. (Págs. 156-165).
27. *Sermón de Martin Bellmont*. (Páginas 169-196).
28. *Sermón de Fr. Geronymo Cucalon*. (Págs. 289-307).
29. *Soneto de Vicente Esquerdo*. [«Zeusis valiente en tablas, i en pinzeles...»]. (Página 312).
30. *Decima de Geronymo Martinez de la Vega*. [«Si gana buena opinión...»]. (Página 314).
31. *Decima de Geronymo Martinez de la Vega*. [«Deve la vida de suerte...»]. (Página 316).
32. *Decima de Geronymo Martinez de la Vega*. [«Si con perpetua ermandad...»]. (Pág. 318).
33. *Decima de Geronymo Martinez de la Vega*. [«Da fuego al monte una brasa...»]. (Pág. 320).
34. *Decima de Geronymo Martinez de la Vega*. [«Da el avaro, i cudicioso...»]. (Página 322).
35. *Decima de Geronymo Martinez de la Vega*. [«Cedro, Cipres, Palma, Olivo...»]. (Página 324).
36. *Decima de Geronymo Martinez de la Vega*. [«Es un espejo el Prelado...»]. (Página 326).
37. *Decima de Geronymo Martinez de la Vega*. [«Nunca emprendio cosa baja...»]. (Pág. 328).
38. *Decima de Geronymo Martinez de la Vega*. [«Con tal gusto se combida...»]. (Página 330).
39. *Decima de Geronymo Martinez de la Vega*. [«Si de nobleza (aunque mudo)...»]. (Pág. 332).
40. *Decima de Geronymo Martinez de la Vega*. [«A tal punto, en Tomas, llega...»]. (Pág. 334).
41. *Decima de Geronymo Martinez de la Vega*. [«Llega (por solo tener)...»]. (Página 336).
42. *Poesías latinas de Vincent Mariner*. (Págs. 338-342).
43. *Tercetos de Vincente Gasco de Siurana*. [«Risueña muestra el alba los colores...»]. (Págs. 343-345).
44. *Poesías latinas de Vincent Bisse*. (Páginas 345-347).
45. *Octavas de Vincente Esquerdo*. [«Viendo el alcazar de zafir lustroso...»]. (Páginas 347-349).
46. *Poesía latina de Vincent Spinosa*. (Páginas 349-350).
47. *Romance de Vincente Esquerdo*. [«Pastor que del sacro Turia...»]. (Págs. 350-354).
48. *Poesía latina de Vincent Mariner*. (Página 354).
49. *Poesía latina de Vincent Spinosa*. (Páginas 355-358).
50. *Poesía en valenciano de Iuan Batiste Roig*. (Págs. 358-360).
51. *Poesías latinas de Antonio Medina*. (Págs. 360-364).
52. *Tercetos de Ioan Sigler, Cardona, Calacete*. [«Corre un arroyo alegre, fresco, i claro...»]. (Págs. 364-366).
53. *Soneto de Ioan Sigler, Cardona i Calacete*. [«Gasta un galan, con duda, i esperança...»]. (Págs. 366-367).
54. *Epitafio en latin de Geronymo Martinez de la Vega*. (Págs. 367-368).
55. *Soneto de Fray Lamberto de Espejo*. [«Arroja el que un incendio a procurado...»]. (Pág. 369).
56. *Poesía latina de Iohannis Tremiño*. (Págs. 370-371).
57. *Canción de Fray Lamberto de Espejo*. [«Tomando el apellido...»]. (Págs. 371-374).
58. *Poesías latinas de Pedro Salinas*. (Páginas 374-376).
59. *Soneto de Fray Cristoval de Espejo*.

104. *Poesía griega de Vincent Mariner.* (Pág. 531).

104. *Poesía griega de Vincent Mariner.* (Pág. 531).

105. *Introducción a la Sentencia de Gaspar Aguilar.* [«No celebro Tomas famoso Atlante...»]. (Págs. 533-540).

106. *Vexamen de Gaspar Aguilar.* [«Cuando la insine ciudad...»]. (Págs. 540-553).

107. *Sentencias de Gaspar Aguilar.* [«Por las cristalinas puertas...»]. (Págs. 554-556).

Salvá, I, n.º 288; Carreres, n.º 71.

BARCELONA. *Universitaria.*—MADRID. *Nacional.* R-10.717. — NUEVA YORK. *Hispanic Society.*— SANTANDER. *«Menéndez Pelayo».* R-VI-1-14.

Poesías sueltas

3070

[*CANCION*]. (En Aguilar, Gaspar de. *Fiestas que... Valencia ha hecho por la beatificación del Santo Fray Luys Bertrán.* Valencia. 1608, págs. 284-87).

MADRID. *Nacional.* R-8.218.

3071

[*POESIAS*]. (En Gomez, Vicente. *Los sermones y fiestas que... Valencia hizo por la beatificación de S. Luys Bertrán.* Valencia. 1609).

1. *Soneto.* (Págs. 155-56).
2. *Canción.* (Págs. 166-69).

MADRID. *Nacional.* R-14.652.

3072

[*SONETO*]. (En Aguilar, Gaspar de. *Expulsión de los moros de España...* Valencia. 1610. Prels.).

MADRID. *Nacional.* R-12.484.

3073

[*DECIMAS*]. (En Crehuades. *Fiestas a la Concepción.* Valencia. 1623, páginas 238-40).

Martí Grajales.

3074

[*AL Autor. Décimas*]. (En Ortí, Marco Antonio. *Segundo centenario de los años de la canonización de... San Vicente Ferrer...* Valencia. 1656. Preliminares).

MADRID. *Nacional.* R-27.740.

3075

[*POESIAS*]. (En Gomez, Vicente. *Verdadera relacion de la vida... de Fr. Domingo de Anadon.* Valencia. 1607).

1. *Octavas.* (Págs. 287-89).
2. *Soneto.* (Pág. 310).

VALENCIA. *Universitaria.* I-5325.

3076

[*SONETO*]. (En Rodriguez, José. *Sacro y solemne novenario.* Valencia. 1669, pág. 477).

MADRID. *Nacional.* 3-67.912.

OBRAS EN VALENCIANO

3077

[*POESIA*]. (En Gomez, Vicente. *Los sermones y fiestas que... Valencia hizo por la beatificación de... S. Luys Bertrán.* Valencia. 1609, págs. 170-73).

MADRID. *Nacional.* R-14.652.

OBRAS EN ITALIANO

3078

[*POESIA*]. (En Gomez, Vicente. *Los sermones y fiestas que... Valencia hizo por la beatificación de... S. Luys Bertrán.* Valencia. 1609, págs. 281-83).

MADRID. *Nacional.* R-14.652.

OBRAS EN PORTUGUÉS

3079

[*POESIA*]. (En Gomez, Vicente. *Los sermones y fiestas que... Valencia hizo por la beatificación de... S. Luys Bertrán.* Valencia. 1609, págs. 293-95).

MADRID. *Nacional.* R-14.652.

OBRAS LATINAS

3080

CONCIO de Gloriosissimo Christi Domini Resurrectione, habita ad Ca-

nonicos *Sedis Valentinae...* Valencia. Juan Chrisostomo Garriz. 1607. 8 folios. 19 cm.

Herrero Salgado, n.º 60.

3081

SUMMA enarratio vitae, et obitus Francisci Hieronymi Simon, Valentini, eximio sanctitate Presbyteri. Valencia. 1612. Fol.

Ximeno.

ESTUDIOS

3082

REP: N. Antonio, I, pág. 509; Ximeno, I, pág. 323; Martí Grajales, págs. 297-300.

MARTINEZ DE LA VEGA (LAUREANO)

CODICES

3083

«*Theatro de Varones ilustres del Reino de Valencia*».

N. Antonio.

3084

«*Espejo de Cavalleros Escvela del Dvelo i Teatro de la antigua Nobleza. Epilogado de varios fragmentos impressos, y manuscritos, y de idiomas diferentes en el castellano con el mismo estilo de sus originales traducido*».

Letra del s. XVII. 210 × 155 mm.

Tomo I. 9 hs. + 1 blanca + 3 hs. + 319 folios.

—Ded. a D. Luis Guillen de Moncada, principe de Paternò, etc.—Apología.—Portadilla: *Epítome de los casos i pvntos mas principales, que antes y despues de acetado el Desafio, observó la Antigua Nobleza...* — Apendice de los capitulos de este primer libro.—Texto.

MADRID. *Academia de la Historia.* 9-5.600.

EDICIONES

3085

DOCUMENTO de la virtud de la Hospitalidad y Fundacion, Patronato y

estado *del Hospital General de Valencia.* Valencia. Bernardo Nogués. 1652.

ESTUDIOS

3086

REP: N. Antonio, II, pág. 1; Ximeno, II, pág. 57.

MARTINEZ VELAZQUEZ (JUAN)

EDICIONES

3087

[*SONETO*]. (En *El primer certámen que se celebró en España en honor de la Purísima Concepción* (1615)... Madrid. 1904, pág. 119).

MADRID. *Nacional.* 1-14.447.

MARTINEZ DEL VILLAR (JOSE)

N. en Munébrega (1640). Doctor en Derechos por la Universidad de Huesca, de la que fue luego catedrático y Rector (1668). Canónigo de su catedral (1667) y obispo de Barbastro (1697), donde m. en 1699.

CODICES

3088

«*Segunda parte de la Apología del Tratado del Patronato de Calatayud. Donde se trata de la antigüedad de la Religion Christiana en Aragon y pureza con que la ha conservado siempre...,* de la innata fidelidad suia y excelencias de sus fueros y govierno...*».

Letra del s. XVII. 288 fols. 205 × 140 mm.
—Ded. a los Diputados de Aragon.—Prologo al lector.—Indice.—Sonetos de Pedro de la Cerda, Bartolomé Díez y Toribio Ramirez de Ateca.—Texto.

MADRID. *Nacional.* Mss. 4.528.

EDICIONES

3089

SATISFACCION que da el Doctor ——, *canónigo Doctoral en la Santa Iglesia de Huesca, a un papel, o consulta, que se le ha participado por via de duda, aviendose puesto en ma-*

nos del señor Canónigo Don Mateo Foncillas, Oficial Eclesiástico del Ilustríssimo Señor Don Ramon de Azlor, Obispo de Huesca, y como tal Oficial Eclesiástico, Juez en una causa de pension, que pende en su Tribunal por parte del D. D. Ventura Rolin, Arcediano de los Valles, dignidad en dicha S. Iglesia de Huesca, el qual pretende tiene reservados a su favor, con Autoridad Apostólica, cien escudos de anua pension sobre la Canongía Doctoral de dicha Santa Iglesia. [Huesca. s. i.]. [1680, 31 de marzo]. 78 págs. 27 cm.

SEVILLA. Universitaria. 109-104 (22).

Cartas

3090

[CARTA al Autor. Huesca, 5 de febrero de 1697]. (En Dormer, Diego José. Anales de Aragón... Zaragoza. 1697. Prels.).

V. BLH, IX, n.º 3.997.

Aprobaciones

3091

[CENSURA. Huesca, 4 de noviembre de 1691]. (En Aroztegui, Miguel A. M. de. El Guión del Norte... Huesca. 1692. Prels.).

MADRID. Nacional. 2-6.961.

ESTUDIOS

3092

REP: Latassa, 2.ª ed., II, págs. 273-74.

MARTINEZ DEL VILLAR (MIGUEL)

N. en Velilla de Giloca (1560). Doctor en Derechos. Abogado, Fiscal y Regente de la Corona de Aragón. Asesor ordinario de la Inquisición. Lugarteniente de la corte del Justicia de Aragón.

CODICES

3093

«Segunda parte de la Apologia del tratado del Patronato de Calatayud.

Donde se trata de la autigüedad de la Religion Christiana en Aragon...».

Letra del s. XVII. 280 fols. 205 × 140 mm. Con poesías preliminares.

Inventario, X, pág. 386.

MADRID. Nacional. Mss. 4.528.

EDICIONES

3094

TRATADO del Patronado, Antiguedades, Gouierno, y Varones Illustres de la Ciudad, y Comunidad de Calatayud, y su Arcedianado... Zaragoza. Lorenço de Robles. 1598. 6 hs. + 546 páginas + 7 hs. 20,5 cm.

—Sumario.—Apr. de Pedro Cenedo.—L. del Arzobispo de Zaragoza.—Pr. de Aragon al autor por diez años.—Apr. de Fr. Iuan Hernando.—Apr. de Iuan Izquierdo.—Al Procurador General, y Regidores de la Comunidad de Calatayud.—Al Letor.—Poesia latina del Colegio Bilbilitano de la Compañía de Jesus.—Soneto de Fr. Miguel Ruzola. [«Gallarda tierra, que en lugar de flores...»].—Soneto de Francisco Marcuello. [«Si de sus obras cada uno es hijo...»].—Soneto de Pedro Nauarro. [«Cante tus glorias la parlera fama...»].—Texto.—Indice copioso de las cosas mas notables.—E.—Casos de Astrito, en los quales los Jurados de las Comunidades de Calatayud tienen obligacion de hazer lo que se dixo arriba.—Colofón.

Sánchez, II, n.º 825.

BARCELONA. Pública Arus. R. 3-1-21 bis.—LONDRES. British Museum. 573.h.29.—MADRID. Academia Española. 19-VI-37. Academia de la Historia. 3-1-2-186. Facultad de Filología. 34.057; etc. Nacional. 2-62.090.—MONTSERRAT. Abadía. — NUEVA YORK. Hispanic Society.—PARIS. Nationale. 4ºO1.223.—SEVILLA. Colombina. 141-9-29. — VALENCIA. Municipal. 228. — ZARAGOZA. Universitaria. D-42-82.

———

—Reprod. facsímil: Zaragoza. Centro de Estudios Bilbilitanos. 1980. 8 hs. + 546 páginas + 7 hs. 25,5 cm.

MADRID. Facultad de Derecho.

3095

MEMORIAL de los Hijos-Dalgo, de la comunidad de Calatayud, acerca *de que deben ser admitidos en el gobierno de aquella y de sus lugares...* Madrid. Luis Sánchez. 1614. 38 págs. Fol.

Palau, VIII, n.° 156.235.

3096

SEGUNDO Memorial de los Hijos-Dalgo de la comunidad de Calatayud... Palma de Mallorca. Gabriel Guasp. 1614. 14 págs. Fol.

Palau, VIII, n.° 156.235.

3097

DISCVRSO acerca de la conqvista de los Reynos de Argel y Bugia, en que se trata de las razones que ay para emprenderla, respondiendo a las que se hazen en contrario. Madrid. Luis Sanchez. [s. a.]. 4 + 29 folios. 20 cm.

—Ded. al Rey (Madrid, 8 de enero de 1619).—Texto.

Pérez Pastor, *Madrid*, II, n.° 1.609.

LONDRES. *British Museum.* 1196.d.29.—MADRID.. *Nacional.* R-11.834 (ex libris de Gayangos).—NUEVA YORK. *Hispanic Society.*—SEVILLA. *Universitaria.* 152-23.

3098

——. Barcelona. Sebastián de Cormellas. 1619.

DURHAM. *Duke University.* — MADRID. *Academia de la Historia.* 3-6-5-5.519.

3099

DISCVRSO acerca de la conqvista de los Reynos de Argel, y Bugia... Nápoles. Tarquinio Longo. 1619. 4 hs. + 54 págs. 12.°

Reproduce la ed. de Barcelona.

Toda, *Italia*, III, n.° 3.121 (con facsímil de la portada).

BARCELONA. *Central.* Toda, 6-V-19-12.—MADRID. *Academia de la Historia.* 3-5.519.

OBRAS LATINAS

3100

PRO oppido Monobrigae, et pro suis Curatis et Concilio Tractatus. Zaragoza. Lorenzo de Robles. 1593. Fol.

Latassa.

3101

VOTA et motiva Sententiae latae pro Priore, et Canonicis Angelicae Ecclesiae B. Mariae Maioris de Pilari... Madrid. Luis Sánchez. 1606. 4.°

Latassa.

3102

APPENDICEM de innata fidelitate regni Aragonum. Palma de Mallorca. Gabriel Guasp. 1609. 4.°

3103

INTERPRETATIO Epigrammatum Caesaraugustae templi S. Mariae Maioris ad Columnam. Palma de Mallorca. Gabriel Guasp. 1609. 10 hs. + 330 págs. + 34 hs. 4.°

LONDRES. *British Museum.* 811.g.11.(1).—MADRID. *Facultad de Filología.* 10.893. *Nacional.* 2-16.601. — PARIS. *Nationale.* 4°Ol.350.—ZARAGOZA. *Universitaria.* D-23-195.

3104

IVRIS Responsum Michaelis Martinez del Villar I. V. D. de Consilio suae Maiestatis, & Fisci ac Patrimonii Aduocati, in S. S. R. A. Senatu institiam (citra quam, nec Rex esse potest, neq. iustitia citra legem) quam fouet S. C. R. Maiestas magni Philippi in cavsa ardva svper Villas de Serramaña, Villaxiodo, & alias Regni Sardinae, in praefato S. S. R. A. Consilio vertenti... Madrid. Luis Sánchez. 1616. 82 hs. Fol.

Pérez Pastor, *Madrid*, II, n.° 1.406.

3105

PROPVGNATIO Regiæ jurisdictionis. Madrid. Luis Sánchez. 1616. 6 hs. + 36 fols. Fol.

Pérez Pastor, *Madrid*, II, n.° 1.407.

MADRID. *Nacional.* V.E.-190-62.

ESTUDIOS

3106

REP: Latassa, 2.ª ed., II, págs. 268-70.

MARTINEZ DE XIMEN PEREZ (PEDRO)

Licenciado. Cura de la ciudad de Cascante. Comisario de la Inquisición.

EDICIONES

3107

[*DEZIMA*]. (En Martinez de Leache, Miguel. *Controversias pharmacopales.* Pamplona. 1650. Prels.).

SAN LORENZO DEL ESCORIAL. *Monasterio.* 25-V-22.

MARTINEZ YBARGUEN (FR. PEDRO)

Predicador y Vicario del convento de Ntra. Sra. de los Angeles de Granada.

EDICIONES

3108

RESOLUCION moral, en que se prveba a tenido, y tiene la Santa Yglesia Metropolitana de Granada, y su Arçobispado previlegio para rezar el Oficio «Sicut Lilium», en la Fiesta de la Inmaculada Concepcion de Nuestra Señora, y su Octava, concedido por la Silla Apostolica. Granada. Impr. Real de Baltasar de Bolibar. 1666. 14 fols. 19 cm.

—Apr. de Fr. Francisco Delgado.—L. O.— Apr. de Simón de la Torre y Valdés.— L. V.—Texto.

GRANADA. *Universitaria.* A-31-243 (15).

MARTINEZ DE ZALDIBIA (JUAN)

Bachiller. Alcalde de Tolosa (1544, 1552 y 1574). M. en 1575.

CODICES

3109

«*Origen, antigüedad y hechos de la muy noble y muy leal provincia de Guipúzcoa*».

Letra del XVII. 55 fols. 297 × 213 mm. Reproducido por Arocena.

SAN SEBASTIAN. *Diputación de Guipúzcoa.*

3110

«*Suma…*».

Letra del s. XVII.

LONDRES. *British Museum.*

3111

«*Origen…*».

Letra del s. XVIII.

VITORIA. *Seminario.*

3112

«——».

Original. Se conservaba en el Seminario de Vergara hasta la Guerra de la Independencia.

3113

«*Suma…*».

MADRID. *Academia de la Historia.* Col. Vargas Ponce.

3114

«*Historia de Vizcaya y de sus provincias*».

Como anónima.

MADRID. *Nacional.* Mss.

EDICIONES

3115

SUMA de las cosas cantábricas y guipuzcoanas. Introducción y notas por Fausto Arocena. San Sebastián. Diputación de Guipúzcoa. 1944. XXX + 141 págs. + 6 hs. + 1 lám. 24 cm.

MADRID. *Nacional.* 1-101.944.

MARTINEZ DE ZALDUONDO (JUAN)

EDICIONES

3116

LIBRO de los Baños de Arnedillo, y remedio universal. Pamplona. Francisco de Neyra. 1699. 20 hs. + 420 páginas. 4.º.

Pérez Goyena, II, n.º 869.

MADRID. *Nacional.* 3-6.876. *Palacio Real.* VIII-11.956.

MARTINEZ Y ZAPATA (FR. BLAS)

Mercedario. Predicador del convento de San Lázaro de Zaragoza.

EDICIONES

3117

MISTICO Candelero de la mejor lvz. Ardiente pyra del Mayor Incendio. Expresiones Sagradas del amor divino en la comunicacion de sus ricos dones. Oracion Panegirica, y Moral, predicada el día Segvndo de la Pasqua del Espiritu Santo, en la Santa Iglesia Metropolitana de Zaragoça en su Templo del Salvador. Zaragoza. Gaspar Thomas Martinez. 1694. 6 hojas + 18 págs. 20 cm.

Jiménez Catalán, *Tip. zaragozana del siglo XVII,* n.º 1.204.

ZARAGOZA. *Universitaria.* Caj. 18-392.

MARTINS DE SIQUEIRA (FRANCISCO)

Caballero de la Orden de Cristo. Feitor de la Alfandega de Lisboa, donde m. en 1654.

CODICES

3118

«Burlas, y Veras a las fiestas, que celebró la Ciudad de Lisboa en la ocasion del parto de la... Reyna de España D.ª Izabel de Borbon, y a la victoria que alcançaron los Españoles contra los Franceses en Fuente Rabia».

Tres silvas. Se conservaba en la biblioteca del cardenal de Souza (Barbosa).

3119

«Na morte do Serenissimo Infante D. Duarte prezo na Cidades de Ratisbona, cabeça do Imperio de Austria, e morto na de Milaõ em hum Castello. Dialogo entre Portugal, e Castella ditado no dor, e escrito no sentimento».

En octavas portuguesas y redondillas castellanas (Barbosa).

EDICIONES

3120

NA felice aclamação do Invictissimo Rey D. Joaõ IV de Portugal Senhor Nosso. Lisboa. Jorge Rodrigues. 1641. 16 fols. 19 cm.

Romance.

CAMBRIDGE, Mass. *Harvard University.*—LONDRES. *British Museum.* 11452.e.40 (2). — MADRID. *Nacional.*—NEW HAVEN. *Yale University.*

3121

INVECTIVA a Castilla, y al Rey Filippe IV. Lisboa. Paulo Crasbeeck. 1647. 17 hs. 4.º

En prosa. Intercala una octava del poema heroico *Restauraçaõ de Portugal,* que dice tenía compuesto.

ESTUDIOS

3122

REP: Barbosa, II, pág. 193.

MARTIR RIZO (JUAN FRANCISCO)

EDICIONES

3123

[DEZIMA]. (En Bernardo de Quirós, Francisco. *Obras...* Madrid. 1656. Preliminares).

MADRID. *Nacional.* R-11368.

MARTIR RIZO (JUAN PABLO)

Nieto de Pedro Mártir de Anglería.

CODICES

3124

«Poética de Aristóteles, traducida de Latín, illustrada y comentada por ——».

Letra del s. XVII. 68 fols. 247 × 175 mm. Gallardo, III, n.º 2.963; *Inventario,* II, página 101.

MADRID. *Nacional.* Mss. 602. [Con nota autógrafa de Pellicer, de 1791, en que dice que cree que el verdadero traductor fue Pedro Torres Rámila].

3125

«*Al mismo Salón*» [*del Buen Retiro*].
[«Las Barbaras Piramides de Egipto...»].
(Fol. 180v).
MADRID. *Nacional*. Mss. 20.355.

EDICIONES
3126

HISTORIA de la mverte de Enrico el Grande, Quarto Rey de Francia deste nombre. Escrito en Frances, por Pedro Mateo... y en Castellano por ——... Madrid. Diego Flamenco. 1625. 6 hs. + 97 fols. + 1 h. 14 cm.

Autor: Pierre Matthieu.
—Ded. a la Reyna María de Medicis, madre de Luis XIII de Francia, por Martir Rizo.—Apr. de Pedro Fernandez Nauarrete.—S. T.—S. Pr.—E. (Ninguna).—Apr. de Gil Gonçalez Dauila.—Aduertencia.— A la Reyna, por Pedro Mateo.—Texto.— Colofón.

Pérez Pastor, *Madrid*, III, n.º 2.182.
MADRID. *Academia Española*. 20-XI-59. *Nacional*. U-4.393. — VALLADOLID. *Universitaria*. 8.623.

3127

——. Segovia. Diego Flamenco. 1628. 96 fols. 8.º

Salvá, II, n.º 3.471.
BARCELONA. *Universitaria*.—NUEVA YORK. *Hispanic Society*.—SANTIAGO DE COMPOSTELA. *Universitaria*.

3128

HISTORIA de la prosperidad infeliz, de Felipa de Catanea. Escrita en Frances por Pedro Mateo... Y en Castellano, por ——. Madrid. Diego Flamenco. 1625. 8 hs. + 51 fols. + 1 hoja. 14,5 cm.

—Grab.—S. L.—S. T.—E.—Apr. de Diego Vela.—Apr. de Gil Gonçalez Dauila.—Ded. a D. Francisco de Calatayud, Secretario de S. M.—Advertimiento.—Inyzio a las obras de Pedro Mateo, por Francisco de Queuedo y Villegas.—Al Rey, por P. M.— Texto.—Colofón.

Pérez Pastor, *Madrid*, III, n.º 2.183.
MADRID. *Nacional*. R-24.808.—NUEVA YORK. *Hispanic Society*.—SANTANDER. «*Menéndez y Pelayo*». R-IX-1-20.

3129

——. *Aora añadido un tratado en alabanza del color verde*. 2.ª impressión. Madrid. Pedro Joseph Alonso y Padilla. 1736. 16 hs. + 254 págs. 8.º

Además del *Tratado*, de Manuel Fernández Villarreal, se añaden doce enigmas en verso.
Salvá, II, n.º 1.894.
COIMBRA. *Universitaria*. R-5-31.—MADRID. *Academia Española*. 17-XII-6.

3130

HISTORIA de la vida de Lucio Anneo Seneca Español. Madrid. Iuan Delgado. 1625. 4 hs. + 167 págs. con un grabado. 19,5 cm.

—Ded. a Lorenço Ramirez de Prado, del Consejo de Hacienda.—Apr. de Fr. Hortensio Felix Parauesino.—S. Pr.—E.—S. T.—Apr. del M.º Gil Gonçalez Dauila.— Advertencia.—Texto (con un retrato de Séneca al comienzo).

Pérez Pastor, *Madrid*, III, n.º 2.181.
GRANADA. *Universitaria*. A-19-297.—MADRID. *Facultad de Filología*.—*Nacional*. 3-58.553. — NUEVA YORK. *Hispanic Society*.

3131

VIDA de Séneca. Nota preliminar por B. de la Vega. Madrid. Atlas. 1944. 187 págs. 20 cm. (Colección Cisneros, 72).

MADRID. *Nacional*. 7-34.193.

3132

VIDA del dichoso desdichado. Escrita en frances por Pedro Matheo Cronista del Rey Cristianissimo y en Castellano por ——. Madrid. Pedro Tazo. 1625. 5 hs. + 164 fols. 14 cm.

—Ded. a D. Diego de Quiñones y Castro, caballero de Alcantara, etc.—S. Pr. al Autor por 10 años.—S. T.—E.—Apr. de Gil Goncalez Davila.—L. V.—Apr. de Pedro Fernandez Nauarrete.—Advertencia. Texto.

Pérez Pastor, *Madrid*, III, n.º 2.184.

BARCELONA. *Universitaria*. C.221-8-42.—MADRID. *Nacional*. R-19.351.

3133

HISTORIA de la vida de Mecenas. Madrid. Diego Flamenco. 1626. 8 hojas + 120 folios. 14 cm.

—Ded. a D. Gaspar de Guzman, Conde de Oliuares, etc.—S. T.—S. Pr. al autor por diez años.—E.—Apr. del M.º Gil Gonçalez Dauila.—L. V.—Apr. de Pedro Fernandez Nauarrete.—Prologo a Antonio de Roxas, Contador de penas de Camara de S. M.—Texto.—Colofón.

LONDRES. *British Museum*. 10605.de.13.—MADRID. *Facultad de Filología*. — *Nacional*. 2-57.491 (ex libris de Gayangos).

3134

NORTE de Principes. Madrid. Diego Flamenco. A costa de Pedro Coello. 1626. 6 hs. + 138 fols. 13,5 × 6 cm.

—Ded. a D. Diego de Corral y Arellano, del Consejo de Castilla, etc.—T.—E.—Apr. del M.º Gil Gonçalez Dauila.—L. V.—Apr. de Pedro Fernandez Nauarrete.—Aduertencia.—Texto.—Colofón.

MADRID. *Nacional*. R-13.444.—OVIEDO. *Universitaria*. A-451.

3135

NORTE de Príncipes y Vida de Rómulo. Edición, estudio preliminar y notas de José Antonio Maravall. Madrid. Instituto de Estudios Políticos. 1945. LXXXIV + 219 págs. 22 cm. (Biblioteca Española de Estudios Políticos).

a) Palacio, V., en *Hispania*, VI, Madrid, 1946, págs. 169-71.

MADRID. *Nacional*. 1-102.050.

3136

HISTORIA de las gverras de Flandes, contra la de Geronimo de Franqui Conestaggio. Escrita en Frances, por Pedro Matheo, y en Castellano, por ——… Valencia. Patricio Mey. 1627. 4 hs. + 100 fols. 14,5 cm.

—Ded. a D. Iuan Andres Hurtado de Men-

doça, Marques de Cañete.—Al lector.—Texto.

MADRID. *Academia de la Historia*. 9-17-3-3476. *Nacional*. 2-23.801.

3137

DEFENSA de la verdad qve escrivio D. Francisco de Quevedo Villegas, Cavallero professo de la Orden de Santiago, en favor del Patronato del mismo Apostol unico Patron de España. Contra los errores, que imprimio don Francisco Morovelli de Puebla, natural de Sevilla, contradiziendo este unico Patronato. Autor ——, *que lo escrive en Madrid su patria, a diez de Iulio de 1628 con la espada de señor Santiago, y a la luz de la verdad.* Málaga. Iuan René. 1628. 2 hojas + 22 fols. 22 cm.

—Ded. al Dean y Cabildo de la Santa Iglesia de Sevilla.—Texto.

MADRID. *Academia de la Historia*. 9-17-3-3.495; 14-7-4-2.110. *Nacional*. V.E.-18-33 y 48-10. — SANTANDER. «*Menéndez y Pelayo*». R-V-9-27.

3138

DEFENSA de la verdad que escrivio Francisco de Quevedo Villegas... [s. l.-s. i.]. [s. a.].

¿Madrid, 1630?

NUEVA YORK. *Hispanic Society*. (2 ejemplares).

3139

HISTORIA de la muy noble y leal ciudad de Cuenca. Madrid. Herederos de la Viuda de P.º de Madrigal. 1629. 3 hs. + 328 págs. a 2 cols. 28 cm.

—Frontis de I. de Courbes.—Ded. al Alma de Garcia Hurtado de Mendoça.—Pr. a favor de J. P. Martin Rizo por diez años. E.—T.—Apr. de Gil Gonçalez Davila.—Texto.—Tabla de Capitulos

Salvá, II, n.º 3.036.

BARCELONA. *Universitaria*. C.199-3-4.—DEUSTO. *Universitaria*. — LONDRES. *British Museum*. 573.l.3 (2). — LYON. *Municipale*. 107.970.—MADRID. *Academia Española*. S.C.=13-C-10. *Academia de la Historia*. 14-2-5-664; etc. *Facul-*

tad de Filología. — Nacional. 2-15.432; etc. *Palacio Real.* VII-221.—NUEVA YORK. *Hispanic Society.*—ROMA. *Vaticana.* Stamp. Barb. S.IV.14.—SANTIAGO DE COMPOSTELA. *Universitaria.*—SEVILLA. *Universitaria.* 41-470.—VALLADOLID. *Universitaria.* 5.472; etc. — ZARAGOZA. *Universitaria.* G-64-135.

———

—Reprod. facsímil: *Historia de... Cuenca. Seguida de «Apología por la ciudad de Sevilla. Contra ——» y «Respuesta de —— a las calumnias de Francisco Morovelli...».* Barcelona. El Albir. 1979. 241 págs. con ilustraciones. 30 cm.

BARCELONA. *Universitaria.* 169-3-33. — MADRID. *Nacional.* R-100.717.

3140

RESPUESTA a las calumnias de don Francisco Morovelli de la Puebla, a la historia de Cuenca. Zaragoza. Juan de Lanaja. 1629. 20 fols. 20 centímetros.

—Texto.—Ded. al Conde Duque de San Lucar.

Jiménez Catalán, *Tip. zaragozana del siglo XVII*, n.º 293.

MADRID. *Nacional.* V.E.-179-18.

3141

HISTORIA tragica de la vida del Dvque de Biron. Barcelona. Sebastián de Cormellas. 1629. 2 hs. + 182 págs. 14 cm.

—Apr.—Ded. a D. Francisco Diego Lopez de Zuñiga, Duque de Vexar, etc.—Texto. Salvá, II, n.º 3.470.

MADRID. *Nacional.* 2-5.427. *Palacio Real.* VI-377.—VALLADOLID. *Universitaria.* 9.068.

3142

——. Barcelona. Gabriel Nogués. 1635. 2 hs. + 137 fols. 8.º

Fols. 88v-137: *El mariscal de Birón,* comedia de Juan Pérez de Montalbán. Salvá, I, n.º 1.308.

BARCELONA. *Instituto del Teatro.* Vitr. A-Est.4.—LONDRES. *British Museum.* G.14685.—SANTANDER. *«Menéndez y Pelayo».* R-III-2-14.

3143

POETICA de Aristóteles, traducida del latín. Bearbeitet und eingeleitet

von Margarete Newels. Colonia, etc. Westdeutscher Verlag. 1965. 109 páginas.

a) Friedman, L. J., en *Romance Philology,* XXIV, Berkeley, 1970, pág. 372.
b) Lofstedt, L., en *Zeitschrift für romanische Philologie,* LXXXIV, Tübinga, 1968, págs. 250-54.
c) Oostendorp, H. Th., en *Neophilologus,* LI, Amsterdam, 1967, pág. 80.
d) Riley, E. C., en *Bulletin of Hispanic Studies,* XLIV, Liverpool, 1967, págs. 128-129.
e) Rivers, E. L., en *Modern Language Notes,* LXXXII, Baltimore, 1967, págs. 642-43.
f) Watson, A., en *Modern Language Review,* LXIII, Cambridge, 1968, pág. 948.

Epístolas

3144

[*AL Autor. Carta. Madrid, 23 de febrero de 1624*]. (En Reyes, Matias de los. *El curial del Parnaso. Primera parte.* Madrid. 1624. Prels.).

MADRID. *Nacional.* 2-44.929.

Poesías sueltas

3145

[*SONETO*]. (En ELOGIOS *al Palacio Real del Buen Retiro.* Madrid. 1635).

MADRID. *Nacional.* R-6.809.

3146

[*DEZIMA*]. (En Bernardo de Quirós, Francisco. *Obras...* Madrid. 1656. Preliminares).

V. *BLM,* VI, n.º 4249.

3147

[*QUINTILLAS*]. (En Oña, Tomás de. *Fenix de los ingenios... certamen que se dedicó a... N. S. de la Soledad...* Madrid. 1664. Fols. 97r-98r).

MADRID. *Nacional.* 3-24.619.

ESTUDIOS

3148

PEREZ PASTOR, CRISTOBAL. [*Documentos sobre Juan Pablo Mártir*

Rizo]. (En su *Bibliografía madrile-ña*. Tomo III. Madrid. 1907, pág. 285).

3149
REP: N. Antonio, I, pág. 755; Alvarez y Baena, III, págs. 165-67.

MARTIRES FALCON (FR. FRANCISCO)

Mercedario. Vicario general de Nueva España.

EDICIONES

3150
[*SENTIR, 16 septiembre 1694*]. (En Narvaez, Juan de. *Sermón...* Méjico. 1694. Prels.).

MADRID. *Nacional.* V.E.-111-21.

«MARTIRIO...»

EDICIONES

3151
[*MARTYRIO que con su Prouincial y otros siete Religiosos de la Compañia de Iesus, padecio el P. Baltasar de Torres en el Iapon, sacado fielmente de cartas autenticas que de alli han venido*]. [Barcelona. Sebastian y Iayme Matevat]. [1631]. 2 hojas.

Carece de portada.
—Texto.—L. V.—Colofón.
Gallardo, I, n.º 798.

BARCELONA. *Instituto Municipal de Historia.* B.1631-8.º (op.) 6.—MADRID. *Nacional.* R-28.763 (ex libris de Gayangos).

MARTON (JUAN)

N. en Sallent. A Francia con el duque de Pastrana. Profesor de la Sorbona. Canónigo de La Seo de Zaragoza. Vicario general y Obispo auxiliar. M. en Bearne.

CODICES

3152
[*Carta a un Cronista de Castilla sobre la victoria de Jaca contra los moros*].
Latassa.

3153
[*Breve expulsión de la Bula de Adriano VI a favor del Reino de Aragón contra los tratantes de trigo. 1533*].
Latassa.

ESTUDIOS

3154
REP: Latassa, 2.ª ed., II, págs. 283-84.

MARTON (MIGUEL)

N. en Sallent. Doctor. Canónigo de la catedral de Zaragoza, donde m. (1612).

EDICIONES

3155
[*LIRAS*]. (En Briz Martinez, Juan. *Relación de las exequias que... Çaragoça a celebrado por el Rey Don Philipe...* Zaragoza. 1599, págs. 238-41).

MADRID. *Nacional.* R-4.520.

ESTUDIOS

3156
REP: N. Antonio, II, pág. 140; Latassa, 2.ª ed., II, pág. 284.

MARTON DE CASADIOS (MIGUEL DE PASCUAL)

Canónigo de Zaragoza. Catedrático de Artes en Huesca.

EDICIONES

3157
[*APROBACION. Zaragoza, 14 Abril 1684*]. (En La Ripa, Domingo de. *Corona Real.* Tomo I. Zaragoza. 1685. Prels.).

MADRID. *Nacional.* 3-28.327.

MARTOREL Y DE LUNA (FRANCISCO)

N. en Tortosa.

EDICIONES

3158
HISTORIA *de la Santa Cinta con qve la Madre de Dios honró la Ca-*

tredal (sic), *y Ciudad de Tortosa; del sitio, nombre, antiguedad, Obispado, y cosas notables della; con variedad de Historia, y vna discripcion de Cataluña, y su fidelidad.* Tortosa. Geronimo Gil. 1626. 8 hs. + 570 págs. + 3 hs. 15 cm.

—Apr. del canonigo Ferrer.—Facultas ab Ordinario concessa.—Ded. al Cabildo de la Santa Iglesia de Tortosa y a los Procuradores de dicha Ciudad.—Decima de Francisco Bonifacio Soler. [«A sombra de noche triste...»]. — Otra del mismo. [«Antiguedades, bellezas...»].—Soneto de Geronimo Valldeperes. [«A gloria de una Luna un otra ofrece...»].—Soneto de Melchior Figuerola. [«Coge el famoso Ibero en su Ribera...»].—Soneto del Autor a su Patria Tortosa. [«El Oro, Plata, Perlas, y Diamantes...»].—Decimas de Lorenzo Romeu. [«Cadmo feliz anguicida...»].— Decimas de Bernardino Vicente Llop. [«Hoy la Iglesia de Tortosa...»].—Poesia latina de Michael Macip.—E.—Texto. — Tabla de los capitulos.

BARCELONA. *Universitaria.* C.186-7-8.—LONDRES. *British Museum.* 861.e.11.—MADRID. *Nacional.* 2-16.677.

3159

HISTORIA de la Antigva Hibera, con la milagrosa descension de la Madre de Dios a su santo Templo, y la dadiua preciosa de la santa Cinta, dada por su sagrada mano. Descripcion del Monte de Cardo, morada de los Religiosos Carmelitas Descalços con variedad de Historia; y vna breue descripcion de Cataluña, y su fidelidad. Tortosa. Geronimo Gil. 1627. 4 hs. + 570 págs. + 3 hs. 14,5 cm.

—Tabla de las cosas mas notables.—Apr. de Juan Bautista Ferrer.—L. V. en latin. Ded. al Cabildo de la S. Iglesia de Tortosa.—Soneto de Geronimo Valldeperez. [«A gloria de una Luna un otra ofrece...»].—Al Autor. Soneto de Melchior Figuerola. [«Coge el famoso Ibero en su ribera...»].—A Tortosa.—Decima de Francisco Bonifacio Soler. [«A sombra de noche triste...»].—Al Autor, Decima del

mesmo. [«Antiguedades, bellezas...»].— Texto.—Tabla de los capitulos.

Salvá, II, n.º 3.038.

MADRID. *Nacional.* 3-8.481.

ESTUDIOS

3160

REP: N. Antonio, I, pág. 445.

MARTIR VIEJO DE MESQUITA Y BRITO (FRANCISCO)

EDICIONES

3161

[MEMORIALES... Los presenta a V. M. para fauorezca los pobres, y desempeñe su Real hazienda]. [s. l.- s. i.]. [s. a.]. 16 fols. 28,5 cm.

—Texto.

MADRID. *Nacional.* V.E.-206-4.

MARTOS Y CARDENAS (BARTOLOME DE)

Beneficiado de las iglesias de la ciudad de Loja.

EDICIONES

3162

[APROBACION]. (En Alegre, Juan. *Panegyrico funeral en las exequias que... Loxa celebró en la muerte de... Filipo IV...* Granada. 1667. Preliminares).

GRANADA. *Universitaria.* A-31-220 (8).

MARTYZ VIEJO DE MESQUITA Y BRITO (FRANCISCO)

Vecino de Villaviciosa, en Portugal.

EDICIONES

3163

[MEMORIALES de ——*..., los presenta a V. M. para fauorezcan los pobres, y desempeña su Real hazien-*

da...]. [s. l.-s. i.]. [s. a.]. 16 fols. 29 cm.

—Texto.

MADRID. *Nacional.* V.E.-206-4.

MARUJAN DE CONTRERAS (PEDRO)

EDICIONES

3164

[*DEDICATORIA a D. Manuel de Arce y Astete, cavallero de Santiago, etc.*]. (En Bustos, Francisco de. *Sermón de... San Augustín.* Córdoba. 1696. Prels.).

V. *BLH*, VI, n.º 5792.

MARZAL (FR. FRANCISCO)

Franciscano. Calificador de la Inquisición. Examinador sinodal.

EDICIONES

3165

[*CENSURA. 16 de marzo de 1668*]. (En Terrassa, Miguel. *Sermon al Illvminado D. Invicto Martyr Raymvndo Lvll...* Mallorca. 1668. Prels.).

MADRID. *Nacional.* R-20.431.

MARZAL (P. JOSE ANTONIO)

N. en Huesca. Jesuita.

EDICIONES

3166

[*PARECER y Aprobación*]. (En Uberte Balaguer, Anastasio Marcelino. *Parte primera del origen y grados del Honor...* Nápoles. 1694. Prels.).

SEVILLA. *Colombina.* 67-4-7.

ESTUDIOS

3167

REP: Latassa, 2.ª ed., II, pág. 289.

MARZILLA

V. MARCILLA

MARZUELO (GREGORIO)

Vicario perpetuo de la villa de Fonz.

EDICIONES

3168

[*AL Autor. Décimas*]. (En Aroza, Diego de. *Tesoro de las excelencias y utilidades de la medicina...* Lérida. 1668. Prels.).

MADRID. *Nacional.* 3-45.054.

«MAS (El) inaudito y ejemplar castigo...»

EDICIONES

3169

MAS (El) inaudito, y exemplar castigo qve la Divina Magestad executó en vnos... mancebos, los quales se han quedado baylando hasta oy, por auer tenido poca reuerencia a la Diuina Magestad del Cuerpo de Christo... Svcedio en la villa de Morales... Granada. Francisco de Ochoa. 1675. 2 hs. con un grab. 19 cm.

MADRID. *Nacional.* V.E.-120-17.

«MAS que en paz...»

EDICIONES

3170

MAS que en paz se adquiere en guerra. Coloquio gramatical que para dar fin a los estudios hicieron los estudiantes de las clases 3.ª y 4.ª del Colegio de Santo Thomás de Sevilla. Año de 1699. [Sevilla]. [s. i.]. 1699.

Escudero, n.º 1.935.

MAS (P. BALTASAR)

Jesuita.

EDICIONES

3171

[*APROBACION, 10 de diciembre de 1623*]. (En Sandoval, Alonso de.

Naturaleza, policía sagrada i profana... de todos Etíopes. Sevilla. 1627. Prels.).

MAS (FR. DIEGO)

N. en Valencia (1553). Dominico. Catedrático de Teología en la Universidad de Valencia. M. en 1608.

EDICIONES
3172
HISTORIA de la vida, milagros, y canonizacion del B. Padre S. Hyacintho, de nacion Polaco, de la sagrada orden de Predicadores. Valencia. Pedro Patricio. 1594. 12 hs. + 197 fols. 14,5 cm.

—L. del Patriarca Arzobispo de Valencia.— Apr. de Pedro Iuan Assensio.—L. O.— Apr. de Fr. Iuan Vidal.—Apr. de Fr. Vicente Gralla y de Moncada, Virreyna de Valencia, etc.—Prólogo.—Grab.—Texto.— Fols. 149r-197v: Tabla.

CAGLIARI. *Universitaria.* Ross. B.213.—EVORA. *Pública.* Sec. XVI, 144.—MADRID. *Nacional.* R-18.869.

3173
HISTORIA de la Vida, milagros, y canonización del bienaventurado padre sant Hyacinto, de nación Polaco, de la sagrada orden de Predicadores... Barcelona. Pablo Malo. 1595. 8 hs. + 242 fols. 8.º

Palau, VIII, n.º 156.766.

Aprobaciones
3174
[*APROBACION. Valencia, 18 de febrero de 1593*]. (En Antist, Fr. Vicente Justiniano. *Tratado de la Inmaculada Concepción.* Sevilla. 1615. Prels.).

SEVILLA. *Universitaria.* 100-90(3).

3175
[*APROBACION por —— y Fr. Thomas Roca. Valencia, 24 de Abril de*

1606]. (En Rebullosa, Jaime. *Vida y milagros del divino Olaguer, Obispo de Barcelona...* Barcelona. 1609. Preliminares).

MADRID. *Nacional.* 2-7.434.

OBRAS LATINAS
3176
METAPHYSICA disputatio, de ente, et eius propietatibus... Valencia. Pedro Huete. 1587. 12 hs. + 600 págs. + 4 hs. 15 cm.

BARCELONA. *Universitaria.* B.70-7-8.—CAGLIARI. *Universitaria.* D.A.689.—MADRID. *Nacional.* R-29.557.

3177
COMMENTARIUS in Porphyr. et in Universam Arist. Dialecticam... Valencia. Pedro Patricio. 1592-99. 3 volúmenes. 19 cm.

BARCELONA. *Universitaria.*—CAGLIARI. *Universitaria.* D.B.113.—HUESCA. *Pública.* — MADRID. *Nacional.* R-28.997/98.—PAMPLONA. *General de la Diputación Foral.*—ZARAGOZA. *Universitaria.* H-11-108/10.

3178
COMMENTARIORUM in Universam Philosophiam Arist. vna cvm quaestionibus quae a grauissimis Philosophis agitantur. Complectens duos priores lib. de Phys. auscultatione. Avtore Fr. Didaco Masio... Valencia. Pedro Patricio. 1599. 2 vols. 20 cm.

BARCELONA. *Universitaria.* R. 25-6-2-4.102; B. 22-4-23/24.—BURGOS. *Pública.*—LERIDA. *Pública.*—MADRID. *Nacional.* R-28.999/29.000. *Palacio Real.*—PAMPLONA. *General de la Diputación Foral.* — SALAMANCA. *Universitaria.*—TERUEL. *Pública.*—TOLEDO. *Pública.* — ZARAGOZA. *Universitaria.* H-10-110/11. (Incompleto).

ESTUDIOS
3179
GALLEGO SALVADORES, JORDAN. *El Maestro Diego Mas y su tratado de Metafísica.* (En *Analecta Sacra Ta-*

rraconensia, XLIII, Barcelona, 1970, págs. 3-92).

3180
REP: N. Antonio, I, págs. 297-98; Ximeno, I, pág. 246.

MAS (FRANCISCO DEL)

EDICIONES
3181
[*CARTA al autor, 12 de febrero de 1641*]. (En José de Santa María, Fray. *Triunfo del agua bendita...* Sevilla. 1642. Prels.).
MADRID. *Nacional*. 3-68.651.

OBRAS LATINAS
3182
[*EPIGRAMMA*]. (En idem).

MAS (ISABEL DEL)

EDICIONES
3183
[*POESIAS*]. (En Andrés de Uztarroz, Juan Francisco. *Certamen poético de Nuestra Señora de Cogullada...* Zaragoza. 1644).
1. *Soneto*. (Pág. 138).
2. *Romance*. (Pág. 176).
V. *BLH*, V, n.º 2666 (31, 66).

MAS (P. JOSE ANTONIO)
Jesuíta.

EDICIONES
3184
[*APROBACION. Tarragona, 30 de marzo de 1682*]. (En POESIAS *selectas de varios autores latinos, traducidas... por el P. José Morell*. Tarragona. 1683. Prels.).
MADRID. *Nacional*. 3-67.151.

MAS (JUAN)

EDICIONES
3185
[*APROBACION. Perpiñán, 21 de junio de 1623*]. (En Bautista, Gregorio. *Completas de la vida de Cristo*. Perpiñán. 1623. Prels.).
ZARAGOZA. *Universitaria*. G-6-235.

MAS (JUAN BAUTISTA DE)

CODICES
3186
«*A un desdichado. Soneto*».
Letra del s. XVII. 210 + 150 mm. Es un Cancionero.
«Cansado de sufrir mi sufrimiento...».
Inventario, VI, pág. 147.
MADRID. *Nacional*. Mss. 2.244 (fol. 84).

MAS (JUAN FRANCISCO)
N. en Zaragoza. Doctor en Derecho. Cartujo. Prior de Aula Dei (1639). M. en 1648.

CODICES
3187
[*Poesías latinas y castellanas*].
Cartujo-Gómez, pág. 93.

EDICIONES
3188
[*Poesías latinas y castellanas*].
Cartujo-Gómez, pág. 93.

3189
[*ODA latina*]. (En Andrés de Uztarroz, J. F. *Historia de San Dominguito del Val*. 1643, págs. 186-87).

3190
[*EPISTOLA en español*]. (En José de Santa María. *Triunfos del agua bendita*. Sevilla. 1642).

OBRAS LATINAS
3191
[*EPIGRAMA latino*]. (En idem).

ESTUDIOS
3192

REP: Latassa, 2.ª ed., II, pág. 289; Cartujo-Gómez, págs. 93-94.

MAS (MATEO DEL)
Licenciado.

EDICIONES
3193

[*DECIMAS*]. (En Martínez, Esteban. *Arte fundamental de segundo ser del hombre...* Madrid. 1637. Prels.).

MADRID. *Academia Española.* 20-XI-49.

MAS (VICENTE DEL)
N. en Montuiri, Mallorca (1537). Dominico desde 1552 y cartujo a partir de 1571. Vicario. M. en 1600.

CODICES
3194

«*Vida de la Venerable Madre Sor Catalina Thomás*».

Se conservaba en la cartuja de Valldemosa.

ESTUDIOS
3195

REP: Cartujo-Gómez, pág. 94.

MAS IBAÑEZ (MANUEL DE)
Bachiller en Teología.

EDICIONES
3196

[*POESIAS*]. (En Porres, Francisco Ignacio de. *Justa poética zelebrada por la Universidad de Alcalá...* Alcalá. 1658).

1. *Octavas.* (Págs. 181-82).
2. *Décimas.* (Págs. 235-37).
3. *Romance.* (Págs. 277-79).

MADRID. *Nacional.* R-5764.

«MASCARA y fiesta real...»
EDICIONES
3197

[*MASCARA, y fiesta real, qve se hizo en Madrid a 26 de Febrero de 1623*].

[Madrid. Viuda de Cosme Delgado]. 1623. 2 hs. 28 cm.

Carece de portada.

—Texto.—Colofón.

Gallardo, I, n.º 676; Pérez Pastor, *Madrid*, III, n.º 1.966.

MADRID. *Nacional.* R-28.658⁷; V-226-11.—SAN LORENZO DEL ESCORIAL. *Monasterio.* 90-VI-16.

MASCAREL (P. PABLO)
EDICIONES
3198

[*GEROGLIFICOS*]. (En Dalmau, José. *Relación de la solemnidad con que se han celebrado en...* Barcelona las fiestas a la Beatificacion de la *M. S. Teresa de Iesvs...* Barcelona. 1615, fols. 34r-35r).

V. *BLH*, IX, n.º 2254.

OBRAS LATINAS
3199

[*EPIGRAMAS*]. (En idem, fols. 35r-36r).

MASCARELL (GREGORIO)
EDICIONES
3200

[*ROMANCE*]. (En Rodriguez, José. *Sacro y solemne novenario.* Valencia. 1669, págs. 445-46).

MADRID. *Nacional.* 3-67.912.

MASCARELL (RAIMUNDO)
Doctor. Maestro en Artes y doctor en Teología por la Universidad de Valencia.

EDICIONES
3201

[*APROBACION. Valencia, 13 de mayo de 1695*]. (En COMPENDIO *de perfecciones...* Valencia. s. a. Prels.).

V. *BLH*, VIII, n.º 5197.

MASCARELL Y PERTUSA (PEDRO)

EDICIONES

3202

[*SONETO*]. (En Torre y Sebil, Francisco de la. *Luzes de la Aurora...* Valencia. 1665, pág. 364).

MADRID. *Nacional.* R-17.374.

MASCAREÑAS (FERNANDO)

EDICIONES

3203

[*SONETO*]. (En Moreira Pita, Manuel. *Poema Africano. Sucessos de D. Fernando Mascareñas...* Cádiz. 1633. Prels.).

V. n.º

MASCAREÑAS (FRANCISCO)

EDICIONES

3204

[*AL Autor. Poesias*]. (En Plana, Pedro Jose de la. *Preludio encomiastico y representacion panegirica con que la familia del... Marques de Castel dos Rios... continua en celebridad de el feliz dia, en que el... Principe D. Juan cumple sus quatro... años.* Lisboa. 1693. Prels.).

1. *Soneto.*
2. *Romance.*

MADRID. *Academia de la Historia.* 9-29-1-5741.

MASCAREÑAS (JERONIMO)

Caballero de Calatrava. Definidor general de la Orden. De los Consejos de Estado, de las Ordenes y de Portugal. Prior de Guimaraes. Obispo electo de Leyría. Sumiller de cortina de S. M. Capellán mayor y Limosnero mayor de la Reina.

CODICES

3205

«*Copia de carta escripta... al Duque de Medina Celi dandole quentta de la enfermedad, Muerte y entierro del Rey Nro. Señor D. Phe. 4.º que aia gloría, sucedida jueves 13 de sett. 1665*».

Letra del s. XVII. 16 hs. 300 mm. Fechada a 21 de septiembre de 1665.

GRANADA. *Universitaria.* A-31-130 (62).

3206

«*Forma de iuramento, y voto que por el Misterio de la Immaculada Concepcion de la Virgen nuestra Señora hizo la Religion, y Cavalleria de Calatrava, congregada en el Convento de San Martín desta Corte... ?3 de Diziembre de 1652*».

Letra del s. XVII. 2 hs. 308 × 200 mm. Anguita, n.º 32.

MADRID. *Nacional.* Mss. 2.383.

3207

«*Familias diferentes... Madrid. Año de 1655*».

Letra del s. XVII. 3 vols. con mss. impresos. 320 × 215 mm.

MADRID. *Nacional.* Mss. 3.276/78.

3208

«*Nobiliario das linhagens do Reino de Portugal*».

Letra del s. XVII. 2 vols. 305 × 210 mm. *Inventario*, X, págs. 56-57.

MADRID. *Nacional.* Mss. 3.265 y 3.268.

3209

«*Historia de la Ciudad de Ceuta...*».

Letra del s. XVII. 268 fols. 315 × 205 mm. *Inventario*, X, pág. 2.

MADRID. *Nacional.* Mss. 3.033.

3210

«*Historia de la Ciudad de Ceuta*».

Letra de principios del s. XVIII. 263 hs. Fol.

Roca, n.º 278.

MADRID. *Nacional.* Mss. 18.028.

3211

«*Fundacion y antiguedades del... convento de Santa María de Aguilar, de la Orden Premostratense...*».

Letra del s. XVII. 315 × 210 mm.

Inventario, VI, pág. 311.

MADRID. *Nacional.* Mss. 2.345 (fols. 120-71).

3212

«*Sucessos de la Campaña de Flandes del año de 1635 en que Francia rompio la paz con España*».

Letra del s. XVII. 320 × 216 mm.

Inventario, VI, pág. 413.

MADRID. *Nacional.* Mss. 2.366 (fols. 6-34).

3213

[*Seis cartas a Juan Francisco Andrés de Uztarroz*].

Cuatro han sido publicadas por C. E. Mascareñas en 1949.

MADRID. *Nacional.* Mss. 8.391.

3214

[*Cartas de y a——*].

MADRID. *Nacional.* Mss. 2.375, 2.385-86, 2.388-2.390.

EDICIONES

3215

VIAGE de la Serenissima Reyna Doña Maria Ana de Austria. Segunda Muger de Don Phelipe Quarto... Hasta la Real Corte de Madrid, desde la Imperial de Viena. Madrid. Diego Díaz de la Carrera. 1650. 25 hs. + 301 páginas + 7 hs. 23 cm.

—Ded. al Rey.—A D. Luis Mendez de Haro, Marques del Carpio, etc.—Apr. de Fr. Tomas de Herrera.—L. V.—Apr. y censura de Iuan Giron y Zuñiga.—S. Pr.—E.—T.—Epistola de Fr. Geronimo de San Ioseph al autor.—Parecer de Ioseph Pellicer de Tovar.—Razon deste Escrito.—Razón de otras Escrituras del Autor.—Texto.—Indice.—Colofón.

BARCELONA. *Universitaria.* C.214-4-12.—CORDOBA. *Pública.* 27-47.—GENOVA. *Universitaria.* 2. P.II.29. — GRANADA. *Universitaria.* A-3-213.— LISBOA. *Ajuda.* 18-VII-41. — LONDRES. *British*

Museum. 1945.h.20. — MADRID. *Academia Española.—Academia de la Historia.* 14-9-10-7.977; etc. *Facultad de Filología.* 20.757; etc. *Nacional.* 2-38.668. *Palacio Real.* I.D.87. NUEVA YORK. *Hispanic Society.—*ROMA. *Vaticana.* Stamp. Barb. P.VIII.45; etc.—ROUEN. *Municipale.* Mt.M.5483.—SEGOVIA. *Catedral.—*SEVILLA. *Universitaria.* 87-51; etc.—ZARAGOZA. *Universitaria.* G-6-197.

3216

APOLOGIA historica, por la ilvstrissima religión, y inclita cavallería de Calatrava; sv antigvedad, sv extensión, sus Grandezas entre las Militares de España. Madrid. Diego Díaz de la Carrera. 1651. 10 hs. + 178 páginas. 20 cm.

—Ded. al Rey.—Censura de Iuan Tamayo Salazar.—L. V.—Censura del M.º Gil Gonzalez Davila.—S. Pr. al autor por diez años.—E.—T.—Razón de este escrito.—Cita de R. Jiménez de Rada.—Texto.

CORDOBA. *Pública.* 12-95.—LONDRES. *British Museum.* 4785.bbb.51.—MADRID. *Academia de la Historia.* 14-9-6-7.022; 1-4-4-1.925; etc. *Facultad de Filología.* 21.394. *Nacional.* 2-66.744 (ex libris de Fernando José de Velasco).—SEGOVIA. *Catedral.—*SEVILLA. *Universitaria.* 70-44; 253-282.—VALLADOLID. *Universitaria.* 13.721.—ZARAGOZA. *Universitaria.* G-82-41.

3217

FORMA de Juramento y voto que por el Misterio de la Inmaculada Concepción hizo la Cavalleria de Calatrava congregada en el convento de S. Martin desta Corte de Orden de S. Benito. Lunes, 23 diciembre 1652. [s. l.-s. i.]. [1652]. 2 hs. 28 cm.

—Texto.

MADRID. *Nacional.* V.E.-185-45; Mss, 18.400 (ex libris de Gayangos).

3218

AMADEO de Portvgal, en el siglo Ivan de Meneses de Silva, religioso de la Orden de S. Francisco de la Obseruancia y Fundador de la Ilustrissima Congregacion de los Ama-

deos en Italia. Madrid. Diego Díaz de la Carrera. 1653. 23 hs. + 1 blanca + 59 fols. + 1 h. 14 × 7 cm.

—Ded. a D. Pedro Mascareñas, Marques de Montalvan, Conde de Castelonovo, etc. Censura del P. Agustín de Castro.—L. V. Censura de Gil Gonzalez Davila.—S. Pr.— E.—S. T.—Razon de este Escrito.—Texto. Protesta del Auctor.

LISBOA. *Ajuda.* 26-IV-50.—MADRID. *Academia Española.* 37-X-14. *Nacional.* 3-35.716.

3219

RAYMUNDO Abad de Fitero, de la orden del Cister, Fundador de la Sagrada Religión y inclita cavalleria de Santa Maria de Calatrava; primer capitan general de su espiritual y temporal milicia. Madrid. Diego Diaz de la Carrera. 1653. 19 hs. + 112 folios. 20 cm.

—Ded. a la Cavalleria de Calatrava.—Censura de Fr. Francisco Boil.—L. V.—Censura de Miguel Bautista de Lanuza.—L.— E.—T.—Razon deste escrito.

GRANADA. *Universitaria.* A-18-233. — MADRID. *Academia de la Historia.* 4-1-8-1.105; 1-1-3-113. *Nacional.* 2-66.777. — PARIS. *Nationale.* 4º.Oo.570.—ROMA. *Vaticana.* Stamp. Barb. H. II.11.—SAN LORENZO DEL ESCORIAL. *Monasterio.* 104-VI-53.—SEVILLA. *Universitaria.* 109-39 (24); 254-41.—TERUEL. *Casa de la Cultura.*

3220

CAMPAÑA de Portvgal por la parte de Estremadvra el año de 1662 execvtada por el Serenissimo Señor Don Iuan de Avstria... Capitan General del Exercito de la recuperacion de Portugal. Madrid. Diego Diaz de la Carrera. 1663. 5 hs. + 128 págs. 20 centímetros.

—Ded. al Rey.—Apr. del P. Mateo de Moya. L. V.—Apr. de Antonio de Solís.—S. Pr.— E.—S. T.—Soneto de Iuan de Matos Fragoso. [«Aquel Baston, que assombra la campaña...»].—Texto.

COIMBRA. *Universitaria.* RB-7-5.—LISBOA. *Ajuda.* 53-VI-4; etc.—LONDRES. *British Museum.* 1444.g.9.—MADRID. *Academia de la Historia.* 3-3-4-2.401; 2-1-5-242. *Facultad de Filología.*

34.033. *Nacional.* 2-13.626.—NUEVA YORK. *Hispanic Society.*—PARIS. *Nationale.* 4º.Oi.49.— SEVILLA. *Colombina.* 50-3-52.

3221

——. Madrid. Francisco Xavier García. 1762. XVI + 203 págs. 8.º

MADRID. *Nacional.* 2-49.530.—MONTPELLIER. *Municipale.* 10.393.

3222

FRAY Ivan Pecador, religioso del orden y hospitalidad de San Ivan de Dios, y fundador del Hospital de Xerez de la Frontera. Su vida, virtudes, y maravillas. Madrid. Melchor Alegre. 1665. 16 hs. + 199 págs. 19,8 cm.

—«Ded. de Fr. Fernando de Estrella a Pedro Mascareñas, Marques de Montalvan. Protesta.—Apr. de Melchor de Cabrera.— Apr. de Fr. Domingo Gutierrez.—L. V.— L.—T.—E.—Indice de capitulos.—Lamina grab.—Texto.

MADRID. *Facultad de Filología.* 9.074. *Nacional.* 3-62.374.—SEVILLA. *Universitaria.* 178-53.

3223

VIDA, virtudes y maravillas del Venerable Siervo de Dios Fr. Juan Pecador... Madrid. Miguel Escribano. 1763. XIV + 260 + IV págs. 2 láms. 4.º

3224

VIDA, virtudes y maravillas del B. Juan Grande denominado Pecador. Prólogo, notas y apéndice por Miguel Muñoz y Espinosa. Jerez. Imp. El Guadalete. 1885. 226 págs. + 1 lámina.

3225

[*SUCESOS de Flandes en 1635*]. (En VARIAS *relaciones de los Estados de Flandes. 1631 á 1656.* Madrid. 1880, págs. 27-127. Colección de libros españoles raros o curiosos, 14).

LONDRES. *British Museum.* 12230.aa.—MADRID. *Nacional.* 1-24.988.

3226
HISTORIA de la ciudad de Ceuta... Lisboa. Academia das Ciências. [Coimbra. Imp. de la Universidad]. 1918. XXIII + 307 págs.
MADRID. *Academia Española.* 19-II-7.

3227
[*CARTAS a J. F. Andrés de Uztarroz. Edición de C. E. Mascareñas. 1949*]. V. n.º 3241.

Poesías sueltas
3228
[*AL autor. Epigramma*]. (En Sousa de Maceda, Antonio de. *Flores de España. Excelencias de Portugal.* Lisboa. 1631. Prels.).
MADRID. *Nacional.* 2-59.103.

Aprobaciones
3229
[*APROBACION. Madrid, 3 de octubre de 1644*]. (En Faría y Sousa, Manuel de. *Nobiliario...* Madrid. 1646. Prels.).
MADRID. *Nacional.* R-9.250.

3230
[*CENSURA. Madrid, 2 de julio de 1647*]. (En Pacheco, Miguel. *Epitome de la vida, acciones, y milagros de San Antonio...* Madrid. 1647. Prels.).
MADRID. *Nacional.* 2-68.007.

3231
[*APROBACION. Madrid, 10 Noviembre 1647*]. (En Lopez, Luis. *Pilar de Zaragoza.* Alcalá. 1649. Prels.).
MADRID. *Nacional.* 3-21.544.

3232
[*APROBACION. Madrid, 10 de abril de 1650*]. (En Faria y Sousa, Manuel de. *El Gran Justicia de Aragon Don*

Martín Batista de Lanuza. Madrid. 1650. Prels.).
MADRID. *Nacional.* 2-61.688.

3233
[*CENSURA. Madrid, 1 de junio de 1651*]. (En Almeyda, Diego de. *Epítome sacro, en estilo de evangelica y panegyrica Oracion, hecha a... S. Benito...* Madrid. 1651. Prels.).
MADRID. *Nacional.* 2-37.201.

3234
[*APROBACION. Madrid, 23 de agosto de 1654*]. (En Alburquerque y Coello, Duarte de. *Memorias diarias de la guerra del Brasil...* Madrid. 1654. Prels.).

3235
[*APROBACION. Madrid. 16 diciembre 1655*]. (En Suarez de Alarcón, Antonio. *Relaciones genealogicas de la casa de los Marqueses de Trocifal.* Madrid. 1656. Prels.).
MADRID. *Nacional.* 2-29.951.

3236
[*CENSURA. Madrid, 8 de junio de 1665*]. (En González de Rosende, Antonio. *Vida i virtudes de... D. Iuan de Palafox i Mendoza...* Madrid. 1666. Prels.).

3237
[*APROBACION. Madrid, 17 de mayo de 1666*]. (En Cabrera Núñez de Guzmán, Melchor de. *Consuelo en la mayor pérdida...* Madrid. 1666. Prels.).
MADRID. *Nacional.* 2-57.819.

3238
[*APROBACION. Madrid, 1667*]. (En Dubal, Francisco. *Vida apostólica... de... S. Norberto...* Madrid. 1667. Prels.).
MADRID. *Nacional.* 2-36.883.

3239

[*CENSURA. Madrid, 15 de febrero de 1673*]. (En Pedro de San Cecilio, Fray. *Annales del Orden de Descalzos de Nuestra Señora de la Merced... Parte primera*. Barcelona. 1669. Preliminares).

MADRID. *Nacional*. 5-2.141 (vol. I).

ESTUDIOS

3240

MASCAREÑAS, CARLOS-EUGENIO. *El Obispo de Segovia D. Jerónimo Mascareñas y sus obras de Historia*. (En *Revista Bibliográfica y Documental*, I, Madrid, 1947, págs. 17-28).

3241

MASCAREÑAS, CARLOS EUGENIO. *Cartas do historiador D. Jerónimo Mascarenhas ao cronista Ioão Francisco Andrés de Uztarroz*. (En *Broóteria*, XLVIII, Lisboa, 1949, páginas 43-57).

Edita cuatro en las págs. 48-57.

3242

REP: N. Antonio, I, págs. 589-90; Barbosa, II, págs. 504-7.

MASCAREÑAS HENRIQUES (FRANCISCO)

Fidalgo de la Casa de S. M. Caballero de la Orden de Cristo.

EDICIONES

3243

[*AL Autor. Soneto*]. (En Sousa Moreyra, Manuel de. *Theatro histórico...* París. 1694. Prels.).

MADRID. *Academia de la Historia*. 5-5-3-2091.

3244

[*SONETO*]. (En Plana, Pedro José de. *Concurso festivo de las Gracias...* Lisboa. 1695. Prels.).

MADRID. *Nacional*. T-15.035 (21).

MASCAROS (FR. JERONIMO)

EDICIONES

3245

[*APROBACION por* —— *y Fr. Domingo Ferrer. Valencia, 10 de Enero de 1633*]. (En Canton, Jeronimo. *Instruccion divina*. Valencia. 1633. Preliminares).

MADRID. *Nacional*. 2-68.487.

MASCAROS (FR. TEOFILO)

N. en Castellón de la Plana. Agustino desde 1599. Doctor. Catedrático de las Universidades de Valencia y Orihuela. Prior del convento de Alcoy. Vicario provincial de la isla de Mallorca. En las islas Filipinas desde 1624. Fue Definidor y Presidente del Capítulo provincial y residió en diferentes localidades. M. en Bay (1644).

EDICIONES

3246

[*SONETO*]. (En Martínez, Francisco. *Las exequias y fiestas funerales que hizo la Santa Iglesia de Orihuela... a... Mossén Francisco Geronymo Simón...* Orihuela. 1612. Prels.).

V. n.º 2529.

3247

[*APROBACION, 29 de agosto de 1638*]. (En Aduarte, Diego. *Historia de la provincia del Sancto Rosario de la Orden de Predicadores en Philippinas, Iapon y China...* Manila. 1640. Prels.).

V. *BLH*, IV, n.º 2039.

ESTUDIOS

3248

REP: Santiago Vela, V, págs. 318-19.

MASERA (FR. PEDRO)

Mínimo. Provincial.

EDICIONES

3249

[*CENSURA de* —— *y Fr. Agustín Ramón. Barcelona, 10 de febrero de*

1692]. (En Roig y Jalpi, Juan Gaspar. *Epitome histórico de... Manresa... Sacala a luz* ——. Barcelona. 1692. Preliminares).

MADRID. *Nacional.* 2-62.293.

MASERES (SALVADOR)

Doctor. Catedrático de Prima en la Universidad de Orihuela. Síndico de dicha ciudad.

EDICIONES

3250

[*APROBACION. Orihuela, 9 de mayo de 1667*]. (En Sánchez de León, José. *Tesorillo sacado de las minas de los más graves Autores...* Murcia. 1697. Preliminares).

MADRID. *Nacional.* 3-46.471.

MASI (COSME)

EDICIONES

3251

RELACION de los medios que —— *ha propuesto a Bartolomè Espinola... para la composición de su pretensión con la Real Hazienda que es de 215 ducados... En Madrid, 13 de marzo de 1636.* [s. l.-s. i.]. [s. a.]. 2 hojas. 30 cm.

—Texto.

MADRID. *Nacional.* V.E.-186-35.

3252

MEMORIAL para la composición de su pretensión con la Real Hazienda que es de 215 ducados. [s. l.-s. i.]. [s. a.]. 3 fols. 30 cm.

Carece de portada.

—Texto.

MADRID. *Nacional.* V.E.-186-36.

3253

SUPLICA elevada... a Felipe IV en protesta de la sentencia pronunciada contra *él, en el pleito entre el fiscal del Rey y el que absuelve la Real Hacienda.* [s. l.-s. i.]. [s. a.].

MADRID. *Nacional.* V.E.-177-121.

MASIAS (FR. NICOLAS)

EDICIONES

3254

[*CENSURA de Fr. Ioseph Sanchez, Fr. Esteuan de Menchola,* —— *y Fr. Antonio Baptista*]. (En Leyba, Diego de. *Virtudes y milagros en vida y muerte del V. P. Fr. Sebastian de Aparicio...* Sevilla. 1687. Prels.).

MADRID. *Nacional.* 3-39.075.

MASSAN (GUILLERMO)

EDICIONES

3255

[*CATHOLICO Reformado. O vna declaracion qve mvestra qvanto nos podamos conformar con la Iglesia Romana, tal, qual es el dia de hoy, en diversos puntos de la Religión: y en que puntos devamos nunca jamas convenir, sino para siempre apartarnos della. Yten, Vn aviso a los afficionados a la Iglesia Romana, que muestra la dicha Religion Romana ser contra los Catholicos rudimentos, y fundamentos del Catecismo. Compuesto por Guillermo Perquino... Trasladado en Romance Castellano por* ——. [s. l.]. Ricardo del Campo. 1599. 4 hs. + 326 págs. 13,5 cm.

El autor es William Perkins.

—Los Puntos que se tratan en este Libro. El Autor al Christiano Lector.—Otra Epistola al Christiano Lector.—Texto.

LONDRES. *British Museum.*—MADRID. *Nacional.* U-8.521.—ROUEN. *Municipale.* Mt.P.10705.

MASSANET (MIGUEL)

EDICIONES

3256

[*DEDICATORIA. Mallorca, 20 de diziembre de 1694*]. (En Frontin, Martin. *El mistico Jonatas, y perfeto* (sic) *Religioso... el V. Padre Fray Antonio Llinas... Oracion Fvnebre...* Mallorca. 1694. Prels.).

MADRID. *Nacional.* V.E.-129-27.

MASSAY (ALEJANDRO)

EDICIONES

3257

[*AL Autor. Soneto*]. (En Scarion de Pavía, Bartolomé. *Doctrina militar.* Lisboa. 1598. Prels.).

MADRID. *Nacional.* R-7380.

MASSIGO (JAIME)

Presbítero. Maestro de Sintaxis en la Universidad de Valencia.

EDICIONES

3258

COPIA de nombres y verbos, con cinquenta reglas de elegancia, recogidas de varios Autores. Con los metodos de construir, y vertir (sic) *Calendas en Latin, y Castellano.* Valencia. Josef Garcia. [s. a.]. 2 hs. + 92 págs. 15 centímetros.

—Ded. al Dulcisimo Nombre de Maria.— Al Letor *(sic)*.—Texto.

MADRID. *Nacional.* 3-42.012.

MASSO (FR. ANTONIO)

Trinitario. Lector de Teología en el convento de Barcelona.

EDICIONES

3259

[*APROBACION. Barcelona, 2 de enero de 1710*]. (En Ferrer, Jayme. *El laurel triunfante de la Gracia.* Barcelona. 1710. Prels.).

MADRID. *Nacional.* 3-13.347.

MASSO (FR. MAGINO)

Carmelita observante. Doctor en Teología. Predicador apostólico.

EDICIONES

3260

PEREGRINACION espiritual y devota, util a todas las personas que desean vivir espiritualmente. Barcelona. En casa de Francisco Cormellas, por Vicente Suriá. 1675. 7 hs. + 32 págs. + 4 hs. 8.º

BARCELONA. *Universitaria.*

3261

ARBOL fructuoso enxerto de veinte y dos ramas de Sermones al espiritu, sobre los motivos que ay mas poderosos para reducir las almas al servicio de Dios... Barcelona. En casa de Francisco Cormellas, por Vicente Suriá. 1677. 12 hs. + 478 págs. + 3 hs. 19 cm.

—Oración Ded. a la Soberana Reyna de los Cielos y Señora de los Angeles, María.—L. O.—Apr. de Fr. Luys Iuste.—Apr. del P. Thomás Muniessa.—Apr. de Fr. Pedro Batlle.—Prefación para el amado lector, a quien humildemente ruego la lea.—Indice de los Sermones.—Texto.— Indice de las cosas notables.

BARCELONA. *Universitaria.* B.59-6-1; etc.; etc. SEVILLA. *Universitaria.* 103-34.

MASSOT (FR. JOSE)

N. en Lérida. Agustino. Doctor en Teología por la Universidad de Barcelona. Rector del Colegio de San Guillermo. Dos veces prior del convento de San Agustín de Barcelona, Definidor de la Corona de Aragón y Vicario provincial del Principado de Cataluña. Visitador de la Provincia. Examinador sinodal del obispado de Urgel. M. en Barcelona (1711).

EDICIONES

3262

COMPENDIO historial, de los hermitaños de nuestro Padre San Agustin, del Principado de Cataluña; desde los años de 394 que empeçó San Paulino á plantar Monasterios en dicho Principado, y de los que despues se han plantado: Como tambien de los Varones Ilustres, que han florecido, assi en letras, puestos, y virtudes, hasta los años de 1699. Barcelona. Juan Jolis. 1699. 16 hs. + 374 págs. + 6 hs. a dos columnas (parece que faltan hs. al fin). 19,5 cm.

—Estampa de S. José.—Apr. de Fr. Dionysio Nogués.—Apr. de Fr. Felix Rol.—L. O.—Parecer y Juyzio de Fr. Francisco Sera.—Censura de Fr. Pablo Andrés.—Ded. a San José.—Al Lector.—Protesta del Autor.—Prefacio.—Texto.—Indice de las cosas mas notables.

Santiago Vela, V, pág. 321.

BARCELONA. *Universitaria.*—GRANADA. *Universitaria.* A-34-218.—MADRID. *Academia de la Historia.* 14-10-4-8.713.—PARIS. *Nationale.* 4º. O1.40.

Aprobaciones

3263

[*APROBACION. Barcelona, 13 de octubre de 1678*]. (En Montalt, Pedro. *Panales muy sabrosos...* Barcelona. 1679. Prels.).

BARCELONA. *Central.* R(2)-8.º-352.

3264

[*CENSURA. Barcelona, 20 de mayo de 1711*]. (En Font, Jame. *Las cuatro vías...* Barcelona. 1712. Prels.).

ESTUDIOS

3265

REP: Santiago Vela, V, págs. 321-23.

MASTRILLO DURAN (P. NICOLAS)

O «Mastrilli». N. en Nola (1570). Jesuíta desde 1585. Rector de los Colegios de Quito, La Plata y Lima. Provincial del Paraguay. M. en Lima (1653).

EDICIONES

3266

SERMON en el otavario que la religion de redemptores celebro a la ca-

nonizacion de San Pedro Nolasco. Lima. Geronymo de Contreras. 1632.

NUEVA YORK. *Hispanic Society.* (Dos ejemplares).

Aprobaciones

3267

[*APROBACION. 28 abril 1642*]. (En Acosta, Blas de. *Oración Panegyrica a las Honras del Capitan Martin de Eraso.* Lima. 1642. Prels.).

MADRID. *Nacional.* V.E.-153-15.

MASTRUCIO (ANDRES)

Catedrático de Primera de Medicina.

EDICIONES

3268

[*AL Autor. Octava*]. (En Luque, Cristóbal Francisco de. *Apolineo Caduceo.* Sevilla. 1690. Prels.).

MADRID. *Nacional.* 3-44.876.

MATA (ALEJANDRO ANTONIO DE)

N. en Baeza. Maestro.

EDICIONES

3269

[*DOS Jeroglificos*]. (En Porres, Francisco Ignacio de. *Justa poetica zelebrada por la Universidad de Alcalá...* Alcalá. 1658, págs. 405-6).

MADRID. *Nacional.* R-5764.

MATA (BERNAL DE)

EDICIONES

3270

EPILOGO de algunas cosas dignas de memoria pertenecientes a la illustre e muy magnifica e muy leal ciu-

dad de Avila. Salamanca. Lorenço de Lion de Dei. 1519.

Palau, n.º 157.629.

MATA (FERNANDO DE)

CODICES

3271

«*Breue compendio de la eminentisima Perfeccion Cristiana*».

Letra del s. XVII. 203 × 141 mm.

Inventario, VI, págs. 96-97.

MADRID. *Nacional*. Mss. 2.201 (fols. 39*r*-66*v*).

3272

«*Compendio de la eminentisima perfección christiana...*».

Letra del s. XVII. 60 fols. 210 × 150 mm.

Marcos Rodríguez, pág. 439.

SALAMANCA. *Universitaria*. Mss. 2.330.

MATA (FRANCISCO DE)

V. MARTINEZ DE MATA (FRANCISCO)

MATA (FR. GABRIEL DE)

Franciscano.

EDICIONES

3273

PRIMERA, segvnda y tercera parte, del Cavallero Asisio, en el nacimiento, vida y mverte del Seraphico padre sanct Francisco. En octaua Rima. Bilbao. Mathias Mares. 1587. 16 hs. + 109 fols. + 1 h. + 97 fols. + 1 h. + 78 folios + 6 hs. 19 cm.

—L. O.—Apr. de Fr. Christoual de Fonsecca.—L. del Consejo de Navarra.—T.—E. Apr. del Consejo de Aragon.—Pr. de Aragón al autor por diez años.—Apr. de Alonso de Ercilla y Çuñiga.—Pr. de Castilla al autor por seis años (1586).—Prórroga por otros seis años mas (1586).—Ded. a D. Pedro de la Fuente, Obispo de Pamplona, cuyo escudo va en la port.—

Al pio lector.—De un su amigo al Autor. Soneto. [«Mata frondosa do el laurel preciado...»].—Soneto del P. Padilla. [«El valor del Asissio Cauallero...»].—Soneto del P. Torrejón. [«En la Riuera fresca y prado ameno...»].—Soneto del P. Murillo. [«Uuiera sido el cielo en algo auaro...»].—Soneto del P. Salinas. [«El Dragon feroçissimo que estaua...»].—Soneto de Aluaro de Bracamonte. [«Trate del ciego Dios sus niñerias...»].—Otro del mismo. [«Armas, Amor, Spiritual nobleça...»].—Soneto de Migue lOsorio. [«Aquel jardin que el cielo a enrriquecido...»].—Soneto del Licdo. Liñan de Riaza. [«Del celestial, humilde, de aquel hombre...»]. Soneto del P. Alegre. [«Palma eterna se deue a la Christiana...»].—Octava del P. Salinas. [«La gala, vicarria, ser belleça...»].—El Cavallero Asisio (grab.).—Texto, Primera parte. [«Las armas canto que a un varon sagrado...»].—Grab.—Port.: *Segvnda parte del Cavallero Asisio*...—Texto. Segunda parte. [«Si aquel Real propheta quando oraua...»].—Grab. Port.: *Tercera parte del Cavallero Asisio*...—Texto. Tercera parte. [«Ya soberano padre boy cansado...»].—Tabla.

Heredia, II, n.º 1.922.

BARCELONA. *Universitaria*. — EVORA. *Pública*. Sec. XVI, 5840.—LONDRES. *British Museum*. 1072.g.3 (deteriorado). — MADRID. *Academia Española*. S.C.=27-A-44. *Nacional*. R-2.160.—*Palacio Real*. — NUEVA YORK. *Hispanic Society*.

3274

——. Madrid. Licdo. Castro. 1598. 8 hojas + 247 fols. 8.º

Salvá, I, n.º 289.

LONDRES. *British Museum*. 1072.g.3. (imperfecto).—NUEVA YORK. *Hispanic Society*.

3275

SEGUNDO volvmen del Cavallero Asisio... en las gloriosas vidas de cinco famosos Sanctos de su Orden, S. Clara, S. Antonio de Padua, S. Buenauentura, S. Luys, Obispo de Tholosa, y San Bernardino. Logroño. Mathias Mares. 1589. 8 hs. + 204 fols. 19 cm.

—Remisión a censura.—Apr. de Fr. Diego Murillo y Fr. Iuan Estrella.—Apr. del P.

Hernando Lucero.—Pr. al autor por diez años.—Ded. a Ioan Fernandez de Velasco, Condestable de Castilla, etc., cuyo escudo va en la port.—Epigramma latino de Magistri Salonis Lucroniensis. — Soneto de Francisco de Villalua. [«Qual unico Pintor que jatancioso...»]. — Soneto de Antonio de Olarte. [«O vos desseosos de la inmensa gloria...»].—Soneto de Alvaro de Bracamonte. [«Despues que tan al viuo nos pintaste...»].—Otro del P. Salinas. [«Con dulce Canto penetrando el Cielo...»].—Soneto de Gabriel Lasso de la Vega. [«Canten aquellos a quien esto toca...»]. — Soneto de Iuan de Vergara Azcarate. [«Qual suele entre la puluera ceniça...»]. — Tabla de las cosas notables.—Grab.—Texto. [«Armas del Alma en la sangrienta guerra...»].

BARCELONA. *Universitaria.* B.3-4-287.—MADRID. *Academia Española.* S.C.=27-A-45. *Nacional.* R-2.160; R-31.028.

3276

VIDA, mverte y milagros de S. Diego de Alcalá en octaua rima... Con las Hieroglyhicas y versos que en alabança del Sancto se hizieron en Alcala para su procession y fiesta. Alcalá de Henares. Juan Gracian. 1589. 8 hs. + 247 fols. + 1 h. 14,5 cm.

—L. O.—Apr. de Fr. Ioan de Guevara y Fr. Iñigo de Bolea.—Apr. de Fr. Pedro de Padilla.—Pr.—Ded. a Felipe II.—Soneto de Fr. Pedro Vedel. [«Flores de mata en mata haueys cogido...»].—Soneto de Fr. Bernardino Sotelo. [«Zeuxis pintor famoso desseando...»].—Soneto del P. Pimentel. [«Entre las verdes matas de Esperança...»].—Soneto de Pablo Guillen de Peraza. [«Sagrado Diego que en la eterna altura...»].—Soneto de Vincente Ioachim de Mirauet. [«Descubre un grande Principe un thesoro...»].—Soneto del Maestro Arenas. [«Fertil Mata, Renueuo venturoso...»].—Texto. [«De vos glorioso, con mil glorias santo...»]. (Folios 1r-137v).—Relación de las fiestas, en prosa.

J. Catalina García, *Tip. complutense*, número 655; Fernández, n.º 259.

MADRID. *Nacional.* R-20.314.—SALAMANCA. *Universitaria.* — SAN LORENZO DEL ESCORIAL. *Monasterio.* 23-V-20.

3277

——. Madrid. Licenciado Castro. 1598. 8 hs. + 244 fols. 8.º

MADRID. *Palacio Real.*

3278

CANTOS morales. Valladolid. Herederos de Bernardino de Sancto Domingo. 1594. 4 hs. + 167 fols. 20 cm.

—E.—T.—Pr.—Ded. a D. Christoual Bela, Arçobispo de Burgos.—Texto.

Salvá, II, n.º 1.638; Gallardo, III, n.º 2.964; Heredia, II, n.º 1.923; Alcocer, n.º 355.

LONDRES. *British Museum.* C.20.c.27.—MADRID. *Nacional.* R-2.278.—NUEVA YORK. *Hispanic Society.*—SAN LORENZO DEL ESCORIAL. *Monasterio.* 30-V-47.

ESTUDIOS

3279
REP: N. Antonio, I, pág. 507.

MATA (GREGORIO DE)

EDICIONES
3280

[DEDICATORIA a Pedro Fernández González Raposo, Señor de la Casa y Solar de los Fernandez del Valle de Tedexo, etc.]. (En Fajardo Acevedo, Antonio. *Resumen historial de las edades del mundo.* Madrid. 1671. Preliminares).

MADRID. *Nacional.* 2-7.597.

MATA (JERONIMO DE)

Rey de armas de Felipe IV.

CODICES
3281

«*Ascendencia de don José Saavedra, marqués de Rivas... tocante al mayorazgo de los Ramírez, que heredó en esta villa de Madrid, y de doña Beatriz Ramírez de Mendoza, condesa de el Castellar, su abuela*».

Fechado en Madrid, a 6 de septiembre de 1637. Letra del s. XVII. Fol.

Cuartero-Vargas Zúñiga, XXXVIII, número 60.651.

MADRID. *Academia de la Historia.* 9-1.022 (fols. 212-16).

MATA (FR. JUAN DE)

V. JUAN DE MATA (FRAY)

MATA (PEDRO DE)

EDICIONES

3282

[*A la ciudad de Leon. Soneto*]. (En Vecilla Castellanos, Pedro de la. *Primera y segunda parte de El Leon de España.* Salamanca. 1586. Prels.).

MADRID. *Nacional.* R-25.257.

MATA (FR. PEDRO DE)

Franciscano. Provincial de San José de Yucatán. Ministro de la Inquisición.

EDICIONES

3283

[*APROBACION. Mérida de Yucatán, 20 de enero de 1630*]. (En Lizana, Bernardo de. *Historia de Yucatán...* Valladolid. 1633. Prels.).

MADRID. *Nacional.* R-5.925.

MATA Y VARGAS (P. JERONIMO DE)

Prepósito de la Congregación del Oratorio de San Felipe Neri de Granada.

EDICIONES

3284

[*APROBACION. Granada, 7 de abril de 1696*]. (En León, José de. *Vida y milagros de S. Juan Capistrano.* Granada. 1696. Prels.).

SEVILLA. *Universitaria.* 87-160.

MATA VELASCO (PEDRO DE)

EDICIONES

3285

SEÑOR. Apvntamientos qve se hazen del daño que se sigue a España, y a los reynos de las Indias de Tierra-Firme y Nueva-España de no ir galeones y flotas en cada año a entrambos reynos. [s. l.-s. i.]. [s. a.].

NUEVA YORK. *Hispanic Society.*

MATALLANA (PEDRO DE)

Licenciado.

EDICIONES

3286

[*APROBACION. Madrid, 10 de noviembre de 1634*]. (En Tellez, Gabriel. *Segvnda parte de las comedias del maestro Tirso de Molina.* Madrid. 1635. Prels.).

MADRID. *Nacional.* R-18.186.

MATAMA (FR. JERONIMO)

Dominico. Lector de Teología en el convento de Toro. Catedrático de Prima de la Universidad de Salamanca. Regente de Estudios del convento de San Esteban.

EDICIONES

3287

[*CENSURA de Fr. Diego de Alcozer ——, y Fr. Pedro de Montes. Toro, 2 de mayo de 1669*]. (En Cepeda, Gabriel. *Historia de... Ntra. Sra. de Atocha.* Madrid. 1670. Prels.).

MADRID. *Nacional.* 2-46.370.

3288

[*CENSURA de —— y Fr. Domingo Pérez. Salamanca, 10 de septiembre de 1687*]. (En Gil de Godoy, Juan. *Epitafios fúnebres...* Salamanca. 1687. Preliminares).

SALAMANCA. *Universitaria.* 56-557.

3289

[*CENSURA. Salamanca, 3 de junio de 1689*]. (En Muñiz y Luengo, Alonso. *Oración Funebre a la temprana... muerte de la Reyna... Doña Maria Luisa de Orleans...* Salamanca. 1689. Preliminares).

MADRID. *Nacional.* V.E.-125-9.

3290

[*CENSURA. Salamanca, 3 de julio de 1692*]. (En Alvarez, Bernardo. *Lustro primero del púlpito*. Salamanca. 1692. Prels.).

MADRID. *Nacional.* 2-36.677.

3291

[*APROBACION. Salamanca, 3 Octubre 1693*]. (En Sanz, Lucas. *Purificación del Alma*. Salamanca. 1693. Preliminares).

MADRID. *Nacional.* 3-54.908.

3292

[*DICTAMEN. Salamanca, 13 de diciembre de 1695*]. (En Manuela de la Santísima Trinidad, Sor. *Fundación del convento de la Purísima Concepción de Franciscas Descalzas de...* Salamanca... Salamanca. 1696. Preliminares).

SEVILLA. *Universitaria.* 68-50 (1).

3293

[*DICTAMEN. Salamanca, 13 de noviembre de 1696*]. (En Noboa, Gabriel de. *Epicedio sacro panegyrico, a las inmortales memorias de la V. M. Sor Manuela de la Trinidad...* Salamanca. 1696. Prels.).

SEVILLA. *Universitaria.* 68-50 (2).

3294

[*DICTAMEN. Salamanca, 8 de diziembre de 1696*]. (En Alvarez de Ribera, José. *Expresión panegirica diaria...* Salamanca. s. a. Prels.).

MADRID. *Nacional.* 3-25.667.

3295

[*APROBACION. Salamanca, 7 de agosto de 1697*]. (En Ponce Vaca, Ignacio. *Manifiesto de la cuarta verdad del privilegio e indulgencia sabatina del Escapulario de María Santíssima del Carmen...* Salamanca. 1697. Preliminares).

MADRID. *Nacional.* 3-71.197.

3296

[*DICTAMEN. Salamanca, 15 de marzo de 1698*]. (En Lardito, Juan Bautista, Fr. Bernardo Temiño y Fr. Bernardo Alvarez. *Sermones panegyricos, predicados a la dedicacion de la Iglesia nueva del Colegio de N. P. S. Bernardo de la Universidad de Salamanca*. Salamanca. s. a. Preliminares).

MADRID. *Academia de la Historia.* 14-8.654.

MATAMOROS (FRANCISCO DE)

CODICES

3297

«*Amarilis y Adonis*».

Auto sacramental. Letra del s. XVII. 18 hs. 4.° Procede de la biblioteca ducal de Osuna.
«—Esta noche me cale la vela...».
Paz, I, n.° 133.

MADRID. *Nacional.* Mss. 16.922.

ESTUDIOS

3298

REP: La Barrera, pág. 239.

MATAMOROS (JOAQUIN DE)

Bachiller.

EDICIONES

3299

[*GLOSA*]. (En *El primer certámen que se celebró en España en honor*

de la Purisima Concepción (1615)...
Madrid. 1904, págs. 86-87).

MADRID. *Nacional.* 1-14.447.

MATAMOROS VAZQUEZ GALLEGO (BENITO)

EDICIONES
3300
DISCURSOS en que se prveva, que la urina no puede ser cierta señal de la preñez. Sevilla. Simón Faxardo. 1633. 14 fols. Fol.

Gallardo, III, n.º 2.966; Palau, VIII, número 157.860.

OBRAS LATINAS
3301
SELECTARUM Medicinae Disputationum. Tomo I. Ursaonae [= Osuna]. J. Serrano de Vargas y Ureña. 1622. 3 hs. + 554 págs. + 18 hs. Fol.

Palau, VIII, n.º 157.859.

MATANIA (FR. JERONIMO DE)

EDICIONES
3302
[*DICTAMEN de Fr. Manuel Duque y ——*]. (En Agustín de Barcelona, Fray. *Oración fúnebre, en las honras que la... Universidad de Salamanca celebró... al P. Pedro Abarca...* Salamanca. 1698. Prels.).

MADRID. *Academia de la Historia.*

MATEO (JUAN)

Doctor. Canónigo de la Seo de Huesca.

EDICIONES
3303
[*APROBACION. Huesca, 3 de Octubre de 1643*]. (En Pedro de San Jose, Fray. *Glorias de Maria Santissima en sermones duplicados...* Huesca. 1644. Preliminares).

MADRID. *Nacional.* 7-13.160.

MATEO (JUAN AGUSTIN)

Doctor. Racionero de la parroquia de Santo Domingo de Silos, en Daroca. Maestro de Retórica en la misma ciudad.

EDICIONES
3304
INDICE político de la justicia. Zaragoza. 1693. 4.º

Palau, VIII, n.º 157.905.

3305
GRAMATICA christiana y catecismo de la fe: qve contiene los primeros rudimentos de la Escuela de Christo, por Juan Agustin Matheo. Zaragoza. Francisco Revilla. 1700. 8 hs. + 196 págs. + 1 h. 15 cm.

—Ded. a D. Antonio Ybañez de la Riva Herrera, arçobispo de Zaragoça, etc.— Censura de Fr. Miguel Alberto Jericó y Haro.—L. V.—Apr. de Fr. Eusebio Blasco.—L. Regens.—Dezima de Rafael Marco. [«Gramatica se intitula...»].—Texto.— Protesta.—Nota sobre indulgencias.—Colofón.

MADRID. *Nacional.* 3-59.379.

3306
GRITOS del infierno para despertar al mundo. Madrid. Gerónimo Rojo. 1701. 4.º

Palau, VIII, n.º 157.907.

— — —

—Zaragoza. 1714.
MADRID. *Nacional.* 3-56.119.

MATEO DE LOS ANGELES (FRAY)

Mercedario descalzo.

EDICIONES
3307
ORACION Evangelica en la Celebre Fiesta del Gloriosissimo Padre, y Patriarca San Ivan de Dios. Dixola en el Convento de sus amadas Hijas de Alcalá: la Perla quinta de la Dominica quarta de Quaresma, Patente el Santissimo Sacramento y con asistencia de las gravissimas Comunida-

des de dicha Universidad. Alcalá. Imprenta de la Universidad. 1674. 5 hojas + 22 págs. 20 cm.

—Ded. a Fr. Francisco de S. Antonio.—Apr. de Fr. Alonso de S. Miguel.—L. O.—Censura de Francisco Campuzano.—Apr. de Fr. Carlos de Bayona.—L. V.—Texto.

J. Catalina García. *Tip. complutense*, número 1.197.

MADRID. *Nacional.* V.E.-138-33.—MONTPELLIER. *Municipale.* V. 9698, n.º 9.—SAN LORENZO DEL ESCORIAL. *Monasterio.* 105-VI-7.—SANTIAGO DE COMPOSTELA. *Universitaria.*

3308

[*SERMON*]. (En QUARESMA *Complutense...* Alcalá, 1674, págs. 279-307).

MADRID. *Nacional.* 2-11.092.

MATEO DE ANGUIANO (FRAY)

Capuchino. Predicador. Secretario de la provincia de Castilla. Guardián del convento de Alcalá.

EDICIONES

3309

VIDA, y virtudes del Capvchino español, el Venerable siervo de Dios Fray Francisco de Pamplona, Religioso Lego de la Sagrada Orden de Menores Capuchinos. Llamado en el siglo D. Tibvrcio de Redin, Cavallero de la Orden de Santiago, Señor de la Ilustrissima Casa de Redin, y Baron de Viguezal en el Reyno de Navarra. Madrid. Lorenzo Garcia. [s. a.]. 20 hojas + 240 págs. + 2 hs. 20 cm.

—Ded. a la Inmaculada Concepcion: Por mano del Ilustrissimo señor Don Carlos Remirez de Arellano, del Consejo y Camara de su Magestad, etc.—Censura de Fr. Felix de Bustillo y Fr. Antonio de Fuentelapeña.—Apr. de Fr. Felix de Bustillo, Fr. Antonio de Fuentelapeña y Fr. Ioseph de Madrid.—L. O. (1685).—Apr. de Sebastian Martines Cabero.—Apr. de Fr. Mateo de Zafrilla.—L. V. (1685).—L. del Consejo Real.—E.—S. T.—Protesta del Autor.—Prefacion al Lector.—Texto.—Advertencia.—Protesta.—Tabla de los Capitulos.

MADRID. *Academia de la Historia.* 5-4-7-1682. SALAMANCA. *Universitaria.* 27.876. — SANTIAGO DE COMPOSTELA. *Universitaria.*—ZARAGOZA. *Universitaria.* G-4-229.

3310

VIDA, y virtudes de el capuchino español el V. Siervo de Dios Fr. Francisco de Pamplona, religioso lego de la Seraphica Religion de los Menores Capuchinos de N. Padre San Francisco, y primer Missionario Apostolico de las Provincias de España, para el Reyno del Congo en Africa, y para los Indios infieles en la America. Llamado en el siglo don Tiburcio de Redin, cavallero del Orden de Santiago, Señor de la Ilustrissima Casa de Redin, en el Reyno de Navarra, Baron de Viguezal, y Capitan de los mas célebres, y famosos de su Siglo. Madrid. Impr. Real, por Joseph Rodriguez. A costa de Francisco Laso. 1704. 16 hs. + 350 págs. + 12 hs. 20,5 cm.

BURGOS. *Pública.* 73-33.—MADRID. *Nacional.* 3-8.138.

3311

COMPENDIO historial de la Provincia de la Rioja, de svs Santos, y Santvarios. Madrid. Juan García Infanzon. 1701. 724 págs. 8.º

—Ded. por Domingo Hidalgo de Torres y la Cerda, vecino de Anguiano, a D. Francisco de Borja Ponce de Leon y Aragon, obispo de Calahorra y La Calzada.

MADRID. *Academia de la Historia.* 1-7-3-3.783; etc.—SANTIAGO DE COMPOSTELA. *Universitaria.*

3312

COMPENDIO historial de la provincia de la Rioja, de svs santos, y milagrosos santvarios... Publicale Domingo Hidalgo de Torres y la Cerda... sobrino del autor. 2.ª impresión. Madrid. Antonio González de Reyes. A costa de Francisco Laso. 1704. 724 páginas. 21,5 cm.

MADRID. *Academia de la Historia.* 5-3-8-1154; 13-3-5-3521. *Nacional.* 2-46.315 (ex-libris de Gayangos).—PARIS. *Mazarina.* 16.358.—SANTIAGO DE COMPOSTELA. *Universitaria.*

3313
MISSION apostolica, en la Isla de la Trinidad de Barlovento y en Santo Thome de Guayana... [Madrid]. [1702]. 2 hs. 4.º

Gallardo, I, n.º 203.
MADRID. *Academia de la Historia.* 9-17-1-2.424.

3314
EPITOME historial, y conqvista espiritval del imperio abyssino, en Etiopia la alta, o Sobre Egipto, a cvyo emperador svelen llamar Preste Juan, los de Europa. Madrid. Antonio Gonçalez de Reyes. A costa de Francisco Laso. 1706. 16 hs. + 204 págs. + 6 hojas.

MADRID. *Academia de la Historia.* 13-1-8-2077. *Nacional.* 3-32.727. — SALAMANCA. *Universitaria.* 1-28.642.

3315
NUEVA (La) Jerusalen, en qve la perfidia hebraica reiteró con Nuevos Vltrages la Passion de Christo Salvador del Mundo, en sv sacrosanta imagen del Crucifixo de la Paciencia, en Madrid: y augustos, y perenes desagravios de nuestros catholicos monarcas, don Phelipe Qvarto el Grande, y doña Isabel de Borbon, y de svs svccesores, en sv Real Convento de la Paciencia de Christo, de Menores Capuchinos de nuestro Serafico Padre San Francisco. Madrid. Impr. de Manuel Ruiz de Murga. 1709. 16 hojas + 384 págs. + 8 hs. 20 cm.

MADRID. *Academia de la Historia.* 8ª-9-5-1732; 13-1-9-2603. *Nacional.* 2-35.279.

3316
PARAYSO en el desierto, donde se gozan espirituales delicias, y se alivian las penas de los afligidos. Constituido en el Devotissimo Santuario del Real Bosque del Pardo, donde es venerada la Imagen Sagrada de Christo S. N. en el Sepulcro, en el Convento Real de los Capuchinos, y frequentemente visitada de los Monarcas Catholicos, y de todos los Fieles de la Corte, y de su Comarca. Madrid. Imp. de Agustín Fernandez. A costa de Francisco Lasso. 1713. 10 hojas + 1 lám. pleg. + 240 págs. + 6 hojas. 20,5 cm.

MADRID. *Academia de la Historia.* 13-1-9-2478. *Nacional.* 2-70.261.

MATEO DE LA ENCARNACION (FRAY)

Agustino descalzo. Lector de Teología. Definidor general de las provincias de España e Indias. Procurador general de la Curia romana.

EDICIONES

3317
[*APROBACION. Sevilla, 29 de junio de 1693*]. (En Eugenio de San Francisco, Fray. *Relicario...* Cádiz. s. a. Prels.).

MADRID. *Nacional.* R-11.858.

3318
[*APROBACION. Madrid, 29 de febrero de 1696*]. (En Carlos de la Concepción, Fray. *Sermon en las honras de la Ven. M. Gabriela de Iesus...* Alcalá. 1696. Prels.).

MADRID. *Nacional.* R-24.129.

MATEO DE LA NATIVIDAD (FRAY)

N. en Hita. Franciscano descalzo desde 1611. Residió en el Convento del Calvario de Salamanca, donde m. en 1659.

CODICES

3319
«*Defensa Dominicana por la Inmaculada Conçepçion de Nuestra Señora*».

Letra del s. XVII (original). 61 fols. 288 ×
200 mm.

Anquita, n.º 45; Castro, n.º 222.

MADRID. *Nacional.* Mss. 4.037.

—— —— ——

Véase J. Catalina García, *Guadalajara*, números 821-40.

3320

«*Defensa Dominicana...*».

V. Angel Uribe, en *Archivo Ibero-Americano*, XV, 1955, págs. 363-64.

MADRID. *Biblioteca del Ministerio de Asuntos Exteriores.*

EDICIONES

3321

*CATEDRA de la Crvz, Regentola
Christo vnico Maestro, Asignatura
svs siete vltimas palabras. Comen-
talas* ——. Valladolid. Antonio Vazquez de Esparça. 1639. 8 hs. + 269 folios a 2 columnas + 28 hs. 20 cm.

—S. Pr. al autor por diez años.—E.—T.—
Calificación de Fr. Martín de la Cruz.—
Apr. de Fr. Francisco de los Martires.
Censura de Fr. Iuan de San Antonio.—
L. O.—Apr. de Fr. Mauro de Tobar.—L.
V.—Censura de Fr. Tomas de Paredes.—
Ded. a la Sabiduría de Dios dictando
en la Catedra de la Cruz.—Al Lector de-
uoto.—Texto.—Indice de la Sagrada Es-
critura.—Indice de las cosas notables.—
Colofón.

J. Catalina García, *Guadalajara*, n.º 818;
Alcocer, n.º 807.

BURGOS. *Facultad de Teología.* PW-202. —
GRANADA. *Universitaria.* A-11-263. — MADRID.
Nacional. 2-57.790. — SEVILLA. *Universitaria.*
81-116; 76-87.

3322

*MINERVA Evcaristica, Arbol de la
Vida. Con doze frvtos, distribvidos y
acomodados a los doze meses del
año.* Madrid. Juan Sánchez. 1644.
7 hs. + 508 págs. a 2 cols. + 14 hs.
20,5 cm.

—S. L. y Pr. al Autor por 10 años.—T.—E.—
Apr. de Juan Eusebio Nieremberg.—Apr.
de Fr. Juan Ponce de Leon (1643).—L.
O.—Censura del P. Andres de Palencia.—

L. V.—Ded. a Juan Merinero, Ministro
General de la Orden Franciscana.—Prologo al Letor.—Indice de todos los discursos.—Texto. — Sacri Oraculi Loci. —
Tabla de cosas notables.

J. Catalina García, *Guadalajara*, n.º 819.

BARCELONA. *Universitaria.*—MADRID. *Academia
de la Historia.* 14-4-9-2.223. (Carece de portada). *Nacional.* 3-38.602.—SAN LORENZO DEL
ESCORIAL. *Monasterio.* 62-V-12.—SEVILLA. *Universitaria.* 52-28; etc.—TERUEL. *Casa de la
Cultura.*

Aprobaciones

3323

[*APROBACION. Segovia, 8 de diciembre de 1628*]. (En Martín de San
José, Fray. *Breve exposición de los
preceptos que en la Regla de los
Frailes Menores obligan a pecado
mortal.* Salamanca. 1635. Prels.).

SEVILLA. *Universitaria.* 79-219.

3324

[*CENSURA, 3 de febrero de 1634*].
(En Francisco de Sales, San. *Introducción a la vida devota. Traducida
por Francisco de Quevedo.* Madrid.
1634. Prels.).

3325

[*CENSURA. 1 de abril de 1653*]. (En
Palafox y Mendoza, Juan de. *Carta
pastoral, y conocimientos de la divina gracia...* Madrid. 1653. Prels.).

MADRID. *Nacional.* 3-59.748.

ESTUDIOS

3326

REP: J. Catalina García, *Guadalajara*, número CLXXVI.

MATEO SANCHEZ (JUAN)

N. en Bonilla. Licenciado. Profesor de ambos Derechos. Regidor perpetuo de la ciudad de Huete.

EDICIONES

3327

*VIDA de Epaminvndas principe the-
bano escrita por el texto de Aemilio*

Probo, y ponderada con discursos Morales, y Politicos... Sacala a luz Diego de Auellaneda. Valencia. Claudio Macé. 1652. 4 hs. + 300 págs. 20 centímetros.

—Censura de Fr. Remigio Borras.—L.—Ded. a D. Gaspar Gonzalez de Auellaneda y Haro, primogenito del Conde de Castrillo, etc., por Diego de Auellaneda.—Al lector.—Texto.

MADRID. *Nacional.* 7-14.769.

MATEOS (FR. FRANCISCO)

Franciscano. Lector de Teología en el convento de Araceli de Roma y de Vísperas en el Colegio de San Buenaventura de Sevilla.

EDICIONES

3328

[*CENSURA. Sevilla, 15 de octubre de 1695*]. (En Velasco y Herrera, Salvador Silvestre de. *Compendio de la... Fundación y Privilegios del Colegio Mayor de Señor San Clemente de los Españoles de Bolonia...* Sevilla. 1695. Preliminares).

SEVILLA. *Universitaria.* 171-14.

3329

[*APROBACION. Sevilla, 15 de julio de 1700*]. (En Miguel de San Ignacio, Fray. *Panegírico sagrado en la festividad de Nuestra Señora de la Salud...* Sevilla. s. a. Prels.).

MADRID. *Nacional.* V.E.-70-20.

MATEOS (JUAN)

Ballestero principal de S. M.

EDICIONES

3330

ORIGEN y dignidad de la Caça. Madrid. Francisco Martínez. 1634. 8 hs. + 120 fols. + 6 láms. plegadas + 4 hs. 20,5 cm.

—Frontis, con retrato del autor.—Lam. con retrato y escudo del Conde-Duque, firmado por P.º Perete.—Ded. al Conde Duque de Sanlucar, Cavallerizo Mayor de Felipe IV, etc.—Apr. de Antonio Sancho Davila y Toledo, Marques de Velada. Apr. de Luis Mendez de Haro.—S. Pr. al autor por diez años.—S. L. V.—E. (ninguna).—T.—Al letor.—Del oficio de Montero mayor de Castilla.—De las franquezas y libertades de los Monteros.—Texto. Láminas (en algunas: Francisco Collantes inb.; P.º Perete f. Md.).—Tabla de los capitulos.

Salvá, II, n.º 2.643.

MADRID. *Academia Española.* S.C.=6-A-50. *Nacional.* R-1.316; R-11.822. — NUEVA YORK. *Hispanic Society.* — SAN LORENZO DEL ESCORIAL. *Monasterio.* 39-II-29.—SANTIAGO DE COMPOSTELA. *Universitaria.*

3331

ORIGEN y dignidad de la caza. [*Prólogo de Amalio Huarte y Echenique*]. Tirada de 400 ejemplares. Madrid. Sociedad de Bibliófilos Españoles. 1928. XIX + 225 págs. 24 cm.

MADRID. *Academia Española.* 27-VII-4. *Consejo. Patronato «Menéndez Pelayo».* 4-749.

ESTUDIOS

3332

REP: N. Antonio, I, pág. 740.

MATEOS PARRA (PEDRO)

Licenciado. Cura de Santa María de la Mesa en Utrera. Comisario de la Inquisición.

EDICIONES

3333

[*AL Autor. Dezima*]. (En Salado Garces, Francisco. *Episodico poema... y festiva narracion del solemnissimo desvelo... e inimitable fiesta, que admirable ostento la... Iglesia mayor Santa Maria de la Mesa De Utrera...* s. l. s. a. Prels.).

MADRID. *Academia de la Historia.* 9-17-4-3541.

MATEU (FRANCISCO)

N. en Játiva. Matemático. Notario real y apostólico.

EDICIONES

3334

ANTIPRONOSTICO a las vitorias qve se pronostica el Eminen.ᵐᵒ Cardenal Dvqve Par de Francia Iuan Armando Rocheliev. Contra la Magestad Catolica del Rey de España, y sus vassallos, en el manifiesto de las guerras publicado en 6 de Iunio de 1635... Valencia. Siluestre Esparsa. 1636. 16 fols. 19,5 cm.

—Texto.

MADRID. *Nacional.* V.E.-19-16.

3335

ANTIPRONOSTICO a las vitorias qve se pronostica el Reyno de Francia... Madrid. María de Quiñones. 1637. 16 hs. 20,5 cm.

—Texto.

MADRID. *Nacional.* V.E.-19-47.

3336

ANTIPRONOSTICO a las vitorias qve se pronostica el Eminentissimo Cardenal Duque Par de Francia Ioan Armando Rocheliev contra la Magestad Catolica del Rey de España, y sus vassallos, en el manifiesto de las guerras publicado en 6 de Iunio 1635. Escrito al muy alto, y muy poderoso Luys XIII Rey Christianissimo de Francia. Barcelona. Pedro Lacaualleria. 1637. 16 hs. 20 cm.

—Texto.

MADRID. *Academia de la Historia.* Col. Salazar, L. 21, n.º 8. *Nacional.* V.E.-17-32.

3337

ANTIPRONOSTICO a las vitorias qve se pronostica el Reyno de Francia contra el de España, en el manifiesto de las guerras, publicado en 6 de Iunio 1635. Escrito al muy alto,

y muy poderoso Luys XIII Rey Christianissimo de Francia. Por ——... Madrid. María del Quiñones. 1639. 1 hoja + 12 fols. 22 cm.

—Texto, fechado en Valencia a 1 de octubre de 1636.

LONDRES. *British Museum.* 1445.f.22.(11); etc. MADRID. *Nacional.* V.E.-17-30 y 35-85.—SEVILLA. *Colombina.* 63-2-30.

3338

[MEMORIAL al Rey de Francia]. [s. l.-s. i.]. [s. a.]. 16 hs. 20 cm.

—Carece de portada. Comienza: «Syre.= Las declaraciones, y manifiestos, con vuestro Real nombre publicados en París...». Fechado en Valencia, a 1 de octubre de 1636.

MADRID. *Nacional.* V.E.-66-44.

ESTUDIOS

3339

REP: N. Antonio, I, pág. 445; Ximeno, I, pág. 329.

MATEU (LUIS)

EDICIONES

3340

[REDONDILLAS]. (En SOL *de Academias, o Academia de Soles...* Valencia. 1658, pág. 29).

VALENCIA. *Municipal.* 1579-11-3.

MATEU Y SANZ (ISIDORO)

N. en Valencia.

EDICIONES

3341

[DECIMAS]. (En Ortí, Marco Antonio. *Segundo centenario de los años de la Canonizacion de... San Vicente Ferrer...* Valencia. 1656. Prels.).

MADRID. *Nacional.* R-27.740.

3342

[AL Autor. Decimas]. (En Orti, Marco Antonio. *Solenidad festiva, con*

que en... *Valencia se celebró... la canonizacion de... Santo Tomás de Villanueva.* Valencia. 1659. Prels.).

MADRID. *Nacional.* 3-35.873.

3343

[*POESIAS*]. (En REPETIDA *carrera del Sol de Academias.* Valencia. 1659).

1. *Romance por Isidoro y Luys Matheu.* (Prels.).
2. *Soneto.* (Pág. 18).
Martí Grajales.

3344

[*OCTAVAS*]. (En Torre y Sebil, Francisco de la. *Luzes de la Aurora...* Valencia. 1665, págs. 166-169).

Dice «Matheu».

MADRID. *Nacional.* R-17.374.

3345

[*POESIAS*]. (En Torre, Francisco de la. *Reales fiestas a la... Virgen de los Desamparados...* Valencia. 1667).

1. *Soneto acróstico.* (Pág. 211).
2. *Glosa.* (Pág. 239).
MADRID. *Nacional.* R-5.740.

3346

[*POESIAS*]. (En REAL *Academia celebrada en el Real de Valencia...* Valencia. 1669).

1. *Soneto.* (Pág. 43).
2. *Octavas.* (Págs. 100-101).
MADRID. *Nacional.* 2-43.853.

Aprobaciones
3347

[*APROBACION*]. (En Fajardo y Acebedo, Antonio. *Varios Romances, escritos a los sucesos de la Liga Sagrada...* Valencia. 1687. Prels.).

Gallardo, II, n.º 2.159.

ESTUDIOS
3348

REP: Martí Grajales, pág. 299.

MATEU Y SANS (LORENZO)

Doctor. Caballero de Montesa. Del Consejo de S. M. en la Real Audiencia Civil de Valencia.

CODICES
3349

«*Descripcion de Murviedro. Octauas*».

Letra del s. XVII. 205 × 145 mm.
Dice «Matheu».
«Yace en España un llano tan ameno...».
MADRID. *Nacional.* Mss. 3920 (fols. 86r-88v).

EDICIONES
3350

RELACION en qve la esclarecida religion, y inclita Cavalleria de Nuestra Señora de Montesa, y San Iorge de Alfama, de la Milicia de Calatraua, y Orden de Cistel, da cventa a la Catolica Magestad del Rey nuestro Señor su Administrador perpetuo, del voto, y ivramento que hizo en Valencia a primero de Iunio 1653, de defender, tener, y sentir, que la Virgen... fue concebida sin mancha, ni rastro de pecado original: y fiestas que consagró a esta celebridad. Valencia. Bernardo Nogués. 1653. 1 h.+ 64 págs. 20,5 cm.

Dice «Matheu».
—Texto.

Salvá, II, n.º 2.105.

LONDRES. *British Museum.* C.63.g.5.—MADRID. *Nacional.* 3-30.212; V.E.-156-46 (incompleto).—ZARAGOZA. *Universitaria.* Caj. 100-2064.

3351

RAMILLETE de Flores Historiales, recogido de los mas señalados sucesos que ha visto el mundo desde su creacion hasta la muerte de Christo, que escribió en latin el P. Juan Bussieres. Traducido por ——. Valencia. Bernardo Nogués. 1655. 3 volúmenes. 12.º

VALENCIA. *Universitaria.* C.894.

3352

——. Madrid. Joseph Fernández de Buendía. 1666. 3 vols. 8.º

MADRID. *Academia de la Historia.* 4-1-8-1.280/82. *Nacional.* 5-5.272.—OVIEDO. *Universitaria.* SALAMANCA. *Universitaria.* 10.070/72.—SANTIAGO DE COMPOSTELA. *Universitaria.*

3353

——. Madrid. 1669. 3 vols. 8.º

NUEVA YORK. *Hispanic Society.*—OVIEDO. *Universitaria.*

3354

CRITICA de refleccion ,y censvra de las censuras. Fantasia apologetica, y moral. Escrita por el Dotor Sancho Terzón y Muela [anagr.]. Valencia. Bernardo Nogues. 1658. 3 hs. + 198 págs. + 1 h. 13 × 7 cm.

Dice «Matheu».

—Apr. de Fr. Luis Sanz de Proxida.—L. V. L. Fisc. Adv.—Ded. a D. Fernando de Aragon y Moncada, Conde de Caltanugeta, etc., precedida de su escudo.—Al letor.—Texto.—E.

MADRID. *Academia de la Historia.* 3-8-5-8969. (En la ultima hoja lleva una nota ms., de letra del XVIII, que dice: «Esta es la critica que escribió D. Lorenzo Matheu y Sanz con nombre de D. Sancho Terzon, contra el Examen: Arte de Ingenio, de Lorenzo Grazian».

3355

DECADA tercera de los Emblemas de Don Ivan de Solorçano Pereyra... Tradvcidos por... ——. Valencia. Bernardo Nogues. 1658. 424 págs. con grabados + 1 h. 13 × 7 cm.

—Frontis.—Port.—Texto.—E.

Medina, *Biblioteca hispano-americana,* III, n.º 1.292.

MADRID. *Nacional.* R.i.-314.—SANTIAGO DE COMPOSTELA. *Universitaria.*

3356

*RELACION de las festivas demostraciones que... Don Luis Guillen de Moncada... Virrey y Capitan General en el Reyno de Valencia, S. R. Con-*sejo, Reyno, y Ciudad hizieron por el feliz alumbramiento de la Reyna nuestra Señora, dandonos el Principe deseado... Sacada de una carta que escribe ——. Valencia. Bernardo Nogues. 1658. 40 págs. Fol.

Dice «Matheu».
Carreres, n.º 98.

LONDRES. *British Museum.* 704.h.16(8).—NUEVA YORK. *Hispanic Society.*

3357

DECADA sexta de los Emblemas de don Ivan de Solorçano Pereyra... Tradvcidos por ——. Valencia. Bernardo Nogues. 1659. 436 págs. con grabados. 13 × 7,5 cm.

—Frontis.—Port.—Texto.

MADRID. *Nacional.* R-i.-314 (ex-libris del Convento de Atocha).—SANTIAGO DE COMPOSTELA. *Universitaria.*

3358

IDENTIDAD de la Imagen del Santo Christo de S .Salvador de Valencia con la Imagen de Christo de la ciudad de Berito, en Tierra Santa. Valencia. Gerónimo Vilagrasa. 1672. 15 hs. + 636 págs. + 4 láms. 4.º

3359

PIEDRA de Toque de la Verdad, Peso Fiel de la Razón que examina el fundamento con que Valencia, y Huesca, contienden, sobre qual es la verdadera Patria del invicto Martyr S. Lorenço. Barcelona. Sebastián Cormellas. 1673. 4.º

3360

TRATADO de la celebracion de Cortes generales del Reino de Valencia. Madrid. Iulian de Paredes. 1677. 10 hojas + 250 págs. + 21 hs. 21 cm.

Dice «Matheu».

—Ded. a D. Iuan de Austria.—Apr. de Fr. Ioseph Sanz de Villa-Ragus.—L. V.—S. T. Apr. de Pedro de Villacampa y Pueyo.—S. Pr. de Aragón y Cataluña al autor por diez años.—Apr. de Antonio de Solís.

S. Pr. de Castilla al autor por diez años. E.—Suma de los Capítulos.—A quien leyere.—Texto.—Tabla.

Salvá, II, n.º 3.702.

GRANADA. *Universitaria.* A-13-158; etc.—LONDRES. *British Museum.* 1196.g.3. — MADRID. *Academia de la Historia.* 5-5-8-2.588. *Nacional.* U-5.223.—MONTPELLIER. *Municipale.* 9710. NUEVA YORK. *Hispanic Society.*—PARIS. *Nationale.* F. 15998.—VALLADOLID. *Universitaria.* Santa Cruz, 9.769.—ZARAGOZA. *Universitaria.* G-24-126.

Aprobaciones

3361

[*CENSURA. Madrid, 30 de Noviembre de 1662*]. (En Oña, Tomás de. *Fenix de los ingenios... Certamen que se dedicó a... N. S. de la Soledad...* Madrid. 1664. Prels.).

MADRID. *Nacional.* 3-24.619.

OBRAS LATINAS

3362

TRACTATVS de Regimine Vrbis ac Regni Valentiae... [Valencia]. Apud Haeredes Chrysostomi Garriz, per Bernardum Nogues. 1655-56. 2 vols. Fol.

Palau, VIII, n.º 158.132.

— — —

—Lugduni. Sumpt. Ioanni Antonii Hughetan & Soc. 1677. 24 hs. + 610 págs. + 3 hs. Fol.

GRANADA. *Universitaria.* XX-4-16 (F. Derecho); etc.

—Lugduni. Sumpt. Anisson et Joannis Posuel. 1704. 16 hs. + 618 págs. + 43 hs. Fol.

GRANADA. *Universitaria.* A-39-62.

3363

TRACTATUS de Re criminali... Lugduni. Claudius Bourgeat. 1676. Fol.

Palau, VIII, n.º 158.154.

MADRID. *Nacional.* 2-16.248.

— — —

—Lugduni, Bourgeat. 1686. Fol.

GRANADA. *Universitaria.* A-28-31.—MADRID. *Nacional.* 3-66.529.

—Lugduni. 1696. Fol.

—Lugduni. Sumpt. Anisson et Joannis Posuel. 1702. Fol.

—Lugduni. 1704. 15 hs. + 618 + 33 págs. Fol.

—Venecia. 1725. Fol.

—Lugduni. 1738. 11 hs. + 374 + 37 págs. Fol.

GRANADA. *Universitaria.* A-16-99.—PARIS. *Nationale.* F.1710.

—Venecia. Typ. Balleoniana. [1750]. 8 hs. + 300 págs. Fol.

Toda, *Italia*, III, n.º 3.187.

—Lugduni. Bruyset. 1758. 11 hs. + 374 + 37 págs. Fol.

—Madrid. Antonio de Sancha. [1776]. 9 hs. + 400 + 40 págs. Fol.

GRANADA. *Universitaria.* B-XVIII-9-6 (F. Derecho). — MADRID. *Nacional.* U-5.267. — ZARAGOZA. *Universitaria.* G-48-65.

—Lugduni. 1786. Fol.

ESTUDIOS

3364

JULIÁ MARTÍNEZ, EDUARDO. *Aportaciones bibliográficas. Un dramaturgo valenciano desconocido.* (En *Revista de Bibliografía Nacional*, II, Madrid, 1941, págs. 201-243).

3365

REP: N. Antonio, II, pág. 5; Ximeno, II, págs. 85-88.

MATHEO

V. MATEO

MATHEU (VICENTE)

Contador mayor de la Inquisición de Valencia. Coadjutor del Oficio de Racional de dicha ciudad.

EDICIONES

3366

[*AL Autor. Soneto*]. (En Orti y Ballester. Marco Antonio. *Siglo quarto de la conquista de Valencia.* Valencia. 1640. Prels.).

MADRID. *Nacional.* R-12.714.

MATHEU Y SANS

(V. MATEU Y SANS)

MATIAS (FR. PEDRO)

Agustino. Catedrático de Escritura en la Universidad de Osuna.

EDICIONES

3367

[*APROBACION. Osuna, 27 de junio de 1596*]. (En Núñez de Andrada, Andrés. *Primera parte del Vergel de la Escriptura...* Córdoba. 1600. Prels.).

MADRID. *Nacional.* R-28.802.

MATIAS (RAMON)

Licenciado.

EDICIONES

3368

[*SEXTINAS*]. (En Ferrero, Juan. *Certamen poético a... San Ramón Nonat.* Zaragoza. 1618, fols. 85v-86r).

MADRID. *Nacional.* 3-3.338.

MATIAS DE SAN FRANCISCO (FRAY)

EDICIONES

3369

RELACION del viage espiritval, y prodigioso, que hizo a Marruecos el Venerable Padre Fray Iuan de Prado, Predicador, y primer Prouincial de la Prouincia de san Diego del Andaluzia. Madrid. Francisco Garcia. 1643. 4 hs. + 115 fols. + 1 h. 19 cm.

—S. Pr. al autor por diez años.—E.—S. T. S. de la apr.—Ded. a D.ª Ana Fernandez de Cordoua, Duquesa de Feria, etc.—Dezima al Autor. [«A este Prado que le ofrece...»].—Texto.—Indice de los capitulos.

Salvá, II, n.º 3.816.

LONDRES. *British Museum.* G.6982; etc.—MA-

DRID. *Academia de la Historia.* 4-1-8-1.136. *Nacional.* R-1.319.—ROUEN. *Municipale.* Mt. M.6877.—SEVILLA. *Universitaria.* 168-35 (1).

3370

——. Madrid. Francisco García. 1644. 115 págs. 20 cm.

MADRID. *Facultad de Filología.*—SEVILLA. *Universitaria.* 110-62; etc.

MATIENZO (FELIPE)

EDICIONES

3371

[*AL Autor. Soneto*]. (En Soto de Rojas, Pedro. *Los rayos del Facton.* Barcelona. 1639. Prels.).

MADRID. *Nacional.* R-2.334.

3372

[*SONETO*]. (En EXEQUIAS *Reales que Felipe el Grande quarto de este nombre... mandó hazer en San Felipe de Madrid a los soldados que murieron en la batalla de Lerida...* Madrid. 1644, fol. 16r).

MADRID. *Nacional.* V.E.-164-29.

MATIENZO (JUAN)

Licenciado. Oidor de la Chancillería de La Plata.

CODICES

3373

«*Relación del libro intitulado Govierno de El Perú, que hizo el Licdo. Matienço...*».

Original. 137 fols. Fol.

Gayangos, II, pág. 470.

LONDRES. *British Museum.* Add. 5469.

3374

«*Gobierno del Piru. Con todas las cosas pertenecientes a el y a su historia...*».

Letra del s. XVII. 409 fols. 306 × 210 mm.

Jones, I, n.º 138.

ROMA. *Vaticana.* Barb. lat. 3585.

EDICIONES

3375

GOBIERNO del Perú (1567). Edition de Guillermo Lohmann Villena. París-Lima. Institut Français d'Études Andines. 1967. 366 págs.

a) Baudot, G., en *Caravelle,* Toulouse, 1968, n.º 10, págs. 131-34.

OBRAS LATINAS

3376

DIALOGVS relatoris et advocati Pinciani Senatus... Valladolid. Sebastián Martínez. 1558. 12 hs. + 322 páginas 20 cm.

Alcocer, n.º 216.

MADRID. *Nacional.* R-28.985. *Palacio Real.*—MURCIA. *Universitaria.*—PALMA DE MALLORCA. *Pública.*

— — —

—Valladolid. Luis Sánchez. 1604. 6 hs. + 350 págs. + 20 hs. 30 cm.

Alcocer, n.º 465; Medina, *Biblioteca hispano-americana,* II, n.º 494.

—Francfort. 1618.

Medina, *Biblioteca hispano-americana,* II, n.º 675.

3377

COMMENTARIA... in librum quintum recollectionis legum Hispaniae. Madrid. Francisco Sánchez. 1580. 75 hojas + 485 fols. Fol.

Pérez Pastor, *Madrid,* I, n.º 157.

CAGLIARI. *Universitaria.* Ross. K.4.—MADRID. *Nacional.* R-29.090.—ORENSE. *Pública.*—ROMA. *Vaticana.* Stamp. Barb. FF.V.37.—SALAMANCA. *Universitaria.*

— — —

—Madrid. Pedro Madrigal. 1597. [Colofón: 1596]. 2 hs. + 485 fols. Fol.

Pérez Pastor, *Madrid,* I, n.º 540.

MADRID. *Nacional.* R-27.856.—ZARAGOZA. *Universitaria.*

—Madrid. Luis Sánchez. 1613. 64 hs. + 485 fols. Fol.

Pérez Pastor, *Madrid,* II, n.º 1.237; Medi-

na, *Biblioteca hispano-americana,* II, número 590.

ESTUDIOS

3378

[DOCUMENTOS sobre Juan Matienzo]. (En Pérez Pastor, Cristóbal. *Bibliografía madrileña.* Tomo II. Madrid. 1906, págs. 260-61 y 424).

3379

REP: N. Antonio, I, pág. 739.

MATIENZO (FR. JUAN LUIS DE)

Franciscano. Maestro de Humanidades en varios conventos de la provincia de Cantabria.

EDICIONES

3380

TRATADO breve, i compendioso, en que se declara la debida, i genuina pronunciacion de las dos lenguas, Latina, i Castellana; i las razones que ai, para que muchos vocablos no se pronuncien, como comunmente se pronuncian en España. Madrid. Bernardo de Villa-Diego. 1671. 24 hs. + 152 págs. 14,5 cm.

—Censura del P. Thomás de Prada i Andrade.—Epigramma latino de Christoval de Querejazu.—Soneto de Francisco de Apraez. [«La Latina lengua, que del todo andaba...»].—Epigramma latino de Diego Felipe de Iturricha i Retes.—Soneto de Francisco de Eguiluz. [«Aristóteles leyó Filosofía...»].—Solicitud de L. O.—Remisión a censura.—Apr. de Fr. Ioan de Guizabal, Fr. Francisco de Hoyo, Fr. Ioan de Mallea i Fr. Alonso García.—L. O.—Apr. de Fr. Carlos de Urosa.—Apr. de Antonio de Ibarra.—L. V.—Apr. del P. Pedro de Fomperosa.—S. Pr.—E.—T.—Ded. a Fr. Angel de los Ríos i Villegas, Comisario Visitador de la Santa Provincia de la Concepción.—Prologo al letor. Epítome de todo lo que contiene este libro.—Texto,

Gallardo, II, n.º 2.968.

MADRID. *Nacional.* R-7.827.

MATIENZO (LUIS)

EDICIONES

3381

VERDADERA Relacion de la espantosa lluvia de sangre que cayó en los campos de Villorado, y en Villafranca de los Montes de Oca. Salamanca. Antonia Ramírez. 1608. 4 hs. 4.º

Palau, VIII, n.º 158.233.

3382

——. [s. l.-s. i.]. [s. a.]. 4 hs. 4.º

MATIENZO (P. SEBASTIAN DE)

N. en Burgos (1589). Jesuíta. Profesor de Humanidades en los Colegios de Vergara y Pamplona, donde murió en 1644.

EDICIONES

3383

JARDIN de Maria. O Practica de devociones varias con la Beatissima Virgen. Compvesto en latin por el P. Francisco de la Cruz... Y tradvcido en castellano, por el ——. Salamanca. Diego de Cossío. 1655. 8 hs. + 368 páginas + 3 hs. 14 cm.

—Apr. del P. Bernardo de Villegas.—S. L. y Pr.—Advertencia sobre erratas.—T.— Ded. a D.ª Leonor Rodriguez de Villafuerte, Condesa de Grajal, etc.—Grab. de la Virgen.—Texto.—Oraciones.

MADRID. *Nacional.* 3-41.060.

Aprobaciones

3384

[*APROBACION. Pamplona, 6 de junio de 1628*]. (En Aguilar y Prado, Jacinto de. *Campendio histórico de diversos escritos...* Pamplona. 1629. Preliminares).

V. *BLH, IV,* n.º 2723.

3385

[*APROBACION. Pamplona, 3 de noviembre de 1628*]. (En Peñalosa y Mondragón, Benito de. *Libro de las cinco excelencias del español...* Pamplona. 1629. Prels.).

MADRID. *Nacional.* R-21.013.

3386

[*APROBACION. Pamplona, 6 de octubre de 1638*]. (En Xuarez, Diego Felipe. *Triumpho de Navarra y vitoria de Fuenterrauía.* Pamplona. 1638. Preliminares).

MADRID. *Nacional.* U-10.715.

OBRAS LATINAS

3387

SYNTAGMA Rhetoricvm sive De Oratione rhetorice, el artificiose texenda. Ex Aristotelis, Ciceronis, et Quintiliani praeceptis praecipue depromptum et concionnatum... Pamplona. Carlos de Labayen. 1616. 4 hs. + 42 folios. 12.º

Pérez Goyena, II, n.º 317 (inserta facsímil de la portada).

PAMPLONA. *Catedral.* 97-8-8.779.

3388

COMMENTATIONES Selectae Ethicae Politicae, in P. Virgilii Maronis Aeneiden. Ex Interpretationibus et Neothericis et Antiquis Donato praesertim. Lugduni. H. Boissat, G. Remeus. 1662. 6 + 47 págs. 21,5 cm.

GENOVA. *Universitaria.* 3.BB.IV.5.

3389

[*POESIA latina*]. (En Junco, Pedro. *Fundación... de la ciudad de Astorga.* Pamplona. 1635. Prels.).

MADRID. *Nacional.* 2-7.708.

ESTUDIOS

3390

REP: N. Antonio, II, pág. 282; Martínez Añíbarro, págs. 351-52.

MATIENZO DE PERALTA (JUAN)

EDICIONES

3391

PAPEL al Rey, tocante a la plata y su crecimiento, usura, etc.... [s. l.-s. i.]. [s. a.]. 10 fols. 28,5 cm.

Carece de portada.

—Texto apostillado.—El nombre del autor consta en una nota manuscrita.

MADRID. *Nacional.* V.E.-213-54 (con una hoja ms. añadida al fin).

ESTUDIOS

3392

REP: N. Antonio, I, págs. 739-40; Alvarez y Baena, III, págs. 181-82.

MATILLA (FR. PEDRO DE)

Dominico. Regente del Colegio de San Gregorio de Valladolid.

EDICIONES

3393

[APROBACION. Salamanca, 25 agosto 1684]. (En Sirquero, Pedro. *Sermón Panegirico de Apostol Santiago.* Salamanca. 1684. Prels.).

MADRID. *Nacional.* V.E.-111-15.

MATILLA (FR. PEDRO)

EDICIONES

3394

LLANTO sagrado de la América Meridional, que busca alivio en los Reales ojos de... Carlos segundo Rey de las Españas. Milán. Marcos Antonio Pandulfo Malatesta. 1693. 6 hs. + 50 págs. 4.º

Toda, *Italia,* III, n.º 3.188.

MATO (ALONSO)

EDICIONES

3395

[SONETO]. (En Sossa, Juan Bautista de. *Sossia perseguida.* Madrid. 1621. Prels.).

MATOS (P. DIEGO DE)

N. en Joao de Ribeira, cerca de Coimbra (1588). Jesuíta desde 1602. Estuvo en Etiopía y en Goa, donde murió (1633).

EDICIONES

3396

COPIA de una carta que el —— de la Compañía de Jesus, escrive al padre General de la misma Compañia, en que da cuenta á su Paternidad del estado de la conversión á la verdadera Religión Christiana... del gran Imperio de Etiopia, cuyo Emperador es el Preste Juan, escrita en la ciudad de Fremonâ su fecha en veinte de Junio de 1621. Madrid. Luis Sánchez. 1624. 10 hs. 27 cm.

Pérez Pastor, *Madrid,* II, n.º 2.084.

LONDRES. *British Museum.* 4767.a.19.—MADRID. *Academia de la Historia.* Jesuitas, t. 94, n.º 2. *Nacional.* V-226-30.

MATOS (GREGORIO DE)

Doctor.

CODICES

3397

«*Musa Protterva, Lira dissonnante, Dezatinnado emprego, Infelice disvello. Obras de Doutor ——... 1706*».

Con algunas poesías en castellano.

Manuscritos de Ajuda (Guía), II, págs. 8-24.

LISBOA. *Ajuda.* Mss. 50-I-2.

MATOS FRAGOSO (JUAN DE)

N. en Alvito, Portugal. Estudió en la Universidad de Evora. Caballero de la Orden de Cristo. Residió en Madrid, donde m. (1689).

OBRAS EN COLABORACIÓN CON AUTORES YA CITADOS

—*Caer para levantar.* (V. Cáncer y Velasco, Jerónimo, en *BLH,* VII, núms. 4021-4028).

—*El bruto de Babilonia.* (V. Cáncer y Velasco, Jerónimo, en *BLH,* VII, n.º 3966).

—*El divino calabrés San Francisco de Pau-*

la. (V. Avellaneda, Francisco de, en *BLH*, VI, n.º 1228).

—*El gran Tamorlán de Perisa y Vaquero Emperador*. (V. Diamante, Juan Bautista, en *BLH*, IX, núms. 2776 y 2802).

—*El hijo pródigo*. (V. Cáncer y Velasco, Jerónimo, en *BLH*, VII, núm. 3.968).

—*Hacer remedio el dolor*. (V. Calderón de la Barca, Pedro, en *BLH*, VII, número 1612, y Cáncer y Velasco, Jerónimo, en *BLH*, VII, n.º 4055).

—*La adúltera penitente, Santa Teodora*. (V. Cáncer y Velasco, Jerónimo, en *BLH*, VII, núms. 3964 y 4002-8).

—*La Corte en el Valle*. (V. Avellaneda, Francisco de, en *BLH*, VI, n.º 1.229).

—*La Cortesana en la Sierra y Fortunas de D. Manrique de Lara*. (V. Diamante, Juan Bautista, en *BLH*, IX, núms. 2771 y 2817-18).

—*La más heroica fineza y fortuna de Isabela*. (V. Figueroa y Córdoba, Diego, en *BLH*, IV, n.º 233 (12), y X, n.º 1870).

—*La mujer contra el consejo*. (V. Martínez de Meneses, Antonio, en núms. 2855-61).

—*Los mártires de Madrid y dejar un reino por otro*. (V. Cáncer y Velasco, Jerónimo, en *BLH*, VII, núms. 3971-75).

—*Reinar por obedecer*. (V. Diamante, Juan Bautista, en *BLH*, IX, núms. 2793 y 2874-2876).

—*Sólo el piadoso es mi hijo*. (V. Avellaneda, Francisco de, en *BLH*, VI, números 1231-32).

—*Vida y muerte de San Cayetano*, (V. Arce, Ambrosio de, en *BLH*, IV, n.º 238 (19).

BIBLIOGRAFIA

3398

KARL, LOUIS. «*El Hidalgo de la Mancha*». *Notas bibliográficas*. (En *Revista de Archivos, Bibliotecas y Museos*, XLV, Madrid, 1924, páginas 274-77).

CODICES

Comedias

3399

«*Antioco y Seleuco*».

Comedia burlesca, de tres ingenios. ¿Primera jornada de —— ? La segunda de Alonso Olmedo y la tercera de Jusepe Royo.

Letra del s. XVII, ¿autógrafa de —— ? 28 hs. 4.º Procede de la biblioteca de Osuna.

«—Qué grande tempestad hay en el suelo...».

Paz, I, n.º 226.

MADRID. *Nacional*. Mss. 16.908.

3400

«*Con amor no hay amistad*».

Letra del s. XVII. 63 hs. 4.º Procede de la biblioteca de Osuna.

«—Prima, la disculpa es llana...».

Paz, I, n.º 739.

MADRID. *Nacional*. Mss. 17.259.

3401

«*El amante mudo*».

Letra del s. XVIII. 63 hs. 4.º Comedia de tres ingenios, que son Villaviciosa, —— y Zabaleta, según Durán, que añade los títulos de *La fuerza de la sangre* y *Amor hace hablar los mudos*. Procede de la biblioteca ducal de Osuna.

«—¡Viva Creso, rey de India...».

Paz, I, n.º 117.

MADRID. *Nacional*. Mss. 16.964.

3402

«*El bastardo de Aragon y delincuente sin culpa*».

Letra del s. XVII. 65 hs. 4.º Procede de la biblioteca de Osuna.

«—Yo voy de prisa, no quiero...».

Paz, I, n° .379.

MADRID. *Nacional*. Mss. 15.435.

3403

«*Comedia. El Delinquente sin culpa y Bastardo de Aragón*».

Letra del s. XVIII. Tres cuadernillos. 21 cm.

Agulló, *La Colección...*, n.º 385.

MADRID. *Municipal*. Leg. 24-8.

3404

«*El hijo de la piedra*».

Letra del s. XVII (las tres primeras páginas de la jornada tercera, autógrafas). 54 hs. 4.º

«—Padre, en mis brazos venid...».

Paz, I, n.º 1.673.

MADRID. *Nacional*. Mss. 15.635.

3405

«*El Job de las mujeres Santa Isabel, reina de Hungría*».

Copia hecha en Burgos en 1674. 70 hs. 4.º

«—Sea bien venida...».

Paz, I, n.º 1.825.

MADRID. *Nacional*. Mss. 11.557.

3406

«*El letrado del cielo. Comedia de —— y Sebastián de Villaviciosa*».

Letra del s. XVII. 52 hs. 4.º Procede de la biblioteca de Osuna.

«—Con quien estamos hablando?...».

Paz, I, n.º 1.903.

MADRID. *Nacional*. Mss. 1.903.

3407

«*El mudable arrepentido y el ingrato agradecido*».

Letra del s. XVII, algunas hs. y muchas enmiendas y adiciones, autógrafas. 50 hs. 4.º Procede de la biblioteca de Osuna.

«—Cantad, porque a estos jardines...».

Paz, I, n.º 2.441.

MADRID. *Nacional*. Mss. 15.135.

3408

«*El sieio y socorro de Viena por el Gran Visir. Comedia que se hizo a los felices cumpleaños de la Reina Madre D.ª Mariana de Austria, en 22 de diciembre de 1683*».

Autógrafo. 53 hs. 4.º Procede de la biblioteca de Osuna.

«—¿Qué os parece de la corte de Polonia?...».

Paz, I, n.º 3.403.

MADRID. *Nacional*. Mss. 17.021.

3409

«——».

Letra del s. XVII, ¿autógrafa? 51 hs. 4.º

MADRID. *Nacional*. Mss. 15.522.

3410

«*La inocencia perseguida, y venganza en el empeño*».

Letra del s. XVII. 57 hs. 4.º

«—Cese el estruendo de Marte...».

Paz, I, n.º 1.774.

MADRID. *Nacional*. Mss. 14.899.

3411

«*La Virgen de la Fuencisla. Comedia de Sebastián de Villaviciosa*».

Según Durán y La Barrera, es además de —— y Zabaleta.

Letra del s. XVII. 68 hs. 4.º

«—No quede en Segovia vida...».

Paz, I, n.º 5.802.

MADRID. *Nacional*. Mss. 15.704.

3412

«*La Virgen del Pilar. Comedia de Villaviciosa, —— y Moreto*».

Letra del s. XVII. 53 hs. 4.º Procede de la biblioteca de Osuna.

«—No me importunes, Pasquin...».

Paz, I, n.º 3.805.

MADRID. *Nacional*. Mss. 15.363.

3413

«——».

Letra del s. XVII. 55 hs. 4.º De Osuna.

MADRID. *Nacional*. Mss. 16.475.

3414

«*Ver y creer. El Rey Don Pedro el Cruel*».

Copia hecha de Lisboa en 1699. 63 hs. 4.º Procede de la biblioteca de Osuna.

«—Señor, estos memoriales...».

Paz, I, n.º 3.755.

MADRID. *Nacional*. Mss. 17.108.

3415

«*Ver y creer o el rey Don Pedro en Lisboa*».

Letra del s. XVII. 47 hs. 4.º De Osuna.

«—Vuestra alteza, gran señor...».

MADRID. *Nacional*. Mss. 16.829.

3416

«——».

Letra de principios del s. XVIII. 61 hs. 4.º De Osuna.

MADRID. *Nacional*. Mss. 15.154.

3417

«*Relación de hombre de la comedia "Santa Isabel, reina de Hungría"*».

Letra de fines del s. XVII.

Roca, n.º 759.

MADRID. *Nacional*. Mss. 17.516.

Bailes

3418

«*Baile del Desafío*».

Letra del s. XVII. 4.º Perteneció a Durán.

«—Como te digo amiga...».

Paz, I, n.º 798 (34).

MADRID. *Nacional*. Mss. 14.856, n.º 34.

3419

«*Baile del Desafío*».

Letra del s. XIX. 25 cuartillas. 230 × 140 milímetros. Copiado de *Ramilletes de sainetes*. Zaragoza. 1672. Con notas, de E. Cotarelo.

«—Como digo, amiga...».

Simón Palmer, n.º 431.

BARCELONA. *Instituto del Teatro*. Mss. 46.746.

3420

«*El Mellado de Cabreros. Baile*».

Letra del s. XVIII. 3 hs. 4.º Procede de la biblioteca de Osuna.

«—Tendido estaba a la larga...».

Paz, I, n.º 2.353.

MADRID. *Nacional*. Mss. 16.292³⁰.

3421

«*Baile del Mellado en jácara*».

Letra del s. XIX. 7 cuartillas. 230 × 140 mm. Dos copias de *Tardes apacibles*. 1663. Con notas de E. Cotarelo.

«—Tendido estaba a la larga...».

Simón Palmer, n.º 435.

BARCELONA. *Instituto del Teatro*. Mss. 46.742.

3422

«*Baile del rico y del pobre*».

Letra del s. XIX. 15 cuartillas. 230 × 140 milímetros. Copiado de *Rasgos del ocio*. 1661. Con notas de E. Cotarelo.

«—Oigan, que quiero pintarles...».

Simón Palmer, n.º 436.

BARCELONA. *Instituto del Teatro*. Mss. 46.741.

3423

«*La boda de pobres. Baile*».

Letra del s. XIX. 9 cuartillas. 230 × 140 milímetros. Con notas de E. Cotarelo.

«—A las bodas de Merlo...».

Simón Palmer, n.º 440.

BARCELONA. *Instituto del Teatro*. Mss. 46.743.

Entremeses

3424

«*El asaetado*».

Letra del s. XIX. 18 cuartillas. 200 × 150 milímetros. Copiado de *Rasgos de Ocio*. 1664. Con notas de E. Cotarelo.

«—¡Oh traidor! ¿a mi casa tres billetes?...».

Simón Palmer, n.º 429.

BARCELONA. *Instituto del Teatro*. Mss. 46.748.

3425

«*El detenido don Calceta. Entremés de —— y Sebastián de Villaviciosa*».

Letra del s. XIX. 16 cuartillas. 200 × 150 milímetros. Copiado de *Laurel de entremeses*. 1660. Con notas de E. Cotarelo.

«—Esto ha de ser, mi doña Dorotea...».

Simón Palmer, n.º 432.

BARCELONA. *Instituto del Teatro*. Mss. 46.751.

3426

«*El dormilón. Entremés*».

Letra del s. XIX. 16 cuartillas. 230 × 140 milímetros. Copiado de *Rasgos del ocio*. 1661. Con notas de E. Cotarelo.

«—¡Ay mi hermano!...».

Simón Palmer, n.º 433.

BARCELONA. *Instituto del Teatro*. Mss. 46.745.

3427

«*El galán, llevado por mal. Entremés*».

Letra del s. XIX. 12 cuartillas. 200 × 150 milímetros. Copiado de *Tardes apacibles*. 1663. Con notas de E. Cotarelo.

«—Amigas, tan grandísima cuitada...».

Simón Palmer, n.º 434.

BARCELONA. *Instituto del Teatro*. Mss. 46.750.

3428

«*El Pardo. Entremés*».

Autógrafo. 5 hs. 4.º Procede de la biblioteca de Osuna.
«—Como en el Pardo vemos...».
Paz, I, n.º 2.745.
MADRID. *Nacional.* Mss. 16.640.

3429
«*El reloj y los órganos. Entremés*».
Autógrafo. 5 hs. 4.º Procede de la biblioteca de Osuna.
«—Tres cosas hay en este ayuntamiento...».
Paz, I, n.º 3.126.
MADRID. *Nacional.* Mss. 17.005.

3430
«*Los órganos y el reloj*».
Año de 1704. 8 hs. 4.º Fue de Durán.
MADRID. *Nacional.* Mss. 14.516 (45).

3431
«*El Trepado. Entremés*».
Letra del s. XIX. 13 cartillas. 230 × 145 milímetros. Copiado de *Tardes apacibles.* Madrid. 1663. Con notas de E. Cotarelo.
«—Ala.—Ala...».
Simón Palmer, n.º 437.
BARCELONA. *Instituto del Teatro.* Mss. 46.744.

3432
«*Las reverencias. Entremés*».
Letra del s. XIX. 9 cuartillas. 230 × 150 milímetros. Copiado de *Tardes apacibles.* Madrid. 1663. Con notas de E. Cotarelo.
«—¡Qué sea un hombre yo tan desdichado...».
Simón Palmer, n.º 441.
BARCELONA. *Instituto del Teatro.* Mss. 46.749.

3433
«*Los carreteros. Entremés*».
Letra del s. XIX. 12 cuartillas. 200 × 150 milímetros. Copiado de *Ramillete de sainetes.* 1672. Con notas de E. Cotarelo.
«—¡Bueno es por mi vida!...».
Simón Palmer, n.º 442.
BARCELONA. *Instituto del Teatro.* Mss. 46.747

3434
«*Los Mudos. Entremés*».
Letra del s. XIX. 10 cuartillas. 230 × 150 milímetros. Copiado de *Teatro poético.* 1658. Es el mismo de *Las reverencias.*

«—¡Que sea hombre tan desdichado...».
Simón Palmer, n.º 441.
BARCELONA. *Instituto del Teatro.* Mss. 46.749.

3435
«*Perico y Jileta. Entremés famoso*».
Letra del s. XIX. 5 hs. 210 × 150 mm. Copiado de un mss. de la Biblioteca de Osuna. Con notas de Fernández Guerra.
«—Ay de aquel, que como el cisne...».
Simón Palmer, n.º 443.
BARCELONA. *Instituto del Teatro.* Mss. 61.464.

Jácaras

3436
«*Jácara entre dos mujeres*».
Letra del s. XIX. 13 cuartillas. 220 × 160 milímetros. Copiado de un ms. del s. XVII. Con notas de E. Cotarelo.
«—Loado sea el mismo Dios...».
Simón Palmer, n.º 438.
BARCELONA. *Instituto del Teatro.* Mss. 46.713.

3437
«*Jácara, retratando a una dama*».
Letra del s. XIX. 5 cuartillas. 230 × 140 milímetros. Copiado de *Rasgos del ocio.* 1661.
«—¡Miren que brava se ofrece...».
Simón Palmer, n.º 439.
BARCELONA. *Instituto del Teatro.* Mss. 46.740.

Mojigangas

3438
«*El Folión. Mojiganga*».
Autógrafa. 3 hs. 4.º Procede de la biblioteca de Osuna.
«—¿Dónde me lleva, tirano deseo?...».
Paz, I, n.º 1.450.
MADRID. *Nacional.* Mss. 16.505.

Poesías

3439
«*Romance que se cantó al Maximo Doctor de la Iglesia San Geronimo año de 1667*».
Copia sacada de *Ociosidad entretenida* (1668), en el s. XIX. 2 cuartillas. 200 × 140 mm.
BARCELONA. *Instituto del Teatro.* 46739.

3440

«*Romance en ecos*».

Letra del s. XVII. 220 × 150 mm. En «Parnaso Español, VIII».

«Ya que entre peñascos secos...».

MADRID. *Nacional*. Mss. 3.919 (fols. 242*v*-243*v*).

3441

«*Romanze en ecos*».

Letra del s. XVII. 205 × 150 mm. Es un Cancionero.

«Ya que entre Peñascos secos...».

MADRID. *Nacional*. Mss. 9.636 (fols. 287*v*-288*v*).

3442

[*Poesías*].

Letra del s. XVII.

1. *Consejos Politicos que dio a un Mozo para vivir la Corte*. [«A la Cortes bás Montano...»]. (Fols. 191*v*-194*r*).
2. *Sucinta idea para governarse los jovenes en la Corte, y la conducta que han de tener*. [«Del modo, que han de portarse...»]. (Vols. 194*v*-198*v*).

MADRID. *Nacional*. Mss. 10.924.

3443

[*Poesías*].

Letra del s. XVII. 250 × 170 mm. En un Cancionero que perteneció a Gayangos.

1. *A la Asunción de Nuestra Señora. Romance*. [«Vengan a ver a María...»]. (Página 43).
2. *A San Francisco, vejamen. Romance*. [«Oid Francisco un vejamen...»]. (Págs. 116-119).

MADRID. *Nacional*. Mss. 17.666.

3444

«*Mausoleo Piramidal erigido y consagrado a la inmortal Fama, y Memoria postuma del Excmo. Sor. Don Francisco Fernandes de Cordova Folch de Cardona y Aragon, Duque que fue de Sesa...*».

Letra del fines del s. XVII. 22 págs. 212 milímetros. Perteneció a Gallardo, Sancho Rayón y Jerez de los Caballeros.

Rodríguez Moñino-Brey, II, pág. 278.

NUEVA YORK. *Hispanic Society*.

EDICIONES

TEATRO

3445

PRIMERA parte de Comedias de ——. Madrid. Iulian de Paredes. A costa de Domingo Palacio y Villegas. 1658. 4 hs. + 148 + 104 fols. 20,5 cm.

—Ded. a D. Fernando de Fonseca Ruiz de Contreras, Marques de la Lapilla, etc., precedida de su escudo.—Apr. del P. Geronimo Pardo.—L. V.—Apr. de Pedro Calderon de la Barca.—S. T.—E.—S. Pr. a Domingo de Palacio.—Tabla.—Texto.

1. *El hijo de la piedra*. [«—Padre, en mis braços venid...»]. (Fols. 1*r*-27*r*).
2. *Amor, lealtad y ventura*. [«—La plaça deste castillo...»]. (Fols. 27*v*-45*v*).
3. *El traydor contra su sangre*. [«—Ya que os aueis de partir...»]. (Fols. 46*r*-65*r*).
4. *La devoción del Angel de la Guarda*. [«—Ya que de tantos naufragios...»]. (Folios 65*v*-87*r*).
5. *La tía de la menor*. [«—Ya no se puede sufrir...»]. (Fols. 87*v*-107*v*).
6. *El marido de su madre*. [«—Estos floridos jardines...»]. (Fols. 108*r*-128*v*).
7. *Los indicios sin culpa*. [«—En casa de Mompabon...»]. (Fols. 129*r*-148*v*).
8. *El genízaro de Ungría*. [«—A donde, gran señor, tan recatado...»]. (Fols. 1 bis *r*-22 bis *r*).
9. *Callar siempre es lo mejor*. [«—Hermoso dueño mío...»]. (Fols. 22bis*v*-40bis*r*).
10. *El yerro de el entendido*. [«—Viua el inuicto Alexandro...»]. (Fols. 40bis*v*-64bis*v*).
11. *Con amor no ay amistad*. [«—Esta posada escogí...»]. (Fols. 65bis*r*-84bis*v*).
12. *El amor haze valientes*. [«—Señor, que ha sido el enfado?...»]. (Fols. 84 bis *v*-104bis*v*)

LONDRES. *British Museum*. C.63.b.45.—MADRID. *Nacional*. T-9.812.—NUEVA YORK. *Hispanic Society*.—PARIS. *Nationale*. Yg.137.—PROVIDENCE. *Brown University*. 1828-33.

3446

[*COMEDIAS*]. Madrid. Imp. de Ortega y Cía. 1828-33. 2 vols. (Colección general de comedias escogidas...).

Tomo I:

1. *El yerro del entendido*.
2. *El galán de su mujer*.
3. *Callar siempre es lo mejor*.

4. *La dicha por el desprecio.*
Tomo II (incompleto):
5. *Ver y creer.*
6. *Lorenzo me llamo.*
BARCELONA. *Instituto del Teatro.* 26.089/93; etc.—MADRID. *Nacional.* U-11.226/27. — WASHINGTON. *Congreso.* 35-30181.

3447
[*COMEDIAS. Edición de Ramón de Mesonero Romanos*]. (En DRAMATICOS *posteriores a Lope de Vega.* Tomo I. Madrid. 1858. Biblioteca de Autores Españoles, 47).

1. *El sabio en su retiro y villano en su rincón.* (Págs. 199-218).
2. *Lorenzo me llamo, y carbonero de Toledo.* (Págs. 219-39).
3. *El galán de su mujer.* (Págs. 241-59).
4. *El yerro del entendido.* (Págs. 261-81).
5. *Ver y creer.* (Págs. 283-301).
6. *Callar siempre es lo mejor.* (Págs. 303-317).
7. *La dicha por el desprecio.* (Págs. 319-335).

COMEDIAS SUELTAS

A lo que obliga un agravio

3448
Comedia famosa. A lo que obliga un agravio, y las hermanas vandoleras. De dos ingenios. [Valencia. Joseph y Tomás de Orga]. [1781]. 32 págs.
De —— y Sebastián de Villaviciosa.
N.º 247.
«—Ya estás cansado...».
MADRID. *Academia Española.—Nacional.* T-2.137; etc. — NUEVA YORK. *Public Library.* NPLp.v.332.

3449
Comedia famosa. A lo qve obliga un agravio. Por otro titulo: Las hermanas vandoleras. De dos ingenios. [Barcelona. Pedro Escuder]. [s. a.]. 32 págs. 20,5 cm.
«—Ya estás cansado.—No importa...».
MADRID. *Nacional.* T-19.067; etc.

3450
A lo que obliga un agravio. Por otro titulo: Las Hermanas vandoleras. Comedia famosa. [Sevilla. Joseph Padrino]. [s. a.]. 14 hs. 4.º
MADRID. *Nacional.*

A su tiempo el desengaño

3451
A su tiempo el desengaño. (En TEATRO *poético en doze Comedias... Séptima parte.* Madrid. 1654, fols. 66*v*-88*r*).
BARCELONA. *Instituto del Teatro.* 58.399. — MADRID. *Nacional.* R-22.660.

Amor hace hablar los mudos

3452
Amor haze hablar los mudos. Primera jornada de Villaviciosa, la segunda de Iuan de Matos y la tercera de Zaualeta. (En PARTE *diez y siete de Comedias nuevas...* Madrid. 1662, folios 169*r*-190*r*).
MADRID. *Nacional.* R-22.670.

Amor, lealtad y ventura

3453
Comedia famosa. Amor, lealtad, y ventura. [s. l.-s. i.]. [s. a.]. 32 págs.
Al fin: «Hallaràse... en Madrid en la Imprenta de Antonio Sanz... 1731».
N.º 101.
«—La Plaza deste Castillo...».
BARCELONA. *Instituto del Teatro.* 39.945; etc. LONDRES. *British Museum.* 11728.d.9.—MADRID. *Nacional.* T-15.000(1).—MINNEAPOLIS. *University of Minnesota.*—NUEVA YORK. *Public Library.* NPLp.v.799.

3454
Comedia famosa. Amor, lealtad y ventura. [s. l.-s. i.]. [s. a.]. 4.º
N.º 150.
LONDRES. *British Museum.* 11728.i.6.(1).—MADRID. *Nacional.* T-2.722.

3455

Comedia famosa. Amor, lealtad, y ventura. [s. l.-s. i.]. [s. a.]. 19 cm. N.º 167.

«—La Plaça deste Castillo...».

MADRID. *Nacional.* T-6.442.—OVIEDO. *Universitaria.* P-38-6.

Aristómenes Mesenio

3456

Comedia famosa. Quitar el feudo a su patria, Aristómenes Mesenio. [Valencia. Viuda de Joseph de Orga]. [1761]. 32 págs.

N.º 9.

«—Echale por el balcón...».

BARCELONA. *Instituto del Teatro.* 60.645; etc. CAMBRIDGE. *University Library.* Hisp.5.76.1 (5).—CHAPEL HILL. *University of North Carolina.* CTAE 21,4.—MADRID. *Academia Española.—Nacional.* T-20.202; etc. — MINNEAPOLIS. *University of Minnesota.*—NEW HAVEN. *Yale University.* — TORONTO. *University Library.*

3457

Aristomenes Mesenio. Comedia famosa. [Sevilla. Francisco de Leefdael]. [s. a.]. 32 págs. 20 cm.

N.º 229.

MADRID. *Nacional.* T-1443.

Callar siempre es lo mejor

3458

Comedia famosa. Callar siempre es lo mejor. [s. l.-s. i.]. [s. a.]. 4.º

N.º 104.

BARCELONA. *Instituto del Teatro.* 57.327. — LONDRES. *British Museum.* 11728.d.12. — MADRID. *Nacional.* T-5.071.

Con amor no hay amistad

3459

Con amor no hay amistad. Comedia famosa. [Sevilla, Viuda de Francisco de Leefdael]. [s. a.]. 28 págs. 20 cm.

N.º 264.

«—Esta posada escogí...».

BARCELONA. *Instituto del Teatro.* 58.343; etc. CAMBRIDGE. *University Library.* 7743.c.12 (1); etc.—MADRID. *Nacional.* T-4.437; etc. — MINNEAPOLIS. *University of Minnesota.*—OVIEDO. *Universitaria.* P-38-9; etc.—PARIS. *Nationale.* Yg.138(2).—TORONTO. *University Library.*

El amor hace valientes

3460

El amor haze valientes. Comedia famosa. [s. l.-s. i.]. [s. a.]. 18 hs.

N.º 168.

«—Señor, por qué ha sido el enfado?...».

CAMBRIDGE, Mass. *Harvard University.*—MADRID. *Academia Española.* — *Nacional.* T-20.112.

3461

Comedia famosa. El amor hace valientes y Toma de Valencia por el Cid. [s. l.-s. i.]. [s. a.]. 18 hs. 4.º

Al fin: «Vendese... en Salamanca en la Librería de Francisco Diego de Torres».

BARCELONA. *Instituto del Teatro.* 58.326. — MADRID. *Nacional.* T-15.014 (21) [ex libris de Gayangos]; etc.

El conde de Sex

3462

El Conde de Sex. (En COMEDIAS escogidas de differentes Libros de los mas celebres, e Insignes Poetas. Bruselas. 1704. 16 fols.).

BARCELONA. *Instituto del Teatro.* 57.989. — MADRID. *Nacional.* R-10.845.

3463

Comedia famosa del Conde de Sex. [s. l.-s. i.]. [s. a.]. 16 págs. 20 cm.

«—Muere tirana.—Há traydores!...».

CAMBRIDGE. *University Library.* Syn. 6.70.5. (2).—MADRID. *Nacional.* — OVIEDO. *Universitaria.* P-78-2.

El delincuente sin culpa

3464

El delinquente sin culpa, y Bastardo de Aragón. (En PENSIL *de Apolo, en*

doze Comedias... Parte catorze. Madrid. 1611, fols. 45r-66v).

MADRID. *Nacional.* R-22.667.

3465

Comedia Famosa. El Delinquente sin Culpa, y Bastardo de Aragón. [s. l.-s.i.]. [s. a.]. 36 págs. 4.º

N.º 41.

Al fin: «Hallárase... en Madrid en la Imprenta de Antonio Sanz... 1745».

«—Yo voy de priesa, no quiero...».

BARCELONA. *Instituto del Teatro.* 45.107; etc. CAMBRIDGE. *University Library.* Hisp.5.76. 19 (3).—CARBONDALE. *Southern Illinois University.*—MADRID. *Municipal.* Leg. 24-8 [con notas mss.]. *Nacional.* T-7.559; etc.—NEW HAVEN. *Yale University.*—NUEVA YORK. *Public Library.* NPLp.v.207.—OVIEDO. *Universitaria.* P-27-8; etc.—PARIS. *Nationale.* Yg.399.—SANTIAGO DE COMPOSTELA. *Universitaria.*—TORONTO. *University Library.* — WELLESLEY. *Wellesley College.*

3466

Comedia famosa. El delinquente sin culpa, y bastardo de Aragon. [Valencia]. [Imprenta de Joseph y Thomás de Orga]. [1772]. 36 págs. 20 cm.

N.º 180.

—Texto. [«—Yo voy de priessa, no quiero...»].

BARCELONA. *Instituto del Teatro.* 39.862; etc. CAMBRIDGE. *University Library.* Hisp.5.76.10 (5).—CHAPEL HILL. *University of North Carolina.* TAB 25,8.—MADRID. *Academia Española.*—*Nacional.* T-15.000 (6); etc.

El fénix de Alemania

3467

El fenix de Alemania, vida y muerte de Santa Cristina. (En PARTE *treinta y tres de Comedias nuevas...* Madrid. 1670, págs. 378-407).

MADRID. *Nacional.* R-22.686.

3468

Comedia famosa. El fenix de Alemania, vida, y muerte de S. Cristina. [s. l.-s. i.]. [s. a.]. 32 págs. 4.º

CAMBRIDGE, Mass. *Harvard University.*

El galán de su mujer

3469

El galán de su muger. (En PENSIL *de Apolo, en doze Comedias... Parte catorze.* Madrid. 1661, fols. 201v-221v).

MADRID. *Nacional.* R-22.667.

3470

Comedia famosa. El galán de su muger. [s. l.-s. i.]. [s. a.]. 36 págs.

Al fin: «Hallaràse... en Madrid en la Imprenta de Antonio Sanz... 1739».

N.º 189.

«—No me dirás, por tu vida...».

CHAPEL HILL. *University of North Carolina.* TAB 25,10. — MADRID. *Nacional.* T-19.006. — NUEVA YORK. *Public Library.* NPLp.v.799.

3471

Comedia famosa. El galán de su muger, de Juan de Matos y Fregoso (sic). [s. l.-s. i.]. [s. a.]. 36 págs. 21 cm.

Al fin: «Hallárase en Madrid en la Imprenta de Antonio Sanz. 1750».

N.º 62.

«—No me dirás, por tu vida...».

AUSTIN. *University of Texas.*—BARCELONA. *Instituto del Teatro.* 61.678.—CAMBRIDGE. *University Library.* 7743.c.12 (2). — MADRID. *Nacional.* T-750; etc.—OVIEDO. *Universitaria.* P-32-8; etc.—TORONTO. *University Library.*

El hijo de la piedra

3472

Comedia famosa. El Hijo de la Piedra y Segundo Pio Quinto, San Felix. [s. l.-s. i.]. [s. a.]. 18 hs. 4.º

Al fin: «Hallaràse... en casa de Antonio Sanz. 1746».

BARCELONA. *Instituto del Teatro.* 58-327. — MADRID. *Nacional.* T-1.176; etc.

3473

Comedia Famosa. El hijo de la piedra, y Segundo Pío Quinto, San Félix... [s. l.-s. i.]. [s. a.]. 36 págs. 21,5 cm.

N.º 67.

Al fin: «Hallárase... en Madrid en la Imprenta de Antonio Sanz... 1756».

«—Padre, en mis brazos venid...».

BARCELONA. *Instituto del Teatro.* 45.136; etc. MADRID. *Nacional.* T-15.000 (13).—SANTIAGO DE COMPOSTELA. *Universitaria.* — WELLESLEY. *Wellesley College.*

3474

El hijo de la piedra. Comedia famosa. [Sevilla. Viuda de Francisco de Leefdael]. [s. a.]. 36 págs. 21 cm.

N.º 20.

«—Padre, en mis brazos venid...».

MADRID. *Municipal.* Leg. 34-9. *Nacional.* T-14.837; etc.—OVIEDO. *Universitaria.* P-27-1.

3475

El hijo de la piedra y segundo Pio V S. Felix. Salamanca. Santa Cruz. [s. a.].

BARCELONA. *Instituto del Teatro.* 60.635.

3476

Comedia famosa. El hijo de la piedra, y Segundo Pio Quinto, San Felix. [s. l.-s. i.]. [s. a.]. 18 hs. 4.º

N.º 80.

«—Padre, en mis brazos venid...».

MADRID. *Nacional.* T-3.841; etc.

El imposible más fácil

3477

El impossible mas facil. Comedia famosa. [Valencia. Viuda de Joseph de Orga]. [1762]. 28 págs.

N.º 16.

«—Ya la fiera del Monte al Valle baxa...».

AUSTIN. *University of Texas.* — BARCELONA. *Instituto del Teatro.* 57.743; etc.—CAMBRIDGE. *University Library.* 7743.c.12 (3). — CAMBRIDGE, Mass. *Harvard University.* — COLUMBIA. *University of Missouri.*—CHAPEL HILL. *University of North Carolina.* TAB 25,12.— CHICAGO. *Center for Research Libraries.* — MADRID. *Nacional.* T-5.043; etc.—SEVILLA. *Facultad de Filosofía y Letras.* Caja 19-18.— TORONTO. *University Library.* — WELLESLEY. *Wellesley College.*

3478

Comedia famosa. El imposible mas facil. [Barcelona. Thomás Piferrer.

A costa de la Compañía]. 1771. 14 hs. 18 cm.

N.º 180.

«—Ya la fiera del Monte al Valle baxa...».

BARCELONA. *Instituto del Teatro.* 60.636; etc. MADRID. *Academia Española.—Nacional.* T-7.006.—OVIEDO. *Universitaria.* P-27-2.

3479

El imposible más fácil. Comedia famosa. [Sevilla. Francisco de Hermosilla]. [s. a.]. 32 págs. 20 cm.

N.º 234.

«—Ya la fiera del monte al valle baja...».

MADRID. *Nacional.* T-3.995.—SEVILLA. *Facultad de Letras,* caja 38 (37).—TORONTO. *University.*

3480

Comedia famosa. El imposible mas facil. [Valladolid. Alonso del Riego]. [s. a.]. 16 hs. 4.º

MADRID. *Nacional.* T-15.000 (14) [ex libris de Gayangos].

3481

El impossible mas facil. [s. l.-s. i.]. [s. a.]. 16 hs. 4.º

N.º 234.

MADRID. *Nacional.* T-2.708.

El ingrato agradecido

3482

El ingrato agradecido. Edited from the Manuscript in the Biblioteca Nacional by Harry Clifton Heaton. Nueva York. The Hispanic Society of America. 1926, LXIII + 180 págs. 16 centímetros. (Hispanic Notes and Monographs).

a) Foulché-Delbosc, R., en *Revue Hispanique,* LXXI, Nueva York-París, 1927, páginas 599-608.

b) Serís, H., y E. Juliá, en *Revista de Filología Española,* XVII, Madrid, 1930, páginas 194-96.

BARCELONA. *Instituto del Teatro.* 30.850.— MADRID. *Consejo. Patronato «Menéndez Pelayo».* LE-315. *Nacional.* T-28.551.—WASHINGTON. *Congreso.* 27-14683.

El jenízaro de Hungría

3483

Comedia famosa. El genízaro de Vngría. [Valencia. Mateo Peneu. A costa de Luis Lamarca]. [1682]. 23 hs. 19 cm.

«—Adonde, gran señor, tan recatado...».

OVIEDO. *Universitaria.* 38-10.

3484

El genízaro de Ungría. Comedia famosa. [s. l.-s. i.]. [s. a.]. 32 págs.

Al fin: «Hallàrase... en Madrid en la Imprenta de Antonio Sanz... 1751».

N.º 63.

«—Adonde, Gran Señor, tan recatado...».

CHAPEL HILL. *University of North Carolina.* TAB 25,11.—MADRID. *Nacional.* T-15.000 (11); etc.

3485

Comedia famosa. El genízaro de Ungría. [Barcelona. Francisco Suriá]. [1769]. 16 hs. 20 cm.

N.º 119.

MADRID. *Nacional.* T-3.915.

3486

Comedia famosa. El genízaro de Ungría. [Valencia. Joseph Thomas de Orga]. [1773]. 32 págs. a 2 cols. 21,5 cm.

N.º 186.

CAMBRIDGE. *University Library.* Hisp.5.76.10 (11). — MADRID. *Municipal.* Leg. 33-2. *Nacional.* T-15.000 (2); etc.—NEW HAVEN. *Yale University.*

3487

Comedia. El genízaro de Ungría. [s. l.-s. i.]. [1793]. 36 págs.

Al fin: «Se hallará en la Librería de Quiroga...».

«—A dónde, gran señor, tan recatado...».

BARCELONA. *Instituto del Teatro.* 58.347; etc. COLUMBUS. *Ohio State University.*—MINNEAPOLIS. *University of Minnesota.*—NUEVA YORK. *Public Library.* NPLp.v.338.—URBANA. *University of Illinois.*

3488

Comedia famosa. El genízaro de Vngría. [Sevilla. Imp. Real. Casa del Correo Viejo]. [s. a.]. 32 págs.

N.º 57.

«—Adonde, Gran Señor, tan recatado...».

NUEVA YORK. *Public Library.* NPLp.v.795.

3489

El genízaro de Ungría. [Sevilla. Joseph Padrino]. [s. a.]. 28 págs.

N.º 129.

«—Adonde, gran Señor, tan recatado...».

CHAPEL HILL. *University of North Carolina.* CTAE 11,2.

3490

El genízaro de Ungría. Comedia famosa. [Salamanca. Imp. de la Santa Cruz, por Francisco de Tóxar]. [s. a.]. 32 págs. a 2 cols. 21 cm.

N.º 80.

«—A donde, gran señor, tan recatado...».

BARCELONA. *Instituto del Teatro.* 58.324; etc. CAMBRIDGE. *University Library.* 7743.c.12(6). MADRID. *Municipal.* Leg. 33-2. *Nacional.* T-7.111; etc.—TORONTO. *University Library.*

3491

Comedia famosa. El genízaro de Ungría. [s. l.-s. i.]. [s. a.]. 18,5 cm.

N.º 63.

«—Adonde gran Señor, tan recatado...».

OVIEDO. *Universitaria.* P-73-2.

3492

Comedia famosa: El Genízaro de Hungría... [Barcelona, Juan Serra y Nadal. A costas de la Compañía. [s. a.]. 16 hs.

N.º 119.

«—Adonde, gran señor, tan recatado...».

BARCELONA. *Instituto del Teatro.* 47.772. — MADRID. *Academia Española.* — SANTIAGO DE COMPOSTELA. *Universitaria.*

3493

Comedia famosa. El genigaro (sic) *de Ungría.* [s. l.-s. i.]. [s. a.]. 16 hs. 4.º

Al fin: «Hallaràse en Madrid, en casa de Francisco Sanz».
MADRID. *Nacional.* T-14.786 (7).

El Job de las mujeres

3494

El Iob de las mugeres. [En PARTE *nona de Comedias escogidas...* Madrid. 1657, págs. 286-324).

BARCELONA. *Instituto del Teatro.* 58.419 bis.—
MADRID. *Nacional.* R-22.662.

3495

Comedia famosa. El Job de las Mugeres Sta. Isabel, Reyna de Ungría. [s. l.-s. i.]. [s. a.]. 16 hs. 4.º

Al fin: «Hallaràse... en Madrid en la Imprenta de Antonio Sanz... 1736».
MADRID. *Nacional.*

3496

Comedia famosa. El Job de las mugeres, Santa Isabel, reyna de Ungría. [s. l.-s. i.]. [s. a.]. 32 págs. 21 cm.

Al fin: «Hallàrase... en Madrid en la Imprenta de A. Sanz... 1755».
N.º 70.
«—Sea bien venida...».
MADRID. *Nacional.* T-15.049.—URBANA. *University of Illinois.*

3497

Comedia famosa. El Job de las mugeres, Santa Isabel Reyna de Hungría, o El tirano de Hungría. [s. l.-s. i.]. [1790]. 32 págs. 4.º

Al fin: Madrid. Librería Quiroga.
«—Sea bien venida...».
MADRID. *Academia Española. — Nacional.* T-15.026 (16); etc.—SANTANDER. «*Menéndez Pelayo*». 157.—SANTIAGO DE COMPOSTELA. *Universitaria.*

3498

Comedia famosa. El Job de las mugeres Santa Isabel; reyna de Ungría. [Salamanca. Imprenta de la Santa Cruz]. [s. a.]. 32 págs. 20 cm.

«—Sea bien venida...».
BARCELONA. *Instituto del Teatro.* 45.072. —
MADRID. *Nacional.* T-15.060.

3499

El Job de las mujeres, Sta. Isabel reyna de Ungría. Comedia famosa. [Barcelona. Francisco Suría y Burgada. A costas de la Compañía]. [s. a.]. 14 hs. 19 cm.

N.º 263.
«—Sea bien venida...».
BARCELONA. *Instituto del Teatro.* 35.142. —
MADRID. *Academia Española. — Nacional.* T-516. — MINNEAPOLIS. *University of Minnesota.*—OVIEDO. *Universitaria.* P-27-5.

3500

El Job de las mugeres, Santa Isabel, reyna de Ungría. Comedia famosa. [Barcelona. Pedro Escuder]. [s. a.]. 32 págs.

BARCELONA. *Instituto del Teatro.* 71.913. —
BACON ROUGE. *Louisiana State University.*—
CHICAGO. *Center for Research Libraries.*—
EUGENE. *University of Oregon.*

3501

Comedia famosa. El Job de las mugeres. Santa Isabel, Reina de Ungría. [Sevilla. Joseph Padrino]. [s. a.]. 28 páginas. 20 cm.

N.º 102.
«—Se bien venida...».
OVIEDO. *Universitaria.* P-28-20.—SEVILLA. *Facultad de Letras.* Caja 38 (48).

3502

El Job de las mvgeres. Comedia famosa. [s. l.-s. i.]. [s. a.]. 18 fols.

«—Sea bien venida...».
MADRID. *Academia Española.*

3503

El Job de las mugeres, Santa Isabel, reina de Ungría. Sevilla. Impr. Real. [s. a.]. 28 págs. 21 cm.

N.º 75.
CHICAGO. *Newberry Library.*

El letrado del cielo

3504

El Letrado del Cielo. De Sebastián de Villaviciosa y ——. *(En* PARTE *veinte y cinco de Comedias nuevas...* Madrid. 1666, fols. 1r-22v).

MADRID. *Nacional.* R-22.678.

3505

El letrado del cielo. Comedia famosa de Sebastian de Villa-Viciosa y ——. [s. l.-s. i.]. [s. a.]. 36 págs. 20 cm.

Al fin: «Hallárase... en Madrid en la Imprenta de Antonio Sanz... 1739».

N.º 10.

«—Con quien estabas hablando?...».

BARCELONA. *Instituto del Teatro.* 35.164. — NUEVA YORK. *Public Library.* NPLp.v.799. — TORONTO. *University Library.*

3506

El letrado del cielo. Comedia famosa de Juan de Matos Fragoso y Sebastian de Villaviciosa. [Valencia. Viuda de Joseph de Orga]. 1764. 36 págs. 21 cm.

N.º 69.

«—Con quien estabas hablando?...».

BARCELONA. *Instituto del Teatro.* 30.153. — CAMBRIDGE. *University Library.* 7743.c.12(10); etc. — COLUMBUS. *Ohio State University.* — MADRID. *Academia Española.—Nacional.* T-20.533; etc.—TORONTO. *University Library.*— WELLESLEY. *Wellesley College.*

3507

Comedia famosa. El letrado del cielo. De Sebastián de Villaviciosa y ——. [s. l.-s. i.]. [s. a.]. 36 págs. 20 cm.

Al fin: «Hallàrase... en Salamanca, en la Imprenta de la Santa Cruz».

N.º 35.

«—Con quien estabas hablando?...».

CHAPEL HILL. *University of North Carolina.* TA 24,7.—MADRID. *Nacional.* T-15.062; etc.— TORONTO. *University Library.*

3508

El letrado del cielo. Comedia famosa de D. —— *y Sebastián de Villavicio-*

sa. [Sevilla, J. A. de Hermosilla]. [s. a.]. 36 págs. 20 cm.

N.º 232.

«—Con quien estabas hablando?...».

TORONTO. *University Library.*

El marido de su madre

3509

El marido de su madre, San Gregorio. Madrid. Juan Sanz. [s. a., 1700?]. 4.º.

N.º 41.

LONDRES. *British Museum.* 11728.d.27.—OBERLIN. *Oberlin College.*

3510

Comedia famosa. El marido de su madre, S. Gregorio. [s. l.-s. i.]. [s. a.]. 16 hs. 20,5 cm.

Al fin: «Hallaràse en Madrid en la Impr. de Antonio Sanz... 1731».

N.º 86.

MADRID. *Nacional.* T-5.050.

3511

Comedia famosa. El marido de su madre, S. Gregorio. [s. l.-s. i.]. [s. a.]. 32 págs. 20 cm.

Al fin: «Hallaràse... en Madrid en la Imprenta de Antonio Sanz... 1744».

N.º 67.

«—Estos floridos jardines...».

AUSTIN. *University of Texas.*

3512

El marido de su madre. Barcelona. Carlos Sapera. 1770. 32 págs. 21 cm.

N.º 136.

«—Estos floridos jardines...».

BARCELONA. *Instituto del Teatro.* 58.350; etc. CAMBRIDGE. *University Library.* Hisp.5.76.25 (3). — MADRID. *Nacional.* T-5.679. — TORONTO. *University Library.*

3513

El marido de su madre. Comedia famosa. [Sevilla, Imp. Real, Casa del Correo viejo]. [s. a.]. 28 págs. 21 cm.

MADRID. *Municipal.* 1-127-9.

3514

*El marido de su madre, San Grego-
rio. Comedia famosa.* [s. l.-s. i.]. [s.
a.]. 32 págs. a 2 cols.

Al fin: «Hallaràse... en Salamanca en la
Imprenta de la Santa Cruz».
N. °9.

MADRID. *Nacional.* T-5.211; etc.—OVIEDO. *Universitaria.* P-19-3.

3515

*El marido de su madre, San Grego-
rio. Comedia famosa.* [s. l.-s. i.]. [s.
a.]. 24 págs.

N.° 110.

CAMBRIDGE. *University Library.* Hisp.5.76.30
(10).

El mejor casamentero
3516

El mejor casamentero. (En PARTE
treinta y siete de Comedias nuevas...
Madrid. 1671, págs. 369-401).

BARCELONA. *Instituto del Teatro.* 60.640. —
MADRID. *Nacional.* R-22.690.

El mejor par de los doce
3517

*El mejor par de los doze. De ―― y
Agustín Moreto.* (En PARTE *treinta y
nueve de Comedias nuevas...* Madrid.
1673, págs. 1-40).

MADRID. *Nacional.* R-22.692.

3518

*Comedia famosa. El Mejor Par de
los Doce. De ―― y Agustin Moreto.*
[s. l.-s. i.]. [s. a.]. 16 hs. 21 cm.

Al fin: «Hallaràse... en Madrid en la Imprenta de la calle de la Paz... 1728».
«—Carlos invicto, Emperador de Francia...».

MADRID. *Nacional.* T-14.957.

3519

*El mejor par de los doce. Comedia
famosa de ―― y Agustín Moreto.*
[s. l.-s. i.]. [s. a.]. 32 págs. 20 cm.
N.° 90.

«Hallaràse... en Madrid en la Imprenta de
Antonio Sanz... 1748».
«—Carlos invicto, Emperador de Fran-
cia...».

BARCELONA. *Instituto del Teatro.* 60.516; etc.
CAMBRIDGE. *University Library.* 7743.c.12(9).
CHAPEL HILL. *University of North Carolina.*
TAB 25,13.—MADRID. *Nacional.* T-4.427; etc.
OVIEDO. *Universitaria.* P-34-41.—TORONTO. *Uni-
versity Library.* [Dos ejemplares, con va-
riantes].

3520

*El mejor par de los doce. Comedia
famosa de Juan de Matos Fragoso y
Agustín Moreto.* [Valencia. Joseph y
Thomás de Orga]. [1776]. 32 págs.
21,5 cm.

N.° 168.

«—Carlos invicto, Emperador de Francia...».

CAMBRIDGE. *University Library.* Hisp.5.76.9
(11); etc.—CHICAGO. *University of Chicago.*—
MADRID. *Academia Española.*—*Nacional.* T-
15.026 (23).—MINNEAPOLIS. *University of Minnesota.*—NEW HAVEN. *Yale University.*—OVIE-
DO. *Universitaria.* P-26-5.—TORONTO. *University Library.*

3521

Comedia. El mejor par de los doce.
[Madrid. s. i.]. [1796]. 32 págs.
21,5 cm.

Al fin: «Se hallará en la Librería de Quiroga...».
«—Carlos invicto, Emperador de Francia...».

BARCELONA. *Instituto del Teatro.* 35.343; etc.
MADRID. *Nacional.* T-15.000 (19).—OVIEDO. *Universitaria.* P-62-9.

3522

*Comedia famosa. El mejor par de los
doce, de ―― y Agustín Moreto.* [s. l.-
s. i.]. [s. a.]. 32 págs. 21 cm.

Al fin: «Hallaràse... en Salamanca en la
Imprenta de la Santa Cruz».
«—Carlos invicto, Emperador de Fran-
cia...».

BARCELONA. *Instituto del Teatro.* 57.717; etc.
MADRID. *Nacional.* T-15.060 (ex libris de Gayangos).

3523

Comedia famosa. El mejor par de los doce. De —— *y Augustín Moreto.* [Sevilla. Joseph Padrino]. [s. a.]. 28 págs. 20 cm.

N.º 163.

CAMBRIDGE. *University Library.* Hisp.76.27 (12).

3524

El mejor par de los doze. Comedia famosa de —— *y Augustín Moreto.* [Sevilla. Impr. Real]. [s. a.]. 28 págs.

N.º 41.

CAMBRIDGE. *University Library.* Hisp.5.76.29 (1).

3525

Comedia famosa. El mejor par de los doze. Por —— *y Agustín Moreto.* [s. l.-s. i.]. [s. a.]. 18 hs. 21 cm.

«Carlos invicto. Emperador de Francia...».

MADRID. *Nacional.* T-14.822.—NUEVA YORK. *Public Library.*

3526

Comedia famosa. El mejor par de los doze. De —— *y Agustín Moreto.* [s. l.-s. i.]. [s. a.]. 36 págs.

«—Carlos, Invicto Emperador de Francia...».

NUEVA YORK. *Public Library.* NPLp.v.542.

El Nuevo Mundo

3527

El Nuevo Mundo en Castilla. (En PARTE *treinta y siete de Comedias nuevas...* Madrid. 1671, págs. 110-33).

BARCELONA. *Instituto del Teatro.* 60.642. — MADRID. *Nacional.* R-22.690.

El príncipe prodigioso

3528

El Príncipe prodigioso. (En DOZE *Comedias las más grandiosas que hasta aora han salido...* Lisboa. 1653, páginas 95-138).

MADRID. *Nacional.* R-13720.

3529

Comedia famosa. El príncipe prodigioso, y defensor de la fe. De —— *y Agustín Moreto.* [s. l.-s. i.]. [s. a.]. 32 págs. 21 cm.

Al fin: «Hallarase en Madrid en la Imprenta de Antonio Sanz... 1751».

N.º 107.

«—Mueran Soliman y Hacen...».

MADRID. *Nacional.* T-3.388; etc.—OVIEDO. *Universitaria.* P-73-9.

3530

Comedia famosa. El príncipe prodigioso, y defensor de la fe. De —— *y Agustín Moreto.* [Valencia. Ioseph y Tomás de Orga]. [1777]. 32 págs. 21 cm.

N.º 223.

«—Mueran Soliman y Hacen...».

CAMBRIDGE. *University Library.* Hisp.5.76.12 (9).—MADRID. *Nacional.* T-6.371; etc.—OVIEDO. *Universitaria.* P-26-3; etc.

3531

Comedia. El príncipe prodigioso y defensor de la fe. [Madrid. s. i.]. [1802]. 32 págs. 4.º

BARCELONA. *Instituto del Teatro.* 60.523. — MADRID. *Nacional.* T-14.807 (7) [ex libris de Gayangos].

El redentor cautivo

3532

El Redemptor Cautivo. De Iuan de Matos y de Villaviciosa. (En PARTE *veinte y tres de Comedias nuevas...* Madrid. 1665, págs. 93-130).

MADRID. *Nacional.* R-22.676.

3533

Comedia famosa. El redemptor cautivo, por —— *y Sebastián de Villaviciosa.* [s. l.-s. i.]. [s. a.]. 16 hs. 4.º

Al fin: «Hallaràse... en Madrid en la Imprenta de la Calle de la Paz».

N.º 14.

LONDRES. *British Museum.* 11728.d.35. — MADRID. *Nacional.* T-14.807 (5); etc.

3534

El redemptor cautivo. Comedia famosa de —— y Sebastián de Villaviciosa. [Sevilla. Francisco de Leefdael]. [s. a.]. 32 págs. 20 cm.

N.º 68.

«—Vístele passar, Elvira?...».

BARCELONA. *Instituto del Teatro.* 39.756. — LONDRES. *British Museum.* 11728.d.34. — MADRID. *Municipal.* 1-60-14. — TORONTO. *University Library.*

3535

Comedia famosa. El Redemptor cautivo. De dos ingenios, —— y Villaviciosa. [s. l.-s. i.]. [s. a.]. 16 fols. 21 cm.

Al fin: «Hallaráse en la Librería de los Herederos de Gabriel de León».
N.º 304.

MADRID. *Nacional.* T-9.200; etc.

3536

El redemptor cautivo. Comedia famosa de dos Ingenios. [s. l.-s. i.]. [s. a.]. 36 págs.

«—Vistele passar Elvira?...».

MADRID. *Academia Española.*

El sabio en su retiro

3537

El sabio en su retiro. (En PARTE *treinta y tres de Comedias nuevas...* Madrid. 1670, págs. 1-43).

MADRID. *Nacional.* R-22.686.

3538

Comedia famosa. El sabio en su retiro, y villano en su rincón, Juan Labrador. [s. l.-s. i.]. [s. a.]. 18 cm.

Al fin: «Hallaràse... en Madrid en la Imprenta de Antonio Sanz... 1742».
N.º 26.

«—Con qué estilo tan galán...».

OVIEDO. *Universitaria.* P-38-7.—PARIS. *Nationale.* Yg.138 (4). — WELLESLEY. *Wellesley College.*

3539

Comedia famosa. El sabio en su retiro, y villano en su rincón, Juan La-brador. [Barcelona. Carlos Sapera y Jayme Osset]. [s. a.]. 36 págs. 20,5 centímetros.

N.º 3.

Antes del pie de imprenta dice: «Reimprímase. 1757».

«—Con què estilo tan galán...».

MADRID. *Nacional.* T-15.049.

3540

Comedia famosa. El sabio en su retiro, y villano en su rincon, Juan Labrador. [s. l.-s. i.]. [s. a.]. 36 págs. 20 cm.

Al fin: «Hallaràse... en Madrid en la Imprenta de Antonio Sanz... 1759».

«—Con que estilo tan galan...».

BARCELONA. *Instituto del Teatro.* 58.136.—CHICAGO. *Newberry Library.*—MADRID. *Academia Española.*—Nacional. T-15.026 (2); etc.—MINNEAPOLIS. *University of Minnesota.*—NUEVA YORK. *Hispanic Society.* — OBERLIN. *Oberlin College.*

3541

El sabio en su retiro y villano en su rincón, Juan Labrador. Comedia famosa. [Barcelona. Th. Piferrer]. [1771]. 34 págs.

CHICAGO. *University of Chicago.*

3542

El sabio en su retiro, y villano en su rincón, Juan Labrador. Comedia famosa. [Valencia. Joseph y Thomas de Orga]. [1773]. 36 págs. 21 cm.

N.º 187.

«—Con qué estilo tan galán...».

BARCELONA. *Instituto del Teatro.* 58.317. — CAMBRIDGE. *University Library.* Hisp.5.76.10 (12).—CHAPEL HILL. *University of North Carolina.* CTAE 8,11. — MADRID. *Nacional.* T-7.565; etc.—NEW HAVEN. *Yale University.* — SEVILLA. *Facultad de Filosofía y Letras.* Caja 19-14.

3543

Comedia. El sabio en su retiro, y villano en su rincón, Juan Labrador. [s. l.-s. i.]. 1792. 36 págs.

Al fin: «Se hallará en la Librería de Quiroga...».

«—Con qué estilo tan galán...».

BARCELONA. *Instituto del Teatro.* 60.648. — CAMBRIDGE. *University Library.* 7743.c.12 (4). CHAPEL HILL. *University of North Carolina.* TAB 25,24.—CHICAGO. *University of Chicago.* MADRID. *Consejo. Patronato «Menéndez Pelayo».* 6-190 (tomo 1). *Nacional.* T-12.736; etc.—NEW HAVEN. *Yale University.* — NUEVA YORK. *Public Library.* NPLp.v.587. — OVIEDO. *Universitaria.* P-56-1; etc.—TORONTO. *University Library.*

3544

Comedia famosa. El sabio en su retiro, y villano en su rincón, Juan Labrador. [s. l.-s. i.]. [s. a.]. 36 págs. 21 cm.

Al fin: «Hallaràse ...en Valladolid en la Imprenta de Alonso del Riego...».

N.º 119.

«—Con qué estilo tan galán...».

AUSTIN. *University of Texas.*

3545

Comedia famosa. El sabio en su retiro, y villano en su rincón, Juan Labrador. [s. l.-s. i.]. [s. a.]. 36 págs. 22 cm.

Al fin: «Hallaràse en Salamanca en la Imprenta de la Santa Cruz».

«—Con que estilo tan galán...».

MADRID. *Nacional.* T-12.772; etc.

3546

Comedia famosa. El sabio en su retiro. [s. l.-s. i.]. [s. a.]. 20 hs. 21 cm.

«—Con que estilo tantas galas...».

MADRID. *Nacional.* T-14.822.

3547

El sabio en su retiro y villano en su rincón, Juan Labrador. Comedia famosa de Don ——. [Sevilla. Joseph Antonio de Hermosilla]. [s. a.]. 32 páginas. 20 cm.

«—Con que estilo tan galán...».

MADRID. *Nacional.* T-15026 (3).—SEVILLA. *Facultad de Letras.* Caja 38 (38).

3548

El sabio en su retiro. Comedia famosa. [Sevilla. Francisco de Leefdael]. [s. a.]. 32 págs. 21 cm.

N.º 13.

«—Con qué estilo tan galán...».

MADRID. *Nacional.* T-14982.—SEVILLA. *Facultad de Letras,* caja 7 (88).

3549

El sabio en sv retiro, y villano en su rincón, Juan Labrador. Comedia famosa. [Sevilla. Impr. Real]. [s. a.]. 32 págs.

N.º 13.

«—Con què estilo tan galàn...».

CAMBRIDGE, Mass. *Harvard University.* — CHAPEL HILL. *University of North Carolina.* TAB 25,22. — NUEVA YORK. *Public Library.* NPLp.v.799.

3550

El sabio en su retiro y villano en su rincón. Sevilla. Padrino. [s. a.].

BARCELONA. *Instituto del Teatro.* 45.197.

3551

El sabio en su retiro y villano en su rincón, Juan Labrador. (En TEATRO *selecto antiguo y moderno... coleccionado... por Francisco José Orellana.* Tomo III. Barcelona. Manero. 1867, págs. 407-36, con un grabado.

BARCELONA. *Instituto del Teatro.* 34.303. — MADRID. *Nacional.* T.i.-14 (vol. III).

3552

El sabio en su retiro, y villano en su rincón, Juan Labrador. Comedia famosa. [Barcelona. Juan Serra. A costa de la Compañía]. [s. a.]. 16 hs. 21 cm.

N.º 169.

«—Con qué estilo tan galán...».

BARCELONA. *Instituto del Teatro.* 45.009; etc. CHAPEL HILL. *University of North Carolina.* TAB 25,23.—MADRID. *Academia Española.*— SAN DIEGO. *University of California.*

3553

Comedia famosa. El sabio en su retiro. [s. l.-s. i.]. [s. a.].

N.º 219.

En «Jardín ameno...». Tomo XIX. Madrid. LONDRES. *British Museum.* 11728.i.6.(5).—MADRID. *Nacional.* T.i.-120.

El segundo Moisés
3554

El segundo Moysés San Froylano. (En PARTE *diez y nueve de Comedias nuevas*... Madrid. 1663, fols. 16v-37v).

MADRID. *Nacional.* R-22.672.

3555

Comedia famosa. El segundo Moyses S. Froylan. [Valencia. Viuda de Joseph de Orga]. [1762]. 32 págs. 21 centímetros.

N.º 21.

«—Avisaste al Rey, que aquí...».

BARCELONA. *Instituto del Teatro.* 39.866; etc. CAMBRIDGE. *University Library.* 7743.c.11 (11); etc. — COLUMBUS. *Ohio State University.* — CHAPEL HILL. *University of North Carolina.* TAB 25,25.—MADRID. *Academia Española.— Nacional.* T-15.058.—TORONTO. *University Library.*

El traidor contra su sangre
3556

Comedia famosa. El traydor contra su sangre. [s. l.-s. i.]. [s. a.]. 32 págs. 21 cm.

Al fin: «Hallaráse... en Madrid en la Imprenta de Antonio Sanz... 1749».

N.º 125.

«—Ya que os aveis de partir...».

BARCELONA. *Instituto del Teatro.* 58.354. — CHICAGO. *Newberry Library.*—MADRID. *Nacional.* T-12.734; etc.—MINNEAPOLIS. *University of Minnesota.* — NUEVA YORK. *Hispanic Society.*—OVIEDO. *Universitaria.* P-53-6.—TORONTO. *University Library.*

3557

Comedia famosa: El traidor contra su sangre, y siete Infantes de Lara. [Valencia. Hermanos de Orga]. [1793]. 32 págs. a 2 cols. 22 cm.

N.º 296.

«—Ya que os habeis de partir...».

BARCELONA. *Instituto del Teatro.* 45.200. — CAMBRIDGE. *University Library.* Hisp. 5.76.15 (5). — MADRID. *Nacional.* T-15.026 (6); etc. — NEW HAVEN. *Yale University.*

3558

Comedia famosa. El traydor contra su sangre. [s. l.-s. i.]. [s. a.] 32 págs. 20,5 cm.

Al fin: «Hallaràse... en Salamanca, en la Imprenta de la Santa Cruz...».

N.º 55.

«—Ya que os haveis de partir...».

AUSTIN. *University of Texas.* — CHAPEL HILL. *University of North Carolina.* CTAE 8,12; etc. — MADRID. *Nacional.* T-6.195. — TORONTO. *University Library.*

3559

Comedia Famosa. El Traydor contra su sangre. [s. l.-s. i.]. [s. a.]. 36 páginas. 18 cm.

—Texto. [«Ya que os aveis de partir...»].

MADRID. *Nacional.* T-14.982.

3560

Comedia famosa. El traydor contra su sangre, y siete infantes de Lara. [s. l.-s. i.]. [s. a.]. 32 págs. 21,5 cm.

Al fin: «Hallarase... en la Librería de Quiroga».

N.º 125.

«—Ya que os habeis de partir...».

ANN ARBOR. *University of Michigan.*—BARCELONA. *Instituto del Teatro.* 58.323; etc.—CAMBRIDGE. *University Library.* 7743.c.11 (12).— MADISON. *University of Wisconsin.*—MADRID. *Consejo. Patronato «Menéndez Pelayo».* 6-190 (tomo 1).—TORONTO. *University Library.*

3561

Los siete infantes de Lara. El traydor contra su sangre. Comedia famosa. [Barcelona. Francisco Suriá y Burgada. A costa de la Compañía]. [s. a.]. 17 hs. 22 cm.

N.º 255.

«—Ya que os habeis de partir...».

BARCELONA. *Instituto del Teatro.* 90.155. —

CHAPEL HILL. *University of North Carolina.* TAB 26,2. — MADRID. *Academia Española. — Nacional.* T-12.782.

3562

El traydor contra sv sangre. Comedia famosa. [s. l.-s. i.]. [s. a.]. 18 hs. N.º 149.

«—Ya que os aveis de partir...».

MADRID. *Academia Española. — Nacional.* T-12.749; etc.

El yerro del entendido

3563

Comedia famosa. El yerro del entendido. [Valencia. Joseph y Thomás de Orga]. [1772]. 38 págs. 17,5 cm. N.º 171.

«—Viva el invicto Alexandro...».

BARCELONA. *Instituto del Teatro.* 60.654; etc. CAMBRIDGE. *University Library.* Hisp. 5.76.9 (14). — COLUMBUS. *Ohio State University.* — CHAPEL HILL. *University of North Carolina.* CTAE 8,10. — CHICAGO. *Newberry Library.*— MADRID. *Academia Española. — Nacional.* T-15.026 (13).—MINNEAPOLIS. *University of Minnesota.*—NEW HAVEN. *Yale University.*—OVIEDO. *Universitaria.* P-27-6; etc. — SAN DIEGO. *University of California.*

3564

El yerro del entendido. Comedia famosa. [Sevilla, Francisco de Leefdael]. [s. a.]. 36 págs. 21 cm. N.º 18.

«—Viva el invicto Alexandro...».

MADRID. *Nacional.* T-15026 (14).—SEVILLA. *Facultad de Letras,* caja 7 (103).

Estados mudan costumbres

3565

Estados mudan costumbres. (En QUINTA *parte de Comedias escogidas de los mejores ingenios de España.* Madrid. 1653, págs. 80-127).

MADRID. *Nacional.* R-22.658.

3566

Estados mudan costumbres. Comedia famosa. (En DOZE *Comedias.* Colonia Agripina. 1697, fols. 38-56).

[«Quede estampada en tu rostro...»].

BARCELONA. *Instituto del Teatro.* 83229.

La cosaria catalana

3567

La cosaria catalana. (En PARTE *treinta y nueve de Comedias nuevas...* Madrid. 1673, págs. 237-75).

MADRID. *Nacional.* R-22.692.

3568

Comedia famosa. La cosaria catalana. [s. l.-s. i.]. [s. a.]. 36 págs. 21 cm.

Al fin: «Hallaràse... en Madrid en la Imprenta de Antonio Sanz... 1745». N.º 128.

«—Oye, escucha.—Qué me quieres?...».

BARCELONA. *Instituto del Teatro.* 58.334. — CAMBRIDGE. *University Library.* Hisp. 5.76. 19.(4).—COLUMBIA. *University of Missouri.*— CHAPEL HILL. *University of North Carolina.*— CHICAGO. *Center for Research Libraries.* — *University of Chicago.* — MADRID. *Consejo.* Patronato «Menéndez Pelayo». 6-203 (tomo 14). *Nacional.* T-15.026 (24); etc.—PARIS. *Nationale.* Yg.391.

3569

Comedia famosa. La cosaria catalana. [s. l.-s. i.]. [s. a.]. 36 págs. 20 cm .

Al fin: «Hallárase... en Salamanca Impr. de la Santa Cruz...». N.º 174.

«Oye, escucha...».

BARCELONA. *Instituto del Teatro.* 33.517; etc. CAMBRIDGE, Mass. *Harvard University.*—MADRID. *Nacional.* T-69.335; etc.—NUEVA YORK. *Hispanic Society.* — PARIS. *Nationale.* Yg. 138 (5).—SAN DIEGO. *University of California.*

3570

La cosaria catalana. En tres jornadas. [Sevilla. José Antonio Hermosilla]. [s. a.]. 32 págs. 20 cm.

MADRID. *Nacional.* T-14835 (7).

3571

La cosaria catalana. Comedia famosa. [Sevilla. Francisco de Leefdael]. [s. a.]. 32 págs. 20 cm.

CHICAGO. *University of Chicago.*—MADRID. *Nacional.* T-10.901.—TORONTO. *University.*

3572

Comedia famosa. La cosaria catalana. [s. l.-s. i.]. [s. a.]. 18 hs. 4.º
N.º 170.
MADRID. *Nacional.* T-3.699.

La devoción del Angel de la Guarda

3573

La devoción del angel de la Guarda. Comedia famosa. [Sevilla. Francisco de Leefdael]. [s. a.]. 32 págs. 20 cm.
N.º 16.
LONDRES. *British Museum.* 11728.d.15.—MADRID. *Nacional.* T-2721.

3574

Comedia famosa. La devoción del Angel de la Guarda. [Valladolid. Alonso del Riego]. [s. a.]. 16 hs. 4.º
MADRID. *Nacional.* T-15.000 (7) [ex libris de Gayangos].

3575

La devoción del Angel de la Guarda. [s. l.-s. i.]. [s. a.]. 32 págs. 20 cm.
N.º 10.
MADRID. *Nacional.* T-6.389; etc.—MINNEAPOLIS. *University of Minnesota.*

La dicha por el desprecio

3576

La dicha por el desprecio. (En PARTE *treinta y nueve de Comedias nuevas...* Madrid. 1673, págs. 116-54).
MADRID. *Nacional.* R-22.692.

3577

La dicha por el desprecio. Comedia famosa de Juan de Matos Fragoso. [Valencia. Viuda de Joseph de Orga]. 1764. 32 págs. 21 cm.
N.º 71.
«—Con un salto, quando menos...».
BARCELONA. *Instituto del Teatro.* 39.863. — CAMBRIDGE. *University Library.* 7743.c.12 (7); etc.—CHAPEL HILL. *University of North Ca-*

rolina. CTAE 8,9; etc.—CHICAGO. *Newberry Library.* — MADRID. *Academia Española.* — NEW HAVEN. *Yale University.* — OVIEDO. *Universitaria.* P-32-9; etc.—SAN DIEGO. *University of California.* — SEVILLA. *Facultad de Filosofía y Letras.* Caja 19-15. — TORONTO. *University Library.*

3578

La dicha por el desprecio. (En TESORO *del Teatro español... Edición de Eugenio de Ochoa.* París, Baudry. 1838, págs. 620-47).
BARCELONA. *Instituto del Teatro.* 38.407. — ITHACA. *Cornell University.*

3579

La dicha por el desprecio. Comedia famosa. [Sevilla. Joseph Antonio de Hermosilla]. [s. a.]. 32 págs. 20 cm.
Atribuida también a Lope de Vega.
«—Con un salto, quando menos...».
BARCELONA. *Instituto del Teatro.* 39.755. — MADRID. *Nacional.* T-1.524.—NUEVA YORK. *Public Library.* NPLp.v.799.—TORONTO. *University Library.*

La fuerza de la sangre

3580

La fuerza de la sangre, y Amor hace hablar los mudos. Comedia famosa de tres Ingenios. [Valencia. Viuda de Joseph de Orga]. [1764]. 36 págs. 21 cm.
Atribuida a Sebastián de Villaviciosa, —— y Juan de Zabaleta.
N.º 75.
«—Viva Creso, Rey de Lidia...».
CHAPEL HILL. *University of North Carolina.* CTAE 12,4.—MADRID. *Academia Española.*

La ocasión hace al ladrón

3581

La ocasión haze al ladrón. (En PARTE *veinte y siete de Comedias varias...* Madrid. 1667, págs. 190-226).
MADRID. *Nacional.* R-22.680.

3582

Comedia famosa. La ocasión hace al ladrón, y el trueque de las maletas. De Don Agustín Moreto (sic). [Valencia. Viuda de Ioseph de Orga]. [1763]. 32 págs. 21 cm.

N.º 45.

«—Llama, Crispín, a mi hermana...».

AUSTIN. *University of Texas.*

La razón vence al poder

3583

La razón vence al poder. (En PARTE *veinte y nueve de Comedias nuevas...* Madrid. 1668, págs. 31-73).

MADRID. *Nacional.* R-22.682.—PARIS. *Arsenal.* Re.6159.

3584

Comedia famosa. La razón vence al poder. [s. l.-s. i.]. [s. a.]. 36 págs. 21 cm.

Al fin: «Hallaràse ...en Madrid en la Imprenta de Antonio Sanz... 1743».

«—Una y mil veces los brazos...».

BARCELONA. *Instituto del Teatro.* 60.646. — MADRID. *Academia Española.—Nacional.* T-15.057.—MINNEAPOLIS. *University of Minnesota.—*OVIEDO. *Universitaria.* P-38-13.

La venganza en el empeño

3585

La venganza en el empeño. (En PARTE *treinta y quatro de Comedias nuevas...* Madrid. 1670, págs. 340-81).

BARCELONA. *Instituto del Teatro.* 58.652. — MADRID. *Nacional.* R-22.687.

3586

Comedia famosa. La venganza en el despeño, y tyrano de Navarra. [s. l.-s. i.]. [s. a.]. 32 págs. 18 cm.

N.º 6.

«—Cese el estruendo de Marte...».

BARCELONA. *Instituto del Teatro.* 58.360; etc. CAMBRIDGE. *University Library.* Hisp.5.69.1 (3).—COLUMBUS. *Ohio State University.—*MADRID. *Academia Española.—*NEW HAVEN. *Yale University.—*OVIEDO. *Universitaria.* P-53-7.—

SEVILLA. *Facultad de Filosofía y Letras.* Caja 19-13. — WELLESLEY. *Wellesley College.*

3587

La venganza en el empeño. Comedia famosa. (En DOZE *Comedias...* Colonia Agripina. 1697, 38 págs. a 2 cols.).

«—Cesse el estruendo de Marte...».

BARCELONA. *Instituto del Teatro.* 83226.

3588

La venganza en el despeño, y tyrano de Navarra. Comedia famosa. [Barcelona. Pedro Escuder]. [s. a.]. 39 páginas a 2 cols. 4.º

BARCELONA. *Instituto del Teatro.* 35.140; etc. CHICAGO. *University of Chicago.—*MADRID. *Nacional.* T-20.675.

La Virgen de la Fuencisla

3589

La Virgen de la Fuencisla. De Sebastián de Villaviciosa. Iornada segunda: La antiguedad de Segovia, de ———. Iornada tercera, de Iuan Zaualeta. (En PARTE *veinte y tres de Comedias nuevas...* Madrid. 1665, páginas 349-95).

MADRID. *Nacional.* R-22.676.

Lorenzo me llamo

3590

Lorenzo me llamo. (En PARTE *veinte y cinco de Comedias nuevas...* Madrid. 1666, fols. 221r-243v).

MADRID. *Nacional.* R-22.678.

3591

Lorenzo me llamo. (En PARTE *veinte y seis de Comedias nuevas...* Madrid. 1666, fols. 20v-42r).

MADRID. *Nacional.* R-22.679.

3592

Lorenso (sic) *me llamo.* (En COMEDIAS *escogidas de differentes Libros de los mas Celebres, e Insignes Poetas.* Bruselas. 1704, 19 fols.).

V. *BLH,* IV, n.º 272 (9).

3593

Lorenzo me llamo, y Carbonero de Toledo. Comedia famosa. [s. l.-s. i.]. [s. a.]. 38 págs. 21 cm.

Al fin: «Hallárase... en Madrid en la Imprenta de A. Sanz... 1734».

N.º 160.

CHICAGO. *University of Chicago.*

3594

——. [s. l.-s. i.]. [s. a.]. 36 págs. 20 centímetros.

Al fin: «Hallárase... en Madrid en la Imprenta de A. Sanz... 1743».

MADRID. *Nacional.* T-4.582. — WELLESLEY. *Wellesley College.*

3595

——. [s. l.-s. i.]. [s. a.]. 36 págs. 22 centímetros.

Al fin: «Hallaràse... en Madrid en la Imprenta de A. Sanz... 1754».

N.º 204.

BARCELONA. *Instituto del Teatro.* 45.094. — COLUMBUS. *Ohio State University.* — MADRID. *Nacional.* T-3.236; etc.—NUEVA YORK. *Hispanic Society.*

3596

Comedia famosa. Lorenzo me llamo, y Carbonero de Toledo. [Barcelona. Juan Nadal. A costas de la Compañía]. [1775]. 18,5 cm.

N.º 187.

«—Cierra essa puerta, Lucía...».

MADRID. *Nacional.* T-5.116.—OVIEDO. *Universitaria.* P-38-3.

3597

Lorenzo me llamo, y carbonero de Toledo. Comedia famosa. [Valencia. Joseph y Thomás de Orga]. [1781]. 38 págs. 21 cm.

N.º 246.

«—Cierra essa puerta, Lucía...».

BARCELONA. *Instituto del Teatro.* 44.536; etc. MADRID. *Academia Española.* — *Nacional.* T-5.118.—NEW HAVEN. *Yale University.*—SEVILLA. *Facultad de Filosofía y Letras.* Caja 19-12.

3598

Comedia. Lorenzo me llamo, y Carbonero de Toledo. [Madrid. s. i.]. [1796]. 36 págs. 19,5 cm.

Al fin: «Se hallará en la Librería de Quiroga...».

«—Cierra esa puerta, Lucía...».

CAMBRIDGE. *University Library.* 7743.c.12 (5); etc.—MADRID. *Nacional.* T-15.026 (21); etc.—OVIEDO. *Universitaria.* P-51-12; etc.—TORONTO. *University Library.*

3599

Lorenzo me llamo... Edición de Eugenio de Ochoa. (En TESORO *del Teatro español...* París. Baudry. 1838, págs. 585-619).

BARCELONA. *Instituto del Teatro.* 38.406. — ITHACA. *Cornell University.*

3600

Lorenzo me llamo y carbonero de Toledo. Comedia... refundida por Eduardo Asquerino. Madrid. Impr. que fue de Operarios, a cargo de F. R. del Castillo. 1852. 98 págs. 21 centímetros. (El Teatro).

BARCELONA. *Instituto del Teatro.* 28.056. — CORAL GABLES, Flor. *University of Miami.* — CHICAGO. *Center for Research Libraries.* — MADRID. *Consejo. Instituto «M. de Cervantes».* XLVII-4-11.

3601

Lorenzo me llamo... Comedia del Teatro Clásico Español... Refundida por Narciso Díaz de Escovar. Tuy. Tip. Regional. 1914.

MADRID. *Nacional.* T-21.632.

3602

Lorenzo me llamo, y Carbonero de Toledo. (En TEATRO *selecto antiguo y moderno... coleccionado... por Francisco José Orellana.* Tomo III. Barcelona. Manero. 1867, págs. 437-469, con un grabado).

BARCELONA. *Instituto del Teatro.* 34.304.—MADRID. *Nacional.* T.i.-14 (vol. III).

3603

Comedia famosa. Lorenzo me llamo.
[s. l.-s. i.]. [s. a.]. 40 págs. a 2 cols.
21 cm.

Al fin: «Hallàrase... en Salamanca en la
Imprenta de la Santa Cruz».
N.º 54.
«—Cierra essa puerta, Lucia...».
MADRID. *Nacional.* T-15.056.

3604

*Comedia famosa. Lorenzo me llamo,
el carbonero de Toledo.* [Sevilla. Joseph Padrino]. [s. a.]. 32 págs. 20
centímetros.

N.º 131.
MADRID. *Nacional.* T-15000 (17).

3605

Comedia famosa. Lorenzo me llamo.
[s. l.-s. i.]. [s. a.]. 20 hs. a 2 cols.
20 cm.

N.º 39.
MADRID. *Nacional.* T-1.538.

3606

*Comedia famosa. Lorenzo me llamo,
y Carbonero de Toledo.* [s. l. - Impr.
de la Plazuela de la calle de la Paz].
[s. a.]. 20 hs. a 2 cols. 4.º

MADRID. *Nacional.* T-7.529; etc.

3607

*Lorenzo me llamo. Por otro título:
El carbonero de Toledo. Comedia famosa.* [s. l.-s. i.]. [s. a.]. 32 págs.

N.º 14.
«—Cierra essa puerta, Lucía...».
NUEVA YORK. *Public Library.* NPL.p.v.799.

3608

Lorenzo me llamo. Comedia famosa.
[s. l.-s. i.]. [s. a.]. 40 págs.

«—Cierra essa puerta Lucía...».
TORONTO. *University Library.*

Los bandos de Rávena

3609

Los vandos de Rabena y fundación

de la Camamdula. (En PARTE *veinte
y siete de Comedias varias...* Madrid.
1667, págs. 57-93).

MADRID. *Nacional.* R-22.680.

3610

*Comedia famosa. Los vandos de Ra-
bena y Fundación de la camandula.*
[s. l.-s. i.]. [s. a.]. 32 págs. 18 cm.

Al fin: «Hallaràse... en Madrid, en la Im-
prenta de la calle de la Paz... 1741».
N.º 19.
«—Bolved de nuevo a cantar...».
MADRID. *Nacional.* T-14.984.—OVIEDO. *Univer-
sitaria.* P-19-1; etc.

3611

*Comedia famosa. Los Vandos de Ra-
vena y Fundacion de la Camandula.*
[Sevilla. Joseph Padrino]. [s. a.].
28 págs. 21 cm.

BARCELONA. *Instituto del Teatro.* 70.358.—MA-
DRID. *Nacional.* T-14.805 (10); etc.

3612

*Comedia famosa. Los Vandos de Ra-
bena, y fundacion de la Camandula.*
[s. l.-s. i.]. [s. a.]. 32 págs. 20 cm.

N.º 218.
BARCELONA. *Instituto del Teatro.* 58.342. —
MADRID. *Nacional.* T-15.026 (8); etc.—MINNEA-
POLIS. *University of Minnesota.*

Los dos prodigios de Roma

3613

Los dos prodigios de Roma. (En PAR-
te *veinte y tres de Comedias nuevas...*
Madrid. 1665, págs. 50-92).

MADRID. *Nacional.* R-22.676.

3614

*Comedia famosa. Los dos prodigios
de Roma.* [Barcelona. Francisco Suriá. A costas de la Compañía]. [1770].
16 hs. 21 cm.

N.º 149.
«—Invencible Adrián, vasa segunda...».
MADRID. *Nacional.* T-1.097.

3615

Los tres (sic) *prodigios de Roma. Comedia famosa.* [Sevilla. Francisco de Leefdael]. [s. a.]. 36 págs. 20 cm. N.º 34.

MADRID. *Nacional.* T-5.219.

3616

Los dos prodigios de Roma. Comedia famosa. [Sevilla. Impr. Real]. [s. a.]. 32 págs. a 2 cols. 20,5 cm. N.º 34.

«—Invencible Adrián, vasa segunda...».
MADRID. *Nacional.* T-1.162; etc.

3617

Los tres prodigios de Roma. Comedia famosa. [Sevilla. Francisco de Leefdael]. [s. a.]. 36 págs. 20 cm. N.º 34.

MADRID. *Nacional.* T-5219.

3618

Los dos prodigios de Roma. Comedia famosa. [s. l.-s. i.]. [s. a.]. 32 páginas. 21 cm. N.º 34.

Los indicios sin culpa

3619

Comedia famosa. Los indicios sin culpa. [s. l.-s. i.]. [s. a.]. 40 págs. 4.º N.º 73.

BARCELONA. *Instituto del Teatro.* 58.963. — LONDRES. *British Museum.* 11728.i.-6.(2) — MINNEAPOLIS. *University of Minnesota.*

No está en matar el vencer

3620

No está en matar el vencer. (En PARTE treinta. *Comedias nuevas...* Madrid. 1668, págs. 389-417).

BARCELONA. *Instituto del Teatro.* 60.641. — MADRID. *Nacional.* R-22.683.

3621

No está en matar el vencer. Comedia famosa. [Sevilla. Francisco de Leefdael]. [s. a.]. 32 págs. 20 cm.

N.º 198.

COLUMBUS. *Ohio State University.* — MADRID. *Nacional.* T-741; etc. — NUEVA YORK. *Public Library.* NPLp.v.799.

Nuestra Señora del Pilar

3622

Nuestra Señora del Pilar. La primera jornada de Sebastián de Villaviciosa. La segunda de ——. *La tercera de Agustín Moreto.* (En QUINTA *parte de Comedias escogidas de los mejores ingenios de España.* Madrid. 1653, págs. 350-92).

MADRID. *Nacional.* R-22.658.

3623

La gran comedia de Nuestra Señora del Pilar. La primera jornada de Sebastián de Villaviciosa. La segunda de Iuan de Matos. La tercera de Agustín Moreto. [s. l.-s. i.]. [s. a.]. 40 págs. 20,5 cm. N.º 165.

«—No me importunes, Pasquín...».

BARCELON.A *Instituto del Teatro.* 58.963. — CHAPEL HILL. *University of North Carolina.* TAB 39,15.—MADRID. *Academia Española.*

Poco aprovechan avisos

3624

Poco aprouechan auisos, quando ay mala inclinación. (En PENSIL *de Apolo, en doze Comedias... Parte catorze.* Madrid. 1661, fols. 87v-108r).

MADRID. *Nacional.* R-22.667.

3625

Comedia famosa. Poco aprovechan avisos, quando ay mala inclinación. [s. l.-s. i.]. [s. a.]. 32 págs. 21 cm. N.º 200.

Al fin: «Hallaràse... en Madrid en la Imprenta de Antonio Sanz... 1746».

«—Tu conmigo?—Soy tu hermano...».

BARCELONA. *Instituto del Teatro.* 45.041; etc. CAMBRIDGE. *University Library.* Hisp.5.76.18 (13).—CHAPEL HILL. *University of North Ca-*

rolina. TAB 25,21. — CHICAGO. *University of Chicago.* — MADRID. *Nacional.* T-15.000 (20); etc.—NUEVA YORK. *Public Library.* NPLp.v. 210.—OVIEDO. *Universitaria.* P-27-7; etc.—PARIS. *Nationale.* Yg.503. — SANTIAGO DE COMPOSTELA. *Universitaria.*

Pocos bastan si son buenos

3626

Pocos bastan si son buenos, y el crisol de la lealtad. (En PARTE *treinta y quatro de Comedias nuevas...* Madrid. 1670, págs. 113-70).

BARCELONA. *Instituto del Teatro.* 60.644. — MADRID. *Nacional.* R-22.687.

Quitar el feudo a su patria
(V. Aristómenes Mesenio)

Riesgos y alivios de un manto

3627

Comedia famosa. Riesgos, y alivios de un manto. [s. l.-s. i.]. [s. a.]. 18 hs. 17,5 cm.

«Hallaràse... en Madrid en la Imprenta de Antonio Sanz... 1749».
N.º 248.
«—Norabuena dé á los prados...».

AUSTIN. *University of Texas.*—BARCELONA. *Instituto del Teatro.* 58.357; etc.—MADRID. *Academia Española.*—*Nacional.* T-9.198; etc.—MINNEAPOLIS. *University of Minnesota.*—NUEVA YORK. *Public Library.* NPLp.v.588.—OVIEDO. *Universitaria.* P-38-8.—PARIS. *Nationale.* Yg.138 (8).

3628

Comedia famosa. Riesgos, y alivios de un manto. [Valencia. Joseph y Thomás de Orga]. [1776]. 40 págs. 21 cm.

N.º 207.
«—Norabuena dà à los prados...».

BARCELONA. *Instituto del Teatro.* 45.095; etc. CAMBRIDGE. *University Library.* Hisp.5.76.11 (11).—MADRID. *Nacional.* T-20.583; etc.—OVIEDO. *Universitaria.* P-51-11.

3629

Riesgos y Alivios de un manto. Comedia famosa. [s. l.-s. i.]. [s. a.]. 18 hs. a 2 cols. 20,5 cm.

MADRID. *Nacional.* T-15.026 (1) [ex libris de Gayangos); etc.

Ver y creer

3630

Ver y creer... [s. l.-s. i.]. [s. a.]. 16 páginas. 21 cm.

Al fin: «Hallaràse... en Madrid en la Imprenta de A. Sanz... 1735».

ANN ARBOR. *University of Michigan.*—CHICAGO. *University of Chicago.*—ITHACA. *Cornell University.*

3631

Ver y creer. Es seguida parte de la garza de Portugal. Comedia famosa. [Lisboa. Bernardo da Costa Carvalho]. [1707]. 43 págs. 4.º

CAMBRIDGE, Mass. *Harvard University.*—MADRID. *Nacional.* T-1.540.

3632

Comedia famosa. Ver, y creer. Segunda parte de Doña Inés de Castro. [Barcelona. Pedro Escuder]. [1758]. 36 págs. 21 cm.

El nombre del autor sólo figura en las cabeceras de las páginas.
«—Vuestra Alteza, gran Señor...».

MADRID. *Nacional.* T-15.054.

3633

Comedia famosa. Ver y creer. Segunda parte de Reynar después de morir. [Valencia. Viuda de Joseph de Orga]. [1765]. 36 págs.

N.º 94.
«—Vuestra Alteza gran señor...».

CAMBRIDGE. *University Library.* Hisp.5.76.6 (1).—CHAPEL HILL. *University of North Carolina.* TA 19,13.—MADRID. *Municipal.* Leg. 11-7 [cuatro ejemplares]. *Nacional.* T-15.026 (11); etc. — NEW HAVEN. *Yale University.* — OVIEDO. *Universitaria.* P-27-4. — WELLESLEY. *Wellesley College.*

3634

Comedia famosa: Ver y Creer. Segunda parte de Reynar después de morir. [Barcelona. Juan Serra y Nadal. A costas de la Compañía]. [1777]. 16 hs.

N.º 189.

«—Vuestra Alteza, gran señor...».

BARCELONA. *Instituto del Teatro.* 45.194. — CHAPEL HILL. *University of North Carolina.* TAB 26,4. — MADRID. *Academia Española.* — *Nacional.* U-8.702.—OBERLIN. *Oberlin College.* OVIEDO. *Universitaria.* P-20-23.—SANTIAGO DE COMPOSTELA. *Universitaria.*

3635

Comedia. Ver y creer. Segunda parte de Reynar después de morir. [s. l.-s. i.]. [1795]. 35 págs. a 2 cols. 21,5 centímetros.

Al fin: «Se hallará en la Librería de Quiroga...».

«—Vuestra Alteza gran Señor...».

ANN ARBOR. *University of Michigan.*—BERKELEY. *University of California.* — CARBONDALE. *Southern Illinois University.* — COLUMBUS. *Ohio State University.*—CHICAGO. *University of Chicago.* — MADRID. *Municipal.* Leg. 117. (Con Apr. y L. mss. de 1816 para su representación). *Nacional.* T-15.026 (10).—OVIEDO. *Universitaria.* P-38-15; etc.—SAN DIEGO. *University of California.* — WELLESLEY. *Wellesley College.*

3636

Ver y creer. Segunda parte de Reinar después de morir. [s. l.-s. i.]. [s. a.]. 27 págs. a 2 cols. 25 cm.

Pero Sevilla. 1887.

BARCELONA. *Instituto del Teatro.* 48.183. — MADRID. *Nacional.* T-28.133.

3637

Comedia famosa. Ver y creer. Segunda parte de Reynar después de morir. [s. l.-s. i.]. [s. a.]. 36 págs. 20,5 centímetros.

Al fin: «Se hallará... en Salamanca en la Imprenta de la Sta. Cruz, por Francisco de Toxar».

«—Vuestra Alteza, gran señor...».

BARCELONA. *Instituto del Teatro.* 62.502; etc. CHICAGO. *University of Chicago.*—NUEVA YORK. *Hispanic Society.* — OBERLIN. *Oberlin College.*—TORONTO. *University Library.*

3638

Ver y creer. Comedia famosa. Segvnda parte de Doña Inés de Castro. [Sevilla. Impr. Real, Casa del Correo Viejo]. [s. a.]. 32 págs. 20,5 cm.

N.º 141.

«—Vuestra Alteza, gran señor...».

BARCELOAN. *Instittuo del Teatro.* 35.364. — NUEVA YORK. *Public Library.* NPLp.v.799.

3639

Ver y creer... Sevilla. Francisco de Leefdael. [s. a.]. 32 págs. 20,5 cm.

N.º 141.

BARCELONA. *Instituto del Teatro.* 35.364.

Relaciones

3640

Relación nueva de la comedia el Job de las mugeres. [Sevilla. Manuel Nicolás Vázquez]. [s. a.]. 2 hs. 20 cm.

SEVILLA. *Colombina.* 64-4-343.

3641

Relación de la comedia intitulada El Hijo de la Piedra. De muger. [Córdoba. Rafael García Rodríguez]. [s. a.]. 2 hs. con grabs. 4.º

Valdenebro, n.º 2.139.

3642

Relación de la comedia El Job de las mugeres. [s. l.-s. i.]. [s. a.].

BARCELONA. *Instituto del Teatro.* 74.133.

BAILES

3643

El desafío. Baile. (En RAMILLETE *de Saynetes...* Zaragoza. 1672, n.º 17).

BARCELONA. *Instituto del Teatro.* Vitrina A, est. 2.

3644

Bayle del Mellado en jácara. (En TARDES *apacibles...* Madrid. 1663, folios 122v-125r).

MADRID. *Nacional.* R-6.355.

3645

Bayle del Rico y el Pobre. (En RASGOS *del Ocio...* Madrid. 1661, págs. 68-77).

BARCELONA. *Instituto del Teatro.* Vitrina A, est. 1.—MADRID. *Nacional.* R-11.566.

3646

Los carreteros. (En RAMILLETE *de Saynetes...* Zaragoza. 1672, n.º 3).

V. BLH, IV, n.º 255 (3).

3647

Baile entremesado de los carreteros. (En FLORESTA *de Entremeses.* Madrid. 1691, págs. 46-54).

BARCELONA. *Instituto del Teatro.* Vitrina A, est. 1.—MADRID. *Nacional.* T-11.388.

3648

Baile entremesado de los carreteros. (En ENTREMESES *varios...* Zaragoza. s. a. 8 págs).

BARCELONA. *Instituto del Teatro.* Vitrina A, est. 1.

3649

Bayle entremesado de los carreteros. (En MANOGITO *de entremeses...* Pamplona. 1700, págs. 36-44).

BARCELONA. *Instituto del Teatro.* Vitrina A. MADRID. *Nacional.* R-1.511.

3650

Los carreteros. Baile entremesado. Córdoba. [s. a.].

BARCELONA. *Instituto del Teatro.* Vitrina A, est. 2.

ENTREMESES

3651

Entremés de don Terencio. (En VERDORES *del Parnaso...* Madrid. 1668, págs. 238-51).

V. *BLH*, IV, n.º 253 (26).

3652

Entremés del asaetado (En RASGOS *del Ocio... Segunda parte.* Madrid. 1644, págs. 138-50).

V. *BLH*, IV, n.º 249 (15).

3653

Entremes del detenido. De Iuan de Matos y Sebastián de Villaviciosa. (En LAUREL *de Entremeses varios...* Zaragoza. 1660, págs. 1-11).

V. *BLH*, IV, n.º 247 (1).

3654

Entremés del Dormilón. (En RASGOS *del Ocio...* Madrid. 1661, págs. 203-12)

V. *BLH*, IV, n.º 248 (21).

3655

Entremés del matachín. (En VERDORES *del Parnaso...* Madrid. 1668, páginas 110-16).

V. *BLH*, IV, n.º 253 (14).

3656

Entremes del Trepado. (En TARDES *apacibles...* Madrid. 1663, fols. 95v-100r).

V. *BLH*, IV, n.º 250 (26).

3657

Entremés de la Fregona. (En RASGOS *del Ocio...* Madrid. 1661, págs. 58-68).

V. *BLH*, IV, n.º 248 (7).

3658

Entremés de los enharinados. (En VERDORES *del Parnaso...* Madrid. 1668, págs. 201-12).

V. *BLH*, IV, n.º 253 (23).

JÁCARAS

3659

Xácara retratando a una dama. (En RASGOS *del Ocio...* Madrid. 1661, págs. 261-63).

V. *BLH*, IV, n.º 148 (28).

POEMAS

3660

CUATRO poemas. Edición de José Simón Díaz. (En REVISTA *de Literatura,* XXVIII, Madrid, 1965, páginas 97-161).

I. Poema heroyco a la feliz entrada que hizo en esta Corte la... duquesa de Chebroso.—II. Elogio lyrico al Sr. D. Iuan.—III. Epithalamio en las bodas de Felipe IV y Mariana de Austria.—IV. Muestra del ingenio en la de un relox.

3661

[*TEXTOS dispersos. Edición de José Simón Díaz*]. (En TEXTOS *dispersos de autores españoles.* Tomo I. Madrid. C.S.I.C. 1978, págs. 169-202).

Se reproducen 28 poesías y tres dedicatorias.

3662

POEMA heroyco a la feliz entrada que hizo en esta Corte la Excelentissima señora Duquesa de Chebroso, en seis de Diziembre de mil y seyscientos y treinta y siete. Madrid. Iuan Sanchez. 1638. 2 hs. + 9 fols. 15,5 cm.

—Ded. a la Duquesa.—Decima de Iacinta Ramirez, al Autor. [«Descriue ingenio diuino...»].—Decima de Iulian Carrillo al Autor. [«Oy de Camoes resucitan...»].—Texto. [«Salue, tu, que en lo altiuo de un concepto...»].

Gallardo, IV, n.º 4.546.

MADRID. *Nacional.* R-13.231 (ex libris de Gayangos); etc.

3663

CANCION real a la muerte de la muy Alta, Poderosa y Catolica Señora nuestra Doña Isabel de Borbon, Reina de las Españas, y Nueuo Mundo. [Madrid. Iuan Sanchez]. [1645]. 8 hojas. 8.º

—Ded. a D. Francisco de Melo, conde de Asumar, etc.—Texto.

Gallardo, III, n.º 2.969.

NUEVA YORK. *Hispanic Society.*

3664

FABVLA de Eco, y Narciso... Por Don Ivan de Matos Fregoso. [s. l.-s. i.]. 1655. 16 hs. 4.º

—Ded. a D. Francisco de la Plaza Roca, Canónigo de la catedral de Segovia.—Texto.

Gallardo, III, n.º 2.972.

NUEVA YORK. *Hispanic Society.*

3665

ELOGIO lyrico al Serenissimo Señor el Señor Don Ivan. Madrid. [s. i.]. 1660. 25 fols. 20 cm.

—Ded. al Rey.—Texto. [«Astro, o Austro feliz, que si a las olas...»].

Se refiere a D. Juan José de Austria.

MADRID. *Nacional.* V.E.-154-29.—NUEVA YORK. *Hispanic Society.*

3666

FABVLA bvrlesca de Apolo y Leucotoe. [s. l.-s. i.]. [s. a.]. 7 fols. 21,5 cm.

—Ded. a D. Gabriel de Rojas, fechada en 1652.—Texto.

MADRID. *Nacional.* V.E.-156-40.

3667

ATALANTA (La). Madrid. 1662. 4.º

NUEVA YORK. *Hispanic Society.*

3668

ACENTOS lyricos al feliz nacimiento del Esclarecido Príncipe, hijo Primogenito de los Señores Reyes de Portugal. [s. l.-s. i.]. [s. a.]. 28 págs. orladas. 20 cm.

LISBOA. *Nacional.* 1.279.—MADRID. *Nacional.* 3-74.388 (incompleto; faltan las págs. 1-6). PARIS. *Nationale.* Yg.572.

3669

EPITHALAMIO en las bodas de las Catolicas Magestades de Felipe IV el Grande, y... D. Mariana de Avstria, Reyes de las Españas. [s. l.-s. i.]. [s. a.]. 8 fols. 4.º

—Ded. a D. Gaspar Méndez de Haro, conde de Morente, etc. (Madrid, 22 de noviembre de 1649).—Texto. [«Feliz Piloto, que templadas olas...»].

Gallardo, III, n.º 2.970.

MADRID. *Nacional.* V-1.351-6.

3670

FABVLA bvrlesca de Apolo, y Leucotoe. [s. l.-s. i.]. [s. a.]. 7 fols. 22,5 centímetros.

—Ded. a D. Gabriel de Rojas.—Texto. [«De aquella, a quien por sus muros...»].

MADRID. *Nacional.* V.E.-156-40.

3671

MVESTRA del ingenio en la de vn relox. [s. l.-s. i.]. [s. a.]. 8 hs. 20 cm.

—Ded. a D. Francisco Bandres de Abarca (Madrid, 12 de agosto de 1652).—Silva. [«Fabio, si curioso solicitas...»].
Gallardo, III, n.º 2.971.

MADRID. *Nacional.* R-11.453 (con ex libris de Gayangos); V.E.-157-11.

3672

FESTEJO nvpcial en las felizes bodas de la Magestad de D. Pedro segundo, y la muy alta, y soberana Señora Doña María Sofía Isabel Palatina, Reyes de Portugal. [s. l.-s. i.]. [s. a.]. 8 hs. orladas. 4.º.

—Ded. a D. Joseph de Faria, cavallero de la Orden de Christo, etc.—Texto.
Gallardo, III, n.º 2.973.

LISBOA. *Nacional.* 5241.—NUEVA YORK. *Hispanic Society.*

Poesías sueltas

3673

[POESIAS]. (En Grande de Tena, Pedro. *Lágrimas panegiricas a la temprana muerte del... Dr. Juan Pérez de Montalban.* Madrid. 1639).

1. *Soneto.* (Fol. 48v).
2. *Romance.* (Fol. 68r).

HADRID. *Nacional.* 2-44.053.

3674

[AL Autor. Soneto]. (En Mendez Silva, Rodrigo. *Catalogo Real Genealógico de España.* Madrid. 1639. Prels.).

MADRID. *Nacional.* R-1.913.

3675

[AL Autor. Soneto]. (En Navarrete, Francisco de. *La casa del juego...* Madrid. 1644. Prels.).

MADRID. *Nacional.* R-7.481.

3676

[AL Autor. Soneto]. (En Ruiz de Silva, Damián. *Pyra, y tumulo...* 1644. Fol. 4v).

3677

[SONETO]. (En EXEQUIAS *Reales que Felipe el Grande quarto de este nombre... mandó hazer en San Felipe de Madrid a los soldados que murieron en la batalla de Lerida...* Madrid. 1644, fol. 10v).

MADRID. *Nacional.* V.E.-164-29.

3678

[CANCION funebre]. (En POMPA *funeral, Honras y Exequias en la muerte de... D.ª Isabel de Borbón...* Madrid. 1645, fols. 100v-104r).

MADRID. *Nacional.* R-3.035.

3679

[POESIAS]. (En Méndez Silva, Rodrigo. *Compendio de las más señaladas hazañas que obró el Capitán Alonso de Céspedes.* Madrid. 1647).

1. *Soneto.* (Fol. 58r).
2. *Al valeroso Céspedes. Romance en ecos.* (Fols. 74v-78r).

3680

[SONETO]. (En Méndez Silva, Rodrigo. *Epítome de la... vida de D. Fernando de Córdoba Bocanegra.* Madrid. 1649. Prels.).

3681

[AL Autor. Soneto]. (En Paez Ferreira, Francisco. *Juicio catolico y pio sobre la Estrella y nacimiento del...*

Principe Felipe... Madrid. 1658. Preliminares).

MADRID. *Nacional.* V.E.-150-14.

3682

[*VILLANCICO*]. (En LETRAS *que se han de cantar en la fiesta de S. Francisco este año de 1662. Celebrada en su convento por los mercaderes de esta Corte...* s. l.-s. a., fols. 13*v*-15*v*).

V. *BLH*, XIII, n.º 2063 (9).

3683

[*SONETO*]. (En Mascareñas, Jerónimo. *Campaña de Portugal...* Madrid. 1663. Prels.).

MADRID. *Nacional.* 2-13.626.

3684

[*POESIAS*]. (En Oña, Tomás de. *Fenix de los ingenios... certamen que se dedicó a... N. S. de la Soledad...* Madrid. 1664).

1. *Canción Real.* (Fols. 48*r*-49*r*).
2. *Décimas.* (Fols. 89*v*-90*r*).

MADRID. *Nacional.* 3-24.619.

3685

[*SYLVA al bien aventurado S. Iuan de Dios en la traslación de su cuerpo...*]. (En Agustín de Victoria, Fray. *Traslación del cuerpo de... San Iuan de Dios...* Madrid. 1667. Prels.).

MADRID. *Nacional.* 3-8.114.

3686

[*ROMANCE que se cantó al Máximo Doctor de la Iglesia San Gerónimo, año de 1667*]. (En OCIOSIDAD *entretenida...* Madrid. 1668. Al fin).

MADRID. *Nacional.* R-18.573.

3687

[*OCTAVAS*]. (En Huerta, Antonio de. *Triunfos gloriosos a la canonización... de San Pedro de Alcantara.* Madrid. 1670, págs. 60-61).

MADRID. *Nacional.* 3-39.078.

3688

[*POESIAS*]. (En DELICIAS *de Apolo...* Zaragoza. 1670).

1. *Consejos para la Corte, y Universidad de Bolonia.* (Págs. 103-4).
2. *Al valeroso Cespedes. Romance en Ecos.* (Págs. 168-69).
3. *Consejos políticos para la Corte. Segunda parte.* (Pág. 184).

MADRID. *Nacional.* R-2.733.

3689

[*DEZIMA*]. (En Campos, Pedro de. *Excelencias de la limosna.* Madrid. 1672. Prels.).

«Amigo del Autor».

MADRID. *Nacional.* 2-1.788.

3690

[*OCTAVAS*]. (En Fomperosa y Quintana, Ambrosio de. *Días sagrados, y geniales, celebrados en la canonización de S. Francisco de Borja...* Madrid. 1672, fols. 216*v*-217*r*).

MADRID. *Nacional.* 2-12.889.

3691

[*DEZIMA*]. (En Bustamante Cuevas y Zúñiga, Lope de. *Elogios épicos...* Madrid. 1673. Prels.).

MADRID. *Nacional.* R-12.222.

3692

[*A un álamo excessivamente grande. Soneto.*]. (En ACADEMIA *que se celebró en día de Pasqua de Reyes. Año 1674.* s. l.-s. a., fol. 16).

V. *BLH*, IV, n.º 1576 (5).

3693

[*AL Autor. Soneto*]. (En Lucio Espinosa y Malo, Felix de. *Epistolas varias.* Madrid. 1675. Prels.).

MADRID. *Nacional.* R-20.621.

3694

[*AL Autor. Soneto*]. (En Lucio Espinosa y Malo, Felix de. *Vidas de los filosofos Democrito y Heraclito.* Zaragoza. 1676. Prels.).

MADRID. *Nacional.* 2-28.187.

3695

[*SONETO*]. (En Cubero Sebastián, Pedro, *Breve relación de la peregrinación que ha hecho de la mayor parte del Mundo...* Madrid. 1680. Prels.).

V. *BLH*, IX, n.º 1397.

3696

[*SONETO*]. (En ACADEMIA, *que celebraron los Ingenios de Madrid el día 11 de enero de 1682...* s. l.-s. a., páginas 53-54).

MADRID. *Nacional.* 3-3.088.

3697

[*POESIAS*]. (En Boneta, José. *Vida exemplar del V. P. M. Fr. Raymundo Lumbier...* Zaragoza. 1687).

1. *Octavas.* (Págs. 172-73).
2. *Soneto.* (Pág. 201).

MADRID. *Nacional.* 2-70040.

3698

[*A Don Fernando Zeron y Giron, Cauallero del Orden de Calatraua, toreando en la plaça de Madrid... Soneto*]. [s. l.-s. i.]. [s. a.]. Una hoja impresa por una sola cara. 30 cm.

—Texto. [«Apenas la palestra discurriste...»].

MADRID. *Nacional.* Mss. 3672 (fol. 401).

3699

[*DECIMA*]. (En Ossorio, Pedro Luis. *Panegirico al Ilustrisimo Señor D. Ivan Vivas de Cañamás. Barón de Benifairo...,* etc. s. l., s. a. Prels.).

MADRID. *Nacional.* V.E.-154-12.

3700

La abuela. Fábula, refundida por J. E. Hartzenbusch. (En *Revista de España,* XII, Madrid, 1848, págs. 203-4).

«Cariño grande tenía...».

PROSA

3701

[*RELACION del paseo que dio por la Corte el duque de Módena con Felipe IV*]. 1638.

Mencionada por el autor en su obra siguiente.

Alenda, n.º 1.027.

3702

RELACION de las insignes y Reales fiestas que se celebraron en esta Corte, desde 21 de Octubre, hasta 25 deste año de 1638. Por el nacimiento de la Serenissima Infanta doña Maria Teresa de Austria. Admirable vitoria de Fuente Rabia: y feliz entrada del Duque de Modena en esta Corte. [s. l.]. Vda. de Juan Gonçalez. 1638. 4 fols. 4.º

Alenda, n.º 1.018.

Aprobaciones

3703

[*APROBACION. Madrid, 18 de julio de 1664*]. (En RASGOS *del Ocio... Segunda parte.* Madrid. 1664. Prels.).

BARCELONA. *Instituto del Teatro.* Vitrina A-Est. 1 (1664).

Dedicatorias

3704

[*DEDICATORIA a D. Baltasar de Rojas Pantoja, Señor de las Baronías de Segur y de Fierola, etc.*]. (En PENSIL *de Apolo, en doze Comedias nuevas... Parte catorze.* Madrid. 1661. Preliminares).

MADRID. *Nacional.* R-22.667.

3705

[*DEDICATORIA a D. Iacinto Romorate y Varona*]. (En PARTE *treinta y siete de Comedias nuevas...* Madrid. 1671. Prels.).

MADRID. *Nacional.* R-22.690.

3706

[*DEDICATORIA a D. Ioseph de Mendieta, Cavallero de la Orden de Santiago, etc.*]. (En PARTE *treinta y nueve de Comedias nuevas...* Madrid. 1673. Prels.).

MADRID. *Nacional.* R-22.692.

————

V. además n.° 3661.

TRADUCCIONES

a) FRANCESAS

3707

Le sage dans sa retraite, en Espagnol, El sabio en su retiro. (En THEATRE *Espagnol.* Tomo IV. Paris. Chez De Hansy, le jeune. 1770, págs. 1-117)

MADRID. *Nacional.* T-3.608.

3708

Le Sage dans sa retraite... traduit... par Mr. Linguet. [*La Haye. Théâtre français, 19 septembre 1782*]. La Haya. H. Coustapel. 1783. 71 págs. 8.°.

PARIS. *Nationale.* 8°Yth. 15.995.

b) PORTUGUESAS

3709

Comedia nova intitulada O melhor par entre os doze, Reinaldos de Mont 'Alvão... Traduzida... [*por Nicolau Luiz da Silva?*]. Lisboa. Simão Thaddeo Ferreira. 1783. 35 págs. 20,5 cm.

CAMBRIDGE, Mass. *Harvard University.*

3710

Comedia nova intitulada Só o piedozo he meu filho. [*Trad. de Nicolau Luiz da Silva?*]. Lisboa. Fernando José dos Santos. 1784. 42 págs. 20 cm.

CAMBRIDGE, Mass. *Harvard University.*

3711

Comedia intitulada Os dous prodigios de Roma. [*Trad. por Nicolau Luiz da Silva*]. Lisboa. Filippe da Silva e Azevedo. 1787. 32 págs. 20,5 centímetros.

CAMBRIDGE, Mass. *Harvard University.*

3712

Comedia nova intitulada: o Sabio em seu retiro. Lisboa. 1787. 37 páginas. 20,5 cm.

PARIS. *Nationale.* Yth. 72.238.

3713

Nova oratoria O bruto de Babilonia. [*Trad. por Nicolau Luiz da Silva*]. Lisboa. Domingos Gonsalvez. [s. a.]. 40 págs. 20,5 cm.

CAMBRIDGE, Mass. *Harvard University.*

ESTUDIOS

BIOGRAFÍA

3714

DI SANTO, ELSA LEONOR. *Noticias sobre la vida de Juan de Matos Fragoso.* (En *Segismundo*, IV, Madrid, 1980, págs. 217-31).

3715

[*DOCUMENTO sobre Juan de Matos Fragoso*]. (En Pérez Pastor, Cristóbal. *Noticias y documentos relativos a la Historia y Literatura españolas.* Tomo I. Madrid. 1910, pág. 242).

Interpretación y crítica

3716

M[ESONERO] ROMANOS, R[AMON] DE. *Teatro de Matos Fragoso.* (En *Seminario Pintoresco Español*, Madrid, 1852, págs. 114-17).

En págs. 117-18: «Comedias de don Juan de Matos Fragoso».

3717

HERRAN, FERMIN. *Apuntes para una Historia del Teatro antiguo es-*

pañol. *Dramáticos de segundo orden.* Madrid. 1887.

V. *BLH*, IV, n.º 655.

Pocos bastan si son buenos

3718

GASPARETTI, A. *La spedizione del Duca di Guisa a Castellammare nel 1654 in due antiche commedie spagnuole.* (En *Atti della R. Accademia di Scienze, Lettere e Belle Arti di Palermo,* 3.ª serie, XVII, Palermo, 1932, págs. 353-405).

3719

REP: N. Antonio, I, pág. 740; La Barrera, págs. 239-42; Da Silva, III, pág. 47.

MATOS GUZMAN (FRANCISCO DE)

EDICIONES

3720

COMEDIA famosa al nacimiento del hijo de Dios intitulada, La Arcadia en Belen, y Amor el mayor hechizo. [s. l.-s. i.]. [s. a.]. 40 págs. a 2 cols.

Al fin: «Hallaràse en Salamanca en la Imprenta de Antonio Villargordo...».

«—Dime Felisardo amigo...».

MADRID. *Nacional.* T-3.467.

3721

COMEDIA famosa al nacimiento del Hijo de Dios intitulada: La Arcada en Belen, y Amor el mayor hechizo. [s. l.-s. i.]. [s. a.]. 22 hs.

Al fin: «Hallàrase esta Comedia... en Madrid, en la Imprenta de Juan Sanz...».

«—Yo ha de llevar.—La Palma...».

MADRID. *Nacional.* T-3.309.

Poesías sueltas

3722

[ROMANCE de arte mayor]. (En JUSTA *literaria... a San Juan de Dios...* Madrid. 1692, págs. 78-80).

MADRID. *Nacional.* R-15.239.

3723

[AL Autor. Romance]. (En Alvarez de Ribera, José. *Expresión panegirica diaria...* Salamanca. s. a. Prels.).

MADRID. *Nacional.* 3-25.667.

MATOSES (JACINTO)

Presbítero. Rector de la iglesia de San Valero. Examinador sinodal del arzobispado de Valencia.

EDICIONES

3724

[CENSURA. Valencia, 25 de enero de 1690]. (En Lamarca, Luis. *Teatro historico.* Valencia. 1690. Prels.).

MADRID. *Nacional.* 2-65.778.

MATUTE

Doctor. Abogado de esta Corte.

CODICES

3725

«*Suma del Memorial que Madrid dio a su Md. contra las razones y causas para que la Corte salga de Madrid*».

Letra del s. XVII. Fol.

Cuartero-Vargas Zúñiga, XXXVIII, número 60.026.

MADRID. *Academia de la Historia.* 9-1.010 (folios 293-96).

EDICIONES

3726

[APROBACION. Madrid, 27 de agosta de 1607]. (En Paz, Cristóbal de. *Scholia ad Leges Regias Styli.* Madrid. 1608. Prels.).

3727

[CENSURA y Aprobación. Madrid, 10 de octubre de 1608]. (En Ortiz de Salcedo, Francisco. *Curia Eclesiastica...* Madrid. 1615. Prels.).

3728

[APROBACION. Madrid, 6 de octubre de 1609]. (En Villadiego Vascu-

ñana y Montoya, Alonso de. *Instrucción política y práctica judicial...* Madrid. 1612. Prels.).

MATUTE (FR. BERNABE DE)

Jesuita.

EDICIONES

3729

[*APROBACION. Pamplona, 18 de septiembre de 1607*]. (En Alvarado, Antonio. *Arte de bien morir.* Valladolid. 1611. Prels.).

MADRID. *Nacional.* 2-36.638.

MATUTE DE ACEVEDO (FERNANDO)

N. en Madrid (1580). Abogado durante 23 años en los Reales Consejos. Catedrático de la Universidad de Salamanca. Consultor de los Virreyes de Sicilia y Protector del Patrimonio Real en la isla. M. en Palermo (1651).

CODICES

3730

[*Disertación sobre los derechos del Estado en materia eclesiástica. Madrid, 20 de marzo de 1610*].

Letra del s. XVII. 267 hs. 305 × 217 mm.

Morel-Fatio, pág. 32.

PARIS. *Nationale.* Mss. esp. 92.

EDICIONES

3731

TRIVMPHO (El) del Desengaño, contra el engaño y astucia de las edades del Mundo, para todas profesiones, i para todos estados. Compvesto en esta ocasion, de avsencia y ociosidad, por ——... Nápoles. Lázaro Escorigio. 1682. 2 vols. 30 cm.

Tomo I: 51 hs. + 905 págs. a 2 cols. + 1 h. en blanco + 5 hs.

—Ls. y Apr. en latin.—Fragmento de Epistola latina del autor a D. Francisco Sancio Villanoua. — Versos latinos de D. Francisci de Petris.—Epistola latina de

Fr. Dominici Grauina.—Fr. Gaspar de Sosa, a los lectores.—Soneto italiano de Fr. Alberto Barra.—Soneto de Francisco de Balboa y Paz. [«Del Arbol vitorioso que respeta...»].—Soneto de Gonzalo de Heredia y Bazan. [«Este que armado ves, quanto desnudo...»].—Otro del mesmo. [«Sulcó del ancho mar rumbos estraños...»].—Soneto italiano de Fr. Deodato Solera.—Soneto italiano de Fr. Luca Fasano.—Otro del mismo.—Otro de Francisco Tassone.—Decima de Gabriel Lopez. [«Rara experiencia mostrais...»].—Soneto de Fabricio Lanario y Aragon. [«Segundo Apolo (aunque en la edad postrera)...»].—Ded. a Job.—Al lector.—Sumario de lo notable.—División de los Discursos.—Texto.—Lugares de la Sagrada Escritura alegados y declarados.—E.

Tomo II: *Parte segunda.* 37 hs. + 760 págs. a 2 cols. + 5 hs.

—Prefacion.—Soneto de Sancho Martinez de Leyba. [«En el Cuos intractable del engaño...»].—Octava de Gomez Zapata y Azevedo. [«Del desengaño el triumfo, nos offreçe...»].—Dos poesías latinas de Fr. Pauli Carpinterii.—Anagramma italiano de Francisco Tassone.—Lugares de la Escritura sagrada alegados y declarados.—E.—Sumario de lo notable.—Texto.—Lugares de la Sagrada Escritura en este Primer Bolumen (*sic*) alegados y declarados.

Toda, *Italia*, III, n.° 3.189.

BARCELONA. *Central.* Toda, 1-VII-5. *Universitaria.* C.204-3-2/3; etc.—MADRID. *Nacional.* 3-21.419/20.—SEVILLA. *Universitaria.* 86-B-173.—VALLADOLID. *Universitaria.* Santa Cruz, 2.046.

3732

[*APROBACION. Palermo, 30 de junio de 1624*]. (En Lanario y Aragón, Francisco. *Los tratados del Principe y de la Guerra.* Palermo. 1624. Prels.).

ZARAGOZA. *Seminario de San Carlos.* 24-5-29.

OBRAS LATINAS

3733

DISQVISITIONVM legalivm forensivm ivdiciorvm semicentvria fertilissima. Opus Posthumum. Panormi. Ioannis Baptistæ Russi. 1653. 4 hs. + 328 págs. + 20 hs. Fol.

Toda, *Italia*, III, n.° 3.190.

ESTUDIOS

3734

REP: Alvarez y Baena, II, págs. 46-48.

MATUTE DE PALACIOS (PABLO)

EDICIONES

3735

[*MEMORIAL*]. [s. l.-s. i.]. [s. a.]. 2 hojas. 31 cm.

—Carece de portada. Comienza: «Movido de zelo christiano, assi en seruicio de Dios y de mi Rey y Señor natural, como del bien comun, deseando remediar las muchas necessidades de esta Monarquía...».

MADRID. *Nacional*. V.E.-47-4.

MATUTE DE PEÑAFIEL CONTRERAS (DIEGO)

N. en Granada. Licenciado. Canónigo de la Catedral de Baza.

CODICES

3736

«*Papel que predicó... ——. 1617*».

Letra del s. XVII. 304 × 217 mm. Dice: «Diego Matute de Contreras».

BRUSELAS. *Royale*. Mss. 1417-19 (fols. 312r-324v).

3737

«*Traslado de 3 Capitulos de la obra de D. —— y anotaciones de otras especialidades de otros capitulos en su Historia intitulada Prosapia de Christo...*».

Letra del s. XVII. 59 fols. 310 × 195 mm.

MADRID. *Nacional*. Mss. 10.986.

EDICIONES

3738

DISCVRSO y digresion del Cap. 2.º de la 2.ª edad del Mundo, de Sem hijo de Noe, y de la diuision de las tierras entre Sem, Chan y Iapheth, y Origen de los linajes del mundo. Baza. Martin Fernandez. [1614]. 3 hs. + 1 blanca + 24 fols. 19,5 cm.

—Frontis.—T.—E.—Apr. de Fr. Thomas de Saavedra.—S. Pr. y apr.—Texto.—Folios 22v-24r: Tabla typographica de la genealogia del Rey D. Phelipe III.—Idem de la Reyna D.ª Margarita que Dios aya.—Colofón.

Gallardo, IV, n.º 4.478; Vindel, V, n.º 1.660.

GRANADA. *Universitaria*. A-27-251. — LONDRES. *British Museum*. 1327.c.17.—MADRID. *Nacional*. R-16.671.—PARIS. *Nationale*. G. 6495; M. 4223.—SANTIAGO DE COMPOSTELA. *Universitaria*.

3739

PROSAPIA de Christo. Baza. Martin Fernandez. [1614]. 5 hs. + 334 fols. + 40 hs. + 1 pleg. 20 cm.

—Frontis.—T.—E.—Apr. de Fr. Thomas de Saauedra.—Apr. de Fr. Domingo de los Reyes.—Pr. al autor por diez años.—Epistola ded. a D. Francisco Gomez de Sandoual y Rojas, Duque de Lerma.—Prologo al sabio letor.—Texto.—Indice de los capitulos.—Indice copiossisimo de las materias, cosas, discursos, etc.—Colofón.—Arbol de la prosapia de Christo desde Adan.

BURGOS. *Facultad de Teologia*. 54-2-18. — GRANADA. *Universitaria*. A-26-208. — LONDRES. *British Museum*. 4806.cc.19.—MADRID. *Nacional*. R-16.531. *Palacio Real*. X-439. — NUEVA YORK. *Hispanic Society*.—ORIHUELA. *Pública*. III-4-14.—SAN LORENZO DEL ESCORIAL. *Monasterio*. 29-V-16.—SANTIAGO DE COMPOSTELA. *Universitaria*.—SEVILLA. *Colombina*. 56-5-38. *Universitaria*. 98-94.—ZARAGOZA. *Universitaria*. G-31-54.

ESTUDIOS

3740

REP: N. Antonio, I, pág. 298.

MAULEON (CRISTOBAL DE)

CODICES

3741

«*A dos Enanos...*».

En *Academia jocosa...* Letra del s. XVII. 210 × 150 mm.

V. *BLH*, IV, n.º 1589 (9).

MADRID. *Nacional*. Mss. 3.887 (fols. 14r-15r).

MAURICIA (LAURA)

V. MENESES (LEONOR)

MAURIS (P. TEODORO)

Jesuíta. Rector del Colegio de Belén de Barcelona. Calificador de la Inquisición.

EDICIONES

3742

SERMON predicado en la traslacion, y fvneraria de la Venerable Virgen Pavla Ines Cabeça, Beata de la Compañía de Iesvs... Breve Resumen de su Vida, principales virtudes, y favores de Dios. Predicole en Barcelona en la Iglesia de la Compañía de Iesvs... a 23 de Deziembre de 1677. Barcelona. Imp. Mathevat. [s. a.]. 6 hs. + 51 págs. 19,6 cm.

—Ded. a D. Pedro de Aragón.—Censura del P. Raimundo Costa.—Apr. de Luciano Marsal.—Advertencia del impresor al lector.

BARCELONA. Central. F. Bon. 303. Universitaria.

3743

[CENSURA. Barcelona, 22 de febrero de 1683]. (En Piles, Martín. Fenix de Cataluña... Barcelona. 1683. Preliminares).

MADRID. Nacional. 3-39.878.

MAURO DE VALENCIA (FRAY)

Capuchino. Predicador real.

EDICIONES

3744

SERMON predicado en la Real Capilla a sus Magestades y Altezas, en las Honras de la Señora Doña Margarita de Austria su Madre, Reyna de España a tres de Octubre año 1626. Madrid. Imprenta Real. 1626. 4 hs. + 37 págs. 20 cm.

—Apr. de Juan Velez Zauala.—Censura de Francisco Sanchez de Villanueva.—Ded. al Rey Felipe IIII.—Texto.—Colofón.

BARCELONA. Universitaria.—MADRID. Nacional. V.E.-151-12.

3745

SERMON predicado con assistencia del Reyno en el Conuento de las Carmelitas Descalças desta Corte. El último día de la Real octava que su Magestad dedicó a Santa Teresa de Iesus, nueua Patrona de España. Madrid. Imprenta Real. 1627. 18 fols. 20 cm.

—Ded. a Felipe IV.—Texto.

BARCELONA. Convento de Capuchinos de c/. Cardenal Vives y Tutó, 23. 4-4-1. Universitaria. B.55-4-4. — GRANADA. Universitaria. — SEVILLA. Universitaria. 113-100 (15); etc.

Aprobaciones

3746

[APROBACION de ——, Fr. Luis de Valencia y Fr. Francisco de Vera. Valencia, 4 de Noviembre 1635]. (En Arbues, Luis Vicente de. Discurso y verdadera inteligencia del Fuero de Aragón llamado de nueve por ciento... Zaragoza. 1647. Al fin).

MADRID. Nacional. V.E.-192-7.

MAUSINHO DE QUEVEDO (VASCO)

N. en Setúbal. Estudió Leyes en la Universidad de Coimbra.

CODICES

3747

«Affonso Africano. Poema heroyco da presa de Arzilla e Tanger».

Letra del s. XVII. 203 fols. 200 × 150 mm. Inventario, X, pág. 267.

MADRID. Nacional. Mss. 4.105.

EDICIONES

3748

TRIUMPHO del Monarcha Philippo tercero en la felicissima entrada de Lisboa. Lisboa. Iorge Rodriguez. 1619. 70 hs. 18 cm.

En verso.

Gallardo, III, n.º 2.974; Salvá, I, n.º 782.

COIMBRA. *Universitaria.* R-40-24.—EVORA. *Pública.*—LISBOA. *Nacional.* Res. 1140P. — MADRID. *Facultad de Filología.—Nacional.* R-6.145; etc. *Palacio Real.* IX-8.729. — NUEVA YORK *Hispanic Society.*

OBRAS PORTUGUESAS

3749

DISCURSO sobre a vida e morte de Sta. Isabel, rainha de Portugal, & outras varias rimas. Lisboa. Manoel de Lyra. 1596. 4 hs. + 138 fols. + 3 hs.

Anselmo, n.° 768.

LISBOA. *Ajuda.—Nacional.—*NUEVA YORK. *Hispanic Society.*

3750

AFFONSO Africano. Poema Heroyco: da presa d'Arzilla & Tanger. Lisboa. Antonio Alvarez. 1611. 8 hs. + 196 folios. 8.°

MADRID. *Nacional.* R-12.051; etc.—NUEVA YORK. *Hispanic Society.*

ESTUDIOS

3751

REP: Barbosa, III, 777.

MAXAGRANZAS

V. MAJAGRANZAS

MAYA (FR. JUAN DE)

Maestro. Regente de Estudios del convento de San Ildefonso de Zaragoza. Examinador sinodal.

EDICIONES

3752

[*APROBACION de* —— *y Fr. Juan Francisco Hurtado. Zaragoza, 8 Mayo 1693*]. (En Aduarte, Diego. *Tomo I de la Historia de la Provincia del Stmo. Rosario de Filipinas, Japón y China.* Zaragoza. 1693. Prels.).

MADRID. *Nacional.* 3-28.329.

MAYA (FR. MATEO)

Carmelita.

EDICIONES

3753

CORONA ilvstre del gravissimo y real convento del Carmen de Valencia. Enrriqvecida de mvchas piedras preciosas de Hijos suyos, y en especial de las vidas de los Venerables Varones Fray Iuan Sanz, y Fray Angelo Cernobiquio. Compvestas por... Fr. Iuan Pinto de Vitoria... Y del V. P. M. F. Roca en su Libro de Oro de Luz de Alma para la hora de la muerte. Y de... Fr. Anastasio Vives de Rocamora, Obispo de Segorbe, cuya Vida exemplarissima está contenida en el Sermon que predicó en sus Exequias... Fr. Andres Capero... Dalo a la estampa... Fr. Matheo Maya... Zaragoza. Herederos de Agustín Verges. 1679. 2 hs. + 312 págs. 19,5 cm.

—Ded. al convento del Carmen de Valencia por Fr. Mateo Maya.—Licencias.—Texto:

1. *Vidas de Fr. Iuan Sanz y Fr. Angelo Cernobiquio,* por Fr. Iuan Pinto de Vitoria. (Págs. 1-146).
2. *Luz del Alma para la hora de la Muerte,* por Fr. Ambrosio Roca de la Serna. (Págs. 151-242).
3. *Sermón en las Exequias celebradas en Onda por Fray Anastasio Vives de Rocamora, Obispo de Segorbe,* por Fr. Andres Capero. (Págs. 242-92).
4. *Relación de un sucesso notable en apoyo de la Tercera Orden de N. S. del Carmen que embió a Fr. Raymundo Lumbier,* Fr. Andres Capero. (Págs. 293-95).
5. *Encomiastica Carmeliticae Aragonum Provinciae Declamatio,* por Fr. Elisaeum Garcia. (Págs. 297-312).

Salvá, I, n.° 550.

MADRID. *Nacional.* 3-6.880.—NUEVA YORK. *Hispanic Society.*

3754

[*DEDICATORIA. A Pedro de Pomar*]. (En JARDIN *de Sermones de varios assuntos, y de diferentes oradores evangelicos. Recogidos y dados a la estampa por* ——... Zaragoza. 1676. Preliminares).

MADRID. *Nacional.* 5-7770.

3755

[*DEDICATORIA a D. Pedro Dolz de Espejo, Señor del castillo y fortaleza de los Arés en Aragón. Zaragoza, 15 de julio de 1676*]. (En Salazar, Simón de. *Sumulas de Moral...* Zaragoza. 1676. Prels.).

3756

[*DEDICATORIA al Convento del Carmen de Valencia. Zaragoza, 19 de abril de 1679*]. (En CORONA *ilustre del... Convento del Carmen de Valencia... Dalo a la estampa* ——. Zaragoza. 1679. Prels.).

MADRID. *Nacional.* 3-6.880.

MAYA SALAVERRIA
(FR. ANDRES DE)

Dominico. Doctor de Teología por la Universidad de Zaragoza. Rector del Colegio de San Vicente Ferrer de dicha ciudad.

EDICIONES

3757

VIDA prodigiosa, y exercicio admirable de virtvdes de la V. M. Sor Martina de los Angeles y Arilla, religiosa professa de el... Convento de Santa Fé de Çaragoça, Orden de Predicadores: y Fundadora de el de San Pedro Martir, de... Benavarre... Zaragoza. Herederos de Pedro Lanaja y Lamarca. 1678. 20 hs. + 462 págs. 19,5 centímetros.

—Ded. a la Villa de Benavarre.—L. O.—Apr. de Fr. Francisco de Latas y Fr. Geronimo de Funes.—Apr. de Fr. Iuan Laurencio Cayrossa.—Apr. de Ioseph Della.—L. V.—Apr. de Fr. Geronimo Blanco.—L. Prologo al letor.—Protestacion de el Autor.—Tabla de los capitulos.—Texto.

Jiménez Catalán, *Tip. zaragozana del siglo XVII*, n.º 936.

MADRID. *Nacional.* 3-31.001.

3758

——. Madrid. Imp. Real, por Mateo de Llanos. 1687. 16 hs. + 312 págs. 20 cm.

BARCELONA. *Universitaria.* B.10-4-20.—MADRID. *Nacional.* 3-18.238.—SANTIAGO DE COMPOSTELA. *Universitaria.*

3759

——. 3.ª impression. Madrid. Impr. de Mugica. 1710. 12 hs. + 1 lám. + 308 págs. a 2 cols. + 12 hs. 21 cm.

—Ded. a María Santissima de los Dolores por Lamberto de Lloret y Nicolau.—L. O.—Apr. de Cayrosa (1687) y Paniagua (1687).—L. V. (1687).—Apr. de Buenacasa (1687).—Pr. (1716).—E.—T.—Prologo.—Protestación.—Tabla de los Capitulos.—Retrato de Sor Martina, por Clemens Puithe (Madrid, 1710).—Texto.—A la nueva Edicion... Romance hendecasylabo, por Feliciano Gilbert de Pisa y Fernández de Heredia. [«Ya alumbra claro el dia gloria al Cielo...»].—Poesía latina.—Segunda protesta.—Soneto de Pablo de Abadal. [«Pecho Real, Animo. generoso...»].

MADRID. *Nacional.* 3-71.364.

3760

——. Madrid. Blas de Villa-Nueva. 1712. 12 hs. + 309 págs. + 19 hs. 20 centímetros.

—Prels. de la ed. de 1687.

BARCELONA. *Universitaria.* C.201-5. — MADRID. *Academia de la Historia.* 14-10-4-8.656. *Facultad de Filología.* 35.761. *Nacional.* 2-73.226. — SANTIAGO DE COMPOSTELA. *Universitaria.*—VALLADOLID. *Universitaria.* 10.955; etc. ZARAGOZA. *Universitaria.* D-23-193.

3761

——. Madrid. Antonio Martin. 1735. 23 hs. + 343 págs. 20,5 cm.

MADRID. *Nacional.* 3-32.485.—ZARAGOZA. *Universitaria.* G-4-194.

Aprobaciones

3762

[*APROBACION. Zaragoza, 27 de julio de 1675*]. (En Arín, Baltasar de. *Regla y práctica de Exercicios espirituales*. Zaragoza. 1676. Prels.).

MADRID. *Nacional*. 3-10.731.

3763

[*APROBACION. 27 Noviembre 1681*]. (En Neyla, Francisco. *Trabaxos del Cautiverio. Miserias de la Esclavitud*. Zaragoza. 1681. Prels.).

MADRID. *Nacional*. V.E.-140-29.

3764

[*APROBACION. Zaragoza, 17 de setiembre de 1687*]. (En Lorte y Escartín, Jerónimo de. *Pentateucho cherubico...* Zaragoza. 1687. Prels.).

V. *BLH*, XIII, n.° 3.853.

MAYCAS (SOR JERONIMA)

EDICIONES

3765

[*GLOSSA*]. (En Andrés de Uztarroz, Juan Francisco. *Obelisco histórico i honorario...* Zaragoza. 1646, pág. 44).

V. *BLH*, V, n.° 2.673 (21).

MAYERS (MANUEL)

Contraste del Oro y Plata de S. M. y de su Real Corte.

EDICIONES

3766

[*MEMORIAL a la Reyna nuestra Señora, en que se da modo, y forma para quitar los tributos, sin menoscabo de la Real hazienda, y con aliuio general de los Vassallos*]. [s. l.-s. i.]. [s. a.]. 6 fols. 32 cm.

Carece de portada.

MADRID. *Nacional*. V.E.-47-34 (con notas manuscritas de la época).—NUEVA YORK. *Hispanic Society*.

MAYERS (FR. MIGUEL)

Mercedario. Comendador de los conventos de Guadalajara y Toledo. Rector del Colegio de la Concepción. Juez conservador de la Universidad de Alcalá. Secretario de la provincia de Castilla.

EDICIONES

3767

[*APROBACION de —— y Fr. Ioseph Gonçalez. 14 de Noviembre 1658*]. (En Vega, Juan. *Respuesta Apologetica*. Madrid. 1659. Prels.).

MADRID. *Nacional*. 2-51.819.

3768

[*CENSURA. Valladolid, 4 de febrero de 1667*]. (En Gonzalez de San Pablo, Andrés. *Oración funebre en las honras del Rmo. P. M. Fray Miguel de las Heras...* Madrid. 1667. Prels.).

SEVILLA. *Universitaria*. 113-44.

MAYERS CARAMUEL (FR. LAURENCIO)

N. en Madrid (1617). Mercedario desde 1633. M. en 1683.

EDICIONES

3769

[*SERMON de la Conuersión de la Madalena*]. (En LAUREA Complutense... Alcalá. 1666, págs. 294-314).

V. *BLH*, XII, n.° 5.885 (14).

3770

[*SERMON*]. (En QUARESMA Complutense. Alcalá. 1674, págs. 330-358).

MADRID. *Nacional*. 2-11.092.

3771

CONCEPTOS *predicables sagrados y políticos*. Vegeven. Imp. Obispal. 1677. 22 hs. + 443 págs. a 2 cols. 20 cm.

—Ded. al altissimo Señor de todo lo criado, mi Dios, y Redemptor unico del genero humano.—Censura de Fr. Manuel de la Torre.—L. O.—L. de la Inquisición de Milán.—Censura de Iuan Caramuel.—

Censura de Domingo Piatti.—Carta de Domingo Ramos.—Censura de Paulo Vicente Cuneo.—Soneto en italiano de Bartolomeo Rozzone.—Elegía latina de Io. Baptista Morsellus.—Canzone italiana de Giuseppe Bonsilio.—Soneto italiano de Gio. Battista Capello. — Dos epigramas latinos y un soneto italiano del mismo.— Epigramma latino de Carolus Bernardinus Badalla.—Epinikion latino de Iosephus Chafrion.—Elegia latina de Ioannes Antonius Gravalona.—Epigramma latino de Petrus Paulus Collis.—Otro de Ioseph Liuraga.—Tres de Laurentius Roca.—Indice de los pensamientos que contiene este Libro.—Al Lector.—Texto.— Págs. 376-401: Tabla de los lugares de la Sagrada Escriptura.—Págs. 402-43: Indice de las cosas notables de este Libro.—Pág. 443: Colofón.

MADRID. *Nacional.* 2-69.818.—ZARAGOZA. *Universitaria.* G-8-140.

Aprobaciones
3772
[*APROBACION*]. (En González de Medina, Juan. *Descripción festiva...* Madrid. 1685. Prels.).

ESTUDIOS
3773
REP: Placer, II, núms. 3706-8.

MAYMON (Licenciado)
EDICIONES
3774
[*DECLARACION del enigma*]. (En Zapata, Sancho. *Justa poetica en defensa de la pureça de la Inmaculada Concepcion de la Virgen...* Zaragoza. 1619, págs. 199-201).
MADRID. *Nacional.* 2-68.257.

MAYMON (FR. PEDRO)
EDICIONES
3775
[*APROBACION por Fr. Pedro Alcomeche y Sánchez y ——. Sin datos*]. (En Aldovera y Monsalve, Jerónimo

de. *Discursos en las fiestas de los Santos.* Tomo I. Zaragoza. 1625. Preliminares).
MADRID. *Nacional.* 3-54.087.

MAYO (P. JERONIMO)
Clérigo reglar. Prefecto de Estudios de la provincia de España. Teólogo del Nuncio. Examinador apostólico.
EDICIONES
3776
[*APROBACION. Madrid, 3 Junio 1676*]. (En Garcia de Moya, Isidro. *Devoción del Santo Escapulario del Carmen.* Madrid. 1677. Prels.).
MADRID. *Nacional.* 3-41.444.

MAYOR (JORGE)
EDICIONES
3777
[*DOS Sonetos y dos Décimas*]. (En Carbonell, Vicente. *Célebre centuria que consagró... Alcoy a honor y culto del... Sacramento del Altar...* Valencia. 1672. Prels.).
MADRID. *Nacional.* 3-60.599.

«MAYOR (El) y más eficaz incentivo...»
EDICIONES
3778
MAYOR (El) y mas eficaz incentivo del alma a Dios. Bruselas. 1671. 24.º.
Cit. en Peeters-Fontainas, I, n.º 614.

MAYOR (FR. MIGUEL)
Cisterciense. Profesor de Teología y Lector de Artes del monasterio de Poblet.
EDICIONES
3779
[*APROBACION. Poblet, 8 de noviembre de 1614*]. (En Molina, Ambrosio

de. *Discursos quaresmales.* Barcelona. 1615. Prels.).

MADRID. *Nacional.* 3-61.664.

MAYOR Y DESCALS (PEDRO)

Valenciano. Doctor. Catedrático de Decretos en la Universidad de Valencia.

EDICIONES

3780

[*POESIAS*]. (En Gonzalez, Francisco Ramón. *Sacro Monte Parnaso...* Valencia. 1687).

1. *Soneto.* (Pág. 33).
2. *Endechas Endecasylabas.* (Págs. 192-93).

MADRID. *Nacional.* R-22.520.

3781

[*ROMANCE heroyco*]. (En José de Jesús, Fray. *Cielos de fiesta, Musas de Pascua, en fiestas... de... Valencia... de la canonización de San Pascual Bailón...* Valencia. 1692, páginas 165-69).

V. *BLH,* XII, n.º 2.393 (9).

3782

[*ROMANCE heroyco*]. (En POESIAS *escritas por algunos Ingenios Valencianos, al acierto, con que toreó... D. Guillen de Rocafull...* s. l.-s. a., páginas 1-5).

MADRID. *Nacional.* R-31.592.

MAYORAL (MIGUEL)

EDICIONES

3783

AFECTUOSOS rasgos en que en un mal limado Numen copia la demostracion generosa con que la America celebró la entrada a su gobierno del Sr. Rey D. Carlos II. Méjico. V. de Calderón. 1676. 4.º

Beristain.

3784

DEFENSA jvridica por la jvrisdiccion de los Señores Arçobispos de esta Diocesis Mexicana, en lo tocante a svs Vicarios de el Santuario y Hermita de Nuestra Señora de Guadalupe, sobre la administracion de los Santos Sacramentos a los fieles vezinos, y moradores de el... Méjico. Viuda de Bernardo Calderon. 1681. 13 hs. Fol.

Medina, *México,* II, n.º 1.229.

MAYORALGO ENRIQUEZ (PABLO JOSE DE)

EDICIONES

3785

[*DEDICATORIA al archangel San Miguel*]. (En Lorenzo de la Trinidad, Fray. *Oración panegírica de el... Sacramento de el Altar...* Salamanca. 1678. Prels.).

MADRID. *Nacional.* 2-54.749.

MAYORDOMO FERRER (JUAN)

Sacerdote.

EDICIONES

3786

[*DEDICATORIA a D. Iuan de Austria*]. (En Ferrer de Valdecebro, Andrés. *El Cetro con ojos... Dado a la estampa por* ——, *Sobrino del Autor.* Madrid. s. a., 1678? Prels.).

MADRID. *Nacional.* 2-55.521.

MAYORGA (FR. ALFONSO DE)

Franciscano.

CODICES

3787

«*Vida de S. Antonio de Padua en octavas*».

En 4.º Se guardaba en la biblioteca del conde de Villaumbrosa, en Madrid.

ESTUDIOS

3788

REP: N. Antonio, I, pág. 34.

MAYORICA (ENRIQUE MATEO DE)

EDICIONES

3789

[*APROBACION por —— y otros. Sto. Domingo de Caller, 15 de Febrero de 1688*]. (En Zatrilla y Vicó Didoni y Manca, José. *Engaños y desengaños del profano amor Deducidos de la amorosa historia... del Dvqve Don Federico de Toledo...* Tomo II. Nápoles. 1687. Prels.).

MADRID. *Nacional.* R-17804.

MAZA (ALONSO DE LA)

Licenciado. Abogado de los Reales Consejos. Contador de la Real Junta de Aposento.

EDICIONES

3790

[*SONETO*]. (En Lera Gil de Muro, Matías. *Práctica de fuentes...* Madrid. 1657. Prels.).

MADRID. *Nacional.* 3-77.066.

3791

[*GLOSA*]. (En Oña, Tomás de. *Fenix de los ingenios... Certamen que se dedicó a... N. S. de la Soledad...* Madrid. 1664, fols. 113v-114r).

MADRID. *Nacional.* 3-24.619.

3792

[*ENDECHAS endecasilavas*]. (En JUSTA *literaria... a San Juan de Dios.* Madrid. 1692, págs. 244-46).

MADRID. *Nacional.* R-15.239.

MAZA (MARTIO)

EDICIONES

3793

[*SONETO. Al autor*]. (En Herrera, Antonio de. *Cinco libros de la histo-*

ria de Portugal... Madrid. 1591. Preliminares).

MADRID. *Nacional.* R-15.560.

MAZA DE LIZANA (LUIS)

EDICIONES

3794

[*A un clavel que dio una Dama en premio de las finezas de un Galán. Soneto*]. (En ACADEMIA *que se celebró en casa de D. Melchor de Fonseca de Almeida... Año de M.DC.LXI.* s. l.-s. a., fol. 15v).

MADRID. *Nacional.* R-5.728.

3795

[*A el sitio que puso Anibal sobre Sagunto. Soneto*]. (En ACADEMIA *que se celebró en veinte y tres de abril...* Madrid. 1662, fol. 31r).

MADRID. *Nacional.* R-5.193.

MAZA Y PRADA (ALONSO DE)

Licenciado.

EDICIONES

3796

[*SONETO. Al Autor*]. (En Angulo y Velasco, Isidro. *Pruebas de la inmaculada nobleza de María Santíssima...* Valencia. 1655. Prels.).

MADRID. *Nacional.* 3-54.345.

3797

[*POESIAS*]. (En Angulo y Velasco, Isidro. *Triunfos festivos que al Crucificado Redemtor del Mundo, erigió la Real Congregación del Santo Christo de San Ginés...* Madrid. 1656).

1. *Quintillas de ciego.* (Págs. 12-14).
2. *Quintillas.* (Págs. 25-26).
3. *Romance.* (Págs. 33-34).
4. *Quintillas.* (Págs. 125-27).
5. *Seguidillas.* (Págs. 145-46).
6. *Quintillas.* (Págs. 189-91).

V. *BLH*, V, n.º 2.901 (1, 9, 14, 54, 60, 83).

3798

[*POESIAS*]. (En Miranda y la Cotera, Jose de. *Certámen angelico... a
Snto. Tomás de Aquino.* Madrid.
1657).

1. *Lyras.* (Fols. 71v-72v).
2. *Glossa.* (Fol. 93).
3. *Vexamen en Quintillas.* (Fols. 154r-155r).

MADRID. *Nacional.* R-16.925.

3799

[*APROBACION*]. (En Nuevo *Teatro
de Comedias varias... Dezima parte.* Madrid. 1658. Prels.).

MADRID. *Nacional.* R-22.663.

MAZAGAN (FR. ANTONIO)

7Mercedario. Maestro de Estudiantes en el
convento de Córdoba.

EDICIONES

3800

[*POESIAS*]. (En Páez de Valenzuela,
Juan. *Relación breve de las fietsas
que en... Córdoba se celebraron a la
beatificación de... santa Theresa de
Iesus.* Córdoba. 1615).

1. *Soneto acrosthico con ouillo...* (Folio
17r).
2. *Octavas latinas y castellanas.* (Folios
26r-27r).

MADRID. *Nacional.* 3-39.118.

MAZIAS

V. MACIAS

MAZO DE LA MADRIZ
(CRISTOBAL)

EDICIONES

3801

[*SONETO*]. (En Montanos, Francisco de. *Arte de Musica theorica y pratica.* Valladolid. 1592, fol. 1v).

MAZUELO (ANTONIO DE)

EDICIONES

3802

*BREVE compendio, y tratado de las
señales de Naturaleza de Polemon
Ateniense.* Milán. 1593. 8.º

N. Antonio.

ESTUDIOS

3803

REP: N. Antonio, I, pág. 144; Martínez
Añíbarro, pág. 352.

MECA (ANA)

EDICIONES

3804

[*DECIMAS*]. (En Dalmau, José. *Relación de la solemnidad con que se
han celebrado en Barcelona las fiestas a la Beatificacion de la M. S. Teresa de Iesus...* Barcelona. 1615. Tratado II, fols. 64v-65r).

MADRID. *Nacional.* 2-46.379.

MECA BOBADILLA (MIGUEL DE)

Doctor. Condoticio mayor de las iglesias
parroquiales de Calahorra.

EDICIONES

3805

*DVLZVRAS en el morir motivadas
del Amor de Dios, y del dolor de las
culpas, sacadas de los Evangelios,
Prophetas, y de muchos Santos, y
graves Autores, que enseñan à bien
vivir, y morir.* Madrid. Mateo de Espinosa y Arteaga. A costa de Antonio
de la Fuente. 1671. 8 hs. + 199 págs.
20,3 cm.

—Oracion.—Ded. a Cristo Crucificado.—
Apr. del P. Pedro Francisco Esquex.—
L. V.—Apr. del P. Basilio Baren de Soto.
S. Pr. a Antonio de la Fuente por diez
años.—E.—S. T.—Soneto al Libro, de Antonio del Monte Lasso y Alderete. [«Vive
el Rico en cuidados anegado...»].—Al Autor. Soneto de Sebastian de la Cruz y
Agramont. [«Devete el mundo, ó docta,

y eminente...»].—Texto.—Tabla de los capítulos y coloquios.

MADRID. *Nacional.* 3-53.974.—SEVILLA. *Universitaria.* 92-58; 187-47.

3806
HERACLITO christiano, llorando vicios, y exortando virtudes, en doze llantos, segun estilo de la... Congregacion de la Escuela de Christo... Burgos. 1693. 8.º

LONDRES. *British Museum.* 4409.dd.27.

MEDIANA (FRANCISCO DE)
Doctor.

EDICIONES
3807
SERMON del Santísimo Sacramento, en la fiesta que hizo en la ciudad de La Laguna el Señor Don Pedro Carrillo de Guzmán, en acción de gracia de la felicidad con que su disposición suave consiguió un numeroso exercito en la leva fe hizo por orden de S. Magestad, y para pedir a Ntro. Señor felices sucesos. Sevilla. Francisco de Lyra. 1646. 4 hs. + 8 fols. 4.º.

MEDICO ORTIZ DE UCEDA (ANTONIO)

EDICIONES
3808
[*SONETO*]. (En POESIAS *a la muerte de la Reina Doña María Luisa de Borbón.* s. l.-s. a., fol. 4v).

MADRID. *Nacional.* V.E.-167-16.

MEDINA (ALONSO)
CODICES
3809
[*Cartas y Memoriales*].
Originales.

SAN MARINO, Cal. *Henry E. Huntington Library.*

3810
[——].
Letra del s. XIX. 315 × 210 mm.
MADRID. *Academia de la Historia.* 9-9-5/1831.

EDICIONES
3811
[*CARTAS y Memoriales. Edición de Juan Pérez de Tudela Bueso*]. (En DOCUMENTOS *relativos a don Pedro de la Gasca y a Gonzalo Pizarro.* Tomo I. Madrid. 1964, págs. 1-48. Archivo Documental Español, 21).

MADRID. *Consejo. Patronato «Menéndez Pelayo».* 35-643.

ESTUDIOS
3812
TORMO, LEANDRO y SEGISMUNDO WOYSKI. *Los «Memoriales a la justicia divina» de Alonso de Medina.* (En *XVII Congreso del Instituto Internacional de Literatura Iberoamericana.* Tomo III. Madrid. 1978, páginas 1345-59).

MEDINA (P. ALONSO DE)
Mejicano. Jesuita.

EDICIONES
3813
ESPEIO de Principes Catholicos, y governadores politicos, erigiole en Arco triumphal la santa Iglesia Metropolitana de Mexico. A la entrada del Exellentissimo S. D. García Sarmiento y Luna, Conde de Salvatierra, Marquez de Sabroço, Virrey, Governador, y Capitan general de la Nueva España: En el qual se ven copiadas sus virtudes, heroycos hechos, y prudencial Goviero. Méjico. Francisco Robledo. 1642. 12 hs. 4.º

Con poesías intercaladas.
Medina, *México,* II, n.º 561.

AUSTIN. *University of Texas.*

MEDINA
(ALONSO FERNANDO DE)

Catedrático de Cánones en Osuna. Canónigo de su Iglesia. Administrador del Hospital del Espíritu Santo de Sevilla.

EDICIONES

3814

[EPISTOLA al Autor]. (En Juan de San Dámaso, Fray. Vida admirable de... Fray Antonio de San Pedro... Cádiz. 1670. Prels.).

V. BLH, XII, n.° 4475.

MEDINA (ANTONIO DE)

EDICIONES

3815

[SONETO]. (En Alarcón, Alonso de. Corona sepulcral. Elogios en la muerte de Don Martín Suárez de Alarcón... s. l., s. a., 1653?, fol. 100v).

V. BLH, V, n.° 71 (74).

MEDINA (ANTONIO DE)

Bachiller. Administrador de las Obras pías y Colegio de las Doncellas de la ciudad de Antequera de Méjico.

EDICIONES

3816

[DEDICATORIA al Dr. Isidro Sariñana y Cuenca, Obispo de Antequera, 23 de mayo de 1694]. (En Díaz, Diego. Sermón... en la solemne professión de la M. María Magdalena de la Soledad... Méjico. 1694. Prels.).

Medina, México, III, n.° 1.565.

MEDINA (FR. ANTONIO DE)

Franciscano.

EDICIONES

3817

TRATADO de los mysterios y estaciones de la tierra Sancta... Aduierte Christiano Lector que este libro sale ahora nueuamente, y que nunca se ha impresso... Salamanca. Herederos de Iuan de Canoua. 1573. 8 hs. + 281 fols. 14 cm.

—Apr. de Fr. Alonso de Orozco.—L. real al autor.—Epistola ded. del impressor a D.ª Ynes Manrrique de Lara, Condessa de Paredes, etc.—Prólogo.—Grab.—Texto. Colofón.

BARCELONA. Universitaria. B.21-6-15-3.493.— EVORA. Pública. Sec. XVI, 224.—MADRID. Nacional. R-2.864.

Aprobaciones

3818

[APROBACION. Santisteban de Gormaz, 5 de setiembre de 1549]. (En Martínez, Hernán. La vida del Bienaventurado sant Pedro de Osma, traducida por ——. s. l.-s. a. Prels.).

Gallardo, III, n.° 2.932 (la reproduce).

TRADUCCIONES

a) ITALIANAS

3819

VIAGGIO di Terra Santa con sue stationi e misterii... tradotto... dal M. R. M. Pietro Buonfanti Piouano di Bibbiena. Florencia. Giorgio Marescotti. 1590. 227 págs. 4.°.

Toda, Italia, III, n.° 3.198.

CAMBRIDGE, Mass. Harvard University.—LONDRES. British Museum. 10078.c.8. — NUEVA YORK. Public Library. — ROMA. Vaticana. Stamp. Barb. P.VIII.49.—WASHINGTON. Holy Name College Library.

ESTUDIOS

3820

REP: N. Antonio, I, pág. 144.

MEDINA (ANTONIO MANUEL DE)

EDICIONES

3821

[POESIAS]. (En Avila, Tomás de. Epinicio sagrado... Salamanca. 1687).

1. *Soneto de tres Acrósticos.* (Pág. 384).
2. *Otro.* (Pág. 385).
3. *Dézima.* (Pág. 431).
MADRID. *Nacional.* 2-10.720.

ESTUDIOS
3822

[*DOCUMENTO sobre Antonio Manuel de Medina*]. (En Pérez Pastor, Cristóbal. *Noticias y documentos relativos a la Historia y Literatura...* Tomo I. Madrid. 1910, pág. 242).

MEDINA (FR. BALTASAR DE)
N. en Méjico. Franciscano descalzo. Lector de Teología. Definidor de la provincia de San Diego. Comisario Visitador de la de San Gregorio de Filipinas. M. en 1697.

EDICIONES
3823

CHRONICA de la Santa Provincia de San Diego de Mexico, de Religiosos Descalços de N. S. P. S. Francisco en la Nueva-España. Vidas de ilvstres, y venerables Varones, que la han edificado con excelentes virtudes. Méjico. Juan de Ribera. 1682. 22 hs. + 259 folios + 4 láms. + 10 hs. 29 cm.

—Frontis.—Port.—Cita de S. Bernardo.— Protesta del Author.—Ded. a San Diego de Alcalá.—Epistola al Capitan D. Ioseph de Retes Largacha, precedida de su escudo.—Parecer de Fr. Diego Velasquez de la Cadena.—S. L. del Virrey.—Apr. de Francisco Romero Quevedo.—L. V.—Apr. de Fr. Martin del Castillo.—L. O.—Apr. de Fr. Sebastian de Castrillon Gallo.— Parecer de Fr. Francisco de Fuentes.— L. O.—Anagrammas.—Prologo.—E.—Indice.—Texto.—Indice de las cosas notables.
Medina, *México*, II, n.° 1.250; Vindel, V, n.° 1.662.

LONDRES. *British Museum.* 4784.f.20.—MADRID. *Nacional.* 3-74.551.—NEW HAVEN. *Yale University.* — NUEVA YORK. *Hispanic Society.* — WASHINGTON. *Congreso.* 2-6197 rev.

3824

VIDA, martirio, y beatificacion del Invicto Proto-Martyr del Japon San

Felipe de Jesvs, patron de Mexico su Patria... Méjico. Iuan de Ribera. 1683. 20 hs. + 64 fols. + 8 hs.

—Protesta.—Ded. al mismo Proto-Martyr.— Apr. de Fr. Gabriel Tamayo.—L. del Virrey. — Sentir de Francisco Romero y Quevedo.—L. V.—Sentir de Fr. Martín del Castillo.—L. O.—Apr. de Fr. Antonio Godinez.—L. O.—Prologo.—Indice de capitulos.
Medina, *México*, II, n.° 1.287.

BERKELEY. *Bancroft Library.* — BLOOMINGTON. *Indiana University.*—CHICAGO. *Newberry Library.*—NUEVA YORK. *Hispanic Society.*—PROVIDENCE. *John Carter Brown Library.*

3825

——. 2.ª impression. Madrid. Herederos de la Viuda de Juan García Infanzón. 1751. 14 hs. + 176 págs. 20 cm.

LONDRES. *British Museum.* 4828.aaa.34. — WASHINGTON. *Congreso.* 38-12155.

3826

VIDA de Fray Bernardo Rodrigvez Lvpercio, natural de Mexico, Religioso Lego de la Santa Provincia de San Diego de Religiosos Descalços de N. P. S. Francisco... Méjico. Viuda de Francisco Rodríguez Lupercio. 1688. 11 hs. + 66 págs. 8.°

—Ded. a D. Iuan de Porras y Atienza, Obispo de Coria, por Antonio Rodriguez Lupercio. — Apr. de Fr. Agustin Dorantes.—L. del Virrey.—Apr. del P. Fernando Valtierra.—L. V.—Apr. de Fr. Nicolás Macías.—L. O.—Apr. de Fr. Pedro Rezio.—L. O.—Texto.
Medina, *México*, III, n.° 1.417.

3827

VIDA de el Venerable P. Fr. Juan Baptista. Escrita por... ——... en la Chronica que escrivio de los illustres Varones, que han edificado con excellentes virtudes dicha Santa Provincia de San Diego, en la Nueva-España, e Indias Occidentales. De donde se sacó. Méjico. Herederos de la Viuda de Francisco Rodríguez Lupercio. 1718. 1 h. + 37 págs. 4.º

Medina, *México*, IV, n.º 2.530.

WASHINGTON. *Congreso*. A-444879.

Aprobaciones

3828

[*APROBACION. Méjico, 8 de enero de 1680*]. (En González de Olmedo, Baltasar. *Sermón...* Méjico. 1680. Preliminares).

Medina, *México*, II, n.º 1.209.

3829

[*APROBACION. 15 de mayo de 1683*]. (En Correa, Antonio. *Funebre panegyris...* Méjico. 1683. Prels.).

Medina, *México*, II, n.º 1.276.

3830

[*PARECER. Méjico, 21 de marzo de 1688*]. (En Avila y Rosas, Juan de. *Sagrado Notariaco...* Méjico. 1688. Preliminares).

Medina, *México*, III, n.º 1.407.

3831

[*APROBACION. 7 de diciembre de 1687*]. (En Sariñana y Cuenca, Isidro. *Sermón de... S. Francisco...* Méjico. 1688. Prels.).

Medina, *México*, III, n.º 1.427.

3832

[*PARECER. Méjico, 21 de marzo de 1688*]. (En Avila y Rosas, Juan de. *Coronado non plus ultra...* Méjico. 1688. Prels.).

Medina, *México*, III, n.º 1.408.

3833

[*APROBACION. 25 de octubre de 1688*]. (En Reyes Angel, Gaspar de los. *Sermón al plorioso San Francisco de Borja...* Méjico. 1688. Preliminares).

Medina, *Méx°ico*, III, n.º 1.422.

3834

[*APROBACION. Churubusco, 23 Enero 1692*]. (En Hita, Alonso de. *Geroglifico Sagrado de la Amistad mas verdadera*. Méjico. 1692. Prels.).

MADRID. *Nacional*. V.E.-140-3.

3835

[*APROBACION. 30 de mayo de 1649*]. (En Contreras y Pacheco, Miguel de. *Sermón de... Santa Bárbara...* Méjico. 1695. Prels.).

Medina, *México*, III, n.º 1.591.

3836

[*APROBACION. Méjico, 6 de julio de 1696*]. (En Hita, Alonso de. *El Regulo Seraphico San Pedro Regalado...* Méjico. 1696. Prels.).

Medina, *México*, III, n.º 1.638.

OBRAS LATINAS

3837

MARTIROLOGIUM Franciscanum. 166?. 4.º

Pinelo-Barcia, II, col. 836.

MEDINA (FR. BARTOLOME DE)

N. en Medina de Rioseco. Dominico. Catedrático de la Universidad de Salamanca, donde m. en 1580 ó 1581.

CODICES

3838

«*Summa de casos de consciencia nueuamente conpuesta...*».

Letra del s. XVI. 168 fols. 140 × 100 mm.

MADRID. *Nacional*. Mss. 6.369.

3839

«*Tratado para confesar leydo por el muy R. P. —— en la casa de sant tisteban de salamanca a sus frayles*».

Letra de fines del s. XVI. 421 hs. 203 × 150 mm.

Zarco, I, pág. 324.

SAN LORENZO DEL ESCORIAL. *Monasterio*. &.IV. 27.

EDICIONES

3840

BREVE instructión de como se ha de administrar el Sacramento de la Penitencia, diuidida en dos libros... Huesca. Ioan Perez de Valdivielso. 1579. 247 fols. + 5 hs. 4.º.

BARCELONA. Central. Res. 190-12.º.—HUESCA. Pública.— MADRID. Nacional. R-5.965.— TERUEL. Casa de la Cultura.

3841

BREVE instrvction de como se ha de administrar el Sacramento de la Penitencia, diuidida en dos libros. Salamanca. Herederos de Mathias Gast. 1579. 8 hs. + 356 fols. + 4 hs. 14 cm.

BARCELONA. Universitaria. B. 8-6-22.—CIUDAD REAL. Pública.—CORDOBA. Pública. 13-2.—LONDRES. British Museum. 4061.a.9. — MADRID. Nacional. U-6.843; R-29.075. — MONTSERRAT. Abadía. D.XVIII.12.37. — POYO. Monasterio de Mercedarias. 37-7-13. — SALAMANCA. Universitaria. — SEVILLA. Universitaria. 48-112.— ZARAGOZA. Universitaria. H-11-265.

3842

——. Zaragoza. Iuan Soler. 1579. 8 hojas + 340 fols. + 4 hs. 8.º.

Sánchez, II, n.º 566.

COLUMBIA. University of Misosuri. — MADRID. Academia Española. 10-X-1.

3843

——. Alcalá. 1579.

No citada en la Tip. complutense, de J. Catalina García.

SEVILLA. Universitaria. 86-282.

3844

——. Salamanca. Herederos de Mathías Gast. 1580. 8 hs. + 356 fols. + 4 hs. 14 cm.

SEVILLA. Universitaria. 86 (2.º)-282.—TOLEDO. Pública.

3845

——. Zaragoza. Juan Alterache. 1580. 8.º

LERIDA. Pública.

3846

——. Huesca. Ioan Perez de Valdivielso. 1581. 327 fols. + 5 hs. 8.º.

Sánchez, II, n.º 880.

GILET (Valencia). Monasterio de Santo Espíritu del Monte. 41-f-15; etc. — LONDRES. British Museum. 4061.aaa.23.

3847

——. Pamplona. Thomás Porralis. 1581. 185 (?) hs. 8.º.

Pérez Goyena, I, n.º 130.

PAMPLONA. General de la Diputación Foral. 18-1-1.

3848

——. Salamanca. Herederos de Mathías Gast. 1582. 8 hs. + 356 págs. + 28 hs. 8.º.

BURGOS. Facultad de Teología. 26-6-2. — MADRID. Nacional. R-29.081.

3849

BREVE instrvction de como se ha de administrar el Sacramento de la Penitencia. Lisboa. Antonio Ribero. A costa de Iuan despaña y Miguel darenas. 1582. 8 + 289 + 18 fols. 8.º

—Apr. de Fr. Bart. Ferreira.—L. de la Inquisición. — Amonestación al lector.— Prólogo.—Texto. — Tabla de los capítulos.—Tabla de lo contenido.

Anselmo, n.º 950.

EVORA. Pública. Séc. XVI, 2.590. — LONDRES. British Museum. 4061.aaa.24.

3850

——. Zaragoza. Juan Soler. 1583. 8 hojas + 307 fols. + 5 hs. 8.º.

Sánchez, II, n.º 609.

BARCELONA. Universitaria. B. 1-6-7.—TARRAGONA. Pública.

3851

——. Salamanca. Herederos de Mathías Gast. 1583. 8 hs. + 289 págs. + 19 hs. 15 cm.

MADRID. Nacional. R-29.814.—ORIHUELA. Pública. 41-5-20; etc.—SEVILLA. Universitaria. 86-167; 78-187.

3852

——. Barcelona. [Pedro Malo y Luis Leget]. 1585. 8 hs. + 279 fols. + 23 hojas. 14,5 cm.

BARCELONA. *Universitaria.* B. 58-8-15/16.

3853

——. Barcelona. Arnau Garrich. 1585. 8 hs. + 279 fols. + 23 hs. 14,5 cm.

BARCELONA. *Central.* 11-I-87.

3854

——. Barcelona. Francisco Trinxell. 1585. 8 hs. + 279 fols. + 23 hs. 14,5 centímetros.

BARCELONA. *Central.* 11-II-50.

3855

——. Barcelona. Bages. 1585. 8 hs. + 279 fols. + 23 hs. 14,5 cm.

MONTSERRAT. *Abadía.* D.XVIII.12.62.

3856

——. Salamanca. Herederos de Gast. 1585. 8 hs. + 289 págs. + 19 hs. 15 cm.

SAN LORENZO DEL ESCORIAL. *Monasterio.* 21-V-8.—SEVILLA. *Colombina.* 65-1-22. *Universitaria.* 86-167.

3857

——. Toledo. 1585.

No hallada por Pérez Pastor.

SEVILLA. *Universitaria.* 84-113.

3858

——. Barcelona. Arnau Garrich. [1585]. 8 hs. + 279 + 18 hs. 14,5 cm.

BARCELONA. *Central.* 11-I-87.

3859

——. Barcelona. Francisco Trinxu. 1585. 7 hs. + 279 fols. + 2 hs.

BARCELONA. *Central.* 11-II-50.

3860

——. Zaragoza. Pedro Puig y Ioan Escarrilla. A costa de Antonio Hernandez. 1587. 8 hs. + 362 págs. + 28 hojas. 8.º

Sánchez, II, n.º 659.

MADRID. *Nacional.* R-29.581.

3861

——. [Lisboa]. Manoel de Lyra. 1587. 4 hs. + 211 fols. + 9 hs. 8.º

Vindel, V, n.º 1.664.

3862

——. Barcelona. Impreso para Arnao Garrich. 1589. 8 hs. + 279 fols. + 23 hs. 14 cm.

BARCELONA. *Instituto Municipal de Historia.* B. 1589-12.º (2 y 3).

3863

——. Barcelona. Francisco Trinchet. [Colofón: Pedro Malo]. 1589.

BARCELONA. *Universitaria.* B. 58-8-36.

3864

——. Alcalá. Ioan Iñiguez de Lequerica. 1589. 8 hs. + 334 + 22 hs. 8.º

J. Catalina García, *Tip. complutense,* número 656.

MADRID. *Nacional.* R-29.074.—SALAMANCA. *Universitaria.*—SANTIAGO DE COMPOSTELA. *Universitaria.*

3865

——. [s. l., Lisboa]. Manuel de Lyra. 1591. 7 hs. + 331 fols. 8.º

Anselmo, n.º 754.

COIMBRA. *Universitaria.* R-8-34. — EVORA. *Pública.* Res. 3.

3866

——. Alcalá. Iuan Gracián. 1591. 334 folios + tablas. 12.º

GRANADA. *Universitaria.* A-16-233. — SEVILLA. *Universitaria.* 173-6.

3867

——. Alcalá. Iuan Iñiguez de Lequerica. A costa de Diego de Xaramillo. 1593. 8 hs. + 334 fols. + 22 hs. 15 cm.

J. Catalina García, *Tip. complutense,* número 688.

CADIZ. *Pública.* 13.899; etc.—SAN LORENZO DEL ESCORIAL. *Monasterio.* 34-II-83.—URBANA. *University of Illinois.*

3868

——. Barcelona. Herederos de Pablo Malo. 1596. 8 hs. + 273 fols. + 23 hs. 8.º

Hay diversas variantes con distintos nombres de libreros.

BARCELONA. *Seminario.*—PALMA DE MALLORCA. *Pública.*

3869

——. Caller. Juan María Galcerino. 1597. 8 hs. + 711 págs. + 29 hs. 14,5 centímetros.

Toda, *Cerdeña,* n.º 283.

BARCELONA. *Central.* Toda, 2I-II-16; etc.—CAGLIARI. *Universitaria.* D.A.723; etc.

3870

——. Barcelona. Gabriel Graells y Giraldo Dotil. A costa de Baltasar Simón. 1604. 8 hs. + 277 fols. + 23 hojas. 15 cm.

Con una Apr. de Fr. Jayme Soler (1604).

BARCELONA. *Instituto Municipal de Historia.* B. 1604-12.º (1). — ORIHUELA. *Pública.* XXI-6-18.

3871

——. Pamplona. 1611.

SEVILLA. *Universitaria.* 226-74.

3872

——. Burgos. Iuan Baptista. Varesio. 1612. 8 hs. + 351 fols. + 17 hs. 8.º

MADRID. *Nacional.* R-27.994; etc.

3873

——. Pamplona. Iuan de Oteyza. 1626. 7 hs. + 306 hs. + 24 hs. 4.º.

Con una apr. de Fr. Pedro de Eguilior.
Pérez Goyena, II, n.º 395.

PAMPLONA. *Pública.* 18-I-1.

3874

——. Salamanca. A. de Figueroa. 1628. 462 págs. 8.º

PARIS. *Nationale.* D.25084.

OBRAS LATINAS

3875

EXPOSITIO in Primam Secundae Angelici Doctoris D. Thomae Aquinatis. Salamanca. Herederos Mathías Gast. 1572.

TARRAGONA. *Pública.*

— — —

—Salamanca. Haeredum Mathiae Gastii. 1578. 6 hs. + 1130 págs. + 25 hs. Fol.

BURGOS *Facultad de Teología.* — *Pública.* — CIUDAD REAL. *Pública.*—LONDRES. *British Museum.*—MADRID. *Nacional.* R-29.100.—MURCIA. *Universitaria.*—PALENCIA. *Pública.*—SALAMANCA. *Universitaria.* — SEVILLA. *Universitaria.* 51-105.—TARRAGONA. *Pública.*—TERUEL. *Pública.*—TOLEDO. *Pública.*—VALENCIA. *Colegio del Corpus Christi.* 1.414.—ZARAGOZA. *Universitaria.* H-6-45.

—Salamanca. 1580.

SEVILLA. *Universitaria.* 91-141.

—Venecia. Petrum Dehuchinum. 1580. 10 + 664 págs. + índice. 31,5 cm.

BARCELONA. *Universitaria.*—GENOVA. *Universitaria.* 1.GG.V.7(1).—ORIHUELA. *Pública.* 30-2-1.—ROMA. *Vaticana.* Stamp. Barb. G.IV.4.

—Salamanca. Haeredum Mathiae Gastii. 1582. [Colofón: 1581]. 5 hs. + 1134 págs. + 24 hs. Fol.

BARCELONA. *Seminario Conciliar.—Universitaria.* — BURGOS. *Facultad de Teología.* ST-21-3.—MADRID. *Nacional.* R-29.132.—ORIHUELA. *Pública.* XXX-5-12. — POYO. *Monasterio de Mercedarios.* 40-3-2.—VALENCIA. *Pública.*

—Salamanca. S. Stephanus. Joannes et Andreas Renaut. 1583. 6 hs. + 664 fols. + 16 hs. Fol.

GERONA. *Pública.*

—Bergomi. Typ. Comini Ventura et sociorum. 1586. 6 hs. + 664 págs. + 18 hs. Fol.

BARCELONA. *Seminario Conciliar.—Universitaria.* B. 70-1-5.—CADIZ. *Pública.* LTS. — CAMBRIDGE, Mass. *Harvard University.*

—Salamanca. Ioannes et Andreas Renaut. 1588. 4 hs. + 884 págs. + 12 hs. 33 cm.

BARCELONA. *Universitaria.*—MADRID. *Nacional.* R-29.100.—MONSERRAT. *Abadía.* B.LVII.4.3.—PALENCIA. *Pública.*—SALAMANCA. *Universitaria.* TOLEDO. *Pública.*—VALLADOLID. *Universitaria.* 5.957.

—Venecia. Bernardum Basam. 1590. 6 hs. + 664 págs. + 16 hs. 30,5 cm.

BARCELONA. *Universitaria.*—CAGLIARI. *Universitaria.* D.C.412; etc.—MADRID. *Nacional.* R-29.092.—SALAMANCA. *Universitaria.*

—Venecia. Apud Iuntas. 1602. 2 vols.

PARIS. *Nationale.* D.1181.—ROUEN. *Municipale.* A.458 (I).

3876

EXPOSITIO in Tertiam D. Thomae partes usque ad questionem sexagesimam complectens tertium librum Sententiarum. Salamanca. Haeredum Mathiae Gastii. 1580. 6 hs. + 1132 páginas + 20 hs. Fol.

BARCELONA. *Universitaria.* B.47-4-5. — BURGOS. *Facultad de Teología.* IV-48-1-6. — LONDRES. *British Museum.* 3834.bb.20.—MADRID. *Nacional.* R-29.102.—ORIHUELA. *Pública.* 30-2-11; etc. PALENCIA. *Pública.* — VALENCIA. *Colegio del Corpus Christi.* 1.414.—ZARAGOZA. *Universitaria.* H-5-70.

———

—Venecia. Apud SS. Ioanem et Paulum. 1582. 702 págs. + 18 hs. Fol.

CADIZ. *Pública.* 528, etc.—CAGLIARI. *Universitaria.* D.C.367; etc.—HUESCA. *Pública.*—PARIS. *Nationale.* D.1182.

—Salamanca. Haeredum Mathiae Gastii. 1584. 6 hs. + 1132 págs. + 20 hs. Fol.

BARCELONA. *Universitaria.*—BURGOS. *Pública.* MADRID. *Nacional.* R-27.308. — POYO. *Monasterio de Mercedarios.* 40-3-3.—SALAMANCA. *Universitaria.*—ZAMORA. *Pública.*

—Salamanca. Ioannem & Andream Renaut. 1596. [Colofón: 1597]. 2 partes. Fol.

BARCELONA. *Universitaria.*—MADRID. *Nacional.* R-26.711.

—Venecia. Bernardinum Basam. 1590. 8 hs. + 702 págs. + 18 hs. Fol.

CAGLIARI. *Universitaria.* Ross.K.54.—SALAMANCA. *Universitaria.*

—Venecia. Petrus Maria Bertanus. 1602. 14 + 664 págs. + índice. 35,5 cm.

GENOVA. *Universitaria.* I.GG.V.7(2).

3877

SCHOLASTICA Commentaria... Colonia Agripina. Pedro Henniingii. 1618. 2 tomos en 1 vol. Fol.

BARCELONA. *Universitaria.* C.186-1-14.—GRANADA. *Universitaria.* C-18-7.—PARIS. *Nationale.* D.1183.

———

—Idem. 1619.

PARIS. *Nationale* D.1184.

TRADUCCIONES

a) ITALIANAS

3878

BREVE instruttione de' confessori, come si debba amministrare il Sacramento della Penitentia... Nuovamente tradotta dalla Lingua Spagnola nella Italiana... Venecia. Bernardo Basa. 1584. 4 + 251 págs.

Trad. por Pietro Gonzales.

BERKELEY. *University of California. Law Library.*

———

—Venecia. Bernardo Basa. [Colofón: Gio. Battista Bonfadio]. 1587. 2 vols. 17 cm.

CHAPEL HILL. *University of North Carolina.*—GENOVA. *Universitaria.* 1.NN.VI.39.—MADRID. *Nacional.* R-29.047. — URBANA. *University of Illinois.* — URBINO. *Universitaria.* G-VII-157.

—Roma. Alessandro Gardano & Francesco Coattini. 1588. 24 hs. + 239 fols. 8.º

CHAPEL HILL. *University of North Carolina.*—MADRID. *Nacional.* R-29.042.—NUEVA YORK. *Public Library.*—ROMA. *Angélica.*—URBINO. *Universitaria.* D-XXVII-41.

—Venecia. Bernardo Basa y Domenico Nicolini. 1594. 23 hs. + 239 fols. 16.º

BARI. *Nazionale.* 58-E-5.

b) LATINAS

3879

INSTRUCTIO confessariorum... Venecia. J. Guerilium. 1601. 543 págs. 8.º

PARIS. *Nationale.* D.13839.

———

—Colonia. A. Quentelium. 1601.

PARIS. *Nationale.* D.25085.

ESTUDIOS

3880

MARTINEZ FERNANDEZ, LUIS. *Sacra Doctrina (In Iam. p. Divi Thomae, q. 1.ª: Mvol. 4628) de Bartolomé de Medina.* (En *Fuentes para la historia del método teológico en la Escuela de Salamanca.* Tomo II. Granada. Facultad de Teología. 1973, páginas 191-297).

[Introducción (págs. 191-206); Edición (páginas 207-97)].

MADRID. *Nacional.* 5-42.034 (vol. II).

3881
ROBLES, LAUREANO. «*Resoluciones de casos diferentes*», *1576. Edición de un texto inédito de Bartolomé de Medina, O. P.* (En *Escritos del Vedat,* I, Torrente, 1979, páginas 321-81).

3882
REP: N. Antonio, I, págs. 198-99.

MEDINA (P. BERNABE DE)

N. en Sevilla (1618). Jesuíta desde 1633. Rector del Colegio de Córdoba y de la Casa Profesa de Sevilla, donde m. (1679).

EDICIONES

3883
CARTA *que el Rmo.* ——, *Prepósito de la Casa Professa de la Compañía de Iesus de Sevilla, escriuió a los Superiores de la Prouincia de Andaluzía de la misma Compañía, sobre la vida, muerte, y virtudes del Padre Iacinto de la Puebla...* [s. l.-s. i.]. 1679. 4 fols. 28 cm.

Carece de portada.
—Texto.
SEVILLA. *Colombina.* 63-7-6 (18).

3884
CARTA *que el R.* ——, *Prepósito de la Casa Professa de la Compañía de Jesús de Sevilla, escrivió a los Superiores de la Provincia de Andaluzía de la misma Compañía, sobre la vida, muerte y virtudes del R. P. Juan de Losada, Predicador de S. M., y*

Religioso de su misma Orden... [s. l.-s. i.]. [s. a.]. 4 hs. 28,5 cm.

—Texto, fechado en Sevilla a 30 de junio de 1679.
SEVILLA. *Colombina.* 102-9-21.

3885
[*APROBACION. Sevilla, 16 de abril de 1663*]. (En Ahumada, Fernando de. *Sermon de la Encarnacion... Predicado en la Congregacion de la Anunciata... de Sevilla...* Sevilla. 1663. Preliminares).

SEVILLA. *Universitaria.* 113/19.

3886
[*APROBACION. Sevilla, 12 enero 1664*]. (En Torre y Peralta, José Ramón de la. *Festín de las tres Gracias.* Sevilla. 1664. Prels.).

MADRID. *Nacional.* V.E.-155-45.

MEDINA (FR. BERNARDO DE)

N. en Lima. Dominico. Regente de los Estudios del convento de Guanuco.

EDICIONES

3887
VIDA *prodigiosa del Venerable Siervo de Dios Fr. Martín de Porras, natural de Lima, de la Tercera Orden de nuestro Padre S. Domingo.* Lima. Iuan de Quevedo y Zarate. 1673. 1 lámina + 15 hs. + 127 fols. + 2 hs. 21,5 centímetros.

—Retrato de Fr. Martin de Porras.—Port. Apr. del P. Rodrigo de Valdés.—L. del Govierno.—Apr. de Diego de Salazar.—L. V.—Apr. de Fr. Antonio de Morales.—L. O.—Ded. a Fr. Juan Thomas de Rocaverti, Maestro general del Orden de Predicadores.—Epigramma latino del Autor.—Romance del Autor. [«No ay cetros para con Dios...»].—Prólogo al Letor.—Protestación del Autor.—Dezimas de Fr. Joseph de Villarrubia. [«De vida bien prodigiosa...»].—Soneto de Fr. Juan Melendez. [«Docto, erudito, dulce y eloquente...»]. E.—Texto.—Tabla de los Capitulos.

MADRID. *Nacional.* 3-26.666.

3888

——. Madrid. D. García Morras. 1675. 7 hs. + 167 págs. + 1 retrato.

Medina, *Biblioteca hispano-americana*, III, n.° 1.591.

CORDOBA. *Pública*. 15-76.—PROVIDENCE. *Brown University*.

3889

SERMON predicado en el Colegio de S. Pablo de la Compañía de Jesús día del glorioso S. Ignacio de Loyola... Lima. [s. i.]. 1675. 39 págs. 18,5 centímetros.

NEW HAVEN. *Yale University*.

3890

[APROBACION]. (En Argote y Valdés, Juan de. *Oración panegyrica a Sancto Thomás de Aquino...* Lima. 1686. Prels.).

MEDINA (CIPRIANO DE)

Doctor.

EDICIONES

3891

SERMON predicado a la Emperatriz de los Cielos María... en el festiuo transito que hizo de su capilla del Rosario a la mayor de la Cathedral [de Lima]. [s. l.-s. i.]. [s. a.]. 4 hs. + 10 fols. 19 cm.

De Lima. Luys de Lyra. 1645.

MADRID. *Nacional*. V.E.-43-2.

3892

ORACION fúnebre en las exequias que en la ciudad de Los Reyes celebró, el religiosissimo monasterio de Santa Catalina de Sena Madre de Predicadores a la memoria de la venerable soror Lucía de la Santissima Trinidad, su fundadora, y madre perpetua. Lima. Pedro de Cabrera Valdés. 1649. 4 hs. + 22 fols. + 2 hs.

CORDOBA. *Pública*. 4-138.

3893

ORACION en la fiesta solemne, qve el religiossisimo monasterio de Santa Caterina de Sena, celebró en la Ciudad de los Reyes, día del Arcangel S. Miguel su patron... Lima. 1665. 4 hs. + 61 fols. + 2 hs. 18,5 cm.

NEW HAVEN. *Yale University*.

Aprobaciones

3894

[APROBACION. Los Reyes, 22 de abril de 1604]. (En Agia, Miguel de. *Tratado que contiene tres pareceres graves en Derecho...* Lima. 1604. Preliminares).

MADRID. *Nacional*. R-5.246.

3895

[APROBACION]. (En Córdoba Salinas, Diego de. *Coronica de la... Provincia de los Doze Apostoles del del Peru, de la Orden de... S. Francisco...* Lima. 1651. Prels.).

MADRID. *Academia de la Historia*. 5-4-6-1.554.

MEDINA (COSME DE)

EDICIONES

3896

[SONETO]. (En Cisneros, Luis de. *Historia de el principi... de la... Imagen de nuestra señora de los Remedios...* Méjico. 1621. Prels.).

LONDRES. *British Museum*. 1369.f.2.

MEDINA (CRISTOBAL DE)

EDICIONES

3897

[OCTAVAS]. (En Alegre, Juan. *Música seraphica...* Granada. 1670, folio 105).

MADRID. *Nacional*. 3-53.608.

3898

[*OCTAVAS*]. (En Alegre, Juan. *Angustias gloriosas de María...* Granada. s. a., fol. 105).

V. *BLH*, V, n.º 665 (20).

MEDINA (DIEGO DE)

Licenciado. Canónigo magistral de la catedral de Granada.

EDICIONES

3899

[*APROBACION. Granada, 28 de enero de 1643*]. (En Sosa, Fernando Alfonso de. *Oración fúnebre en las honras de la... Marquesa del Carpio...* Granada. 1643. Prels.).

GRANADA. *Universitaria.* A-31-208, n.º 19.

3900

[*APROBACION*]. (En Correa, Francisco. *Sermón...* Granada. 1642. Preliminares).

SEVILLA. *Universitaria.* 111-52 (3).

MEDINA (DIEGO DE)

Doctor.

EDICIONES

3901

[*APROBACION. Cuenca, 10 de agosto de 1647*]. (En Descalzi de Salcedo, Doctor. *Información y defensorio contra la mala voz de pestilencia...* Cuenca. 1647. Prels.).

MADRID. *Nacional.* V.E.-10-17.

MEDINA (P. DIEGO DE)

Jesuíta.

EDICIONES

3902

[*SENTIR. Méjico, 3 junio 1681*]. (En Ezcaray, Antonio de. *Sermón Panegyrico. Desagravios de Christo. Vida Nuestra.* Méjico. 1681. Prels.).

MADRID. *Nacional.* V.E.-131-22.

MEDINA (FELIPE DE)

EDICIONES

3903

[*EPIGRAMA*]. (En Isola, Jacinto. *Obras.* Madrid. 1634. Prels.).

V. *BLH*, XII, n.º 1330.

MEDINA (P. FLORENCIO)

Jesuíta.

EDICIONES

3904

[*APROBACION. Córdoba, 2 de octubre de 1662*]. (En Vaca de Alfaro, Enrique. *Festejos del Pindo...* Córdoba. 1662. Prels.).

3905

[*APROBACION. Sevilla, 1 de enero de 1701*]. (En Flores, Luis de. *Oración funebre en las Exequias de Carlos Rey de España.* Sevilla. 1700. Preliminares).

MADRID. *Nacional.* V.E.-108-36.

MEDINA (FRANCISCO DE)

N. y m. en Sevilla (1544-1615). Maestro. Clérigo. Profesor de Latinidad en Jerez de la Frontera, Sevilla, Antequera, Osuna, etcétera.

CODICES

3906

[*Poesías*].

Letra del s. XVII. 155 × 105 mm. Es un Cancionero.

1. El M.º —— *traduxo assi la eleg. 12.º de el Libro 2.º de Prop[ercio]*. [«Qualquier que fue, quien al amor tyrano...»]. (Folio 33).

2. El M.º —— *traduciendo... dos epigramas de Sannazaro... dixo assi*. [«Amor templó con mi fuego...»]. (Fol. 45).

3. El M.º —— *traduxo assi el epigramma... que hizo Ausonio Vane quid etc.* [«Cambia, loco pintor, el pensamiento...»]. (Fol. 44r).

MADRID. *Nacional.* Mss. 8.486.

3907

«*Habla Eco. Soneto*».

Año 1646. 145 × 95 mm. En «Sonetos varios recogidos... por D. Joseph Maldonado».

Del fol. 567 de las... «Anotaciones».

MADRID. *Nacional*. Mss. 20.355. Fol. 251*r*).

3908

«*Quaderno de Poesias originales de Francisco de Medina por los años de 1607 á 1609*».

Autógrafo. 34 fols. 206 mm. Perteneció a Valentín Carderera y al marqués de Jerez de los Caballeros. Contiene dieciséis poemas.

Rodríguez Moñino-Brey, II, págs. 280-82.

NUEVA YORK. *Hispanic Society*. Mss. CLXXV.

3909

«*Elogios a maria sanctissima*».

Año 1620. Autógrafo y firmado. 25 fols. 200 mm. Perteneció a Jerez de los Caballeros.

Rodríguez Moñino-Brey, II, pág. 283.

NUEVA YORK. *Hispanic Society*. Mss. CLXXVI.

EDICIONES

3910

[*A los lectores*]. (En Garcilaso de la Vega. *Obras*. Con anotaciones de Fernando de Herreia. Sevilla. 1580, págs. 1-12).

V. *BLH*, X, n.º 4436.

3911

[*APUNTAMIENTOS i notas a los Sonetos de D. Juan de Arguijo*]. (En Arguijo, Juan de. *Sonetos*. Sevilla. 1841, págs. 46-51).

V. *BLH*, V, n.º 4336.

POESÍAS SUELTAS

3912

[*EN elogio de Garcilaso*]. (En idem, págs. 46-50).

3913

[*SONETO*]. (En Herrera, Fernando. *Algunas obras*. Sevilla. 1582. Prels.).

V. *BLH*, XI, n.º 4248.

3914

[*DESCRIPCION en terzetos de la villa de Vaena, en andalucia, del duque de Sesa. Edición de Ramírez de Arellano*].

V. Ramírez de Arellano, II, n.º 2.595, páginas 130-31.

3915

[*POESIA. Edición de S. Vranich*]. 1975.

«Alégrame en la noche más sombría...».

V. n.º 3912.

ESTUDIOS

3916

VRANICH, STANKO. *Un poema inédito del M.º Francisco de Medina*. (En *Revista de Filología Española*, XVII, Madrid, 1974-75, págs. 285-87).

En un tomo de *Poesías varias, año 1631*, reunido por Francisco Pacheco y conservado en la Universidad de Harvard.

3917

CERVANTES SAAVEDRA, MIGUEL DE. [*Elogio*]. (En el *Canto de Calíope*, en *Primera parte de la Galatea*. Alcalá. 1585, fol. 328*r*).

V. *BLH*, VIII, n.º 160.

3918

CUEVA, JUAN DE LA. *Al maestro Francisco de Medina. Edición de B. J. Gallardo*. 1866.

V. *BLH*, IX, n.º 1808 (2).

3919

CUEVA, JUAN DE LA. [*Elogio*]. (En *Viaje de Sannio*. Lund. 1887, pág. 57).

MADRID. *Consejo. Patronato «Menéndez Pelayo»*. 1-1.202.

3920

REP: La Barrera, pág. 243; Menéndez Pelayo, *Traductores*, III, págs. 122-25; R. M. de Hornedo, en DHEE, III, págs. 1453-54.

MEDINA (FRANCISCO DE)

CODICES

3921

«*Los milagrosos sucesos del Almirante de Aragón*».

Auto sacramental. Autógrafo y firmado. Letra de principios del s. XVII. 17 hs. 4.º Procede de la biblioteca ducal de Osuna.

«—Deja, Celio, la cabaña...».

Paz, I, n.º 2.385.

MADRID. *Nacional*. Mss. 14.880.

EDICIONES

3922

La confusión de un retrato. [s. l.-s. i.]. [s. a.].

En verso.

Madrid, 1700?

LONDRES. *British Museum*. 11728.d.41.

ESTUDIOS

3923

REP: La Barrera, pág. 243.

MEDINA (FRANCISCO DE)

Doctor. Beneficiado de la parroquia de Ntra. Sra. de la Concepcion de la Orotava, en la isla de Tenerife.

EDICIONES

3924

SERMON del Santissimo Sacramento. En la Fiesta que hizo en la ciudad de La Laguna el señor don Pedro Carrillo de Guzman, cavallero de la Orden de Santiago, Governador y Capitan General de las Yslas de Canarias, y Presidente de su Real Audiencia. En Accion de Gracias de la felicidad en que su disposicion suave consiguio un numeroso exercito en la leva que se hizo por orden de su Magestad; y para pedir a nuestro Señor felices sucesos. Sevilla. Francisco de Lyra. 1646. 4 hs. + 8 fols. 18,5 cm.

—Apr. del Dr. Velazquez.—Ded. a D. Francisco Antonio de Medina Araoz, hijo primogénito de D. Pedro Carrillo de Guzman (Orotava, 26 de noviembre de 1646). Texto.

No citado por Escudero.

SEVILLA. *Universitaria*. 112-91 (6).

MEDINA (FRANCISCO DE)

EDICIONES

3925

CUENTO muy gracioso que sucedio a vn arriero con su muger, y fue que porque no se santiguaua de las mugeres quando yua fuera, su misma muger le hizo vna burla, dandole vn mal rato, auiendole primero embriagado, y rapado la barba toda, y hechole la corona. Y de vna vengaça (sic) *que tomo el marido de su muger por la burla que del hizo*. [s. l.-s. i.]. 1603. 4 hs. 4.º

—Texto. [«En Valladolid famosa...»].

Salvá, I, n.º 61; García de Enterría, *British*, XLII.

LONDRES. *British Museum*. C.63.g.19 (4).

3926

CUENTO muy gracioso que sucedió a vn arriero con su muger. Madrid. Gaspar Gonçalez. 1656.

NUEVA YORK. *Hispanic Society*.

MEDINA (FRANCISCO DE)

EDICIONES

3927

[*ENDECHAS*]. (En JUSTA *poética, lid de ingenios...* Granada. 1674, folio 15).

V. *BLH*, XII, n.º 5120 (15).

MEDINA (FRANCISCO DE)

EDICIONES

3928

REGLA para la administracion de millones, discvrrida conforme los ca-

pitulos, e instrvcciones de estos derechos, y leyes de el Reyno. Madrid. [s. i.]. 1680. 11 fols. 20 cm.

MADRID. *Nacional.* V-239-16.

MEDINA (FR. FRANCISCO DE)

Franciscano. Predicador. Guardián del convento de Tepepulco, en Méjico.

EDICIONES

3929

VIDA (La) y milagros del glorioso S. Nicolas de Tolentino, de la Orden de Sanct Augustin Doctor de la Iglesia Traduzida en Lengua Mexicana por... ——. Méjico. Diego López Daualos, a su costa. 1605. 4 hs. + 81 folios + 4 hs. 8.º

Medina, *México,* II, n.º 224.

NEW ORLEANS. *Tulane University Library.—* PROVIDENCE *John Carter Brown Library.*

MEDINA (FR. FRANCISCO)

Mercedario.

EDICIONES

3930

[*CENSURA. Madrid, 11 de diciembre de 1592*]. (En Pacheco, Baltasar. *Catorze Discursos sobre la Oración sacrosanta del Pater Noster.* Salamanca. 1594. Prels.).

MADRID. *Nacional.* R-28.451.

3931

[*APROBACION. Madrid, 2 de enero de 1598*]. (En Vega, Alonso de. *Summa llamada Nueva Recopilacion y practica del fuero interior...* Madrid. 1598. Prels.).

MEDINA (GASPAR DE)

EDICIONES

3932

[*A una dama muy cruel mordida de un Aspid. Romance*]. (En ACADEMIA

que se celebró en día de Pasqua de Reyes... Año M.DC.LXX.IIII. s. l.-s. a., fols. 34v-35v).

MADRID. *Nacional.* R-141.

MEDINA (FR. GONZALO DE)

Jerónimo. Hijo del monasterio de San Isidro del Campo de Sevilla.

EDICIONES

3933

SERMON en las onras funerales, que por la Reyna Doña Margarita de Austria, nuestra Señora, se hizieron, en el insigne Monasterio de San Isidro del Campo, de la Orden de San Jerónimo, extra muros de Seuilla. Domingo veynte de Nouiembre de mil y seyscientos y onze. Sevilla. Alfonso Rodríguez Gamarra. 1612. 24 fols. 21,5 cm.

—Apr. de Iofre de Loaysa.—L. V.—Ded. al Duque de Medina Sidonia.—Texto.

LONDRES. *British Museum.* 4423.g.1.(10). — SEVILLA. *Universitaria.* 113-80 (12).

MEDINA (JOSE)

Mejicano. Bachiller. Presbítero. Sacristán de las religiosas del convento de Santa Inés de Méjico.

EDICIONES

3934

VEJAMEN del Diablo por el chasco que se llevó en la Concepción de la Virgen María, en Redondillas castellanas. Méjico. 1683. 4.º

Premiado en un certamen de la Universidad de Méjico dicho año (Beristain).

ESTUDIOS

3935

REP: Beristain, II, n.º 224.

MEDINA (FR. JOSE)

Franciscano. Calificador de la Inquisición. Examinador sinodal de los obispados de Barcelona y Vich. Provincial de Cataluña.

EDICIONES

3936

[*APROBACION por —— y Fr. Jacinto Solá. Barcelona, 28 de Septiembre de 1700*]. (En Batlle, José. *Mystico Ezechiel en campo de Tarragona...* Barcelona. 1700. Prels.).

MADRID. *Nacional.* 3-54.904.

MEDINA (JUAN DE)

Librero.

EDICIONES

3937

SUMA de notas copiosas muy sustanciales y compendiosas segun el vso y estilo que agora se vsan en estos reynos las quales notas fueron examinadas por los señores del consejo de su magestad y mandadas ymprimir y ansi mismo las notas breues para examinar los escriuanos. [Valladolid. A costa y mission de Juan de Medina]. 1538 [20 de mayo]. 43 fols. 27,5 cm. gót.

—Fol. 2r: Pr. al autor por diez años.— Fol. 2v: Tabla.—Texto.—Colofón.

Alcocer, n.° 86, que no lo vio, remite a N. Antonio.

MADRID. *Nacional.* R-22.921.

3938

[*DEDICATORIA a D. Pedro Hernández de Velasco, Condestable de Castilla, etc.*]. (En Justino. *Justino clarissimo abreuiador de la historia general... de Trogo Pompeyo... Traduzido por Jorge de Bustamante.* Alcalá. 1540. Prels.).

V. *BLH,* VI, n.° 5735.

ESTUDIOS

3939

REP: N. Antonio, I, pág. 740.

MEDINA (JUAN DE)

Herrador y Albeitar de la Real Caballeriza. Examinador mayor de su arte.

EDICIONES

3940

[*APROBACION. Madrid, 6 de marzo de 1658*]. (En Arredondo, Martín. *Recopilación de Albeytería.* Madrid. 1658. Prels.).

V. *BLH,* VI, n.° 693.

3941

[*APROBACION*]. (En Arredondo, Martín. *Tratado segundo...* Madrid. 1661. Al fin).

MADRID. *Nacional.* R-13.177.

MEDINA (JUAN DE)

N. en 1614. En 1635 se alistó como soldado en Milán y llegó a Maestre de Campo. Gobernador de las fuerzas de Pomblin, Escalín y fuerte de Longon. M. en 1682.

EDICIONES

3942

TRATADO militar del capitan ——. En el qual se enseña como se deuen formar cinco fortissimos Esquadrones, en que milita nuestra nacion Española, con otras formas diferentes. Milán. Ludouico Monça. 1650. 7 hs. + 258 págs. con grabs. y láms. pleg. + 2 hs. 10,5 × 6,5 cm.

—Frontis firmado por Gio. Batta del Sole. Port.—S. Licencias.—Ded. a D. Iuan Vazquez de Coronado, caballero de Calatraua, Castellano del Castillo de Milan, etc.—Prologo al lector.—Soneto a D. Iuan Vazquez de Coronado. [«Para poder vencer a los Troianos...»].—De un afecionado *(sic)* del Arte militar al autor. Soneto. [«Si en la espada, y la pluma (Generoso)...»].—Soneto de Michael Boronio. [«Valor, Ciencia, Virtud, Prudencia, y Arte...»].—A quien leyere. Soneto, por Antonio de Cobaleda y Aguilar. [«Desta pluma (ó Letor) la mas perfeta...»].—Soneto. [«El Aguila a los Cielos remontada...»].—Texto.—Indice.—E.—Al lector.

MADRID. *Nacional.* R-7.128. *Palacio Real.* — PARIS. *Nationale.* R.24924.

3943
BREVE Compendio militar. Longon. En casa del Señor Gouer, por Sebastián Cosme Fatini. 1671. 10 hs. + 1 pleg. + 415 págs. con grabs. + láms. en hs. pleg. 11 cm.

—Frontis.—Port.—Tabla.—Ded. al muy noble, valiente y virtuoso Soldado de fortuna.—Al lector.—Indice de todo lo que contiene este Libro.—Triunfo de Marte (Lámina).—Soneto al Lector. De un Afficionado al Arte militar. [«De esta pluma, o Lector, la mas perfecta...»].—Soneto de un amigo al Autor. [«Valor, Sciencia, Virtud, Prudencia y Arte...»].—Efigie del Autor (grab.).—Texto.

Toda, *Italia*, III, n.º 3.206; Vindel, V, número 1.665.

MADRID. *Academia de la Historia.* 2-2-3-685. *Nacional.* R-7.127.—SAN LORENZO DEL ESCORIAL. *Monasterio.* 41-II-94.

MEDINA (JUAN DE)
Capellán del duque de Arcos.

EDICIONES
3944
[*DEZIMA*]. (En Moreno y Villa-Real, Pedro Alfonso. *Romance funebre en que... se lamenta... Desseando que su Magestad se consuele en la... muerte de... Doña Mariana de Austria...* Madrid. 1696. Prels.).

MADRID. *Nacional.* V.E.-113-24.

MEDINA (FR. JUAN DE)
N. en Sevilla. Agustino. Marchó a Filipinas en 1609 y actuó como misionero en la provivncia de Panay. Prior del convento del Santo Niño de Cebú. Murió cuando regresaba a España, en 1635.

EDICIONES
3945
SUCESOS que los Religiosos de la Orden de N. P. S. Agustin han tenido en las islas Filipinas, desde que se descubrieron y poblaron por los españoles por orden y mandado de D. Felipe II... Manila. Tipo-Litografía de Chofré y Comp. 1893. 2 hs. +

VIII págs. 22,5 cm + págs. 5-542. (Biblioteca Histórica Filipina, 4).

MADRID. *Nacional.* R-32.861; etc.

ESTUDIOS
3946
REP: Santiago Vela, V, págs. 347-49.

MEDINA (FR. JUAN DE)
Agustino.

EDICIONES
3947
[*APROBACION. Madrid, 20 de julio de 1667*]. (En Aste, Benito de. *Compendio de la vida prodigiosa del V. P. Fray Gerónimo de Alaviano...* Madrid. 1668. Prels.).

MADRID. *Nacional.* 3-7.253.

MEDINA (FR. JUAN DE)
Benedictino. Abad del monasterio de San Vicente de Salamanca.

EDICIONES
3948
DE la orden que en algunos pueblos de España se ha puesto en la limosna: para remedio de los verdaderos pobres. [Salamanca. Juan de Junta]. [1545, 20 de marzo]. 60 hs. 19,5 cm. gót.

—Port. con el escudo real y sin nombre de autor.—Ded. al principe don Felipe.—Texto.—Colofón.

Gallardo, III, n.º 2.978.

LONDRES. *British Museum.* C.63.g.48.—MADRID. *Banco de España.* BS-1760. *Fundación «Lázaro Galdiano».—Nacional.* R-922.—SAN LORENZO DEL ESCORIAL. *Monasterio.* 53-I-49.

3949
CHARIDAD (La) discreta, practicada con los mendigos, y utilidades que logra la Republica en su recogimiento... Valladolid. Thomas de San Pedro. [s. a.]. 22 hs. + 90 págs. 20 cm.

Preliminares fechados en 1757.
Alcocer, n.º 1.345.

MADRID. *Nacional.* U-1.077. *Palacio Real.* XIV-669; etc.

3950

CHARIDAD (La) discreta, practicada con los mendigos y utilidades que logra la Republica en su recogimiento. Papel escrito por... ——... de orden del Sr. D. Phelipe II, siendo principe de España en el año de 1545. Que ahora da a luz... Luis del Valle Salazar... Madrid. Impr. Real de la Gaceta. 1766. 17 hs. + 95 págs. 20 cm.

MADRID. *Palacio Real.* III-3.329; etc.—MONT-SERRAT. *Abadía.*—SEVILLA. *Unicipal.* Conde del Aguila, t. 30 en fol. (25).

ESTUDIOS

3951

REP: N. Antonio, I, pág. 740.

MEDINA (FR. JUAN DE)

Dominico. Regente de los Estudios del convento de San Pablo de Córdoba.

EDICIONES

3952

[CENSURA y Aprobación por —— y Fr. Pedro Delgado. Córdoba, 4 de Septiembre de 1608]. (En Cabrera, Alonso. *Tomo I de Consideraciones en los Evangelios de los Domingos de Aduiento.* Barcelona. 1609. Prels.).

MADRID. *Nacional.* 3-72.333.

MEDINA (FR. JUAN DE)

Catedrático de Vísperas del Colegio de Ntra. Sra. de Guadalupe de Salamanca.

EDICIONES

3953

[APROBACION. Salamanca. 3 de Junio de 1631]. (En Jerónimo de la Cruz, Fray. *Job Evangélico...* Zaragoza. 1638. Prels.).

MADRID. *Nacional.* 2-70.896.

MEDINA (P. JUAN DE)

Jesuíta. Maestro de Latinidad en el Colegio de San Pablo de Granada.

EDICIONES

3954

[APROBACION. Granada, 21 de abril

de 1684]. (En Gavi Cataneo, Luis. *Ecos postrimeros de metricas voces.* Granada. 1684. Prels.).

MADRID. *Nacional.* R-21.218.

MEDINA (LORENZO DE)

EDICIONES

3955

[TRATADO de como se ha de usar el aceite]. [s. l.-s. i.]. [s. a.]. 43 fols. 20 cm.

Carece de portada.

—A los medicos de Camara del Rey nuestro señor y sus Prothomedicos.—Texto.

MADRID. *Nacional.* 3-20.697.

ESTUDIOS

3956

REP: N. Antonio, II, pág. 5.

MEDINA (LUIS DE)

Librero.

EDICIONES

3957

FLORES del Parnaso. Octaua parte. Recopilada por Luys de Medina. Toledo. Pedro Rodríguez. A costa de Miguel de Vililla. 1596. 6 hs. + 150 folios.

—S. L.—Apr. de Juan Rufo.—Tabla.—Texto.

LONDRES. *British Museum.* G.10906 (2).

— — —

—Reprod. facsímil, por Antonio Rodríguez-Moñino. Madrid. Real Academia Española. 1957. 2 + 6 hs. + 150 fols. + 4 hs. *(Las fuentes del Romancero General (Madrid, 1600), tomo X).*

MADRID. *Consejo. Patronato «Menéndez Pelayo».* 34-812.

MEDINA (P. LUIS)

Clérigo menor. Provincial de España.

EDICIONES

3958

[CENSURA. Madrid, 22 de junio de 1658]. (En Muñoz de Otalora, Alonso.

Sermón a la venida del Espíritu Santo. Madrid. 1658. Prels.).

SEVILLA. *Universitaria.* 113-20 (7).

MEDINA (MIGUEL DE)

Licenciado. Colegial teólogo de Alcalá de Henares.

EDICIONES

3959

[*SONETO en loor del autor*]. (En Pérez de Moya, Juan. *Varia historia de sanctas e illustres mugeres.* Madrid. 1583. Prels.).

LONDRES. *British Museum.* 613.d.31.

MEDINA (FR. MIGUEL DE)

N. en Benalcázar. Estudió Humanidades en Córdoba. Franciscano a los 20 años. Doctor por la Universidad de Toledo. Catedrático de Sagrada Escritura en la de Alcalá, que le propuso a Felipe II para participar en el Concilio de Trento. Procesado por la Inquisición por su defensa de Fr. Juan Fero (1572), estuvo encarcelado y poco después de ser trasladado al convento de San Juan de los Reyes de Toledo falleció (1578).

EDICIONES

3960

EXERCICIO de la verdadera y Christiana humildad: donde se da forma al hombre Christiano, de qualquier estado que sea, como desterrado todo genero de soberuia y altiuez deste mundo, pueda no solamente aprouechar en esta virtud, pero venir a la cumbre y alteza de su perfection. Toledo. Iuan de Ayala. 1570. 11 hs. + 439 fols. 15,5 cm.

—L. real.—T.—Epílogo y tabla.—Fols. 1r-2v: Ded. a D.ª Antonia Pacheco y de Sant Francisco, Abadessa del monesterio de la Concepcion de Escalona.—Texto.

No en Pérez Pastor, *Toledo.*

MADRID. *Nacional.* R-27.117. — MONSERRAT. *Abadía.* D.XIX.121.283.—SALAMANCA. *Universitaria.*—SEVILLA. *Universitaria.* 86 (2.º)-86.

3961

TRATADO de la Christiana y verdadera humildad. En el qual se halla de la naturaleza, excelencias, propiedades y fructos desta sancta virtud, y se descubre la fealdad y malicia de la soberuia. Toledo. Iuan de Ayala. 1570. 8 hs. + 262 fols. + 5 hs. 15,5 centímetros.

—Apr. de Fr. Iuan de Vega.—L. real.—T. Pr. al autor por diez años.—El Autor al Christiano Lector.—E.—Texto, ded. a D.ª Antonia Pacheco y sant Francisco, Abadessa del monesterio de la Concepcion de Escalona.—Tabla de los Capítulos.

Pérez Pastor, *Toledo,* n.º 323.

BARCELONA. *Convento de Capuchinos de la Avda. del Generalísimo, 450. Vitrina. Seminario Conciliar.*—MADRID. *Nacional.* R-27.117.

3962

[*INFANCIA espiritual*]. (En Místicos *franciscanos españoles.* Madrid. La Editorial Católica. 1948, págs. 761-828. Biblioteca Autores Cristianos, 44).

Reproduce los folios 1-55 del *Tratado.*

Aprobaciones

3963

[*APROBACION. Toledo, 22 de septiembre de 1568*]. (En Sosa, Felipe de. *Excelencia del Sancto Euangelio...* Sevilla. 1570. Prels.).

SEVILLA. *Universitaria.* 92-155.

OBRAS LATINAS

3964

APOLOGIA Ioannis Feri in qua septem et sexaginta loca commentariorum in Ioannem que antea Dominicus Soto... Lutherana traduxerat, ex Sancta Scriptura Sanctorumque doctrina restituuntur. Alcalá. Iuan de Brocar. 1558. 12 hs. + 219 fols. + 5 hs. 8.º

MADRID. *Nacional.* R-27.608.

— — —

—Alcalá. 1567.
N. Antonio.

3965

ENARRATIO trivm locorvm ex capite secundo Deutoronomii in cathedrae sanctarum scripturarum petitione... Alcalá. Juan de Brocar. 1560. 34 hs. 4.º

J. Catalina García, Tip. complutense, número 320.

CHICAGO. Newberry Library.—MADRID. Facultad de Filología. 8.648. Nacional. R-19.859.— SALAMANCA. Universitaria.

3966

COMMENTARIORVM Ioannis Feri in Sacrosanctvm Iesv Christi Evangelivm secvndvm Matthevm. Libri qvatvor. Nvnc denvo correcti et emendati per F. Michaëlem Medinam... Alcalá. Andrés de Angulo. 1562. 2 vols. 4.º

J. Catalina García, Tip. complutense, número 332.

MADRID. Facultad de Filología. 5.978.

— — —

—Alcalá. Andrés de Angulo. 1567. 21 hs. + 318 fols. a 2 cols.

J. Catalina García, Tip. complutense, número 408.

3967

CHRISTIANAE Paraenesis sive De recta in Deum Fidem libri septem. Venecia. Iordani Zileti. [Colofón. Gryphius excudebat]. 1564. 12 hs. + 289 págs. + 9 hs. 23 cm.

Toda, Italia, III, n.º 3.208.

BARCELONA. Central. — CADIZ. Pública. 530. — HUESCA. Pública.—MADRID. Nacional. R-29.098; etc.—MURCIA. Universitaria.—PAMPLONA. General de la Diputación Foral.—TOLEDO. Pública. — URBINO. Universitaria. G-XV-258. — WASHINGTON. Catholic University of America Library.

— — —

—Venecia. 1565.
MADRID. Nacional. R-26.722.

3968

DISPUTATIONUM de Indulgentiis adversus nostrae tempestatis haereticos ad patres S. Concilii Tridentini, liber unus. Venecia. Iordani Zileti. 1564. 6 hs. + 120 + 15 fols. 4.º

Toda, Italia, III, n.º 3.207.

BARCELONA. Central.—CHICAGO. Newberry Library.—FILADELFIA. University of Pennsylvania.—MADRID. Facultad de Filología. 206; etc. Nacional. R-29.016.—NUEVA YORK. Columbia University.—PAMPLONA. General de la Diputación Foral.—PRINCETON. Princeton Theological Seminary.

3969

EXPLICATIONES in Quartum Simboli Apostolici Articulum. Venecia. I. Zileti. 1564. 15 hs. 22 cm.

Toda, Italia, III, n.º 3.209.

CHICAGO. Newberry Library.—FILADELFIA. University of Pennsylvania.

3970

DE sacrorum hominum continentia libri V... Venecia. Iordani Zileti. 1569. 12 hs. + 539 págs. a 2 cols. 31 cm.

Toda, Italia, III, n.º 3.210.

BURGOS. Pública.—MADRID. Facultad de Filología. 7.573; etc. Nacional. R-29.107; etc.— NUEVA YORK. Union Theological Seminary.— PAMPLONA. General de la Diputación Foral.— PARIS. Nationale. D.368.—SALAMANCA. Universitaria.—WASHINGTON. Catholic University of America Library. — ZARAGOZA. Universitaria.

3971

Fr. Ioannis Feri... In sacrosanctum Iesu Christi secundum Ioannem Euangelium commentaria... per ——... repurgata atque exacta. Alcalá. Andrés de Angulo. 1569. 16 hs. + 327 fols. a 2 cols. Fol.

Fernández, n.º 160.

SAN LORENZO DEL ESCORIAL. Monasterio.

— — —

—Alcalá. Antonio Sánchez de Leyua. 1578. 16 hs. + 327 fols. a 2 cols. Fol.

J. Catalina García, Tip. complutense, número 530.

ESTUDIOS
3972
REP: N. Antonio, II, págs. 140-41.

MEDINA (FR. MIGUEL DE)
Jerónimo.

V. MIGUEL DE MEDINA (FRAY)

MEDINA (MIGUEL JERONIMO)
Licenciado.

EDICIONES
3973
[DOS glosas en soneto]. (En Paez de Valenzuela, Juan. *Relacion brebe de las fiestas...* Córdoba. 1615, fol. 18).
MADRID. *Nacional.* 3-39.118.

MEDINA (PEDRO DE)
N. en Sevilla (1503). Maestro. Realizó varios viajes a América y más tarde trabajó en su ciudad natal como cosmógrafo, profesor de navegación y examinador de pilotos para las Indias.

BIBLIOGRAFIA
3974
FERNANDEZ JIMENEZ, JUAN. *La obra de Pedro de Medina. (Ensayo bibliográfico).* (En *Archivo Hispalense*, LIX, Sevilla, 1976, n.º 180, páginas 113-28).

CODICES
3975
«Cronica de los muy ecelentes señores Duques de Medina Sidonia... Año de 1561».
Letra del s. XVII. 206 fols. Fol.
Gayangos, I, págs. 568-69.
LONDRES. *British Museum.* Eg.479.

3976
«Chronica de los... Duques de Medinacidonia...».

Letra del s. XVII. 149 fols. 299 × 205 mm.
Inventario, V, págs. 461-62.
MADRID. *Nacional.* Mss. 2.044.

3977
«Crónica de los mui Excelentes Sr. Duques de Medinasidonia, Condes de Niebla. 1561».
Copia de 1698. 128 fols.
SEVILLA. *Colombina.* 84-8-1.

3978
«Chronica de los mis excelentes señores Duques de Medina Sidonia...».
Letra del s. XVIII, autógrafa de Palomares. 1 h. + 1 lám. + 212 fols. + 3 hs. + 2 folios. 305 × 205 mm.
Esteve, págs. 68-69.
TOLEDO. *Pública.* Mss. 72 .

3979
«Suma de Cosmografía».
Letra del s. XVI. 16 fols. + 5 hs. Perteneció a Gayangos.
MADRID. *Nacional.* Mss. Res. 215 .

3980
«Suma de Cosmografía. Contiene muchas demostraciones de Reglas y Avisos de astrología, Filosophía y Navegación».
Año 1561. 58 fols. con 26 láminas.
Perteneció al conde del Aguila.
Picatoste, n.º 467.
SEVILLA. *Colombina.* 84-8-44.

———

—Edición facsímil del manuscrito caligrafiado e ilustrado por su autor en 1561, inédito. Prólogo de Rafael Estrada. Sevilla. Diputación Provincial. Escuela Prov. de Artes Gráficas]. 1948. 30 págs. + 2 hs. + 58 fols. + 2 hs.
Tirada de 300 ejemplares numerados.
MADRID. *Academia Española.* 17-I-44. *Nacional.* G.M.-2.621.—WASHINGTON. *Congreso.* 50-34821.

3981
«Parecer... sobre los derechos a Matuco en Filipinas».

MADRID. *Academia de la Historia*. (Col. Muñoz, XXXIII). Est. 23, gr. 3.ª A, n.º 60.

3982

«———».

MADRID. *Academia de la Historia*. (Col. Muñoz, 33). Est. 23, gr. 3.ª A, n.º 6.

EDICIONES

Obras

3983

OBRAS... *Edición y prólogo de Angel González Palencia*. Madrid. Consejo Superior de Investigaciones Científicas. 1944. LII + 544 págs. + 3 facs. 26 cm.

Contiene: *Libro de grandezas.—Libro de la Verdad.*

a) A. R., en *Revista Hispánica Moderna*, XI, Nueva York, 1945, pág. 283.

BARCELONA. *Central*. 834-1-C/a.4.º. *Universitaria*. D. 429-1-12. — GRANADA. *Universitaria*. XLIV-2-1 (F. Letras).—MADRID. *Academia de la Historia*. 14-7-6-3.606. *Nacional*. 1-101.910. WASHINGTON. *Congreso*. 48-15901 rev.

Arte de navegar

3984

ARTE *de nauegar en que se contienen todas las Reglas, Declaraciones, Secretos, y Auisos que a la buena nauegacion son necessarios, y se deuen saber.* [Valladolid. Francisco Fernández de Cordoua]. [1545, 1 de octubre]. 6 hs. + 100 fols. con grab. + 1 h. 13,5 cm. gót.

—Prologo dirigido al Principe D. Phelipe.—Prohemio.—Tabla de los libros y capítulos.—Texto.—Colofón.

Gallardo, III, n.º 2.979; Salvá, II, n.º 3.784; Picatoste, n.º 464; Alcocer, n.º 122; Vindel, V, n.º 1.666.

AUSTIN. *University of Texas*.—CAGLIARI. *Universitaria*. R.V.22.—CORDOBA. *Pública*. 24-126. CHICAGO. *Newberry Library*.—LONDRES. *British Museum*. C.46.i.18.—MADRID. *Nacional*. R-3.405.—NEW HAVEN. *Yale University*.—NUEVA YORK. *Hispanic Society*.—PARIS. *Nationale*. Ge.FF.8251 [deteriorado].

— — —

Reprod. facsímil: Tirada de 200 ejemplares. Madrid. Asociación de Libreros y Amigos del Libro. 1945.

BARCELONA. *Central*. Res. 132-Fol. [el n.º 115]. WASHINGTON. *Congreso*. 47-16498.

Crónica breve de España

3985

CHRONICA *breue de España por mandado de la Reyna Doña Isabel año de MDXLII*. Sevilla. 1548.

N. Antonio.

Regimiento de navegación

3986

REGIMIENTO *de navegación. En que se contienen las reglas, declaraciones y auisos del libro del arte de nauegar.* [Sevilla. Juan Canalla]. [1552, 1 de diziembre]. 90 págs. 22 centímetros.

—Pr.—Carta a Alonso de Chaues. — Respuesta de Chaues.—Prologo del autor.—Texto.—Colofón.

Salva, II, n.º 3.785; Vindel, V, n.º 1.667.

CAGLIARI. *Universtaria*. R.II.99. — COIMBRA. *Universitaria*. RB-28-22. — MADRID. *Palacio Real*. I.B.71.

3987

REGIMIENTO *de nauegacion. Contiene las cosas que los pilotos han de saber para bien nauegar: Y los remedios y auisos que han de tener para los peligros que nauegando les pueden suceder.* [Sevilla. Simón Carpintero]. [1563, febrero]. 78 fols.

Salvá, II, n.º 3.786; Gallardo, III, n.º 2.980; Escudero, n.º 614; Vindel, V, n.º 1.668.

AUSTIN. *University of Texas*. — BLOOMINGTON. *Indiana University*. — LONDRES. *British Museum*. 533.c.2.—MADRID. *Academia Española*. S.C. = 13-E-69. *Nacional*. R-24.279. — NUEVA YORK. *Hispanic Society*.—*Public Library*.— PARIS. *Nationale*. V.9727.

— — —

—Reprod. facsímil. Madrid. Instituto de España. 1964. 2 vols.

I: Original; II: Transcripción.

BARCELONA. *Central.* 52-8.º-228/29. — MADRID. *Academia Española.* P.32-33-1/2. *Consejo. Patronato «Menéndez Pelayo».* 24-290/91.

Libro de grandezas...

3988

LIBRO de grandesas y cosas memorables de España. Sevilla. Dominico de Robertis. 1543. Fol.

N. Antonio. Considerada dudosa por Brunet. (Escudero, n.º 438).

3989

LIBRO de grandezas y cosas memorables de España. Agora de nueuo fecho y copilado por ——... [Sevilla. Dominico de Robertis]. 1548 [1 de octubre]. 10 hs. + 186 fols. 30,5 cm. gót.

—Frontis en colores.—Portada.—Ded. al Príncipe Don Felipe.—Al lector.—Tabla de los capítulos.—Epístola a D. Juan Alonso de Guzmán, Duque de Medina Sidonia, etc.—Texto.

Escudero, n.º 504, duda de la existencia de esta ed. citada por N. Antonio.

BLOOMINGTON. *Indiana University.*—LONDRES. *British Museum.* 573.1.1.—MADRID. *Nacional.* R-31.730.—NUEVA YORK. *Public Library.*—SAN MARINO, Cal. *Henry E. Huntington Library.*

3990

——. [Sevilla. En casa de Dominico de Robertis que santa gloria aya]. [1549, 8 de agosto]. 10 + 186 hs. Fol. gót.

Gallardo, III, n.º 2.981; Salvá, II, n.º 3.042; Vindel, V, n.º 1.669.

CAGLIARI. *Universitaria.* D.C.512. — CHICAGO. *Newberry Library.* — EVORA. *Pública.* Res. 567.—GRANADA. *Universitaria.* A-20-91. — LONDRES. *British Museum.* 573.1.2.—MADRID. *Academia de la Historia.* 2-5-3-2.467. *Palacio Real.* IX-4.961. — NUEVA YORK. *Hispanic Society.* — ROMA. *Vaticana.* Stamp. Barb. S. III.3.—SANTIAGO DE COMPOSTELA. *Universitaria.*—VIENA. *Nacional.* 78.N.26; 31.Aa.54.

3991

——. [Alcalá de Henares. Pedro de Robles y Iuan de Villanueua]. 1548.

[Colofón: 1566]. 8 hs. + 187 fols. a cols. con grabs. Fol.

Parece estar equivocada la fecha de la portada.

Con pr. de 29 de diciembre de 1564.

Gallardo, III, n.º 2.982; J. Catalina García, *Tip. complutense,* núms. 225 y 395-96; Fernández, n.º 77.

BLOOMINGTON. *Indiana University.* — COLUMBUS. *Ohio State University.*—ITHACA. *Cornell University.* — LONDRES. *British Museum.* G. 6420.—MADRID. *Academia de la Historia.* 4-1-5-486; etc. *Nacional.* R-8.089. *Palacio Real.* MINNEAPOLIS. *University of Minnesota.* — NUEVA YORK. *Public Library.* — SAN LORENZO DEL ESCORIAL. *Monasterio.*—TALLAHASSEE. *Florida State University.*—VIENA. *Nacional.* 65. N.58.—WASHINGTON. *Congreso.* 1-27705 rev.— ZARAGOZA. *Universitaria.* A-7-41.

3992

——. Alcalá. Pedro de Robles y Iuan de Villanueua. A costa de Luys Gutierrez. 1566.

Fernández, n.º 146.

LONDRES. *British Museum.* G. 6420; etc.— MADRID. *Nacional.* R-8.089.—NUEVA YORK. *Hispanic Society.*—PARIS. *Nationale.* Rés. Oa.14. A.—SAN LORENZO DEL ESCORIAL. *Monasterio.*— WASHINGTON. *Congreso.* A.45-4342.

3993

——. Madrid. 1568.

VIENA. *Nacional.* 4.D.6.

3994

——. Alcalá. 1568.

NUEVA YORK. *Public Library.*

3995

PRIMERA y segunda parte de las grandezas y cosas notables de España. Alcalá. En casa de Iuan Gracián. A costa de Luys Méndez. 1590. 3 hs. + 334 fols. + 8 hs. Fol.

Fernández, n.º 265.

MADRID. *Nacional.* U-7.485.—MALAGA. *Pública.* PARIS. *Nationale.* Rés. Oa.15.—SAN LORENZO DEL ESCORIAL. *Monasterio.* 39-IV-5.

3996

PRIMERA, y segvnda parte de las grandezas y cosas notables de Espa-

ña. Compuesta primeramente por...
——... y agora nueuamente corregida
y muy ampliada por Diego Perez de
Messa... Alcalá de Henares. En casa
de Iuan Gracian, que sea en gloria.
A costa de Iuan de Torres. 1595. 2
hojas + 334 fols. + 8 hs. Fol.

J. Catalina García, *Tip. complutense,* número 707; Fernández, n.º 291.

BARCELONA. *Universitaria.* B.28-2-21.—CAGLIA-RI. *Universitaria.* R.IV.18.—LONDRES. *British Museum.* 180.e.1.—MADRID. *Academia Española.* 12-I-30. *Academia de la Historia.* 14-9-8-7.334. *Facultad de Filología.—Nacional.* R-16.110. *Palacio Real.* VII-280.—NUEVA YORK. *Hispanic Society.*—PARIS. *Nationale.* Fol.Va. 15A; etc.—SAN LORENZO DEL ESCORIAL. *Monasterio.*—VALLADOLID. *Universitaria.* Santa Cruz, 7.417.—VIENA. *Nacional.* 14.902-C.

3997

——. Alcalá. Iuan Gracián. 1599.

Dudosa. Fecha rectificada a mano, sobre la impresa de 1590. (Fernández, n.º 306).
SAN LORENZO DEL ESCORIAL. *Monasterio.*

Libro de la Verdad
3998

LIBRO de la Verdad. Donde se contienen dozientos Dialogos, que entre la Verdad y el hombre se tractan sobre la conuersion del peccador. [Valladolid. Francisco Fernández de Cordoua]. [1555, 12 de febrero]. 216 fols. 26,5 cm. gót.

—Fol. 1*v*: Pr. al autor por diez años.—Fol. 2: Epístola ded. a D. Pedro Gasca, Obispo de Palencia.—Fols. 3*r*-4*r*: Prólogo.—Fol. 4*v*.—Argumento deste Libro.—Fols. 4*v*-8*r*: Tabla de los Diálogos.—Texto.—Colofón.—Tabla alphabetica de materias.

Salvá, II, n.º 3.945; Alcocer, n.º 201.

EVORA. *Pública.* Res. 542-A; etc. — MADRID. *Academia Española.* S.C.=7-A-82. *Facultad de Filología. — Nacional.* R-20.373. *Palacio Real.* I.C.-345; etc. — NUEVA YORK. *Hispanic Society.*—SAN LORENZO DEL ESCORIAL. *Monasterio.* 32-I-15.—SEVILLA. *Universitaria.* 215-42.

3999

——. [Sevilla. Sebastián Trujillo]. [1563]. 188 fols. 28 cm. gót.

—Pr. (1554).—L. V.—Epistola Ded. a D. Pedro Gasca, Obispo de Palencia.—Prologo. Argumento.—Tabla de los Dialogos.—Texto.—Tabla alphabetica de materias.

Escudero, n.º 612.

BARCELONA. *Universitaria.* — EVORA. *Pública.* Sec. XVI, 1107.—GRANADA. *Universitaria.* A-8-281.—PARIS. *Nationale.* Rés. D.2095.—SEVILLA. *Universitaria.* 187-138.

4000

——. Toledo. Miguel Ferrer. 1566 [2 de agosto]. CLX fols. + 1 h. 28,5 cm.

—Prórroga del Pr. por seis años (1566).—T.—E.—Pr. al autor por diez años (1554). Pr. al autor por veinte años (1564).—Ded. a D. Pedro Gasca.—Prologo.—Argumento de la ɔbra.—Tabla de Diálogos.—Texto.—Tabla de materias.—Colofón.

Pérez Pastor, *Toledo,* n.º 310.

MADRID. *Academia de la Historia.* 2-4-3-2.014. *Facultad de Filología.—Nacional.* R-22.869.

4001

——. Alcalá. Iuan de Villanueua. 1568. 160 fols. Fol.

No citada en la *Tip. complutense,* de J. Catalina García.

Vindel, V, n.º 1.670.

CHAPEL HILL. *University of North Carolina.*—LONDRES. *British Museum.* 4375.g.6; etc.—MADRID. *Nacional.* R-25.553; etc.—SORIA. *Pública.*—TOLEDO. *Pública.*

4002

——. Barcelona. Claudio Bornat. 1574. 4 hs. + 352 fols. + 10 hs.

BARCELONA. *Universitaria.* B.59-9-33.

4003

——. Alcalá de Henares. Iuan Gracian. 1576. 176 fols. Fol.

No citado en la *Tip. complutense,* de J. Catalina García.

BARCELONA. *Seminario Conciliar.* — GRANADA. *Universitaria.* A-17-143. — MADRID. *Facultad de Filología.* 6.919.—SANTIAGO DE COMPOSTELA. *Universitaria.*

4004

LIBRO de la Verdad. Donde se contienen dozientos Dialogos que entre

la Verdad y el Hombre se tractan so-
bre la conuersion del pecador. Sevilla. Alonso de la Barrera. 1576. 152
fols. 29 cm. gót.

—Port. a dos tintas: roja y negra.—Fol.
1*v:* Pr. a Alonso de la Barrera, impresor de Sevilla, por una sola vez.—Fol.
2*r:* Epistola ded. a D. Pedro Gasca, Obispo de Palencia, etc., cuyo escudo figura
en la portada.—Fols. 2*v-*3*r:* Prologo.—Folios 3*v-*6*v:* Tabla de los Dialogos.—Texto.
(Fols. 7*r-*146*r*).—Fols. 146*v-*152*r:* Tabla alphabetica.—Fol. 152*r:* Colofon. — Escudo
del impresor.

Escudero, n.º 681.

CADIZ. *Pública.* 532. — MADRID. *Nacional.* R-
1.296; etc. — NUEVA YORK. *Hispanic Society*
(deteriorado).

4005

——. Medina del Campo. Francisco
del Canto. A costa de Iuan Boyer.
1584. Fol.

Pérez Pastor, *Medina,* n.º 203.

LONDRES. *British Museum.* 721.1.13.—MADRID.
Academia Española. 19-III-12. *Nacional.* R-
22.471. — VALLADOLID. *Universitaria.* 5.421. —
VIENA. *Nacional.* 19.P.27.

4006

——. Barcelona. En casa de Cendrat.
1584. 4 hs. + 688 págs. + 22 hs. 15
centímetros.

CAGLIARI. *Universitaria.* D.A.234. — MADISON.
University of Wisconsin.

4007

LIBRO de la Verdad... Cuenca. Alonso de Tapia. A costa de Iuan de
Castro. 1589. 176 fols. a 2 cols. +
10 hs. 28 cm.

—Prologo.—Argumento deste libro. — Texto.—Tabla de los Dialogos.—Tabla de las
materias mas sutiles.

SAN LORENZO DEL ESCORIAL. *Monasterio.* 92-
VI-5.

4008

LIBRO de la Verdad. Donde se con-
tienen dozientos Dialogos, que entre
la Verdad y el Hombre se tratan, so-

bre la conuersion del peccador. Cuenca. Iuan Alonso de Tapia. A costa
de Iuan de Castro. 1592. 1 h. + 176
folios a 2 cols. + 10 hs. 20,5 cm.

—Prólogo.—Argumento deste libro. — Texto.—Tabla de los Diálogos.—Tabla donde
se contienen las materias más sutiles y
prouechosas que en este libro se declaran.

GRANADA. *Universitaria.* A-21-130. — LONDRES.
British Museum. 474.c.12.—MADRID. *Nacio-*
nal. R-5.633.—SALAMANCA. *Universitaria.*

4009

LIBRO de la Verdad, donde se con-
tienen dozientos Dialagos (sic), ...
Nueuamente corregido y enmenda-
do por Catalago (sic). Málaga. Iuan
René. A costa de Alonso de la Vega.
1620. 4 hs. + 161 (por error: 158)
fols. a 2 cols. + 9 hs. 27 cm.

—T.—E.—L. del Consejo al librero Gabriel
Ramos por una vez.—Prologo.—Ded. al
Licdo. Iuan de Frias, por Andres Curras-
quilla.—Argumento deste libro.—Texto.—
Tabla.

Gallardo, III, n.º 2.983.

MADRID. *Facultad de Filología.*—*Nacional.* 2-
1.167. *Palacio Real.* I.C.38. — MONTSERRAT.
Abadía. D.XIX.4.65. — SEVILLA. *Colombina.*
49-7-16.

4010

——. Perpiñán. Luys Roure. 1626. 8
hojas + 492 págs. + 13 hs. 20 cm.

BARCELONA. *Central.* 6-III-4; etc.—MADRID. *Fa-*
cultad de Filología.—*Nacional.* R-16.255.—
NUEVA YORK. *Hispanic Society.*—SEVILLA. *Uni-*
versitaria. 66-96.

Crónica de los Duques de Medina Sidonia

4011

CRONICA de los... Duques de Medi-
na Sidonia..., 1561. (Archivo del du-
que de Medina Sidonia, ms. en fol.
del s. XVIII. Publicado conforme a
una copia hecha en 1819 por Martín
Fernández de Navarrete). (En COLEC-
CION *de documentos inéditos para la*

Historia de España, XXXIX, Madrid, 1861, págs. 5-395).

Suma de Cosmografía

4012

SUMA de Cosmographia. Edición de Juan Fernández Jiménez. Valencia. Albatros-Hispanófila Ediciones. 1980. 196 págs. 24 cm. (Hispanófila, 12).

a) Castro Díaz, A., en *Archivo Hispalense*, LXIII, Sevilla, 1981, págs. 535-37.
b) Conerly, P., en *Anuario de Letras*, XX, Méjico, 1982, págs. 404-6.
c) Finello, D., en *Revista de Estudios Hispánicos*, XVII, Alabama, 1983, págs. 307-9.
d) Iranzo, C., en *Hispanófila*, Chapel Hill, 1981, n.º 73, págs. 95-96.
e) Raund, N. G., en *Bulletin of Hispanic Studies*, LX, Liverpool, 1983, págs. 63-64.

MADRID. *Nacional.* 4-165.496.

Poesías sueltas

4013

[SONETO]. (En Días, Duarte. *La Conquista que hicieron los poderosos y Catholicos Reyes Don Fernando y Doña Ysabel, en el Reyno de Granada.* Madrid. 1590. Prels.).

MADRID. *Nacional.* R-8.222.

TRADUCCIONES

a) ALEMANAS

4014

Das Buech der Waheit... [Trad.]. Egidivs Albertinus... Munich. Adam Berg. 1603. 12 págs. + 207 págs. + 4 hs. 22 cm.

BERKELEY. *University of California.*—NEW HAVEN. *Yale University.*

b) FRANCESAS

4015

L'Art de naviguer. Traduction de Nicolas de Nicolay. Lyon. G. Rouille. 1554. 115 fols.

Baudrier, IX, pág. 216.

CAMBRIDGE, Mass. *Harvard University.*—LYON. *Municipale.* 105.366.—PARIS. *Santa Genoveva.* V. Fol. 164 inv. 196 (p. 1) Rés.—PROVIDEN-

CE. *John Carter Brown Library.*—WASHINGTON. *Congreso.* 13-13313 Rev.

— — —

—Lyon. 1561.

LYON. *Municipale.* 341.507.—PARIS. *Nationale.* V.9730.

—Lyon. 1569.

Baudrier, IX, pág. 326.

ANN ARBOR. *University of Michigan. William L. Clements Library.*—COIMBRA. *Universitaria.* R-36-11.—LYON. *Municipale.* R.317.916.—NORMAN. *University of Oklahoma.* — PARIS. *Nationale.* Rés. V.1413. *Santa Genoveva.* V. 4°508² inv 1209 (p. 3).—PROVIDENCE. *John Cartes Brown Library.*—WASHINGTON. *Congreso.* 13-133-12 Rev.

—Rouen. 1573.

NUEVA YORK. *Public Library.*

—Lyon. 1576.

BERKELEY. *University of California.* — BLOOMINGTON. *University of Indiana.*—CHARLOTTESVILLE. *University of Virginia.*—LYON. *Municipale.* 341.508.—PARIS. *Nationale.* V.12202.

—Rouen. 1577.

NUEVA YORK. *Public Library.*

—Rouen. 1602.

BOSTON. *Massachusetts Historical Society.*—WASHINGTON. *U.S. Department of the Navy Library.*

—Rouen. 1607.

BLOOMINGTON. *Indiana University.*—NEW HAVEN. *Yale University. Medical School Library.*—NUEVA YORK. *Public Library.*

—Rouen. 1628.

—La Rochelle. 1615. 4.º

LONDRES. *British Museum.* 533.f.18.(3).

—La Rochelle. 1618.

PARIS. *Nationale.* D.9732.

—Rouen. 1628.

BLOOMINGTON. *Indiana University.* — CHICAGO. *John Crevar Library.*—*Newberry Library.*—LONDRES. *British Museum.* 1600/162. — PARIS. *Nationale.* D.9733. — ROUEN. *Municipale.* I. 1050.

—Rouen. D. Ferrand. 1634.4°.

ROUEN. *Municipale.* m.2167.

c) INGLESAS

4016

The arte of navigation wherein is contained all the rules, declarations, secretes, & aduises, which for good nauigation are necessarie & ought to be knowen and practised... And nowe newely translated out of Spanish into English by John Frampton... Londres. Thomas Dawson. 1581.

LONDRES. *British Museum.* C.132.i.6.—WASHINGTON. *Folger Shakespeare Library.*

— — —

—Londres. T. Dawson. 1595. 93 págs. con ilustraciones.

LONDRES. *British Museum.* C.118.c.12.

4017
A navigator's universe: the «Libro de cosmographia» of 1538. Translated and with an introduction by Ursula Lamb. Chicago, etc. University of Chicago Press. 1972. 224 págs. con ilustr. 28 cm. (Studies in the history of discoveries).

Facsímil del ms. original con traducción inglesa.

LONDRES. *British Museum.* X.622/2095.—MADRID. *Nacional.* G.M.-4.389.

d) ITALIANAS
4018
L'arte del navegar. [Trad. por Vincenzo Paletino da Corzula]. Venecia. Gioanbattista Pedrezano. 1554. 11 + 137 fols. con grabs. 21 cm.

Toda, *Italia,* III, n.° 3.211.

GENOVA. *Universitaria.* Rari X.77 (1).—NUEVA YORK. *Hispanic Society.* — ROMA. *Vaticana.* Stamp. Barb. N.II.31. — WASHINGTON. *Congreso.* 28-8043.

— — —

—Venecia. Aurelio Pincio. 1555 [1554].

LONDRES. *British Museum.* 1127.g.17.(2). — NUEVA YORK. *Hispanic Society.* — *Public Library.*—PARIS. *Nationale.* V.9729.—WASHINGTON. *Congreso.* 28-8044.

—Venecia. Tomaso Baglio. 1609.

Toda, *Italia,* III, n.° 3.212 (con facsímil de la portada).

BARCELONA. *Central.* Toda, 6-V-16.—LONDRES. *British Museum.* C.82.c.7. — MADRID. *Nacional.* R-8.953.—NUEVA YORK. *Hispanic Society.*—PARIS. *Nationale.* V.9728. — ROMA. *Vaticana.* Stamp. Barb. N.II.32.

e) NEERLANDESAS
4019
De Zeeuaert, Oft Conste van ter Zee te varen... Wt den Spaensche ende Fransoysche in onse Nederduytsche tale ouergheset, ende met Annotatie̅ verciert, by Merten Eueraert... Amberes. Hendrick Hendricksen. 1580. 4 hs. + 49 fols. + 4 hs. con ilustr. 22 cm.

NUEVA YORK. *Public Library.*

— — —

—Amsterdam. Cornelis Claesz. 1589. 84 folios. 21 cm.

—Idem. 1598.

LONDRES. *British Museum.* C.125.cc.7 (1).

ESTUDIOS

BIOGRAFÍA
4020
FERNANDEZ JIMENEZ, JUAN. *Notas acerca de la fecha y lugar de nacimiento de Pedro de Medina.* (En *Anuario de Letras,* XVIII, Méjico, 1980, págs. 287-92).

INTERPRETACIÓN Y CRÍTICA
4021
LAMB, URSULA. *The cosmographies of Pedro de Medina.* (En HOMENAJE *a Rodríguez-Moñino...* Tomo. I. Madrid. 1966, págs. 297-303).

«Regimiento de navegación»
4022
PARDO DE FIGUEROA, RAFAEL. *«Regimiento de nauegacion»... por el M.° Pedro de Medina. Crítica... seguida de una ojeada sobre el «Arte de Nauegar» (1545) y la «Suma de Cosmographía» (1561) del mismo autor.* Tirada de 75 ejemplares. Cádiz. [Imp. de la Revista Médica]. 1867. 41 págs. + 1 mapa. 25 cm.

Es tirada aparte de un artículo publicado en la *Revista General de Marina,* de Cádiz. GRANADA. *Universitaria.* C-38-9 (17). — MADRID. *Nacional* 1-46.340.

4023
PEREIRA DE SILVA, LUCIANO. *Regimiento de Navegación.* Coimbra. Imp. da Universidade. 1924. 16 páginas. 4.º

4024
CRONE, ERNEST. *Pedro de Medina, son manuel de navigation et son influence sur le développement de la Cartographie aux Pays Bas...* Madrid. Real Sociedad Geográfica. 1953. 9 hs. 24 cm.

MADRID. *Nacional.* GM-4.415 (5).

«Libro de grandezas»

4025
VINDEL, FRANCISCO. *Pedro Medina y su «Libro de Grandezas y cosas memorables de España». Descripción ilustrada con facsímiles y notas sobre esta obra, con una pequeña biografía y bibliografía.* Tirada de cien ejemplares numeradas. Madrid. [J. Góngora]. 1927. 38 págs. 4.º.

BARCELONA. *Central.*—MADRID. *Nacional.* V-973-49.

4026
GONZALEZ PALENCIA, ANGEL. [*Pedro de Medina y su «Libro de grandezas y cosas memorables de España»*]. *Discursos leídos ante la Real Academia Española en la recepción pública de... ——, Contestacion de Miguel Artigas.* Madrid. E. Maester. 1940. 66 págs. 23 cm.

MADRID. *Nacional.* V-1.399-9.

4027
——. *La primera guía de la España imperial.* Madrid. 1940. 132 págs.

MADRID. *Nacional.* 1-32.334.

4028
SANZ GARCIA, JOSE MARIA. *Comentarios en torno a si una viñeta de Madrid en Pedro de Medina es la primera representación gráfica de la Villa.* (En *Anales del Instituto de Estudios Madrileños,* X, Madrid, 1974, págs. 79-112).

4029
REP: N. Antonio, II, págs. 215-16.

MEDINA (PEDRO DE)
Herrador. Albeitar de Carlos II. Examinador de Herradores de Castilla.

EDICIONES
4030
[*APROBACION. Madrid, 23 Agosto 1684*]. (En Garcia Conde, Pedro. *Verdadera Albeyteria.* Madrid. 1685. Preliminares).

MADRID. *Nacional.* R-31.138.

MEDINA (FR. PEDRO DE)
Mercedario.

EDICIONES
4031
VICTORIA gloriosa y excelencias de la esclarecida Cruz de Iesu Christo nuestro Señor... Granada. Fernando Díaz de Montoya. 1604. [Colofón: 1603]. 12 hs. + 408 + 500 + 308 páginas + 42 hs. 20,5 cm.

—Censura de Fr. Alonso Pérez.—Apr. de Fr. Fernando Montesinos.—Pr.—E.—L. O. Ded. a Fr. Alonso de Monrroy, General de la Orden de la Merced.—Tabla de los capitulos.—Prologo al lector.—Texto.—Index locorum ex Patrun commentariis et aliorum seriptorum. — Index Authoritatum Sacrae Scripturae.—Tabla de las cosas mas notables.

GRANADA. *Universitaria.* A-24-203. — MADRID. *Facultad de Filología.* 3.029. *Nacional.* 3-54.886.—NUEVA YORK. *Hispanic Society.*—SAN LORENZO DEL ESCORIAL. *Monasterio.* M. 4-II-

12.—SEVILLA. *Colombina.* 57-5-41. *Universitaria.* 104-49; 175-35. — VALLADOLID. *Universitaria.*

ESTUDIOS
4032
REP: N. Antonio, II, pág. 216.

MEDINA (SEBASTIAN DE)
Doctor. Colegial mayor del de San Ildefonso y canónigo de la magistral de Alcalá.

EDICIONES
4033
[*REDONDILLAS*]. (En Porres, Francisco Ignacio de. *Justa poetica zelebrada por la Universidad de Alcalá...* Alcalá. 1658, págs. 393-94).

MADRID. *Nacional.* R-5.764.

MEDINA ALEMAN (JUAN)
Continuo de la Casa de Castilla. Regidor de Murcia.

EDICIONES
4034
[*SONETO*]. (En JARDIN de Apolo. Madrid. 1655, fols. 48v-49r).

MADRID. *Nacional.* R-1551.

4035
[*SONETO*]. (En Alarcón, Alonso de. *Corona sepulcral. Elogios en la muerte de Don Martín Suárez de Alarcón...* s. l.-s. a., fol. 84v).

V. *BLH*, V, n.º 71 (56).

MEDINA Y ARGOTE (JUAN DE)
N. en Antequera.

EDICIONES
4036
SERMON en la Octava de San Avgvstin, estando descvbierto el Santissimo Sacramento. Predicolo... en el Convento de Agustinas Descalças de *Salamanca.* Salamanca. Jacinto Taberniel. 1634. 3 hs. + 23 págs. 21 cm.

—Apr. de Antonio Calderon.—L. V.—Ded. a D. Iñigo de Bernui y Mendoza, Mariscal de Alcala, etc.—Epigrama en latin de Joseph de Zamora.—Texto.

MADRID. *Academia de la Historia.* 9-17-3-3493.
SANTIAGO DE COMPOSTELA. *Universitaria.*

Aprobaciones
4037
[*CENSURA*]. (En Castro y Aguila, Tomás. *Remedios espirituales y temporales para preservar la Republica de peste...* Antequera. 1649. Prels.).

CORDOBA. *Pública.* 2-59.

MEDINA DAVILA (ANDRES)

EDICIONES
4038
MEMORIAL de D. —— sobre el descubrimiento de las Islas de Salomón, y Parescer de D. Pedro Bravo de Acvña qve le contradize. Méjico. [s. i.]. 1648. 16 + 6 fols. + 2 hs. Fol.

—Texto, fechado en Méjico a 14 de agosto de 1648.—Compendio de los servicios que a hecho a S. M. D. Pedro Bravo de Acuña.

Medina, *México*, II, n.º 674.

MEDINA Y FONSECA (ANTONIO DE)

EDICIONES
4039
[*SONETO*]. (En AVISOS para la Muerte... Madrid. 1634, fol. 75v).

MADRID. *Nacional.* R-1.857.

4040
[*SONETO*]. (En ELOGIOS al Palacio Real del Buen Retiro. Madrid. 1635).

MADRID. *Nacional.* R-6.809.

4041

[*SONETO*]. (En Pérez de Montalban, Juan. *Fama posthuma a la vida y muerte de... Lope Felix de Vega Carpio...* Madrid. 1636, fol. 136r).

MADRID. *Nacional.* 3-53.447.

MEDINA Y MARCILLA (RODRIGO DE)

EDICIONES

4042

COMENTARIOS de las Alteraciones de los Estados de Flandes, sucedidas despues de la llegada del señor don Iuan de Austria a ellos, hasta su muerte. Compuestos en Latín por Rolando Natín Miriteo... y traduzidos en Castellano por don ——. Madrid. Pedro Madrigal. 1601. 8 hs. + 150 fols. 4.º

—T.—E.—Censura de Antonio de Herrera. Pr. a Jerónimo López por diez años.— Ded. a D. Andres de Prada, cauallero de Santiago, etc., por el traductor. (Nápoles, 4 de abril de 1600).—Sumario.— Texto.—Colofón.

Salvá, II, n.º 3.077; Pérez Pastor, *Madrid*, II, n.º 789.

MEDINA MEDINILLA (PEDRO DE)

EDICIONES

4043

[*EGLOGA en la muerte de D.ª Isabel de Urbina*]. (En Vega Carpio, Lope de. *La Filomena...* Madrid. 1621).

ESTUDIOS

4044

VEGA, LOPE DE. [*Elogio*]. (En *Laurel de Apolo*. Madrid. 1630, fol. 19r).

MADRID. *Nacional.* R-14.177.

MEDINA DE MENDOZA (FRANCISCO)

N. en Guadalajara (1516). Gentilhombre de los duques del Infantado.

CODICES

4045

«*Suma de la vida del Card. D. Pedro Gonzalez de Mendoza*».

Letra del s. XVII. Fol. Como anónimo. Cuartero-Vargas Zúñiga, XXI, n.º 34.137.

MADRID. *Academia de la Historia.* 9-572.

4046

«*Suma de la Vida del Reverendísimo Cardenal Don Pedro Gonçalez de Mendoça, Arçobispo de Toledo, Patriarcha de Alexandría*».

Letra del s. XVII. 104 fols. 302 × 206 mm. Perteneció al duque de Uceda.

Inventario, IV, págs. 143-44.

MADRID. *Nacional.* Mss. 1.278.

4047

«*Suma de la vida del Rmo. Cardenal don Pedro Gonçalez de Mendoça, Arçobispo de Toledo, Patriarca de Alexandría*».

Letra del s. XVII. 150 fols. 188 × 140 mm.

Inventario, IV, págs. 328-29.

MADRID. *Nacional.* Mss. 1.454.

4048

«*Summa de la vida del Reverendisimo Cardenal Don Pedro Gonzalez de Mendoça, Arzobispo de Toledo, Patriarcha de Alexandria*».

Letra del s. XVI. 67 fols. 299 × 210 mm. Perteneció al duque de Uceda.

Inventario, V, pág. 500.

MADRID. *Nacional.* Mss. 2.082.

4049

[*Relación de la vida del cardenal D. Pedro González de Mendoza*].

MADRID. *Nacional.* Mss. 7.937.

4050

[*Vida del cardenal D. Pedro González de Mendoza*].

Letra del s. XVII. 89 fols. 300 × 210 mm.
MADRID. *Nacional*. Mss. 8.222.

4051

«*Vida del cardenal D. Fray Francisco Ximenez de Cisneros*».

Perdido. (V. J. Catalina García, *Guadalajara*, n.º 742).

4052

«*Anales de la ciudad de Guadalajara*».

Perdido. (V. J. Catalina García, *Guadalajara*, n.º 743) .

EDICIONES

4053

*VIDA del Cardenal D. Pedro Gonzá-
lez de Mendoza*. (En *Memorial Histórico Español*, VI, Madrid, págs. 147-
311).

Se reproduce el mss. de la Academia de
la Historia.

ESTUDIOS

4054

REP: J. Catalina García, *Guadalajara*,
CLII.

MEDINA OLEA (FRANCISCO)

EDICIONES

4055

[*AL libro. Soneto*]. (En P. B. *Arte
para aprender facilmente, y en poco
tiempo a leer, escrivir, y hablar la
Lengua Francesa*. Leon de Francia.
1672. Prels.).

MADRID. *Nacional*. 2-36.559.

MEDINA ORDOÑEZ (GASPAR DE)

EDICIONES

4056

[*GLOSSA*]. (En Fomperosa y Quintana, Ambrosio de. *Dias sagrados y

geniales...* Madrid. 1672, fols. 171r-
172r).

MADRID. *Nacional*. 2-12.889.

4057

[*ORACION académica*]. (En ACADE-
MIA *que se celebró en la Universidad
de Salamanca en tres de Enero de
1672... Siendo Presidente Don* ——...
Salamanca. s. a., págs. 8-19).

V. *BLH*, IV, n.º 1574 (4).

4058

[*ZELOSA Anfrisa, rompe con un pu-
ñal el retrato de su Amante. Romance*]. En ACADEMIA, *que se celebró en
la Real Aduana desta Corte... 1678.*
Madrid. s. a., págs. 70-72).

MADRID. *Nacional*. 3-72.371.

MEDINA PORRES (FELIPE DE)

EDICIONES

4059

*COPIA de una Carta que Mari-Velez
escribió a un hijo suyo desde Fuenterrabía. Tradujola* ——. [s. l.-s. i.].
[s. a.]. Pliego.

—Ded. a Juan Pio Marín, Caballero de Genova.—Texto. [«Como le quieres tú, madre...»].

Gallardo, III, n.º 2.985.

MEDINA REINOSO (FR. DIEGO DE)

Mejicano. Franciscano.

EDICIONES

4060

*PANEGIRICO del glorioso Mártir
S. Hipólito, patrón de México*. Méjico. Juan de Alcacer. 1621. 4.º

Beristain.

ESTUDIOS

4061

REP: Beristain, II, pág. 234.

MEDINA ROBLEDILLO (ALONSO)

Doctor. Abogado de los Reales Consejos.

EDICIONES

4062

MEMORIAL y Discurso historico, politico y legal que... dirije a la Real Catolica y Cessarea Magestad del Rey... Don Felipe Quinto... Por medio, y con carta informativa de... Fray Martín de Redin, mayordomo de la Reyna... [s. l.-s. i.]. [s. a.]. 13 hs. Fol.

Cuartero-Vargas Zúñiga, XXXVIII, número 60.750.

MADRID. Academia de la Historia. 9-1.026 (folios 73-85).

MEDINA SALAZAR (DIEGO DE)

EDICIONES

4063

[SONETO]. (En Losa, Andrés de la. Verdadero entretenimiento del christiano. Sevilla. 1584. Prels.).

MADRID. Nacional. R-3.679.

MEDINA SANCHEZ (ANTONIO DE)

CODICES

4064

«Decima». (En Alvares, Luis. Grandeças, antigüedad y nobleça del Barco de Auila y su origen. Prels.).

Letra del s. XVII. 200 × 150 mm.

MADRID. Nacional. Mss. 7.866.

MEDINA SOLIS (ANTONIO)

Mejicano. Bachiller. Presbítero.

EDICIONES

4065

LOA que se representó y recitó en el Cerro de Guadalupe en la solenne colocación de la Imagen de Ntra.

Sra. en la nueva Hermita el día 2 de Febrero de 1667. Méjico. Calderón. 1667. 4.º

Beristain.

ESTUDIOS

4066

REP: Beristain, II, pág. 233.

MEDINA SOTOMAYOR (FRANCISCO DE)

Regidor de Mérida.

EDICIONES

4067

[SONETO]. (En Moreno, Bernabé. Historia de la civdad de Mérida. Madrid. 1633. Prels.).

MADRID. Nacional. R-14.218.

MEDINA VARGAS (JUAN DE)

EDICIONES

4068

[EN elogio de la fiesta, y día en que se predicó este Sermón]. (En Ayrolo Calar, Gabriel de. Sermón que predicó... el día de... S. Hypolito... Méjico. 1638. Prels.).

GRANADA. Universitaria.

MEDINA XAVIER Y MEDRANO (FR. JOSE)

Mercedario. Lector de Teología en el Colegio de Ntra. Sra. de la Merced de Burgos.

EDICIONES

4069

[APROBACION. Burgos, 6 de enero de 1663]. (En Bustamante, Luis de. Oración panegyrica... a la Inmaculada Concepción de María... Burgos. 1663. Prels.).

MADRID. Nacional. 2-51.807.

MEDINILLA (BALTASAR ELISIO DE)

N. en Toledo (1585). Secretario del conde de Mora por 1611. M. a consecuencia de un duelo en 1620.

CODICES

4070

«*Algunas obras Diuinas de Baltasar Elisio de Medinilla, Ciudadano de Toledo*».

Letra del s. XVII. 251 fols. 205 × 140 mm.

—Ded. a D. Francisco de Rojas i Guzman, Conde de Mora, etc., firmada por el autor.—Prólogo.—Texto.

Gallardo, III, n.º 2.986. (Da relación de contenido); *Inventario*, X, pág. 224.

MADRID. *Nacional*. Mss. 3954.

4071

«*Descripción de Buena Vista*».

Letra del s. XVII. 114 fols. 205 × 145 mm.

—Ded. a D. Bernardo de Rojas i Sandoval mi Señor, Cardenal... Arçobispo de Toledo... Firmada. (Fol. 3).—Al Cardenal mi señor. [«Principe de la iglesia...»]. (Fols. 4r-5v). Firmado. — Texto. [«Ninfas del Tajo que entre arenas de oro...»].

Inventario, X, págs. 316-17.

MADRID. *Nacional*. Mss. 4.266.

4072

«*Décimas a la ausencia*».

Letra del s. XVII. En «Parnaso Español, XIV».

«Desconfianças de ausencia...».

MADRID. *Nacional*. Mss. 3.922 (fols. 41r-42v).

4073

[*Dos cartas*].

Letra del s. XVII. 205 × 150 mm.

1. *Carta a un Padre Dominico respondiéndole a ciertas libertades que dicen dijo en el púlpito de un libro de la Concepción de Nuestra Señora*. (Fols. 79r-83v).

2. *Al Arzobispo de Sevilla* [*sobre la Concepción de María*]. (Fol. 84).

Anguita, n.º 46.

MADRID. *Nacional*. Mss. 4.266.

4074

«*Fiestas que se celebraron en Toledo en la translación de N. Sra. del Sagrario*».

N. Antonio.

EDICIONES

4075

[*A los aficionados a los escritos de Lope de Vega Carpio*]. (En Vega Carpio, Lope de. *Jerusalén conquistada*. Madrid. 1609. Prels.).

MADRID. *Nacional*. R-23.625.

4076

LIMPIA Concepcion de la Virgen Señora nuestra. Madrid. Viuda de Alonso Martín. A costa de Alonso Perez. 1617. 16 págs. + 89 fols. + 6 hs.

Gallardo, III, n.º 2.987; Pérez Pastor, *Madrid*, II, n.º 1.476.

GENOVA. *Universitaria*. 3.HH.IV.14. — NUEVA YORK. *Hispanic Society*.—SANTANDER. «*Menéndez Pelayo*». R-VII-3-19.

4077

LIMPIA Concepcion de la Virgen Señora Nvestra. Madrid. Viuda de Alonso Martín. A costa de Alonso Perez. 1618. 16 hs. + 89 fols. + 5 hs. 14,5 cm.

—S. Apr.—S. Pr.—T.—E.—Versos latinos del autor.—Francisco de Rojas y Guzman, Conde de Mora, a los deseosos de buena Poesía.—Prólogo de Lope de Vega Carpio, al Conde de Mora.—Lope de Vega Carpio al Lector. [«Letor no ay silaba aqui...»].—Argumento del libro primero. [«Ora Ioachin por sucesion al cielo...»].—*Limpia Concepcion* [«De la Madre del Sol, candida Aurora...»].—Protesta.—Poesía latina del autor a la Virgen María.—Soneto de Luys Hurtado de Ezija. [«Cisne suaue, que en las ondas claras...»].—Poesía latina de Hieronimus de Ceuallos.—Otras de Franciscus de Cespedes.—Decima de Iuan de Piña. [«Con Espíritu de Elías...»].—Indice de los Autores que siguen nuestra opinión.

Pérez Pastor, *Madrid*, II, n.º 1.553.

MADRID. *Nacional*. R-10.195 (con advertencia autografa de Aureliano Fernández-Guerra). *Palacio Real*. VIII-3.469.

4078

[*A la Imperial ciudad de Toledo*].
[s. l.-s. i.]. [s. a.]. 10 fols. 30 cm.

Carece de portada.

—Texto. Son arbitrios para mejorar su situación y que recobre su «pérdida grandeza».—Pide al Rey que obligue a los vecinos a residir en la ciudad).

MADRID. *Academia de la Historia.* 9-1.014, fols. 8-17. *Nacional.* V-107-3; V.E.-200-61 y 219-7.

Poesías sueltas

4079

[*AL Maestro Ioseph de Valdiuielso*].
(En Valdivielso, José de. *Vida, excelencias, y muerte del... Patriarca... S. Ioseph.* Toledo. 1604. Al fin).

4080

[*SONETO*]. (En RELACION *de las fiestas que... Toledo hizo al nacimiento del Príncipe N. S. Felipe IIII...* Madrid. 1605, fol. 49*v*).

MADRID. *Nacional.* R-6.841.

4081

[*SONETO*]. (En Balbuena, Bernardo de. *Siglo de Oro...* Madrid. 1608. Preliminares).

MADRID. *Nacional.* R-2.831.

4082

[*AL Autor*]. (En Valdivielso, José de. *Primera parte del Romancero espiritual.* Toledo. 1612. Prels.).

MADRID. *Nacional.* R-10.183.

4083

[*DECIMA de Elisio por los Pastores de Belén*]. (En Vega Carpio, Lope de. *Pastores de Belén.* Madrid. 1612. Preliminares).

MADRID. *Nacional.* R-30.712.

4084

[*POESIAS*]. (En Fernández Navarro, Mateo. *Floresta espiritual...* Toledo. 1613).

1. *Décimas.* (Fol. 185).
2. *Sentencia de la justa.* (Fols. 214*v*-217*v*).

MADRID. *Nacional.* 2-63.308.

4085

[*DECIMAS*]. (En Díez, Miguel de los. *Vida y muerte de... San Ignacio de Loyola...* Madrid. 1619. Preliminares).

Pérez Pastor, *Madrid*, II, n.º 1.596.

4086

[*A Lope de Vega Carpio. Epístola décima*]. (En Vega Carpio, Lope de. *La Filomena...* Madrid. 1621, folios 162*v*-171*r*).

Nota final: «Puse esta Epístola de Eliseo, antes de la Elegía a su muerte, para que quien no huuiere vista su libro de la Concepción, conozca su ingenio, y sus virtudes, y se lastime de que en tan tiernos años, tan desgraciadamente, y con tanta inocencia le quitassen la vida».

OBRAS LATINAS

4087

[*POESIA*]. (En Vega Carpio, Lope de. *Pastores de Belen, prosas y versos divinos.* Madrid. 1612. Prels.).

MADRID. *Nacional.* R-30.712.

ESTUDIOS

Biografía

4088

MARTIN GAMERO, ANTONIO. *Baltasar Elisio de Medinilla.* (En *El Averiguador Universal*, I, Madrid, 1879, n.º 18, pág. 276).

4089

[*DATOS biográficos*]. (En el *Ensayo de una Biblioteca española de libros raros y curiosos*, por B. J. Gallardo. Tomo III. Madrid. 1888, cols. 688-91).

4090

GERARDO DE SAN JUAN DE LA CRUZ, FRAY. *Nueva luz sobre la fa-*

milia del insigne poeta toledano Baltasar Elisio de Medinilla, y particularmente sobre su muerte y su matador. (En *Boletín de la Real Academia de Bellas Artes y Ciencias Históricas de Toledo*).

—Tir. ap.: Toledo. Imp. de Suc. de J. Peláez. 1920. 31 págs.

SANTO DOMINGO DE SILOS. *Monasterio.* 41-B.

4091

S[AN] R[OMAN], F. DE P. *Sobre la muerte de Medinilla.* (En *Boletín de la Real Academia de Bellas Artes y Ciencias Históricas de Toledo*, IV, Toledo, 1923, págs. 114-16).

Interpretación y crítica

4092

CRAWFORD, J. P. WICKERSHAM. *A letter from Medinilla to Lope de Vega.* (En *Modern Language Notes*, XXIII, Baltimore, 1908, págs. 234-38).

4093

SAN ROMAN Y FERNANDEZ, F. DE B. *Elisio de Medinilla y su personalidad literaria.* (En *Boletín de la Real Academia de Bellas Artes y Ciencias Históricas de Toledo*, II, Toledo, 1920, págs. 129-70).

4094

CUATRO obras inéditas de Medinilla. (En *Boletín de la Real Academia de Bellas Artes y Ciencias Históricas de Toledo*, II, Toledo, 1920, págs. 171-214).

4095

RODRIGUEZ - MOÑINO, ANTONIO. *Las justas toledanas a Santa Teresa en 1614. (Poesías inéditas de Baltasar Elisio de Medinilla).* (En STUDIA *Philologica. Homenaje ofrecido a Dá-*

maso Alonso... Tomo III. Madrid, páginas 245-68).

Elogios

4096

CERVANTES SAAVEDRA, MIGUEL DE. [*Referencias*]. (En *Viage del Parnaso*. Madrid. 1614, fols. 12v y 58r). V. *BLH*, VIII, n.° 923.

4097

HERRERA MALDONADO, FRANCISCO DE. [*Elogio*]. (En Sannazaro, J. *Sanázaro Español. Los tres libros del Parto de la Virgen... Traducción de* ——. Madrid. 1620, folio 57).

4098

LOPEZ DE VEGA, ANTONIO. [*En digno sentimiento de la infelice muerte de Baltasar Elisio de Medinilla.* — *Epitafio sobre la sepultura del mismo*]. (En *Lírica poesía*. Madrid. 1620, fol. 27). V. *BLH*, XIII, n.° 3577 (18-19).

4099

VEGA CARPIO, LOPE DE. [*Dedicatoria de «Santiago el Verde», a B. E. de Medinilla*]. (En *Trezena parte de las Comedias...* Madrid. 1620, fol. 51).

4100

——. *A Baltasar Elisio de Medinilla. Epístola tercera.* (En *La Filomena...* Madrid. 1621, fols. 119v-125r).

4101

——. *En la muerte de Baltasar Elisio de Medinilla. Elegía.* (En idem, folios 171r-175v).

MADRID. *Nacional.* R-3.074.

4102

——. [*Elogio, con referencia a su muerte*]. (En *El jardín de Lope de*

Vega, en La Filomena... Madrid. 1621, folio 154*r*).

4103

——. [*Elogio*]. (En *Laurel de Apolo...* Madrid. 1630, fols. 7*r*-8*v*).

«Mas ya las santas Musas aperciue,
Aquel que muerto en mi memoria viue,
Y siempre viuirá con dolor tanto,
Que me deshaze el alma en tierno llanto,
Elissio Medinilla,
A quien las verdes seluas lastimadas
Diziendo están por una y otra orilla
Aqui por estas peñas enramadas
Canto la concepcion en alto estilo
Mientras que yo, del Parto de Maria,
La noche felicissima escriuia.
El Tajo, que a los dos nos escuchaua,
Y agorre corre conuertido en Nilo,
En vez de murmurar tambien cantaua,
Y para mar exagerar su pena,
Aun le parece, que es pequeño Rio,
Y tristemente suena:
Elissio, Elissio mío:
Pero pues no respondes,
Y a mis vozes, y lagrimas te escondes,
Descansa en paz, que por las verdes ramas
Deste Laurel, hasta tu nombre ingrato,
Colgarán mis Pastores, Epigramas,
A tu infeliz retrato,
Infamando la espada
De tu sangre, y mis lagrimas bañada.»

4104

REP: N. Antonio, I, pág. 182.

MEDINILLA (FR. RODRIGO DE)

Dominico. Regente del convento de Santo Domingo de Méjico.

EDICIONES

4105

[*CARTA al Autor. Méjico, 25 de marzo de 1649*]. (En Corchero Carreño, Francisco. *Desagravios de Christo en el Triumpho de su Cruz contra el judaismo.* Méjico. 1649. Prels.).

MEDINILLA ANGUIS Y CARVAJAL (LUIS DE)

Caballero de Alcántara. Veinticuatro de Ubeda y Andújar.

EDICIONES

4106

[*SONETO*]. (En Ovando, Rodrigo de. *Memoria funebre y exequias del Parnaso.* Málaga. 1665, fol. 48*r*).

MEDINILLA Y PORRES (JERONIMO ANTONIO DE)

Caballero de Santiago. Caballerizo de S. M. Señor de las villas de Bocos, Rozas y Remolino. Corregidor y Justicia mayor de la ciudad de Córdoba y su tierra.

EDICIONES

4107

VTOPIA de Thomas Moro, tradvcida de Latin, en Castellano por ——. Córdoba. Salvador de Cea. 1637. XXIIII + 51 fols. + 1 h. 15 cm.

—Fols. II*r*-III*r*: Ded. a D. Iuan de Chaves y Mendoça, caballero de Santiago, etc.— Fols. III*v*-V*v*: Al lector.—Fols. VI*r*-VIII*v*: Nota al Capitulo nono, i ultimo desta Obra, hecha por el Tradutor.—Fols. IX*r*-X*r*: Epistola del M.º Bartolomé Ximenez Paton, al traductor.—Fols. X*v*-XV*v*: Noticia, juicio, y recomendacion de la Utopia, i de Tomas Moro, por D. Francisco de Quevedo Villegas.—Fols. XII*r*-XIV*v*: Inicio, y sentir de la Utopia, i su Tradutor, por el P. Cypriano Gutierrez. Fol. XV: Carta de Andres de Morales i Padilla.—Fol. XVI*r*: Soneto de Francisco Roco Campofrío i Cordova. [«La que el Moro politico Britano...»].—Decimas del mismo Francisco de Cordova. [«En el Anglia Thomas Moro...»].—Fol. XVII*r*: Soneto de Melchor Guajardo Fajardo. [«La antiguedad de Apeles celebrava...»]. Fol. XVII*v*: Soneto de Agustin de Galarça. [«No con buril, en bronce, la memoria...»]. — Fol. XVIII*r*: Decimas del mismo. [«Preceptos de governar...»].— Fol. XVIII*r*: Soneto de Ioseph de Rivas i Tafur. [«De aquel Moro, de aquel Moral prudente...»].—Fol. XIX*r*: Octava de Fr. Hieronimo de Pancorbo. [«Tiene en la diestra la eloquente pluma...»].—Fols. XIX*v*-XX*v*: Carmen elegiaco en latin de Gonzalo Navaro.—Fol. XXI*r*: Epigramma latino de Diego de Cea y Zayas.—Fols. XXI*v*-XXII*r*: Testimonio del M.º Bartolomé Ximenez Patón, por orden de la Inquisición de Murcia.—Fol. XXII*v*: S. Apr. de Iusepe Antonio Gonzalez de Salas.—Fol. XXIIII*r*: S. Pr.—Fol. XXIV*v*: Indice de los Capítulos.—Texto.—Colofón.

Valdenebro, n.º 166.

MADRID. *Academia Española.—Nacional.* R-11.564 (ex libris de Gayangos). *Palacio Real.* IX-5.041.—NUEVA YORK. *Hispanic Society.*

4108

[*APROBACION, sin datos*]. (En Pérez de Navarrete, Francisco. *Arte de enfrenar.* Madrid. 1626. Prels.).

MADRID. *Nacional.* R-11.409.

ESTUDIOS
4109
LOPEZ ESTRADA, FRANCISCO. *La primera versión española de la «Utopía» de Moro, por Jerónimo Antonio de Medinilla (Córdoba, 1537).* (En COLLECTED *Studies in honour of Américo Castro's eightieth year.* 2.ª edición. Oxford. Lincombe Lodge Research Library. 1975, págs. 291-309).

4110
REP: N. Antonio, I, pág. 567.

«MEDIO para defender las costas...»

EDICIONES
4111
MEDIO para defender las costas de Africa, assegurando las plaças que el Rey N. S. tiene en ellas, ilustrando las Ordenes militares, de que su Magestad, es Maestre, y perpetuo Administrador. [s. l.-s. i.] [s. a.] 4 hs. + 27 fols. 19,5 cm.

—Motivo y argumento deste breue discurso.—Indice de los capitulos.—Texto.
MADRID. *Nacional.* V.E.-13-21 y 165-8.

«MEDIO para sanar la monarquía de España...»

EDICIONES
4112
MEDIO para sanar la monarquia de España que está en las vltimas boqueadas en que se descubre la destruicion que causa el comercio de la Europa para la America. [s. l.-s. i.] [s. a.].
NUEVA YORK. *Hispanic Society.*

«MEDIO que el Reino propone...»

EDICIONES
4113
[*MEDIO que el Reyno propone para el consumo del Vellon, y las razones que le mueven a ello. Razones extrinsecas, que pruevan la necessidad que ay en España de poner en buena proporcion el valor de las monedas*]. [s. l.-s. i.]. [s. a.]. 1 h. + 11 fols. 29,5 centímetros.

Carece de portada.
—Ded. al Rey.—Texto.
MADRID. *Nacional.* V.E.-210-91.

«MEDIOS que se proponen...»

EDICIONES
4114
[*MEDIOS, qve se proponen para el remedio del daño, ruina, y calamidad, que padece el Reyno de Aragon*]. [s. l.-s. i.]. [s. a.]. 2 hs. 29 cm.
Carece de portada.
—Texto.
MADRID. *Nacional.* V.E.-25-15.

«MEDITACION de la Pasión...»

EDICIONES
4115
MEDITACION de la passion para las siete horas canonicas. [Medina del

Campo. Pedro Touans]. [1534]. 33 folios + 7 hs. 8.º gót.

Atribuida a San Francisco de Borja, se incorporó a varias ediciones de sus obras. El verdadero autor es Fr. Luis de Montoya. (Uriarte, *Anónimos*, I, n.º 1.246).

Gallardo, I, n.º 920.

SEVILLA. *Colombina.*

MEDRANO (FR. ALONSO DE)

Franciscano. Predicador y Lector de Artes en el monasterio de la Madre de Dios de Tordelaguna.

EDICIONES
4116

INSTRVCTION y arte para con facilidad rezar el officio diuino conforme a las reglas y orden del breuiario que Pio Qvinto ordenó... Alcalá de Henares. Andres de Angulo. 1572. 8 hojas + 84 fols. 8.º.

—S. L.—Apr. del M.º Juan de Cetina.—Pr. al autor.—Epístola a D.ª Isabel de Quiñones.—Tabla.—L. O.—Aviso muy provechoso para el prudente lector.—Texto.

J. Catalina García, *Tiu. complutense*, número 476; Fernández, n.º 173.

MADRID. *Nacional.* R-29.427. — SAN LORENZO DEL ESCORIAL. *Monasterio.* 21-V-31.

4117

INSTRVCION y arte para con facilidad rezar el officio diuino, conforme a las reglas y orden del Breuiario, que... Pio V ordeno, segun la intencion del Sancto Concilio Tridentino. Nueuamente por el mesmo autor corregida. Madrid. Francisco Sanchez. 1573. 8 hs. + 54 fols. + 2 hs. 8.º.

—Pr. (22 de agosto y 17 abril 1572).—Pr. de Aragón por seis años (1572).—Ded. a D.ª Isabel de Quiñones, Camarera mayor de la princesa D.ª Juana.—Tabla de los capitulos.—Aviso muy provechoso para el prudente lector.—T.—Texto.—Tablas.

Pérez Pastor, *Madrid*, III, n.º 2.241.

SEVILLA. *Universitaria.* 183-24 (2).

4118

INSTRVCTION y arte para con facilidad rezar el Officio diuino... Barcelona. Claudio Bornat. 1573. [Colofón: 1572]. 8 hs. + 94 fols. 14 cm.

—T.—Apr. de Iuan de Cetina (1572).—L. O. Epistola ded. a D.ª Isabel de Quiñones, camarera mayor de la princesa D.ª Iuana. Tabla de los capitulos.—E.—Auiso muy prouechoso para el prudente lector.—Texto.—Colofón.

BARCELONA. *Central.* 4-I-42. *Instituto Municipal de Historia.* B. 1572-12.º-(3).

4119

——. Madrid. Francisco Sánchez. 1625. 8 hs. + 54 fols. + 2 hs. 8.º

ESTUDIOS
4120

REP: N. Antonio, I, pág. 35.

MEDRANO (AURELIA ANTONIA DE)

EDICIONES
4121

[ELOGIO]. (En Grande de Tena, Pedro. *Lágrimas panegiricas a la temprana muerte del... Dr. Juan Pérez de Montalban.* Madrid. 1639, fol. 59v).

MADRID. *Nacional.* 2-44.053.

MEDRANO (P. DIEGO)
Jesuita.

EDICIONES
4122

[APROBACION. Pamplona, 14 de noviembre de 1614]. (En Sandoval, Prudencio de. *Catálogo de los Obispos... de Pamplona...* Pamplona. 1614. Prels.).

MADRID. *Nacional.* 3-44.813.

4123

[APROBACION. Pamplona, 16 de febrero de 1615]. (En Sandoval, Pru-

dencio de. *Historia de los Reyes de Castilla y de León...* Pamplona. 1615. Preliminares).

MADRID. *Nacional.* R-21.448.

MEDRANO (EUGENIO)

EDICIONES

4124

[*ENDECHAS endecasilavas*]. (En JUSTA *literaria... a San Juan de Dios...* Madrid. 1692, págs. 247-49).

MADRID. *Nacional.* R-15.239.

MEDRANO (FRANCISCO DE)

N. en Sevilla (1570). Jesuita de 1584 a 1602, enseñó en los Colegios de Valladolid, Monterrey y Salamanca. Residió luego en su ciudad natal, donde m. en 1606 ó 1607.

CODICES

4125

[*Dos romances*].

Letra de principios del XVII. 147 × 103 mm. Cancionero citado por Gallardo, n.º 1.048, que luego perteneció a Rodríguez Marín.
1. *Romance de la muerte.* [«Al son cuerdo de las cuerdas...»].
2. *Romance.* [«Un bulto casi sin bulto...»].
V. Alonso, Dámaso. *Un manuscrito de Medrano que se creía perdido: dos romances,* en su ed. crítica, II, apéndice IX, páginas 349-59.

MADRID. *Consejo. General.* R.M.-3.879.

4126

«*Versos*».

Autógrafo. 205 × 145 mm.
Inventario, X, pág. 178.
MADRID. *Nacional.* Mss. 3.783 (fols. 1-43).

4127

[*Poesías*].

Letra del s. XVII. Es un Cancionero.
Contiene cuatro poesías suyas y le atribuye además la *Epístola moral* y una silva de Quevedo.

MADRID. *Nacional.* Mss. 4.141.

4128

«*Otro a lo mismo*». [*Soneto a las ruinas de Italica, o Seuilla la vieja*].

Letra del s. XVII.
«Estos de panlleuar campos agora...».
MADRID. *Nacional.* Mss. 20.355 (fol. 56v).

4129

«*Rimas*».

Letra de comienzos del s. XIX. 96 págs. + 2 hs. 209 mm. Perteneció a Jerez de los Caballeros.
Rodríguez Moñino-Brey, II, págs. 284-89.
NUEVA YORK. *Hispanic Society.* Manuscrito CLXXVII.

4130

[*Dos cartas a Francisco Pacheco*].

Letra del s. XVII. 165 × 100 mm.
Inventario, V, pág. 96.
MADRID. *Nacional.* Mss. 1.713 (fols. 268-71).

EDICIONES

4131

[*RIMAS*]. (En Venegas de Saavedra, Pedro. *Remedios de Amor... Con otras diversas Rimas de Don* ——. Palermo. Angelo Orlandi. 1617, páginas 101-80).

MADRID. *Nacional.* R-7.554.

4132

[*POESIAS*]. (En POETAS *líricos de los siglos XVI y XVII. Colección ordenada por Adolfo de Castro.* Tomo I. Madrid. 1854, págs. 343-59. Biblioteca de Autores Españoles, 32).

Reproduce las de la ed. de Palermo.
En el tomo II, pág. 595 (BAE, 42), se ofrece una nueva versión del soneto *A las ruinas de Itálica,* tomada de la *Geografía histórica,* de Pedro Murillo, pág. 350, con «variantes notabilísimas, que lo mejoran».

4133

[*EDICION crítica de sus obras por Dámaso Alonso y Stephen Reckert*]. Madrid. C.S.I.C. 1958.

Tomo II de *Vida y obra de Medrano.* (V. n.º 4140).

1. *Soneto I... Es como prefación y dedicación de los demás.* [«Sé que allá corre el mundo asaz ligero...»]. (Págs. 19-22).
2. *Soneto II.* [«Tus ojos, bella Flora, soberanos...»]. (Págs. 23-27).
3. *Soneto III. A S. Pedro, en una borrasca, viniendo de Roma.* [«Pescador soberano, en cuyas redes...»]. (Págs. 28-29).
4. *Soneto IV. En la playa de Barcelona, volviendo de Roma.* [«Pláceme veer el mar quando se enoja...»]. (Págs. 30-32).
5. *Ode I.* [«Santiso, ¿ahora ahora la riqueza...»]. (Págs. 33-38).
6. *Ode II.* [«Firmio, constante a las dificultades...»]. (Págs. 39-43).
7. *Ode III. A N., hermosa y astuta dama de Sevilla.* [«Si pena alguna, Lamia, te alcançara...»]. (Págs. 44-47).
8. *Soneto V.* [«Vine, y vi, y sujetóme la 'ermosura...»]. (Págs. 48-51).
9. *Soneto VI.* [«Hizo astillas el iugo, y la coyunda...»]. (Págs. 52-53).
10. *Soneto.* [«Vos en España soys el que primero...»]. (Págs. 54-55).
11. *Soneto VII.* [«Estaba de mi edad en el florido...»]. (Págs. 56-57).
12. *Soneto VIII.* [«Borde Tormes de perlas sus orillas...»]. (Págs. 58-59).
13. *Ode IV. A Filipo III, entrando en Salamanca.* [«Illustre joven - cuya rubia frente...»]. (Págs. 60-68).
14. *Soneto IX. Al mismo entrando en las escuelas de Salamanca.* [«Soberano Señor, cuyo semblante...»]. (Págs. 69-70).
15. *Soneto X.* [«Vos, oh común Señor, esta criatura...»]. (Págs. 71-72).
16. *Ode V. A Luys Ferri, entrando el hibierno.* [«¿Vees Fabio, ya de nieve coronados...»]. (Págs. 73-77).
17. *Ode VI.* [«Más dulcemente vivirás, Licino...»]. (Págs. 78-80).
18. *Soneto XI.* [«Veré al tiempo tomar de ti, señora...»]. (Págs. 81-83).
19. *Soneto XII.* [«En el secreto de la noche suelo...»]. (Págs. 84-85).
20. *Soneto XIII.* [«Ya sentí de la muerte el postrer yelo...»]. (Págs. 86-87).
21. *Soneto XIV.* [«Suelta la carta y brújula el piloto...»]. (Págs. 88-89).
22. *Ode VII. A Don Iuan de Arguijo, veinticuatro de Sevilla.* [«Tú escribes, otro Píndaro, otro Homero...»]. (Págs. 90-94).
23. *Ode VIII.* [«¿Qué pide al çielo el biendiciplinado...»]. (Págs. 95-98).
24. *Ode IX.* [«Si las vertientes últimas bebieras...»]. (Págs. 99-102).
25. *Soneto XV. De Fernando de Soria Galvarro al autor, al cual pidió que en el* mesmo argumento escriviesse otro en concurrencia. [«Flavio, ¿qué admiras ver maldetenida...»]. (Págs. 103-5).
26. *Soneto XVI. Escrito de el autor, en el mismo argumento.* [«¿Qué ansias, Flavio, son éstas? ¿Qué montones...»]. (Páginas 106-7).
27. *Soneto XVII. Al sepulcro de Don Rodrigo de Castro, Cardenal y Arçobispo de Sevilla.* [«Mientra que l'alma con seguras huellas...»]. (Págs. 108-10).
28. *Soneto XVIII. Al mismo sepulcro.* [«Recibe, oh mármol sacro, unos despojos...»]. (Págs. 111-12).
29. *Ode X. Voto por el viaje de Don Alonso Santillán.* [«Assi de Cypro la valiente diosa...»]. (Págs. 113-17).
30. *Ode XI.* [«El entero varón, de culpas puro...»]. (Págs. 118-21).
31. *Soneto XIX. A Iuan Antonio del Alcaçar por la templanza.* [«Aquella sola, Flavio, suerte una...»]. (Págs. 122-24).
32. *Soneto XX. A don Iuan de la Sal, Obispo de Bona.* [«El cielo esperimenta aquel, propicio...»]. (Págs. 125-26).
33. *Soneto XXI.* [«Esta que te consagro fresca rosa...»]. (Págs. 227-28).
34. *Soneto XXII.* [«El rubí de tu boca me rindiera...»]. (Págs. 129-30).
35. *Ode XII.* [«Ya, ya, y fiera y 'ermosa...»]. (Págs. 131-36).
36. *Ode XIII.* [«No tiene lustre alguno la ocultada...»]. (Págs. 137-40).
37. *Soneto XXIII. A don Alonso de Santillán, que se embarcaba en los galeones de la Armada de las Indias.* [«Tú sulcas, oh Santiso, el mar furioso...»]. (Págs. 141-142).
38. *Soneto XXIV.* [«Mustia la vid, de aquella y de esta vara...»]. (Págs. 143-44).
39. *Soneto XXV.* [«Quanta la tierra es toda, comparada...»]. (Págs. 145-47).
40. *Soneto XXVI. A las ruinas de Itálica, que ahora llaman Sevilla la Vieja, junto de las quales está su eredamiento Mirarbueno.* [«Estos de pan llevar campos ahora...»]. (Págs. 148-50).
41. *Ode XIV.* [«Huyó la nieve, y árboles y prados...»]. (Págs. 151-54).
42. *Ode XV.* [«¿Quién es, oh Pirra, el moço delicado...»]. (Págs. 155-57).
43. *Ode XVI.* [«Todos erramos, todos...»]. (Págs. 158-62).
44. *Soneto XXVII. A don Iuan de Arguijo.* [«Si con poco nos basta, ¿por qué, Argío...»]. (Págs. 163-65).
45. *Soneto XXVIII.* [«Oh tú, que al sol tan desdeñosa miras...»]. (Págs. 166-67).

46. *Soneto XXIX.* [«No sé como, ni quándo, ni qué cosa...»]. (Págs. 168-70).

47. *Soneto XXX. A don Iuan de Arguijo, contra el artificio.* [«Causa la vista el artificio 'umano...»]. (Págs. 171-73).

48. *Ode XVII.* [«Quando tú me encareçes...»]. (Págs. 174-76).

49. *Ode XVIII.* [«Si de renta mas qüentos...»]. (Págs. 177-83).

50. *Soneto XXXI. De Ernando de Soria al autor.* [«No puedo desatar de este cuydado...»]. (Págs. 184-85).

51. *Soneto XXXII. Respuetsa deste soneto.* [«Si ya de la razón el rayo a dado...»]. (Págs. 186-87).

52. *Soneto XXXIII. Otra respuesta en el mismo argumento.* [«Despierto al fiero incendio, y de él cercado...». (Págs. 188-89).

53. *Soneto XXIV.* [«Vive engañada mi fortuna loca...»]. (Págs. 190-91).

54. *Ode XIX. A Francisco de Acosta, en la muerte del P. Iosef de Acosta, su hermano.* [«¿Quién pondrá freno y término al deseo...»]. (Págs. 192-95).

55. *Ode XX.* [«No estimes, no, por afrentoso el ñudo...»]. (Págs. 196-99).

56. *Soneto XXXV. Hecho en concurrencia de el que sigue de Ernando de Soria...* [«Solo uno el hombre naçe despojado...»]. (Págs. 200-1).

56. *Soneto XXXVI. De Fernando de Soria a Bartolomé Leonardo de Argensola.* [«El ombre solo en tantos animales...»]. (Págs. 202-3).

57. *Ode XXI. A Iuan Antonio del Alcaçar por la templança.* [«La inespunable torre, y la ferrada...»]. (Págs. 204-9).

58. *Ode XXII.* [«Menos vezes te baten las cerradas...»]. (Págs. 210-13).

59. *Soneto XXXVII. Al retrato de Luciano de Negrón, Arcediano de Sevilla, por mano de Francisco Pacheco...* [«Este breve retrato los mayores...»]. (Págs. 214-15).

60. *Soneto XXXVIII. En unas grandes máquinas de fuegos que se hicieron sobre el Río de Sevilla, en el nacimiento del Principe de Castilla.* [«Arde la llama, y a la oscura y fría...»]. (Págs. 217-19).

61. *Soneto XXXIX.* [«Las almas son eternas, son iguales...»]. (Págs. 220-21).

62. *Ode XL. A Don Iuan de Arguijo.* [«Ya sopla turbio el Abrego; ya 'inchado...»]. (Págs. 222-24).

63. *Ode XXIII. A Don Iuan de la Sal, Obispo de Bona.* [«Ya, Salicio, al arado las reales...»]. (Págs. 225-30).

64. *Ode XXIV.* [«Sosiego pide a Dios, en su desierta...»]. (Págs. 231-36).

65. *Ode XXV. Al Licenciado Francisco de Rioja.* [«Vímosla ya, Leucido, ya la vimos...»]. (Págs. 237-38).

66. *Soneto XLI.* [«Quien te dize que ausençia causa olvido...»]. (Págs. 239-41).

67. *Soneto XLII.* [«Quando imbidioso el tiempo aya nevado...»]. (Págs. 242-43).

68. *Soneto XLIII.* [«Otra vez, oh Amarili, el proceloso...»]. (Págs. 244-45).

69. *Ode XXVI. A Don Alonso de Medrano, su ermano.* [«Al cielo si las manos levantares...]. (Págs. 246-48).

70. *Ode XXVII.* [«Aun la tierna çerviz no es poderosa...»]. (Págs. 249-51).

71. *Soneto XLIV. Al Licenciado Francisco de Rioja.* [«La violencia, Leucido, de los hados...»]. (Págs. 252-53).

72. *Ode XXVIII.* [«Fió, Santiso, España seis vanderas...»]. (Págs. 254-57).

73. *Ode XXIX.* [«Oyó el cielo mi voto, Elisa, el cielo...»]. (Págs. 258-61).

74. *Ode XXX. A Ernando de Soria, volviendo el autor de Roma y de Madrid a Sevilla.* [«Sorino, rindo al cielo...»]. (Páginas 262-65).

75. *Soneto XLV.* [«¡Ay de mí!, siempre vana fantasía...»]. (Págs. 266-67).

76. *Ode XXXI. A Don Alonso de Santillán, que volvía de las Indias.* [«¡Oh mil vezes comigo reduzido...»]. (Págs. 268-73).

77. *Soneto XLVI.* [¿Qué busco, ciego yo, con tan mortales...»]. (Págs. 274-75).

78. *Ode XXXII. Profecía del Tajo en la pérdida de España.* [«Rendido el postrer godo a la primera...»]. (Págs. 276-82).

79. *Soneto XLVII. A Ernando de Soria.* [«Yo vi romper aquestas vegas llanas...»]. (Págs. 283-84).

80. *Ode XXXIII. Respuesta a otra de Iuan Antonio de l'Alcaçar en que le combidaba a una casa de recreación sobre el Río.* [«No inquieras cuydadoso...»]. (Págs. 285-291).

81. *Soneto XLVIII.* [«¿Quién jamás en tan luengo y espacioso...»]. (Págs. 292-93).

82. *Soneto XLIX. A Filipo III, luego que 'eredó y se casó.* [«Magestad soberana, en quien el cielo...»]. (Págs. 294-95).

93. *Soneto L.* [«No siempre fiero el mar çahonda el barco...»]. (Págs. 291-98).

94. *Soneto LI.* [«Si por ser, or Amarili, el Amor fuego...»]. (Págs. 299-300).

95. *Soneto LII. A la renunciación que hizo el Emperador Carlos V en el hijo y el hermano.* [«De sostener, qual nuevo Atlante, el mundo...»]. (Págs. 301-2).

96. *Soneto. LIII.* [«Robóme, oh Iulio, una cobarde fiera...»]. (Págs. 303-4).

97. *Ode XXXIV. A Ernando de Soria.*

[«¡Ay Sorino, Sorino, cómo el día...»]. (Págs. 305-8).
98. *Soneto LIV. A Dios nuestro Señor.* [«¿Cómo esperaré yo que de mi pena...»]. (Págs. 309-11).
—Apéndices:
I. Apéndice documental. (Págs. 315-59).
II. Ordenación comparada de las poesías en los diferentes textos. (Págs. 360-426).
—Indices.
—Láminas.

Poesías sueltas

4134

[*POESIAS*]. (En Segunda *parte del Romancero general... por Miguel de Madrigal.* Valladolid. 1605).

Incluye dieciséis suyas como anónimas.

4135

[*SONETO al autor*]. (En Mesa, Cristóbal de. *El Patrón de España.* Madrid. 1612).

4136

[*AL autor. Romance*]. (En Lugo y Davila, Francisco de. *Teatro Popular. Novelas morales.* Madrid. 1622. Preliminares).

MADRID. *Nacional.* R-5412.

4137

[*SONETO*]. (En Romancero *y Cancionero sagrados... por Justo de Sancha.* Madrid. 1855, pág. 53. Biblioteca de Autores Españoles, 35).

«¿Qué busco, ciego yo, con tan mortales...».
Reproducido de *Remedios de amor.*

4138

[*A Hernando de Soria. Soneto*]. (En segunda *parte de las Flores de poetas ilustres de España. Ordenada por Juan Antonio Calderón...* Sevilla. 1896, pág. 212).

MADRID. *Nacional.* 2-35.873.

4139

[*ROMANCES. Edición de A. Rodríguez-Moñino*]. 1969.

Reproduce treinta y seis de un Cancio-

nero de su propiedad, en las págs. 503-49. (V. n.º 4149).

ESTUDIOS

Obras de conjunto

4140

ALONSO, DAMASO y STEPHEN RECKERT. *Vida y obra de Medrano.* Madrid. CSIC. 1948-58. 2 vols. 25,5 centímetros.

a) Asensio, E., en *Boletim de Filologia,* XVII, Lisboa, 1958-59, págs. 381-89; *Revista Brasileira de Filologia,* V, R:o de Janeiro, 1959-60, págs. 221-30, y *Anales de la Universidad de Chile,* CXVIII, Santiago de Chile, 1960, págs. 164-69.
b) A[ubrun], Ch. V., en *Bulletin Hispanique,* LI, Burdeos, 1949, págs. 204-5.
c) Baquero Goyanes, M., en *Arbor,* XII, Madrid, 1949, págs. 623-24.
d) Carrasco Urgoiti, M. S., en *Revista Hispánica Moderna,* XXVII, Nueva York, 1961, págs. 366-67. (Del II).
e) Chambers, en *Books Aborad,* XXXV, Norman, 1961, pág. 35.
f) Jones, R. O., en *Bulletin of Hispanic Studies,* XXXIX, Liverpool, 1962, págs. 105-106. (Del II).
g) Rivers, en *Hispanic Review,* XXIX, Filadelfia, 1961, págs. 159-60.

MADRID. *Consejo. Patronato «Menéndez Pelayo».* E.-1.545. *Nacional.* 6.1.-12.241.

Biografía

4141

RODRIGUEZ MARIN, FRANCISCO. *Documentos sobre Francisco de Medrano.* (En *Nuevos datos para las biografías de algunos escritores...* Madrid. 1923, págs. 340-49).

MADRID. *Nacional.* 2-71.703.

4142

ALONSO, DAMASO. *Vida de don Francisco de Medrano. Discurso... Contestación de Emilio García Gómez.* Madrid. Blass. 1948. 125 págs.

a) G[reen], O. H., en *Hispanic Review,* XVI, Filadelfia, 1948, pág. 187.
b) Peers, E. A., en *Bulletin of Hispanic Studies,* XXVI, Liverpool, 1949, págs. 59-60.

MADRID. *Nacional.* V-1.958-13.

Interpretación y crítica

4143

BEALL, C. B. *Francisco de Medrano's imitations from Tasso.* (En *Hispanic Review*, XI, Filadelfia, 1943, págs. 76-79).

4144

ALONSO, DAMASO. *Un soneto de Medrano imitado de Ariosto.* (En *Hispanic Review*, XVI, Filadelfia, 1948, págs. 162-64).

———

—Reprod. en *Del Siglo de Oro a este siglo de siglas.* Madrid. 1962, págs. 55-74.

4145

HALL, M. B. *A further Tasso imitation in Francisco de Medrano.* (En *Hispanic Review*, XIV, Filadelfia, 1946, págs. 65-66).

4146

PAYNE, BETTIE MAC HALL. *Notes on Francisco de Medrano.* (En *Hispanic Review*, XVI, Filadelfia, 1948, págs. 68-70).

4147

LOPEZ ESTRADA, FRANCISCO. *Literatura sevillana. Medrano en su sitio.* (En *Archivo Hispalense*, XXXI, Sevilla, 1959, págs. 9-35).

4148

MANCINI, G. *Nota marginale a un sonetto di Medrano.* (En *Studi Mediolatini e Volgari*, II, Bolonia, 1954, págs. 49-55).

4149

RODRIGUEZ-MOÑINO, ANTONIO. *Los romances de don Francisco de Medrano.* (En *Boletín de la R. Academia Española*, XLIX, Madrid, 1969, páginas 495-550).

4150

HOLZINGER, WALTER. *A plagiarism of Francisco de Medrano by Pedro Soto de Rojas.* (En *Romance Notes*, XIV, Chapel Hill, 1972-73, págs. 557-60).

4151

CABELLO PORRAS, GREGORIO. *Sobre la configuración del cancionero petrarquista en el Siglo de Oro. La serie de Amarilis en Medrano y la serie de Lisi en Quevedo.* (En *Analecta Malacitana*, IV, Málaga, 1981, páginas 15-34).

4152

CABELLO PORRAS, GREGORIO. *Francisco de Medrano como modelo de imitación poética en la obra de Soto de Rojas.* (En *Analecta Malacitana*, V, Málaga, 1982, págs. 33-47).

4153

PALLEY, JULIAN. *The Love-Dream Lyric in the Spanish Renaissance.* (En *Kentucky Romance Quarterly*, XXIX, Lexington, 1982, págs. 75-83). El tema en Góngora, Medrano y Quevedo.

Elogios

4154

MESA, CRISTOBAL DE. *[Elogio].* (En *La restauración de España.* Madrid. 1607, pág. 176). MADRID. *Nacional.* R-4.684.

4155

REP: Menéndez Pelayo, *Traductores*, III, págs. 125-29; R. M., en Hornedo, en DHEE, III, pág. 1455.

MEDRANO (GARCIA DE)

EDICIONES

4156

REGLA (La) y establecimientos de la cavallería de Santiago del Espada. Con la Historia del Origen y princi-

pio della. [Valladolid. Luis Sanchez] [1603]. 5 hs. + 200 fols. + 6 hs. 29 centímetros.

—Lámina.—Pr.—Auto del Capitulo General. Copia de un capitulo del libro de actos capitulares.—Aclaración del autor.—Ded. Texto.—Colofón.—Tabla de Leyes.

Alcocer, n.º 437.

BARCELONA. *Universitaria.* 14-3.089; etc. — GRANADA. *Universitaria.* B-57-54. — MADRID. *Academia de la Historia.* 2-2-9-1019. *Nacional.* R-3.425 (con adiciones ms. al fin).— NUEVA YORK. *Hispanic Society.*

4157

——. Madrid. Viuda de Luys Sánchez. A costa de Martín Gil de Cordoua. 1627. 6 hs. + 200 fols. + 17 hs.

BARCELONA. *Universitaria.* C.219-2-15.—MADRID. *Nacional.* U-8.162; etc. — PARIS. *Nationale.* H.2220. — VALLADOLID. *Universitaria.* Santa Cruz, 2.112.—ZARAGOZA. *Universitaria.* G-50-46.

4158

COMPILACION de las leyes capitulares de la orden de la cavalleria de Santiago del Espada. Compuestas y ordenadas por... ——. [Valladolid. Luis Sánchez]. [1605]. 7 hs. + 1 lám. + 219 págs. + 6 hs.

Alcocer, núms. 487 y 497.

MADRID. *Nacional.* 7-14.285. — PARIS. *Institut d'Etudes Hispaniques.* R-D.216. *Nationale.* Fol. Om. 48.—SANTIAGO DE COMPOSTELA. *Universitaria.*

Aprobaciones
4159
[*APROBACION. Salamanca, 21 marzo 1638*]. (En Gonzalez Barroso, Agustín. *Memorial en defensa del Habito que debe traer la Sagrada Religión Premonstratense.* Barcelona. s. a. Al fin).

MADRID. *Nacional.* V.E.-134-36.

ESTUDIOS
4160
REP: N. Antonio, I, pág. 515.

MEDRANO (HIPOLITO DE)

EDICIONES
4161
[*QUINTILLAS*]. (En Torre, Francisco de la. *Reales fiestas a la... Virgen de los Desamparados...* Valencia. 1667, pág. 232).

MADRID. *Nacional.* R-5740.

MEDRANO (JOSE ALBERTO DE)
Licenciado. Racionero de la catedral de Zaragoza.

EDICIONES
4162
DESCRIPCION breve de las fiestas qve ha hecho la Ilvstrissima Metropolitana Iglesia de Çaragoça, al Inclyto Martyr Pedro de Arbves su Canonigo, y primer Inquisidor del Reyno de Aragon: por la declaracion de su Martyrio, hecha por... Alexandro Septimo. Zaragoza. Diego Dormer. 1662. 4 hs. 20 cm.

—Texto. [«Las noticias, que muy culto...»]. Jiménez Catalán, *Tip. zaragozana del siglo XVII,* n.º 708.

MADRID. *Nacional.* V.E.-155-30.

Poesías sueltas
4163
[*POESIAS*]. (En Andrés de Uztarroz, Juan Francisco. *Certamen poético de Ntra. Sra. de Cogullada...* Zaragoza. 1644).

1. *Canción.* (Págs. 123-25).
2. *Soneto.* (Págs. 141-42).
V. *BLH,* V, n.º 2666 (19, 36).

4164
[*CANCION*]. (En Andrés de Uztarroz, Juan Francisco. *Obelisco histórico i hinorario...* Zaragoza. 1646, págs. 77-79).

V. *BLH,* V, n.º 2673 (51).

MEDRANO (JUAN MANUEL DE)

EDICIONES

4165

[*AL Autor. Decimas*]. (En Navarro de Zuñiga, Juan. *Información en derecho divino y humano por Maria Santissima Señora Nuestra...* Madrid. 1651. Prels.).

MADRID. *Nacional.* V.E.-185-60.

MEDRANO (JULIAN DE)

Caballero navarro.

CODICES

4166

«*Silva*».

Año 1652. 215 × 150 mm. Es un Cancionero. «Cuando Menga quiere a Blas...».

MADRID. *Nacional.* Mss. 3.892 (fols. 132*r*-138*v*).

EDICIONES

4167

SILVA (La) curiosa, del señor de Medrano..., la qual trata diversos dichos d'amor harto graçiosos, y tambien algunas preguntas, proverbios y sententias morales... Zaragoza. J. Escartilla. 1580. 448 págs. 8.º

PARIS. *Nationale.* Z.32345.

4168

SILVA (La) cvriosa... en que se tratan diuersas cosas sotilissimas, y curiosas, mui conuenientes para Damas, y Cauallero's, en toda conuersation virtuosa, y honesta. Paris. Nicolas Chesneau. 1583. 12 hs. + 448 páginas + 3 hs. 18 cm.

—Ded. a la Reyna de Nauarra, por Iulio Iñiguez de Medrano.—Tabla de los siete libros.—Tabla segunda del nombre de los autores que Iulio alega.—Varias poesías en latín y en francés. Al lector.—Octava. [«Aquí podrá el agudo entendimiento...»].—Otra. [«Los que caçais por el monte de Amores...»].—Texto.—Soneto del autor a Henrique III de Francia.

[«Si los de Roma y Grecia han merescido...»].—Prophet, de la Sibella de Salamanca. [«En el Antro d'Enares tan nombrado...»]. — Al mismo Henrique. [«Este ha de derribar al fiero Marte...»]. Al Sr. Joan Luis de Noguaret de la Valette, Duque d'Espernom. [«La Estrella que reluze en Oriente...»].—Otro al mismo. [«Por ti produze la tierra Gascona...»].—Poesia latina.

LONDRES. *British Museum.* 245.c.1.—MADRID. *Nacional.* R-2.307.—PARIS. *Arsenal.* 8.º B.L. 29507. *Nationale.* Z.32346.

4169

——... Corregida... por Cesar Oudin. París. Marc Orry. 1608. 8 hs. + 328 páginas. 16,5 cm.

Salvá, II, n.º 2.106; Vindel, V, n.º 1.671.

LYON. *Municipale.* 304.802.—MADRID. *Nacional.* R-30.898.—NUEVA YORK. *Hispanic Society.*—PARIS. *Arsenal.* 8.ºBL.29508; etc. *Institut d'Etudes Hispaniques.* R-B40. *Mazarina.* 22.128. *Nationale.* Z. 39142. *Santa Genoveva.* Z. 8.º281². — ROUEN. *Municipale.* Mt.P.819. — SANTANDER. «*Menéndez Pelayo*». R-V-4-25.

4170

——. *Edición de José María Sbarbi.* Madrid. 1878. 8.º

4171

HISTORIA (La) singular de seis animales, d'el can, d'el cauallo, d'el osso, d'el lobo, d'el cieruo, y d'el elephante. Paris. Nicolas Chesneau. 1583.

NUEVA YORK. *Hispanic Society.*

ESTUDIOS

4172

REP: N. Antonio, I, pág. 829.

MEDRANO (MANUEL DE)

EDICIONES

4173

[*POESIAS*]. (En Avila, Tomás de. *Epinicio sagrado...* Salamanca. 1687).

1. *Soneto.* (Pág. 388).

2. *Alegato de parte de Iudas.* (Págs. 453-454).

MADRID. *Nacional.* 2-10.720.

MEDRANO (MARIA DE)

EDICIONES

4174

[*SONETO*]. (En Remon, Alonso. *Las fiestas solemnes... a... San Pedro Nolasco...* Madrid. 1630, fol. 74r).

MADRID. *Nacional.* 3-58.179.

MEDRANO (SEBASTIAN FRANCISCO DE)

N. y m. (1655) en Madrid. Protonotario y juez apostólico. Comisario de la Inquisición y revisor de las Comedias por el Consejo Supremo de la misma.

CODICES

4175

«*Lealtad, Amor y Amistad*».

Letra del s. XIX. 132 hs. 225 × 160 mm. Copiada del libro *Favores...* Con notas de E. Cotarelo.
«—Porque no os quejeis de mí...».
Simón Palmer, n.º 445.

BARCELONA. *Instituto del Teatro.* Mss. 81.406.

EDICIONES

4176

RELACION de la fiesta, que se hizo a la dedicacion de la Iglesia Parroquial de S. Miguel de los Octoes, fundada en esta villa de Madrid. [s. l.-s. i.]. [1623]. 16 fols. 19,3 cm.

—Ded. a D. Antonio Sancho de Avila y Toledo, Marques de Velada.—Al Lector, por el Lic. Felipe Bernardo del Castillo. Texto, con poesías intercaladas:
1. *Villancicos del Lic. Felipe Bernardo del Castillo.* [«Toquen y suenen, suenen las cornetas...»]. (Fols. 6v-7v).
2. *Romance de Sebastian Francisco de Medrano.* [«Celebró Ierusalen...»]. (Folios 8v-9v).
3. *Romance del mismo.* [«Pardiobre Carillo Anton...»]. (Fols. 10v-11r).

4. *Romance del mismo.* [«Corre Gil, corre a la Igrexa, ...»]. (Fols. 13r-14r).
—L. V.—Comisión del Vicario.—Apr. del Dr. Pablo de Zamora.
No citada en la *Bibliografía madrileña* de Pérez Pastor.

MADRID. *Nacional.* V.E.-163-5.

4177

SOLILOQVIOS en discvrsos y meditaciones, sobre la Salutacion Angelica del Aue Maria: y sobre la Oracion que en ella prosiguio la Iglesia. Al recogimiento qve se deue tener antes y despues de la Comunion. Madrid. Viuda de Alonso Martín. 1629. 16 hs. + 150 fols. 10,5 × 7,5 cm.

—S. Pr. al autor por diez años.—S. T.—E.—Apr. de Pedro de Arce.—Apr. de Fr. Juan Ponce de Leon.—Ded. a D.ª Ana Fernandez de Cordoua, duquesa de Feria y marquesa de Villalua.—El Dr. Manuel Fernandez de Riofrío, al Lector.—Texto.

MADRID. *Facultad de Filología.* 16.688.

4178

BREVE y clara doctrina para saber orar... Barcelona. Sebastián de Cormellas. 1631.

BARCELONA. *Seminario Conciliar.—Universitaria.* B.63-9-14.

4179

FAVORES de las Mvsas Hechos a Don ——. En varias Rimas, y Comedias, que compuso en la mas celebre Academia de Madrid donde fue Presidente meritissimo. Recopilados por Don Alonso de Castillo Solorzano intimo amigo del Auctor. Milán. Iuan Baptista Malatesta. A costa de Carlo Ferranti. 1631. 7 hs. + 319 págs. 15,5 centímetros.

—Libros y Comedias que van en este primer Tomo.—Apr. de F. Bartholome Corradi por la Inquisición.—Apr. de Iusto Thotbapiana.—L.—El Auctor a la Inquisición del Estado de Milan.—Carlo Ferrante, alli lettori.—El Autor a Alonso de Castillo Solorzano.—Epistola al que

leyere.—Ded. al cardenal Theodoro Tri-
uultio.—Texto.

Gallardo, III, n.º 2.988; Toda, *Italia*, III,
n.º 3.214.

BARCELONA. *Central.* Toda, 6-III-17. *Instituto
del Teatro.* Vitr. A. - Est. 1.—BOSTON. *Public
Library.* D.170.b.38. — MADRID. *Nacional.* R-
8.206.—NUEVA YORK. *Hispanic Society.*

4180

[*DISCURSO*]. (En Pérez de Montalban, Juan. *Fama posthuma a la vida
y muerte de... Lope Felix de Vega
Carpio...* Madrid. 1636, fols. 91v-92r).

MADRID. *Nacional.* 3-53.447.

4181

*LIBRO abierto intitulado Jesús Na-
zareno Rey de los Judíos.* Madrid.
Francisco Martínez. 1639.

MADRID. *Academia Española.* 12-XI-71.

4182

*EPITALAMIO a las bodas del Exce-
lentissimo Señor don Gomez Suarez
de Figueroa y Cordoua mi señor, Duque de Feria, Marques de Villalua
con la Señora Doña Ana Fernandez
de Cordoua mi señora, hija del Excelentissimo Señor D. Alonso Fernandez de Cordoua y Figueroa, Marques
de Priego, y de Montaluan.* [s. l.-a. i.].
[s. a.]. 8 hs. 19 cm.

El nombre del autor consta solamente al
final.

—Texto. [«Ven Himeneo ven, ven Himeneo...»].

MADRID. *Nacional.* V.E.-4-60 y 179-3.—NUEVA
YORK. *Hispanic Society.*

4183

*CARIDAD, y misericordia que preci-
samente deben los fieles a la estrema
necessidad que padecen las benditas
animas de Purgatorio. Con todos los
ivbileos qve se ganan en Madrid por
el discurso del año, en Dias, Festividades, Iglesias, Capillas, Oratorios,
Conuentos, Altares, Cofradias, y Con-*
*gregaciones, para que se les apliquen
por modo de Sufragio.* Madrid. Domingo García y Morrás. 1651. 4 hs.
+ 28 fols. 20,5 cm.

—Apr. de Laurencio de Reynoso.—L. V.—
Apr. del P. Diego Fortuna.—S. Pr. al
autor por diez años.—E. (ninguna).—T.—
Al que leyere.—Ded. a D. Alonso Pérez
de Guzman el Bueno, Patriarca de las
Indias, etc.—Texto.

MADRID. *Facultad de Filología.* 8.455.—NUEVA
YORK. *Hispanic Society.*

Aprobaciones

4184

[*APROBACION. Madrid, 23 de septiembre de 1624*]. (En Castillo Solorzano, Alonso de. *Donayres del Parnaso. Segunda parte.* Madrid. 1625.
Preliminares).

Prólogos

4185

[*AL Lector*]. (En Vega Carpio, Lope
de. *Decimaoctava parte de las Comedias...* Madrid. 1623. Prels.).

Poesías sueltas

4186

[*POESIAS*]. (En Vega Carpio, Lope
de. *Justa poética... que hizo Madrid
al bienaventurado San Isidro...* Madrid. 1620).

1. *Soneto.* (Fol. 47).
2. *Soneto.* (Fols. 47v-48r).
3. *Glossa.* (Fol. 81).
4. *Hieroglyfico.* (Fols. 91v-92r).
5. *Soneto.* (Fol. 140r).

MADRID. *Nacional.* R-4.901.

4187

[*AL Autor*]. (En Aguiar, Diego de.
*Tercetos en latín congruo y puro cas-
tellano.* Madrid. 1621. Prels.).

MADRID. *Nacional.* R-11.221.

4188

[*LIRAS Reales*]. (En Salas Barbadillo, Alonso Jerónimo de. *El necio*

bien afortunado. Madrid. 1621. Preliminares).

4189
[*ROMANCE al Autor*]. (En Lugo y Davila, Francisco de. *Teatro popular...* Madrid. 1622. Prels.).
MADRID. *Nacional.* R-5.412.

4190
[*POESIAS*]. (En Monforte y Herrera, Fernando de. *Relación de las fiestas que ha hecho el Colegio Imperial...* Madrid. 1622).
1. *Tercetos.* (Fol. 29).
2. *Jeroglífico.* (Fol. 99r).
MADRID. *Nacional.* R-154.

4191
[*POESIAS*]. (En Vega Carpio, Lope de. *Relación de las fiestas que... Madrid hizo en la canonización de San Isidro...* Madrid. 1622).
1. *Soneto.* (Prels.).
2. *Romance.* (Fol. 120).
4. *Glossa.* (Fol. 142r).
V. *BLH*, VII, n.° 6765.
MADRID. *Nacional.* R-9090.

4192
[*DECIMA*]. (En Castillo Solorzano, Alonso de. *Donayres del Parnaso.* Madrid. 1624. Prels.).

4193
[*COPLA*]. (En Borja, Francisco de. *Las Obras en verso.* Madrid. 1648, páginas 402-3).
V. *BLH*, VI, n.° 4989 (235).

ESTUDIOS
4194
[*DOCUMENTOS sobre Sebastián Francisco de*] (En Pérez Pastor, Cristóbal. *Bibliografía madrileña.* Tomo III. Madrid, 1907, págs. 424-25).

4195
SUAREZ ALVAREZ, JAIME. *Los inéditos estatutos de «La Peregrina»,*

Academia fundada y presidida por el doctor don Sebastián Francisco Medrano. (En *Revista de la Biblioteca, Archivo y Museo*, XVI, Madrid, 1947, págs. 91-110).

Elogios
4196
VEGA, LOPE DE. [*Elogio*]. (En *El jardín de Lope de Vega*, en *La Filomena...* Madrid. 1621, fol. 157v).
MADRID. *Nacional.* R-3.074.

4197
VEGA, LOPE DE. [*Elogio*]. (En *Laurel de Apolo.* Madrid. 1630, fol. 64v).
MADRID. *Nacional.* R-14.177.

4198
REP: N. Antonio, II, pág. 281; Alvarez y Baena, IV, págs. 318-20; La Barrera, páginas 243-44; R. M. de Hornedo, en DHEE, III, págs. 1455-56.

**MEDRANO
(TOMAS SECUNDINO DE)**

EDICIONES
4199
[*LAUDATORIA que se escrivio al Autor elogiando sus Octavas*]. (En Lyrica *heroica descripcion en octavas al magnifico monumento de la Santa... Iglesia de Sevilla...* Sevilla. 1694. Prels.).
MADRID. *Nacional.* V.E.-111-50.

**MEDRANO Y BARRIONUEVO
(GARCIA)**

CODICES
4200
«*Ero y Leandro, historia burlesca*».
En el tomo XXXVI de Varios en 4.° rotulado *Parnaso Español*, de la Biblioteca Real.

—Ded. a Julio César Scazuola, caballero de Calatrava, etc., fechada en Antequera, a 18 de setiembre de 1631.—Texto. Gallardo, III, n.º 2.989.

EDICIONES

4201

[*ERO y Leandro. Edición de B. J. Gallardo*]. (En su *Ensayo de una Biblioteca española de libros raros y curiosos*. Tomo III. Madrid. 1888, columnas 708-14).

«No la pido a mi voz que el mundo atruene...».

Nota final: «Al estilo de D. García es tan parecido el del poema de la *Penitencia de los teatinos*, atribuido al Dr. Salinas, que me inclino a que sea más bien de D. García».

MEDRANO Y ECHAUZ (PEDRO DE)

'Caballero de Alcántara. Colegial en el Mayor de Santa Cruz de Valladolid.

EDICIONES

4202

[*ELOGIO fvneral, en qve se descrive parte del ardimiento generoso con qve en todas ocasiones sobresalió el señalado Valor del Excelentissimo señor Duque de Bejar, siendo el primero en el Assalto de Buda, con general aclamacion de las Naciones, y no inferior dolor de todas en su perdida*]. [s. l.-s. i.]. [s. a.]. 3 hs. 19 cm.

Carece de portada.

1. *Soneto*. [«No murió, no, que vive coronado...»].

2. *Segundo Soneto al mismo Assumpto*. [«Aun sin triunfar, venciendo, conseguiste...»].

3. *Dezimas*. [«Que no consigue el Valor?...»].

4. *Soneto con Estrambote*, de Antonio de Ron Bernardo de Quirós. [«Solo pudo lograr tan alta suerte...»].

MADRID. *Nacional*. V-294-2.

MEDRANO Y ZUÑIGA (JUAN MANUEL DE)

Regidor perpetuo de Almagro. Alguacil mayor de la Inquisición.

EDICIONES

4203

[*AL Autor. Decimas*]. (En Navarro de Zúñiga y Alvarado, Juan. *Informacion en derecho divino y humano por Maria Santissima... en el injusto pleito de su inmaculada Concepcion*. Madrid. 1651. Prels.).

MADRID. *Academia de la Historia*. Jesuitas, tomo 1.º, núm. 23.

MEDRANO Y ZUÑIGA (FR. PEDRO)

Dominico. Prior del convento de San Andrés de Ubeda.

EDICIONES

4204

[*CENSURA. Madrid, 8 de febrero de 1669*]. (En Escudero de la Torre, Fernando Alonso. *Historia de los celebres santuarios del Adelantamiento de Cazorla*. Madrid. 1669. Prels.).

MADRID. *Nacional*. R-13.940.

MEJIA (AGUSTIN)

EDICIONES

4205

[*APROBACION*]. (En Corral y Rojas, Antonio de. *Relación del rebelión y expulsión de los moriscos del Reyno de Valencia*. Valladolid. 1613. Preliminares).

Dice «Messía».

V. *BLH*, IX, n.º 408.

MEJIA (ALONSO)

N. en Alcalá de Henares.

EDICIONES

4206

RELACION de las grandiosas fiestas que hizo la sagrada Orden de Nues-

tra Señora de la Merced, en este su Convento de Madrid, a su glorioso Padre San Pedro de Nolasco: cuyo cuerpo está en la Insigne ciudad de Barcelona, adonde murió. Con la declaración de todos los Carros triunfales, y personas que yvan en la procession, desde 21 de Abril, hasta primero de Mayo deste año de 1629. Por Alonso Mexía... [Barcelona. Pedro Lacavallería]. [1629]. 2 hs. con un escudo. 18,5 cm.

BARCELONA. *Central.* 8-V-93. *Instituto Municipal de Historia.* B. 1629-8.° (op) 5.

MEJIA (ALONSO)

EDICIONES

4207

SERMONES de los tratados, y vidas de los Santos, de Fr. Antonio Feo... Traduzidos... por don ——. *Baeza. Mariana de Montoya.* 1617. 484 págs. 29 cm.

MONTSERRAT. *Abadía.* D.XX.4.26. — SANTIAGO DE COMPOSTELA. *Universitaria.*

4208

[AL Autor. Dezimas]. (En Abad de Ayala, Jacinto. *Novela del más desdichado amante...* Madrid. 1641. Preliminares).

Dice «Messía».

MADRID. *Nacional.* R-7.431.

OBRAS LATINAS

4209

[POESIA]. (En Barros, Alonso de. *Porverbios...* 1615. Prels.).

V. *BLH*, VI, n.° 3257.

4210

[POESIA]. (En Herrera, Pedro de. *Descripción de la Capilla de Ntra. Sra. del Sagrario.* Madrid. 1617. 4.ª Parte, fol. 119r).

MADRID. *Nacional.* 2-42.628.

MEJIA (H. ALONSO)

Jesuita.

EDICIONES

4211

CATALOGO de algunos varones insignes en santidad de la provincia del Peru de la Compañia de Iesus. Sevilla. Francisco de Lyra Barreto. 1633.

NUEVA YORK. *Hispanic Society.*

OBRAS LATINAS

4212

[POESIAS]. (En Guzmán, Juan de. *Relación de las honras que se hicieron en... Cordova a... D.ª Margarita de Austria.* Córdoba. 1612, fols. 23v-25v).

MADRID. *Nacional.* R-11.690.

MEJIA (DIEGO)

N. en Sevilla. Residente en Lima. Ministro de la Inquisición en la visita y corrección de libros.

CODICES

4213

«*La segunda parte del Parnaso antartico de divinos poemas... por Diego Mexia de Fernangil...*».

Año 1617. 209 fols. 205 × 150 mm.

Con Ded. al príncipe de Esquilache, Virrey y capitán general del Perú, fechada en Potosí, a 15 de enero de 1617, con su firma. Morel-Fatio, n.° 599.

PARIS. *Nationale.* Mss. esp. 389.

EDICIONES

4214

PRIMERA parte del Parnaso antartico, de obras amatorias. Con las 21 Epistolas de Ovidio, i el in Ibin, en tercetos. Sevilla. Alonso Rodríguez Gamarra. 1608. 1 h. + 268 fols. 18,5 centímetros.

—Fols. 1r-6r: El Autor a sus amigos.—6v-8v: Vida de Ovidio.—8 bis r: Apr. de Tomás Gracián Dantisco.—9r: *Discurso en loor de la Poesia, dirigido al Autor, i compuesto por una señora principal d'este Reino...* [«La mano, i el favor de la Cirene...».—Fol. 26r: Soneto del autor a la Señora que le dirigió el Discurso Poetico. [«L'antigua Grecia con su voz divina...»].—Texto. (Fols. 27r-267r).—Fol. 267v: Soneto de Christoval Pérez Rincón. [«El leve ardor, la presuncion profana...»].—Fol. 268v: Soneto en respuesta, del autor. [«Desde que el libre arbitrio empuñó el cetro...»].—Colofón.

Gallardo, III, n.º 2.990; Salvá, I, n.º 783; Escudero, n.º 917; Vindel, V, n.º 1.725.

CORDOBA. *Pública.* 19-5. — LONDRES. *British Museum.* 11451.d.—MADRID. *Academia Española.* 14-VIII-32. *Facultad de Filología.* 29.910. *Nacional.* R-30.896. *Palacio Real.* I.D.207. — NUEVA YORK. *Hispanic Society.* — SANTANDER. *«Menéndez Pelayo».* R-VIII-2-25. SEVILLA. *Colombina.* 50-3-33. *Universitaria.* 318-145. — VALLADOLID. *Universitaria.* 9.726. — ZARAGOZA. *Universitaria.* G-42-123.

4215

HEROYDAS (Las) de Ovidio traducidas en verso castellano por Diego Mexía. Madrid. Impr. Real. 1797. (Colección de obras poéticas publicadas por D. Ramón Fernández, 19).

Con supresión de los preliminares, comentarios, notas, etc.

MADRID. *Facultad de Filología.* 18.937.

4216

Ovidio. *Las Heroidas. Traducidas en verso castellano por Diego de Mexía.* Madrid. Hernando. 1902. 383 págs. 18,5 cm. (Biblioteca Clásica, 76).

— — —

—1909.
—1913.
—1926.

4217

———. Madrid. Aguilar. 1946. 463 págs. + 1 lám. 12 cm. (Colección Crisol, 175).

MADRID. *Nacional.* 1-203.174; etc.

— — —

—2.ª ed. 1961.

MADRID. *Nacional.* 7-49.718; etc.

4218

El dios Pan. (En *De nuestro antiguo teatro... por Rubén Vargas Ugarte.* Lima. 1943, págs. 1-26).

ESTUDIOS

4219

CISNEROS, LUIS JAIME. *Diego Mexía y Garcilaso.* (En *Quaderni Ibero-Americani,* III, Turín, 1956, n.º 19-20, páginas 182-84).

4220

REP: N. Antonio, I, pág. 299; Beristain, II, págs. 236-37; Méndez Bejarano, II, número 1.621; Menéndez Pelayo, *Traductores,* III, págs. 129-41.

MEJIA (DIEGO CRISTOBAL)

Licenciado. Oidor de la Real Audiencia de Lima.

EDICIONES

4221

[*APROBACION. Lima, 6 de diciembre de 1666*]. (En ACLAMACION *y pendones que levantó la... ciudad de Los Reyes, por... Carlos II...* Lima. s. a. Preliminares).

MADRID. *Nacional.* R-4.849.

MEJIA (FRANCISCO)

Doctor.

EDICIONES

4222

[*APROBACION. Sevilla, 29 de octubre de 1613*]. (En Enríquez de Ledesma, Fernando. *Tratado de la essencia, causas, señales, pronosticos y curacion de la enfermedad... que el vulgo llama Garrotillo.* Sevilla. 1613. Preliminares).

Dice «Mexía».

MADRID. *Nacional.* V.E.-55-30.

MEJIA (FR. FRANCISCO)

Dominico. Maestro en Teología. Predicador de D. Hernando de Aragón, duque de Calabria, virrey de Valencia. Vicario general de los conventos del Reino de Cerdeña.

EDICIONES

4223

DIALOGO del soldado... En el qual trata diuersas y muy prouechosas materias, assi de historia, como de moralidad, y Theologia. [Valencia. Juan Nauarro]. [1555, a 2 de enero]. 56 fols. 14 cm. gót.

—Port. a dos tintas: roja y negra.—Grab.: emblema de la Orden de Santo Domingo. Epistola ded. a D. Christoual de Salazar. Prólogo al comedido Lector.—Tabla.—Texto.

Diálogo entre dos caminantes, un soldado que cuenta su vida, y otro fraile, que, entre otras cosas, relata la historia de Fr. Juan Garín.

Ximeno, I, pág. 154; Salvá, II, n.º 1.895; Heredia, n.º 2.789.

LONDRES. *British Museum.* C.63.a.14.—PARIS. *Nationale.* Rés. Z.4200.

4224

MANUAL de Quaresma. Valencia. Iuan Navarro. 1555. 102 fols. 12 cm.

BARCELONA. *Central.* 11-I-79.

4225

COLLOQVIO devoto y provechoso, en que se declara qval sea la sancta Cofradia del Rosario de Nuestra Señora la Virgen María... Callar. Vincencia Sembenyño. 1567 [15 de setiembre]. 153 fols. + 7 hs. 21,5 cm.

—Fol. 1v: L. del Comissario General de Callar.—Fols. 2r-4v: Ded. a D.ª Ana de Cardona y Madrigal, Virreina de Cerdeña (con datos genealógicos).—Fol. 5: Prólogo al discreto y deuoto Lector.—Fol. 6r:

Poesía latina.—Fol. 6v: Tabla breue.—Texto.—Tabla.—Escudo del impresor.—Colofón.—A la Visoreyna de Cerdeña. Soneto de M. Rogel. [«Clarissima Señora en quien pintadas...»].—A los lectores y generalmente a los fieles Christianos. Soneto, de M. Rogel. [«Venid ciegos del alma a ser guiados...»].—Poesía latina.—Otra.

BARCELONA. *Universitaria.* B.4-4-15-499. — MADRID. *Nacional.* R-25.116.—ORIHUELA. *Pública.* 81-2-20.

4226

COLOQUIO devoto y provechoso, en que se declara cual sea la Santa cofradia del Rosario de Nuestra Señora la Virgen María... Cuyo auctor fue... Fr. Francisco Messia... Sevilla. Hernando Díaz. 1573. 128 fols. 4.º

Sigue la *Explicación del Miserere,* con 9 hs. 21 fols. + 4 hs.

Gallardo, III, n.º 3.063.

MADRID. *Facultad de Filología.* 17.383.

4227

COLLOQVIO devoto de la Cofradia del Sancto Rosario, y de las mercedes que nuestra Señora le ha hecho. Valencia. Emprenta de la compañía de los Libreros. 1586. 187 fols. + 4 hs. 14,5 cm.

Dice «Mexía».

VALENCIA. *Universitaria.* II-1.342 (ex libris de Onofre Soler; deteriorado).

4228

——. Valencia. 1599.

EVORA. *Pública.* Sec. XVI, 5813.

4229

TRATADO de los milagros de Nvvestra Señora del Rosario, y para la deuocion de sus deuotos y Cofrades. Colegido de vn libro del muy R. P. M. F. Francisco Messia... Córdoba. Francisco de Cea. 1592. 40 folios. 8.º

—Texto.—Ceremonial y oraciones para bendecir los rosarios, las candelas y las rosas.
Valdenebro, n.º 81.

ESTUDIOS
4230
REP: Ximeno, I, pág. 154.

MEJIA (JUAN)

EDICIONES
4231
[QUINTILLAS]. (En ACADEMIA burlesca en Buen Retiro a la Magestad de Philippo IV el Grande. Valencia. 1952, págs. 66-68).
MADRID. Academia Española. 16-II-8.

MEJIA (JUAN JERONIMO)

EDICIONES
4232
[DEDICATORIA a D. Antonio de Guzmán y Zúñiga. (En Araújo, Jerónimo Salvador de. Clarín de Apolo... Madrid. 1677. Prels.).

MEJIA (LUIS)

Protonotario.

EDICIONES
4233
[APPOLOGO de la ociosidad y el trabajo. Intitulado Labricio. Compuesto por Luis Mexía, glosado y moralizado por Francisco Cervantes de Salazar]. (En Cervantes de Salazar, Francisco. Obras. Tomo I. Alcalá. 1546). V. BLH, VIII, n.º 3769.

MEJIA (LUIS)

EDICIONES
4234
VOTO (El) de Doña Mencía Faxardo Condesa de Lvna y Mayorga. Va-

lladolid. [s. i.]. 1624. 3 hs. + 16 fols. 20 cm.
—Ded.—Argumento.—Texto.
Gallardo, IV, n.º 4.547; Alcocer, n.º 703.

Poesías sueltas

4235
[CANCION]. (En Ríos Hevia Ceron, Manuel de los. Fiestas que hizo Valladolid... en la beatificación de la Snta M. Teresa de Jesús. Valladolid. 1615, fols. 70v-73v).
MADRID. Nacional. V-2.278.

MEJIA (PEDRO)

BIBLIOGRAFIA
4236
PORQUERAS, ALBERTO y JOSEPH LAURENTI. Rarezas bibliográficas. Pedro Mejía. (En Archivo Hispalense. Sevilla. 1974, n.º 174, págs. 121-138).

4237
LAURENTI, JOSEPH L. Di una sconosciuta edizione del Mexía. (En La Bibliofilia, LXXXIV, Florencia, 1982, págs. 243-47).

CODICES
4238
«Compendio de las Comunidades de España... en el Año de 1520».
Letra del s. XVI. 230 hs. 4.º.
Gallardo, III, n.º 2.997.

4239
«La vida e historia del invictísimo emperador don Carlos de Austria, quinto de este nombre, rey de España».
Letra de finales del s. XVII. 240 fols. 305 × 215 mm.
Miquel, II, págs. 217-18.
BARCELONA. Universitaria. Mss. 710.

4240

«*Vida del emperador Carlos V*».

Letra del s. XVIII. 196 fols. Fol. Copia imperfecta.

Gayangos, I, pág. 220; Carriazo, n.º 20, en la introd. a su ed. de la *Historia*. Madrid. 1945. (V. n.º 4310).

LONDRES. *British Museum*. Eg.1876.

4241

«*Crónica del Emperador Carlos V, Rey de España...*».

Letra del s. XVII. 303 fols. Fol.

Cuartero-Vargas Zúñiga, XXI, n.º 33.547.

MADRID. *Academia de la Historia*. 9-472.

4242

«*Vida del emperador Carlos V*».

Letra del s. XVIII. Fol.

MADRID. *Academia de la Historia*. 9-26-1-D-1.

4243

«*Vida de Carlos V*».

Letra del s. XVII. Fol.

MADRID. *Academia de la Historia*. 9-26-1-D-1.

4244

«——».

Letra del s. XVII.

MADRID. *Academia de la Historia*. G-25.

4245

«——».

Letra del s. XVI. Procede de la casa de Oñate.

Carriazo, n.º 15.

MADRID. *Instituto de Valencia de D. Juan*. 26-1/8.

4246

«*Historia de la vida y hechos del invictissimo Emperador Don Carlos de Austria, V de este nombre, Rey de Espanya...*».

Año 1597. 278 fols. 305 × 205 mm. Es copia de la edición de Alcalá. 1522.

Carriazo, n.º 3; *Inventario*, V, pág. 168.

MADRID. *Nacional*. Mss. 1.765.

4247

[*Historia del emperador Carlos V. Libro II*].

Año 1590. 134 fols. 292 × 200 mm. Copia hecha en Sevilla.

Carriazo, n.º 11; *Inventario*, V, págs. 170-71.

MADRID. *Nacional*. Mss. 1.768.

4248

«*Comiença la Vida del invitissimo emperador don Carlos quinto deste nombre, Rey de España...*».

Letra del s. XVI. 290 × 205 mm.

Carriazo, n.º 2; *Inventario*, V, pág. 199.

MADRID. *Nacional*. Mss. 1.788 (fols. 1r-329v).

4249

«*La vida y historia del invictissimo Emperador don Carlos de Austria quinto deste nombre, Rey de España*».

Letras de los ss. XVI-XVII. 216 fols. 295 × 190 mm.

Carriazo, n.º 6; *Inventario*, V, pág. 326.

MADRID. *Nacional*. Mss. 1.901.

4250

«*Historia del Emperador Carlos V*».

Letra del s. XVII. 291 × 210 mm. Perteneció al duque de Uceda.

Carriazo, n.º 1; *Inventario*, V, pág. 345.

MADRID. *Nacional*. Mss. 1.926 (fols. 1r-326v).

4251

«——».

Letra del s. XVI. 177 fols. 325 × 225 mm. *Inventario*, VIII, pág. 371; Carriazo, n.º 9.

MADRID. *Nacional*. Mss. 2.810.

4252

«——».

Letra del s. XVII. 231 fols.

Carriazo, n.º 10.

MADRID. *Nacional*. Mss. 9.085.

4253

«——».

Año 1590. 166 fols.

Carriazo, n.º 7.

MADRID. *Nacional*. Mss. 9.368.

4254

«———».

Letra de fines del XVI o principio del XVII. 325 fols.

Carriazo, n.° 5.

MADRID. *Nacional.* Mss. 10.122.

4255

«———».

Letar de fin del XVI o principios del XVII. 364 fols.

Carriazo, n.° 4.

MADRID. *Nacional.* Mss. 10.464.

4256

«———».

Perteneció a Gayangos.

Carriazo, n.° 8.

MADRID. *Nacional.* Mss. 17.891.

4257

«*Vida y Historia del Emperador D. Carlos Quinto*».

Letra del s. XVI. 221 hs. Fol. Procede de la biblioteca ducal de Medinaceli.

MADRID. *Particular de D. Bartolomé March.* 18-2-17.

4258

«———».

Zarco, II, pág. 213; Carriazo, n.° 18.

SAN LORENZO DEL ESCORIAL. *Monasterio.* L.1.1.

4259

«*Historia del Emperador Carlos V*».

Copia de 1752. 293 fols.

Carriazo, n.° 14.

SEVILLA. *Colombina.* 84-6-23.

4260

«———».

Letra del s. XVI. 4 hs. + 358 fols. + 5 hs.

Carriazo, n.° 13.

SEVILLA. *Colombina.* 82-1-44.

4261

«*Comiença la vida y historia del in-uictissimo emperador Don Carlos quinto deste nombre Rey de España por Pero Mexía su cronista*».

Letra del s. XVI. 217 fols. 298 × 215 mm. Kraft, pág. 12.

VIENA. *Nacional.* Mss. 5.726.

4262

«———».

Perdidos. (V. Carriazo, núms. 22-29).

4263

«———».

Letra del s. XVII.

Carriazo, n.° 12.

MADRID. *Academia de la Historia.*

4264

«———».

Letra del s. XVIII. 584 fols.

Carriazo, n.° 27.

MADRID. *Academia de la Historia.* D.I.12-26-1.

4265

«*Impresa de Túnez*».

Letra de los ss. XVI-XVII. 215 × 150 mm. Publicado por Deloffre.

Inventario, V, pág. 199.

MADRID. *Nacional.* Mss. 1.788 (fols. 330r-355v).

4266

«*Enpressa de Tunez*».

Letra del s. XVI. 291 × 210 mm. Perteneció al duque de Uceda.

Inventario, V, pág. 345.

MADRID. *Nacional.* Mss. 1.926 (fols. 327r-359v).

4267

«*Porque se dixo en Sevilla Feria y Pendón Verde*».

Letra del s. XVIII. Copia de la que hizo Diego de Góngora. Una hoja. 220 × 150 milímetros.

SEVILLA. *Colombina.* 85-4-7-Pp.V.

EDICIONES

Silva...

4268

LIBRO llamado silua d' varia lecion... En el qual a manera de Silua, sin guardar horden en los propositos, se tratan por capitulos muchas y muy diuersas materias, historias, exemplos, y questiones de varia lecion, y erudicion. [Sevilla. Dominico de Robertis]. 1540 [julio]. 8 hs. + 136 fols. a 2 cols. gót.

—Prólogo dirigido a Carlos V.—Prohemio y prefacion de la obra.—Poesía latina de Francus Leardus.—E.—Tabla.—Los auctores y libros que se alegan.—Texto.—Colofón.

Escudero, n.º 408.

MADRID. *Nacional.* R-31. 817 (ex libris de J. M. Asensio).—VIENA. *Nacional.* 26.135-C.

4269

——. Segunda vez impresa y añadida por el mismo autor. Sevilla. Juan Cromberger. 1540. Fol. gót.

GRANADA. *Universitaria.* B-19-78 (falto de portada).—SEVILLA. *Colombina.* 87-7-28.

4270

SILUA de varia lecion. [Sevilla. Juan Cromberger]. [1542, 22 de marzo]. 143 págs. Fol.

Gallardo, III, n.º 2.992; Salvá, II, n.º 1.899.

NUEVA YORK. *Hispanic Society.*—WASHINGTON. *Folger Shakespeare Library.*

4271

——. Sevilla. Jacome Cromberger. 1543.

No citada por Escudero.

EVORA. *Pública.* Sec. XVI, 1.876.—MADRID. *Palacio Real.* IX-5.102.—NUEVA YORK. *Hispanic Society.*

4272

SILUA de varia lecion. [Anueres. Martin Nucio]. [1544, 10 de agosto]. 16 hs. + 303 fols. 8.º.

Salvá, II, n.º 1.900; Peeters-Fontainas, II, n.º 787 (con facsímil de la portada).

ANN ARBOR. *University of Michigan.*—LONDRES. *British Museum.* C.63.e.4. — MADRID. *Nacional.* R-31.224.—NUEVA YORK. *Public Library.*—WASHINGTON. *Folger Shakespeare Library.*

4273

SILUA de varia lección añadida y enmendada por el autor. Anuers. Martin Nucio. [s. a., 1546]. 16 hs. + 303 folios + 1 h. 14,5 cm.

Peeters-Fontainas, II, n.º 788 (con facsímil de la portada); Millares Carlo, *Museo Canario,* n.º 56.

LAS PALMAS. *Museo Canario.*

4274

SILVA de varia lecion... Zaragoza. Bartholome de Nagera. 1547 [22 de octubre]. 12 hs. + 240 fols. 4.º.

—Prologo.—Prohemio y prefacion.—Tabla. Los autores y libros que se alegan.—Texto.—Escudo del impresor.—Colofón.

Sánchez, I, n.º 262.

BARCELONA. *Central.* Res. 260-8.º (inc). — MADRID. *Nacional.* R-30.997.—ZARAGOZA. *Universitaria.* H-8-65.

4275

SILUA de varia lecion vltimamente agora enmendada y añadida por el autor. Anuers. Martin Nucio. [s. a., 1550]. 16 hs. + 303 fols. + 1 h. 8.º.

Peeters-Fontainas, II, n.º 789.

AMBERES. *Musée Plantin-Moretus.*—BARCELONA. *Universitaria.* B.4-5-19-536. — FILADELFIA. *University of Pennsylvania.*—LONDRES. *British Museum.* 527.d.36. — PARIS. *Nationale.* Z.39340.

4276

SILUA de varia lection... Añadida en ella la quarta parte, por el mismo auctor... [Valladolid. Juan de Villaquirau]. [1550, 14 de diziembre]. 8 hojas + 143 fols. a 2 cols.

—Pr. — Prorrogación del Pr. — Prologo.— Proemio y prefacion.—Texto.—Tabla.— Colofón.

Cuarta parte: 1551, 2 de enero. 5 hs. + 45 fols. + 1 h.

Alcocer, n.º 159.

«Todos dan como impresa la obra en 1551, pero sólo fue la cuarta parte». (Alcocer, núm. 163).

BARCELONA. *Central.* Res. 193-4.º [falto de portada].—EVORA. *Pública.* Res. 112. — GRA-

NADA. *Universitaria.* — LONDRES. *British Museum.* C.20.e.—MADRID. *Nacional.* R-9.005.— PARIS. *Nationale.* Z.1445.

4277

SILVA de varia lecion, vltimamente emmendada y añadida por el avctor, y con diligencia corregida y adornada de algunas cosas utiles que en las otras impressiones le faltauan... Venetia. Gabriel Giolito de Ferrariis y sus hermanos. 1553 [25 de junio]. 39 hs. + 348 fols. 16 × 10 cm.

—Ded. al muy magnifico señor Juan Baptista de Roman, por Alonso de Ulloa.— Prologo dirigido a Carlos V.—Prohemio y prefacion de la obra.—Poesía latina de Francus Leardus.—Tabla de los capitulos.—Auctores y libros que se alegan.— Tabla de todas las cosas mas notables.— Introdutione che mostra il signor Alfonso di Vglioa a proferire la lingua castigliana.—Aviso al lector sobre la pronunciación de las letras aspiradas.—Texto.—Registro.—Colofón.—Escudo del impresor.
Toda, *Italia,* III, n.º 3.220 (con facsímil de la portada).
BLOOMINGTON. *Indiana University.* — MADRID. *Nacional.* R-30.660 (ex libris de J. M. de Asensio y Toledo).

4278

SILUA de varia lecion, vltimamente agora enmendada, y añadida la quarta parte della por el Autor. Anuers. Martin Nucio. 1555. 16 hs. + 367 folios + 1 h. 8.º
Vindel, V, n.º 1.734; Peeters-Fontainas, II, n.º 790.
MADRID. *Academia de la Historia.* 1-7-5-3.944.

4279

——. León de Francia. Herederos de Jacobo Junta. 1556. 16 hs. + 666 páginas + 3 hs. 8.º
Salvá, II, n.º1.901.
BARCELONA. *Universitaria.* 54-5-3-520.—CHICAGO. *University of Chicago.* — LONDRES. *British Museum.* 580.c.4.—MADRID. *Palacio Real.* IX-4.910.—NUEVA YORK. *Hispanic Society.*—PRO-

VIDENCE. *John Carter Brown Library.*—SANTANDER. *«Menéndez Pelayo».* R-V-I-1.—WASHINGTON. *Congreso.* 44-18968.—ZARAGOZA. *Universitaria.* H-2-112; etc.

4280

——. Amberes. Martin Nucio. 1558.
Peeters-Fontainas, II, n.º 791.

4281

——. Sevilla. Sebastian Truxillo. 1563 8 hs. + 187 fols. + 2 hs. Fol. gót.
Gallardo, III, n.º 2.993; Vindel, V, n.º 1.735.
CORDOBA. *Pública.* 5-241. — LONDRES. *British Museum.* C.62.h.17. — MADRID. *Nacional.* R-31.925.—POYO. *Monasterio de Mercedarios.* 37-2-24.—PRINCETON. *Princeton University.*— SEVILLA. *Colombina.* 79-5-5.

4282

SILUA de varia lecion, vltimamente agora enmendada y añadida la quarta parte della por el Autor. Anuers. Biuda de Martin Nucio. 1564. 16 hojas + 367 fols. + 1 h. 8.º.
Peeters-Fontainas, II, n.º 792.
LONDRES. *British Museum.* 722.b.1.—MADRID. *Palacio Real.* IX-4.906.

4283

SILVA de varia lection... Nueuamente agora añadida en ella la quarta parte, por el mismo Auctor: en la cual se tractan muchas cosas: y muy agradables y curiosas. Sevilla. Sebastián Trujillo. A su costa. 1568 [5 de enero]. 8 hs. + 187 fols. + 2 hs. Gót.

—Port. a dos tintas, grabada.—Pr.—Prorogacion.—Peticion de Francisco Mexia, vezino de Sevilla, al Consejo (1562).— Prologo.—Prohemio.—Soneto. [«Quien yaze muerto aquí: Pero Mexía...»].—Soneto. [«Que perdida, que mal, que sentimiento...»].—Epitaphium Petri Mesiae.—Texto.—Los autores y libros que en el proceso de esta Silva se alegan.—Colofón.
N. citada por Escudero.
CORDOBA. *Pública.* 5-245.

4284

SILVA de varia lection... Nueuamente agora añadida en ella la quarta

parte, por el mismo Autor... Sevilla. Hernando Díaz. 1570 [15 de febrero]. 8 hs. + 187 fols. a 2 cols. + 2 hs. Fol.

Portada con retrato del autor.

Gallardo, III, n.º 2.994; Escudero, n.º 635.
BARCELONA. *Central*. Res. 73-4.º. — LONDRES. *British Museum.* 8406.h.21.—MADRID. *Nacional.* R-11.244. *Palacio Real.* IX-2.ª-3.012. — MONTSERRAT. *Abadía.* 1.745.—NUEVA YORK. *Public Library.* — PROVIDENCE. *John Carter Brown Library.*

4285

SILVA de varia lecion... Sevilla. Fernando Diaz. A costa de Alonso de Mata. 1587. 6 hs. + 358 fols. + 8 hs. 4.º

Vindel, V, n.º 1.736.

BERKELEY. *University of California.*—LONDRES. *British Museum.* 583.d.2.—MADRID. *Nacional.* R-26.609.—SEVILLA. *Universitaria.* 26-5.

4286

SILVA de varia lecion, vltimamente agora enmendada, y añadida la quarta parte d'ella por el Autor. Anvers. En casa de Martin Nutio. 1593. 16 hojas + 908 págs. (por error, 929) + 2 hojas. 8.º

Peeters-Fontainas, II, n.º 793.

BARCELONA. *Central.* Res. 329-12.º — MADRID. *Facultad de Filología.* 27.902. *Palacio Real.* IX-4.908.—VIENA. *Nacional.* 123.552-A.—WASHINGTON. *Folger Shakespeare Library.*

4287

SILVA de varia lecion... Madrid. Luis Sanchez. A costa de Iuan Berrillo. 1602. 4 hs. + 591 págs. + 4 hs. 4.º

CORDOBA. *Pública.* 29-42. — MADRID. *Nacional.* R-30.644. *Palacio Real.* IX-7.020. — NUEVA YORK. *Hispanic Society.*—ZARAGOZA. *Universitaria.* G-100-251.

4288

SILVA de varia lecion, agora, vltimamente emendada y de la quarta parte añadida. Anvers. En casa de Martin Nucio. 1603. 14 hs. + 898 págs. + 1 h. 8.º.

Peeters-Fontainas, II, n.º 794.

LONDRES. *British Museum.* 8405.b.50.—MADRID. *Municipal.* R-670.—ROUEN. *Municipale.* Mt.P. 5045.

4289

——. Amberes. Guslenio Iansens. 1603. 14 hs. + 898 págs. + 1 h. 8.º.

Variante de las anteriores.
Peeters-Fontainas, II, n.º 796.

4290

——. Anvers. En casa de la Biuda y herederos de Ivan Bellero. 1603. 14 hojas + 898 págs. + 1 h. 8.º.

Variante de la anterior.
Peeters-Fontainas, II, n.º 795.

4291

——. Anveres. En casa de la Biuda y herederos de Pedro Bellero. 1603. 14 hojas + 898 págs. + 1 h. 8.º.

Variante de las dos anteriores.
Peeters-Fontainas, II, n.º 795 bis.

BARCELONA. *Universitaria.* C.200-7-13.—CINCINNATI. *University of Cincinnati.* — COLUMBUS. *Ohio State University.*—FILADELFIA. *University of Pennsylvania.*—MADRID. *Palacio Real.* IX-4.909.—MINNEAPOLIS. *University of Minnesota.* — VALLADOLID. *Universitaria.* 9.520. — WASHINGTON. *Pan American Union Library.*

4292

——. Madrid. Imp. Real. A costa de Francisco García de la Olmeda. 1643. 8 hs. + 528 págs. + 4 hs. 4.º

De acuerdo con lo ordenado en el *Index* de 1640, págs. 354-55, se suprime el capítulo IX.

Salvá, II, n.º 1.902.

BARCELONA. *Universitaria.* B.10-4-23. — GRANADA. *Universitaria.* A-30-236.—MADRID. *Seminario Conciliar.*—NEW HAVEN. *Yale University.* SEVILLA. *Universitaria.* 86-A-353; etc.—STORRS. *University of Connecticut.*

4293

——. Madrid. Joseph Fernández de Buendía. A costa de Alonso Lozano. 1662. 4 hs. + 555 págs. + 6 hs. 4.º

BOULDER. *University of Colorado.* — BURGOS. *Facultad de Teologaí.* IV-26-1-36.—CHICAGO.

Newberry Library.—GRANADA. *Universitaria.* A-39-175 (falto de portada).—IOWA CITY. *University of Iowa.*—LANSING. *Michigan State Library.*—LISBOA. *Academia das Ciências.* E.765/29D. — MADRID. *Academia Española.* S.C.=6-8-61.—WASHINGTON. *U.S. Army War College Library (Ft. McNair).*

4294

——. Madrid. Imp. Real. A costa de Mateo de la Bastida. 1669. 4 hs. + 555 págs. + 7 hs. + 159 págs. + 2 hs. 21 cm.

NUEVA YORK. *Hispanic Society.* — SYRACUSE. *Syracuse University.*

4295

——... Van añadidas en esta vltima impression quinta y sexta parte, y vn Parenesis de Isocrates, traducido de Latin en lengua Castellana por el mismo Autor, con muchas sentencias Morales. Madrid. Mateo de Espinosa y Arteaga. A costa de Antonio de¹ Ribero Rodríguez. 1673. 8 hs. + 703 págs. a 2 cols. + 8 hs. 20 cm.

—Ded. a D. Francisco de San Martin Ocina, Cauallero de Calatraua, etc., precedida de su escudo (con datos genealógicos).—L.—E.—T.—Proemio, y prefacio de la obra.—**Texto.**

ANN ARBOR. *University of Michigan.*—BARCELONA. *Central.* R(8)-8.°-204.—CORDOBA. *Pública.* 7-108. — DURHAM. *Duke University.* — ITHACA. *Cornell University.* — MADRID. *Nacional.* R-7.296 (ex libris de Gayangos).—MONTPELLIER. *Municipale.* 9737.—PROVIDENCE. *John Carter Brown Library.*—SAN MILLAN DE LA COGULLA. *Monasterio.* 244-5.—SANTANDER. *«Menéndez y Pelayo».* R-V-8-28.—SANTIAGO DE COMPOSTELA. *Universitaria.*—SEVILLA. *Facultad de Filosofía y Letras.* Ha/3490. *Universitaria.* 317-1. WASHINGTON. *Congreso.* 34-41931. ZARAGOZA. *Universitaria.* G-2-189; etc.

4296

——. *[Introducción y edición de Justo García Soriano].* Madrid. Sociedad de Bibliófilos Españoles. 1933-1934. 2 vols. 23 cm.

BARCELONA. *Central.* 834-1.⁴⁰. *Universitaria.* 134.9-1/2.—GRANADA. *Universitaria.* L(C)-1-16

(F. Letras).—MADRID. *Nacional.* 2-93.262/63. ZARAGOZA. *Universitaria.* D-13-56/57.

— — —

—Tirada aparte de la *Introducción:* García Soriano, Justo. *Pedro Mejia y su «Silva de varia lección». Apuntes biobibliográficos.* Madrid. Sociedad de Bibliófilos Españoles. 1934. 47 págs. 23 cm.

MADRID. *Consejo. General.* R.M.-F-67.

Fragmentarias

4297

[VIDA del Gran Tamerlán]. (En González de Clavijo, Ruy. *Historia del Gran Tamerlán... Edición de Gonzalo Argote de Molina.* Sevilla. 1582. Preliminares).

V. *BLH*, III, n.° 5114.

4298

[TRATADO de la Era de César]. (En Ibáñez de Segovia, Gaspar. *Obras chronologicas...* Valencia. 1744, páginas 195-98).

Fragmento del Libro III.

V. *BLH*, XII, n.° 109.

Historia imperial y cesarea

4299

HISTORIA Imperial y Cesarea: en la qual en summa se contienen las vidas y hechos de todos los Cesares emperadores de Roma: desde Julio Cesar hasta el emperador Maximiliano. [Sevilla. Juan de León]. [1545, 30 de junio]. 6 hs. + 423 fols. 30 cm. Gót.

—Ded. al Príncipe D. Phelipe.—Al lector.—Tabla de todos los emperadores Romanos cuyas vidas se tratan en esta historia.—Tabla de los emperadores que imperaron en Constantinopla.—Epigrammas latinos de Francisco de Infante y de Juan Quirós.—Lámina.—Texto.—Colofón. Escudero, n.° 452.

BARCELONA. *Central.* Res. 234-4.° [falto de portada]. *Universitaria.* B. 15-5-2/3-2.470/71. CORDOBA. *Pública.* 5-275 y 282.—MADRID. *Fundación «Lázaro Galdiano».*—*Nacional.* R-2.009.—NUEVA YORK. *Hispanic Society.*—SAN

MARINO, Cal. *Henry E. Huntington Library.*—SEVILLA. *Colombina.* 98-6-16. *Universitaria.* 119-80.

4300

——. Basilea. Iean Oporino. 1546.
URBINO. *Universitaria.* D-XI-41.

4301

——. Basilea. Ioan Oporino. 1547. 4 hojas + 717 págs. 30 cm.

Salvá, II, n.º 3.473.

BARCELONA. *Universitaria.* B. 4-3-3.—LONDRES. *British Museum.* 587.i.1.—MADRID. *Academia de la Historia.* 14-4-4-1.680. *Nacional.* R-6.406. — SANTANDER. *«Menéndez y Pelayo».* 9.419.—URBINA. *University of Illinois.*

4302

HISTORIA Imperial y Cesarea... [Sevilla. Dominico de Robertis]. [1547, 3 de noviembre]. 6 hs. + 423 fols. a 2 cols. 30 cm. Gót.

—Pr.—Ded. al Principe D. Felipe.—Al lector.—Tabla.—Epigrama latino de Francisco de Infante.—Epigrama latino de Iuan de Quirós.—Epigrama latino de B. Arias Montano. — Soneto del mismo Benito Arias que es el epigrama precedente traducido. [«Moró en las syluas el sabio Mexía...»].—Epigrama latino de Gaspar Lopez.—Soneto del mismo Gaspar Lopez que es el epigrama precedente traducido. [«Como el gran Alexandro en Troya vido...»].

BARCELONA. *Universitaria.* B. 17-3-23-2897 [falto de portada].—BLOOMINGTON. *Indiana University.* — LONDRES. *British Museum.* C. 62.g.9.—MADRID. *Academia Española.* S.C.= 5-A-113. *Academia de la Historia.* 1-7-6-3.979. *Fundación «Lázaro Galdiano».—Nacional.* R-1.680.—PARIS. *Nationale.* Res. J.806.—SAN DIEGO. *University of California.* — SANTIAGO DE COMPOSTELA. *Universitaria.*—URBANA. *University of Illinois.*—VIENA. *Nacional.* 48.O.9.

4303

HISTORIA Imperial y Cesarea, en la qval en svmma se contienen las vidas y hechos de todos los Cesares Emperadores de Roma, desde Iulio Cesar hasta el Emperador Maximiliano. Agora nueuamente impressa...

Anvers. Martin Nucio. 1552. 4 hs. + 400 fols. + 12 hs. 19 cm.

Peeters-Fontainas, II, n.º 783.

CAGLIARI. *Universitaria.* D.B.146. — GRANADA. *Universitaria.* A-21-251. — NUEVA YORK. *Hispanic Society.*—VIENA. *Nacional.* 53.F.18.

4304

HISTORIA Imperial y Cesarea... hasta el Emperador Carlos Quinto. Anvers. Biuda de Martin Nucio. 1561. 4 hs. + 366 fols. + 10 hs. 4.º.

Peeters-Fontainas, II, n.º 784.

BARCELONA. *Central.* R. (9)-4.º-21. *Convento de Capuchinos de la Avda. del Generalísimo, 450.* Vitrina. *Universitaria.* B.28-3-20.—CAMBRIDGE, Mass. *Harvard University.*—LONDRES. *British Museum.* 197.e.15. — MADRID. *Academia de la Historia.* 2-2-9-1.012; etc. *Facultad de Filología.* 30.530.—MONTSERRAT. *Abadía.* 1.742.—POYO. *Monasterio de Mercedarios.* 37-2-9.—ST. LOUIS, Miss. *Washington University.* — VALENCIA. *Colegio del Corpus Christi.* 1.267.—WASHINGTON. *Folger Shakespeare Library.*

4305

HISTORIA Ymperial y Cesarea: en la qual en summa se contienen las vidas y hechos de todos los Cesares emperadores de Roma: desde Iulio Cesar hasta el emperador Maximiliano. Agora... nueuamente emendada y corregida. [Sevilla. Sebastian Trugillo]. A su costa. 1564 [25 de agosto]. 6 hs. + 334 fols. a 2 cols. Fol. gót.

Gallardo, III, n.º 2.996; Salvá, II, n.º 3.473; Escudero, n.º 615; Vindel, V, n.º 1.737; Millares Carlo, *Academia Caracas,* n.º 35.

CARACAS. *Academia Nacional de la Historia.* — GRANADA. *Universitaria.* 134-114. — MADRID. *Academia de la Historia.* 4-1-4-264.—URBINA. *University of Illinois.*

4306

——. Anvers. Pedro Bellero. 1578. 10 hojas + 515 págs. (por error, 615). 33 cm.

Peeters-Fontainas, II, n.º 785.

BARCELONA. *Universitaria.* B.28-3-6. — CADIZ.

Pública. 535.—GENOVA. *Universitaria.* 2.Q.IV.
17.—GRANADA. *Universitaria.* A-6-222. — LON-
DRES. *British Museum.* 588.k.7.—SANTIAGO DE
COMPOSTELA. *Universitaria.*—VIENA. *Nacional.*
55.E.21.

4307

——. Anvers. Philippo Nutio. 1579.
10 hs. + 515 págs. (por error, 615).
Fol.

Peeters-Fontainas, II, n.º 786.

LONDRES. *British Museum.* 588.k.8.—VIENA.
Nacional. 38.B.8.

4308

——... *Prosiguela el P. Basilio Varen,*
desde Carlos Quinto a Ferdinando
Tercero. Madrid. Melchor Sanchez.
1655. 6 hs. + 725 págs. con grabs. 30
centímetros.

BARCELONA. *Central.* R(9)-Fol-4; etc.—GRANA-
DA. *Universitaria.* XXII-4-2.—LONDRES. *Bri-
tish Museum.* 10605.g.12.—LYON. *Municipale.*
108.001.—MADRID. *Academia de la Historia.*
3-5-2-3.815; etc. *Facultad de Filología.*—*Na-
cional.* 2-56.894. *Palacio Real.* VII-1.431. —
MONTSERRAT. *Abadía.* D.V. fol. 9. — NUEVA
YORK. *Hispanic Society.* — SANTIAGO DE COM-
POSTELA. *Universitaria.* — SEVILLA. *Archivo
Municipal.* S.B.5-17. *Colombina.* 95-6-18.
Facultad de Filosofía y Letras. Ma/3.772.
Universitaria. 259-131. — VALLADOLID. *Univer-
sitaria.* Santa Cruz, 6.368.—ZARAGOZA. *Semi-
nario de San Carlos.* 42-4-19. *Universitaria.*
G-65-66.

4309

*HISTORIA de Carlos Quinto. Pu-
bliée por J. Deloffre [seud. de R.
Foulché-Delbosc].* (En *Revue Hispanique,* XLIV, Nueva York-París, 1918,
págs. 1-564).

Tirada aparte: Nueva York-París. 1918.
564 págs.

GRANADA. *Universitaria.* XXIX-7-9 (F. Derecho).—MADRID. *Academia de la Historia.* 14-
8-6-5.321.

4310

*HISTORIA del Emperador Carlos V.
Edición y estudio por Juan de Mata
Carriazo.* Madrid. Espasa - Calpe.
[1945]. XCV + 619 págs. + 8 láms.

25,5 cm. (Colección de Crónicas Españolas, 7).

a) Dolç, M., en *Universidad,* XXII, Zaragoza, 1945, págs. 409-10.

b) S[ánchez] A[lonso], B., en *Revista de
Filología Española,* XXIX, Madrid, 1945,
pág. 367.

BARCELONA. *Central.* 83-4.º-45. *Universitaria.*
399-3-12.—GRANADA. *Universitaria.* LIII-4-137
(F. Letras). — MADRID. *Academia Española.*
S.C. = 32-B-19 (7). — MONTSERRAT. *Abadía.* D.
VI.4.144. — ZARAGOZA. *Universitaria.* D-16-25.

Coloquios

4311

*COLOQUIOS o Dialogos nueuamente
compuestos por... —— en los quales
se disputan y tratan varias y diuersas cosas de mucha erudicion y doctrina.* [Sevilla. Dominico de Rober-
tis]. 1547 [7 de abril]. 173 fols. 14
centímetros gót.

—Fol. 1v: Poesía latina de Gaspar Lupi.—
Tabla.—Fols. 2r-3v: Ded. a D. Perafan de
Ribera, Marques de Tarifa, etc.—Fol. 4r:
E.—Texto.—Fol. 173r: Colofón.

Gallardo, III, n.º 2.995; Salvá, II, n.º 1.896
(reproduce parte del frontis y el colofón);
Escudero, n.º 487 (referencia incompleta);
Picatoste, n.º 483; Vindel, V, n.º 1.729.

LONDRES. *British Museum.* 8408.a.45. — MA-
DRID. *Nacional.* R-31.700.—NUEVA YORK. *Hispanic Society.*—VIENA. *Nacional.* 60-N-179.

4312

*COLOQUIOS o Dialogos nvevamente
compuestos por* ——... Enveres. Martin Nucio. 1547. 103 fols. 8.º

Peeters-Fontainas, II, n.º 781.

GRANADA. *Universitaria.* C-5-100. — LONDRES.
British Museum. 244.g.34.—MADRID. *Acade-
dia Española.*—*Nacional.* R-13.401; etc.

4313

COLOQVIOS o dialogos... [Zaragoza.
Bartholome de Nagera]. [1547, 7 de
noviembre]. 90 fols. 8.º gót. y redonda.

—Port. a dos tintas, roja y negra.—Poesía
latina de Gasparis Lupi.—Ded. al Marques de Tarifa.—Texto.—Tabla.

Sánchez, I, n.º 265 (con facsímil de la portada); Vindel, V, n.º 1.730.

CAGLIARI. *Universitaria*. R.I.109/2.—MADRID. *Academia Española*. Raros-R-71. *Nacional*. R-7.893 (falto de portada y de preliminares).—MONTPELIER. *Municipiale*. 10.206.

4314

DIALOGOS (Los) o Coloquios del Magnifico cauallero Pero Mexia... nueuamente corregidos por el, y añedido (sic) *vn excelente tratado de Ysocrates philosofo llamado pareneses o exortacion a virtud. Traduzido de Latin en Castellano por el mismo Pero Mexia*. [Sevilla. Dominico de Robertis]. 1548 [22 de agosto]. 90 fols. 14 × 9,5 cm.

—Por. a dos tintas.—Pr. por cuatro años (1548).—Ded. a Pero Afan de Ribera, marqués de Tarifa.—Hexastichon latino de Gasparis Lupi.—Tabla.—Texto.

EVORA. *Pública*. Sec. XVI, 1.134. — MADRID. *Nacional*. R-13.342 (ex libris de Gayangos). PARIS. *Nationale*. Rés. 13.349.—SEVILLA. *Colombina*. 67-1-43.

4315

DIALOGOS o Coloquios... Nueuamente corregidos por el y añedido un excellente tractado de Ysocrates philosopho llamado parenesis o exortacion a virtud, traduzido d' Latin en Castellano por el mismo Pedro Mexía. [Sevilla. Christoual Aluarez]. [1551, 3 de enero]. 158 fols. + 1 h. 8.º gót.

Salvá, II, n.º 1.897; Escudero, n.º 531.

LONDRES. *British Museum*. 8405.a.27.—MADRID. *Nacional*. R-1.583.

4316

COLOQVIOS o Dialogos compvestos por... ——. Anvers. Biuda de Martin Nucio. 1561. 165 fols. 12.º.

Peeters-Fontainas, II, n.º 782.

LISBOA. *Academia das Ciências*. E 759/9. — LONDRES. *British Museum*. 721.a.7.

4317

——. Sevilla. Sebastian Trugillo. 1562. 168 fols. 8.º gót.

Escudero, n.º 608.

DAVIS, Cal. *University of California*.—EVORA. *Pública*. Sec. XVI, 1.086.—LONDRES. *British Museum*. 721.a.7. — MADRID. *Nacional*. R-10.465.

4318

COLOQVIOS o Dialogos nueuamente compuestos por el Magnifico cauallero Pero Mexía... [Zaragoza. Viuda de Bartholome de Nagera]. [1562, 13 de febrero]. 88 ofls. 8.º Letras red y gót. febrero]. 88 fols. 8.º Letras red. y gót.

Sánchez, II, n.º 424.

MADRID. *Nacional*. R-7.861.—VIENA. *Nacional*. 72.Bb.107.

4319

DIALOGOS eruditos... Sevilla. Hernando Díaz. 1570 [10 de enero]. 8 hojas + 269 págs. 8.º.

Pero hacia 1765. «Es edición contrahecha. Ignoramos el impresor real». (Palau, IX, núms. 167.372 y 167.374).

Salvá, II, n.º 1.898 (con facsímil de la portada); Escudero, n.º 639; Vindel, V, número 1.732.

BARCELONA. *Central*. Res. 1387-12.º (con ex libris de J. Givanel y A. Sedó). *Instituto del Teatro*. Vitr. A - Est. 2.—CADIZ. *Pública*. 534.—GILET. *Monasterio de Santo Espíritu del Monte*. 42-g-13. — LONDRES. *British Museum*. 714.a.18(3).—MADRID. *Academia de la Historia*. 5-1-8-273; etc. *Facultad de Filología*. 29.312. *Municipal*. R-712. *Nacional*. R-4.620. *Palacio Real*. I.B.-131. — OVIEDO. *Universitaria*. A-130.—SANTANDER. «*Menéndez y Pelayo*». R-III-4-11.—SEVILLA. *Archivo Municipal*. 6-127. *Colombina*. 47-1-45. *Universitaria*. 278-78.

4320

DIALOGOS... Agora nueuamente emendados. [Sevilla. Fernando Díaz] [1580]. 164 fols. 15 cm.

Retrato del autor en la portada.

Escudero, n.º 704. 4 hs. + 164 fols. 8.º.

BARCELONA. *Universitaria.* B.3-5-16-320 [falto de portada].—BUFFALO. *State University of New York.* — GENOVA. *Universitaria.* 3.GG. VI.36.—LONDRES. *British Museum.* 12352.aa. 49.—MADRID. *Nacional.* R-11.180.—NUEVA YORK. *Hispanic Society.*—VIENA. *Nacional.* 72.Z.25.

4321

DIALOGOS... 8.ª edicion. Madrid. Francisco Xavier García. 1767. 6 hs. + 260 págs. 15 cm.

AUSTIN. *University of Texas.* — BARCELONA. *Central.* A. 83-8.º-5872. *Universitaria.* D. 418-5-53.—CAMBRIDGE, Mass. *Harvard University.* MADISON. *University of Wisconsin.*—MADRID. *Academia de la Historia.* 16-1-10-1.047. *Facultad de Filología.* 29.315; etc. *Palacio Real.* IX-3.731.—SANTANDER. *«Menéndez Pelayo».* 925.—SANTIAGO DE COMPOSTELA. *Universitaria.*—URBANA. *University of Illinois.*

4322

DIALOGOS... Madrid. CIAP. [1928]. VII + 279 págs. 17 cm. (Las cien mejores obras de la literatura española, 45).

BARCELONA. *Central.* 83-8.º-2433. — GRANADA. *Universitaria.* B-26-250.—WASHINGTON. *Congreso.* 29-29940.

4323

DIALOGOS o Coloquios. Edited with introduction and notes by Margaret Mulroniy. Iowa City. University of Iowa. 1930. 149 págs. 4.º. (University of Iowa Studies in the Spanish Language and Literature, 1).

a) Gillet, Joseph E., en *Modern Language Notes*, XLVII, Baltimore, 1932, págs. 184-186.
b) Place, Edwin B., en *Hispania*, XIV, Stanford, Cal., 1931, págs. 162-64.
c) Praag, J. A. van, en *Revista de Filología Española*, XIX, Madrid, págs. 304-5.

WASHINGTON. *Congreso.* 31-27398.

4324

COLOQUIOS... Sevilla. [Edit. Hispalense]. 1947. 217 págs. + 10 hs. 24 cm. (Bibliófilos Sevillanos, 1).

MADRID. *Nacional.* 4-103.859.

Muestra de la pena...

4325

MUESTRA de la pena y gloria perpetua: con que se alcança la bienaventurança: juntamente con la declaracion del pater noster. Apuntada por ——. [Toledo. Juan de Ayala] [1550] 2 hs. + 25 fols. + 3 hs. 15 cm. gót.

—Prólogo.—Texto.—El M.º Alexio Venegas al muy magnifico señor Pedro Mexia.

Gallardo, III, n.º 2.998; Pérez Pastor, *Toledo*, n.º 244, que no le vio, remite a Tamayo de Vargas.

MADRID. *Nacional.* R-11.167.

Relación de las Comunidades

4326

[*RELACION de las Comunidades de Castilla. Edición de Cayetano Rosell*]. (En HISTORIADORES *de sucesos particulares.* Tomo I. Madrid. 1852, págs. 367-407. Biblioteca de Autores Españoles, 21).

Empresa de Túnez

4327

IMPRESA de Túnez. Edición de J. Dcloffre. (En *Revue Hispanique*, XLIV, Nueva York-París, 1918, páginas 565-613).

Mera reproducción del texto del ms. 1.788 de la Biblioteca Nacional de Madrid.

Poesías sueltas

4328

[*POESIA*]. (En JUSTA *literaria en loor y alabança del bienauenturado sant Juan euangelista. Año M. D. XXXI.* s. l.-s. a.).

MADRID. *Nacional.* R-6.086.

4329

[*POESIA*]. (En JUSTA *literaria en loor del bienaventurado sant Juan bautista... Seuilla... M. D. XXXII.* s. l.-s. a.).

MADRID. *Nacional.* R-6.086.

TRADUCCIONES

a) ALEMANAS

4330

*Vilvaltige Beschreibung christenli-
cher unnd heidnischev Keyseren...
Künigen... verteutscht [von Lucas
Zoieckhofer].* Basel. H., P. und P.
Pernam. 1564. 359 págs. 31 cm.

BALTIMORE. *Peabody Institute.*—MINNEAPOLIS.
University of Minnesota.—NUEVA YORK. *General Theological Seminary of the Protes-
tant Episcopal Church.*

4331

*Sylva variarum lectionum. Das ist:
Historischen Geschicht - Natur - und
Wunder-Wald Allerhad merckwürdi-
ger Erzehlungen... Anfangs in italiä-
nischer Sprach durch Petrum Me-
xiam... beschrieben folgende aber
ms. Teutsche übersetzet durch J. A.
M.* Nuremberg. Wolf Eberhard Fel-
seckern. 1668. 5 hs. + 180 págs. +
218 págs. + 6 hs. + 253 págs. + 7 hs.
20 cm.

NEW HAVEN. *Yale University.*

b) FRANCESAS

4332

*Les Diverses leçons de Pierre Mes-
sie... mises de castillan en français
par Claude Gruget... avec sept dialogues de l'autheur, dont les quatre
derniers ont esté de nouveau traduits
en cette quatriesme édition.* Rouen.
J. Roger. 1526. 1032 págs. 8.°

PARIS. *Nationale.* Z.32320.—ROUEN. *Municipale.* Rés. p.10; etc.

— — —

—París. Estienne Groulleau. 1552. 4 hs. +
238 fols. + 5 hs. 24,5 cm.

Foulché-Delbosc, *Bibliographie hispano-
française,* n.° 146.

NEW HAVEN. *Yale University.*—PARIS. *Arsenal.*
B.L. 20516 in 4.°

—París. V. Sertenas. 1554. 8.°

Brunet, III, col. 1.688.

—París. E. Groulleau. 1554. 4 hs. + 334 páginas. 17 cm.

NEW HAVEN. *Yale University. Medical School
Library.*

—París. Vincent Sertenas. 1556. 10 hs. +
361 fols. 8.°

Foulché-Delbosc, *Bibliographie...,* n.° 198.
PARIS. *Nationale.* Z. 32321 bis.

—París. Ian Longis. 1556. 8.°

Foulché-Delbosc, *Bibliographie,* n.° 199.

—Lyon. Gabriel Cotier. 1557. 2 vols. 16.°

Baudrier, 4e serie, pág. 68.

—París. Iean Caueiller. 1559. 5 hs. + 380
págs. 12 cm.

MINNEAPOLIS. *University of Minnesota.*

—Lyon. Gabriel Cotier. [Impr. par Jean
d'Ogerolles]. 1561. 964 págs. 16,5 cm.

Baudrier, 4e serie, pág. 73.

LYON. *Municipale.* R.389.359. — NUEVA YORK.
Columbia University.—PROVIDENCE. *John Carter Brown Library.*

—Lyon. Gabriel Cotier. 1563. 946 págs. +
10 hs. 8.°

Foulché-Delbosc, *Bibliographie...,* n.° 294.
LONDRES. *British Museum.* 720.c.34.

—París. Claude Micard. 1567. 634 folios.
13 cm.

NUEVA YORK. *Public Library.*

—París. Claude Micard. 1569. 320 fols. 8.°

Idem, n.° 340.

ITHACA. *Cornell University.*—PARIS. *Nationale.* Z. 32323.

—Lyon. Vefue Gabriel Cotier. [Impr. par
Iean Marcovelle]. 1570. 1272 págs. + 12
hojas. 8.°

Baudrier, 4.ª serie, pág. 80.

LYON. *Municipale.* 800.406.

—París. Claude Micard. 1572. 472 fols. +
8 hs. 16.°

Foulché-Delbosc, *Bibliographie...,* n.° 368.
PARIS. *Nationale.* Z. 32324.

—París. N. Bonsons. 1576. 591 fols.

COLUMBIA. *University of Missouri.*

—Lyon. B. Honoret. 1577. 2 vols. 17,5 cm.

LYON. *Municipale.* 306.376.—MADISON. *University of Wisconsin.*—WASHINGTON. *Folger Shakespeare Library.*

—París. Nicholas Bonfons. 1576.

Idem.

—París. Nicolas Bonfons. 1577. 16 hs. +
591 fols. 8.°

CHICAGO. *Newberry Library.*—PARIS. *Nationale.* Z. 32325.

—Lyon. E. Michel. 1580. 2 vols. 18 cm.

BERKELEY. *University of California.*

—París. Nicolas Bonfons. 1583. 2 vols. 16 centímetros.

WASHINGTON. *Folger Shakespeare Library.*

—Lyon. V. Honorati. 1584. 8.º

ABERDEEN. *University Library.*

—París. Nic. Bonfons. 1584. 8.º

NUEVA YORK. *Hispanic Society.* — SANTANDER. «*Menéndez Pelayo*». R-V-1-28,30.

— ——, *plus la suite de celles d'Antoine du Verdier, sieur de Vauprivaz.* Lyon. Pour T. Soubron, de l'imprimerie de E. Servain. 1592. 738 págs. 18 cm.

DURHAM. *Duke University.*—MADISON. *University of Wisconsin.*—NEW HAVEN. *Yale University. Medical School Library.* — NUEVA YORK. *Hispanic Society.*—ROUEN. *Municipale.* Mt.P.8802.—SAN MARINO, Cal. *Henry E. Huntington Library.*—VANCOUVER. *University of British Columbia.*

—Tournon. C. Michel et T. Soubron. 1604. 738 págs. 17 cm.

CHICAGO. *University of Chicago.*—LYON. *Municipale.* 357.042.—NEW HAVEN. *Yale University. Medical School Library.* — PRINCETON. *Princeton University.* — ROUEN. *Municipale.* O.2958.

—Tournon. Claude Michel. 1610. 738 págs. + 10 hs. 17 cm.

Trad. por Claude Gruget.

MADRID. *Facultad de Filología.* 9.622.—ROMA. *Vaticana.* Stamp. Barb. O.I.35.

—Tournon. C. Michel. 1616. 1032 págs. 17 cm.

LYON. *Municipale.* 306.375.—PRINCETON. *Princeton University.* — WASHINGTON. *Congreso.* 20-23721.

—Ginebra. Pierre Aubert. 1625. 1032 págs. 8.º

NOTRE DAME. *University of Notre Dame.*—WASHINGTON. *Folger Shakespeare Library.*

—Rouen. 1626.

ANN ARBOR. *University of Michigan.*—FILADELFIA. *University of Pennsylvania.* — MADISON. *University of Wisconsin.*

—Rouen. J. Berthelin. 1643. 8.º

ROUEN. *Municipale.* Mt.P.8544; etc.

4333

TROIS dialogues... touchant la nature du soleil, de la terre, & de toutes les choses qui se font & apparoissent en l'aire. París. F. Morel. 1567.

Trad. de María de Costa-Blinche.

CAMBRIDGE, Mass. *Harvard University.*

— — —

—Idem. 1570. 32 fols.

—Lyon. 1593.

LYON. *Municipale.* 358.110.

4334

RECUEIL de Sentences... Amberes. 1568.

4335

DISCOURS des sept sages de Grèce, avec plusieurs sentences notables qu'ils ont laissées par escrit, ensemble un traitté singulier des sept merveilles du monde, par P. Messie. París. F. Morel. 1579. 56 págs. 15,5 cm.

PARIS. *Nationale.* J. 24672.—URBANA. *University of Illinois.*

4336

PLAISANT recueil des plusieurs propietez... París. Fédéric Morel. 1579.

PARIS. *Santa Genoveva.* T.8º1549 inv. 4111.

4337

TRAITTÉ de la vigne... [*et Discours de l'excellence de l'eau*]. París, Fédéric Morel. 1579. 8.º

PARIS. *Santa Genoveva.* T.8º582 inv. 2221. Rés.

c) INGLESAS

4338

The Foreste or collection of histories, no lesse profitable, then pleasant... Doone out of Frenche into Englishe, by Thomas Fortescue. Londres. Jhon (*sic*) Kynston for William Iones. 1571. 6 hs. + 187 páginas + 4 hs. 22 cm.

CAMBRIDGE, Mass. *Harvard University.*—CHICAGO. *Newberry Library.*—PROVIDENCE. *John Carter Brown Library.* — SAN MARINO, Cal. *Henry E. Huntington Library.* — SEATTLE. *University of Washington.*—URBINA. *University of Illinois.*—WASHINGTON. *Folger Shakespeare Library.*

— — —

—The forest; or, Collection of historyes...
Londres. John Day. 1576. 6 hs. + 152 páginas. + 4 hs. 22 cm.

CAMBRIDGE, Mass. *Harvard University.*—CHICAGO. *University of Chicago.* — FILADELFIA. *Library Company.*—NUEVA YORK. *Columbia University.* — SAN MARINO, Cal. *Henry E. Huntington Library.*—URBINA. *University of Illinois.* — WASHINGTON. *Folger Shakespeare Library.*

—Londres. John Day. 1576. 6 hs. + 187 folios + 4 hs. 22 cm.

CAMBRIDGE, Mass. *Harvard University.*—CHICAGO. *University of Chicago.*—FILADELFIA. *Library Company.* — NUEVA YORK. *Columbia University.* — SAN MARINO, Cal. *Henry E. Huntington Library.*—URBANA. *University of Illinois.*—WASHINGTON. *Folger Shakespeare Library.*

4339

A Delectable Dialogue. Wherein is contayned a Pleasaunt Disputation between two Spanisch Gentlemen, concerning Phisick and Phisitions... Translated ouf of the Castlin tongue by T[homas?] N[ewton?]. John Charthew Lownes. 1604. 5 hs. + 890 págs. 29,5 cm.

LONDRES. *British Museum.* 1038.g.15 (2).

4340

The Historie of all the Romane Emperors... and now englished by W[illiam] T[vaheron]. Londres. Matthew Lovvnes. 1604. 5 hs. + 890 págs. 29,5 cm.

BOSTON. *Public Library.*—CHICAGO. *Newberry Library.*—LOS ANGELES. *University of California.*—MADRID. *Palacio Real.*—NUEVA YORK. *Public Library.*—PRINCETON. *Princeton University.*—STANFORD. *Stanford University Libraries.* — WASHINGTON. *Congreso.* 5-13835. *Folger Shakespeare Library.*

4341

The Imperial Historie or the lives of the Emperours... Translated... by W. T. and now corrected... and continued to these times by E. Grimes-

ton. Londres. H. L. Mathew Lownes. 1623. 867 págs. 33 cm.

BERKELEY. *University of California.* — BLOOMINGTON. *Indiana University.*—CHAPEL HILL. *Universitaria of North Carolina.*—FILADELFIA. *Library Company.* — LONDRES. *British Museum.* 591.h.8.—OVIEDO. *Universitaria.* A-187.—SAN DIEGO. *University of California.*—URBANA. *University of Illinois.*—WASHINGTON. *Congreso.* 4-28054. *Folger Shakespeare Library.*

4342

The Rarities of the World, containing Rules and Observations touching the Beginnings of Kingdomes and Common-Wealths, the Division of the Ages... Translated into French, and now into English by J. B. Gent. Londres. Bernard Alsop. 1651. [Colofón. 1650]. 4 hs. + 134 págs. + 1 h. 17 cm.

BLOOMINGTON. *Indiana University.*—MINNEAPOLIS. *University of Minnesota.*—NEW HAVEN. *Yale University.*—URBANA. *University of Illinois.*

d) ITALIANAS

4343

La Selva di varia lettione di Pietro Messia... Tradotta nella lingua Italiana per Mambrino de Fabriano. Venecia. Michele Tramezzino. 1544. 8 hs. + 312 fols. 8.º

Toda, *Italia*, III, n.º 3.219.

— — —

—Venecia. Michele Tramezzino. 1549.
—Idem. 1550. 4 hs. + 312 págs.

BLOOMINGTON. *Indiana University.*

—Idem. 1555. 10 hs. + 348 fols. 8.º
Toda, *Italia*, III, n.º 3.221.

NEW HAVEN. *Yale University. Medical School Library.* — NUEVA YORK. *Hispanic Society.* — WASHINGTON. *Folger Shakespeare Library.*

—Lione. J. Fabro. 1556.

NUEVA YORK. *Hispanic Society.*—ROUEN. *Municipale.* O.2956.

—Venecia. Giordano Ziletti. 1556. 46 hs. + 850 págs. 15,5 cm.

BOSTON. *Public Library.*—URBANA. *University of Illinois.*

—Venecia. M. Tramezzino. 1558. 6 hs. + 312 + 411 + 80 págs. 11,5 cm.

NEW HAVEN. *Yale University.*

—Venecia. F. Sansovano. 1560? 38 hs. 18 cm.

DURHAM. *Duke University.*

—*Della Selva... parti cinque.* Venecia. Domenico Nicolini. 1563. 6 hs. + 438 págs. 8.°

MADISON. *University of Wisconsin.* — PROVIDENCE. *John Carter Brown Library.*—WASHINGTON. *Folger Shakespeare Library.*

—Venecia. Giorgio de' Cavalli. 1564. 8 hs. + 380 págs. 21 cm.

CHICAGO. *University of Chicago.* — URBANA. *University of Illinois.*

—Venecia. N. Bevilacqua. 1565. 6 hs. + 438 páginas. 8.°

BLOOMINGTON. *Indiana University.* — MILAN. *Universitaria.* Cantù. EE.V.26 (falto de portada y de dos folios).

—*Selva di varia lettione...* Venecia. G. de Cavalli. 1566. 380 págs. 21 cm.

BURGOS. *Facultad de Teología.* 88-2-33.—CHICAGO. *Newberry Library.*

—Venecia. N. Beuilaqua. 1568.

BLOOMINGTON. *Indiana University.* — NUEVA YORK. *Public Library.*

—Venecia. G. Griffio. 1576. 8 hs. + 444 páginas. 17 cm.

Toda, *Italia,* III, n.° 3.223.

BERKELEY. *University of California.*

—Venecia. Alessandro Griffio. 1579. 8 hs. + 444 fols. 15,5 cm.

URBANA. *University of Illinois.*

—Venecia. Alessandro Griffio. 1582. 8 hs. + 444 fols. 16 cm. Con cinco partes.

CHAPEL HILL. *University of North Carolina.*

—Venecia. Compagnia de gli Uniti. 1585. 8 págs. + 444 fols. 15 cm.

NUEVA YORK. *Public Library.* — WASHINGTON. *Folger Shakespeare Library.*

—*Selva di varia lettione...* Venecia. G. de nuovo rivedute per Francesco Sansovino. Venecia. Gio. Griffio. 1587. 4 hs. + 444 fols. 15 cm.

GENOVA. *Universitaria.* 3.GG.VI.22.

—Venecia. Alberti. 1592.

EVANSTON. *Northwestern University.*—WASHINGTON. *U.S. National Library of Medicine.*

—Venecia. G. Griffio. 1597. 8 + 444 págs. 18 cm.

ALBANY. *New York State Library.*—BLOOMINGTON. *Indiana University.*—WASHINGTON. *Folger Shakespeare Library.*

—Venecia. Ricciardi. 1600. 8 hs. + 447 págs. 14 cm.

PRINCETON. *Princeton University.*

4344

SELVA rinnovata di varia lettione... con l'aggionta delli Ragionamenti... con la nuova Seconda Selva. Opera accresciuta da Bartolomeo Dionigi da Fano. Venecia. 1615. 5 partes en un vol. 22,5 cm.

A continuación van: *Parte quarta aggiunta da Mambrin Roseo da Fabriano e Parte quinta aggiunta da Francesco Sansovino* (1616).

Toda, Italia, III, n.° 3.222.

ANN ARBOR. *University of Michigan.* — BARI. *Nazionale.* 14-b-18/1 etc.—DURHAM. *Duke University.* — URBANA. *University of Illinois.* — VICTORIA, B.C. *Provincial Archives, Library.*

—Venecia. Ghirardo Imberti. 1626. 5 partes en un vol.

URBANA. *University of Illinois.*

—Venecia. Imberti. 1626. 5 partes en un volumen.

BERKELEY. *University of California.*

—*Selva rinovata di varia lettione... Di Mambrin Roseo, Francesco Sansovino...* Venecia. Ghirardo Imberti. 1638. 14 hs. + 311 págs. 30,5 cm.
La obra de Mejía acaba en la pág. 313.
Toda, *Italia,* III, n.° 3.225.

BARCELONA. *Central.* Toda, 6-V-18. — GENOVA. *Universitaria.* 4.R.IV.7.

—Venecia. 1658.

Toda, *Italia,* III, n.° 3.226.

BARCELONA. *Central.* Toda, 9-VI-1.

—*Selva di varia lettione... rinovata e divisa in sette parti di Mambrin Roseo, Francesco Sansovino e Bartolomeo Dionigi da Fano...* Venecia. Nicolò Pezzana. 1670. 24 hs. + 788 págs. 8.°

BARCELONA. *Central.* Toda, 9-VI-2.—BARI. *Nazionale.* 106-246.

—Venecia. Prodocimo. 1682. 5 partes en un vol.

Toda, *Italia,* III, n.° 3.227.

BARCELONA. *Central.* Toda, 9-VI-3.—BERKELEY. *University of California.*—CHICAGO. *University of Chicago.*

4345

*NVOVA seconda Selva di varia lettio-
ne, che segue Pietro Messia...* Venecia. Franceschini. 1565.

———

—Venecia. Christoforo Zanetti. 1575. 207 fo-
lios. 8.º
Toda, *Italia*, III, n.º 3.222 (con facsímil de
la portada).
—Venecia. Fabio e Agostino Zoppini. 1581.
8 hs. + 198 págs. 15,5 cm.
Trad. por Gieronimo Giglio.
URBANA. *University of Illinois.*
—Venecia. Guerra. 1600. 8.º

4346

*Ragionamenti dal magnifico... cava-
liere Pietro Messia... tradotti dal sig.
Alfonso Ulloa...* Venecia. Andrea Re-
venoldo. 1565. 111 fols. 15 cm.

Toda, *Italia*, III, n.º 3.229.
BLOOMINGTON. *Indiana University.* — CHICAGO.
Newberry Library.—NEW HAVEN. *Yale Uni-
versity.*—PARIS. *Nationale.* Z. 17000.—ROMA.
Vaticana. Stamp. Barb. YYY.I.64.

———

—Venecia. Camillo & Francesco Frances-
chini. 1566. 6 hs. + 111 fols. 8.º
Toda, *Italia*, III, n.º 3.230.
SANTIAGO DE COMPOSTELA. *Universitaria.*
—*Ragionamenti dottissimi et curiosi...
Trad. ... da... Alfonso Ulloa.* Venecia.
Ambrosio e Bartolomeo Dei. 1615. 3 +
112 págs. 8.º
BARI. *Nazionale.* 14-G-18/4.—VANCOUVER. *Uni-
versity of British Columbia.*

4347

*Le Vite di tvtti gl' imperadori da
Givlio Cesare insino a Massimiliano,
tratte per M. Lodovico Dolce dal libro spagnvolo del nobile cavaliere
Pietro Messia...* Venecia. Gabriel
Giolito de' Ferrari. 1558. 18 hs. +
1054 págs. + 1 h. 23,5 cm.

CHICAGO. *Newberry Library.*—LAWRENCE. *University of Kansas.*—LONDRES. *British Museum.* 588.g.22.—URBANA. *University of Illinois.*

4348

——. Venecia. 1559.
CHICAGO. *Newberry Library.*

4349

*Le Vite di tutti gl'imperadori, da
Giulio Cesare insino a Massimiliano,
tratte per M. Ludovico Dolce dal libro spagnuolo del... cav. Pietro Messia...* Venecia. Gabriel Giolito. 1561.
33 hs. + 1054 págs. 22 cm.

GENOVA. *Universitaria.* 2.L.II.57.—PARIS. *Nationale.* J.3750.—URBANA. *University of Illinois.*—WASHINGTON. *Catholic University of
America Library.*

———

—Venecia. 1569.
CHAPEL HILL. *University of North Carolina.*
—Venecia. 1578.
BLOOMINGTON. *Indiana University.* — CHAPEL
HILL. *University of North Carolina.*
—Venecia. 1583.
CHICAGO. *Newberry Library.*—MADISON. *Uni-
versity of Wisconsin.*
—Venecia. 1583. 8.º
ROUEN. *Municipale.* Mt.M.20510. — URBINO.
Universitaria. D-XVI-167.
—Venecia. [Paolo Ugolino]. 1589. 8 hs. +
547 fols. 19,5 cm.
Toda, *Italia*, III, n.º 3.234.
CAGLIARI. *Universitaria.* Ross.D.311.—MADRID.
Facultad de Filología. 35.792.
—*Alle quale da Girolamo Bardi... somo
state... aggiunte le vite di Ferdinando I,
et di Massimiliano Secondo, et di Ridol-
fo II Imperadori.* Venecia. Olivier Alber-
ti. 1597. 8 hs. + 547 fols. 20 cm.
Toda, *Italia*, III, n.º 3.235.
BARCELONA. *Central.* Toda, 3-VI-14.—GENOVA.
Universitaria. 2.S.VIII.47.—MADRID. *Palacio
Real.* VII-2.113.
—Venecia. 1608.
BARCELONA. *Seminario Conciliar.*
—Venecia. 1610.
MADISON. *University of Wisconsin.* — NUEVA
YORK. *Columbia University.*
—Venecia. 1625.
CHICAGO. *Newberry Library.* — WASHINGTON.
Folger Shakespeare Library.

—Macerata. Antonio Guelfi. 1642. 439 págs.
+ 5 hs. 14 cm.

MADRID. *Academia de la Historia.* 3-6-6-
5.754.—NUEVA YORK. *Public Library.*

—Venecia. 1644.

BERKELEY. *University of California.*—NUEVA
YORK. *Public Library.*

—*Le vite de gli imperadori romani.* [*Trad.
da Lodovico Dolce*]. Venecia. Gio. Maria
Turrino e Gio. Pietro Brigonci. 1664. 4.º

Toda, *Italia,* III, n.º 3.237.

BARCELONA. *Central.* Toda, 1-III-21.—BUFFALO.
Grosvenor Reference Division.—NEW HAVEN.
Yale University. — ROMA. *Vaticana.* Stamp.
Barb. Z.V.24.—URBANA. *University of Illi-
nois.*

—Venecia. Appresso il Brigonci. 1679. 42 +
980 págs. 22,5 cm.

Toda, *Italia,* III, n.º 3.239.

BARCELONA. *Central.* Toda, 9-VI-4.—GENOVA.
Universitaria. 2.1.IV.19.

—Venecia. 1734.

URBANA. *University of Illinois.*

—Florencia. Benelli. 1849. 2 vols.

BARI. *Nazionale.* Cot. 6-12, 13.

4350

*Dialoghi di Pietro Messia, tradotti
nuovamente di spagnolo in volgare
da Alfonso d'Ulloa...* Venecia. P. Pie-
trasanta. 1557. 3 hs. + 125 págs. +
20 cm.

Toda, *Italia,* III, n.º 3.228.

BARCELONA. *Central.* Toda, 2-VI-14.—CHICAGO.
Newberry Library.—FILADELFIA. *College of
Physicians.*—*University of Pennsylvania.* —
GENOVA. *Universitaria.* 3.A.VI.31. — LONDRES.
British Museum. 88.d.11.—MADRID. *Nacional.*
R-20.426. *Palacio Real.* I.B.-VIII-13.298.—
NEW HAVEN. *Yale University.* — NUEVA YORK.
Public Library.—PARIS. *Arsenal.* 8ºB.L.4888.
Nationale. Z.3444.—WASHINGTON. *Folger Sha-
kespeare Library.*

e) NEERLANDESAS

4351

De Uerscheyden lessen Petri Messie...
Amberes. Joachim Trognesius. 1588.
788 págs. + 6 hs. 15 cm.

CAMBRIDGE, Mass. *Harvard University. An-
dover-Harvard Theological Library.*

———

—Leyden. Jan Claeszoon Van Dirp. 1595.
671 + 168 págs. 14,5 cm.

AUSTIN. *University of Texas.*

—Amsterdam. Pieter Jacobus. Paetes. 1617.
674 + 168 págs. 16 cm.

URBANA. *University of Illinois.*

ESTUDIOS

BIOGRAFÍA

4352

CARO, RODRIGO. *El noble caballero Pedro Messía... Cronista del Emperador Carlos V.* (En *Varones insignes en letras naturales de... Sevilla.* 1915, págs. 32-34).

Interpretación y crítica

4353

MENENDEZ Y PELAYO, MARCELI-
NO. *El magnífico caballero Pero Mexía.* (En *La Ilustración Española y
Americana,* 30 de enero [suplemen-
to] y 22 de febrero de 1876, pág. 75).

Trabajo premiado en un concurso celebrado por dicha revista en 1874. Formaron el Jurado: Mesonero Romanos, Cañete, Tamayo, Selgas y Castro y Serrano.

4354

MESEGUER, JUAN. *Sobre el eras-
mismo de Pedro Mexía, cronista de
Carlos V.* (En *Archivo Ibero-Americano,* VII, Madrid, 1947, págs. 394-
413).

4355

S[ANCHEZ] GRANJEL, LUIS. *Las
ideas antropológico-médicas del
«magnífico caballero» Pero Mexía.*
(En *Archivos Iberoamericanos de
Historia de la Medicina,* V, Madrid,
1953, págs. 353-78).

———

—Reed. en *Humanismo y Medicina.* Salamanca. Universidad. 1968, págs. 75-99.

MADRID. *Nacional.* 1-123.893.

4356
AVALLE - ARCE, JUAN BAUTISTA. *Los «errores comunes»: Pero Mexía y el P. Feijóo.* (En *Nueva Revista de Filología Hispánica*, X, Méjico, 1956, págs. 400-3).

Silva
4357
ALONSO, DAMASO. *Una fuente de «Los baños de Argel».* (En *Revista de Filología Española*, XIV, Madrid, 1927, págs. 275-82).

Reed. con el título de *Maraña de hilos. Un tema de cautiverio entre Fulgosio, Pero Mexía, Bandello, Juan de la Cueva y Cervantes,* en *Del Siglo de Oro a este siglo de siglas.* Madrid. 1962, págs. 29-42.

4358
SELIG, KARL LUDWIG. *Pero Mexía's «Silva de varia lección» and Horapollo.* (En *Modern Language Notes*, LXXII, Baltimore, 1957, páginas 351-56).

4359
PUES, FLORENT. *La «Silva de varia lección» de Pero Mexía.* (En *Les Lettres Romanes*, XIII, Lovaina, 1959, págs. 119-44, 279-92).

4360
PUES, F. *Claude Gruget et ses «Diverses leçons de Pierre Messie».* (En *Les Lettres Romanes*, XIII, Lovaina, 1959, págs. 371-83).

4361
LERNER, ISAIAS. *Acerca del texto de la primera edición de la «Silva» de Pedro Mexía.* (En ACTAS *del VII Congreso Internacional de Hispanistas.* Venecia. 1982, págs. 677-84).

Historia de Carlos V
4362
COSTER, R. *Pedro Mexía, chroniste de Charles Quint.* (En *Bulletin His-*panique, XXII, Burdeos, 1920, páginas 1-36, 256-68; XXIII, 1921, páginas 95-110).

4363
SCHUSTER, E. J. *Pedro de Mexía and Spanish Golden Age historiography.* (En *Renaissance News*, XIII, Nueva York, 1960, págs. 3-6).

Coloquios
4364
PIRES DE LIMA, F. DE C. *A medicina e os médicos nos «Diálogos» de Pedro Mexía.* (En STUDI... *Carmelina Naselli.* Tomo I. Catania. 1968, páginas 107-12).

4365
CASTRO DIAZ, ANTONIO. *Los «Coloquios» de Pedro Mexía. (Un género, una obra y un humanista sevillano del siglo XVI).* Sevilla. Diputación Provincial. 1977. 263 págs.

a) Antwerp, M. A. van, en *Romance Philology*, XXXIV, 1980, págs. 135-36.
b) Díez Borque, J. M., en *La Estafeta Literaria*, Madrid, 1978, n.º 638, pág. 3235.
c) Peale, C. G., en *Journal of Hispanic Philology*, III, Florida, 1978, pág. 87-88.

Relación con otros autores
4366
CASTILLO, C. *Cervantes y Pero Mexía.* (En *Modern Philology*, XLIII, Chicago, 1945, págs. 94-106).

Influencia. Difusión
4367
PRAAG, J. A. VAN. *Sobre la fortuna de Pedro Mejía.* (En *Revista de Filología Española*, XIX, Madrid, 1932, págs. 288-92).

4368
PUES, F. *Du Verdier et Guyon, les deux imitateurs français de Mexía.* (En *Les Lettres Romanes*, XIV, Lovaina, 1960, págs. 15-40).

Elogios

4369

CUEVA, JUAN DE LA. [*Elogio*]. (En *Viaje de Sannio*. Lund. 1887, página 58).

MADRID. *Consejo. Patronato «Menéndez Pelayo».* 9-1.202.

MEJIA (PEDRO)

Matemático. Residente en Lisboa.

EDICIONES

4370

DISCURSO *sobre los dos cometas que se vieron por el mes de nouiembre del año passado de 1618.* Lisboa. Pedro Craesbeeck. 1619. 14 hs., con un grab. 4.º

Picatoste, n.º 485.

BOSTON. *Public Library.*—EVORA. *Pública.* — MADRID. *Nacional.* Mss. 2.349 (fols. 283-97).

MEJIA (PEDRO)

EDICIONES

4371

[*ROMANCE*]. (En Huerta, Antonio de. *Triunfos gloriosos...* Madrid. 1670, págs. 65-66).

V. *BLH*, XI, n.º 5378 (10).

MEJIA (FR. PEDRO)

Mínimo. Provincial de Castilla y Vicario general. Lector en las Universidades de Alcalá y Salamanca. Predicador real. Examinador sinodal del arzobispado de Toledo.

EDICIONES

4372

ORACION *panegyrica fvneral en las honras de la Señora Reyna Doña Margarita de Austria. Dixola... Fr. Pedro Mexía..., Predicador de la Magestad de Filipo Qvarto el Grande... en su Capilla a su Real presencia. Sacala a lvz... Ivan de Sanabria Serrano...* Madrid. Domingo García y Morrás. [s. a.]. 5 hs. + 15 fols. 20 cm.

—Censura de Fr. Miguel de Cardenas (1654). L. V. (1654).—Censura de Fr. Alonso de Herrera (1654).—Ded. a D. Iuan Ponze de Leon y Chacon, cavallero de Calatrava, etc., por Iuan Serrano de Senabria.— Texto.

MADRID. *Academia de la Historia.* 9-756. *Nacional.* V.E.-176-10.—NUEVA YORK. *Hispanic Society.*

Aprobaciones

4373

[*APROBACION. Madrid, 6 de marzo de 1655*]. (En Alosa Rodarte, Felipe Antonio. *Exortación al estado eclesiástico...* Madrid. 1655. Prels.).

Dice «Mexía».
V. *BLH*, V, n.º 1674.

4374

[*CENSURA. Madrid, 18 de enero de 1656*]. (En López de Andrade, Fr. Diego. *Obras.* 3.ª ed. Tomo I. Madrid. 1656. Prels.).

MADRID. *Nacional.* 5.i.-10.338.

4375

[*CENSURA. Madrid, 3 de abril de 1660*]. (En Exques, Francisco. *Sermón predicado en el Colegio de la Compañia de Jesús en Madrid, a las honras de la Venerable Señora Doña Leonor Maria Altamirano.* Madrid. 1660. Prels.).

MADRID. *Nacional.* V.E.-153-25.

4376

[*CENSURA. Madrid, 1 de enero de 1661*]. (En José de San Esteban, Fray. *Vida y virtudes del V. P. Fray Iuan de la Magdalena...* Sevilla. 1662. Preliminares).

Dice «Mexía».
V. *BLH*, XII, n.º 2478.

4377

[*APROBACION. Madrid, 22 de abril de 1664*]. (En Malo de Andueza, Diego. *Oraciones panegíricas en las fes-*

tividades de Nuestra Señora. Tomo IV. Madrid. 1665. Prels.).

MADRID. *Nacional.* 6.i.-1.524.

4378

[*APROBACION. Madrid, 16 de noviembre de 1664*]. (En Malo de Andueza, Diego. *Historia real sagrada
perifraseada...* Madrid. 1666. Prels.).

MADRID. *Nacional.* 3-3.265.

4379

[*CENSURA. Madrid, 29 de agosto de
1665*]. (En Santos, Francisco. *Los gi-
gantones en Madrid.* Madrid. 1666.
Preliminares).

MADRID. *Nacional.* R-15.938.

MEJIA (TERESA DE)

EDICIONES

4380

[*SONETO*]. (En JUSTA *literaria... a
San Juan de Dios...* Madrid. 1692,
pág. 109).

Dice «Mesía».

MADRID. *Nacional.* R-15.239.

MEJIA (FR. TOMAS)

EDICIONES

4381

[*DEDICATORIA al Consulado de
Méjico*]. (En Herrera Suárez, José
de. *Sermón...* Méjico. 1673. Prels.).

Medina, *México,* II, n.º 1.090.

MEJIA (FR. VICENTE)

N. en Córdoba. Dominico. Maestro de Teología. Regente del Colegio y Monasterio de
San Pablo de Córdoba.

EDICIONES

4382

*SALVDABLE instrvcion del estado
del matrimonio.* Córdoba. Iuan Baptista Escudero. 1566 [6 de abril]. 12
hojas + 278 fols. + 2 hs.. 20 cm.

—Pr. al autor por seis años.—Epistola de

Fr. Martín Cano al autor.—Ded. a Felipe II, cuyo escudo figura en la portada.
Fr. Pedro Mendez al prudente lector.—
Prologo.—Protestacion catholica del Autor.—Apr. de Luys Hurtado.—Proroga-
ción del Pr. y T.—Tabla.—Texto.—Escudo de la Orden de Santo Domingo.—Escudo del impresor y colofón.

Gallardo, III, n.º 2.999; Valdenebro, n.º 7.
CORDOBA. *Pública.* 1-58.—GRANADA. *Universitaria.* A-11-213. — LONDRES. *British Museum.*
8415.f.17.—MADRID. *Nacional.* R-10.930 (ex libris de Gayangos). *Palacio Real.* Pas. Arm.
1/97.—NUEVA YORK. *Hispanic Society.*—PARIS.
Nationale. D.8820.—SAN LORENZO DEL ESCORIAL.
Monasterio. 30-V-37. — SEVILLA. *Colombina.*
87-3-35. *Universitaria.* 57-33.—VALLADOLID. *Universitaria.* 8.510.—VIENA. *Nacional.* 44.S.16.—
ZARAGOZA. *Universitaria.* H-6-98.

ESTUDIOS

4383

REP: Ramírez de Arellano, I, págs. 340-41.

MEJIA DE ALFARO (JUAN)

Doctor.

EDICIONES

4384

*SERMON predicado en la Santa
Yglesia Metropolitana de Sevilla, sabado 21 de Noviembre, dia de la Presentacion de la Virgen Santissima
Maria Madre de Dios, y Señora nuestra, este año de 1626.* Sevilla. Francisco de Lyra. 1627. 26 fols. 19 cm.

—Ded. a D. Diego de Guzman, arçobispo
de Sevilla.—Texto.—Apr. de Pedro Ruiz
de Quintana.

GRANADA. *Universitaria.* A-31-202 (18).

MEJIA DE CABRERA (DIEGO)

Maestrescuela de la catedral de La Plata.
Jurisconsulto y abogado en las Chancillerías de Lima y de La Plata.

EDICIONES

4385

*PRACTICA y estilo ivdicial en defen-
sa de la inmvnidad del Fvero Ecclesiastico, y Formulario de substanciar
vna causa por todas instancias hasta*

poner Cessacion á Divinis Officiis.
Madrid. Julian de Paredes. 1655. 4 hojas + 584 págs. + 30 hs. 29,5 cm.

-Ded. a D. Garcia de Avellaneda y Haro,
Virrey de Nápoles, etc. (cuyo escudo fi-
gura en la portada), por Juan de Ibarra.
Apr. de Agustin Barbosa.—L. V.—Apr. de
Juan de Valdes.—S. Pr. al Autor por
diez años.—T.—E.—Indice y capitulos.—
Texto.—Indice general.

BARCELONA. *Seminario Conciliar.* — MADRID.
Nacional. 3-11.881.—PROVIDENCE. *Brown University.*—SAN LORENZO DEL ESCORIAL. *Monasterio.* 14-IX-8. — SEVILLA. *Colombina.* 94-4-
14.—WASHINGTON. *Congreso.* A-46-1093.

MEJIA DE CARVAJAL (P. ALONSO)

Jesuita. Profesor de Teología Moral en el
　Colegio de Badajoz. Predicador real.

EDICIONES

4386

*[APROBACION. Badajoz, 20 de ene-
ro de 1684].* (En ACADEMIA *que se
celebró en Badajoz en casa de D.
Manuel de Meneses y Moscoso...* Madrid. 1684. Prels.).

V. *BLH,* IV, n.° 1584.

4387

*[APROBACION. Madrid, 18 de octu-
bre de 1693].* (En José de Sevilla,
Fray. *Oraciones evangelicas de varios assvmptos, de algunos mysterios
de Christo, Maria Santissima, Ferias,
y Santos.* Madrid. 1694. Prels.).

Dice «Mexía».

MADRID. *Nacional.* 7-12.998.

MEJIA DE LA CERDA

V. MEJIA DE LA CERDA (JUAN)

MEJIA DE LA CERDA (JUAN)

Licenciado en Leyes. Residente en
　Granada.

EDICIONES

4388

*La trajedia de Doña Inés de Cas-
tro, por el Lic. Mexía de la Cerda.*

(En TERCERA *parte de las Comedias
de Lope de Vega y otros Autores...*
Madrid. 1613).

— — —

—En Parte tercera... Barcelona. 1614.

4389

*TRAGEDIA de D.ª Ynés de Castro,
reyna de Portugal.* (En DOCE *Comedias de varios Autores.* Tortosa.
1638, n.° 12).

MADRID. *Nacional.* R-23.135.

4390

*DOÑA Inés de Castro. (Tragedia).
Edición de Ramón de Mesonero Romanos.* (En DRAMÁTICOS *contemporá-
neos a Lope de Vega.* Tomo I. Madrid. 1857, págs. 391-409. Biblioteca
de Autores Españoles, 43).

ESTUDIOS

4391

REP: La Barrera, pág. 244.

MEJIA DE LA CERDA (LUIS)

EDICIONES

4392

*ORACION del Doctor ——, dicha en
el Convento de S. Francisco de Valladolid el septimo dia de la Octava
de la Purissima Concepcion de Nuestra Señora, año de 1616. Con la Respuesta y parecer que en razon della
dio el señor D. F. Francisco de So-
sa...* [s. l.-s. i.]. [s. a.]. 38 fols. 19 cm.

—Texto en latin. Respuesta y parecer en
　castellano.

Alcocer, n.° 621 (no vista).

GRANADA. *Universitaria.* A-31-202 (8).—MADRID.
Academia de la Historia. 9-17-3-3485.

4393

[A la traduccion. Dezimas]. (En Palladio, Andrea. *Libro primero de la
Architectura... Traduzido por Fran-*

cisco de Praves. Valladolid. 1625. Preliminares).

MADRID. *Nacional.* R-16.097.

MEJIA DE LA CERDA (LUIS)

Licenciado en Leyes. Residente en Granada.

EDICIONES

OBRAS ATRIBUIDAS

CODICES

4394

«*El juego del hombre*».

Auto sacramental. Año 1625. 20 hs. 4.º Firmado al fin por ——.

V. *BLH*, XII, núms. 5067-68.

MADRID. *Nacional.* Mss. 14.873.

ESTUDIOS

4395

REP: La Barrera, pág. 245.

MEJIA DE LA CERDA (PEDRO)

N. en Córdoba. Veinticuatro de la Ciudad. Caballero de Alcántara.

EDICIONES

4396

RELACION de las fiestas eclesiasticas, y secvlares que la mui noble y siempre leal Ciudad de Cordova ha hecho a su Angel Custodio S. Rafael este año de M.DC.LI. Y razon de la causa por que se hizieron. Cordoba. Salvador de Cea. 1653. 1 lám. + 4 hojas + 114 fols. 20 cm.

—San Rafael. (Grabado).—Acuerdo del Cabildo de Córdoba encargando esta obra. Apr. de Fr. Ioan de Almoguera.—Apr. del P. Ioan Cauallero.—L. V.—Ded. a la ciudad de Córdoba.—A quien leyere.—Texto.

1. *Sermon por el Dr. Joseph de Valvellido y Barrena.* (Fols. 10r-20v).
2. *Sermon por el P. Fr. Juan de Almoguera.* (Fols. 21v-38r).
3. *Sermon por el P. Fr. Diego de Zayas Sotomayor.* (Fols. 38r-47v).
4. *Cancion de Iuan de Lara.* [«Oy al Cor-

vo Marfil de mi sonante...»]. (Fols. 49r-51r).
5. *Cancion de Antonio del Castillo Saauedra.* [«Del llanto de sus hijos mal enjuta...»]. (Fols. 51r-52r).
6. *Cancion de Luis Notario de Arteaga.* [«Obscuras nieblas, nubes tenebrosas...»]. (Fols. 52v-53v).
7. *Octauas de Iuan Fernandez de Perea.* [«El Sol, que presuroso se apartaua...»]. (Fols. 54r-55r).
8. *Octauas de Pedro Messia de la Cerda.* [«De mortal accidente posseído, ...»]. (Folios 55r-56v).
9. *Octauas de Iuan Mellado de Almagro.* [«Era la noche de la luz tirana, ...»]. (Folios 56v-57v).
10. *Octauas del Lic. Diego Salzedo.* [«Adora el Betis la que antigua es cuna...»]. (Fols. 57v-58v).
11. *Octauas de Ioseph del Castillo.* [«Hidropico de amor Andres tenia...»]. (Folio 59).
12. *Octauas anónimas.* [«Los languidos veleños de Morpheo...»]. (Fols. 60r-61r).
13. *Dezimas de Iuan Fernandez de Perea.* [«A los silencios se atreue...»]. (Fol. 61v).
14. *Dezimas de Gabriel Bocangel Unçueta.* [«Era la edad del lucido...»]. (Fol. 62r).
15. *Dezimas de Diego de Aguayo.* [«Roelas justo rezó...»]. (Fol. 62v).
16. *Quintillas de Pedro Messia de la Cerda.* [«Aunque por cierto barrunto, ...»]. (Fols. 63r-64r).
17. *Quintillas anónimas.* [«Escuchen, que contar quiero...»]. (Fol. 64).
18. *Quintillas de Iuan Fernandez de Perea.* [«De un Sacerdote trauiesso, ...»]. (Fol. 65).
19. *Quintillas de Pedro Morillo de Velasco.* [«Angel de gran dignidad, ...»]. (Folios 65v-66v).
20. *Quintillas anónimas.* [«Flor de las flores, María, ...»]. (Fols. 66v-67v).
21. *Quintillas anónimas.* [«Sucedió el año passado...»]. (Fols. 67v-68r).
22. *Quintillas anónimas.* [«Glorioso san Rafael, ...»]. (Fols. 68v-69r).
23. *Glossa de Francisco Manuel de Lando.* [«Raphael, en la clemencia...»]. (Fols. 69v-70r).
24. *Glossa de Luis de Godoy Ponce de Leon.* [«Todo afecto se auassalla, ...»]. (Fol. 70r).
25. *Glossa de Francisco de Barbosa.* [«Su medicina halló en vos...»]. (Fol. 70v).

26. *Glossa de Ioseph Daza.* [«De suerte, Arcangel, se emplea...»]. (Fols. 70v-71r).

27. *Glossa de Ana de Pineda Serrano.* [«Medicina de Dios fuerte...»]. (Fols. 71r-71v).

28. *Glossa de Iuan Hurtado de Tapia.* [«Defensa, Custodia, y Guía...»]. (Fol. 71v).

29. *Glossa de Pedro Messia de la Cerda.* [«De dioses el dar la vida...»]. (Fol. 72r).

30. *Glossa de Fadrique de Cordoua Soliel.* [«En la afliccion mas penosa...»]. (Folio 72v).

31. *Romance de Alonso Guaxardo.* [«Cinco vezes espumoso...»]. (Fol. 73).

32. *Romance anónimo.* [«Venerable Sacerdote, ...»]. (Fol. 74).

33. *Romance de Pedro Messia de la Cerda.* [«En la mitad de la noche, ...»]. (Fols. 74v-75v).

34. *Romance anónimo.* [«Roelas justo, Aaron santo...»]. (Fols. 75v-76r).

35. *Romance anónimo.* [«Quando el obscuro Morfeo...»]. (Fols. 76v-77r).

36. *Romance de Ana de Pineda Serrano y Gongora.* [«Quando entre confusas sombras...»]. (Fols. 77r-78r).

37. *Soneto de Fr. Geronimo de Ortega.* [«Que vidriera sagrada seria aquella, ...»]. (Fols. 78r-78v).

38. *Soneto de Alonso Guaxardo.* [«O feliz obediencia anticipada, ...»]. (Fol. 78v).

39. *Soneto anónimo.* [«Estimacion deuida a la grandeza...»]. (Fols. 78v-79r).

40. *Soneto de Gabriel Bocangel Unçueta.* [«Oye Andres una voz, que no obedece...»]. (Fol. 79r).

41. *Soneto de Ana de Pineda Serrano.* [«Urnas construye, erige Relicario...»]. (Fol. 79v).

42. *Romance de Fernando Messia Manuel.* [«Cordoua, en tus alabanças...»]. (Fol. 80).

43. *Romance del P. Fr. Diego Berdejo.* [«Cordoua, Ciudad ilustre, ...»]. (Folios 80v-81v).

44. *Romance de Pedro Messia de la Cerda.* [«Cordoua, de tu custodio...»]. (Folios 81v-82v).

45. *Romance de Ioseph Nuñez del Castillo.* [«En el tutelar escudo...»]. (Fols. 82v-83r).

46. *Romance anónimo.* [«Memphis solenize en triunfos...»]. (Fols. 83r-84r).

47. *Romance anónimo.* [«Glorioso San Raphael, ...»]. (Fol. 84).

48. *Romance de Iuan de Taren y Ouando.* [«O generosa Ciudad...»]. (Fol. 85).

49. *Epigramas latinos.* (Fols. 86r-87r).

50. *Quintillas del Lic. Diego Ibarra.* [«Desde Poniente a Leuante, ...»]. (Fols. 87r-88r).

51. *Sermon por el Dr. Alonso de Cañas Rendoa.* (Fols. 104r-114v).

Ramírez de Arellano, I, n.º 1.123; Valdenebro, n.º 200.

GRANADA. *Universitaria.* A-1-247.—MADRID. *Nacional.* R-4.036.—NUEVA YORK. *Hispanic Society.*

4397

FIESTAS *de toros y cañas celebradas en la ciudad de Córdoba el año de 1651 con una advertencia para el juego de las cañas, y un discurso de la caballería del torear. Publícalas...* Manuel Perez de Guzmán y Boza, Marqués de Jérez de los Caballeros. Tirada de 50 ejemplares numerados. Sevilla. Imp. de E. Rasco. 1887. 49 páginas + 1 h. 17 cm.

Es reproducción parcial de la obra anterior.

MADRID. *Academia Española.* 187-n-25; etc. *Nacional.* R-5.076 (el n.º 20, con ex libris de Gayangos).—SANTANDER. «*Menéndez Pelayo*». R-X-6-7.

4398

DISCURSOS *de la Cavallería del Torear...* Barcelona. [Costa, etc.]. 1927. 47 págs. + 3 hs. 15 cm .

MADRID. *Nacional.* V-1.086-6.

Poesías sueltas

4399

[SONETO]. (En Carrillo Laso de Guzmán, Alonso. *Epítome del origen y descendencia de los Carrillos.* Lisboa. 1639. Prels.).

MADRID. *Nacional.* R-12.309.

4400

[DEZIMA. Al Author y a su obra]. (En Burgos, Alonso de. *Methodo cu-*

rativo, y uso de la nieve. Córdoba. 1640. Prels.).

MADRID. *Nacional.* R-4.442.

4401

[*DECIMA*]. (En Vargas Valenzuela, Nicolás. *Curación preservativa...* Córdoba. 1649. Prels.).

4402

[*A el Auctor. Soneto*]. (En Mercado y Solís, Luis de. *Tratado apologético de la vida y virtudes de... el P. Cosme Muñoz...* Córdoba. 1654. Prels.).

MADRID. *Nacional.* 3-19.913.

ESTUDIOS

4403

REP: Ramírez de Arellano, I, págs. 337-40.

MEJIA DE LA CERDA (REYES)

Licenciado.

CODICES

4404

«*Discursos festivos en que se pone la descripción del ornato e inuenciones, que en la fiesta del Sacramento la parrochia collegial y vezinos de Sant Salvador hizieron. Por... Reyes Messía de la Cerda...*».

Letra del s. XVI. 179 fols. con dibujos. 230 × 165 mm.

Inventario, II, págs. 97-98.

MADRID. *Nacional.* Mss. 598.

EDICIONES

4405

[*SONETO*]. (En JUSTAS *poéticas hechas a devoción de Don Bernardo Catalán de Valeriola.* Valencia. 1602, página 218).

V. *BLH,* XII, n.º 5125 (83).

MEJIA DE CONTRERAS (DIEGO)

EDICIONES

4406

SUMARIO sobre la sentencia arbitraria que los caballeros hijosdalgo de... Ubeda tienen... Granada. Martín Fernández. 1613. 4.º

Gallardo, III, n.º 3.064.

GRANADA. *Universitaria.* B-22-227. — MADRID. *Academia Española.* 14-VII-53. *Academia de la Historia.* 13-1-8-2.125. *Nacional.* 3-37.114. *Palacio Real.* IX-6.798.

ESTUDIOS

4407

REP: N. Antonio, I, págs. 298-99.

MEJIA GALEOTE (ALONSO)

N. en Baeza.

EDICIONES

4408

SERMONES de los tratados, y vidas de los Santos. Autor el P. Fray Antonio Feo... Traduzidos de lengva Portuguesa, en Castellano, por ——... Baeza. Mariana de Montoya. 1617. 6 hojas + 484 págs. + 17 hs. 30 cm.

—Apr. por Fr. Diego Lopez de Andrade.— T.—E.—Pr.—A D. Alonso Mexia de Tobar, obispo de Astorga, etc.—Prologo del Autor.—Argumento desta obra.—Texto.—Indice alfabetico de las principales cosas. Indice de las Fiestas y Santos.

CORDOBA. *Pública.* 32-160.—MADRID. 3-51.179.

MEJIA DE LAS HIGUERAS (J.)

EDICIONES

4409

[*MEMORIAL*]. [s. l.-s. i.]. [s. a.]. 6 folios. 30 cm.

Carece de portada. Comienza: «Señor = Proponese en este discurso un medio, para que perpetuamente en las dos Castillas se conseruen treinta mil hombres, y mas, para la milicia...».

MADRID. *Nacional.* V.E.-60-31 (con firma autógrafa del autor).

MEJIA DE LEIVA (ALONSO)

EDICIONES

4410

[*ADVERTENCIA de las causas de esta edición*]. (En Quevedo Villegas, Francisco de. *Iuguetes de la niñez y travessuras del ingenio*. Madrid. 1631. Preliminares).

4411

[*POESIA*]. (En Jiménez Patón, Bartolomé. *Epítome de la Ortografía Latina y Castellana*. Baeza. 1614. Preliminares).

Dice «Messía de Leyua».

V. *BLH*, XII, n.º 2.035.

MEJIA DE MAGAÑA (DIEGO)

EDICIONES

4412

[*AL Autor*]. (En Bocángel y Unzueta, Gabriel de. *Retrato panegírico del Sereníssimo Señor Carlos de Austria*. Madrid. 1633. Prels.).

MADRID. *Nacional*. R-1.129.

MEJIA MANUEL (FERNANDO

EDICIONES

4413

[*ROMANCE*]. (En Mesia de la Cerda, Pedro. *Relacion de las fiestas... que... Cordova ha hecho a su Angel Custodio*. Córdoba. 1653, fol. 80).

MADRID. *Nacional*. R-4036.

MEJIA DE MONTALVO (JOSE)

EDICIONES

4414

[*CANCION*]. (En Avila, Tomás de. *Epinicio sagrado...* Salamanca. 1687, págs. 409-11).

MADRID. *Nacional*. 2-10.720.

MEJIA DE OVANDO (PEDRO)

Alcalde mayor de la Isla Española.

CODICES

4415

«*Libro, o Memorial practico de las cosas memorables que los Reyes de España, y Consejo Supremo y Real de Indias han proueído para el gouierno politico del Nueuo Mundo, y quales sean las causas que... no han frutificado en la conuersion y conseruacion de los Indios...*».

3 hs. + 198 págs. + 2 hs. 215 × 160 mm. Con Ded. al Rey, autógrafa y firmada, fechada en Madrid a 22 de junio de 1639. Portada y tabla final impresas.

MADRID. *Nacional*. Mss. 3.183.

EDICIONES

4416

PRIMERA parte de los quatro libros de la Ouandina... Lima. Geronymo de Contreras. 1621. 5 hs. + 340 fols. + 2 hs. Fol.

MADRID. *Academia de la Historia*. 3-5-1-3.644.

4417

OVANDINA (La). Madrid. 1609. 4.º

SANTIAGO DE CHILE. *Nacional*. Sala Medina.

4418

——. Prólogo de M. Serrano y Sanz. Tomo I. Madrid. Imp. Clásica Española. 1915. CXXXV + 592 págs. 8.º (Colección de libros y documentos referentes a la historia de América, 17).

BARCELONA. *Universitaria*. S-37-4-1. — MADRID. *Nacional*. 6-11.534.—WASHINGTON. *Congreso*. 16-22714.

ESTUDIOS

4419

LAURENCIN, MARQUES DE. «La Ovandina», de Pedro Mexía de Ovando. (En *Boletín de la R. Academia de la Historia*, LV, Madrid, 1909, páginas 5-34).

4420
SERRANO Y SANZ, MANUEL. *Un discípulo de Fr. Bartolomé de las Casas: don Pedro Mexía de Ovando.* (En *Archivo de Investigaciones Históricas*, I, 1911, págs. 195-312).

MEJIA DE PRADO (DIEGO ANTONIO)
Caballero de Santiago.

EDICIONES

4421
[*AL Autor. Décima*]. (En Moreno, Bernabé. *Historia de la civdad de Mérida*. Madrid. 1633. Prels.).
MADRID. *Nacional*. R-14.218.

MEJIA DE PRADO (RAFAEL PABLO)

EDICIONES

4422
[*UN joven despues de la Quaresma. Redondillas*]. (En ACADEMIA *que se celebró en veinte y tres de abril...* Madrid. 1662, fols. 31*v*-32*v*).
MADRID. *Nacional*. R-5.193.

MEJIA ROMERO (ANTONIO)
Licenciado.

EDICIONES

4423
[*AL M.º Bartolomé Ximénez Patón*]. (En Jiménez Patón, Bartolomé. *Reforma de trages...* Baeza. 1638, folios 59*r*-60*r*).
MADRID. *Nacional*. R-137.

MEJIA DE TOLEDO (PEDRO)

CODICES

4424
«Muestra de la pena y gloria perpetua».
N. Antonio.

EDICIONES

4425
DECLARACION del Pater noster en dialogo. Toledo. Juan de Ayala. 1550. 8.º
N. Antonio.

ESTUDIOS

4426
REP: N. Antonio, II, pág. 218.

MEJIA DE TOVAR (ALONSO)
Obispo de Astorga.

EDICIONES

4427
[*MEMORIAL*]. [s. l.-s. i.]. [s. a.]. 7 hojas. 29,5 cm.
Carece de portada. Comienza: «Señor = Don Alonso Messía de Touar Obispo de Astorga, dice: Que ha mas de veinte y vn años que ha gouernado las Iglesias, y Obispados de Mondoñedo, y Astorga...». Se refiere a los excesos del Cabildo de su Catedral.
MADRID. *Nacional*. V.E.-47-46.

ESTUDIOS

4428
REP: N. Antonio, I, pág. 36.

MEJIA DE TOVAR Y PAZ (ANTONIO)

EDICIONES

4429
[*DECIMA*]. (En Avila, Nicolás de. *Compendio de la Ortografía Castellana*. Madrid. 1631. Prels.).
MADRID. *Nacional*. R-11.587.

4430
[*DEDICATORIA al Santísimo Sacramento*]. (En Miranda, José. *Días festivos del Círculo del Año...* Madrid. 1654. Prels.).
MADRID. *Nacional*. V.E.-164-62.

MEJIA DE TOVAR Y PAZ (PEDRO)

Conde de Molina de Herrera y vizconde de Tovar. Caballero de Alcántara. Mayordomo del Infante Cardenal.

EDICIONES

4431

[SONETO]. (En Avila, Nicolas de. *Compendio de la Ortografía Castellana*. Madrid. 1631. Prels.).

MADRID. *Nacional.* R-11.587.

4432

[EPIGRAMA]. (En Pellicer de Tovar, José. *Anfiteatro de Felipe el Grande*. Madrid. 1631, fol. 15v).

MADRID. *Nacional.* R-7.502.

4433

[DECIMA]. (En Pacheco de Narvaez, Luis. *Historia exemplar de las dos constantes mugeres españolas...* Madrid. 1635. Prels.).

MADRID. *Nacional.* R-4.550.

4434

[POESIAS]. (En Perez de Montalban, Juan. *Fama posthuma a la vida y muerte de... Lope Felix de Vega Carpio...* Madrid. 1636).

1. *Poesía.* (Fols. 23v-24r).
2. *Epigrama.* (Fol. 24r).

MADRID. *Nacional.* 3-53.447.

ESTUDIOS

4435

REMON, ALONSO. [*Dedicatoria a D. Pedro Messía de Tovar, conde Molina de Herrera, etc.*]. (En *Las fiestas solemnes y grandiosas... a... San Pedro Nolasco...* Madrid. 1630. Preliminares).

4436

REP: La Barrera, pág. 254.

MEJIA DE VARGAS MACHUCA (JACINTO)

Doctor. Profesor de Teología. Cura en la parroquia de Sanlucar de Barrameda y del Sagrario en la catedral de Sevilla.

EDICIONES

4437

RAZONES *y argvmentos eficaces, qve prvevan, qve en el fvero de la conciencia los cvras deste arzobispado de Sevilla no deven guardar la concordia hecha por el señor Don Lvis Fernandez de Cordova, en favor de los Beneficiados, sino ser mantenidos en la possesion de perciuir, y lleuar por entero primicia, y ouenciones Sacramentales, y de como en orden a la tal possession no an de ser impedidos...* [s. l.-s. i.]. [s. a., ¿1639?]. 17 fols. 30 cm.

MADRID. *Nacional.* V.E.-50-52. — SEVILLA. *Colombina.* 102-9-17.

4438

ORACION *panegirica en el transito feliz del glorioso San Isidro, Arçobispo, y principal patrono de Sevilla, y Doctor de las Españas. Predicóla... en la parroquia del mismo Santo...* Sevilla. Iuan Mendez de Ossuna. 1658. 4 hs. + 18 fols. 19,5 cm.

—Apr. de Fr. Alberto de Arispe.—L. V.—
Ded. a D. Alonso Remirez de Arellano, canónigo y arcediano de Sevilla, etc.—
Texto.

CORDOBA. *Pública.* 4-119.

Aprobaciones

4439

[CENSURA. *Sanlúcar de Barrameda, 2 de noviembre de 1647*]. (En Quiroz, Lucas de. *Nombre dulcissimo de María Santissima...* s. l.-s. a. Preliminares).

SEVILLA. *Universitaria.* 111-52 (8).

MELCHOR DE LOS ANGELES (FRAY)

Franciscano.

CODICES

4440

«*Relación de la jornada a Parma de D. García de Sylva, embajador del Rey de España, en 1617*».

Firmada en Madrid, a 30 de diciembre de 1619.

Castro, n.° 128 (2).

MADRID. *Nacional*. Mss. 2.348.

MELCHOR DE LOS REYES (FRAY)

Mercedario descalzo. Comendador del convento de Rota.

EDICIONES

4441

PRUDENCIA de Confessores en orden a la Comunión Quotidiana. Cadiz. Vicente Alvarez. 1630. 4 hs. + 126 páginas. 19,5 cm.

—L. O.—Apr. de Fr. Christoval Ruiz.—L. V.—Ded. al Stmo. Sacramento del Altar. Prólogo al lector.—Texto.

Placer, II, n.° 5.030.

SEVILLA. *Universitaria*. 122-88 (1).

4442

SERMON en la fiesta del Glorioso Patriarca San Pedro Nolasco, Fundador del Real y Militar Orden de Nuestra Señora de la Merced... En su Convento de Descalços de... Veger... Sevilla. Andrés Grandes. 1632. 4 hs. + 16 fols. 19 cm.

—Apr. de Fr. Gaspar de los Reyes.— L. O.—Al lector.—Ded. al Doctor Iuan Gonçales Centeno, Capellán de la Santa Iglesia de Sevilla, etc.—Texto.

Placer, II, n.° 5.031.

MADRID. *Particular de D. Miguel Herrero García*.

4443

[*EPISTOLA al Autor*]. (En Juan de San Dámaso, Fray. *Vida admirable*

de... Fray Antonio de San Pedro... Cádiz. 1670. Prels.).

V. *BLH*, XII, n.° 4.475.

Aprobaciones

4444

[*APROBACION de —— y Fr. Luis de San Remón. 1674*]. (En Juan de San Gabriel, Fray. *Sermones sobre los Evangelios*. Tomo I... Zaragoza. 1660. Prels.).

OBRAS LATINAS

4445

SELECTA disputatio utrum Decreta Sacrae Congregationis Eminentiss. DD. Cardin. à S. S. D. N. Urbano Papa VIII (constitut. eius 10) approbata, fut. 21 septembr. 1624, circa professos à Religione expellendo, et alia Regularia, sint in Undipenda Familia Redemptorum Beatae Maria de Mercede recepta. Granada. Vicente Alvarez. 1647. 19,5 cm.

CORDOBA. *Pública*. 3-89.

ESTUDIOS

4446

REP: Placer, II, págs. 610-11.

MELCHOR DE SANTA MARIA (FRAY)

N. en Toledo. Franciscano descalzo. Predicador del convento de San Lorenzo de Cuenca.

EDICIONES

4447

QUARESMA del Descalço. Cuenca. Salvador de Viader. 1635. 6 hs. + 543 páginas + 16 hs. 20 cm.

—Ded. a D. Claudio Pimentel, hijo de los condes de Benavente, etc.—Censura de Juan Piñero y Ossorio.—L. V.—Censura de Fr. Alonso de San Bernardo.—Censura de Fr. Diego del Escurial.—L. O.—Apr. del P. Juan Velez Zauala.—T.—S. Pr.—E.

Intento del Autor.—Texto.—Tabla de los lugares de la Sagrada Escritura.—Tabla de las cosas que mas particularmente se tratan.

MADRID. *Facultad de Filología.* 14.148. *Seminario Conciliar.* 7-543-15.—NUEVA YORK. *Hispanic Society.*—SEVILLA. *Universitaria.* 147-24.

MELENDES
V. MELENDEZ

MELENDEZ (CATALINA)

EDICIONES

4448

[*GLOSA*]. (En Díez de Aux, Luis. *Compendio de las fiestas que ha celebrado... Çaragoça...* Zaragoza. 1619, pág. 160).

MADRID. *Nacional.* R-4.908.

MELENDEZ (P. DIEGO)

Jesuíta.

EDICIONES

4449

[*SERMON que en las honras de la Exma. Sra. Duquesa de Veragua y Condesa de Gelves predicó el ——*]. (En Robles, Juan de. *Carta para D.ª Catalina de la Cerda... con aviso y relación de la muerte de D.ª Catalina Francisca Antonia de Portugal...* Sevilla. 1635. Prels.).

SEVILLA. *Universitaria.* 109-61 (2).

4450

SERMON de honras de la Duquesa de Veragua. Sevilla. Matías Clavijo. 1635. 9 hs. + 37 págs. 4.º

Escudero, n.º 1.507.

SEVILLA. *Universitaria.*

Aprobaciones

4451

[*APROBACION. Sevilla, 22 de marzo de 1625*]. (En Porcel de Medina,

Juan Baptista. *Manual de descomuniones.* Sevilla. 1627. Prels.).

MADRID. *Nacional.* V.E.-35-100.

4452

[*CENSURA y Aprobación. Sevilla, 11 de febrero de 1639*]. (En Navarro Castellón, Baltasar. *Discurso breve...* Sevilla, s. a., fol. 1v).

GRANADA. *Universitaria.* A-31-208, núm. 5.

4453

[*CENSURA. Sevilla, 22 de mayo de 1641*]. (En Piñero, Juan. *Sermón fúnebre, predicado en las honras... del... Cardenal Arçobispo de Burgos, Don Antonio Zapata...* Sevilla. 1641. Preliminares).

SEVILLA. *Universitaria.* 113-59 (19).

4454

[*PARECER. Sevilla, 12 marzo 1642*]. (En José de Santa María, Fray. *Triunfo del agua bendita.* Sevilla. 1642. Prels.).

MADRID. *Nacional.* 3-68.651.

4455

[*APROBACION. Sevilla, 24 de noviembre de 1624*]. (En Aguilar, Juan de. *Sermón funebre predicado en las honras del Excmo. Sr. D. Enrique de Guzman...* Sevilla. s. a. Prels.).

SEVILLA. *Universitaria.* 116-155 (11).

4456

[*APROBACION. Sevilla, 24 de noviembre de 1624*]. (En *Sermón funebre predicado en las honras de... Don Enrique de Guzman... por Fr. Juan de Aguilar, en* SERMONES *funebres predicados... en las Honras de... Don Enrique de Guzman... Recopilados por Fr. Francisco de Cordova Ronquillo.* Sevilla. 1624, pág. 308).

CORDOBA. *Pública.* 4-155.

4457

[*APROBACION. Sevilla, 22 de marzo de 1625*]. (En Porcel, Juan Bautista. *Manual de descomuniones...* Sevilla. 1627. Prels.).

MADRID. *Nacional.* V.E.-35-100.

MELENDEZ (FR. JUAN)

N. en Lima. Dominico. Cronista general de la provincia de San Juan Bautista. Regente primario de los Estudios de la Minerva de Roma. Regente de estudios del convento de Cuzco. Rector del Colegio de Santo Tomás de Lima.

EDICIONES

4458

FESTIVA pompa... a la feliz beatificación de la bienaventurada virgen Rosa de S. María... Lima. [s. i.]. 1671.

BARCELONA. *Universitaria.* C.210-5-16.

4459

TESOROS verdaderos de las Yndias en la Historia de la gran Prouincia de San Ivan Bavtista del Perv, de el Orden de Predicadores. Roma. Nicolas Angel Tinassio. 1681-82. 3 vols. 30,5 cm.

Tomo I: 25 hs. + 643 págs. a 2 cols. + 12 hojas + 1 lám. + 30 cm.

—Frontis firmado por B. de Balliu.—Port. a dos tintas: roja y negra.—Retrato del autor, por B. de Balliu.—Ded. a Fr. Antonio de Monroy, Maestro General de todo el Orden de Predicadores.—Epistola latina de Fr. Antonio de Monroy.—Censuras en latin.—L. O.—Iuicio de Francisco Antonio de Montaluo.—Epigrama griego y su parafrasis latina, el autor por Ioseph de Iuliis.—Epigrama latino al autor por Petri Henrici Siculi Mamertini.—Epigrama latino al autor por Fr. Pius Mayus.—Epigrama latino al libro y al autor por Fr. Hyacinthus de Gubernatis. Soneto al libro de un Amigo. [«Melendez, si a tu gloria tu doctrina...»].—Soneto al autor del P. Fr. Francisco de Valladolid. [«No las perlas que el nacar encadena...»].—Soneto al libro, del Bach. Melchor Isqvierdo de las Eras. [«Tus

Tesoros Melendez eloquente, ...»].—Al que leyere.—Protestación del autor.—Protestatio auctoris.—Licencias en latín.—Texto.—Protestatio auctoris.—Tabla de Capitulos.—Tabla de cosas notables.—Registro.—Colofón.—Diseño de la fachada del Convento de Ntra. Sra. del Rosario de Lima.—Planta del mismo Convento.

Tomo II: 13 hs. + 669 págs. a 2 cols. + 7 hojas. 30,5 cm.

—Grab. de la Virgen firmado por Ber. de Balliu.—Port. a 2 tintas: roja y negra.—Ded. a Fr. Henrique de Guzman.—Epistola latina de Fr. Antonio de Monroy.—Censura latina de F. Leonardi Hansen.—Censura latina de Fr. Guinandus Wynans. L. O.—Soneto al segundo tomo de la obra por Fr. Iacinto de S. Andres. [«El que la tierra del Peru desata...»].—Soneto al tomo II por Bernardo Bueno. [«Abate, o Potosi la rica frente, ...»].—Soneto al tomo II por Iuan Velez de Leon. [«Vistio naturaleza al tigre, al toro, ...»].—Soneto al tomo II del Dr. Francisco Antonio de Montalvo, y Mendoza. [«No tiene por tu libro, aunque es segundo, ...»].—Oda latina al tomo II por Anastagius Nicosellius.—Al que leyere.—Protestacion del autor.—Protestatio avctoris.—Licencia en latin.—Texto.—Protestatio avctoris.—Tabla de Capitulos del tomo II.—Tabla de cosas notables del tomo II.—Registro.—Colofón.

Tomo III: 17 hs. + 857 págs. a 2 cols. + 9 hs. 30 cm.

—Grab. de la Virgen del Rosario (Ioan Baptista Caetanus Del. y B. Thiboust sculp.).—Port. a 2 tintas: roja y negra.—Ded. a Fr. Iuan de los Rios, a la Provincia de S. Juan Bautista del Perú y en su lugar al P. Fr. Lorenzo Muñoz.—Epistola latina de F. Antonio de Monroy.—Censura latina de Fr. Leonardo Hansen. Censura latina de Fr. Guynandi Wynans. L. O.—Soneto al autor del Dr. Gabriel Ambrossio de Paredes, Molina y Landecho. [«Al mas diestro se dá, de tres, la una...»].—Soneto al autor en su tomo III por el Dr. Francisco Antonio de Montalvo, y Mendoza. [«Tercera vez en el Romano puerto...»].—Soneto al libro por el Bach. Melchor Ysqvierdo de las Eras. [«Primor del arte Roma, en su moneda...»].—Soneto al autor por Luis Antonio del Campo y Medina. [«De tu erudita Historia, los Anales...»].—Soneto al libro por un aficionado a él. [«El oro en mi cotejo es vil arena, ...»].—Soneto de Sebastian de Villarreal y Gamboa. [«Descubrio el Occidente en Pino alado...»].—Soneto al libro por Pedro Luis Fernandez de Sandoval. [«Es Historia, ó Tesoro, el que publicas?...»].—Epigrama latino al libro por Horatius Qvaranta. Al que leyere.—Protestacion del autor.— Protestatio avctoris.—Licencias en latin. Texto.—Protestatio auctoris.—Tabla de los Capitulos del tomo III.—Tabla de las cosas más notables del tomo III.—Registro.

Salvá, II, n.º 3.359; Medina, *Biblioteca hispano-americana*, III, n.º 1.717; Toda, *Italia*, III, n.º 3.242.

CORDOBA. *Pública.* 17-123.—GENOVA. *Universitaria.* 2.G.IV.2-4.—LONDRES. *British Museum.* 209.d.5.—MADRID. *Nacional.* R-3.419/21.—NUEVA YORK. *Hispanic Society.* — SANTIAGO DE COMPOSTELA. *Universitaria.*

4460

COMPENDIO *de la prodigiosa vida de... Fr. Martín de Porres, natural de Lima...* Barcelona. Bernardo Pla. 1799.

BARCELONA. *Universitaria.* B.69-8-25.

Epístolas

4461

[APLAUDE *la Historia general de las conquistas del Nuevo Reyno de Granada, escrita por... D. Lucas Fernández de Piedrahita...*]. (En Fernández de Piedrahita, Lucas. *Historia general de las conquistas del Nuevo Reyno de Granada.* Amberes. s. a., 1688? Prels.).

En prosa, pero acaba con un Soneto. [«Nueva Corona ciñes a tu frente...»].

MADRID. *Nacional.* R-827.

Poesías sueltas

4462

[AL *Autor. Soneto*]. (En Medina, Bernardo. *Vida prodigiosa de... Fray Martín de Porras...* Lima. 1673. Preliminares).

MADRID. *Nacional.* 3-26.666.

Antologías

4463

[TESOROS *Antárticos*]. (En *Los Cronistas de convento.* Selección de Pedro M. Benvenutto Murrieta y Guillermo Lohmann Villena. París. 1938, págs. 192-236).

MADRID. *Nacional.* H.A.-7.682.

MELENDEZ (MANUEL)

EDICIONES

4464

[DEDICATORIA *a D. Francisco López de Zúñiga; Marqués de Baydes, etc.*]. (En PARTE *veinte y nueve de Comedias nuevas...* Madrid. A costa de ——. 1668. Prels.).

MADRID. *Nacional.* R-22.682.

4465

[DEDICATORIA *a D. Francisco Eusebio del Sacro Romano Imperio, Conde de Peting, etc.*]. (En PARTE *treinta y quatro de Comedias nuevas...* Madrid. A costa de ——. 1670. Preliminares).

MADRID. *Nacional.* R-22.687.

4466

[DEDICATORIA *a D. Francisco Eusebio del Sacro Romano Imperio, Conde de Peting, etc.*]. (En PARTE *treinta y ocho de Comedias nuevas.* Madrid. A costa de ——. 1672. Preliminares).

MADRID. *Nacional.* R-22.691.

MELENDEZ DE AZELLANA (PEDRO)

Criado de la Reina.

EDICIONES

4467

[EPITAFIO]. (En Grande de Tena, Pedro. *Lágrimas panegiricas a la tem-*

prana muerte del... Dr. Juan Pérez de Montalban... Madrid. 1639, folio 142*r*).

MADRID. *Nacional.* 2-44.053.

MELENDEZ Y VALDIVIA (MIGUEL)

Licenciado.

EDICIONES

4468

[*SONETO*]. (En Reyes, Gaspar de los. *Tesoro de concetos divinos...* Sevilla. 1613. Prels.).

MADRID. *Nacional.* R-11.542.

4469

[*CANCION*]. (En Luque Fajardo, Francisco de. *Relación de las fiestas que... la Cofradía de Sacerdotes... celebró a la Purisima Concepcion...* Sevilla. 1616, fols. 52*r*-54*v*).

MADRID. *Nacional.* R-12.262.

4470

[*DECIMA*]. (En Castro y Anaya, Pedro de. *Las Auroras de Diana.* Madrid. 1631. Prels.).

Gallardo, II, n.º 1.733.

MELENDO (JUAN)

Presbítero beneficiado en la iglesia parroquial de Villarroya.

EDICIONES

4471

SERRANA (La) Celestial, historia, aparecimiento, y Milagros de la Sacratissima Virgen Nuestra Señora de la Sierra. Zaragoza. Iuan de Lanaja y Quartanet. 1627. 16 hs. + 422 páginas + 1 h. 15 cm.

—Apr. de Fr. Thomas Valero.—L. V.—Ded. a la Luz del Día, a la Emperatriz del Cielo, etc.—A los regentes de la Santa Casa, y Hospital de la Sierra.—Prologo al lector.—Epigramma latino de Jacinto de Arevalo y Jiménez.—Soneto de Miguel

Navarro. [«Mientras tuvo tu ingenio sepultado...»].—Decima de Juan Malanquilla Palacios.—Soneto de Fr. Felipe Diez de Aux. [«Diuino ingenio, qeu con alto buelo...»].—Otro de Ana María de Peralta. [«Sin que la embidia logre su deseo...»].—Decima de Jacinto de Arévalo y Ximenez.—Otro de Jerónimo de Moros.—Soneto de Blanca Bernarda de Lanuza. [«Serrana Celestial que en essa cumbre...»].—Canción de Pedro Jerónimo Manero.—Soneto del autor al Libro. [«Libro partid seguro, que os prometo...»].—E.—Grab. de Ntra. Sra. de la Sierra.—Texto, en verso.

Jiménez Catalán, *Tip. zaragozana del siglo XVII*, n.º 266.

ZARAGOZA. *Universitaria.* D-25-208.

ESTUDIOS

4472

REP: N. Antonio, I, pág. 741.

MELERO (ANDRES)

EDICIONES

4473

[*CANCION a San Iuan Clymaco*]. (En CANCIONERO *de 1628. Edición de José Manuel Blecua.* Madrid. 1945, págs. 418-27).

MADRID. *Nacional.* 1-107.009.

MELERO (JOSE)

Licenciado.

EDICIONES

4474

COMPENDIO de la vida admirable, y mverte preciosa del Beato Pio V. Romano Pontifice. [s. l.-s. i.]. [s. a.]. 22 fols. 19,5 cm.

MADRID. *Nacional.* V.E.-127-7.

MELERO (LORENZO)

V. MELERO JIMENEZ (MIGUEL)

MELERO JIMENEZ (MIGUEL)

N. en Aguilar. Médico. Familiar de la Inquisición.

EDICIONES

4475

EXAMEN pacífico de la alegación apologética médico-physica, qve pvblicó contra vnas dvdas el doctor D. Christoval Ruiz de Pedrosa y Duque..., en cuyo discurso intenta probar ser probabilíssima, y mas probable que la contraria, la Opinión que admite Ocultas Qualidades en Medicina. Crisis medicochymica... Primera parte. Que formaba ——. Córdoba. Diego de Valverde y Leyva y Acisclo Cortés de Ribera. [s. a.]. 12 hs. + 86 págs. a 2 cols. 20,5 cm.

—Ded. a D. Martín de Amiano Mendizaval y Tolinque, Marqués de las Torres de Ginés, etc., precedida de una lámina en que está grabado su escudo.—Advertencias de algunas addiciones, y correcciones, que se hicieron al Original, después de la inpresión hecha.—Apr. del Licdo. Iuan Ordoñez de la Varrera.—L. V. (7 noviembre de 1699).—Soneto del Dr. Pedro de Castro Zamorano. [«Que el fuerte lo dulce se derive...»].—Poesía latina de Anastasio Oliver y Guardiola.—Otra de Francisco Antonio de Herrero Paniagua.—Otra de Iuan Agustín Gómez.

Ramírez de Arellano, I, n.º 1.047.

CORDOBA. *Pública.* 34-25.—MADRID. *Nacional.* 3-2.397.—SEVILLA. *Academia de Medicina.* 1-546. *Universitaria.* 109-49 (5); 142-13.

4476

——. *Segunda parte. La formaba y describía* ——. Córdoba. Diego de Valverde y Leyva y Acisclo Cortés de Ribera. [s. a.]. 6 hs. + 103 págs. a 2 cols. 20,5 cm.

—Parecer de Pedro de Castro.—L. V. (8 de febrero de 1700).—Soneto del Dr. Ioan de Agriera. [«Muertas ya, Don Miguel, y sepultadas...»].—Epigrama latino de Pedro del Pozo.—Elogio de la obra, por Salvador Leonardo de Flores.

Ramírez de Arellano, I, n.º 1.048.

MADRID. *Nacional.* 3-2.397. — SEVILLA. *Academia de Medicina.* 1-546.

4477

PROPUGNACULO de el alegato juridico a favor del Derecho y costumbre, que tienen a preceder en las consultas los medicos revalidados mas antiguos a los Doctores revalidados menos antiguos de la Universidad de la Ciudad de Sevilla. Contra respuesta a la segunda parte de la Question que, con impropiedad llaman medico legal: publicada por el Dr. D. Alonso Lopez Cornejo. Le formaba, y escrivía ——... Sevilla. Herederos de Tomas Lopez de Haro. 1697. 1 h. orlada + 6 hs. + 44 págs. 28,5 cm.

—Ded. al Real Protomedicato en los Reyes de Castilla, a los médicos de Camara de Carlos II, etc.—Apr. de Fr. Francisco Sylvestre.—L. V.—Apr. de Fr. Antonio Melgarejo.—L. del Juez Superintendente de las Imprentas y Librerías de la ciudad de Sevilla.—Texto.

SEVILLA. *Universitaria.* 110-148 (10).

4478

[ELOGIO]. (En Muñoz y Peralta, Juan. *Escrutinio phisico medico...* Sevilla. 1669. Prels.).

MADRID. *Nacional.* 3-44.872.

4479

[ELOGIO en gloria del Autor de esta obra]. (En Flores, Salvador Leonardo de. *Desempeño a el método racional, en la curación de las calenturas...* Sevilla. s. a., 1698? Prels.).

MADRID. *Nacional.* 3-43.577.

ESTUDIOS

4480

LOPEZ CERNEJO, ALONSO. *Segunda parte de la question medico legal sobre el artículo de preseden-*

cia entre los Doctores de la... Universidad de Sevilla y los Medicos Revalidados... Sevilla. 1697.

V. *BLH*, XIII, n.º 2963.

MELGAR (FRANCISCO DE)

EDICIONES

4481

PROPOSICION, y Discurso sobre si deve ser admitida por Patrona general de España, juntamente con su antiguo y unico Patron Santiago, la Bienaventurada Santa Theresa de Iesus, conforme a lo determinado por los Procuradores de Cortes, y Breve de la Santidad de Urbano Octavo. Sevilla. Francisco de Lyra. 1628. 10 hs. 29,5 cm.

Escudero, n.º 1.400 (con título deformado).

CORDOBA. *Pública.* Ms. 135.—GRANADA. *Universitaria.* B-37-20 (1).—MADRID. *Academia de la Historia.* 9-3.691.—SEVILLA. *Colombina.* 63-6-24. *Universitaria.* 111-151 (28); etc.

4482

MEMORIAL acerca de la Novedad de querer introduzir por Patrona general de España a la Bienaventurada St.ª Teresa de Jesús... [s. l.-s. i.]. [s. a.]. 9 hs. 29 cm.

Carece de portada.

—Texto. [«Esta palabra patrono trae su origen del verbo latino «patrocinare...»].

MADRID. *Nacional.* V.E.-141-15.

ESTUDIOS

4483

MEMORIAL de advertencias al papel que Don Francisco Morovelli imprimió derechamente contra Don Francisco de Quevedo, y su Memorial en defensa de Santiago, y de recudida contra Don Francisco Melgar... y los demas. Málaga. Iuan René. 1628. 14 hojas.

MADRID. *Nacional.*

MELGAR (JUAN DE)

N. en Murcia.

EDICIONES

4484

COMEDIA llamada Fenisa. Salamanca. Antonia Ramirez. 1625. 16 hs. 14 centímetros.

—Port. con tres figuras.—Texto. [«Somos pastores...»].

MADRID. *Nacional.* R-11.142 (ex libris de Gayangos).

MELGAR (MAURO)

Licenciado.

EDICIONES

4485

[AL Autor. Decima]. (En Orti y Ballester, Marco Antonio. *Siglo quarto de la conquista de Valencia.* Valencia. 1640. Prels.).

MADRID. *Nacional.* R-12.714.

MELGAR DE ALARCON (DIEGO)

Licenciado.

EDICIONES

4486

ALEGACION en derecho, elogística y panegírico informatorio... Murcia. Luis Veroz. 1629.

MADRID. *Palacio Real.* IX-6.891.

4487

CARTA elogística en relación de las fiestas que la muy Noble y muy Leal Ciudad de Orihuela, y el esclarecido Colegio Patriarcal, Vniversidad antigua della han celebrado, por elección de General de la Segunda Religión de Predicadores, que se ha hecho en... F. Thomas de Rocamora... Orihuela. Iuan Franco. 1643. 12 hs. 4.º

Carreres, n.º 84.

4488

[*DECIMA*]. (En Castro y Anaya, Pedro de. *Auroras de Diana*. Madrid. 1632. Prels.).

V. *BLH*, VII, n.º 7.393.

MELGAR Y SANTA CRUZ (ANTONIA DE)

Cabeza de la Solariega de Soria.

EDICIONES

4489

[*AL Autor. Soneto*]. (En Navarrete, Francisco de. *La casa del juego...* Madrid. 1644. Prels.).

MADRID. *Nacional*. R-7.481.

MELGAREJO

EDICIONES

4490

MINIMO (El) calabrés, San Francisco de Paula. Comedia. 1666.

LYON. *Municipale*. 360.207.

4491

Entremés nuevo de Escandarbey. [Sevilla. Joseph Padrino]. [s. a.]. 15 págs. 8.º

N.º 4.

MADRID. *Nacional*. T-15.156; etc.—PARIS. *Nationale*. 8ºYth.65243; etc.

ESTUDIOS

4492

REP: La Barrera, pág. 245.

MELGAREJO (FR. ANTONIO)

Franciscano. Predicador real. Custodio y Cronista de la provincia de Andalucía. Vicecomisario general de las Indias. Teólogo examinador de la Nunciatura de España. Visitador y Reformador del Colegio Mayor y Universidad de Osuna.

EDICIONES

4493

[*APROBACION. Sevilla, 6 de febrero de 1682*]. (En Godoy, Francisco de. *Apólogo membral...* Sevilla. 1682. Preliminares).

MADRID. *Nacional*. R-1.493.

4494

[*APROBACION. Sevilla, 28 de septiembre de 1690*]. (En Gaztañeta, Antonio. *Norte de Navegacion*. Sevilla. 1692. Prels.).

MADRID. *Nacional*. 3-48.921.

4495

[*APROBACION. Sevilla, 4 de noviembre de 1697*]. (En Melero Ximénez, Miguel. *Propugnáculo...* Sevilla. 1697. Preliminares).

SEVILLA. *Universitaria*. 110-148 (10).

4496

[*APROBACION. Sevilla, 21 de marzo de 1699*]. (En Aranda, Gabriel de. *Historia del gran profeta Daniel...* Sevilla. 1699. Prels.).

CORDOBA. *Pública*. 3-121.

4497

[*APROBACION. Sevilla, 15 de junio de 1699*]. (En Muñoz y Peralta, Juan. *Escrutinio phisico medico...* Sevilla. 1699. Prels.).

MADRID. *Nacional*. 3-44.872.

MELGAREJO (BARTOLOME)

N. en Toledo. Doctor. En Méjico fue el primer catedrático de Cánones de su Universidad.

CODICES

4498

[*Sátiras de Persio, traducidas en coplas de arte mayor*].

Original. 95 hs. 300 × 210 mm.

Gallardo, III, n.º 3.000.

—Ded. al principe D. Felipe, hijo del emperador D. Carlos. [«La gran excelencia de don virtuoso...»].—Texto.—Al letor. [«La honrra vengança juizio dudoso...»].

MADRID. *Nacional*. Mss. 3.679.

ESTUDIOS
4499
REP: N. Antonio, I, pág. 199; Beristain, II, pág. 251.

MELGAREJO (CRISTOBAL)

Gentilhombre de Cámara del cardenal Aragón, arzobispo de Toledo, y teniente de su Guarda.

EDICIONES
4500
RELACION de los festivos aplavsos con que Mafeo Barberino principe de Palestrina presentó el censo del Reino de Napoles a Alexandro VII. En otaua rima. Roma. Iacomo Dragondelli. 1663. 4.º.

ROMA. Vaticana. Stamp. Barb. KK.IV.38; etc.

Poesías sueltas
4501
[POESIAS]. (En Ruiz Franco de Pedrosa, Cristobal. Vida de... Fr. Iorge de la Calzada. Nápoles. 1666. Prels.).
1. Al Autor. Soneto.
2. Al Lector. Soneto.
3. Odde en alabanza del bendito Fr. Iorge.
MADRID. Nacional. 3-18.257.

MELGAREJO (FR. JERONIMO)
Agustino.

EDICIONES
4502
[APROBACION. Méjico, 4 de mayo de 1654]. (En García, Esteban. El máximo limosnero... S. Thomás de Villanueva. Méjico. 1657. Prels.).
Medina, México, II, n.º 842.
SANTIAGO DE COMPOSTELA. Universitaria.

MELGAREJO (MANUEL)

EDICIONES
4503
[POESIAS]. (En Romero Gonzalez de Villalobos, Bernardo. Funeral

pompa, y solemnidad en las exequias a... D.ª Mariana de Austria... Lima. 1697).
1. Soneto. (Fol. 155).
2. Poesia. (Fols. 155v-156v).
MADRID. Nacional. 2-8.211.

MELGAREJO (PEDRO)

EDICIONES
4504
COMPENDIO de los Contratos públicos, autos de participaciones... con el genero de Papel Sellado que a cada Despacho toca. Granada. 1652. 12 hs. + 160 fols. + 1 lám. 4.º
SVELILLA. Colombina. 90-3-3.

4505
——. Madrid. 1664.
SAN LORENZO DEL ESCORIAL. Monasterio. 21-V-48.

4506
——. Madrid. Melchor Sánchez. 1667. 4.º
N. Antonio.

4507
COMPENDIO de Contratos publicos, Autos de particiones, executivos, y de Residencia: con el genero del papel sellado, que a cada despacho toca. Enmendado y añadido... Madrid. [s. i.]. A costa de los herederos de Gabriel de Leon. 1689. 1 h. orlada + 3 hs. + 425 págs. + 3 hs. 19,5 cm.
—L. V.—Apr. de Miguel de Monsalve.—E. S. Pr.—Tabla.—Advertencia.—Proemio.—Texto.—Indice.
MADRID. Facultad de Filología. 19.691. Nacional. 2-66.757.—SEVILLA. Universitaria. 71-57.

— — —
—Idem. 1704. 4.º
MADRID. Nacional. 2-12.477.
—Valencia. Antonio Bordazar. 1707.
MADRID. Nacional. 2-54.938.
.—Zaragoza. 1708. 6 hs. + 424 págs. + 2 hs.

—Madrid. Pedro Joseph Alonso de Padilla.
1728. 4 hs. + 377 págs. + 3 hs. 4.º

MADRID. *Nacional.* 2-26.945.

—Madrid. 1733. 4.º

—Madrid. 1742. 4.º

—Madrid. Pedro Joseph Alonso y Padilla.
1744. 3 hs. + 376 págs. + 4 hs. 4.º

—16.ª ed. Barcelona. Lucas de Bezares.
1757. VIII págs. + 460 págs. + 4 hs. 20
centímetros.

MADRID. *Facultad de Filología.* 19.265.

—Madrid. 1758. 4.º

—18.ª ed.

—Madrid. A. Mayoral. 1764. 4.º

MADRID. *Nacional.* 2-67.203.

—Madrid. 1776. 4.º

—Madrid. 1791. 4.º

ESTUDIOS

4508

REP: Méndez Bejarano, II, n.º 1.632.

MELGAREJO (P. PEDRO)

Jesuíta.

EDICIONES

4509

[*APROBACION. Madrid, 20 de mayo
de 1613*]. (En Sánchez de Lucero,
Gonzalo. *Dos discursos teológicos en
defensa de la Inmaculada Concepción de la Virgen Santíssima...* Sevilla. 1617. Prels.).

SEVILLA. *Universitaria.* 96-48.

MELGAREJO PONCE DE LEON
(FRANCISCO)

EDICIONES

4510

[*OCTAVA*]. (En Díez de Leiva, Fernando. *Antiaxiomas morales...* Madrid. 1682. Prels.).

MADRID *Nacional.* 3-78.366.

MELGARES (GINES)

Licenciado.

EDICIONES

4511

[*REDONDILLAS*]. (En Riquelme de
Montalvo, Rodrigo. *Las reales exequias que... Murcia... celebró a...
Margarita de Austria...* Orihuela.
1612, fol. 180v).

MADRID. *Nacional.* R-8.933.

MELI CANO (FR. JUAN TOMAS)

Dominico. Lector de Teología y Maestro
de Estudiantes del convento de Santo
Domingo de Caller.

EDICIONES

4512

[*APROBACION. Caller, 18 de abril
de 1632*]. (En Aragón, Juan de. *Sermón para la soledad de la Virgen
María...* Caller. 1632. Prels.).

MADRID. *Nacional.* R-30.881.

MELI ESCARCHONI (JERONIMO)

Doctor.

EDICIONES

4513

[*ENVIDIA y Fama conspiran a la
gloria de Iacinto de Bolea. Espine-
las*]. (En Arnal de Bolea, Jacinto. *El
Forastero.* Caller. 1636. Prels.).

MADRID. *Nacional.* R-2.330.

MELIAN (FR. FELIPE)

EDICIONES

4514

[*DEDICATORIA a D. Francisco Gómez de Sandoval, gran duque de
Lerma, etc., y Al letor*]. (En Các-
res y Sotomayor, Antonio de. *Segunda parte de los Sermones, y Discursos de tiempo... Recogidos por
——.* Valencia. 1611. Prels.).

V. *BLH,* VII, n.º 351.

MELICAO (FR. TOMAS)

Dominico. Maestro y Predicador. Catedrático de la Universidad de Caller.

EDICIONES
4515
[*APROBACION. Caller, 1 de mayo de 1636*]. (En Arnal, Juan Bautista. *El Forastero.* Caller. 1636. Prels.).

MADRID. *Nacional.* R-2.330.

MELIO DE SANDE (JUAN)

N. en La Coruña. Secretario de D. Fernando Enríquez Afán de Ribera, duque de Alcalá.

CODICES
4516
[*Carta al autor*]. (En Labora de Andrade, Pedro. *Relación de la antigüedad, origen y fundación de... La Coruña...* Prels.).

Letra del s. XVII.

V. *BLH,* XII, n.º 5190.

EDICIONES
4517
DOTRINA moral de las Epistolas qve Lvzio Aeneo Seneca escriuio a Luzilo... Madrid. Alonso Martín. 1612. 11 hs. + 132 fols. 8.º

—T.—E.—S. Pr. al autor por diez años.— Apr. de Fr. Francisco García Calderón.— I V.—Censura del P. Juan Luis de la Cerda. — Ded. a D. Fernando Enriquez Afán de Ribera, duque de Alcalá, etc.— A la ciudad de Córdova el Autor.—Prólogo.—Tabla de capítulos.—Texto.

Pérez Pastor, *Madrid,* II, n.º 1.186.

LYON. *Municipale.* 346.119.—MADRID. *Palacio Real.* IX-5.116.—PARIS. *Nationale.* Z.13794.

MELIZO (LUCIO)

EDICIONES
4518
[*OCTAVAS*]. (En Dalmau, José. *Relación de la solemnidad, con que se han celebrado en... Barcelona, las fiestas a la Beatificación de la M. S. Teresa de Iesus...* Barcelona. 1615, folios 34r-35r).

MADRID. *Nacional.* 2-46.379.

MELO (ANTONIO DE)

EDICIONES
4519
LIBRO de varios sonetos, romances, cartas y décimas. Módena. Francisco Gabaldino. 1603. 143 págs. + 1 h. 8.º

NUEVA YORK. *Hispanic Society.*

4520
——. Edición de Antonio Pérez Gómez. Valencia. «... la fonte que mana y corre...». 1955. XV + 124 págs. + 1 h. 18 cm. (Col. Duque y Marqués, 7).

a) Belchior, M. de L., en XV,   , 1954-55, págs. 366-67.

MADRID. *Academia Española.* 26-VIII-54.

MELO (FRANCISCO DE)

N. en Extremós, Portugal. Felipe IV le concedió los títulos de conde de Assumar y más tarde de marqués de Illescas y Torrelaguna. Mayordomo de la reina Isabel de Borbón. Embajador en Roma y Alemania. Virrey de Sicilia, Aragón y Cataluña. Gobernador de los Países Bajos. M. en Madrid (1651).

CODICES
4521
«*Traslado de una carta escrita desde Ratisbona a 23 de marzo de 1643... y enviada por correo a posta al Conde de Siruela, Gobernador de Milan, en cual se cuenta el feliz suceso que han tenido las armas de S. M. Cesárea contra el General Bayner y en particular contra el General Stalans*».

Año 1643. 320 × 220 mm.

Inventario, X, pág. 3.

MADRID. *Nacional.* Mss. 2.375 (fol. 137).

EDICIONES

4522

RELACION verdadera de las cosas svcedidas en el Reynado de Portvgal por aviso del Embaxador de Paris Don ——... por cartas suyas de 5 y 19 de Mayo del presente año 1641. Barcelona. G. Nogués. 1641. 4 hs. 19,5 cm.

BARCELONA. *Central.* F. Bon. 2.126.

4523

COPIA de Carta de Don ——, Conde de Asumar del Consejo de Estado del Rey nuestro señor, y Gouernador de sus armas en las Prouincias de Flandes; en que da cuenta a su Magestad de la insigne vitoria que Dios nuestro Señor se ha seruido dar a su Real exercito en la frontera de Francia junto a Xatelet a 26 de Mayo deste año de 1642. Madrid. Diego Díaz de la Carrera. [s. a.]. 4 hs. 30,5 centímetros.

BARCELONA. *Central.* F. Bon. 2.185.—LONDRES. *British Museum.* 1445.f.17 (24); etc.—MADRID. *Nacional.* V.E.-59-55; etc. — ROMA. *Vaticana.* Ms. Barb. lat. 8483.

4524

[CARTA al Emperador]. (En RELACIO verdadera de tot lo qve ha succehit en lo siti de la famosa fortaleza de Thionuila per la armada del Rey Christianissim... Barcelona. 1643. Al fin).

BARCELONA. *Central.* F. Bon. 7595.

4525

[DISCURSO sobre la importancia de la guerra marítima, o medio de abaxar el altivez de los Holandeses]. [Bruselas. s. i.]. [1643, 10 de febrero]. 24 fols. 19 cm.

Peeters-Fontainas, II, n.º 772.

BRUSELAS. *Royale.*—MADRID. *Nacional.* V.E.-63-43.

ESTUDIOS

4526

VINCART, JUAN ANTONIO. *Relación de la campaña del año de 1643.* (En COLECCIÓN de documentos médicos para la Historia de España. Tomo LXXV. Madrid. 1880, págs. 413-469).

4527

REP: García Peres, pág. 364.

MELO (FRANCISCO DE)

N. en Lisboa. Caballero de la Orden de Cristo. Acompañó como camarero a la reina D.ª Catalina cuando fue a Inglaterra para desposarse con Carlos II. Embajador de Portugal en Holanda (1668), Francia e Inglaterra. M. en Londres (1678).

EDICIONES

4528

[POESIAS]. (En *Fénix renascida...* 1728, págs. 348-85).

ESTUDIOS

4529

«Relaçao da entrada em Londres do Embaxador Francisco de Mello».

Carta de João Millis de Macedo al conde de Odemira, de Londres, 18 de setiembre de 1657.

LISBOA. *Ajuda.* Mss. 50-V-36 (fols. 508r-510v).

4530

BARRIOS, MIGUEL DE. *Glossa mussea, a D. ——...—El Autor a su Mecenas D. ——]. (En Coro de las Musas.* Bruselas. 1672. Prels.).

En los Prels. hay un retrato suyo.

V. *BLH,* VI, n.º 3182.

4531

REP: García Peres, págs. 363-64.

MELO (FRANCISCO MANUEL DE)

N. y m. en Lisboa (1611-67). Iba como soldado a Flandes en la armada que naufragó en 1627. En Madrid como pretendiente. A fin de 1637, por encargo del Conde-Duque, participa en la extinción del alzamiento de Evora y luego en diversas acciones militares, volviendo a Flandes donde alcanza el grado de Maestre de Campo. En 1634 había ingresado en la Orden de Cristo. Al iniciarse la guerra de Cataluña (1640), participa como ayudante del marqués de los Vélez, jefe del ejército real, hasta que marcha al extranjero y llega a Portugal, donde se pone al servicio de Juan IV, que le envía como embajador a Inglaterra y Holanda. Acusado de asesinato, pasa varios años en prisión, hasta ser desterrado al Brasil. A su regreso (1662), es rehabilitado.

BIBLIOGRAFIA

4532

MICHAELIS DE VASCONCELLOS, C. Don Francisco Manuel de Melo. *Notas relativas a manuscritos da Biblioteca da Universidade de Coimbra.* (En *Boletin bibliografico da Biblioteca da Universidade de Coimbra,* I, Coimbra, 1914, págs. 329-46; II, 1915, págs. 20-32, 53-64).

4533

TEENSMA, BENJAMIN NICOLAAS. *Dom Francisco Manuel de Mello (1608-1666). Varia Bio-Bibliografica.* (En *Ocidente,* LXI, Lisboa, 1961, páginas 149-59).

4534

TEENSMA, BENJAMIN NICOLAAS. *Um manuscrito desconhecido do Tacito Portuguez de Dom Francisco Manuel de Mello.* (En *Reuista de Portugal,* Serie A, XXVII, Lisboa, 1962, págs. 75-102).

4535

TEENSMA, B. N. *Materiais novos para a bibliografia de Dom Francisco Manuel de Mello.* (En *O Ocidente,* LXIV, Lisboa, 1963, págs. 94-99).

CODICES

Obras castellanas

4536

«Comedia. Representáse en los montes de la Luna».

Letra del s. XVII. 9 hs. 4.º
«—O los cielos, Calixto, nos engañan...».
Fragmento de la tragedia *La Imposible,* incluido en *Las tres musas del Melodino.*
MADRID. *Nacional.* Mss. 17.746 (fol. 273).

4537

«Contra la fe no hay respeto. El esclavo de su padre».

Letra del s. XVIII. 52 hs. 4.º Comprende las jornadas II y III. Se le atribuye en una nota mss.
Paz, I, n.º 783; Roca, n.º 828-VII-3.
MADRID. *Nacional.* Mss. 18.079 (fol. 65).

4538

«Ecco politico...».

Letra del s. XVIII. 81 fols. 208 × 150 mm. Esteve, págs. 264-65.
TOLEDO. *Pública.* Mss. 365.

4539

«La imposible».

Idilio cónico-real. Letra del s. XVII. 11 hs. 4.º
«—De aquella antigua memorable queja...».
Paz, I, n.º 1.744.
MADRID. *Nacional.* Mss. 17.746 (pág. 253).

4540

«Las lágrimas de Dido, con otras rimas».

Letra del s. XVII. 148 + 113 fols., con un retrato del autor 4.º
Usado por Lawson para su traducción (1815).
Roca, n.º 713.
MADRID. *Nacional.* Mss. 17.746 (ex libris de Mathew Weld Hartstonge y de Gayangos).

4541

«Manifiesto de Portugal».

Letra del s. XVII. 315 × 220 mm. De la colección Mascareñas.
Copia de la ed. de Lisboa. 1647.
Inventario, VI, pág. 463.
MADRID. *Nacional.* Mss. 2.373 (fols. 120-35).

4542

«Manifiesto hecho en nombre del rebelde de Portugal por don Fran-

cisco de Melo y formado en Oliven-
za 3 de setiembre de 1643».
Año 1643. 320 × 220 mm.
Inventario, VII, pág. 3.
MADRID. *Nacional.* Mss. 2.375 (fol. 120).

4543
«Memorial ofreçido al Rey nuestro
Señor sobre el donativo que se trata
de pedir a la Nobleza del Reyno de
Portugal».
LISBOA. *Nacional.* Mss. 7.644.

4544
«Política militar, y auisos de genera-
les».
Autógrafo? Dedicatoria fechada en Madrid
a 20 de abril de 1638. 310 × 215 mm.
COIMBRA. *Universitaria.*

OBRAS PORTUGUESAS

4545
[Obras varias].
Letra del s. XVII. 225 × 155 mm. «Obras
varias».
1. *Epistola declamatoria ao Principe D.*
Teodósio. (Fols. 1-6).
2. *Visita das Fontes. Apologo dialogal».*
(Fols. 9-41).
Catálogo de Manuscritos, I, págs. 59-60.
COIMBRA. *Universitaria.* Mss. 338.

4546
«A visita das Fontes. Apologo dialo-
gal terceiro...».
Año 1657. Autógrafo. 97 hs.
Manuscritos da Ajuda (Guía), II, 1973,
pág. 138.
LISBOA. *Ajuda.* Mss. 50-1-51.

4547
«Alterações de Evora».
EVORA. *Pública.* Mss. CIV-1-20.

4548
«Ao Serenissimo ao Sapienttssimo
ao Felicissimo Principe Nosso Sen-

hor Dom Theodosio Epistola Decla-
matoria».
Letra del s. XVII.
Manuscritos da Ajuda (Guía), II, 1973, pá-
ginas 619.
LISBOA. *Ajuda.* Mss. 50-V-36 (fols. 150-54).

4549
«Aula Politica».
LISBOA. *Ajuda.* Mss. 50-V-36.

4550
«———».
LISBOA. *Nacional.* Mss. 8.577.

4551
«Epanaphoras. Año de 1637».
Letras del s. XVII. III + 221 fols. 295 ×
205 mm. Copia de la ed. de Lisboa. 1659.
Inventario, V, págs. 362-63.
MADRID. *Nacional.* Mss. 1.934.

4552
«Hospital das Letras».
LISBOA. *Nacional.* Mss. 3.546.

4553
«———».
LISBOA. *Nacional.* Mss. 3.763.

4554
«———».
LISBOA. *Nacional.* Mss. 8.577.

4555
«———».
COIMBRA. *Universitaria.* Mss. 338.

4556
«———».
Archivos de la «Casa de Cadaval».

4557
«Metaphoras ou Feira dos Ane-
xins...».
63 hs. Incompleta.
Cathalogo de Mss. de Evora.
EVORA. *Pública.* Mss. CVII-1-9 (fol. 214).

4558

«*Relogios fallantes. É o primeiro dos Apologos dialogaes...*».

Cathalogo dos manuscryctos da Bibliotheca Publica Eborense, II, 1868, pág. 636.

EVORA. *Pública*. Mss. CXXX-17-17 (fol. 257).

4559

«*Tacito Portuguez...*».

LISBOA. *Nacional*. Mss. 758.

4560

«——».

LISBOA. *Nacional*. Mss. 830.

4561

«——».

LISBOA. *Nacional*. Mss. 406.

4562

«——».

OPORTO. *Municipal*. Mss. 387/88.

4563

«*Theodosio del nombre segundo, Principe de Bragança...*».

LISBOA. *Ajuda*. Mss. 51-III-30.

TRADUCCIONES

4564

«*Carta y Guía de casados, y avisos para Palacio. Versión castellana... Con licencia en Madrid año de 1724*».

Letra del s. XVIII. XXVII + 295 fols.

LISBOA. *Ajuda*. Mss. 50-I-15.

4565

«*Carta y guía de casados. Escrito en Portugués por D. Francisco Manuel. Traducidos al castellano por D. Bernardo Duro del Saz... año de 1715...*».

Letra del s. XVIII. 200 × 150 mm.

MADRID. *Nacional*. Mss. 11.035 (fols. 120r-216r).

EDICIONES

Obras morales

4566

OBRAS Morales... Contiene, La Vitoria del Hombre. El Fenis de Africa... El Mayor Pequeño. Roma. Por el Falco. 1664. 2 vols.

Toda, *Italia*, III, n.º 3.250.

ANN ARBOR. *University of Michigan.*—CORDOBA. *Pública*. 18-77.—GRANADA. *Universitaria*. A-38-202. — MADRID. *Academia de la Historia*. 15-2-2-6. *Nacional*. R-27.981; etc.—SANTANDER. *«Menéndez Pelayo»*. R-IX-3-8/9. — SEVILLA. *Universitaria*. 87-78.—WASHINGTON. *Catholic University of America Library. Ibero-American Collection*.

Obras métricas

4567

OBRAS metricas de D. Francisco Manvel. Leon de Francia. Horacio Boessat y George Remeus. 1665. 3 volúmenes.

Contiene: I. El harpa de Melpone, La citara de Erato, La tiorba de Polimnia.— II. A tuba de Calliope, A çanfonha de Euterpe.—III. La lira de Clio, La auena de Tersicore, La fistula de Vrania.

La primera parte es reimpresión de *Las tres musas*. Contiene poesías y obras dramáticas en castellano y en portugués.

Gallardo, III, n.º 2.907; Salvá, I, n.º 1.314 (señala las variantes existentes en dos ejemplares de su propiedad).

CAMBRIDGE, Mass. *Harvard Uiversity.*—CHICAGO. *Newberry Library*. — LONDRES. *British Museum*. 1464.h.1,2. — MADRID. *Facultad de Filología*. 29.921 [el II]. *Nacional*. R.i.-37 (los 3 vols. en un tomo, encuadernados desordenadamente).—NUEVA YORK. *Hispanic Society*. — PARIS. *Nationale*. Yg.126-27. — ROUEN. *Municipale*. O.571.—SANTANDER. *«Menéndez Pelayo»*. R-IV-9-1.—SEVILLA. *Colombina*. 21-2-4; 11-1-77-IV. — WASHINGTON. *Catholic University of America Library. Ibero-American Collection*.

Política militar

4568

POLITICA Militar en avisos de Generales. Madrid. Francisco Martinez. 1638. 18 hs. + 46 fols. + 2 hs. 19,5 cm.

—Epistola al Conde Duque de Sanlucar.—
Censura del P. Agustín de Castro.—L. V.
Apr. del P. Hugo Sempilio.—S. Pr. al
autor por diez años.—S. T.—E. (ninguna).
Frontis firmado por Martin Droesmoode.
Ded. a D. Miguel de Noroña, conde de
Liñares, etc. (Con datos biográficos).—
Al que leyere.—Texto.—Tabla de los Avisos que contiene este libro.—Colofón.

Gallardo, III, n.º 2.205.

MADRID. *Academia de la Historia.* 2-1-5-216.
Nacional. R-28.628[1]; R-4.509.—SAN LORENZO
DEL ESCORIAL. *Monasterio.* M-8-II-10.—SEVILLA. *Colombina.* 55-4-11.

4569

——. (En *Aula Politica.* Lisboa. 1720.
Págs. 133-243).

4570

——. (En *Historia de la guerra de
Cataluña.* Madrid. 1883. Págs. 282-393)
V. n.º 4590.

———

—Buenos Aires. Emecé. [s. a., 1943]. 170
páginas. 18 cm. (Clásicos Emecé, 4).

WASHINGTON. *Congreso.* 45-12.527.

—Nota preliminar por Arturo Cancela.
2.ª ed. Buenos Aires. Emecé. 1944. (Biblioteca Emecé de Clásicos Universales,
66).

WASHINGTON. *Congreso.* 49-24394*.

—En Valdés, Francisco. *Espejo y disciplina militar.* Madrid. Edic. Atlas. 1944. (Colección Cisneros, 81).

MADRID. *Nacional.* 1-100.544.

Doce sonetos

4571

DOZE Sonetos, Por varias Acciones
en la muerte de la Señora Dona Ines
de Castro, mujer del Principe Don
Pedro de Portugal. Lisboa. Matheus
Pinheiro. Per conta de Manoel Vieira. 1628. 15 págs. 4.º.

CAMBRIDGE, Mass. *Harvard University.*—LISBOA. *Nacional.* Res. 788.

———

—Reprod. facsímil. Lisboa. 1960.

NUEVA YORK. *Hispanic Society.*

Declaración...

4572

[*DECLARACION que por el Reyno
de Portugal offrece el Dotor Geronimo de Santa Cruz* (seud.) *a todos los
Reynos, y Provincias de Europa, contra las Calumnias publicadas de sus
Emulos*]. [s. l.-s. i.]. [s. a.]. 46 págs.
17 cm.

De Lisboa. Antonio Craesbeeck y Mello.
1643.

Carece de portada.

CAMBRIDGE, Mass. *Harvard University.*—LONDRES. *British Museum.* 1486.cc.8. — MADRID.
Nacional. R-18.774 (ex libris de Gayangos);
V.E.-66-46.

4573

——. Lisboa. Antonio Craesbeeck y
Mello. 1663. 16 hs. 4.º.

BLOOMINGTON. *Indiana. University.* — MADRID.
Nacional. V.E.-58-61.

Demostración...

4574

[*DEMOSTRACION que por el Reyno
de Portugal agora offrece el Dotor
Geronimo de Sancta Cruz* (seud.) *a
todos los Reynos y Provincias de
Europa en prueva de la Declaracion
por el mesmo Autor, y por el mesmo Reyno*...]. [s. l.-s. i.]. [s. a.].
54 págs. 17 cm.

De Lisboa. Antonio Craesbeeck de Mello.
1643.

Carece de portada.

CAMBRIDGE, Mass. *Harvard University.*—MADRID. *Nacional.* R-18.774 (ex libris de Gayangos).

4575

——. Lisboa. A. Craesbeeck de Mello.
1664. 17 hs. 21 cm.

BLOOMINGTON. *Indiana University.* — MADRID.
Nacional. V.E.-48-65.

Eco político

4576

ECCO polytico, responde en Portvgal a la voz de Castilla: y satisface a vn papel anonymo, ofrecido al Rey Don Felipe el Quarto... Publicalo D. Francisco Manvel. Lisboa. Paulo Craesbeck. 1645. 5 hs. + 100 fols. 19 centímetros.

—Frontis, firmado por Lucas Vorstermans. Licenças.—El Autor escrive a todos.— Texto.

Se refiere al *Parecer de un Ministro consultado sobre la recuperación de Portugal.*

Medina, *Biblioteca hispano-americana,* II, n.º 1.079.

BOSTON. *Public Library.* — CAMBRIDGE, Mass. *Harvard University.*—EVORA. *Pública.*—LONDRES. *British Museum.* 1060.h.26; etc.—MADRID. *Nacional.* U-2.292.—NUEVA YORK. *Hispanic Society.*—*Public Library.*—PARIS. *Nationale.* 4ºOr.164.—SANTANDER. «*Menéndez Pelayo*». R-III-7-28.—WASHINGTON. *Catholic University of America Library. Ibero-American Collection.*

Historia de los movimientos...
de Cataluña

4577

HISTORIA de los movimientos, y separacion de Catalvña; y de la Guerra entre la Magestad Catolica de Don Felipe el Cuarto Rey de Castilla, y de Aragon, y la Diputacion General de aquel Principado. Escrita por Clemente Libertino. San Vicente. Paulo Craesbeeck. 1645. 7 hs. + 165 fols. 19 centímetros.

—Ded. a Inocencio X.—Hablo a quien lee. Texto.

Salvá, II, n.º 3.044; Vindel, V, n.º 1.676.

CAMBRIDGE, Mass. *Harvard University.*—CHICAGO. *Newberry Library.*—GRANADA. *Universitaria.* A-1-322. — MADRID. *Academia Española.* S.C.=5-A-144. *Academia de la Historia.* 2-2-7-881. *Nacional.* U-1.480.—PARIS. *Nationale.* 4ºOl.87.—WASHINGTON. *Catholic University of America Library. Ibero-American Collection.*—*Folger Shakespeare Library.*

4578

——. Lisboa. Bernardo da Costa de Carvalho. 1696. 4 hs. + 165 fols. 4.º.

Salvá, II, n.º 3.045.

LONDRES. *British Museum.* 1444.b.24. — MADRID. *Academia Española.* 14-VIII-47. *Academia de la Historia.* 5-1-6-190; 2-4-6-2.155.— SANTANDER. «*Menéndez Pelayo*». R-X-3-10.

4579

——. Madrid. Sancha. 1808. XXVI + 475 págs. 17,5 cm.

Edición de Eugenio de Llaguno, con una biografía del autor.

Salvá, II, n.º 3.046.

BERKELEY. *University of California.* — CHAPEL HILL. *University of North Carolina.*—FILADELFIA. *Library Company.*—GRANADA. *Universitaria.* B-9-71. — LONDRES. *British Museum.* 1196.b.14.—MADRID. *Academia de la Historia.* 14-10-2-8.328. — MONTPELLIER. *Municipale.* 12.801. — NEW BRUSWICK. *Rutgers-The State University.*—NEW HAVEN. *Yale University.*— PARIS. *Nationale.* 8ºOl.98.—WASHINGTON. *Congreso.* 4-81028 rev.

4580

——. París. Gualtier-Laguionie. 1826. 2 vols. 11,5 cm.

Salvá, II, n.º 3.047.

BOSTON. *Public Library.* — PARIS. *Nationale.* 8ºOl.98A.

4581

——. París. Firmin Didot. 1828. 2 volúmenes. 32.º.

4582

[*HISTORIA de los movimientos, separación y guerra de Cataluña. Edición de Eugenio de Ochoa*]. (En TESORO *de Historiadores Españoles...* París. 1840, págs. 125-271. Colección de los mejores autores españoles, 18).

MADRID. *Nacional.* 2-59.133.—PARIS. *Nationale.* Z.45634.

4583

——. *Completada por Jaime Tió.* Barcelona. Oliveres. 1842. XVIII +

372 págs. 8.º (Tesoro de autores ilustres, 2).

BERKELEY. *University of California.*—GRANADA. *Universitaria.* IV-4-8 (F. Letras).

— — —

—1853. 300 págs.
—1875. XV + 300 págs.
CAMBRIDGE, Mass. *Harvard University.*

4584
——. París. Baudry. 1844. 460 págs.
PULLMAN. *Washington State University.*

4585
——. (En *Las Glorias Nacionales.* Tomo VI. Barcelona. 1854, págs. 669-718).
BOSTON. *Public Library.*

4586
[*HISTORIA de los movimientos, separación y guerra de Cataluña en tiempo de Felipe IV. Edición de Cayetano Rosell*]. (En HISTORIADORES *de sucesos particulares.* Tomo I. Madrid. 1852, págs. 459-535. Biblioteca de Autores Españoles, 21).

— — —

—Madrid. 1876.

4587
——. Edición económica. Madrid. Marín y Cía., editores. 1874. 80 págs. a 2 cols. 27 cm. (Biblioteca de Historiadores españoles).
CAMBRIDGE, Mass. *Harvard University.*—CHICAGO. *University of Chicago.*

4588
GUERRA de Cataluña. Terminada por Jaime Tió. Con un juicio crítico por Cayetano Rosell y Apéndices sacados de manuscritos para mayor ilustración. Madrid. [Imp. Romero]. 1878-79. 3 vols. 14 cm. (Biblioteca Universal, 46, 47 y 49).
BERKELEY. *University of California.*—GRANADA. *Universitaria.* XXI-2-53 (F. Letras); etc.

— — —

—Edit. Sucs. de Hernando. 1904-17. 3 vols.
—Tomo I. Madrid. Edit. Hernando. 1928.
CAMBRIDGE, Mass. *Harvard University.*

4589
——. Madrid. Imp. Central a cargo de Víctor Saiz. 1883.
MADRID. *Palacio Real.*

4590
——. Madrid. Luis Navarro, ed. 1883. XXXIX + 393 págs. 18 cm. (Biblioteca Clásica, 65).
Contiene además: *Política militar.*
CAMBRIDGE, Mass. *Harvard University.*—GRANADA. *Universitaria.* B-83-90.—ITHACA. *Cornell University.*—LONDRES. *British Museum.* 1196. b.14; etc.—MADRID. *Nacional.* 1-121.871.—NUEVA YORK. *Hispanic Society.*

— — —

—Madrid. Edit. Sucs. de Hernando. 1914.

4591
——. *Prólogo de José Yxart.* Barcelona. Daniel Cortezo. 1885. 264 págs. 21 cm. (Biblioteca Clásica Española).
CAMBRIDGE, Mass. *Harvard University.*—CORVALLIS. *Oregon State University Library.*—LONDRES. *British Museum.* 9181.c.24.—MADRID. *Palacio Real.*—ROCHESTER. *University of Rochester.*

4592
——. [*Introducción de Jacinto Octavio Picón*]. Madrid. Sucs. de Hernando. 1912. LXXIX + 346 págs. 19 páginas. (Biblioteca Selecta de Autores Clásicos Españoles, 13).
GRANADA. *Universitaria.* XLIII-1-2 (F. Letras); etc. — MADRID. *Academia Española.* S.C. = 5-A-145. *Nacional.* 7-31.211.

4593
——. Madrid. CIAP. 1928. 2 vols. 18,5 centímetros. (Bibliotecas Populares Cervantes. I: Las cien mejores obras de la literatura española, 52-53).
GRANADA. *Universitaria.* B-26-257. — WASHINGTON. *Congreso.* 34-30839.

— — —
—1931.
NUEVA YORK. *Public Library.*

4594
GUERRA de Cataluña. Barcelona.
Edit. Seix Barral. 1969. 256 págs.
18,5 cm. (Biblioteca Breve de Bolsillo, 35).

a) M[olas] P., en *Indice Histórico Español*, XVI, Barcelona, 1970, n.° 75.580.

El mayor pequeño
4595
*MAYOR (El) Pequeño. Vida y Muerte
del Serafin humano Francisco de Assis.* Lisboa. Manuel da Sylva. 1647.
16 hs. + 164 fols. 12.°.

BARCELONA. *Universitaria.* B.9-6-20.—LONDRES.
British Museum. 1490.c.5.

4596
——. 2.ª ed., emendada por el mismo
autor. Lisboa. Officina Craesbeeckniana. 1650. 8 hs. + 279 págs. 8.°.

Palau, VIII, n.° 160.452.

CAMBRIDGE, Mass. *Harvard University.*—MADRID. *Nacional.* R-23.681.

4597
*MAYOR (El) pequeño, vida del Serafín Patriarca de los pobres: Abrahan
del nueuo Testamento: apóstol de
María Santíssima: y vera efigie de
Christo, N. P. S. Francisco.* Zaragoza.
Herederos de Diego Dormer. 1675. 12
hojas + 192 págs. 15 cm.

—Ded. a D.ª María de Guadalupe Alencastro, duquesa de Avero.—Apr. de Fr. Gerónimo Escuela. — Cortejo a los lectores.—Pr.—Textos latinos.—Texto.

Jiménez Catalán, *Tip. zaragozana del siglo XVII*, n.° 866.

MADRID. *Facultad de Filología.* 7.650.—ZARAGOZA. *Universitaria.* D-25-222.

4598
*EL Mayor pequeño, Vida y muerte
del Serafín humano San Francisco*

de Assis... Alcalá. Francisco García
Fernandez. 1681. 216 págs. 8.°.

Fernández, n.° 381.

GRANADA. *Universitaria.* A-14-271. — MADRID.
Academia de la Historia. 5-1-8-281.—SAN LORENZO DEL ESCORIAL. *Monasterio.* 105-VII-36.

Manifiesto de Portugal
4599
MANIFIESTO de Portvgal. Lisboa.
Pablo Craesbeeck. 1647. 36 págs. 4.°

Salvá, II, n.° 3.048.

CAMBRIDGE, Mass. *Harvard University.* (Imperfecto).—LONDRES. *British Museum.* 9195.
c.24.(12).—NUEVA YORK. *Hispanic Society.* —
PARIS. *Nationale.* 4°Or.170.

El Fénix
4600
*FENIS (El) de Africa. Agustino Aurelio, Obispo Hypponense. Hallado
entre las immortales ceniças de su
memoria.* Lisboa. Pedro Craesbeeck.
1648. 12 hs. + 220 fols. 12.°.

—?—Tabla.—Protestacion.—Texto.

CAMBRIDGE, Mass. *Harvard University.* —
COIMBRA. *Universitaria.* RB-23-4. — GRANADA.
Universitaria. A-33-325.—MADRID. *Nacional.* 3-
27.550; U-8.523 (sólo una hoja de prels.).—
NUEVA YORK. *Hispanic Society.*—PARIS. *Nationale.* H.10054.—WASHINGTON. *Catholic University of America Library. Ibero-American
Collection.*

4601
——. Zaragoza. Agustin Verges. 1674.
16 hs. + 485 págs. + 1 h. 14 cm.

Con una Apr. de Fr. Geronimo Escuela.

Jiménez Catalán, *Tip. zaragozana del siglo XVII*, n.° 849.

SANTIAGO DE COMPOSTELA. *Universitaria.*

4602
——. Alcalá. Francisco García Fernandez. 1688. 5 hs. + 324 págs. + 44
hojas. 4.°.

J. Catalina García, *Tip. complutense*, número 1.262.

CORDOBA. *Pública.* 11-146.—GRANADA. *Universitaria.* A-2-371.—MADRID. *Facultad de Filología.* 35.994. *Nacional.* 2-8.920; 7-13.459.

El Fénix (2.ª parte)

4603

SEGUNDA Parte del Fenis de Africa... Agustino Santo. Libro segundo mistico. Lisboa. Pablo Craesbeeck. 1649. 16 hs. + 228 fols. 12.º.

—Texto.—Protesta.

MADRID. *Nacional.* U-8.524 (falto de portada y prels.).—NUEVA YORK. *Hispanic Society.*

Las tres Musas

4604

TRES (Las) Mvsas del Melodino. Halladas por D. Francisco Manvel. Qve por su industria recogió y publica Henrique Valente de Olivera. Lisboa. Oficina Craesbeeckiana, por Henrique Valente de Olivera, y a su costa. 1649. 8 hs. + 134 fols. 18,5 cm.

—Ded. a Iuan Rodriguez de Vasconcelos y Sosa, Conde de Castelmellor, por Henrique Valente de Oliuera.—Al lector.—Con el original de estos versos se halló esta carta, que sirua de su introducion.—Index de primeros versos.—Texto.

Gallardo, III, n.º 2.906; Salvá, I, n.º 785. BOSTON. *Public Library.* — CAMBRIDGE, Mass. *Harvard University.*—LONDRES. *British Museum.* 11451.d.12.—MADRID. *Academia Española.* S.C.=7-A-13. *Facultad de Filología.* 29.562. *Nacional.* R-1.404; R-4.960. *Palacio Real.* VIII-801.—NUEVA YORK. *Hispanic Society.*—PARIS. *Nationale.* Yg.125.—SANTANDER. «Menéndez Pelayo». R-V-10-1.

4605

O poeta melodino D. ——. Rimas portuguesas... e orações académicas extraidas das «Segundas tres musas do Melodino». Revistas, prefaciadas e anotados por José Pereira Tavares. Pôrto. Campanhia Portuguesa Editora. 1921. 304 págs. (Clássicos da Literatura Portuguesa).

BERKELEY. *University of California.*—CHAPEL HILL. *University of North Carolina.* — CHICAGO. *Newberry Library.*—*University of Chicago.*

4606

AS segundas Três musas de D. ——. Ensaio critico, selecção e notas de Antonio Correia de A. Oliveira. Lisboa. A. M. Teixeira C.ª 1944. 227 páginas. 19 cm. (Clássicos pourtugueses).

ANN ARBOR. *University of Michigan.*—CHICAGO. *Newberry Library.*—GAINESVILLE. *University of Florida.*

Panteón...

4607

PANTHEON a la immortalidad del Nombre: Itade. Poema Tragico... Diuidido en dos Soledades. Hacele Publico Pavlo Craesbeeck. Lisboa. Officina Craesbeckiana. 1650. 6 hs. + 27 folios. 12,5 cm.

—Aprobaciones, licencia y dedicatoria en portugués.—El Estampador a los Críticos, y Cultos Ingenios.—[Relación de obras del autor].—Texto. [«Metricas lineas son de un templo eterno...»].

LONDRES. *British Museum.* 11450.a.44.—NUEVA YORK. *Hispanic Society.* — OVIEDO. *Universitaria.* A-445.—SANTANDER. «Menéndez y Pelayo». R-I-B-108.

Epístolas

4608

[*AL Autor. Carta. Anascot (Flandes), 15 de Diciembre de 1639*]. (En Mendez Silva, Rodrigo. *Vida y hechos heroicos del gran Condestable de Portugal D. Nuño Alvarez Pereyra...* Madrid. 1640. Prels.).

MADRID. *Nacional.* 2-1727.

4609

[*CARTA a Quevedo. Madrid, 4 de octubre de 1636*]. (En Quevedo Villegas, Francisco de. *Obras. Edición de A. Fernández-Guerra.* Tomo II.

Madrid. 1859, págs. 563-64. Biblioteca de Autores Españoles, 48).

Extraída de la *Primeira parte das cartas familiares*, ed. de Lisboa. 1752.

Poesías sueltas

4610

[*REDONDILLAS*]. (En Gallegos, Manuel de. *Gigantomachia*. Lisboa. 1626. Preliminares).

MADRID. *Nacional*. R-5.822.

4611

[*REDONDILLAS*]. (En Gonzálvez de Andrada, Paulo. *Varias poesías. Parte primeira*. Lisboa. 1629. Prels.).

V. *BLH*, XI, n.º 1536.

4612

[*SONETO*]. (En Guzmán Suares, Vicente de. *Rimas varias en alabança del nacimiento del Principe N. S. Don Balthasar Carlos...* Oporto. 1630. Preliminares).

V. *BLH*, XI, n.º 3754.

4613

[*DECIMAS*]. (En Froes de Macedo, Andrés. *Amores divinos*. Lisboa. 1631. Preliminares).

NUEVA YORK. *Hispanic Society*.

OBRAS PORTUGUESAS

4614

RELAÇAM dos sucessos da Armada que a Companhia geral de Commercio expediu ao Estado do Brasil o anno passado de 1649. Lisboa. 1650.

PARIS. *Nationale*. 4ºOw.52.

—————

—En *Annaes da Biblioteca Nacional*, XX, Rio do Janeiro, 1898.

4615

CARTA de Guía de Casados. Paraque pello caminho da prudencia se acerte com a casa do descanço. Lisboa. Na Officina Craesbecckiana. 1651. 7 hojas + 195 fols. 12,5 cm.

BLOOMINGTON. *Indiana University.* — BOSTON. *Public Library.*—CAMBRIDGE, Mass. *Harvard University.*—CHICAGO. *Newberry Library.*— LONDRES. *British Museum.* 08416.e.18.

—————

—4.ª imp. emendada dos muitos erros das passadas. Lisboa. A Craesbeeck de Mello. 1678.

CAMBRIDGE, Mass. *Harvard University.*

—6.ª ed. Lisboa. A. Pedrozo Galtão. 1746. 235 págs. 12.º

PARIS. *Nationale*. 8ºR.25688.

—s. l. Rodrigues Galhardo. 1765. 278 págs. 13,5 cm.

LISBOA. *Ajuda*. 76-I-8.

—Lisboa. 1827, 210 págs.

WASHINGTON. *Catholic University of America Library. Ibero-American Collection.*

—Porto. Pereira da Silva. 1873. 204 págs.

BLOOMINGTON. *Indiana University.* — DURHAM. *Duke University.* — WASHINGTON. *Catholic University of American Library.*

—Porto. Livr. Chardron. 1898. 203 págs.

CHICAGO. *University of Chicago.*—ITHACA. *Sarnell University.*

—Prefacio biográfico por Camilo Castelo Branco e notas por Têofilo Braga. (En Alcoforado, Mariana. *Curtas de amor.* s. a., págs. 53-243

—Com um estudo critico, notas e glossario por E. Prestage. Porto. 1916. 225 páginas. (Biblioteca Lusitana).

a) Bell, A. F. G., en *A Aguia*, XI, Oporto, 1917, págs. 111-12, y en *The Modern Language Review*, XII, Cambridge, 1917, páginas 112-13.

—Porto. 1949.

LISBOA. *Ajuda*. 112-X-11.—WASHINGTON. *Congreso*. 85-25668.

4616

EPANAPHORAS de varia Historia Portugueza... Lisboa. Henrique Valente de Oliveira. 1660. 8 hs. + 537 páginas. 19 cm.

BLOOMINGTON. *Indiana University.* — CHICAGO. *Newberry Library.* — MADRID. *Nacional.* 2-12.931.—NUEVA YORK. *Columbia University.*— *Public Library.*—PARIS. *Nationale.* 4ºOq.20.

—Lisboa. Antonio Craesbeeck. 1676. 3 hs. + 674 págs. 10,5 cm.

ANN ARBOR. *University of Michigan.*—BARCELONA. *Universitaria.* 125-5-22; etc. — BOSTON. *Public Library.*—GRANADA. *Universitaria.* A-1-237. — MADRID. *Academia de la Historia.* 3-1-2-188. *Facultad de Filología.* 33.856. *Nacional.* 2-12.931.—PARIS. *Nationale.* 4°Oq.20A. PROVIDENCE. *John Carter Brown Library.*— ROUEN. *Municipale.* Mt. 5461. — SANTANDER. *«Menéndez Pelayo».* R-IX-2-10. — SANTIAGO DE COMPOSTELA. *Universitaria.*—WASHINGTON. *Congreso.* 1-20851.

—3.ª ed. revista e anotada por E. Prestage. Coimbra. Impr. da Universidade. 1931. XXI + 463 págs. 16.°

GRANADA. *Universitaria.* XIV-5-6. — WASHINGTON. *Congreso.* 32-33881.

—Ed. rev. e prefaciado por Fernando de Castro Pires de Lima. Porto. S. Lopez. 1949. 163 págs. 20 cm. (Biblioteca Lusiáda).

CAMBRIDGE, Mass. *Harvard University.*

—Ed. Prestage. Nova ed. Lisboa. Pinto. 1954. 128 págs. 25 cm.

4617

PRIMEIRA Parte das Cartas Familiares. Roma. Felipe Maria Mancini. 1664. 24 hs. + 794 págs. 4.°.

Toda, *Italia,* III, n.° 3.251.

LONDRES. *British Museum.* 1609/2709. — MADRID. *Nacional.* R-9.327.—PARIS. *Nationale.* Z.3397.—ROMA. *Vaticana.* Stamp. Barb. Y. X.81.—SEVILLA. *Colombina.* 21-2-46. *Universitaria.* 274-87.

—Lisboa. Hers. de Antonio Pedraza. 1752.

LISBOA. *Ajuda.* 70-III-17. — SANTANDER. *«Menéndez Pelayo».* R-IX-3-10.

—Ed. E. Prestage. Lisboa. 1911.

—Selecção e notas pelo Prof. Rodrigues Lapa. Lisboa. 1937. XXVII + 289 págs. 18,5 cm.

WASHINGTON. *Congreso.* 39-5625.

—2.ª ed. 1942.

NUEVA YORK. *Hispanic Society.*

4618

AUTO do fidalgo aprendiz. Leão de Franca. 1665.

En *Obras métricas.* Lisboa. 1676 y 1718; Coimbra. 1898.

—Lisboa. Bernardo da Costa Carvalho. 1716. 18 págs. a 2 cols. 4.°

CAMBRIDGE, Mass. *Harvard University.*

—Ed. revista por Mendes dos Remedios. Coimbra. França Amado 1898. XXI + 65 páginas. 19 cm. (Obras selectas do Auctores Portuguêses, 1).

PARIS. *Nationale.* 8°Z.18846(1).

—2.ª ed. 1915. XV + 56 págs.

LONDRES. *British Museum.* 12032.b.21/1. — PARIS. *Nationale.* 8°Z.21624(1).—WASHINGTON. *Congreso.* 30-3621.

—Pôrto. Portugal. [s. a.]. 284 págs. 20 cm.

LAWRENCE. *University of Kansas.*

—*Introdução e notas de António Correia de A. e Oliveira.* Lisboa. A. M. Teixeira & ca. 1943. 105 págs. 19 cm.

ANN ARBOR. *University of Michigan.* — CAMBRIDGE, Mass. *Harvard University.* — NUEVA YORK. *Public Library.*

—4.ª ed. [s. a.].

COLLEGE PARK. *University of Maryland.* — EUGENE. *University of Oregon.*

4619

AULA Politica, Curia Militar: Epistola Declamatoria ao Serenissimo Principe D. Theodosio: & Politica Militar de ——. Lisboa Occidental. Mathias Pereyra da Sylva e Ioan Antunes Pedroso. 1720. 10 hs. + 242 págs. 4.°.

BOSTON. *Public Library.* — CAMBRIDGE, Mass. *Harvard University.* — COIMBRA. *Universitaria.* R-11-15.—CHICAGO. *Newberry Library.*— LISBOA. *Ajuda.* 76-VII-25. — LONDRES. *British Museum.* 27.h.12.(1). — MADISON. *University of Wisconsin.*—MADRID. *Academia de la Historia.* 2-2-6-819. *Nacional.* 2-50.613. — PARIS. *Nationale.* 4°*E.95.—SANTANDER. *«Menéndez Pelayo».* R-VI-6-64. — WASHINGTON. *Catholic University of America Library. Ibero-American Collection.*

4620

APOLOGOS Dialogaes. Obra posthuma. Lisboa Occidental. Mathias Pereyra da Sylva e Ioam Antunes Pedroso. 1721. 10 hs. + 464 págs. 21 cm.

Salvá, II, n.° 1.903.

CAMBRIDGE, Mass. *Harvard University.*—CHI-CAGO. *Nowberry Library.* — LISBOA. *Ajuda.* 76-VII-25².—MADRID. *Nacional.* 2-15.084.—SANTANDER. *«Menéndez Pelayo».* R-IX-4-4.—URBANA. *University of Illinois.* — WASHINGTON. *Catholic University of America Library. Ibero-American Callection.*

———

—Com uma noticia da vida e escriptos do author por Alexandre Herculano. Lisboa. Escriptorio. 1900. 3 vols. 21,5 cm. (Bibliotheca de Classicos Portuguezes, 12-14).

PARIS. *Nationale.* 8°Z.18931. — WASHINGTON. *Congreso.* 19-2585.

—Annotados e precedidos de um esbóço bio-bibliographico do autor, por Fernando Nery. Rio de Janeiro. A. J. de Castilho. 1920. XXVIII + 464 + CXII págs. 19 cm. (Bibliotheca de Classicos Escolhidos).

NUEVA YORK. *Public Library.*

—*Relógios falantes. (Apologo dialogal)* Préfacio e notas de Antonio Sérgio. Lisboa. 1936. 61 págs. 19 cm. ₍Textos literários. Autores portugueses).

AMHERST. *University of Massachasetts.*

———

—Pref. e notas de Joaquim Ferreira. 2.ª ed. Pôrto. D. Barreira. [s. a.]. 114 págs. 19 cm. (Colecção Portugal, 10).

WASHINGTON. *Congreso.* 50-30614.

—Texto rectificado, prefácio e notas de António Correia de A. Oliveira. Lisboa. A. M. Teixeira & Co. 1947. 105 pág. 19 cm.

CAMBRIDGE, Mass. *Harvard University.*—NUEVA YORK. *Public Library.*

—Etc.

—*Hospital das letras. Apólogo dialogal quarto.* [Río de Janeiro]. Edit. Bruguera. [s. a.]. 141 págs. + 2 facs. 18 cm.

—*Le Dialogue «Hospital das letras». Texte établi d'après l'édition princeps et les manuscrits, variantes et notes, par J. Colomès.* París. Centro Cultural Portugués. 1970. LII + 378 págs.

a) A. B., en *Bróteria,* XCII, Lisboa, 1971, páginas 586-87.

b) Paxeco, en *O Ocidente,* LXXXI, Lisboa, 1971, págs. 116-23.

—*A visita das fontes. Apólogo dialogal terceiro. Ed. fac-similada e leitura do autógrafo (1657).* Introd. e comentário por Giacinto Manuppella. Coimbra. Acta Uni-versitatis Conimbrigensis. 1962. XXXV + 666 págs.

c) Mendes, en *Bróteria,* LXXV, Lisboa, 1962, págs. 196-99.

d) Stegagno Picchio, en *Cultura Neolatina,* XXIII, Roma, 1963, págs. 103-5.

LONDRES. *British Museum.* Ac.2699/3.(42).

4621

TRATADO da sciencia cabala; ore, Noticia da arte cabalistica... Obra posthuma. Lisboa. B. da Costa de Carvalho. 1724. 212 págs.

CAMBRIDGE, Mass. *Harvard University.*—CINCINNATI. *Hebrew Union College.*—LONDRES. *British Museum.* 27.h.12.(2).—LOS ANGELES. *University of California.*—PULLMAN. *Washington State University.*

4622

TACITO portuguez. Vida, e morte, dittos e feytos de el -rei dom João IV, segundo apógrafo inédito da Biblioteca Nacional, com introduçao, informaçao, notas de Afránio Peixoto, Rodolfo García e Pedro Calmon. Río de Janeiro. 1940. XX+ 293 págs. 25,5 centímetros.

LONDRES. *British Museum.* 10633.w.25.—WASHINGTON. *Congreso.* 42-3032.

4623

ARTE de galenteria, por Francesco de Portugal. *Adaptação, prefácio e notas de Joaquim Ferreira.* Pôrto. D. Barreira. [1943]. 173 págs. 19 cm. (Colecção Portugal, 14).

AUSTIN. *University of Texas.*

4624

RESTAURAÇÃO de Pernambuco. Epanáfora triunfante e outros escritos. Recife. Secretaria do Interior. 1944. 83 págs. 24 cm.

WASHINGTON. *Congreso.* 52-47037.

4625

ALTERAÇÕES de Évora, 1637. Introduçã, fixação do texto, apêndice documental e notas por Joel Serrão.

Lisboa. 1967. LVI + 175 págs. 8.º
(Colecção Portugalia, 2).

LONDRES. *British Museum*. X.709/4641.

4626

*TRECHOS escolhidos. Ensaio bio-
gráfico e histórico-critico, selecção,
notas e indices remissivos, por Má-
rio Gonçalvez Viana*. Pôrto. Educa-
ção Nacional. 1940. 298 págs. 18 cm.
(Autores Clássicos, 3).

WASHINGTON. *Congreso*. 55-49220.

4627

*FEIRA dos anexins. Obra posthuma.
Ed. dirigida e revista por Innocencio Francesco da Silva*. Lisboa. Livr.
de A. M. Pereira. 1875. 222 págs.

CAMBRIDGE, Mass. *Harvard University.*—CHI-
CAGO. *University of Chicago.*—WASHINGTON.
*Congreso. Priority 4 Collection. — Catholic
University of America Library. Ibero-Ame-
rican Collection.*

——— ——— ———

—2.ª ed. 1916.

CAMBRIDGE, Mass. *Harvard University.*—CHI-
CAGO. *University of Chicago.*

4628

*CARTAS... a Antonio Luiz de Aze-
vedo... Com introdução e notas por
Edgar Prestage.* (En HISTORIA e Me-
*mórias da Academia das Sciências
de Lisboa, Classe de Sciências Mo-
raes e Bellas Lettras*, XII, Lisboa,
1918, págs. 37-97).

4629

*POESIAS escolhidas. Prefácio, selec-
ção, notas, tábua de encordáncias e
glossário [por] J. V. de Pina Martins.* Lisboa. Verbo. 1969. 123 págs.
(Textos Clásicos).

a) Nagel, R., en *Iberomania*, III, 1971,
pág. 407.

Poesías sueltas

4630

[AL autor. Soneto]. (En Sousa de
Macedo, Antonio de. *Flores de Espa-*

ña. Excelencias de Portugal. Lisboa.
1631. Prels.).

MADRID. *Nacional.* 2-59.103.

4631

[SONETO]. (En Gallegos, Manuel
de. *Templo da Memoria.* Lisboa. 1635.
Preliminares).

V. *BLH*, X, n.º 3875.

TRADUCCIONES

a) CASTELLANAS

4632

*CARTA de guia de casados, y Avisos
para polacio. Version castellana del
idioma portugues...* Madrid. Blas de
Villanueva. 1724. 36 + 286 págs. 15
centímetros.

MADRID. *Nacional.* 3-19.512.—SANTIAGO DE COM-
POSTELA. *Universitaria.*—WASHINGTON. *Congreso.* 9-34908 rev.

——— ——— ———

—Madrid. B. Cano. 1786. 272 págs. 15 cm.
BOSTON. *Public Library. —* CAMBRIDGE, Mass.
Harvard University. — MADRID. *Facultad de
Filología.* 29.035. *Municipal.* R-791. *Nacio-
nal.* U-6.083.—URBANA. *University of Illinois.*

4633

*GUIA de casados. Versión castellana
de Ana Díaz Aguilar.* Madrid. Edit.
Biblioteca Hispania. 1922. 226 págs.
8.º (Colección Literatura, 4).

LONDRES. *British Museum.* 08415.g.21.

b) INGLESAS

4634

*The government of a wife; or, Whol-
som and pleasant advice for married
men... Translated... by Capt. John
Stevens.* Londres. Jacob Tonson and
R. Knaplock. 1697. XXIII + 240 páginas. 18 cm.

BOSTON. *Public Library. —* LONDRES. *British
Museum.* 8415.e.4. — LOS ANGELES. *University
of California. William Andrew Clark Memorial.*—CHICAGO. *Newberry Library.*

4635

Relics of Melodino... Translated by Edward Lawson from an unpublished manuscript, dated 1645... Londres. Baldwin, Cradock, and Joy. 1815. XVIII + 244 págs. 8.º

DURHAM. *Duke University.*—LONDRES. *British Museum.* 992.i.9.(7).—NUEVA YORK. *Public Library.*

— — —

—2.ª ed. 1820.
LONDRES. *British Museum.* 11643.h.8.

c)   ITALIANAS

4636

MANIFESTO di Portogallo. Lisboa. Paolo Craesbeeck [pero impreso en Italia]. 1647. 4.º

LONDRES. *British Museum.* 1193.m.1.(48).

d)   NEERLANDESAS

4637

De strijd in het Engelsche Kanaal tusschen de Spaansche en Hollandsche wapenen, anno 1639. Uit het Portugeesch vertaald door M. de Jong. Den Helder. [1939]. 104 págs. 25 cm.

WASHINGTON. *Congreso.* 55-48923.

e)   PORTUGUESAS

4638

D. Teodósio II segundo ó codice 51-III-30 da Biblioteca da Ajuda. Traduçao e prefácio de Augusto Casimiro. Porto. 1944. 258 págs. 8.º

LONDRES. *British Museum.* 10635.k.19.—NUEVA YORK. *Hispanic Society.*

ESTUDIOS

BIOGRAFÍA

4639

PRESTAGE, EDGAR. *D. Francisco Manuel de Mello. Esboço biographico.* Coimbra. Imp. da Universidade.

1914. XXXV + 614 págs. + 4 lám. + 1 h. 23 cm.

Págs. 571-610: Bibliographia.

a) Bell, A. F. G., en *The Modern Language Review*, X, Cambridge, 1915, págs. 119-20.
b) Picón, J. O., en *Boletín de la R. Academia Española*, I, Madrid, 1914, págs. 619-623.

LONDRES. *British Museum.* 10632.v.10.—MADRID. *Consejo. Patronato «Menéndez Pelayo».* SA-82. *Nacional.* 1-67.552.

— — —

—Oxford. 1922.

LONDRES. *British Museum.* Ac.9729/9.(23).—MADRID. *Nacional.* 2-76.871.
—Trad. do ingles por António Alvaro Dória. Revista e emendada pelo autor. Coimbra. Imp. da Universidade. 1933. XVI + 109 págs.

LONDRES. *British Museum.* 20010.c.19. — MADRID. *Consejo. Patronato «Menéndez Pelayo».* 7-1.970. *Nacional.* V-9.811-2.

4640

COSTA, ALBERTO MARIO SOUSA. *Quem era a mulher fatal de Dom Francisco Manuel?* (En *Memórias da Academies de Ciências de Lisboa. Classe de Letras*, VI, Lisboa, 1951.

4641

TEYSSIER, PAUL. *Les relations entre dom Francisco Manuel de Melo et le résident français François Lanier (1647-1649).* (En *Bulletin des Études Portugaises...*, XX, Coimbra, 1957, págs. 216-28).

Documentos

4642

FELIPE IV. [*Real Cédula*]. [s. l.-s. i.]. [s. a.]. Una hoja, impresa por una sola cara. 31 cm.

—Texto. [«El Rey. = Por quanto por parte del Maestro de Campo don Francisco Manuel de Melo, se me ha representado, que estandome siruiendo en el exercito de Catalunia, fue traido de orden mia a esta Corte, sin que contra el aya resultado culpa alguna, ante le he mandado hazer diferentes mercedes, y respecto de auerle mandado traer preso en

ocasion del leuantamiento del Reino de
Portugal, y que personas de dañada intencion podran adelante intentar poner
dolo en su reputacion, me ha suplicado
le haga merced de mandar declarar la
satisfacion con que estoy de la fidelidad con que siempre ha seruido, y procedido en todo... Declaro... que... me
ha seruido en diferentes partes, y ocasiones, con mucha aprouacion y valor,
procediendo en quanto de mi seruicio
se ha ofrecido, con la lealtad, y fidelidad que se deuia esperar de Cauallero
de sus obligaciones... Dado en Madrid,
a 8 de Março de 1641»].

MADRID. *Nacional.* Mss. 2.374 (fol. 640).

4643
[*DOCUMENTOS sobre Francisco
Manuel y Melo*]. (En Pérez Pastor,
Cristóbal. *Noticias y documentos relativos a la Historia y Literatura españolas...* Tomo I. Madrid. 1910, página 240).

4644
MATOS, GASTÃO DE MELO DE.
*Documentos ineditos sobre D. Fran-
cisco Manuel.* (En *Anais da Acade-
mia Portuguesa da Historia*, Ser. 2,
VI, Lisboa, 1955).

INTERPRETACIÓN Y CRÍTICA

4645
HERCULANO, ALEXANDRE. *D.
Francisco Manuel de Mello.* (En
O Panorama, IV-V, Lisboa, 1840-41).
Reprod. en la ed. de los *Apologos Dialo-
gues.* Lisboa. 1900, págs. 5-25.

4646
PRESTAGE, EDGAR. *D. Francisco
de Mello. Obras autographas e inéditas.* (En *Archivo Histórico Portuguez*, VII, Lisboa, 1909, págs. 178-92).

4647
CIROT, GEORGES. *Sur un procéde
de style de Francisco de Melo.* (En
Bulletin Hispanique, IV, Burdeos,
1902, págs. 163-66).

4648
PROENÇA, RAUL. *A livraria de D.
Francisco Manuel.* (En *Anais das
Bibliotecas e Arquivos*, I, Lisboa,
1923).

4649
JARDIM DE VILHENA, J. *As dívi-
das de D. Francisco Manuel de Melo.*
(En *O Instituto*, LXXXIV, Coimbra,
1932, págs. 135-50).

4650
CIDADE, H. *O conceito da poesia
no seculo XVII. Don Francisco Manoel de Melo.* (En *Boletim de Filología*, I, Lisboa, 1933, págs. 235-48).

4651
GONÇALVES RODRIGUES, A. *D.
Francisco Manuel de Melo e o des-
cobrimento da Madeira... A lenda
de Machim.* 1935. 82 págs. 8.º
LONDRES. *British Museum.* 20011.e.13.

4652
PRESTAGE, E. *D. Francisco Manuel
de Melo.* (En *The Modern Language
Review*, XXXVII, Cambridge, 1942,
págs. 327-34).

4653
MANUPPELLA, GIACINTO. *Acerca
de Cosmopolitismo Intellectual de
D. Francisco Manuel de Mello.* (En
Brasilia, XI, Coimbra, 1960).
Tir. ap.: 22 págs.

4654
COLOMÈS, JEAN. *D. Francisco Manuel de Melo et la littérature française.* (En ACTAS. *5 Colóquio Internacional de Estudos Luso - Brasilei-
ros.* Tomo III. Coimbra. 1963, páginas 491-511).

4655
LIVERMORE, ANN LAPRAEK.
D. Francisco Manuel de Melo e as

«*Lettres portugaises*». (En *Colóquio*, Lisboa, 1963, n.º 25, págs. 49-51).

4656

CARVALHO, JOSE ADRIANO DE. *Aspectos do desengano e da aceitação da vida em D. Francisco Manuel de Mello*. (En *Brotéria*, LXXVIII, Lisboa, 1964, págs. 277-91, 423-38).

4657

TEENSMA, B. N. *Breve digressão sobre a linguagem de D. Francisco Manuel de Melo*. (En *Revista de Portugal*, XXXI, Lisboa, 1966, págs. 198-208).

4658

TEENSMA, B. N. *Don Francisco Manuel de Melo, inventario general de sus ideas*. La Haya. Martinus Nyhoff. 1966. 234 págs. 27 cm.

a) Lamb, N. J., en *Bulletin of Hispanic Studies*, XLV, Liverpool, 1968, págs. 335-36.
MADRID. *Nacional*. 4-86.419.

4659

REIS BRASIL. *A linguagem de D. Francisco Manuel de Melo*. (En *Boletim da Sociedade de Lingua Portuguesa*, Lisboa, 1967, n.º 10, páginas 305-13).

4660

[MONTALEGRE, DUARTE DE]. *A poesia de D. Francisco Manuel de Melo, por José V. de Pina Martins*. (En *Brotèria*, LXXXIV, Lisboa, 1967, págs. 423-42; LXXXV, págs. 53-67, 216-27).

4661

COLOMES, JEAN. *La critique et la satire de D. Francisco Manuel de Melo*. París. Presses Universitaires de France. 1969. 442 págs. 24 cm.

a) A. R., en *Bróteria*, CLI, Lisboa, 1970, pág. 396.
b) Ares Montes, J., en *Revista de Filología Española*, LV, Madrid, 1972, págs. 69-72.
c) Do Prado Coelho, J., en *Revista de Letras*, XIII, Assis (Brasil), 1970-71, páginas 236-37.
LONDRES. *British Museum*. X, 900/4562. — MADRID. *Nacional*. 1-134.854.

4662

CARVALHO, JOSE ADRIANO DE. *A poesia sacra de D. Francisco Manuel de Melo*. (En *Arquivos do Centro Cultural Portuguès*, VIII, París, 1974, págs. 295-403).

4663

SERRÃO, JOEL. *Aproximação a mentalidade de D. Francisco Manuel de Melo*. (En *Colóquio. Letras*, Lisboa, 1976, n.º 33, págs. 51-61).

Obras castellanas

4664

PUJOL Y CAMPS, CELESTINO. *Melo y la revolución de Cataluña en 1640. Discurso en la R. Academia de la Historia. Contestación de Víctor Balaguer*. Madrid. Tello. 1886. 103 páginas. 27 cm.

MADRID. *Consejo. Patronato «Menéndez Pelayo»*. 9-1.747.

4665

ROCA, J. NARCISO. *El historiador Melo y la España del siglo XVII*. (En *Revista. La España Regional*, I, Barcelona, 1886, págs. 576-95).

4666

MAFFRE, CLAUDE. «*La Guerra de Cataluña*»: *Don Francisco Manuel de Melo, écrivain et philosophe de l'histoire*. (En *Arquivos do Centro Cultural Portuguès*, III, París, 1971, páginas 371-400).

Obras portuguesas

4667

FREITAS, MARIA MÚRIAS DE. *A naturaleza física na Epanáfora Amorosa de D. Francisco Manuel de Melo.* (En *Revitsa da Facultade de Letras,* IV, Lisboa, 1937).

4668

FERREIRA, JOAQUIM. *D. Francisco Manuel de Melo escreveu a «Arte de Furtar».* Porto. Domingo Barreira. [1945]. 440 págs. 18,5 cm.

a) Manupella, G., en *Revista da Facultade de Letras,* XIII, Lisboa, 1947, pág. 75.
MADRID. *Nacional.* 4-22.428.

4669

PENA PUNOIR, AFONSO. *«A arte furtar» o seu autor.* Río de Janeiro. José Olympio. 1946. 2 vols.

a) Manupella, G., en *Revista da Facultade de Letras,* XIII, Lisboa, 1947, pág. 75.

4670

COLOMÈS, JEAN. *Pour une édition critique des «Apologues dialogués» de Melo.* (En *Bulletin Hispanique,* LXIV bis, Burdeos, 1962, págs. 394-402).

4671

FERNANDES DE MIRANDA, MARIA JUDITE. *Os Apólogos Dialogais Primeiro e Segundo de D. Francisco Manuel de Melo.* (En *Revista da Universidade de Coimbra,* XX, Coimbra, 1962, págs. 323-88).

4672

TEENSMA, B. *Um manuscrito desconhecido do «Tácito português» de D. Francisco Manuel de Mello.* (En (En *Revista de Portugal,* XXVII, Lisboa, 1962, págs. 75-102).

4673

COLOMÈS, J. *Notas ao texto autógrafo da «Visita das fontes» de D. Francisco Manuel de Melo.* (En *O Ocidente,* LXV, Lisboa, 1963, páginas 269-76).

4674

COLOMÈS, JEAN. *Pour une édition critique des «Apologues dialogués» de Melo.* (En MÉLANGES *offerts a M. Bataillon...* Burdeos. 1963, págs. 394-402).

4675

SPINA, SEGISMUNDO. *Uma introdução á poesia da «Fénix Renascida».* (En ACTAS. *5 Coloquio Internacional do Estudos Luzo-Brasileiros.* Tomo IV. Coimbra. 1963, págs. 271-321).

4676

STEGAGNO PICCHIO, LUCIANA. *Un exemplo de contaminação estilística: «O Fidalgo aprendiz» de D. Francisco Manuel de Melo.* (En *Estudos Italianos em Portugal,* I, Lisboa, 1967, págs. 86-103).

4677

CUTLER, CHARLES. *Melo and Quevedo's Views of sueh others's writings in the «Hospital de las Letras».* (En *Annali dell' Istituto Orientale,* XVI, Nápoles, 1974, págs. 5-20).

Influencia. Difusión

4678

LE GENTIL, G. *Molière et le «Fidalgo Aprendiz».* (En *Revue de Littérature Comparée,* I, París, 1921, páginas 264-84).

Posible influencia en *Le bourgeois gentilhomme.*

4679

FIGUEIREDO, FIDELINO DE. *Quelques mots sur Molière en Portugal. I. Molière et D. Francisco Manoel de Mello.* (En MÉLANGES *d'histoire littéraire générale et comparée offerts à Fernand Baldensperger.* Tomo I. París. 1930, págs. 303-12).

4680
PEIXOTO, AFRANIO. *Le «Bourgeois gentilhomme» et le «Gentilhomme apprenti».* (En HOMMAGE *à Ernest Martinenche...* París. 1939, págs. 175-182).

Relación con otros autores

4681
DANTAS, JULIO. *O Fidalgo Aprendiz e o Bourgeois Gentilhomme.* (En *Revista da Facultade de Letras,* VII, Lisboa, 1940-41).

4682
BISMUT, ROGER. *Molière et D. ·Francisco Manuel de Melo. Réflexions sur le «Fidalgo aprendiz» et ses rapports aves «Le Bourgeois Gentilhomme».* (En *Arquivos do Centro Cultural Português,* VII, París, 1973, págs. 203-24).

4683
COLOMÈS, JEAN. *Sur les relations de D. Francisco Manuel de Melo avec Quevedo.* (En *Arquivos do Centro Cultural Português,* II, París, 1970, págs. 573-77).

4684
CUTLER, CHARLES. *Melo and Quevedo's views of each other's writings in the Hospital das Letras.* (En *Annali dell' Istituto Universitario Orientale,* VI, Nápoles, 1974, págs. 5-20).

4685
CARDOSO, CARLOS LOPES. *D. Francisco Manuel de Melo: «A Visita das Fontes» e a Ermida da São Mamede de Jonas.* (En *Boletim Cultural da Assembleia Distrital de Lisboa,* LXXXVI, Lisboa, 1980, páginas 45-64, con ilustr.).

4686
MIMOSO-RUIZ, DUARTE. *Les valeurs de l'amour dans le mariage au Portugal: «O Casamento Perfeito» (1630) de Diogo de Paiva de Andrade et «Carta de Guia de Casados» (1651) de Francisco Manuel de Melo.* (En *Travaux de Linguistique et Littérature,* XX, 1982, págs. 87-100).

Interpretaciones literarias

4687
BARATA, ANTONIO FRANCISCO. *Um duelo nas sombras, ou D. Francisco Manoel de Mello. Romance histórico (1630).* Lisboa. 1875. (Bibliotheca Universal, 19).

4688
CHIANCA, RUI. *D. Francisco Manuel. Drama histórico... em verso.* Lisboa. 1914.

4689
REP: N. Antonio, I, págs. 421-22; Barbosa, II, págs. 182-88; La Barrera, pág. 236; García Peres, págs. 364-68; Almirante, págs. 498-500.

MELO (JUAN DE)
N. en Toledo.

CODICES

4690
«*Siete Centurias de adagios Castellanos*».

Con prólogo de Ambrosio de Morales. Ref. a Tamayo de Vergas. (N. Antonio, I, página 741).

MELO (JULIO DE)
Capitán de a caballo.

CODICES

4691
«*Sátira al Conde duque de Olivares y a todos sus consortes*».

Letra del s. XVII. 220 × 160 mm. En «Parnaso Español», X.

«Oh, Sr. Licenciado, Dios le guarde...».
MADRID. *Nacional*. Mss. 3.920 (fol. 215r).

4692
«*Satira al Conde-Duque de Olivares y a todos sus consortes que gobernando el Reino hoy lo tienen destruido y rematado por Juan* (sic) *de Melo*».
Gallardo, III, n.º 3.001.

MELO (LUIS DE)

EDICIONES
4693
[*SONETO*]. (En Gallegos, Manuel de. *Gigantomachia*. Lisboa. 1626. Preliminares).
MADRID. *Nacional*. R-5.822.

4694
[*SONETO*]. (En Gonzálvez de Andrada, Paulo. *Varias poesías*. Lisboa. 1629. Prels.).
Dice «Mello».
V. *BLH*, XI, n.º 1536.

4695
[*SONETO*]. (En Guzmán Suares, Vicente de. *Rimas varias en alabança del nacimiento del Príncipe N. S. Don Balthazar Carlos...* Oporto. 1630. Preliminares).
V. *BLH*, XI, n.º 3754.

MELO (LUIS DE)

Doctor en Teología y en ambos Derechos. Inquisidor del Supremo Consejo de la Inquisición de Portugal. Deán de Braga. Cura propio de Xorquera y sus anejos.

EDICIONES
4696
CHRISTIANA invectiva contra enemigos de nuestra santa Fe en dos Sermones, compuestos y predicados por ——. *El vno en el Avto de la fe, qve se celebro en Lisboa a onze de Octubre de seiscientos treinta y siete. El otro en la fiesta del Santissimo Sacramento, que la nobleza de aquel Reyno celebra todos los años en la Parroquia de Santa Engracia, por ocasion del sacrilegio, que enemigos de nuestra santa Fe cometieron alli, hurtando el santissimo Sacramento del Sagrario de aquella Iglesia*. Madrid. Domingo García Morrás. 1650. 4 hs. + 44 fols. 20,5 cm.

—Ded. a D. Diego de Arce Reynoso, Obispo de Plasencia, Inquisidor General, etc., cuyo escudo figura en la portada.—Apr. del P. Agustin de Castro.—Apr. de Fr. Gaspar de la Fuente.—L. V.—L. del Consejo.—E.—T.—Texto.
VALLADOLID. *Universitaria*. Santa Cruz, 10.874.

4697
POLITICA evangelica, en discvrsos predicables declarada. [Valencia]. Iuan Lorenço Cabrera y a su costa. [1663]. 6 hs. + 380 págs. a 2 cols. + 24 hs. 29 cm.

—Frontis.—Ded. a D. Diego de Arce Reynoso, Obispo, Inquisidor General, etc.—Al que devoto leyere.—Censura de Melchor Fuster.—L. V.—De Francisco de la Torre, al Autor. [«Luis illustre, noticioso Melo...»].—Edicto que mandó publicar siendo obispo de Placencia D. Diego de Arce Reynoso.—Texto.—Indice del panegirico, elogios, y demas sermones, asumptos y paragrafos de este libro.—Indice de los lugares de la Sagrada Escritura, los quales se contienen, explican y illustran en este libro.—Indice de las cosas notables que en este libro se contienen.—Colofón.—Grab.
MADRID. *Facultad de Filología*. 13.392. *Nacional*. 2-11.434. — ZARAGOZA. *Universitaria*. G-42-85.

ESTUDIOS
4698
REP: N. Antonio, II, pág. 49.

MELO CARRILLO (JUAN DE)

EDICIONES
4699
[*POESIA en elogio del traductor*]. (En Sannazaro, J. *Sanázaro Español*.

Los tres libros del Parto de la Virgen... Traducción... de Francisco de Herrera Maldonado. Madrid. 1620. Preliminares).

ESTUDIOS

4700

HERRERA MALDONADO, JUAN DE. [*Elogio*]. (En idem, fol. 57).

MELO CARVAJAL (CRISTOBAL DE)

EDICIONES

4701

ORACION póstuma y panegírica a la muerte de la señora doña Teresa de Ayala y Baçan, muger de D. Pedro Pan y Agua, Cavallero de... Calatrava y Señor de la Villa de Santa Cruz... [s. l.-s. i.]. [s. a.]. 1 h. + 23 págs. 19 cm.

—Texto fechado en Madrid, 2 de junio de 1649.

Herrero Salgado, n.º 416.

NUEVA YORK. *Hispanic Society.*

MELO Y CASTRO (JULIO DE)

EDICIONES

4702

[*ROMANCE*]. (En Plana, Pedro Jose de la. *Preludio encomastico y representacion panegirica con que la familia del... Marques de Castel dos Rios... continua en celebridad de el feliz dia, en que el Principe D. Juan cumple sus quatro... años.* Lisboa. 1693. Prels.).

MADRID. *Academia de la Historia.* 9-29-1-5741.

4703

[*AL Autor*]. (En Sousa Moreyra, Manuel de. *Theatro histórico...* París. 1694. Prels.).

MADRID. *Academia de la Historia.* 5-5-3-2091.

MELO MALDONADO (GABRIEL)

EDICIONES

4704

[*SONETO*]. (En Quijada y Riquelme, Diego Félix de. *Soliadas.* Sevilla. 1887, pág. XXXVIII).

MADRID. *Nacional.* R-3.492.

MELUCO (PEDRO)

EDICIONES

4705

RELACION verdadera de la vida, reglas y delitos del famoso Bandolero Iuan Sala, llamado Serrallonga, y de su prisión. Barcelona. Esteuan Liberos. 1633. 8 págs. 4.º

MELLADO (FRANCISCO)

CODICES

4706

«*Prueba de la Concepción limpia de María Santísima en cada palabra de la oración del Ave María y cuenta de su Rosario*».

Letra del s. XVII. 315 × 220 mm.

Inventario, II, pág. 494.

MADRID. *Nacional.* Mss. 887 (fols. 289-94).

MELLADO DE ALMAGRO (JUAN)

Presbítero. Racionero de la catedral de Córdoba.

EDICIONES

4707

[*OCTAVAS*]. (En Mesía de la Cerda, Pedro. *Relacion de las fiestas... que... Cordova ha hecho a su Angel Custodio.* Córdoba. 1653, fols. 56v-57v).

MADRID. *Nacional.* R-4.036.

Aprobaciones

4708

[*APROBACION. Córdoba, 18 de mayo de 1662*]. (En Carrillo de Córdoba,

Francisco. *Certamen histórico por la patria de... San Laurencio...* Córdoba. 1673. Prels.).

CORDOBA. *Pública.* 13-284.

MELLINAS (NICOLAS DE)

N. en la ciudad de Mallorca. Licenciado.

EDICIONES

4709

CANCION a la milagrosa conversion, vida, y muerte del Egregio Doctor Ramon Lull. Mallorca. Gabriel Guasp. 1605. 5 hs. 21,5 cm.

—Al lector.—Texto. [«Deidad que sobre roxos Cherubines...»].

BARCELONA. *Central.* 5-V-C3/18.—MADRID. *Nacional.* V.E.-57-97.

«MEMORABLE suceso...»

EDICIONES

4710

MEMORABLE svceso, que este ano (sic) de mil y seyscientos y veynte y quatro a veynte y cinco del mes de Otubre, se vido en Seuilla, escrito a un amigo, en que se le da cuenta de como vn hombre auiendo preso a su muger por adultera, y sentenciados a degollar por manos de su marido, se le entregaron en vn cadahalso, para que executasse la sentencia: declarase el principio del caso, el medio que tuuo, y el buen fin que se consiguió. Seuilla. Manuel Ximenez. 1624. 2 hs. Fol.

NUEVA YORK. *Hispanic Society.* — SEVILLA. *Universitaria.* 109-85 (121).

«MEMORABLE victoria...»

EDICIONES

4711

MEMORABLE vitoria qve ha tenido la armada de Venecia, y las cinco Galeras reforçadas de su Sanctidad, y seys de la Religion de San Iuan de Malta contra la Armada Turquesca en el Archipielago, donde quedó la mayor parte de las Galeazas, Nauios y Galeras Mahometanas presas, quemadas y sumergidas, y tres Baxaes prisioneros. Año de 1651. Sevilla. Iuan Gomez de Blas. [s. a.]. 2 hs. 20 cm.

—Texto.

No citado por Escudero.

MADRID. *Nacional.* V.E.-43-101; V-56-172. — SEVILLA. *Universitaria.* 110-60 (21).

«MEMORABLE y prodigiosa maravilla...»

EDICIONES

4712

MEMORABLE y prodigiosa maravilla que este año de mil y seyscientos y veynte y cinco se ha visto en un lugar de Aragon, llamado Vililla, de auerse tañido la campana del Milagro tres dias continuos, el mes de Agosto passado deste dicho año, escrito a la villa de Madrid Corte de su Magestad. Hazese al principio una curiosa descripcion desta milagrosa campana, de todas las ocasiones en que se ha tañido, y de los espantosos sucessos que se han visto todas las vezes que se ha tocado, y años en que ha sucedido. Sacada de un autor graue, que de vista afirma auerla oydo y visto en ocasiones que se ha tocado. [Sevilla. Simon Faxardo]. [1625]. 2 hs. Fol.

Vindel, V, n.º 1.678.

LONDRES. *British Museum.* 593.h.17 (27).— SEVILLA. *Colombina* .V.Fol. 63-7-10 (28).

«MEMORIA de España...»

EDICIONES

4713

[*MEMORIA de España a la Reyna nuestra Señora Doña Mariana de*

Austria. [s. l.-s. i.]. [s. a.]. 6 fols. 27 centímetros.

Carece de portada.

—Texto.—Censura deste Memorial por un Estrangero afecto a España y zeloso de su mayor bien.

Contra el P. Nitard.

MADRID. *Nacional.* V.E.-218-76.

«MEMORIA de la entrada...»

EDICIONES

4714

MEMORIA de la Entrada que hizo el Eminentissimo señor Cardenal Macerino, de Francia en S. Iuan de Lus, en 28 de Iulio deste año de 1659. [Zaragoça. Francisco Nogues]. [1659]. 2 hs. 20,5 cm.

MADRID. *Nacional.* V.E.-126-75.

«MEMORIA de la fundación...»

EDICIONES

4715

[*MEMORIA de la fundacion de la Cartuxa de nuestra Señora de las Fuentes, primera del Reino de Aragon, hecha por los mui Ilustres señores Don Blasco de Alagon, y Doña Beatriz de Luna, Condes de Sastago*]. [s. l.-s. i.]. [s. a.]. 2 hs. 32 cm.

—Texto.

MADRID. *Nacional.* V-107-2.

«MEMORIA de la forma...»

EDICIONES

4716

MEMORIA de la forma, y disposicion, que salió la Cofradia del Santo Entierro de Nuestro Señor Jesu Christo, el Viernes Santo veinte de Marzo de mil seiscientos y noventa y tres años, en la Ciudad de Sevilla. [s. l.-s. i.]. [s. a.: 1693?]. 2 hs. Fol.

SEVILLA. *Universitaria.* 111-101 (2).

«MEMORIA de la librería...»

EDICIONES

4717

[*MEMORIA de la Libreria del Ilustrissimo, y Reverendissimo Señor Don Ambrosio Ignacio Spinola, y Guzman, Arçobispo que fue de Sevilla.* [s. l.-s. i.]. [s. a.]. 83 págs. 19 centímetros.

Relación de obras con sus precios.

MADRID. *Nacional.* V.E.-113-59.

«MEMORIA de la Pasión...»

EDICIONES

4718

MEMORIA (La) de la Pasion de Christo señor nuestro. Alcalá de Henares. Miguel de Eguía. [1529, 3 de abril]. 162 hs. 16.º gót.

J. Catalina García, *Tip. complutense,* número 122), que no la vio, la considera obra desconocida y de Miguel de Eguía.

EVORA. *Pública.* Sec. XVI, 5.299.

4719

MEMORIA de la Passion de N. S. Iesu Christo. Por vn pobrezito Pecador. Agora nueuamente impressa y emendada. Madrid. Luis Sánchez. 1599. 8 hs. + 200 fols. 16.º

—T.—L.—L.—Ded. del H. Cristóbal López a D.ª Ana Manrique, condesa de Poñontrostro.—Grab.—Texto.—Colofón.

Pérez Pastor, *Madrid,* I, n.º 631.

«MEMORIA de las cosas...»

EDICIONES

4720

[*MEMORIA de las cosas que ha hecho García de Lerma. Año 1537. Edición de M. Serrano y Sanz*]. (En RELACIONES *históricas de América. Primera mitad del siglo XVI.* Madrid. 1916, págs. 46-53).

MADRID. *Nacional.* 4-21.178.

«MEMORIA de las Misas...»

EDICIONES

4721

[*MEMORIA de las Missas del Destierro qve la Virgen María Señora nuestra reueló a vn santo Monge, muy deuoto de los siete años que la Santissima Virgen estuuo desterrada en Egypto con su bendito Hijo, y el Santo Ioseph, cuya deuotissima y muy antigua imagen de nuestra Señora del Destierro, está con muy grande veneracion y deuocion en el Monasterio de Señor S. Basilio desta Corte de Madrid, junto a la red de S. Luys*]. [s. l.-s. i.]. [s. a.]. Una hoja impresa por una sola cara. 28 cm.

—Texto.

MADRID. *Nacional*. V-248-1 (ex libris de Gayangos).

«MEMORIA de lo que se ha hallado...»

EDICIONES

4722

MEMORIA de lo que se ha hallado en el castillo que se ha descubierto en la Mancha. Barcelona. Antonio Lacavallería. 1656. 2 hs. 8.º

BARCELONA. *Instituto Municipal de Historia*. B. 1656-8.º (folleto).

«MEMORIA de respuestas...»

EDICIONES

4723

MEMORIA de respvestas a las oposiciones, qve se hazen contra el Priuilegio de el señor Rey D. Ioan I de Aragon. Y su Declaracion, y Aduertencias, que sobre el hizo el Padre Ivan de Pineda, de la Compañia de Iesvs, cerca de la Fiesta, y Celebridad de la inmaculada Concepcion de

la Santissima Virgen Maria... [s. l.-s. i.]. [s. a.]. 14 fols. 21 cm.

MADRID. *Nacional*. V.E.-53-50; R-12.677.

«MEMORIA en respuesta...»

EDICIONES

4724

[*MEMORIA en respuesta de las oposiciones que se hazen al priuilegio del señor Rey don Iuan Primero de Aragon: y a la declaracion y aduertencias, que sobre él hizo el P. Ivan de Pineda de la Compañía de Iesus, cerca de la fiesta, y celebridad de la Concepcion de la santissima Virgen N. S.*]. [s. l.-s. i.]. [s. a.]. 8 págs. 29 centímetros.

Carece de portada. Posterior a 1616.
MADRID. *Nacional*. V.E.-36-52.

«MEMORIA y origen...»

EDICIONES

4725

[*MEMORIA, y origen de las gracias y virtudes que tienen las Cuentas de la madre Santa Iuana de la Cruz, concedidas por Nuestro Señor Jesu-Christo*]. [s. l.-s. i.]. [s. a.]. 2 hs. 29 centímetros.

—Texto.
MADRID. *Nacional*. V.E.-199-34.

«MEMORIAL»

EDICIONES

4726

[*MEMORIAL*]. Granada. Baltasar de Bolibar. 1655. 2 hs. 30 cm.

—Texto, que comienza: «Aviendose descubierto cerca de la ciudad de Granada, el año de 1595, en el Monte que llaman de Valparaiso, las cavernas y Horcas en que vivieron y padecieron. Cecilio...».

MADRID. *Nacional*. V.E.-184-46.

«MEMORIAL a los jueces...»

EDICIONES

4727

[*MEMORIAL a los ivezes de la Verdad y Dotrina*]. [Barcelona. Esteuan Liberós]. [1626]. 8 hs. 20,5 cm.

—Texto. Sobre la exclusividad de las doctrinas de Sto. Tomás de Aquino.

MADRID. *Nacional.* V.-266-20.

«MEMORIAL al Rey...»

EDICIONES

4728

MEMORIAL al Rey sobre las Reliquias que se hallaron en el Sacro Monte de Granada. Examen que se hizo de Todo. [s. l.-s. i.]. [s. a.]. 8 folios. 31,5 cm.

—Texto.

MADRID. *Nacional.* V.E.-190-43.

«MEMORIAL apologético...»

EDICIONES

4729

MEMORIAL apologetico, al Excmo. Señor Conde de Villa-hvmbrosa, Presidente del Consejo Supremo de Castilla, &c. De parte de los missioneros apostolicos de el Imperio de la China. Representando los reparos qve se hazen en vn libro, que se ha publicado en Madrid este año de 1676 en grave perjuizio de aquella Mission. Contiene las noticias mas pvntvales, y hasta aora no publicadas de la vltima persecucion contra la Fè, con vna breue Chronologia de aquel Imperio, y otras curiosidades historicas. [s. l.-s. i.]. [s. a.]. 152 fols. 20,5 cm.

—Texto. Se refiere a *Tratados históricos, políticos, éticos y religiosos de la Monarquía de la China*, de Fr. Domingo Navarrete.

MADRID. *Nacional.* R-27.746; etc.

«MEMORIAL de España...»

CODICES

4730

«*Memorial de España a la Reina Nuestra Señora Doña Mariana de Austria*».

Letra del s. XVII. 300 × 210 mm.

MADRID. *Nacional.* Mss. 8.512 (fols. 175r-182v).

4731

«——».

SEVILLA. *Universitaria.* 330-146.

EDICIONES

4732

MEMORIAL de España a la Reyna nuestra Señora Doña Mariana de Austria. [s. l.-s. i.]. [s. a.]. 6 fols. 29 cm.

Carece de portada.

—Texto. Comienza: «España, que un tiempo fue. la que dio leyes al Orbe...».—Censura a este Memorial por un extrangero afecto a España y zeloso de su bien.

MADRID. *Nacional.* V.E.-218-76.

«MEMORIAL de la provincia...»

EDICIONES

4733

MEMORIAL de la Provincia de Andalucía a la Reyna N. señora D. Mariana de Austria. [s. l.-s. i.]. [s. a.]. 6 hs. 4.º

«Señora y reina del mundo...».

Gallardo, I, n.º 928.

«MEMORIAL de las ánimas...»

EDICIONES

4734

MEMORIAL de las animas de pvrgatorio al piadoso, y christiano Lector. [Nápoles. Gerónimo Fosulo]. [1680]. Una hoja. 29 cm.

MADRID. *Nacional.* V.E.-207-75.

«MEMORIAL de lo sucedido...»

EDICIONES

4735

[*MEMORIAL de lo svcedido en la ciudad de Mexico, desde el dia primero de Nouiembre de 1623 hasta quiénze* (sic) *de Enero de 1624*]. [s. l.-s. i.]. [s. a.]. 28 fols. 30 cm.

Carece de portada.
—Texto.
Gallardo, I, n.° 921.

MADRID. *Nacional.* V.E.-68-33 y 182-74.—SAN LORENZO DEL ESCORIAL. *Monasterio.* 90-VI-16. SEVILLA. *Colombina.* 101-9-11.

«MEMORIAL de los Profesores...»

EDICIONES

4736

[*MEMORIAL de los Professores de Pintura; suplicando los honores que merecen*]. [s. l.-s. a.]. [s. i.]. 2 hs. 29,5 cm.

Carece de portada.
—Texto.

MADRID. *Nacional.* V.E.-208-26.

«MEMORIAL de monedas antiguas...»

EDICIONES

4737

MEMORIAL de monedas antiguas fundado en Derecho, a pedimento de los Capellanes del Choro de la Santa Iglesia de Toledo: para el pleyto que traen con el Cabildo de la dicha Santa Iglesia, en raçon de sus dotaciones. Toledo. Bernardino de Guzmán. 1617. 26 hs. Fol.

Pérez Pastor, *Toledo*, n.° 491.

«MEMORIAL de un aragonés...»

EDICIONES

4738

[*MEMORIAL de un Aragonés, fiel vasallo de S. M., exponiendo Arbi-*

trios y Medios para remediar el empobrecimiento y despoblación del Reino]. [s. l.-s. i.]. [s. a.]. 7 págs. 30 cm.

Carece de portada.
MADRID. *Nacional.* V.E.-209-60.

«MEMORIAL en que se pide...»

EDICIONES

4739

MEMORIAL en qve se pide limosna para la canonización de B. Fr. Tomas de Villanueva, Arçobispo de Valencia. [s. l.-s. i.]. [s. a.]. 8 fols. 19,5 cm.

—Lámina.—Texto.
¿De 1652?
MADRID. *Nacional.* V.E.-35-90 y 159-3.

«MEMORIAL que contiene...»

EDICIONES

4740

[*MEMORIAL que contiene. 1. Una Relacion sumaria del Originen* (sic) *y del estado presente de las contestaciones ò controversias doctrinales del Paysbajo y de los verdaderos expedientes para atajarlas y acabar con ellas. 2. Una Respuesta breve à las tres accusaciones de Jansenismo, de Rigorismo y de Novedad*]. [s. l.-s. i.]. [s. a.]. 40 págs. 20,5 cm.

Carece de portada.
—Texto.
Nota mss. en las guardas, de letra de la época: «Téngase presente que este libro se imprimió años antes que se expidiese la Bula *Unigenitus*».

MADRID. *Nacional.* 3-18.842.

«MEMORIAL que da el Niño...»

EDICIONES

4741

[*MEMORIAL, qve da el Niño de N.ra S.ra de la Salvd, a svs devotos, y de-*

votas bienhechores en que pide le dén limosna para ayuda de vn Retablo a dicha Imagen (que se está haziendo) en la Iglesia del Real Colegio de Niños Desamparados de esta Corte. Por sv Congregacion. Dezimas]. [s. l.-s. i.]. [s. a.]. 2 hs. orladas.

—Texto. [«De los braços de la Aurora...»].
MADRID. *Nacional.* V.E.-111-47.

«MEMORIAL que la Comedia presenta...»

EDICIONES

4742

[MEMORIAL que la Comedia presenta al Rey Carlos II en el que se pide autorizacion para que vuelvan a ser representadas comedias en el Reino].. [s. l.-s. i.]. [s. a., 1681?]. 4 fols. 29 cm.

Carece de portada.
MADRID. *Nacional.* V.E.-27-59.

«MEMORIAL que presentan...»

EDICIONES

4743

MEMORIAL que presentan las afligidas almas de purgatorio a la piedad Catholica. [s. l.-s. i.]. [s. a.]. Fol.
1700?
LONDRES. *British Museum.* 4783.ee.1.(9).

«MEMORIAL sumario...»

4744

[MEMORIAL svmario de algunas relaciones que de varias prouincias, ciudades y lugares, se han embiado, en que se refieren algunos escandalos que han passado en defensa de las opiniones de la Concepcion de nuestra Señora]. [s. l.-s. i.]. [s. a.]. 6 fols. 28,5 cm.

Carece de portada. Comienza con un *Soneto que el Arçobispo de Seuilla embió para que se juntasse con los processos. Interlocutores, Lutero y Caluino.* [Lutero. «—Que sedicion, Caluino, es la que veo...»]. Contra los dominicos.
MADRID. *Nacional.* V.E.-36-1.

«MEMORIAL y declaración...»

4745

[MEMORIAL y Declaración Breve del calamitoso estado de la Iglesia en los Payses Baxos, cobrando cada dia mas crecidas fuerças la facción Bayona y Janseniana, contra los Decretos de la Sede Apostolica. [s. l.-s. i.]. [s. a.]. 25 fols. 29 cm.

Carece de portada.
—Texto.
MADRID *Nacional.* V.E.-199-17.

«MEMORIAS de la nobilísima... Casa... de Caro...»

EDICIONES

4746

[MEMORIAS de la nobilissima i antiqvissima Casa del apellido de Caro, originaria de la civdad de Segovia, y svs diversas ramas en otras destos Reynos. Colegidas de svs historias antigvas, y modernas. Año de 1679]. [s. l.-s. i.]. [s. a.]. 4 hs. 20 cm.

Carece de portada.
—Texto, fechado en Madrid, a 25 de febrero de 1679.
MADRID. *Nacional.* V.E.-73-8.

«MEMORIAS fúnebres...»

EDICIONES

4747

MEMORIAS fúnebres sentidas pelos engenhos portugueses na morte da Snr.ª D.ª Maria de Attayde... Lisboa.
1650. 5 hs. + 92 fols. 4.º
Corona fúnebre.

«Contiene versos castellanos de Antonio de Miranda Enríquez (fol. 23*v*), Juan Gómez Serpa (25-26), Pedro García de Faria (21), Fr. Gil de S. Benito (28), Diego Gómez de Figueiredo (35-38), Francisco de Faria (42-43), Francisco Martins de Sequeira (49-53, 61-62), Antonio de Souza Macedo (56), Henrique Quental Vieira (56*v*), Fadrique de Cámara (57-58), Antonio da Cunha (58), Antonio Barboza Bacelar (60-61), Andrés del Castillo Lobo (63-64), Sor Violante do Ceo (64-65), Francisco Cabral (65), P. Próspero (66), Francesco Cabral de Almada (68) y Diego López de Leaõ (68-69)». (García Peres, págs. 369-70).

«MEMORIAS funerales...»

EDICIONES

4748

MEMORIAS *fvnerales, qve en Reales Lvtos dedico a las honras de la Serenissima Señora D.ª Maria Lvisa de Borbon Reyna de España El muy Ilustre Sr. Conde de Santa Maria de Formiguera, Procurador real, como presidente del Real Patrimonio en el nobilissimo Reyno de Mallorca a 8 de Agosto de 1689*. Mallorca. Pedro Frau. [s. a.]. 66 págs. 19,5 cm.

—Descripcion de los funerales. — Censura del P. Francisco Garau.—Texto.

1. *Oración funebre de Miguel de Serralta.* (Págs. 12-54).
2. *Poesias Castellanas. Quintillas.* [«El Cielo á Francia la dió...»]. (Pág. 55).
3. *Geroglificos.* (Págs. 56-60).
4. *Poesias Latinas.* (Págs. 61-66).

MADRID. *Nacional.* V.E.-124-28.

MENA (ANDRES DE)

CODICES

4749

«Memorial que dio... a S. M. dandole quenta de los excesos del Conde Duque de Olibares... Madrid, 18 de febrero de 1643».

Letra del s. XVIII. 198 × 135 mm.

Inventario, VI, págs. 212-13.

MADRID. *Nacional.* Mss. 2.311 (fols. 191-99).

4750

«*Memorial que dio a su Magestad... en 18 de febrero de 1643. Fue el primer Memorial que se le dio despues de la cayda del conde Duque, dandole quenta de sus excesos*».

Letra del s. XVII. 190 × 135 mm.

MADRID. *Nacional.* Mss. 4.147 (fols. 255*r*-270*r*).

4751

«*Memorial dado... al Rey D. Phelipe 4.º despues de la Cayda del Balimiento, y Privanza del Conde Duque de Olivares, y Retirada de Palacio, y de la Corte: Año de 1643*».

Letra del s. XVIII. 210 × 150 mm.

MADRID. *Nacional.* Mss. 10.933 (fols. 1*r*-35*r*).

4752

«*Primero Memorial que se dio a Phelipe IV por D. ——, refiriendo los excesos del Conde Duque, en 18 de Febrero. Año de 1643*».

Letra del s. XVIII. 305 × 200 mm.

MADRID. *Nacional.* Mss. 18.201 (fols. 118*r*-128*v*).

EDICIONES

4753

[*MEMORIAL*]. [s. l.-s. i.]. [s. a.]. 15 fols. 29 cm.

—Texto, fechado en Valladolid, a 9 de noviembre de 1622. Comienza: «Señor. = Aviendo visto el menor vassallo de V. Magestad, no en el amor que se deue a Rey y señor natural, ni el animo de perder mil vidas, y haziendas en su Real seruicio...». Es un arbitrio.

MADRID. *Nacional.* V.E.-208-4.

4754

CARGOS *contra el Conde Duque... escritos por un Ministro residente en su Corte. Descargos que escribe el mismo... baxo el nombre de Nicandros... Madrid. 1643. 38 págs. 4.º*

Como anónimo.

MADRID. *Nacional.* R-30.055.

4755

CARGOS contra el Conde Duque, y memorial de avisos que cierto minis-tro de Castilla presentó a... Felipe el IV para reparacion de su malo-grada Monarchia. Lisboa. Lourenço de Anveres. 1644. 7 hs. 20 cm.

Como anónimo.

MADRID. *Nacional.* V-56-156; etc.

ESTUDIOS

4756

BOLAÑOS, GABRIEL DE. *Respues-ta en fabor del Conde Duque al me-morial que contra el hiço Don An-drés de Mena».*

Letra del s. XVII. 190 × 135 mm.

MADRID. *Nacional.* Mss. 4.147 (fols. 283r-304r).

4757

BOLAÑOS, GABRIEL DE. *Respues-ta en favor del Conde Duque al Me-morial antecedente.*

Letra del s. XVIII. 305 × 200 mm.

MADRID. *Nacional.* Mss. 18.201 (fols. 129r-143r).

4758

GOLLANAS, GABRIEL DE. *Memo-rial en respuesta del antecedente a favor del Conde...*

MADRID. *Nacional.* Mss. 2.311 (fols. 199v-202r).

4759

NICANDRO o Antidoto contra las calumnias que la ignorancia y embi-dia ha esparcido por desluçir y man-char las heroycas e inmortales accio-nes del Conde Duque de Oliuares des-pues de su Retiro... Responde al Me-morial de Don Andres de Mena y a otros».

Letra del s. XVII. 190 × 135 mm. Nota mss. al fin: «Dicen que hizo este papel don Juan de Ahumada y otros que el Licdo. Rioja, bibliotecario del Conde».

MADRID. *Nacional.* Mss. 4.147 (fols. 305r-345r).

4760

«El Nicandro. Papel que se escrivió defendiendo al Conde Duque de Oli-vares de las calumnias de sus ene-migos, luego, que fue depuesto de la Privanza del Rey Phelipe 4.º».

Letra del s. XVIII. 210 × 150 mm.

MADRID. *Nacional.* Mss. 10.933 (fols. 36r-112r).

4761

NICANDRO o Antídoto contra las calumnias que la ygnorancia y em-bidia han esparcido... contra el Con-de-Duque... [s. l.-s. i.]. [s. a.]. 14 fo-lios.

MADRID. *Nacional.* R-13.027 (con nota autó-grafa de Gayangos).—SAN LORENZO DEL ESCO-RIAL. *Monasterio.* 39-V-29, n.º 38.

MENA (FELIPE DE)

Licenciado.

EDICIONES

4762

[*ROMANCE burlesco*]. (En Paracue-llos Cabeza de Vaca, Luis. *Elogios a María Sntissima.* Granada. 1651, fo-lios 305v-307r).

MADRID. *Nacional.* 3-27.884.

MENA (FERNANDO DE)

EDICIONES

4763

HISTORIA ethiopica de Theagenes y Chariclea que compuso un Phenicia-no nacido en la ciudad de Emesa, del linage del Sol, llamado Heliodoro, hijo de Theodosio. [*Traducida por ——*]. Salamanca. P. Lasso. 1581. 12.º

ROUEN. *Municipale.* O.2298.

4764

HISTORIA (La) de los dos leales amantes Theagenes y Chariclea. Tras-ladada agora de nueuo de Latin en Romance, por ——. Alcalá de Hena-

res. En casa de Iuan Gracian. 1587.
4 hs. + 308 fols. 8.º.

—Pr. al lector.—Censura de Lucas Gracián
Dantisco.—Pr. al traductor.—Ded. del impresor a D. Antonio Polo Cortes, señor
de la villa de Escariche, etc.—Texto.—
Nota.

J. Catalina García, *Tip. complutense*, número 625; Fernández, n.º 235.

LONDRES. *British Museum*. 12410.bbb.33.—
MADRID. *Nacional*. R-2.455 (sin port. ni pre-
liminares).—NUEVA YORK. *Hispanic Society*.
ROUEN. *Municipale*. Mt.P.8147.—SAN LORENZO
DEL ESCORIAL. *Monasterio*. 34-V-16.

4765

——. Barcelona. Geronymo Margarit.
1614. [1615].

BARCELONA. *Central*. Bon. 8-I-5.—NUEVA YORK.
Hispanic Society. (Dos ejemplares).

4766

Heliodoro. *Historia etiopica de los
amores de Teágenes y Cariclea. Añadida la vida del Autor, y vna tabla de sentencias y cosas notables.*
Madrid. Alonso Martín. A costa de
Pedro Pablo Bogia. 1615. 4 hs. + 288
páginas. 14 cm.

—S. L.—S. T.—Apr. antigua de Lucas Gracian de Antisco (1585).—Apr. nueua de
Alonso de Illescas.—Ded. a Nicolao Bal-
bi, Cauallero Ginoues, por Pedro Pablo
Bogia.—Al Lector.—E.—La vida de Heliodoro.—Texto.—Fols. 286v-289r: Tabla de
algunas cosas notables.

Gallardo, III, n.º 3.003; Salvá, II, n.º 1.623;
Pérez Pastor, *Madrid*, II, n.º 1.333.

LONDRES. *British Museum*. 12410.aa.41.—MA-
DRID. *Nacional*. R-5.565. — PARIS. *Sorbona*.
LE.e.pr. 136/12.º.

4767

*HISTORIA (La) de los dos leales
amantes Teágenes y Cariclea, trasla-
dada de Latin en Romance por ——...
Vista y corregida por Cesar Oudin.*
Paris. Pedro Le-Mur. 1616. 240 hs.

Gallardo, III, n.º 3.004.

MADRID. *Nacional*. R-1.133.—PARIS. *Mazarina*.
45.489. *Nationale*. Y².6052 y 42558.—SANTAN-
DER. «*Menéndez y Pelayo*». R-VI-4-21.

4768

Heliodoro. *Historia Ethiópica de los
amores de Theágenes y Chariclea.
Traducida... por ——... Madrid. Andrés de Sotos. 1787. 2 vols. 8.º*

Con prólogo atribuido a F. Cerdá y Rico.

MADRID. *Nacional*. U-5.258/59; etc.

4769

Heliodoro. *Historia etiópica de los
amores de Teágenes y Cariclea. Traducida por Fernando de Mena. Edición y prólogo de Francisco López
Estrada.* Madrid. Academia Española. 1954. LXXXV + 426 págs. 20 cm.
(Biblioteca Selecta de Clásicos Españoles, 15).

a) Ares, J., en *Anales Cervantinos*, IV,
Madrid, 1954, págs. 335-36.
b) Carrasco Urgoiti, M. S., en *Revista
Hispánica Moderna*, XXII, Nueva York,
1956, pág. 53.
c) Sánchez, Alberto, en *Clavileño*, Madrid,
1955, n.º 32, pág. 76.

Poesías sueltas

4770

[*SONETO*]. (En Saavedra Guzmán,
Antonio de. *El peregrino yndiano*.
Madrid. 1599. Prels.).

MADRID. *Nacional*. R-8.775.

4771

[*SONETO*]. (En Vargas Machuca,
Bernardo de. *Milicia y descripción
de las Indias*. Madrid. 1599. Prels.).

ESTUDIOS

4772

REP: N. Antonio, I, pág. 380; Menéndez
Pelayo, *Traductores*, III, págs. 147-49.

MENA (JUAN DE)

Doctor. Médico de S. M. y del Consejo de
la Inquisición.

EDICIONES

4773

[*APROBACION, 17 de septiembre de
1631*]. (En Colmenero de Ledesma,

Antonio. *Curioso tratado de la naturaleza y calidad del chocolate...* Madrid. 1631. Prels.).

V. *BLH*, VIII, n.º 4881.

MENA (FR. JUAN DE)

N. en Ecija. Carmelita. Catedrático de Durando de la Universidad de Osuna.

EDICIONES

4774

DESAGRAVIOS *de María Santissima, de los agravios hechos a su Imagen Santa, dandola a llamas el perfido hereje Olandés, en la Fuerça de Calo. Celebrados en el insigne Octauario, que en veneracion de la Santa Imagen de esta Señora, hizo el Convento Grande de nuestra Señora del Carmen de la Ciudad de Sevilla, a siete de Noviembre de 1638 años.* Sevilla. Simón Fajardo. 1638. 22 fols. 19,5 cm.

—Apr. de Fr. Juan de Herrera.—L. O.— Ded. a Marcos Fernandez Monsanto, cavallero del Orden de Christo, Administrador de las Aduanas y Almojarifazgos de Sevilla.—Soneto de un sacerdote del mismo Orden. [«Docto Mena, a lo de Dios soldado...»].—Texto.

No citado por Escudero.

SEVILLA. *Universitaria.* 113-15 (3); etc.

MENA (FR. PEDRO DE)

N. en Aranda de Duero. Mínimo. General de la Orden (1596). M. en Madrid (1609).

EDICIONES

4775

CHRONICA *del nacimiento, vida y milagros y canonizacion del Beatissimo Patriarca San Francisco de Paula, Fundador de la Sagrada Orden de los Mínimos.* Madrid. Licdo. Castro. 1596. 6 hs. + 200 fols. + 1 h. blanca + 15 hs. 27 cm.

Trad. del italiano de la obra de Paulo Regio.

—Pr. al autor por diez años.—T.—Apr. de Fr. Diego Aldrete.—Epílogo de la vida temporal y muerte y Canonizacion de... San Francisco de Paula.—Prólogo al Christiano Lector.—Ded. a Ntra. Sra. de la Victoria.—E.—Soneto de Lope de Vega Carpio. [«Minimo en quantidad como diamante...»].—Otro del mismo al autor. [«Si Alexandro tuuiera entre Gentiles...»] Texto.—Tabla de los capítulos.

Pérez Pastor, *Madrid*, I, n.º 515; Vindel, V, n.º 1.694.

AVILA. *Benavites.* 79-2-4.640.—BARCELONA. *Universitaria.* B.50-6-11; etc.—CAGLIARI. *Universitaria.* D.C.348.—CORDOBA. *Pública.* 13.294.— MADRID. *Nacional.* R-25.312. — MONTSERRAT. *Abadía.* 1.729.—SANTIAGO DE COMPOSTELA. *Universitaria.* — VALENCIA. *Colegio del Corpus Christi.* 1.080 .

OBRAS LATINAS

4776

MANUALE *ordinis Minimorum, quo continetur Regula.* Madrid. Thomas Iunta. 1595. 8.º

N. Antonio.

ESTUDIOS

4777

REP: N. Antonio, II, pág. 216; Martínez Añíbarro, págs. 359-60.

MENA (FR. PEDRO DE)

EDICIONES

4778

Córdoba Salinas, Fr. Diego de. *Vida, virtudes y milagros del Apostol del Peru... Fr. Francisco Solano.* Tercera impresión, que saca a luz ——. Madrid. Real. 1676. 10 hs. + 544 páginas. 4.º

V. *BLH*, IX, n.º 219.

4779

[DEDICATORIA *a la Duquesa del Infantado y Pastrana*]. (En López Magdaleno, Alonso. *Epítome historial de la vida, martirio y portentos de los onze martyres franciscanos de*

Gorcomio... *Sacale a luz* ———. Madrid. 1676. Prels.).

V. *BLH*, XIII, n.º 3223.

MENA (VENTURA DE)

CODICES

4780

«*Soneto*».

Año 1688. 180 × 80 mm. Es un Cancionero. «Tiene Filis al lado del oriente...».

MADRID. *Nacional.* Mss. 4.049 (fols. 484-85).

MENA Y BORJA (ALONSO DE)

Colegial del Mayor de Oviedo en la Universidad de Salamanca. Doctor. Canónigo magistral de las catedrales de León y Toledo.

EDICIONES

4781

[*APROBACION. Toledo, 1 de septiembre de 1687*]. (En Barcia y Zambrana, Joséé de. *Quaresma de Sermones doctrinales...* Tomo III. Hadrid. 1688. Prels.).

V. *BLH*, VI, n.º 2842.

4782

[*APROBACION*]. (En Barcia y Zambrana, José de. *Oración funebre en las honras de... D. Pasqual de Aragón...* Madrid. 1686. Prels.).

MADRID. *Nacional.* V.E.-14-28.

MENA Y CUETO (FRANCISCO DE)

N. en Villanueva de los Infantes. Boticario y Astrónomo de esta Corte.

EDICIONES

4783

PRONOSTICO nvevo, qve contiene varios secretos astronomicos, y el acabamiento y destruicion de los rebeldes del Reyno de Portugal... Madrid. Iuan Sanchez. 1641. 8 hs. 14 cm.

MADRID. *Nacional.* V.E.-75-24.

MENASSEH BEN JOSEPH (BEN ISRAEL)

N. en Lisboa (1604). A los 18 años se trasladó a Amsterdam, donde durante 12 desempeñó una cátedra en la Sinagoga. En Londres, bajo la protección de Cromwell, instaló una imprenta para editar libros hebreos. M. en 1659.

EDICIONES

4784

[*El conciliador, o de la conviniencia de los lugares de la S. Escriptura, que repugnantes entre si parecen*]. [Francofurti]. Amsterdam. Nicolaus de Ravesteyn. 1632-51. 4 partes. 4.º

LONDRES. *British Museum.* 1215.b.21. [Deteriorado].

—*Segunda parte...* Amsterdam. Nicolaus de Ravesteyn. 5041, pero 5410 = 1650. 8 hs. + 195 págs. + 10 hs. 19 cm.

Boer, n.º 25.

LA HAYA. *Real.* 799/67.—LEIDEN. *Universitaria.* 513 F2; etc.—MADRID. *Nacional.* R-11.467; etc.

—*Tercera parte...* Amsterdam. Semuel ben Israel Soeiro. 5410 [= 1650]. 6 hs. + 208 páginas + 3 hs. 19 cm.

Boer, n.º 26.

MADRID. *Nacional.* R-11.467; etc.

—*Quarta y ultima parte...* Amsterdam. Semuel ben Israel. 5411 [= 1651]. 4 hs. + 201 págs. + 3 hs. 19 cm.

Boer, n.º 27.

MADRID. *Nacional.* R-11.467.

4785

ORDEN de las oraciones del mes, con lo mas necessario y obligatorio de las tres fiestas del año. Como tambien lo que toca a los ayunos, Homicah y Purim... Amsterdam [s. i.]. 5397 [1636].

MADRID. *Nacional.* R-27.290.

4786

De la resvrrecion de los muertos, libros III... Amsterdam. En casa y a costa del autor. 5396 [= 1636]. 12 hs. + 187 págs. + 2 hs.

—Ded. a Henrique Hoefiser.—Al lector.— Texto hebreo.—Soneto de Ioseph Bueno.

[«Dezid, que vistes santo Ezechiel?...»].
Soneto de Abraham Pinto. [«Resucitar
al mundo la memoria...»]. — Soneto de
Himanuel Nehamiah. [«Mereceys Menasseh ser laureado...»].—Soneto de David
Abadiente. [«Si al Aguila velox dende
su nido...»]. — Soneto de David Senior
Henriquez. [«Bien muestra de un Ioseph
ser procedido...»].—Soneto de Moseh Pinto. [«De nuevo ser, el dia el Sol renue-
va...»].—Octavas de Refael Levi. [«Ingenio sobre todos peregrino...»].—Soneto
de Ephrayn Bueno. [«Del cuerpo humano que en pira breve...»]. — Décima de
Iona Abarbanel. [«En las sacras objec-
ciones...»]. — Texto. — Tabla de los capitulos.

Boer, n.º 32.

LA HAYA. *Real.* 485/L36.—LISBOA. *Academia das Ciências.* E8.ª/37.—LONDRES. *British Museum.* 1020.a.20.—MADRID. *Nacional.* R-15.689; etc.

4787

*De la fragilidad humana, y inclina-
cion del hombre al pecado. Parte
primera.* Amsterdam. Por industria,
y despeza del author. 5402 [= 1642].
6 hs. + 36 págs. + 2 hs. + págs. 37-
83. 18 cm.

—Retrato del autor a los 37 años.—Ded. a
los Señores Deputados y Parnassim del
K. K. de Thalmud Thora.—Apr. de Daniel de Cáceres y Aharon Serfati.—Al lector.—Texto.—Ded.—Texto de la 2.ª parte.

Boer, n.º 29.

AMSTERDAM. *Universitaria.* Ros. 1865 F2.—LA HAYA. 799/G.17; etc. — LONDRES. *British Museum.* 702.d.23.—MADRID. *Nacional.* R-11.061; etc.

4788

*... ESPERANÇA de Israel... Trata del
admirable esparzimiento de los* (sic)
*diez Tribus, y su infalible reduccion
con los demas, a la patria: con muchos puntos, y Historias curiosas, y
declaracion de varias Prophecias, por
el Author rectamente interpretadas.*
Amsterdam. Semuel Ben Israel Soeiro. 5410 [= 1650]. 1 h. pleg. + 7 hs.
+ 1 blanca + 126 págs. + 1 blanca.
15 × 8,5 cm.

—Retrato del autor, a la edad de 38 años

(1642).—Port.—Ded. a los señores Parnassim del KK. de Talmud Tora.—Al lector.—Authores y Libros Hebreos que se
alegan en la presente obra.—Relación de
Aharon Levi, alias Antonio de Montezinos (págs. 1-16).—Texto (págs. 17-126).

Gallardo, III, n.º 3.017; Vindel, V, n.º 1.695; Boer, n.º 28.

AMSTERDAM. *Universitaria.* Ros. 1895 H44. — LA HAYA. *Real.* 485/L23; etc.—LONDRES. *British Museum.* 701.a.36. — MADRID. *Nacional.* R-3.768; etc.—NUEVA YORK. *Hispanic Society.*—ROUEN. *Municipale.* Mt.P.8534.

4789

*De las Oraciones del año. Parte pri-
mera... Dispuesto y ordenado por el
Hacham Menasseh ben Israel.* Amsterdam. En la estampa de su hijo
Semuel ben Israel Soeyro. 5410
[= 1650]. 6 hs. + 115 fols. + 4 hs.
15 cm.

—Ded. a Ishak de Pinto. — Texto en hebreo.—Texto.—Calendario.

Boer, n.º 36.

LEIDEN. *Universitaria.* 1150 H.25^1. — MADRID. *Nacional.* R-17.435.

4790

———. *Parte tercera...* Amsterdam.
Semuel ben Israel Soeyro. 5410
[= 1650]. 232 fols. 15 cm.

—Texto.—Tabla.

Boer, n.º 37.

AMSTERDAM. *Universitaria.* Ros. 3801 H14. — LEIDEN. *Universitaria.* 1150 H12.—MADRID. *Nacional.* R-17.436.

4791

*ORDEN de las bendiciones conforme
el vso del K. K. de España.* Añadido y dispuesto en mejor forma que
las precedentes Impreciones. Amsterdam. Semuel ben Israel Soeyro.
5410 [= 1650]. 36 fols. 15 cm.

—Texto.—Tabla.

Boer, n.º 33.

MADRID. *Nacional.* R-17.435.

4792

*HUMAS, o cinco libro de la Ley Di-
vina. Juntas las Aphtarot del año.*

Con vna perfecta glosa, en forma casi de Paraphrases, llena de Tradiciones y Explicaciones de los Antiguos sabios. Obra nueva, y de mucha vtilidad, principalmente para los que no entienden los commentarios Hebraicos... Compuesta por el Hacham Menasseh ben Israel... Amsterdam. [s. i.]. 5415 [= 1655]. 4 hs. + 451 págs. + 2 hs. + 127 págs. + 2 hs. 14 cm.

—Ded. al Amplissimo y muy Noble Señor Conrado Beuningio, pensionario de la ciudad de Amsterdam y embajador en Suecia.—Al lector.—Texto.—Tabla.—Harmonía mosaica.—*Libro de las Aptarot.*—Tabla.

Es una trad. del *Pentateuco.*
Boer, n.º 14.

AMSTERDAM. *Universitaria.* Ros. 20.C.17; etc. LA HAYA. *Real.* 2117/D26.—LEIDEN. *Universitaria.* 1150 H25; etc. — MADRID. *Nacional.* R-10.182 (ex libris de Gayangos).

4793

PIEDRA gloriosa o de la estatua de Nebuchadnesar. Con muchas y diuersas authoridades de la S. S. y antiguos sabios. Amsterdam. [s. i.]. 5415 = 1655. 229 págs. + 3 hs. 13 cm.

—Ded. a Isaco Vossio, Gentil hombre de la Camara de S. M. la Reyna de Suecia.—Texto.—Catalogo de mis obras. En hebraico, en Español y en Latin.—Ilustraciones de Rembrandt: Nabucadenasar (sic); La escala de Jacob; La visión de Daniel y David y Goliat.

Boer, n.º 30.

AMSTERDAM. *Casa de Remblandt.* B.36.H.284. (Aduirido en Londres en una subasta el 23 de febrero de 1927 por I. Bruyn que lo regaló a la casa el mismo año). *Universitaria.* Ros. 20C14. — LONDRES. *British Museum.* 701.a.38. [Deteriorado].—MADRID. *Nacional.* R-13.512.

OBRAS LATINAS

4794

Dissertatio de fragilitate humana ex lapsu Adami, deque divino in bono opere auxilio. Amstelodami. Sumptibus auctoris. 1613. 12.º

ROUEN. *Municipale.* Mt.P.7058.

4795

CONCILIATOR, sive de convenientia locorum S. Scripturae quae pugnare inter se videntur. Francofurti. Auctoris expensi [el I] y Amsterdam. En casa de N. de Ravesteny [el II] y S. ben Israel Soerio [III-IV]. 1632-1651. 4 vols. 4.º

Texto en español.
ROUEN. *Municipale.* Mt.P.7569 (I-IV).

4796

CONCILIATOR... Amstelodami. Auctoris typys et impensis. 1633. 4.º

ROMA. *Vaticana.* Stamp. Barb. B.II.16; etc. (con variantes).—ROUEN. *Municipale.* A.664.

4797

De creatione problemata XXX. Amstelodami. Typis et sumptibus auctoris. 1635. 8.º

ROMA. *Vaticana.* Stamp. Barb. B.I.10.int.2.—ROUEN. *Municipale.* Mt.P.4473 (1).

4798

De resurrectione mortuorum libri III. Amstelodami. Typis et sumptibus auctoris. 1636. 8.º

ROMA. *Vaticana.* Stamp. Barb. B.I.10.int.2.—ROUEN. *Municipale.* Mt.P.4473 (2).

4799

De termino vitae, libris tres, accessit Jacob Rosales, Carmen intellectuale in laudem Menasseh ben Israel. Amstelodami. Typis et impensis authoris. 1639. 8.º

ROMA. *Vaticana.* Stamp. Barb. B.I.4.—ROUEN. *Municipale.* Mt.P.7947.

OBRAS PORTUGUESAS

4800

THESOVRO dos Dinim qve o povo de Israel he obrigado saber e obser-

var. [s. l., Amsterdam?]. Eliahu Aboad. 5405-7 [= 1645-47]. 2 vols. 8.º

LONDRES. *British Museum.* 701.a.42; etc. — ROMA. *Vaticana.* Stamp. Barb. B.I.24.—ROUEN. *Municipale.* Mt.V.17397 (1, 2).

TRADUCCIONES

a) INGLESAS

4801

The Conciliator of R. Manasseh ben Israel, a reconcilement of the Apparent Contradictions in Holy Scripture, to which are added explanatory notes, and biographical notices of the quoted authorities, by E. H. Lindo. Londres. Published and sold by the translator. 5602 = 1842. 2 vols.

Al principio del tomo I con retrato del autor por Rembrandt, 1656, del. por D. Rosenberg.

MADRID. *Nacional.* U-8.613/14.

ESTUDIOS

4802

REP: Barbosa, III, págs. 457-59.

MENANDRO (seud.)

EDICIONES

4803

DESPEDIMIENTO lastimoso del catholico... Felipe III. Barcelona. Esteban Liberos. 1621. 4.º

En verso.

LONDRES. *British Museum.* 11450.e.24.(18).

4804

EPITALAMIO compvesto por ——, *en las bodas de Don Andrés Porcel, y la señora D. Maria Alfonsa de Alaiza Mardones y Porcel.* Sevilla. Iuan Gomez de Blas. 1665. 2 hs.

—Texto. [«Yo vi à Amarilis pastores...».

Escudero, n.º 1.712.

MADRID. *Nacional.* V.E.-169-1.

MENAU (FR. JUAN)

EDICIONES

4805

VIDA, nacimiento, virtudes y muerte del glorioso B. Padre San Cayetano. Valencia. Francisco Ciprés. 1666. 16 hojas con 2 grabs. 4.º.

Gallardo, III, n.º 3.018; Palau, IX, número 262.824.

NUEVA YORK. *Hispanic Society.*

MENCOS (MIGUEL DE)

EDICIONES

4806

[*AL Lector*]. (En Dicastillo, Miguel de. *Aula de Dios, Cartuxa Real de Zaragoza... Publica* ——. Zaragoza. 1637. Prels.).

MADRID. *Nacional.* 3-70.301.

MENDEZ (DOCTOR)

EDICIONES

4807

[*CANCION*]. (En Remon, Alonso. *Las fiestas solemnes... a... San Pedro Nolasco...* Madrid. 1630, folios 82r-83v).

MADRID. *Nacional.* 3-58.179.

MENDEZ (BALTASAR)

Licenciado.

EDICIONES

4808

[*GLOSA*]. (En Luque Fajardo, Francisco de. *Relación de la fiesta que se hizo en Sevilla a la beatificación de... San Ignacio...* Sevilla. 1610, folio 61v).

MADRID. *Nacional.* 3-25.151.

MENDEZ (CRISTOBAL)

Doctor. Vecino de Jaén.

EDICIONES

4809

LIBRO de exercicio corporal, y de sus prouechos, por el qual cada vno podra entender que exercicio le sea necessario para conseruar su salud. [Sevilla. Gregorio de la Torre]. 1553 [principio de marzo]. 6 hs. + 1 blanca + 66 fols. 20 cm. gót.

—Anotaciones deste libro.—Prologo.—Tabla.—Texto.—Colofón.

Escudero, n.º 553.

MADRID. *Nacional.* R-12.270 (ex libris de Gayangos).—SAN LORENZO DEL ESCORIAL. *Monasterio.* 53-II-14.—VIENA. *Nacional.* 70.E.7.

ESTUDIOS

4810

REP: N. Antonio, I, pág. 247.

MENDEZ (DUARTE)

EDICIONES

4811

QVESTION medica. Si en la cvra de las enfermedades, y principalmente de las calenturas podridas, en conueniente, purgar los enfermos en algunos casos antes que se sangren. Madrid. Domingo García y Morrás. 1648. 34 hs. 4.º.

Gallardo, III, n.º 3.019.

MENDEZ (FR. ESTEBAN)

Dominico. De la provincia de Andalucía.

EDICIONES

4812

XII. Libros de la dignidad Altíssima de la Virgen Sacratiss. Madre de Iesu Christo Nvestro vnico Dios y Señor, en tres tomos repartidos. [Barcelona. Gabriel Graells y Giraldo Do-

til]. 1606. 13 hs. + 447 fols. + 1 h. 29,5 cm.

—Censura y aprobación del P. Fr. Francisco Ferrando.—L. V.—Apr. de Fr. Pedro Marin.—Apr. del P. M. Fr. Antonio Merino.—L. O.—Ded. a la Virgen Maria.—Pról. al lector.—Tabla de los autores que se alegan en la obra.—S.—Pr.—E.—Tabla de los Capitulos y Paragraphos de la obra.—Texto.—Elenco y Tabla de las autoridades de la Sagrada Escritura que se citan en la obra.—Tabla de las materias principales de la obra.—Colofón sobre el grabado de un escudo.

BARCELONA. *Instituto Municipal de Historia.* B. 1606-Fol. (1).—BURGOS. *Facultad de Teología.* 36-5-41. — GRANADA. *Universitaria.* A-26-100.—LISBOA. *Academia das Ciências.* E. 557/8 [el I]. — MADRID. *Nacional.* 6.i.-3.096; 6.i.-3.218. *Palacio Real.* XXIII-2-1.

ESTUDIOS

4813

REP: N. Antonio, II, pág. 292.

MENDEZ (FR. FRANCISCO)

EDICIONES

4814

[APROBACION]. (En Artufel, Dámaso. *Modo de rezar las horas canónicas...* Valladolid. 1614. Prels.).

Alcocer, n.º 596.

MENDEZ (P. FRANCISCO)

N. en San Luis Potosí. Jesuita desde 1682. Profesor de Retórica y Filosofía en el Colegio de Méjico. M. en 1713.

EDICIONES

4815

[FVNEBRES ecos con que responde a las vozes del llanto de los Soldados difuntos, la piedad del nuestro Gran Monarcha Carlos II por las lenguas de las luzes, que enciende en la sumptuosa pyra, que en obediencia a las ordenes erige... D. Gaspar de Cerda Sylva y Mendoza, Conde de Galve... Virrey de esta Nueva España... Por cuyo mandato los repite, y recomien-

da a la luz publica el ——..., *que los dispuso*]. (En Escalante, Tomás de. *Sermón fúnebre... en las honras de los soldados difuntos españoles...* Méjico. 1694. 15 hs. al fin).

Medina, *México*, III, n.º 1.568.

4816

——. [s. l.-s. i.]. [s. a., pero 1695]. 5 hs.

Medina, *México*, III, n.º 1.603.

4817

[*PARECER. Méjico, 31 de octubre de 1711*]. (En Guevara, Juan de. *Sermón...* Méjico. 1711. Prels.).

Medina, *México*, III, n.º 2.292.

4818

[*PARECER. Méjico, 14 de julio de 1712*]. (En Xaramillo de Bocanegra, Marcos. *Sermón...* Méjico. 1712. Preliminares).

Medina, *México*, III, n.º 2.353.

4819

[*PARECER. Méjico, 21 de julio de 1715*]. (En Taboada, Bautista. *Sermón...* Méjico. 1715. Prels.).

Medina, *México*, III, n.º 2.443.

MENDEZ
(FR. FRANCISCO LORENZO)
Dominico.

EDICIONES

4820

[*QUINTILLAS*]. (En Fomperosa y Quintana, Ambrosio de. *Días sagrados y geniales...* Madrid. 1672, folios 208r-209r).

MADRID. *Nacional.* 2-12.889.

MENDEZ (FRANCISCO MANUEL)

EDICIONES

4821

[*GLOSSA de burlas*]. (En Vega Carpio, Lope de. *Justa poética... que hi-*

zo Madrid al bienaventurado San Isidro... Madrid. 1620, fols. 119v-120r).

MADRID. *Nacional.* R-4.901.

MENDEZ (GREGORIO)

EDICIONES

4822

ARTE para conseruar el dinero en la bolsa con el qual en gran manera se remedia lo mucho que se gasta con el orinal: el qual por otro nombre es llamado Regimiento de salud. [Salamanca. Pedro de Castro] [1541] 2 hs. + 16 hs. a 2 cols. 20 cm. gót.

—Pr. del autor.—Tabla.—Texto.—Colofón.

Salvá, I, n.º 797; Heredia, II, n.º 1.863.
LONDRES. *British Museum.* C.63.b.29.

MENDEZ (JOAQUIN)
N. en Mérida.

EDICIONES

4823

PRONOSTICO lamentable, de la perdida de la secta de Mahoma: Por el Sabio Açan Tuluruley Moro Arabigo. Traducida de lengua Arabiga en lengua Española por ——. Valencia. Felipe Mey. 1619. 4 hs. 4.º.

Gallardo, III, n.º 3.020.

4824

PRONOSTICO, qve escrivió vn docto moro en lengva arabiga, el año mil y dvzientos. Tradvxola en griego ——..., *y por el mismo en nvestro idioma castellano.* Madrid. [s. i.]. 1684. 4 hs. 20,5 cm.

—Texto.

MADRID. *Nacional.* V.E.-14-41.

4825

PROGNOSTICO, que escrivio un docto moro en lengua arabiga, el año de mil y ducientos. Tradvxole en griego ——... *y por el mismo en nuestro idioma Castellano.* Lisboa. Miguel Manescal. 1688. 4 hs. 18,5 cm.

Sobre «la futura destruicion del Imperio Othomano».

MADRID. *Nacional.* V.E.-56-9.

MENDEZ (FR. JOSE)
Mercedario.

EDICIONES

4826

[*PARECER, 14 de octubre de 1694*]. (En Díaz, Diego. *Sermón...* Méjico. 1694. Prels.).

Medina, *México,* III, n.° 1.565.

4827

[*POESIAS*]. (En Alvarez de Faria, Pedro. *Relación de las funerales exequias que hizo el... Tribunal de la Inquisicion de Los Reyes del Peru, al... Principe ...Don Baltasar Carlos...* Lima. 1648).

1. *Canción.* (Fol. 17v).
2. *Otra.*
3. *Soneto.* (Fol. 18v).
4. *Soneto.* (Fol. 22r).
5. *Soneto.* (Fol. 23 r).
6. *Cancición.* (Fol. 46r).
7. *Epitafio.* (Fol. 47r).
8. *Otro.*
9. *Otro.*
10. *Soneto.* JFol. 47v).

V. *BLH,* V, n.° 1963 (17-20, 27, 30, 92-96).

MENDEZ (JUAN)

EDICIONES

4828

[*SONETO*]. (En ROMANCERO e Historia del... Cid... recopilado por Iuan de Escobar. Madrid. 1625. Prels.).

MENDEZ (JUAN)

EDICIONES

4829

[*DEDICATORIA a la ciudad de León*]. (En León Garavito, Francisco

de. *Información en derecho por la purissima y limpissima Concepcion de la... Virgen...* Sevilla. 1625. Prels.).

V. *BLH,* XIII, n.° 1.396.

MENDEZ (FR. JUAN)
Dominico.

EDICIONES

4830

[*PARECER. Méjico, sin fecha*]. (En Palavicino, Francisco Javier. *Sermón panegyrico...* Méjico. 1694. Prels.).

Medina, *México,* III, n.° 1.579.

MENDEZ (P. JUAN)

N. en Sevilla (1579). Jesuíta desde 1595. Calificador de la Inquisición. Enseñó en Córdoba y Sevilla, dode m. en 1650.

EDICIONES

4831

[*APROBACION. Jaén, 21 de marzo de 1614*]. (En Ordóñez de Cevallos, Pedro. *Viage del Mundo.* Madrid. 1614. Prels.).

4832

[*APROBACION, 21 de abril de 1621*]. (En Cueva, Diego de la. *Sermón que predicó... en las honras... a... Felipe III...* Cádiz. 1621. Prels.).

CORDOBA. *Pública.* 4-162.

4833

[*CENSURA. Sevilla, 20 de agosto de 1631*]. (En Caro y Hojeda, Francisco. *Modo de ordenar el Memento en... la Missa. Sevilla.* Sevilla. 1633. Preliminares).

MADRID. *Nacional.* 3-55.758.

4834

[*APROBACION. Sevilla, 1 de septiembre de 1632*]. (En Porcel de Medina, Juan Bautista. *Memorial abreviado de la obligacion que tienen de*

rezar horas canonicas las Monjas.
Sevilla. 1634. Prels.).

MADRID. *Nacional.* 3-67.183.

4835
[*APROBACION. Sevilla, 27 de junio
de 1638*]. (En Villegas, Diego de. *Razones y Fundamentos cerca de que
el ayuno... de la Vigilia de San Juan
Baptista, que el año de 1639, ocurre
en el mesmo dia de Corpus Christi...
se han de anteponer... en la... víspera... del Corpus.* Sevilla. 1638. Prels.).

MADRID. *Academia de la Historia.* 9-17-4-
3.553.

4836
[*APROBACION. Sevilla, 13 de setiembre de 1640*]. (En Quintanadueñas,
Antonio de. *Casos ocurrentes en los
jubileos de dos semanas...* Sevilla.
1641. Prels.).

MADRID. *Nacional.* 2-2.724.

4837
[*APROBACION. Sevilla, 18 de enero
de 1642*]. (En Guerrero y Saravia,
Juan. *Vida, virtudes y muerte de...
Fray Iuan Monte...* Sevilla. 1642. Pre-
liminares).

SEVILLA. *Universitaria.* 88-76.

4838
[*PARECER. Sevilla, 27 de marzo de
1642*]. (En Herrera, Lorenzo de. *Sermón del Santísimo Sacramento.* Sevilla. 1642. Prels.).

SEVILLA. *Universitaria.* 111-57 (22).

4839
[*APROBACION. 24 de octubre de
1644*]. (En Nicolas de Santa Maria,
Fray. *Relacion del origen y antiguedad de la Santissima Imagen de
Nuestra Señora de Regla.* Sevilla.
1645. Prels.).

MADRID. *Academia de la Historia.* 5-4-8-
1.860. *Nacional.* V.E.-159-10.

4840
[*APROBACION. Sevilla, 1 de marzo
de 1631*]. (En Soria, Lucas de. *De la
Passión de Nuestro Señor Iesu Cristo.* Sevilla. 1635. Prels.).

SEVILLA. *Universitaria.* 185-29.

4841
[*APROBACION. Sevilla, 18 de sep-
tiembre de 1635*]. (En Bravo, Diego.
Govierno espiritual... Sevilla. 1637.
Preliminares).

MADRID. *Nacional.* 3-30.952.

4842
[*APROBACION. Sevilla, 14 de enero
de 1638*]. (En Sotomayor, Basilio de.
*Sermón predicado... día de Santa
Cathalina...* Sevilla. 1638. Prels.).

GRANADA. *Universitaria.* A-31-208 (8).

4843
[*CENSURA. Sevilla, 28 de noviembre
de 1643*]. (En Saavedra, Silvestre de.
Discurso... Sevilla. 1643. Prels.).

MADRID. *Nacional.* V.E.-45-89.

MENDEZ (FR. JUAN BAUTISTA)
Dominico. Catedrático de la Universidad
de Méjico.

EDICIONES
4844
*REGLA de N. G. P. S. Avgvstin, y
Constituciones de las Religiosas del
Sagrado Orden de Predicadores. Tra-
ducidas en lengua vulgar por... ——...*
Méjico. María de Benavides. 1691.
4 hs. + 53 fols. 8.º

—Ded. a Santa Catalina de Sena.—L. O.—
L. del Virrey.—L. V.—Prólogo.—Texto.
Medina, *México*, III, n.º 1.495.

Aprobaciones
4845
[*SENTIR. Méjico, 11 de mayo de
1677*]. (En Gascó, Juan. *Sermón...*
Méjico. s. a. Prels.).

Medina, *México*, II, n.º 1.160.

4846

[*PARECER. Méjico, 6 de octubre de 1689*]. (En Ledesma, Clemente de. *Compendio de las excelencias de la Seráfica... Tercera Orden...* Méjico. 1690. Prels.).

Medina, *México*, III, n.º 1.474.

4847

[*PARECER. 26 de agosto de 1694*]. (En Gómez de la Parra, José. *Práctica...* Méjico. 1695. Prels.).

Medina, *México*, III, n.º 1.598.

4848

[*PARECER. Méjico, 29 de enero de 1696*]. (En Castro, José de. *Sermón panegyrico moral...* Méjico. 1696. Preliminares).

Medina, *México*, III, n.º 1.633.

MENDEZ (LEONARDO)

EDICIONES

4849

[*POESIA*]. (En Armendariz, Julián de. *Patrón Salmantino.* Salamanca. 1603. Prels.).

MADRID. *Nacional.* R-9.800.

MENDEZ (FR. LUIS)

N. en Méjico. Mercedario. Rector del Colegio de San Ramón de Méjico.

EDICIONES

4850

SERMON panegírico... (En Ramírez de Vargas. *Sagrado...* Méjico. 1691.

Medina, *México*, III, n.º 1.500.

Aprobaciones

4851

[*PARECER. Méjico, 10 de octubre de 1683*]. (En Florencia, Francisco de. *Sermón...* Méjico. 1683. Prels.).

Medina, *México*, III, n.º 1.280.

4852

[*SENTIR. Méjico, 2 de julio de 1684*]. (En Mendoza, Juan de. *Concepción letrada...* Méjico. 1684. Preliminares).

Medina, *México*, III, n.º 1.315.

4853

[*PARECER. Méjico, 20 de abril de 1685*]. (En Pimentel, Juan. *Oración panegyrica, o Cartilla angélica...* Méjico. 1685. Prels.).

Medina, *México*, III, n.º 1.357.

4854

[*SENTIR. Méjico, 10 de octubre de 1694*]. (En Díaz, Diego. *Sermón que en la... professión de la M. María Magdalena de la Soledad predicó* ——. Méjico. 1694. Prels.).

Medina, *México*, III, n.º 1.565.

4855

[*APROBACION. Méjico, 1695*]. (En Castilla, Miguel de. *Sermón del inclyto patriarcha San Pedro Nolasco...* Méjico. 1695. Prels.).

Medina, *México*, III, n.º 1.588.

4856

[*PARECER. Méjico, 4 de enero de 1695*]. (En Rivera, Luis de. *Sermón de la Publicación de el Edicto... de la Inquisición...* Méjico. 1695. Preliminares).

Medina, *México*, III, n.º 1.621.

4857

[*SENTIR. Méjico, 7 de abril de 1695*]. (En Espinosa, Juan de. *Sermón... de San Juan de Dios.* Méjico. 1695. Prels.).

MADRID. *Nacional.* V.E.-35-20.

4858

[*APROBACION. Méjico, 30 de julio de 1695*]. (En Millán de Poblete,

Juan. *Sermón... a la fiesta de... San Pedro...* Méjico. 1695. Prels.).

Medina, *México,* III, n.º 1.604.

OBRAS LATINAS

4859

ELOGIUM Dom. Doctoris Josephi Adamæ et Arriaga, Doctoris Mexicani et Ecclesiæ Metropolitanæ Canonici, ad Manilensis Insulas pro merito evecti. Méjico. 1700. 4.º

MENDEZ (FR. PEDRO)

Dominico. Lector en el monasterio y colegio de San Pablo de Córdoba.

EDICIONES

4860

[*AL prudente lector*]. (En Mexía, Vicente. *Saludable instrucción del estado del matrimonio.* Córdoba. 1566. Preliminares).

MADRID. *Nacional.* R-10.930.

MENDEZ (RODRIGO)

EDICIONES

4861

[*HIEROGLIFICO*]. (En Ferriol y Caycedo, Alonso de. *Libro de las fiestas... en honor de la immaculada Concepción...* Granada. 1616, folios 52v-53r).

MADRID. *Nacional.* R-4.019.

MENDEZ (VENTURA LORENZO)

Colegial de Santa Catalina de la Universidad de Alcalá. Licenciado.

EDICIONES

4862

[*POESIAS*]. (En Fomperosa y Quintana, Ambrosio de. *Dias sagrados y geniales...* Madrid. 1672).

1. *Redondillas.* (Fols. 131v-133r).
2. *Liras.* (Fols. 141r-142r).

3. *Dezimas.* (Fols. 149v-150r).
4. *Glossa.* (Fols. 165r-166r).

MADRID. *Nacional.* 2-12.889.

4863

[*AFECTOS de un Galán, en cuyos braços se desmayó su Dama. Romance*]. (En ACADEMIA *que se celebró por Carnestolendas... 1675...* Madrid. s. a., págs. 65-69).

MADRID. *Nacional.* R-4.071.

4864

[*GLOSSA*]. (En ACADEMIA *que se celebró en día de Pasqua de Reyes... Año M.DC.LXX.IIII.* s. l.-s. a., folios 27r-28r).

MADRID. *Nacional.* R-141.

MENDEZ DE ANDRADE (BENITO)

V. MENDEZ DE PARGA Y ANDRADE (BENITO)

MENDEZ DE AVILA (JUAN)

Criado de S. M.

EDICIONES

4865

THEATRO de varios y marauillosos acaecimientos de la mudable Fortuna. Compuesto en Italiano por Hieronymo Garimberto... Y traduzido en nuestro vulgar Castellano por ——. Salamanca. Iuan Baptista de Terranova. A costa de Francisco Garcia. 1572. 8 hs.2+ 180 fols. 14 cm.

—Apr. del Dr. Villalpando.—T.—Pr. a —— por tres años.—Ded. a Ruy Gomez de Sylua, Principe de Euoli, etc.—Tabla.— Texto.—Colofón.

COIMBRA. *Universitaria.* R-16-9. — LONDRES. *British Museum.*—MADRID. *Nacional.* R-1.201. SEVILLA. *Universitaria.* 87-11.—VIENA. *Nacional.* 65.M.7.

ESTUDIOS

4866

REP: N. Antonio, I, pág. 742.

MENDEZ BARRIO (PEDRO)

Catedrático de Prima de Letras Humanas
de la Universidad de Salamanca.

EDICIONES

4867

[*AL Letor. Salamanca, 21 de noviembre de 1670*]. (En Lince, Ricardo. *Vida del Beato Stanislao Kostka*. Salamanca. 1670. Prels.).

SEVILLA. *Universitaria*. 113-36 (13).

OBRAS LATINAS

4868

[*POESIA*]. (En Roys, Francisco de. *Relación de las demostraciones festivas... que celebro la... Universidad de Salamanca...* Salamanca. 1658, páginas 263-265).

MADRID. *Nacional*. 2-46.494.

MENDEZ BENEGASI (JUAN MANUEL)

Abogado de los Reales Consejos. Corregidor de la Puebla de Ntra. Sra. de Guadalupe.

EDICIONES

4869

[*DECIMA*]. (En Juan de San Jerónimo, Fray. *Vida de Fr. Lope de Olmedo*. Madrid. 1693. Prels.).

MADRID. *Nacional*. 3-19.629.

MENDEZ DE CARMONA (LUIS)

N. en Ecija.

EDICIONES

4870

COMPENDIO *en defensa de la doctrina y destreza del Comendador Carranza. En el qval hallara el diestro documentos, y auisos importantes para la inteligencia, y exercicio de las Armas*. Lisboa. Antonio Alvarez. 1632. 1 h. + 41 fols. + 1 h. 20 cm.

—Apr. de Luys de Silva.—Licenças.—T.—

Ded. a D. Francisco de Guzman, Marques de Ayamonte.—Prefacio.—Texto.—Tabla.

MADRID. *Nacional*. R-12.320 (ex libris de Gayangos).

4871

[*DEFENSA de la doctrina de Jerónimo de Carranza*]. [s. l.-s. i.]. [s. a.]. 1 h. + 42 hs.

—Frontis, sin título.—Ded. a D. Francisco de Guzmán, cuyo escudo ocupa casi totalmente el frontis.—Texto.—Tabla.

Capítulo I: «Donde se prueba que la doctrina y destreza de Gerónimo de Carranza es la cierta y verdadera».

MADRID. *Nacional*. R-3.644.

ESTUDIOS

4872

REP: N. Antonio, II, pág. 49; Méndez Bejarano, II, n.º 1.641.

MENDEZ COELLO DE URRUTIA (ANTONIO)

Arcipreste de la Colegial de Ubeda.

EDICIONES

4873

[*DECIMAS*]. (En Ovando, Rodrigo de. *Memoria fúnebre y exequias del Parnaso*. Málaga. 1665, fol. 24).

MADRID. *Nacional*. 2-15.508.

MENDEZ DAVILA (MARTIN)

EDICIONES

4874

[*AL Autor. Soneto*]. (En Arias de Quintanadueñas, Jacinto. *Antigüedades y Santos de la... villa de Alcántara*. Madrid. 1661. Prels.).

MADRID. *Nacional*. R-14.192.

MENDEZ DUARTE (FRANCISCO)

EDICIONES

4875

[*TERCETOS*]. (En Miranda y La Cotera, Jose de. *Certámen angélico... a*

Snto. Tomás de Aquino. Madrid. 1657, fols. 133v-134r).

MADRID. *Nacional.* R-16.925.

MENDEZ DE GIGUNDE (PEDRO)

4876

[*SONETO*]. (En ACADEMIA *en que el... Marqués de Xamaica celebró los felizes años de... la Reyna... Maria Ana de Austria...* Cádiz. 1673, folio 50r).

MADRID. *Nacional.* R-11.778.

MENDEZ DE HARO (LUIS)

EDICIONES

4877

COPIA *de la carta que el Excelentissimo Señor —— embió a Pedro de Zamora Hurtado...; su fecha en Madrid, 20 octubre 1652. En que se dá quenta, como la ciudad de Barcelona se ha rendido a la obediencia de Su Magestad.* Sevilla. Juan Gómez de Blas. 1652. 2 hs. 29,3 cm.

—Texto.

MADRID. *Nacional.* V.E.-218-30.

Aprobaciones

4878

[*APROBACION. Madrid, 24 de julio de 1633*]. (En Mateos, Juan. *Origen y dignidad de la Caça.* Madrid. 1634. Preliminares).

MADRID. *Nacional.* R-1.316.

MENDEZ DE LONDIGO Y MIRANDA (DIEGO)

EDICIONES

4879

MEMORIAL *qve se dió a la Catholica y Real Magestad de Nuestro Gran Philipo IV el Grande. En orden* de dar un medio muy importante para el reparo de esta monarchía, quitando pechos, y nueuos impuestos, que desde el año de 1602 hasta el presente se han echado. De lo qual promete grandes augmentos a su Real Corona, y provecho de sus vasallos, como se verá en lo presente. [Sanlucar de Barrameda. Diego Perez Estupiñan]. [1644]. 2 hs. 29 cm.

Carece de portada.

—Texto.

MADRID. *Nacional.* V.E.-204-33.

4880

[*MEMORIAL*]. [Madrid. s. i.]. [1675].

—Texto. Comienza: «Señor. = Diego Mendez de Londigo y Miranda...». Proposiciones para establecer un Monte de Piedad nacional.

LONDRES. *British Museum.* 9181.g.1.(16).

4881

MEMORIAL *al Rey proponiendo aumentar el valor de la plata en Flandes, para remediar la mala situación del país.* [s. l.-s. i.]. [s. a.]. 2 hs. 31 centímetros.

MADRID. *Nacional.* V.E.-210-104.

MENDEZ DE LOYOLA (PEDRO)

EDICIONES

4882

[*ESPINELA*]. (En Pellicer de Tovar, José. *Anfiteatro de Felipe el Grande.* Madrid. 1631, fol. 73v).

MADRID. *Nacional.* R-7.502.

4883

[*POESIAS*]. (En ACADEMIA *burlesca en Buen Retiro a la Magestad de Philippo IV el Grande.* Valencia. 1952).

1. *Glosa.* (Págs. 44-45).
2. *Quintillas.* (Págs. 68-70).
3. *Seguidillas.* (Págs. 93-98).

MADRID. *Academia Española.* 16-II-8.

ESTUDIOS

4884

REP: La Barrera, págs. 245-46.

MENDEZ DE MADEIROS (FRANCISCO)

EDICIONES

4885

[*SONETO*]. (En Días, Duarte. *La conquista que hicieron los... Reyes Don Fernando y Doña Ysabel, en el Reyno de Granada.* Madrid. 1590. Preliminares).

OBRAS PORTUGUESAS

4886

[*SONETO*]. (En Días, Duarte. *La conquista que hizieron los poderosos y catholicos Reyes Don Fernando y Doña Ysabel...* Madrid. 1590. Prels.)

V. *BLH*, IX, n.º 2945.

MENDEZ NIETO (JUAN)

CODICES

4887

«*Discursos medicinales...*».
Original.
Gallardo, III, n.º 3.021.

EDICIONES

4888

DISCURSOS medicinales... [Publicados por J. Domínguez Bordona]. (En *Boletín de la Academia de la Historia,* CVII, Madrid, 1935, págs. 171-288).

ESTUDIOS

4889

BATAILLON, MARCEL. *Riesgo y ventura del «Licenciado» Juan Méndez Nieto.* (En *Hispanic Review,* XXXVII, Filadelfia, 1969, págs. 23-60).

4890

BATAILLON, MARCEL. *L'Ile de La Palma en 1561. Estampes canariennes de Juan Méndez Nieto.* (En *Revista da Facultade de Letras,* serie 3, Lisboa, 1971, n.º 13, págs. 21-45).

4891

S[ANCHEZ] GRANJEL, LUIS. *Los «Discursos medicinales» de Juan Méndez Nieto.* Salamanca. Real Academia de Medicina. 1978. 55 págs. + 2 hs. 24 cm.

MADRID. *Nacional.* V-12.509-20.

MENDEZ NIETO (LEONARDO)

EDICIONES

4892

[*DECIMA*]. (En Vega Carpio, Lope de. *La hermosura de Angelica, con otras diuersas Rimas.* Madrid. 1602, folio 481).

MADRID. *Nacional.* R-11.556.

4893

[*REDONDILLAS*]. (En Vega Carpio, Lope de. *Pastores de Belen, prosas y versos divinos.* Madrid. 1612. Prels.).

MADRID. *Nacional.* R-30.712.

MENDEZ DEL OLMO (PEDRO)

EDICIONES

4894

ORACION evangelica a la virgen y martir, Sancta Barvara, flor de Nicodemia. Salamanca. Melchor Estevez. 1666.

NUEVA YORK. *Hispanic Society.*

MENDEZ DE PARGA Y ANDRADE (BENITO)

Gallego. Doctor. Catedrático de Prima de Cánones de la Universidad de Santiago. Canónigo en su catedral. Inquisidor apostólico. Juez de bienes confiscados.

EDICIONES

4895

DISCURSOS del vnico patronazgo de España, perteneciente al glorioso Apostol Santiago el mayor. Santiago. Iuan Guixard de Leon. 1628. 2 hs. + 45 págs. 27,5 cm.

—Apr. de Francisco de Villafañe.—L. V.— Ded. al Apostol Santiago Zebedeo el mayor.—Epistola a Felipe IV.—Tabla.— Texto.

MADRID. Nacional. V.E.-211-49; V-7-26.

4896

RESPUESTA a un papel que escrivio el Dotor Balboa de Mogrovejo... en razon del Patronato que pretende la Religión del Carmen de estos Reinos, para sancta Teresa de Jesus despues de nuestro glorioso Apostol... Santiago. Juan Guixard de León. 1628. 46 págs. Fol.

López, n.º 35.

SANTIAGO DE COMPOSTELA. Universitaria.

Aprobaciones

4897

[APROBACION. Santiago, 8 de enero de 1630]. (En Almogabar, Juan de. Sermón... Santiago. 1630, pág. 3).

MADRID. Nacional. R-30.881 (16).

OBRAS LATINAS

4898

ELVCIDA et elegans interpretatio ad Bvllam Alexandri III P. M. de Jubileo D. Jacobi vnici Hispaniarum Patroni. Compostela. Joannes Guixard de León. 1628. 15 hs. + 246 págs. + 9 hs. 4.º

López, n.º 36.

MADRID. Nacional. 2-38.280.—SANTIAGO DE COMPOSTELA. Convento de San Francisco.—Universitaria. (Dice: «Dilvicida...»).

MENDEZ DE PORRAS (CRISTOBAL)

Doctor. Capellán de honor de S. M. Racionero de la catedral de Sevilla y Visitador general de sus fábricas. Juez Comisario de la Inquisición.

EDICIONES

4899

[APROBACION]. (En Alfaro Caballero. Juan de. Sermón... Sevilla. 1636. Prels.).

GRANADA. Universitaria. A-31-208, n.º 4.

4900

[CENSURA. Sevilla, 18 febrero 1646]. (En APOLOGIA Escolastica y Moral de la frequente y cotidiana Comunión. Sevilla. 1646. Prels.).

MADRID. Nacional. 3-27.545.

4901

[CENSURA. Sevilla, 19 de febrero de 1647]. (En Lemos, Manuel de. Sermón fúnebre en las honras... al... P. Iuan Velez de Zauala... Sevilla. 1647. Prels.).

SEVILLA. Universitaria. 112-121 (12).

MENDEZ DE RIBADENEYRA (GONZALO)

EDICIONES

4902

[GLOSSA]. (En Herrera, Pedro de. Descripción de la Capilla de Ntra. Sra. del Sagrario. Madrid. 1617. 4.ª Parte, fols. 69v-70v).

MADRID. Nacional. 2-42.682.

MENDEZ DE ROBLES (ALONSO)

EDICIONES

4903

[*DEDICATORIA a Fr. Bartholomé de Miranda, Arçobispo de Toledo*]. (En FLOS *Sanctorum...* Alcalá. 1558. Preliminares).

MADRID. *Nacional.* R-8.029.

MENDEZ DE SAN JUAN (FR. JOSE)

N. en Madrid (1605). Mínimo desde 1622. Provincial de Castilla dos veces. Calificador de la Inquisición. Examinador sinodal del arzobispado de Toledo. Visitador de las Librerías de España.

EDICIONES

4904

[*APROBACION. Madrid, 23 de junio de 1673*]. (En Franco Fernández, Blas. *La vara de Iesé...* Tomo I. Madrid. 1674. Prels.).

MADRID. *Nacional.* 5-6.897.

4905

[*APROBACION. Madrid, 5 de junio de 1677*]. (En Barrasa, Jacinto. *Sermones varios...* Madrid. 1678. Prels.).

MADRID. *Nacional.* 3-35.099 .

4906

[*APROBACION. Madrid, 19 de mayo de 1679*]. (En Dueñas y Arjona, Francisco de. *El perfecto predicador.* Madrid. s. a. Prels.).

MADRID. *Nacional.* 3-57.242.

4907

[*APROBACION. Madrid, 5 de febrero de 1680*]. (En Francisco de los Santos, Fray. *Quarta parte de la historia de la Orden de San Geronimo.* Madrid. 1680. Prels.).

MADRID. *Nacional.* R-19.

OBRAS LATINAS

4908

THEOLOGIA Moralis de triplici Bulla, scilicet Cruciatae, Compositio-

nis, et Defunctorum, ubi de Purgatorio, de sufragis pro mortuis et eorum applicationibus... Madrid. Andrés de la Iglesia. A costa de Iuan Martín Merinero. 1666. 4 hs. + 238 págs. + 1 h. Fol.

MADRID. *Facultad de Filología.* 786. *Nacional.* 2-70.273; etc.

4909

THEOLOGIA Moralis. De Sacramenti Matrimonii, et Censvris Ecclesiasticis, necnon, de Irregularitate. Madrid. Andrés García de la Iglesia. A costa de Iuan Martín Merinero. 1667. 12 hs. + 334 págs. + 9 hs. 4.º

MADRID. *Nacional.* 3-53.648; etc.

4910

THEOLOGIA Moralis. De Sacramentis in genere, et in specie, simvl cum aliis materiis moralibus. Madrid. Bernardo de Hervada. 1668. 12 hs. + 343 págs. + 8 hs. 4.º

4911

THEOLOGIA Moralis. De Praeceptis Decalogi, et Ecclesiae, simvl cum materiis moralibus De Conscientia, de legibus et peccatis. Madrid. Julián de Paredes. 1669. 12 hs. + 322 págs. a 2 cols. + 9 hs. 4.º

MADRID. *Facultad de Filología.* 1.801. *Nacional.* 3-54.311.

4912

STATERA vtrivsqve opinionis et rogativæ, et affirmativæ circa qvotidianam Commvnionem concedendam laicis... Madrid. Julián de Paredes. 1671. 6 hs. + 56 págs. 4.º

MADRID. *Facultad de Filología.* 12.702. *Nacional.* 3-53.673; etc.

4913

THEOLOGIA Moralis. De justitia, et Iure simvl cum materiis moralibvs quæ concernvnt Iustitiam. Madrid.

Julián de Paredes. 1671. 16 hs. + 355 págs. + 8 hs. 4.º

MADRID. *Facultad de Filología.* 1.783. *Nacional.* 3-54.125; etc.

4914

PRAXIS Theologiæ Misticæ, in qua agitur de vita spirituali, de Patri Spirituali, de triplici via orationes mentalis, scilicet Pvrgativa, Illuminativa et Vnitiva, de Revelationibus Raptu, et Extasi & Discretione spirituum... Madrid. Julián de Paredes. 1673. 6 hs. + 123 págs. 4.º

MADRID. *Nacional.* 2-70.272.

4915

THEOLOGIA Moralis Miscellanea additionalis, continens in se varias materias morales. Madrid. Julián de Paredes. 1678. 8 hs. + 161 págs. + 7 hs. 4.º

MADRID. *Nacional.* 3-65.467.

ESTUDIOS

4916

REP: N. Antonio, I, pág. 810; Alvarez y Baena, III, págs. 41-43.

MENDEZ SILVA (RODRIGO)

N. en Celorico da Beira, Portugal (1607). Cronista general de España. Ministro del Consejo de Castilla.

CODICES

4917

«Cronicón Genealógico de los condes de Villardompardo, Cruña (sic) y Marqueses de Cañete, dividido en tres partes».

Autógrafo de José de Arteaga y Cañizares, con enmiendas y notas marginales autógrafas del autor. 115 págs. 4.º

Texto preparado para la impresión, con portada grabada por Pedro de Villafranca, distinto al del *Memorial de las Casas de Villar Dompardo y Cañete*, que publicó en Madrid, 1646.

Cuartero-Vargas Zúñiga, XI, n.º 19.293.

MADRID. *Academia de la Historia.* 9-202.

4918

«*Claro origen y descendencia de la antigua casa de Valdés*». 1650.

MADRID. *Academia de la Historia.* 9-2-2-B-110.

4919

«*Nobiliario y libro de Armería de las Ciudades, Villas y lugares de toda España*».

Letra del s. XVII, con escudos de armas a la aguada. Procede de la biblioteca ducal de Medinaceli.

MADRID. *Particular de D. Bartolomé March.* 21-5-7.

EDICIONES

4920

CATALOGO Real genealógico de España. Madrid. Diego Díaz de la Carrera. A costa de Alonso Pérez. 1636. 8 hs. + 226 fols. + 6 hs. 8.º

Sin embargo, la S. Pr. es de 1637 y las Apr. de 1637 y 1638.
Gallardo, III, n.º 3.022.

4921

CATALOGO real de España. Madrid. Impr. del Reyno. 1637. 9 hs. + 135 folios + 1 h. 8.º

Salvá, II, n.º 3.573; Vindel, V, n.º 1.699.

LONDRES. *British Museum.* 1196.a.11.—MADRID. *Nacional.* 2-8.561.—NUEVA YORK. *Hispanic Society.*—SANTIAGO DE COMPOSTELA. *Universitaria.*

4922

CATALOGO Real Genealogico de España... Añadidas muchas Familias, Dignidades, Consejos, y otras cosas dignas de memoria por el mismo Autor en esta segunda impression. Madrid. Diego Díaz de la Carrera. A costa de Alonso Perez. 1639. 12 hs. + 226 fols. + 6 hs. 13 cm.

—S. Pr.—S. T.—E.—Apr. de Manuel de Faria y Sousa.—Apr. de Tomas Tamayo de Vargas.—Nueva apr. de Francisco Caro de Torres.—Ded. al Principe Baltasar Carlos.—Al que leyere.—Decima de Fr. Diego Nisseno. [«De vuestros mayores todos...»].—Decima de Luys Velez de

Guevara. [«Este Epitome Real...»].—Soneto de Fernando Cardoso. [«En estas breues lineas dibuxado...»].—Otavas de Iuan de Moncayo y de Gurrea. [«Tu pluma en los Anales de la Fama...»].—Soneto de Pedro Calderón de la Barca. [«Quanto la antiguedad dexó esparcido...»].—Soneto de Gabriel Bocangel y Unçueta. [«Los Reyes, los Varones señalados...»].—Decima de Antonio de Solis Ribadeneyra. [«Silua, la caduca historia...»].—Decima de Francisco de Rojas Zorrilla. [«Oy con claros desengaños...»]. Decima de Antonio Coello Arias. [«Oy que tu Historia amanece...»].—Silva de Iuan Coello y Arias. [«O Norte! o gloria! o luz de las Historias!...»].—Soneto de Francisco Fernandez. [«Segunda vez ha remontado el buelo...»].—Al Autor. Soneto de Francisco de Molina. [«Las olvidadas ya tu dulce Lira...»].—Al Autor. Soneto de Agustín Moreto. [«Con grave admiración con verdad pura...»].—Al Autor. Soneto de Iacinto Torres. [«En vuestra grave Lira Lusitana...»].—Soneto al Autor de Tomas Gomez Mendez. [«Si en discurso Real aveis mostrado...»].—Decima de Pedro Reina. [«Inmortal sea tu fama...»].—Soneto al Autor de Juan Matos Fragoso. [«En Buelos de esplendor sale y derrama...»].—Texto.—Indice de cosas notables.

Salvá, II, n.º 3.574.

BARCELONA. *Universitaria.* C.221-8-20. — CHAPEL HILL. *University of North Carolina.* — LONDRES. *British Museum.* 1060.c.30; etc.—MADRID. *Academia Española.* 29-XI-11. *Nacional.* R-1.913; etc.—NUEVA YORK. *Hispanic Society.*

4923

CATALOGO *Real y Genealogico de España... Reformado, y añadido en esta ultima impression... por el mismo Autor.* Madrid. Mariana del Valle. A costa de Antonio del Ribero. 1656. 12 hs. + 175 fols. 21 cm.

—Ded. a Francisco Marín de Rodezno, Presidente de la Real Chancillería de Granada, etc. (con datos genealógicos y un escudo grab.).—Apr. de Fr. Luis Tineo de Morales.—L. V.—S. Pr.—S. T.—Censura de Gaspar de Seixas Vasconcelos.—E.—Texto.—Fols. 167r-175v: Indice de las cosas mas notables y dignas de memoria.

BARCELONA. *Universitaria.* C.221-3-39; etc. — BLOOMINGTON. *Indiana University.*—CAMBRIDGE, Mass. *Harvard University.* — COIMBRA. *Universitaria.* RB-27-53. — CORDOBA. *Pública.* 30-45. — CHICAGO. *University of Chicago.* — GRANADA. *Universitaria.* A-24-237. — ITHACA. *Cornell University.* — LISBOA. *Ajuda.* 17-VI-50; etc.—LONDRES. *British Museum.* 1060.c. 30.—MADRID. *Academia de la Historia.* 14-8-8-5.716; etc. *Municipal.* R-380. *Nacional.* R-15.207; etc.—NUEVA YORK. *Hispanic Society.*— SAN DIEGO. *University of California.* — SANTIAGO DE COMPOSTELA. *Universitaria.*—SEVILLA. *Colombina.* 141-6-23; etc. *Universitaria.* 152-17.—VALLADOLID. *Universitaria.* Santa Cruz, 11.650.—WASHINGTON. *Congreso.*

4924

DIALOGO *compendioso de la antigvedad, y cosas memorables de la Noble, y Coronada Villa de Madrid, y recibimiento que en ella hizo su Magestad Catolica con la grandeza de su Corte a la Princesa de Cariñan, Clarissima consorte del Serenissimo Principe Tomas, con sus Genealogías.* Madrid. Viuda de Alonso Martin. 1637. 12 fols. 19,5 cm.

—Apr. de Fr. Pedro Rodero.—Apr. del M.º Gil Gonzalez Dauila.—Al letor.—Ded. a D. Alonso Perez de Guzman, Patriarca de las Indias, etc., cuyo escudo va en la port.—Grado de parentesco del Principe Tomas con el Patriarca.—Texto.—T.

Gallardo, III, n.º 3.024; Vindel, V, n.º 1.698.

MADRID. *Nacional.* R-13.182. — NUEVA YORK. *Hispanic Society.*

4925

——. Reproducción parcial en, RELACIONES *breves de actos públicos celebrados en Madrid de 1541 a 1650. Edición de José Simón Díaz.* Madrid. Instituto de Estudios Madrileños. 1982, págs. 442-48.

4926

FELICISSIMA *elecion en Rey de Romanos, del Serenissimo Rey de Bohemia y Hungría, Fernando Tercero; de los Emperadores del sacro Impe-*

rio de Alemania. Con un catálogo de los Cesares que ha auido en la Augustissima Casa de Austria. [Madrid. María de Quiñones]. 1637. 4 hs. 21,5 centímetros.

Gallardo, III, n.º 3.025.

MADRID. *Academia de la Historia.* 9-3.671(19). *Nacional.* Mss. 2.364 (fols. 405-24); etc.

4927

——. Barcelona. P. Lacavallería. 1637. 4 hs. 20 cm.

BARCELONA. *Central.* F. Bon. 5609.

4928

RELACION verdadera de todo lo sucedido el dia del Bautismo de la serenissima Infanta. Madrid. María de Quiñones. [s. a.]. 4 hs. 4.º

¿Madrid, 1637?

Gallardo, III, n.º 3.023.

4929

VIDA y hechos heroicos del gran Condestable de Portugal D. Nuño Aluarez Pereyra Conde de Barcelos... Madrid. Iuan Sanchez. A costa de Pedro Coello. 1640. 17 hs. + 128 fols. 14 cm.

—S. Pr.—T.—E.—Apr. de Agustín Barbosa. Apr. de Tomas Tamayo de Vargas.—Ded. a D. Luis Mendez de Haro, Conde de Morente, etc.—Al que gustare de Leer. Prologo.—Carta que escribio al Autor desde Flandes, Francisco Manuel de Melo.—Soneto de Fadrique da Camara. [«Este que al mismo tiempo se eterniza...»].—Soneto de Francisco de Sosa. [«La accion a quien tu pluma aciertos fía...»].—Soneto de Rodrigo de Meneses. [«Nueva luz, docto Silva, al mundo has dado...»].—Soneto de Francisco de Azeuedo y Atayde. [«Este ilustre Varon, no competido...»].—Dezima de Gutierre Marques de Careaga. [«Mas que para venturoso...»].—Soneto de Gabriel Bocangel y Unçueta. [«En los batidos marmoles leales...»]. — Soneto de Bartolome Febo. [«Las heroicas hazañas, tantas glorias...»] Epigrama de Antonio Escribano. [«Tan nueuo ardor a las ceniças frias...»].— Silva de Domingo Martin Fernandez.

[«A poca tierra el cuerpo reduzido...»]. Texto.—Colofón.

Salvá, II, n.º 3.475.

ANN ARBOR. *University of Michigan.* — CHICAGO. *Newberry Library.* — LONDRES. *British Museum.* 1201.b.6; etc. — MADRID. *Academia Española.—Facultad de Filología.—Nacional.* 2-1.727 (ex libris de C. A. de la Barrera); etc. *Palacio Real.* V-2.199. — NUEVA YORK. *Hispanic Society.*—SEVILLA. *Colombina.* 56-2-49; etc.

4930

POBLACION general de España. Svs trofeos, blasones, y conqvistas heroycas, descripciones agradables, grandezas notables, excelencias gloriosas, y svcessos memorables. Con mvchas, y cvriosas noticias, flores cogidas en el estimable Iardin de la preciosa antigüedad. Reales genealogias, y catalogos de dignidades Eclesiasticas, y Seglares. Madrid. Diego Díaz de la Carrera. A costa de Pedro Coello. 1645. 8 hs. + 301 fols. + 4 hs. 29 cm.

—Ded. a D. Manuel Cortizos de Villasante, caballero de Calatrava, etc., cuyo escudo figura en la portada.—Apr. de Fr. Diego Niseno.—L. V.—Apr. de Fr. Iuan Ponce de Leon.—S. Pr.—E.—T.—Prefacion de Josseph Pellicer de Tovar.—Retrato del autor a los 38 años de edad.—Fol. 1: Escudo del autor.—Rodrigo Mendez Silva, autor desta Obra, que sale sujeta al juizio del beneuolo, y amigo Lector, se la presenta, y pide con toda humildad aduierta primero.—Texto.—Tabla de las Ciudades, Villas y Lugares citados.

Salvá, II, n.º 3.050; Vindel, V, n.º 1.700.

BARCELONA. *Universitaria.* C.186-2-25. — BLOOMINGTON. *Indiana University.* — CAMBRIDGE, Mass. *Harvard University.*—FILADELFIA. *Library Company.*—GRANADA. *Facultad de Filosofía y Letras.* IV-7-8. *Universitaria.* A-21-94. [Falto de portada]. — ITHACA. *Cornell University.*—LISBOA. *Ajuda.* 15-XII-31. — MADRID. *Academia Española.* 19-III-26. *Academia de la Historia.* 14-7-6-3.496. *Municipal.* R-56. *Nacional.* U-2.577. *Palacio Real.* V-170; etc.—NEW HAVEN. *Yale University.* — NUEVA YORK. *Hispanic Society.*—*Public Library.*— ROMA. *Vaticana.* Stamp. Barb. P.X.39.—SANTIAGO DE COMPOSTELA. *Universitaria.*—SEVILLA. *Universitaria.* 94-151; etc.—STORRS. *University*

of Connecticut. — VALLADOLID. Universitaria.
Santa Cruz, 2.079.—WASHINGTON. Congreso.
4-25765.—ZARAGOZA. Universitaria. G-59-100.

4931

——. 2.ª ed., añadida y enmendada
por el autor. Madrid. Roque Rico de
Miranda. 1675. 8 hs. + 266 fols. Fol.

Reproduce las Apr. de 1644.

Salvá, II, n.º 3.051 (reproduce el retrato
del autor).

ANN ARBOR. University of Michigan.—ATHENS.
University of Georgia.—BARCELONA. Universi-
taria.—BERKELEY. University of California.—
BOSTON. Public Library. — CAMBRIDGE, Mass.
Harvard University.—CORDOBA. Pública. 6-255.
CHAPELL HILL. University of North Carolina.
DURHAM. Duke University. — LISBOA. Ajuda.
15-XII-32. — LONDRES. British Museum. 573.
l.5.—MADRID. Academia de la Historia. 4-1-
6-637; etc. Facultad de Filología. 9.363. Na-
cional. 1-19.125.—NUEVA YORK. Hispanic So-
ciety.—ROUEN. Municipale. Mt.G.2025. — SAN
LORENZO DEL ESCORIAL. Monasterio. 99-VI-7.—
SEVILLA. Colombina. 92-4-5. Universitaria.
236-183.—WASHINGTON. Congreso. 44-33137. —
ZARAGOZA. Universitaria. G-55-116.

4932

*MEMORIAL de las Casas del Villar
Don Pardo, y Cañete: svs Servicios,
Casamiento, Ascendencia, y Descendencia. Qve presenta a... Felipe IV...
el Conde del Villar Don Pardo, Marques de Cañete...* [s. l.-s. i.]. 1646.
30 fols. 21 cm.

—Escudo.—Texto.

Gallardo, III, n.º 3.026; Vindel, V, n.º 1.701.

MADRID. Facultad de Filología. 22.141. Nacional. 2-17.033; etc.

4933

*COMPENDIO de las mas señaladas
hazañas qve obro el Capitan Alonso
de Cespedes, Alcides castellano. Su
Ascendencia, y Descendencia, con
varios Ramos Genealogicos que desta Casa han salido.* Madrid. Diego
Díaz. 1647. 13 hs. + 168 fols. 14 cm.

—Retrato de Cespedes por Iuan de Noort.
Ded. a D. Luis Mendez de Haro, Conde-
Duque de Olivares, etc.—S. Pr. al autor

por diez años.—S. T. —E.—Apr. de Fer-
nando Ortiz de Valdes.—L. V.—Apr. de
Iuan de Valdes.—Elogio al Autor por
Francisco Dauila y Lugo.—Texto.

Lleva intercaladas las siguientes poesías:
1. De Ioseph Pellicer de Tovar. *Al valiente Cespedes. Epigrama.* [«Hercules Español, que a Egipcio, i Griego...»]. (Fol. 52).
2. De Francisco López de Zárate. *Soneto.*
[«Tu, que con el esfuerço, con la gloria...».
(Fol. 52v).
3. *Sobre el aver muerto Herido de una
Bala el Español Marte Alonso de Cespedes, Sugeto Insigne desta Historia. Soneto.*
De Antonio López de Vega. [«Quien resiste a las iras de Vulcano?...»]. (Fol. 53).
4. De Manuel de Faria i Sosa. *Soneto.*
[«Espada no ay, que el tiempo no consuma...»]. (Fol. 53).
5. *Al retrato del Capitan Cespedes.* De
Antonio Sigler de Huerta. [«No le basta
al valor toda una muerte...»]. (Fol. 54).
6. De Pedro Rosete Niño. *Soneto.* [«No
el cadaver, la estatua si viviente...»]. (Folio 54).
7. De Iuan de Zabaleta. *Soneto.* [«Detente, passagero, aguarda, advierte...»]. (Folio 55).
8. De Antonio Coello. *Soneto.* [«Este que
ves a polvo reducido...»]. (Fol. 55).
9. De Rodrigo de Herrera. *Soneto.* [«Yaze
inmortal en esta breve Esfera...»]. (Folio
56).
10. De Antonio Martínez. *Soneto.* [«Gran
Varon grande Autor ha merecido...»]. (Folio 56).
11. *Al matar el tigre el valeroso Cespedes. Soneto.* De Sebastián de Villaviciosa.
[«A la inculta palestra el Tigre Hircano...»]. (Fol. 57).
12. De Agustín Moreto i Cavana. *Epitafio.*
[«Detente mas, o caminante, i mira...»].
(Folio 57).
13. De Juan de Matos Fragoso. *Soneto.*
[«Esta que ves magnifica escultura...»].
(Fol. 58).
14. *Al aver muerto el Capitan Cespedes
un Exercito de Moriscos. Décima.* De Francisco Ramírez de la Trapèra i Arellano.
[«Parca, aunque tan inclemente...»]. (Folio
58).
15. De Iuan de la Portilla Duque. *Al sepulcro de Cespedes. Soneto.* [«Descanse el
rayo de virtud Manchega...»]. (Fol. 59).
16. De Fray Antonio de Zúñiga. *Décima.*
[«Esta Pira construida...»]. (Fol. 59).
17. *En Alabança del Coronista. Décima.*

Del mismo Autor. [«Que es Primavera resuelva...»]. (Fol. 60).

18. De Fray Iuan de Herrera i Sotomayor. *Soneto.* [«Este Marmor, Enigma ya eloquente...»]. (Fol. 60).

19. De Doña María Nieto de Aragón. *Al valiente Cespedes. Soneto.* [«Empiezas a vivir quando anochece...»]. (Fol. 61).

21. Doña Maria Nieto de Aragón. *Al Autor. Soneto.* [«Este breve Volumen, dilatado...»]. (Fol. 62).

22. *Al valiente Cespedes quando le mataron de un Arcabuzazo, aviendo muerto mas de cien Moriscos. Décima.* De Doña María Nieto de Aragón. [«Quando de Laurel la frente...»]. (Fol. 62).

23. De Gerónimo de Camargo i Zárate. *Epitafio.* [«Del impulso fatal solo vencido...»]. (Fol. 53).

24. De Francisco Avellaneda i de la Cueva. *Soneto.* [«En essa Lossa mas te inmortalizas...»]. (Fol. 63).

25. De Gabriel Fernández de Rozas. *Soneto.* [«Oye sin susto. Aqui Cespedes yaze...»]. (Fol. 64).

26. Del mismo. *A Doña Catalina de Cespedes, Hermana del Capitan Cespedes, en el brio, como en la sangre. Soneto.* [«Aunque la Valentia de elocuente...»]. (Fol. 64).

27. *Al Capitan Cespedes en la accion de arrancar una pila para dar agua bendita a una Dama Catalana. Soneto.* De Antonio de Espinosa i Contonente.[«En esta pira, en que el valor venero...»]. (Fol. 65).

28. De Antonio de Mardones Sojo. *Epigrama.* [«Repara, ò caminante, en esta Losa...»]. (Fol. 65).

29. De Iuan Lozano. [«Este marmol, o huesped, à quien fia...»]. (Fol. 66).

30. De Manuel de Porres. *Soneto.* [«Ya del heroyco Cespedes escrita...»]. (Fol. 66).

31. De Ambrosio de los Reyes i Arce. *Soneto.* [«Modesto, sin peligro de imprudente...»]. (Fol. 67).

32. De Manuel López de Quirós. *Soneto.* [«Este que resucita a la memoria...»]. (Fol. 67).

33. De Iuan Ramírez. *Epitafio.* [«Aqui descansa un Heroe, cuya gloria...»]. (Folio 68).

34. De Iacinto de Aragon i Mendoza. *Soneto.* [«De Cespedes Trofeo, que dio a España...»]. (Fol. 68).

35. De Iuan de Larrea Zurbano. *Decima.* [«Si a Cespedes sus acciones...»]. (Fol. 69).

36. *Al Tumulo del Capitan Alonso de Cespedes. Soneto.* De Francisco Vaez Eminente. [«Si desvanece el tiempo eternidades...»]. (Fol. 69).

37. *En el sepulcro del Capitan Alonso de Cespedes.* De Manuel Coutiño Agramonte. [«Este que adviertes, del cincel gravado...»]. (Fol. 70).

38. De Diego de Guzmán. *Soneto.* [«Que hazaña en dos serà mas remontada...»]. (Folio 70).

39. De Diego Francisco de Andosilla Enríquez. *Soneto.* [«A La Ixiona Fabula desmiente...»]. (Fol. 71).

40. De Iuan de Mendoza. *Soneto.* [«De Cintio templo, Oraculo de Cuma...»]. (Folio 72).

41. De Fernando Infante de Robles. *Soneto.* [«Aqui la Fama suspendio rendida...»]. (Fol. 72).

42. De Domingo Rodríguez del Rey. *Soneto.* [«Tu aliento de ti solo preferido...»]. (Fol. 73).

43. *Romance a la muerte del Capitan Alonso de Cespedes el Bravo.* Por una Señora interessada en la Sangre desta Casa. [«Esta imitacion de Marte...»]. (Fol. 73).

44. *Al valeroso Cespedes. Romance en Ecos.* Por Iuan de Matos Fregoso. [«Esse marmol que respira...»]. (Fols. 74-76).

45. *Al prodigio de aver el Capitan Alonso de Cespedes, siendo de seis años, arrancado con facilidad la cabeça a un ganso, que espantava a sus hermanas. Soneto.* De Luis Remírez de Arellano. [«El pajaro por quien tanta fortuna...»]. (Fol. 76).

GRANADA. *Universitaria.* C-40-159 [falto de portada, prels. y folios 1-17].—MADRID. *Academia de la Historia.* 2-1-8-441. *Nacional.* R-31.909 (ex libris de Fernando José de Velasco); etc.—NUEVA YORK. *Hispanic Society.*—ROMA. *Vaticana.* Stamp. Barb. Z.VII.66.—SANTIAGO DE COMPOSTELA. *Universitaria.*

4934

ASCENDENCIA *ilvstre, gloriosos hechos, y posteridad noble del famoso Nuño Alfonso Alcaide de la Imperial Ciudad de Toledo, y Principe de su milicia, Ricohome de Castilla.* Madrid. Domingo García y Morrás. A costa de Tomas de Alfai. 1648. 8 hojas + 60 fols. 19,5 cm.

—Ded. a D. Diego Lopez Pacheco Acuña, Marques de Villena, etc., cuyo escudo figura en la port.—Apr. de Fr. Alonso de Sanvitores.—L. V.—Apr. de Pedro de Rojas, Conde de Mora.—Pr. al autor por diez años.—E.—S. T.—Soneto de María

Nieto de Aragon. [«Grande mas que Pompeyo, que el Troyano...»].—Texto.

BERKELEY. *University of California.*—GRANADA. *Universitaria.* A-18-296. — LONDRES. *British Museum.* 10631.c.16.—MADRID. *Academia de la Historia.* 16-7-9-6.935. *Nacional.* R-20.866; etc. *Palacio Real.*—NUEVA YORK. *Hispanic Society.*—SANTIAGO DE COMPOSTELA. *Universitaria.*

4935

DISCURSO genealógico de la antigua familia de Machado, participando esta rama de las ilustres de Quesada, Guzman, Galeate y Coronel. Madrid. J. Martín de Barrio. 1649. 28 fols con grabs. 8.º

LONDRES. *British Museum.* 9905.a.5.

4936

EPITOME de la admirable y exemplar vida de D. Fernando de Cordoba Bocanegra. Madrid. [s. i.]. A costa de Pedro Coello. 1649. 9 hs. + 74 fols. 15 cm.

—Apr. de Fr. Diego Niseno.—L. V.—Apr. de Fr. Miguel de Cardenas (1650).—Papel que D. Gaspar de Seixas Basconzelos y Lugo escriuió al Autor.—S. Pr. al autor por diez años (1650).—E. (1650).—S. T. (1650).—Fols. 1*v*-10*v*: Ded. a D. Iuan Ximenez de Gongora Bocanegra, Consejero de Indias y de Castilla, etc.—Texto.—Folio 61*v*: Epigrama latino de Francisco de Lobera.—Fol. 62*r*: Epitafio latino de Fr. Niceforo Sebasto Melisseno.—Folio 62*v*: Soneto de María Nieto de Aragón. [«En esta eleuacion, Farol luciente...»]. Fol. 63*r*: Otro de la misma. [«Si baxa Amor a Dios a ser humano...»].—Soneto de Sancho de Guzmán Portocarrero. [«Essa flamante concha, esse ardimiento...»].—Fol. 64*r*: Soneto de Ambrosio Arce de los Reyes. [«De tus mismas virtudes coronado...»].—Fol. 64*v*: Soneto de Francisco Perez de Amaral: [«Yace en propias virtudes abrasado...»].—Fol. 65*r*: Otro del mismo. [«Vivió, y murió contento con su suerte...»].—Fol. 65*v*: Soneto de Alonso de Lorençana. [«Muere falibles clausulas de vida...»].—Fol. 66*r*: Soneto de Iuan de Matos Fregoso. [«El que desde su infancia a la diuina...»].— Fol. 66*v*: Soneto de Ioseph de Solís Portocarrero. [«Flor es diuina a tronco generoso...»].—Fol. 67*r*: Soneto de Iuan Miguel Ibañez. [«Donde Menfico assombro de eleuado...»].—Fol. 67*v*: Referencia a una comedia a lo divino sobre la vida de D. Fernando de Cordoba escrita por el franciscano P. Torres en Méjico con el título de *Dime con quien andas, direte quien eres.*

Vindel, V, n.º 1.702.

CHICAGO. *Newberry Library.*—MADRID. *Nacional.* 3-19.765.—SEVILLA. *Colombina.* 54-3-49.

4937

CLARO origen y descendencia ilvstre de la antigua Casa de Valdés, sus Varones famosos, y seruicios señalados, que han hecho a la Monarquía de España. Madrid. Juan Martín del Barrio. 1650. 4 hs. + 46 fols. 4.º

Gallardo, III, n.º 3.027; Salvá, II, n.º 3.575.

LONDRES. *British Museum.* 9905.cc.16. — MADRID. *Academia de la Historia.* 9-219.—VALLADOLID. *Universitaria.* Santa Cruz, 9.018.

4938

BREVE noticia del origen y armas de la muy noble familia de Bernardo de Quirós. Madrid. J. Martín del Barrio. 1651. 8 hs. 4.º

4939

GENEALOGIA de la antigva familia de Resende. Madrid. Vicente Aluarez de Mariz. 1651. 27 págs. 20 cm.

—Texto.

MADRID. *Nacional.* 2-8.709.

4940

RELACION del nacimiento y baptismo de la Infanta D.ª Margarita M.ª de Austria, hija de Phelipe Quarto... Sevilla. Juan Gomez de Blas. 1651. 2 hs. 20 cm.

MADRID. *Nacional.* V-56-193.—SEVILLA. *Colombina.* 63-2-30.

4941

ORIGEN del apellido de los Lopez, variacion de sus armas, y diferentes ramos que de su primitivo solar han

salido. [s. l.-s. i.]. 1651. 12 hs. orladas. 4.º

MADRID. *Nacional.* Mss. 11.782 (fol. 952).

4942

VERDADERA relación del nacimiento y baptismo de la Serenissima Infanta D.ª Margarita Maria de Austria, Hija de los Reyes nuestros señores Don Phelipe IIII y Doña María Ana. Madrid. Iulian Paredes. 1651. 2 hs. Fol.

Alenda, n.º 1.116.

SEVILLA. *Colombina.* 101-9-9. *Universitaria.* 111-122 (79).

4943

——. Sevilla. Juan Gómez de Blas. 1651.

4944

BREVE noticia del origen, armas y varones ilustres de las familias Valladolid, Florín, Orduña, Venabente, Real, Rodríguez de Salamanca, Cortes, Meléndez, Maraver, Portocarrero, Arias, Tobar, Segura, Andrale, Burguillos y Malpica. [s. l.-s. i.]. [s. a., 1652?]. 15 fols. con grabs. 30 cm.

MADRID. *Nacional.* Mss. 11.725, fol. 383.

4945

ARBOL genealógico y blasones de la Ilustre Casa de Saavedra... hasta D. Juan de Saavedra Alvarado Remirez de Arellano... [s. l.-s. i.]. 1653. 27 hs. 29 cm.

Vindel, V, n.º 1.703.

BERKELEY. *University of California.*—MADRID. *Nacional.* V-57-11.—SEVILLA. *Colombina.* 103-9-5; etc. *Universitaria.* 111-122 (110).

4946

BREVE discurso de la antigüedad y preeminencias del Gran Chanciller en los principales Reynos y Prouincias de Europa. [s. l.-s. i.]. [s. a., 1653]. 1 h. + 10 fols. 28 cm.

PARIS. *Archivos Nacionales.* AB-XIX-594.

4947

ORIGEN, armas, y varones ilvstres del antiguo, y calificado linage de Barrientos. Madrid. Licdo. Barrio. 1653. 4 hs. + 40 fols. 21 cm.

—Ded. a D. Pedro de Barrientos Lomelin, Prouisor y Vicario General del Arçobispado de Mexico, etc.—Censura de Fr. Ambrosio Gomez.—L. V.—Apr. de Iuan Alonso Calderon.—E.—T.—Texto.

MADRID. *Nacional.* V.E.-62-57; etc.

4948

BREVE noticia de la casa de los Fernández, en el Reyno de León, y sus armas. [s. l.-s. i.]. 1653. 1 h. + 5 fols. 30 cm.

MADRID. *Nacional.* Mss. 11.483, n.º 10.

4949

BREVE noticia de las nobles familias de Ortiz, Beaumonte, Vázquez, Varela y sus armas. [s. l.-s. i.]. 1653. 2 folios. 29 cm.

MADRID. *Nacional.* Mss. 3.278 (fol. 308).

4950

[GENEALOGIA del Sr. D. Iuan de Saavedra Alvarado Remirez de Arellano]. [s. l.-s. i.]. [s. a., 1653?]. 27 folios con grabs. 31 cm.

MADRID. *Nacional.* Mss. 11.495 (fol. 35).

4951

MEMORIAL de la calidad y servicios de D. Fernando de Soto y Berrio (y de sus progenitores), Caballero del Orden Militar de Santiago... [s. l.-s. i.]. 1653. 13 fols. 28 cm.

MADRID. *Nacional.* Mss. 3.276 (fol. 490).

4952

MEMORIAL genealógico y servicios de los progenitores de D. Filiberto de Sotomayor, Manuel Benavides y Guevara. Madrid. 1653. 16 fols. con grabados. Fol.

Palau, IX, n.º 163.286.

4953

BREVE, cvriosa, y aivstada noticia, de los Ayos, y Maestros, que hasta oy han tenido los Principes, Infantes, y otras personas Reales de Castilla. Madrid. Viuda de Iuan Martín del Barrio. 1654. 4 hs. + 108 fols. 15 cm.

—Apr. de Alonso Nuñez de Castro.—L. V. Censura de Pedro de la Escalera Gueuara.—E.—S. Pr. al autor por diez años.— T.—Fols. 1r-23r: Ded. a D. Ramiro Nuñez Felipez de Guzman, Marques de Toral, etc., cuyo escudo va en la portada (con datos genealógicos).—Texto.

Gallardo, III, n.º 3.028; Salvá, II, n.º 3.572; Vindel, V, n.º 1.704.

LONDRES. British Museum. 10632.a.39. — MADRID. Academia Española.—Facultad de Filología.—Nacional. R-2.833.—SEVILLA. Universitaria. 86-A-157.

4954

ADMIRABLE vida, y heroycas virtudes de aqvel glorioso blason de España, Fragrante Azucena de la Cesarea Casa de Austria, y Supremo Timbre en felicidades Augustas de las más celebradas Matronas del Orbe, la Esclarecida Emperatriz María, hija del siempre Invicto Emperador Carlos V. Madrid. Diego Díaz de la Carrera. 1655. 6 hs. + 59 fols. 19 cm.

—Ded. a Felipe IV.—Censura de D. Gaspar de Seixas Vasconcelos y Lugo, Cauallero del Abito de Christo.—L. V.—Apr. del P. Antonio Rosende.—L. y T.—E.— Texto.

En los folios 1-19 epístola a don Antonio de Contreras, con genealogía de su familia.

MADRID. Academia de la Historia. 9-29-1-5.750-1. Nacional. 2-61.096. (Con ex libris de Gayangos, de quien lleva una nota autógrafa en las guardas que dice: «Fué este libro del Cronista don Alonso Nuñez de Castro... Pasó después a la Biblioteca del Noviciado de la Compañía de Jesús y yo lo compré a Piferrer en Agosto de 1850». Palacio Real. VII-481.

4955

DON Iuan de Solís Manuel, natural de la ciudad de Badajoz, postrado a los R. Pies de V. M. representa en este breve memorial la calidad lustrosa y servicios de sus progenitores... [s. l.-s. i.]. [s. ., 1655?]. 2 fols. 30 cm.

MADRID. Nacional. Mss. 11.778 (fol. 413).

4956

ENGAÑOS, y desengaños del mvndo. Ramillete compvesto de varias, y olorosas flores, divinas, y hvmanas. [s. l.-s. i.]. 1655. 8 hs. + 59 fols. 15 cm.

—Ded. a D. Diego de Arze Reynoso, Inquisidor General de España.—Apr. de Gaspar de Seyxas Vasconcelos y Lugo.—L. V. de Madrid.—Censura de Pedro Ruiz de la Escalera Quiroga.—E.—T.—Soneto de Diego Nieto de Moxica. [«Tu que discurso has hecho del Engaño...»].—Texto.

MADRID. Nacional. 3-59.375. — NUEVA YORK. Hispanic Society.

4957

MEMORIAL de la antigua y noble familia de los Gonzalez de Sepulveda. [s. l.-s. i.]. 1655. 9 hs. 29 cm.

MADRID. Nacional. V-57-10.

4958

MEMORIAL genealógico y servicios de los progenitores de D. Martin Rodrigo de Contreras, possedor del Mayorazgo de los Contreras de San Iuan de la ciudad de Segovia. [s. l.-s. i.]. 1655. 7 fols. 30 cm.

MADRID. Nacional. Mss. 11.778 (fol. 414).

4959

AL Dr. D. Francisco Marín de Rodezno, Señor de la villa de Rodezno... [s. l.-s. i.]. [s. a., 1656?]. 7 hs. 19,5 cm.

Es una Genealogía de la casa de Rodezno.

MADRID. Nacional. R-12.685.

4960

BREVE noticia de las nobles familias de Olarte, Olabarria, Deza, Galeano, Iuan Royo, Angvlo, Cauepo, Mvrcia, Valiente y Cadera. Madrid.

Herederos de Juan Martin de Barrio. 1656. 10 fols. Fol.

Palau, IX, n.° 163.297.

4961

BREVE noticia de las nobles familias de Olea, y Salmerón, con sus armas. [s. l.-s. i.]. [s. a., 1656?]. 2 folios. 31 cm.

MADRID. *Nacional.* Mss. 11.776 (fol. 227).

4962

BREVE noticia del origen, antigüedad y nobleza de la familia Quesada, su descendencia, armas y varones insignes que heroicamente sirvieron con lealtad y fineza a su Rey. [s. l.-s. i.]. 1656. 4 fols. 30 cm.

MADRID. *Nacional.* Mss. 11.484, n.° 5.

4963

MEMORIAL genealógico de D. Manvevl Portvgal y Don Fernando Alexandre de Portvgal, Conde de Sindin... Madrid. 1656. 24 de junio. 5 folios. Fol.

Palau, IX, n.° 163.295.

4964

ARBOL genealógico de la antigua y nobilísima familia de Gallego. Propagado hasta oy el ramo que se trasplantó en Sicilia, a donde floreció. [s. l.-s. i.]. 1657. 7 fols. 30 cm.

MADRID. *Nacional.* Mss. 11.483, n.° 7.

4965

ARBOL genealógico del Ilustre Linaje de Vega, continuado en el ramo que se trasplantó a la villa de Dos Barrios. [s. l.-s. i.]. [s. a., 1657?]. 4 fols. 31 cm.

MADRID. *Nacional.* Mss. 11.781 (fol. 559).

4966

ORACION funebre a la intempestiva muerte del Cesareo, y siempre Augusto Emperador Ferdinando III.

Madrid. Francisco Nieto y Salcedo. 1657. 11 fols. 19,5 cm.

—Ded. a D. Lorenzo Ramirez de Prado, caballero de Santiago, etc.—Texto.

Gallardo, III, n.° 3.029.

SEVILLA. *Universitaria.* 109-34 (10).

4967

PARANGON de los dos Cromueles de Inglaterra. Madrid. Francisco Nieto y Salcedo. 1657. 8.°

LONDRES. *British Museum.* 1452.c. — MADRID. *Nacional.* 2-24.508; etc. — NUEVA YORK. *Hispanic Society.*

4968

——. ——. 2.ª impresión. Madrid. G. de León. 1657. 56 fols. 15 cm.

CAMBRIDGE, Mass. *Harvard University.*—CINCINNATI. *Hebrew Union College.*—CHICAGO. *Newberry Library.* — MADRID. *Nacional.* R-29.795. — NUEVA YORK. *Hispanic Society.* — *Public Library.*

4969

BREVE noticia del origen, armas y descendencia de la antigua y noble familia Guerra de la Vega. [s. l.-s. i.]. 1658. 8 fols. con grabs. 31 cm.

MADRID. *Nacional.* Mss. 11.483, n.° 6.

4970

BREVE noticia del origen, armas y Nobleza de la antigua Familia de Alvarez, del solar de Robledo, en el Principado de Asturias. [s. l.-s. i.]. 1658. 4 fols. 30 cm.

MADRID. *Nacional.* Mss. 11.483, n.° 8.

4971

[GENEALOGIA y armas de las casas Infante y Flores]. [s. l.-s. i.]. [s. a., 1658?]. 1 fol. 30 cm.

MADRID. *Nacional.* Mss. 11.481 (fol. 97).

4972

GLORIOSA celebridad de España en el feliz nacimiento, y solemnissimo bavtismo de sv deseado Principe Don

Felipe Prospero, hijo del gran mo-
narca D. Felipe IV y de la esclareci-
da Reyna Doña Mariana de Avstria.
Madrid. Francisco Nieto de Salcedo.
1658. 4 hs. + 28 fols. + 1 h. 19 cm.

—Ded. al Rey, por mano de D. Luis Mén-
dez de Haro.—Apr. de Alonso Núñez de
Castro.—L. V.—Apr. de Fr. Miguel de
Cárdenas.—T.—E.—Texto.

Gallardo, III, n.º 3.030.

MADRID. *Academia de la Historia.* 9-791, número 5. *Nacional.* V-135-4; Mss. 2.386, folio 273; V.E.-188-14.—NUEVA YORK. *Hispanic*
Society.

4973

ARBOL genealógico, de la nobilissi-
ma familia de los Rvizes de Vergara.
Con la verdadera noticia de los Casa-
mientos que le han ilustrado. [s. l.-
s. i.]. 1659. 31 fols. 20,5 cm.

—Texto.

Vindel, V, n.º 1.705.

MADRID. *Nacional.* R-12.675 (ex libris de Gayangos).

4974

NACIMIENTO, y bavtismo del Sere-
nissimo Infante de España, D. Fer-
nando Tomas de Avstria. Madrid.
Francisco Nieto y Salcedo. 1659. 16
folios. 19 cm.

—Ded. a D. Iuan de Carvajal y Sande, Caballero de Calatrava, etc.—Texto.

Gallardo, III, n.º 3.031; Vindel, V, n.º 1.706.

MADRID. *Nacional.* 3-40.071; etc.—NUEVA YORK.
Hispanic Society.

4975

MEMORIAL de la casa, y servicio
de D. Fernando Carrillo Mvñiz de
Godoy, señor de Villaster... [s. l.-
s. i.]. [s. a.]. 11 hs. Fol.

Palau, IX, n.º 163.307.

4976

MEMORIAL de la ilvstre, y antigva
familia Palavicina, de qvien procede
Don Ivan Palavicino... con los ser-

vicios de su casa. [s. l.-s. i.]. [s. a.].
27 fols. con grabs.

MADRID. *Nacional.* — SEVILLA. *Colombina.* 48-
6-38. *Universitaria.* 111-122 (111).

Aprobaciones

4977

[*APROBACION. Madrid, 8 de julio*
de 1651]. (En Alonso Calderón, Juan.
Memorial y discurso... Madrid. 1657,
página 18*v*).

MADRID. *Nacional.* 2-19.433.

4978

[*APROBACION. Madrid, 20 de di-*
ciembre de 1652]. (En Gómez, Ambrosio. *El Moisen segundo...* Madrid.
1653. Prels.).

MADRID. *Nacional.* 7-14.698.

4979

[*APROBACION. Madrid, 10 de junio*
de 1653]. (En Núñez de Castro, Alonso. *Historia eclesiástica y seglar de...*
Guadalajara. Madrid. 1653. Prels.).

MADRID. *Nacional.* R-18.705.

ESTUDIOS

4980

«*Adiciones a la poblacion de Es-*
paña».

Letra del s. XVII. 117 hs. 242 × 182 mm.
Suplemento anónimo a la obra *Población*
general de España.
Morel-Fatio, n.º 132.

PARIS. *Nationale.* Mss. esp. 358.

4981

GUEVARA, PEDRO DE. *Dedicatoria*
a Rodrigo Méndez Silva, Coronista
general destos Reynos]. (En *Viage*
y predicador del Profeta Iónas a...
Ninive... s. l.-s. a. Prels.).

MADRID. *Nacional.* V.E.-155-46.

4982

LOUPIAS, BERNARD. *Recherches*
sur la vie, la culture et les oeuvres
de Rodrigo Mendez Silva.

Tesis. Universidad de París. IV. 1969.
a) X., en *Bulletin des Études Portugaises...*, Coimbra, 1972-73, n.º 33-34, págs. 387-390.

4983
REP: N. Antonio, II, pág. 269; García Peres, págs. 373-77.

MENDEZ DE SOTO (FR. ALONSO)

EDICIONES
4984
[*DECIMAS*]. (En Díaz de Agüero, Pedro. *Demostración clarissima... de la inmaculada y purissima Concepción de la Virgen... Madrid. 1618. Preliminares*).
MADRID. *Nacional.* 2-44.882.

MENDEZ DE SOTOMAYOR (ALONSO)

EDICIONES
4985
ROMANCE a la muerte de la Reyna Doña Margarita de Austria Nuestra Señora. Con el despedimiento que su Magestad hizo del Rey nuestro señor y de sus hijos y de todo lo que pidio a su Magestad. Con un famoso Romance al cabo del Rey D. Sancho, puetso en muy dulce tono. [Madrid. Juan Manudo Bosque]. [1650]. 4 hs. con grabs. 4.º
1. [Aquel Mercader Divino...»].
2. [«La preciosa Margarita...»].
3. [«Muy grandes voces se oyeron...»].
Gallardo, III, n.º 3.032.
NUEVA YORK. *Hispanic Society.*

MENDEZ DE SOTOMAYOR (FR. ALONSO)

N. en Castillo de Garcimuñoz. Agustino.

EDICIONES
4986
[*DECIMA*]. (En Camargo y Salgado, Hernando de. *Muerte de Dios por*

vida del hombre. Madrid. 1619. Preliminares).
MADRID. *Nacional.* R-6.529.

ESTUDIOS
4987
REP: Santiago Vela, V, págs. 396-97.

MENDEZ DE SOTOMAYOR (JOSE)

Primogénito de José Méndez Sotomayor, regidor perpetuo de Málaga.

EDICIONES
4988
[*DECIMAS*]. (En Ovando, Rodrigo de. *Memoria funebre y exequias del Parnaso.* Málaga. 1665, fols. 64r-65r).
MADRID. *Nacional.* 2-15.508.

MENDEZ DE SOTOMAYOR (JUAN)

EDICIONES
4989
[*SONETO*]. (En Ibarra, Juan Antonio de. *Encomio de los ingenios sevillanos.* Sevilla. 1623, fol. 29r).
MADRID. *Nacional.* 1-107.535.

MENDEZ DE SOTOMAYOR (FR. LUIS)

EDICIONES
4990
[*APROBACION. Córdoba, 1 de mayo de 1648*]. (En Alcántara, Miguel de. *Sermón fúnebre... en las honras de... Fr. Marcos Salmerón... Córdoba. 1648. Prels.*).

MENDEZ SOTOMAYOR (PEDRO)

EDICIONES
4991
[*SONETO*]. (En Ovando Santarén y Loaisa, Juan de la Victoria. *Justissimo (aunque breve elogio) que las dos heroicas musas Clío y Calíope,*

cantan celebrando el día de... D. Iuan de Austria... Málaga. 1677. Prels.).

MADRID. *Nacional.* V.E.-128-48.

MENDEZ TESTA (FRANCISCO MANUEL)

EDICIONES

4992

[*CANCION*]. (En Vega Carpio, Lope de. *Relación de las fiestas que... Madrid hizo en la canonización de San Isidro...* Madrid. 1622, fol. 116).

MADRID. *Nacional.* R-9.090.

MENDEZ DE TORRES (LUIS)

Vecino de Alcalá de Henares.

EDICIONES

4993

TRACTADO breue de la cultiuacion y cura de las colmenas. Y ansi mismo las ordenanças de los colmenares, sacadas de las ordenanças de la ciudad de Seuilla. Alcalá. Iuan Iñiguez de Lequerica. A costa de Luys Mendez. 1586. 8 hs. + 62 fols. + 2 hojas + 30 fols. 13,5 cm.

—Apr. de Miguel Nauarro.—Pr. al autor por diez años.—Enigma. [«Qual es el aue sin par...»].—Ded. a D. Beltran de la Cueua, duque de Alburquerque, etc.—Prologo.—Epistola al lector.—Texto.—Colofón.—Portada: *Siguense las leyes y ordenanças de las colmenas...* Alcalá. Iuan Iñiguez de Lequerica. 1586.—Texto (30 folios).—Colofón.

No citado en la *Tip. complutense* de J. Catalina García.

MADRID. *Nacional.* R-13.420 (ex libris de Gayangos).

4994

[*TRATADO de la cultiuacion y cura de las colmenas*]. (En Alonso de Herrera, Gabriel. *Agricultura general...* Madrid. 1620, fols. 230*v*-247*v*).

MADRID. *Nacional.* 3-48.922.

—————

Se reproduce en muchas de las ediciones siguientes de la misma obra. (V. *BLH,* V, n.º 1319 y sigs.).

ESTUDIOS

4995

REP: N. Antonio, I, pág. 49.

MENDEZ DE VASCONCELOS (JUAN)

N. en Evora. Caballero entretenido por S. M. cerca de la persona del General del Armada del mar Océano. Maestre de Campo y General.

EDICIONES

4996

LIGA deshecha, por la expvlsion de los Moriscos de los Reynos de España. Madrid. Alonso Martín. A costa de Domingo Gonçalez. 1612. 12 hojas + 207 fols. 15 cm.

—T.—E.—S. Pr. al autor por diez años.—Apr. de Pedro de Valencia.—Apr. de Fr. Diego Granero.—Ded. a D. Manuel Alonso. Perez de Guzman el Bueno, Conde de Niebla, etc.—Epigrama latino de Juan Abbateo.—Soneto de Antonio de Sequeira de Brito, primo del autor. [«Rompa con alas de veloz carrera...»].—Soneto de Geronimo Gimenez de Aragon. [«Leuantas en la mente peregrina...»].—Soneto de Iuan Portocarrero. [«Sube renueuo de la antigua rama...»].—Soneto de Iuan de Feriol. [«Otu que del sangriento Marte airado...»].—Soneto de Geronimo Gomez de Montaluo. [«Celebró Roma del inuicto Augusto...»].—Poesía del mismo. [«Eternizado quedays...»].—Soneto de Geronimo Fernandez de Leon. [«De vuestro Sabio pecho la voz clara...»].—Soneto de Fernando Bezerra de Zuaço. [«Elegante Maron, celebre Homero...»].—Decimas de María Hurtado. [«Quanto el Cielo pudo dar...»].—Redondillas de Luys Carrillo. [«Si diere lugar mi llanto...»].—Respuesta del Autor. [«Si por lo menos importa...»].—Soneto de Miguel de Silueyra. [«Mueue la suerte el passo a la ventura...»].—Soneto de Christoual Suarez de Figueroa. [«Mientras soberuio osar la ofensa trata...»].—Texto, en octavas reales. [«Canto las armas del varon potente...»].

Salvá, I, n.º 798; Pérez Pastor, *Madrid*, II, n.º 1.188.

LONDRES. *British Museum.* C.63.a.11. — MADRID. *Academia de la Historia.* 4-1-9-1377. *Nacional.* R-3.740. — NUEVA YORK. *Hispanic Society.*

ESTUDIOS

4997

CERVANTES SAAVEDRA, MIGUEL DE. [*Elogio*]. (En *Viage del Parnaso.* Madrid. 1614, fol. 35*v*).

4998

REP: N. Antonio, I, pág. 742; García Peres, pág. 378; Almirante, pág. 508.

MENDEZ DE VERGARA (MANUEL)

Doctor.

EDICIONES

4999

[*APROBACION. Córdoba, 1 de octubre de 1652*]. (En Fernández de Villalta, Antonio. *Satisfación que dio... a un señor togado...* Córdoba. 1652. Preliminares).

MENDI (JOSE DE)

EDICIONES

5000

[*ROMANCE*]. (En APLAUSO *gratulatorio de la insigne Escuela de Salamanca, al Exmo. Sr. D. Gaspar de Guzman, Conde de Oliuares...* Barcelona. s. a., págs. 103-4).

V. *BLH*, V, n.º 3.307 (55).

MENDI (JUAN DE)

Licenciado.

EDICIONES

5001

[*APROBACION. Pamplona, 26 de junio de 1609*]. (En Eslava, Antonio de.

Parte primera del libro intitulado Noches de invierno. Barcelona. 1609. Preliminares).

MADRID. *Nacional.* R-12.456.

MENDIBIL (FR. JUAN DE)

Franciscano. Definidor y guardián del convento de San Francisco de Vitoria.

EDICIONES

5002

[*APROBACION de Fr. Juan de Luzurriaga y de* ——, *sin datos*]. (En Ortiz de Pinedo, Matías de. *Ideas evangélicas y teatro de Sermones varios.* Madrid. 1678. Prels.).

MADRID. *Nacional.* 3-55.047.

5003

[*APROBACION de* —— *y Fr. Antonio de Olaondo. Vitoria, 20 octubre 1689*]. (En Luzuriaga, Juan. *Paranympho celeste.* San Sebastian. 1690. Preliminares).

MADRID. *Nacional.* 2-13.978.

MENDIETA

CODICES

5004

[*Poesías*].

Letra del s. XVII. 235 × 170 mm. Es un Cancionero.

1. [«Atrevióse el pensamiento...»]. (Folios 51*v*-52*v*).
2. [«Con la fe de amante firme...»]. (Folios 52*v*-53*r*).
3. [«Alegre está Mançanares...»]. (Folios 77-78).

MADRID. *Nacional.* Mss. 3.700.

MENDIETA (FR. ALONSO DE)

EDICIONES

5005

Córdoba Salinas, Fr. Diego de. *Vida, virtudes y milagros del Apóstol del Perú... Fr. Francisco Solano.* Segun da edición añadida por ——. Madrid. Impr. Real. 1643. 31 hs. + 1 lám. + 686 págs. + 6 hs. 20,5 cm.

V. *BLH*, IX, n.º 218.

MENDIETA (DOMINGO DE)
Doctor.

EDICIONES

5006
[*APROBACION. Madrid, 16 de febrero de 1597*]. (En Pedro de Santa María, Fray. *Manual de Sacerdotes...* Granada. 1598. Prels.).

MADRID. *Nacional.* R-26.945.

MENDIETA (FRANCISCO DE)
Vecino de Bilbao.

CODICES

5007
[*Quarta parte de los Anales de Vizcaya*].

Letra del s. XVIII. 77 fols. 320 × 215 mm.
MADRID. *Nacional.* Mss. 11.594.

5008
«——».

Copia del ms. de la Biblioteca Nacional.
BILBAO. *Municipal.* 5.009.

EDICIONES

5009
QUARTA parte de los Annales de Vizcaya, que recopiló por mandado del Señorío. Publicado por J. Carlos de Guerra. San Sebastián. Hijos de J. Baroja. 1915. 89 págs. 4.º

LONDRES. *British Museum.* 10162.i.21.

MENDIETA (FR. FRANCISCO DE)

EDICIONES

5010
SERMON panegírico al Príncipe de los Apóstoles San Pedro en... San

Pedro de Galligans en Gerona. Barcelona. J. Solís. 1690. 4.º

Palau, IX, n.º 163.391.

MENDIETA (FR. JERONIMO DE)
N. en Vitoria (1525). Cursó estudios en Bilbao. Franciscano. A Méjico en 1554 y allí hasta su muerte (1604).

CODICES

5011
[*Carta a Fr. Francisco de Bustamante. Monasterio de Toluca, 1 de enero de 1562*].

Letra del sfl XVI. 325 × 252 mm.
Publicada por J. García Icazbalceta, en la Col. de documentos..., II, 1866, pág. 515. Morel-Fatio, 550 (53).

PARIS. *Nationale.* Mss. esp. 325 (fols. 282-289).

EDICIONES

5012
HISTORIA eclesiástica indiana. Obra escrita a fines del siglo XVI... La publica por primera vez Joaquín García Icazbalceta. Méjico. F. Díaz de León y White. 1870. 2 vols. 4.º

LONDRES. *Britis Museum.* 4765.f.13.—MADRID. *Nacional.* H.A.-1.750/51.—WASHINGTON. *Congreso.* 2-25200.

———

—2.ª ed. facsimilar... con la reproducción de los dibujos originales del códice. Méjico. Porrúa. 1971. XLV + 790 págs. 23 cm. (Biblioteca Porrúa, 46).

MADRID. *Nacional.* H.A.-49.409.

5013
CODICE Mendieta. Documentos franciscanos, siglos XVI y XVII... [Edición de Joaquín García Icazbalceta]. Méjico. Díaz de León. 1892. 2 vols. (Nueva Colección de documentos para la Historia de México, 4-5).

———

—Reprod. facsímil: Guadalajara (Méjico). [E. Aviña Levy]. [1971]. 2 vols. 23,5 cm. (Biblioteca de Facsímiles Mexicanos, 4-5).

MADRID. *Nacional.* H.A.-51.338/39.

5014

HISTORIA eclesiástica indiana... Con algunas advertencias del P. Fray Joan de Domayquia... Sacadas de cartas y otros borradores del autor... Méjico. Edit. Salvador Chávez Hayhoe. [1945]. 4 vols. 23,5 cm.

Según el ms. que perteneció a Gallardo.

WASHINGTON. *Congreso.* 46-7771.

5015

HISTORIA Eclesiástica Indiana. Estulio preliminar y edición de Francisco Solano y Pérez Lila. Madrid. Atlas. 1973. 2 vols. con grabs. 26 cm. (Biblioteca de Autores Españoles, 260-61).

MADRID. *Nacional.* H.A.-49.488/89; etc.

5016

VIDAS franciscanas. Prólogo y selección de Juan B. Iguíniz. Méjico. Universidad Nacional Autónoma. 1945. XXX + 218 págs. 19 cm. (Biblioteca del Estudiante Universitario, 52).

MADRID. *Nacional.* H.A.-56.414.—WASHINGTON. *Congreso.* A-46-5373.

ESTUDIOS

5017

LARRINAGA, J. R. *Fray Jerónimo de Mendieta, historiador de Nueva España (1525-1604).* (En *Archivo Ibero-Americano*, I, Madrid, 1914, páginas 290-300, 387-404, 488-99; IV, 1915, páginas 341-73).

5018

IGLESIA, RAMON. *Invitación al estudio de fray Jerónimo de Mendieta.* (En *Cuadernos Americanos*, XXII, Méjico, 1945, págs. 156-72).

5019

PHELAN, JOHN LEDDY. *The millennial kingdom of the Franciscans in the New World. A study of the Writings of Gerónimo de Mendieta*

(1525-1604). Berkeley. University of California Press. 1956. 3 hs. + 159 páginas. 23,5 cm. (University of California. Publicationes in History, 52).

MADRID. *Nacional.* 4-120.254.

— — —

—2.ª ed. rev. 1970.

MADRID. *Nacional.* H.A.-45.316.

—*El reino milenario de los franciscanos en el Nuevo Mundo. Traducción de... Josefina Vázquez de Knauth.* Méjico. Universidad Nacional Autónoma. 1972. 188 páginas. 23,5 cm. (Serie de Historia Novohispana, 22).

MADRID. *Nacional.* H.A.-59.596.

5020

REP: P. Borges, en DHEE, III, pág. 1468.

MENDIETA (JUAN)

Capellán de honor de S. M. Consultor de la Inquisición. Vicario general de Madrid.

EDICIONES

5021

[*APROBACION. Madrid, 15 de enero de 1626*]. (En Ferreira y Sampayo, Cristóbal. *Vida y hechos del Principe perfeto...* Madrid. 1626. Prels.).

MADRID. *Nacional.* 2-43.153.

5022

[*APROBACION. Madrid, 18 de junio de 1626*]. (En Martyr Rizo, Juan Pablo. *Historia de la Vida de Mecenas.* Madrid. 1626. Prels.).

MADRID. *Nacional.* 2-57.491.

5023

[*APROBACION. Madrid, 20 noviembre 1626*]. (En Salgado, Juan. *Ley regia de Portugal.* Madrid. 1627. Prels.).

MADRID. *Nacional.* 6-10.146.

5024

[*APROBACION. Madrid, 19 de abril de 1627*]. (En Piña, Juan de. *Varias Fortunas...* Madrid. 1627. Prels.).

MADRID. *Nacional.* R-11.411.

MENDIETA Y VILLOSLADA (LORENZO DE)

Hijo del Licdo. Francisco Mendieta y Villoslada.

EDICIONES

5025

[*SONETO*]. (En Ovando, Rodrigo de. *Memoria funebre y exequias del Parnaso*. Málaga. 1665, fol. 61*v*).

MADRID. *Nacional*. 2-15.508.

MENDIOLA (ANGEL DE)

EDICIONES

5026

SERMON a la fiesta del Sacramento 18 de enero de 1626]. Valladolid. Iuan Bautista Varesio. 1626.

NUEVA YORK. *Hispanic Society*.

MENDIOLA (GREGORIO DE)

EDICIONES

5027

HISTORIA y milagros de Nuestra Señora la Vulnerata, venerada en el Colegio Inglés... de Valladolid. Valladolid. Bartolomé Portoles. 1667. 16.º

LONDRES. *British Museum*. 1077.a.6.

MENDIOLA (MARTIN DE)

Doctor.

EDICIONES

5028

[*CENSURA, 7 de mayo de 1622*]. (En Sancius, Ioannes. *Selectae et practicae disputationes rerum passim in administratione sacramentorum Eucharisticae...* Madrid. 1624. Prels.).

MENDO (P. ANDRES)

N. en Logroño (1608). Jesuíta desde 1625. Profesor en Salamanca. Rector de Oviedo y del Seminario Irlandés de Salamanca. Acompañó al duque de Osuna a Cataluña y al Milanesado. Predicador real. M. en Madrid (1684).

CODICES

5029

[*Dedicatoria al marques de La Lapilla, D. Fernando de Fonseca y Ruiz de Contreras, de su obra «De las Ordenes militares...»*. Salamanca, 10 de mayo de 1657*].

Autógrafa. 2 hs.

Cuartero-Vargas Zúñiga, XVIII, n.º 30.844.

MADRID. *Academia de la Historia*. 9-336 (folios 90-91).

EDICIONES

5030

MEMORIAL ajustado de los fundamentos incontrastables de la Inmaculada Concepcion de Maria Santissima Nuestra Señora, y respuesta a las razones de la opinion contraria, concluyese que es proxime definible por Mysterio de Fe por la Sede Apostolica. [s. l.-s. i.]. [s. a.]. 20 fols. Fol.

Con censuras y l. de Oviedo. 1651. El dato de Valladolid, 1640, es considerado falso por Backer-Sommervogel.

MADRID. *Facultad de Filología*. 3.499.

5031

PRINCIPE perfecto, y ministros aivstados. Documentos politicos, y morales. Salamanca. Diego de Cosío. 1657. 10 hs. + 351 págs. [pero 412]. 21 cm.

BARCELONA. *Universitaria*. B.10-5-8.—GRANADA. *Universitaria*. A-18-174.—LISBOA. *Ajuda*. 80-II-30.—MADRID. *Academia Española*.—*Nacional*. 7-15.134.—PAMPLONA. *General de la Diputación Foral*. 109-3-3/1.—SANTIAGO DE COMPOSTELA. *Universitaria*.—SEVILLA. *Universitaria*. 97-52.—VALLADOLID. *Universitaria*. 13.265. ZARAGOZA. *Universitaria*. G-7-231.

5032

SERMON en las honras al P. Pedro Pimentel... Salamanca. Sebastián Pérez. 1658. 13 págs. 4.º

Backer-Sommervogel.

5033

PRINCIPE perfecto y ministros aivstados... Añadido de las Estampas en esta segunda Impression. Leon de Francia. [s. i.] A costa de Horacio Boissat, George Remeus, Claudio Bourgeat y Miguel Lictard. 1661. 22 hojas + 184 + 56 + 111 págs. con grabados. 23 cm.

—Port. a dos tintas: roja y negra, con una estampa de la Anunciación.—Ded. a la Reina de Francia, por Claudio Bourgeat. Apr. de Francisco de Puga y Feijoo (1656).—L. V. de Salamanca (1656).—L. O. (1656).—Apr. de Fr. Diego Niseno (1656). Razon de la obra.—Indice de los Documentos.—Indice de las sentencias y cosas mas notables.—Texto.

DURHAM. *Duke University.*—MADRID. *Nacional.* R-3.032.

5034

PRINCIPE perfecto y ministros aivstados, Documentos politicos, y morales. En emblemas. Añadido de las Estampas en esta segunda Impression. Leon de Francia. [s. i.]. A costa de Horacio Boissat y George Remeus. 1662. 22 hs. + 111 págs. con grabados. 22,6 cm.

Salvá, II, n.º 2.107.

BRUSELAS. *Royale.* V.B.-2267 (1).—COIMBRA. *Universitaria.* RB-26-13.—LISBOA. *Ajuda.* 80-II-31.—LONDRES. *British Museum.* 8007.cc.—LYON. *Municipale.* 340.882. — MADRID. *Academia de la Historia.* 2-6-5-3.036. *Facultad de Filología.*—*Nacional.* 3-22.924. *Palacio Real.* IX-4.415; etc. — MONTPELLIER. *Municipale.* 7.167.—PARIS. *Arsenal.* 4ºB.4.5063.—SEVILLA. *Colombina.* 65-4-13. *Universitaria.* 3-39.—ZARAGOZA. *Universitaria.* G-22-161.

5035

QVARESMA. Primera parte. Sermones para los Domingos, Ferias ma-

yores, Semana Santa, y Pasqua de Resurrección. Segunda impression añadida. Madrid. Bernardo de Villa-Diego. 1670. 448 págs. 4.º.

LISBOA. *Ajuda.* Dup. CP-XXIX-50.—MADRID. *Facultad de Filología.* 15.711. *Nacional.* 3-73.253.—PAMPLONA. *General de la Diputación Foral.* 109-2-2/29. — SANTIAGO DE COMPOSTELA. *Universitaria.* — SEVILLA. *Universitaria.* 25-109; 201-34.—VALLADOLID. *Universitaria.* Santa Cruz, 11.031.

5036

QVARESMA. Sermones para las Ferias Mayores, Domingos y Semana Santa... Sacalos a lvz Francisco de Ariz y del Valle... Madrid. Pablo del Val. 1672. 452 págs. 4.º.

SANTIAGO DE COMPOSTELA. *Universitaria.*

5037

ASSVMPTOS predicables aplicados a todos los Euangelios del Missal. Madrid. Maria de Quiñones. A costa de Juan de Valdés. 1664. 24 hs. + 240 folios + 4 hs. 20,5 cm.

—Portadilla.—Ded. a D. Gaspar Tellez Giron, Duque de Ossuna, etc.—L. O.—Apr. de Fr. Antonio de Ribera.—L. V.—Apr. de Fr. Francisco de S. Julian.—S. Pr. al Autor por diez años.—E.—T.—Traza y Vso desta Obra.—Indice de los Assumptos Predicables de este Libro.—Indice de los Lugares de Escritura.—Texto.—Indice de Materias.

BARCELONA. *Universitaria.* B.12-4-20.—LISBOA. *Ajuda.* 5-V-32.—MADRID. *Academia de la Historia.* 14-8-8-5.705. *Facultad de Filología.* 14.640.—ORIHUELA. *Pública.* 89-4-13. — PAMPLONA. *General de la Diputación Foral.* 109-10-1/119.—SANTIAGO DE COMPOSTELA. *Universitaria.*—SEVILLA. *Universitaria.* 27-16.—TERUEL. *Casa de la Cultura.*—VALLADOLID. *Universitaria.* Santa Cruz, 10.955.—ZARAGOZA. *Universitaria.* G-7-191.

5038

SERMONES varios predicados en celebridades de ocasion y en Fiestas particulares... con aplicacion a las Dominicas y Ferias de Quaresma. Madrid. Melchor Alegre. A costa de

Juan de Valdés. 1667. 16 hs. + 505 páginas a dos columnas + 16 hs. 20 centímetros.

—Ded. a D. Luis Guillen de Moncada, Principe de Paterno, etc.—L. O.—Apr. del P. Manuel de Naxera.—L. V.—Apr. de Fr. Juan Bautista Ramirez.—S. Pr. al Autor por 10 años.—E.—T.—Al Lector.—Sermones deste Libro.—Aplicacion a los Domingos y Ferias mayores de Quaresma.—Texto.—Indice de la Escritura.—Indice de las cosas notables.

BARCELONA. *Universitaria.* B-12-3-22; etc. — LISBOA. *Ajuda.* 5-V-33.—MADRID. *Academia de la Historia.* 14-8-8-5.658. *Facultad de Filología.* 17.230. *Nacional.* 2-11.294. — ORIHUELA. *Pública.* 89-3-14/15. — PAMPLONA. *General de la Diputación Foral.* 109-1-3/45. — SANTIAGO DE COMPOSTELA. *Universitaria.*—SEVILLA. *Universitaria.* 17-16.

5039

QUARESMA. Segunda Parte. Sermones para los Lunes, Martes, Jvevs (sic), *y Sabados.* Madrid. Melchor Alegre. A costa de la Vda. de Juan de Valdés. 1668. 16 hs. + 538 págs. a dos columnas + 19 hs. 20,5 cm.

—Ded. a D. Iacome Rospillosi, Cardenal.— L. O.—Apr. del P. Manuel de Naxera.— L. V.—Apr. de Fr. Antonio de Ribera.— S. Pr. a la Vda. de Valdes.—E.—T.—Al Lector.—Tabla de los Assumptos.—Aplicacion a los Evangelios de las Ferias mayores y Dominicas de Quaresma.—Texto.—Indice de los Lugares de Escritura.—Indice de Materias.

MADRID. *Facultad de Filología.* 13.475. *Nacional.* 5-1.514.—ORIHUELA. *Pública.* 89-4-18.— PAMPLONA. *General de la Diputación Foral.* 109-2-2/30.—SANTIAGO DE COMPOSTELA. *Universitaria.*—SEVILLA. *Universitaria.* 25-110.

5040

QVARESMA, segunda parte. Sermones para los Lunes, Martes, Iueves, y Sabados. Madrid. Lucas Antonio de Bedmar. A costa de la viuda de Iuan de Valdes. [s. a.]. 16 hs. + 538 páginas + 20 hs. 20,2 cm.

—Ded. al cardenal D. Iacome Rospiliosi.— L. O.—Apr. del P. Manuel de Naxera.— L. V.—Apr. de Fr. Antonio de Ribera.—

S. Pr. a la viuda de Iuan de Valdés.—E. (1668).—T. (1668).—Al lector.—Tabla de los assuntos.—Aplicacion a los Evangelios de las Ferias mayores, y Dominicas de Quaresma.—Texto.—Indice de los lugares de Escritura.—Indice de Materias.

MADRID. *Nacional.* 3-73.254.

5041

QVARESMA segvnda. Primera parte. Para los Domingos, Miercoles, Viernes, Semana Santa y Pasqua. Madrid. Antonio Gonzalez de Reyes. A costa de la Viuda de Iuan de Valdes. 1677. 1 h. orlada + 5 hs. + 498 págs. 23 cm.

—Ded. a D. Melchor de Navarra y Rocafull, Duque de la Palata, etc.—L. O.—Apr. de Fr. Ioseph de Iesus Maria.—L. V.— Apr. del P. Manuel de Naxera.—S. Pr.— E.—S. T.—Al Lector.—Texto.—Indice de los lugares de la Sagrada Escritura.—Indice de las materias.

LISBOA. *Ajuda.* Dup. CP-XXIX-502.—MADRID. *Facultad de Filología.* 13.383. — PAMPLONA. *General de la Diputación Foral.* 109-3-2/ 133.—SEVILLA. *Universitaria.* 7-7.

5042

DE las Ordenes militares. De svs principios, govierno, privilegios, obligaciones, y de todos los casos morales, que pertenecen a los cavalleros y religiosos de las mismas Ordenes. Sacada la svstancia sin tradvccion del Tomo Latino, que escriuió el ——... *Dispuesto, y añadido por el mismo Autor.* Madrid. Iuan Garcia Infançon. A costa de Gabriel de Leon. 1681. 8 hs. + 379 págs. + 5 hs. 30 cm.

—Portadilla.—Portada a dos tintas: negra y roja.—Ded. a D. Nicolás Micheli, Embaxador de la Republica de Luca en España.—L. O.—Apr. de Fr. Basilio de Zamora.—L. V.—Apr. de Matheo de Tobar. S. Pr.—E.—S. T.—Al lector.—Indice de Libros y Capitulos.—Texto.—Indice de las materias.

CORDOBA. *Pública.* 13-338.—MADRID. *Facultad de Filología.* 31.363. *Nacional.* 3-17.464.—SEVILLA. *Universitaria.* 191-176.

5043

DE las Ordenes Militares... Sacada de la svstancia sin tradvccion del Tomo Latino, que escriuió el R. —— Dispuesto, y añadido por el mismo Autor. Madrid. Iuan Garcia Infançon. A costa de Gabriel de Leon. 1682. 2 hs. + 379 págs. + 6 hs. 29,5 centímetros.

—Port. a dos tintas: roja y negra.—Ded. a D. Nicolas Micheli, Embaxador de la Republica de Luca.—L. O.—Apr. de Fr. Basilio de Zamora.—L. V.—Apr. de Matheo de Thobar.—S. Pr. al autor por diez años.—E.—S. T.—Al Lector.—Indice de los Libros y Capitulos.—Texto.—Indice de las materias.

MADRID. *Facultad de Filología.* 31.366. *Nacional.* 2-64.913 (ex libris de Fernando José de Velasco).

5044

QVARESMA. Sermones para las Ferias Mayores, Domingos y Semana Santa... Sacalos a lvz Francisco de Ariz y del Valle... Madrid. Pablo del Val. 1662. 8 hs. + 452 págs. + 24 hs. 21 cm.

—Ded. a D.ª Ana Francisca de Aragón, duquesa de Arcos, etc.—Epístola al autor de D. Francisco de Ariz y del Valle.—Censura de Fr. Plácido de Puga.—L. V.—Censura de Fr. Thomás de Castejón.—E. T.—S. Pr.—Al lector.—Texto.—Indice de los lugares de Escritura.—Indice de doctrinas morales.

GRANADA. *Universitaria.* C-31-150. — SEVILLA. *Universitaria.* 71-58.

Epistolario

5045

[VEINTITRES cartas al P. Rafael Pereyra, de Sevilla. Madrid, 1634-1644]. (En CARTAS *de algunos Padres de la Compañía de Jesús...,* tomos XIII-XV y XVII del *Memorial Histórico Español,* 1861-63).

Reproducidas de los originales conservados en la colección de Jesuitas de la Academia de la Historia.

5046

[CARTAS al P. Rafael Pereyra. Edición de Eugenio de Ochoa]. (En EPISTOLARIO *español...* Tomo II. Madrid. 1870, págs. 313, 324, 367 y 391. Biblioteca de Autores Españoles, 62).

Seleccionadas de la colección anterior.

Editor

5047

Busembaum, P. Hermano. *Medula de la Teología Moral... Traducida por Vicente Antonio Ibañez de Aoyz. Corregida y enmendada en esta ultima edicion por el ——. 6.ª edición.* Madrid. 1683.

V. *BLH,* XII, n.º 55.

Aprobaciones

5048

[CENSURA. Salamanca, 7 de noviembre de 1662]. (En Bravo de Villalobos, Jose. *Oracion Evangelica...* Salamanca. 1662. Prels.).

MADRID. *Nacional.* V-1.351-4.

5049

[APROBACION. Madrid, 23 de noviembre de 1665]. (En Naxera, Manuel de. *Sermon Funebre predicado... en las... exequias que hizieron a su Magestad en el Colegio Imperial...* Madrid. 1665. Prels.).

MADRID. *Nacional.* V.E.-115-7.

5050

[APROBACION. Madrid, 22 de junio de 1666]. (En Malo de Andueza, Diego. *Panegyricos varios para distintas festividades del año.* Madrid. 1668. Preliminares).

SEVILLA. *Universitaria.* 92-123.

5051

[APROBACION, 26 de julio de 1666]. (En Muñoz Castaño, Alfonso. *Regla clerical...* Madrid. 1666. Prels.).

ZARAGOZA. *Seminario de San Carlos.* 19-2-25.

5052

[*CENSURA. Madrid, 29 de octubre de 1666*]. (En María de Jesús de Agreda, Sor. *Mística Ciudad de Dios...* Tomo I. Madrid. 1670. Prels.).

MADRID. *Nacional.* 3-52.739.

5053

[*APROBACION. Madrid, 28 de enero de 1667*]. (En PARTE *veinte y ocho de Comedias nuevas...* Madrid. 1667. Preliminares).

MADRID. *Nacional.* R-22.681.

5054

[*APROBACION*]. (En Argaiz, Gregorio de. *Corona Real de España...* Madrid. 1668. Prels.).

V. *BLH*, V, n.º 4154.

5055

[*PARECER*]. (En Valenciá, Luis de. *Memorial.* Barcelona. 1669, fol. 10v).

BARCELONA. *Central.* F. Bon. 7810.

5056

[*APROBACION*]. (En Argaiz, Gregorio de. *La soledad laureada...* Tomo I. Madrid. 1675. Prels.).

V. *BLH*, V, n.º 4156.

5057

[*APROBACION. Madrid, 1 de enero de 1676*]. (En José de Jesus Maria, Fray. *Vida de Fr. Juan Bautista.* Madrid. 1676. Prels.).

MADRID. *Nacional.* 2-56.361.

5058

[*APROBACION. Madrid, 19 de octubre de 1677*]. (En Quiros, Pedro de. *Sermones Varios.* Madrid. 1678. Preliminares).

MADRID. *Nacional.* 3-63.441.

5059

[*APROBACION. Madrid, 16 de noviembre de 1677*]. (En Lopez, Francisco. *Sermones...* Tomo I. Madrid. 1678. Prels.).

MADRID. *Nacional.* 3-67.324.

5060

[*CENSURA. Madrid, 30 de junio de 1679*]. (En Novar, Melchor de. *Primera decada de las Guerras de Flandes. Desde la muerte del Emperador Carlos V. Hasta el principio del Govierno de Alexandro Farnese...* Colonia. 1682. Prels.).

MADRID. *Nacional.* 3-65.600/2.

5061

[*APROBACION. Madrid, 13 de junio de 1681*]. (En Amaya, Francisco de. *Desengaños de los bienes humanos.* Madrid. 1681. Prels.).

V. *BLH*, V, n.º 2213.

5062

[*APROBACION. Madrid, 24 de marzo de 1682*]. (En Lancina, Francisco de. *Vida de S. Francisco Xavier...* Madrid. 1682. Prels.).

MADRID. *Nacional.* V.E.-114-26.

5063

[*CENSURA. Madrid, 28 de abril de 1682*]. (En Miralles Marin, Ginés. *Escuela de Daniel Discursos Politicos y Morales à su Profecia.* Madrid. 1682. Prels.).

MADRID. *Nacional.* U-4.584.

5064

[*CENSURA. Madrid, 26 de junio de 1682*]. (En Avila Orejón Gastón, Francisco de. *Excelencias del Arte Militar.* Madrid. 1683. Prels.).

MADRID. *Nacional.* 3-44.340.

OBRAS LATINAS

5065

BVLLAE Sanctae Crvciate elvcidatio... Madrid. Maria de Quiñones. 1651. 8 hs. + 550 págs. + 19 hs. Fol.

GRANADA. *Universitaria.* A-8-166.—LISBOA. *Ajuda.* 81-VII-32.—LYON. *Municipale.* 104.133.— MADRID. *Nacional.* 2-3.051.—ORIHUELA. *Pública.* 36-3-14.—VALLADOLID. *Universitaria.* 5.541. ZARAGOZA. *Universitaria.* G-42-93.

5066

——. Lugduni. Sumpt. Horatii Boissat et G. Remeus. 1668. 12 hs. + 600 páginas + 18 hs. 35 cm.

LISBOA. *Ajuda.* 81-VII-33.—LYON. *Municipale.* 22.307.—MADRID. *Nacional.* 3-41.874/75. *Palacio Real.* IX-6.112.—PAMPLONA. *General de la Diputación Foral.* 109-9-6/42.—VALLADOLID. *Universitaria.* Santa Cruz, 8.164.

— — —

—Idem. 1669.

GENOVA. *Universitaria.* 1.LL.VII.6.—ORIHUELA. *Pública.* 35-1-7.—ZARAGOZA. *Universitaria.* G-44-25.

5067

DE Ivre Academico, selectae Quaestiones Theologicae moralis, iuridicae, historicae et politicae cvm Appendice de Academiarum, ac Studiorvm Ivramento defendendi Immaculatam Conceptionem Deiparae. [Salamanca. Joseph Gomez de los Cubos]. 1655. 1 h. + 495 págs. Fol.

GRANADA. *Universitaria.* A-15-254; etc.—SANTIAGO DE COMPOSTELA. *Universitaria.*—ZARAGOZA. *Universitaria.* G-63-92; etc.

5068

——. Lugduni. Sumpt. Horatii Boissat et Georgii Remeus. 1668. 9 hs. + 516 págs. + 23 hs. con grabados. 36 centímetros.

GENOVA. *Universitaria.* 1.LL.VII.5.—LYON. *Municipale.* 24.483.—MADRID. *Facultad de Filología.* 12.745. *Nacional.* 1-25.944.—PAMPLONA. *General de la Diputación Foral.* 109-7-4/62. VALLADOLID. *Universitaria.* 8.493; etc.—ZARAGOZA. *Universitaria.* G-41-3.

5069

DE Ordinibus Militaribus disquisitiones canonicae, theologicae morales, et historicae, pro foro interno, et externo... Salamanca. Sebastian Perez. 1657. 10 hs. + 476 págs. + 22 hs. Fol.

GRANADA. *Universitaria.* A-9-54.—MADRID. *Facultad de Filología.* 31.362. *Nacional.* 4-17.287.—SANTIAGO DE COMPOSTELA. *Universitaria.*—VALLADOLID. *Universitaria.* 5.731.—ZARAGOZA. *Univeristaria.* G-80-123.

5070

——. Secunda editio, ab ipso auctore addita. Lugduni. Sumpt. Horatii Boissat et Georgi Remeus. 1668. 8 hs. + 439 págs. + 22 hs. + 1 lám. grab. Fol.

BARCELONA. *Universitaria.* B.13-1-10. — BRUSELAS. *Royale.* II-24.390.—GENOVA. *Universitaria.* 1.LL.VII.4.—LISBOA. *Ajuda.* 22-V-5.—LYON. *Municipale.* 23.853. — MADRID. *Nacional.* 3-69.698.—NUEVA YORK. *Hispanic Society.*—PAMPLONA. *General de la Diputación Foral.* 109-5-7/52. — VALLADOLID. *Universitaria.* Santa Cruz, 8.167.

5071

CRISIS de Societatis Iesv. Pietate, Doctrina, & Fructu multiplici. Panormi. Petrus de Isola. 1666. 270 págs. 13 × 7 cm.

GRANADA. *Universitaria.* A-3-308.—LYON. *Municipale.* 800.862.—MADRID. *Nacional.* 2-52.086.

5072

CRISIS pro Societate Iesv... Lugduni. Horatius Boissat et Georgius Remeus. 1666. 159 págs.

ANN ARBOR. *University of Michigan.*—BARCELONA. *Universtiaria.* C.214-8-29.—MADRID. *Facultad de Filología.* 13.990.—VALLADOLID. *Universitaria.* 15.604.

5073

STATERA Opinionvm Benignarvm in Controversiis Moralibus; circa Sacramenta ac Praecepta Decalogi, et Ecclesiae, cum Tractatu Miscellaneo, Appendice ad Bullam Cruciatae, et Crisi de Societate Iesv... Lugduni. Sumpt. H. Boissat et G. Remeus. 1666. 508 págs. 35 cm.

BARCELONA. *Universitaria.* 125-1-4; etc.—BRUSELAS. *Royale.* V.B.-1679.—GRANADA. *Universitaria.* A-25-49.—LISBOA. *Ajuda.* R-XXX-3.— LONDRES. *British Museum.* 4061.k.—LYON. *Mu-*

nicipale. 21.297.—MADRID. *Facultad de Filología.* 1.033. *Nacional.* 3-76.215. — ORIHUELA. *Pública.* 35-1-13; etc.—PAMPLONA. *General de la Diputación Foral.* 109-1-6/72.—ROMA. *Vaticana.* Stamp. Barb. G.V.34. — VALLADOLID. *Universitaria.* Santa Cruz, 8.165.—ZARAGOZA. *Universitaria.* G-79-27.

5074

QUADRAGESIMA, seu Conciones pro omnibus Quadragessimae diebus, et pro Paschale Resurrectionis, primum Hispano Idiomate in lucem editae et jam secundo excusae, nunc ab eodem Authore in Latinum versae. Lugduni. Sumpt. Petri Chevalier. 1672. 678 págs. 4.º.

LYON. *Municipale.* 336.557.

5075

——. Lugduni. Apud. J. Antonium Huguetan. 1676. 50 hs. + 678 págs. + 19 hs. 22,5 cm.

LYON. *Municipale.* 336.558.—MADRID. *Nacional.* 2-20.334.—PAMPLONA. *General de la Diputación Foral.*—ROMA. *Vaticana.* Stamp. Barb. V.I.64.

5076

EPITOME opinionvm moralivm, tum earum, quae certae sunt; tum quae certò probabiles, & in praxi tutò teneri possunt. Cum Discursu circa opiniones probabiles, et Appendice Casuum valde Notabilium. Lugduni. Sumpt. Laur. Arnaud, Petri Borde, et Soc. 1674. 16 hs. + 764 págs. + 1 h. 17,2 cm.

GRANADA. *Universitaria.* A-13-233.—LYON. *Municipale.* 330.567.—MADRID. *Facultad de Filología.* 1.782. *Nacional.* 2-25.904.—SANTIAGO DE COMPOSTELA. *Universitaria.* — VALLADOLID. *Universitaria.* 11.129.—ZARAGOZA. *Universitaria.* G-39-111.

5077

——. 3.ª ed. Venecia. Benedictus Milochus. 1682. 756 págs.

FILADELFIA. *University of Pennsylvania.* — VALLADOLID. *Universitaria.* 8.808.

TRADUCCIONES

a) CASTELLANAS

5078

CRISIS de la Compañía de Jesús... Traducida en castellano por un discípulo afecto de esta Sagrada Religión. Méjico. Colegio de San Ildefonso. 1765. 8 hs. + 284 págs. + 3 hs.

Medina, *México,* V, n.º 5.004.

BERKELEY. *University of California. Bancroft Library.* — CHICAGO. *Newberry Library.* — WASHINGTON. *Congreso.* A44-3484.

b) ITALIANAS

5079

EPILOGO De' Fondamenti, e delle Ragioni, Che soda, et efficacemente persuadono l'Immacolata Conzecione della Vergine, e la di lei prossima diffinibilità... Trasportato nell' Italiano da Teodoro Partenio. Milán. Mario Ant. Pandolfo Malatesta. 1673. 159 págs. 4.º

5080

Il principe perfetto. Roma. Poggioli. 1816. XXIV + 472 págs. con ilustr. 22 cm.

Toda, *Italia,* III, n.º 3.258.

CHAPEL HILL. *University of North Carolina.*— DURHAM. *Duke University.*

———

—Lucca. F. Baroni. 1821. 2 vols. 22 cm.

Toda, *Italia,* III, n.º 3.259.

CHICAGO. *Newberry Library.*

ESTUDIOS

5081

SELIG, K. L. *Concerning Solórzano Pereyra's Emblemata regio-politica and Andrés Mendo's Principe perfecto.* (En *Modern Language Notes,* LXXI, Baltimore, 1956, págs. 283-87).

5082

REP: N. Antonio, I, págs. 79-80; Backer-Sommervogel, V, cols. 892-97.

MENDOZA (AGUSTIN DE)

N. en Madrid.

EDICIONES

5083

[*POESIAS*]. (En Ortí, Marco Antonio. *Solenidad festiva, con que en... Valencia se celebró... la canonizacion de... Santo Tomas de Villanueva*. Valencia. 1659).

1. *Cuarteto*. (Pág. 140).
2. *Quintillas*. (Pág. 140).

MADRID. *Nacional*. 3-35.873.

MENDOZA (AGUSTIN DE)

Doctor. Regente de la Real Cancillería de Aragón.

EDICIONES

5084

[*APROBACION. Zaragoza, 24 de mayo de 1638*]. (En Martín de San José, Fray. *Epítome del orden judicial religioso*. Zaragoza. 1638. Prels.).

MADRID. *Nacional*. 7-15.179.

MENDOZA (ALONSO DE)

N. en Guadalajara y fue hijo del conde de Coruña. Estudió en la Universidad de Alcalá y fue chantre de su Magistral. Canónigo de la catedral de Toledo.

EDICIONES

5085

[*SERMON predicado en la capilla de la Universidad de Alcalá en las honras fúnebres de D.ª Isabel de Valois*]. (En López de Hoyos, Juan. *Historia y relación verdadera de la enfermedad*. Madrid. 1569, fols. 182-212).

ESTUDIOS

5086

REP: J. Catalina García, *Guadalajara*, CLIV.

MENDOZA (ALONSO DE)

EDICIONES

5087

[*APROBACION. Granada, 9 de diciembre de 1633*]. (En Soriano, Pedro. *Sermón funebre y Oración Panegyrica en las honras que celebró el Real Convento de S. Luis de Malaga Orden de S. Francisco N. P. el Reverendo P. Fr. Francisco Soriano a la Infanta Soror Margarita de la Cruz*. Malaga. 1634. Prels.).

MADRID. *Nacional*. V.E.-153-10.

MENDOZA (FR. ALONSO DE)

Franciscano. Definidor general. Calificador de la Inquisición.

EDICIONES

5088

[*APROBACION. Granada, 16 de junio de 1633*]. (En Martínez de Avilés, Miguel. *Breve compendio, y tratado de reglas militares...* Granada. 1633. Preliminares.

MADRID. *Academia de la Historia*. 2-3.788.

5089

[*APROBACION. Granada, 11 de enero de 1657*]. (En Delgado, Francisco *Resolución teologica moral sobre un punto de la Regla de los Frayles menores que assienta no poder ciertamente comer carne dichas Religiosas estando sanas, en los Domingos de Adviento que comiençan desde la Fiesta de Todos los Santos hasta la Natividad del Señor*. Granada. 1659. Preliminares).

MADRID. *Nacional*. V.E.-6-29.

MENDOZA (ANA VICENCIA DE)

N. en Huesca.

EDICIONES

5090

[*POESIAS*]. (En Andrés de Uztarroz,

Juan Francisco. *Certamen poético de Ntra. Sra. de Cogullada...* Zaragoza. 1644).

1. *Silva.* (Págs. 101-4).
2. *Soneto.* (Pág. 131).
V. *BLH*, V, n.º 2666 (9, 22).

ESTUDIOS

5091
ANDRES DE UZTARROZ, JUAN FRANCISCO. [*Elogio*]. (En su *Aganipe de los cisnes aragoneses*. Zaragoza. 1890, pág. 61).
V. *BLH*, V, 2.ª ed., n.º 4965.

5092
REP: Serrano y Sanz, II, págs. 48-49.

MENDOZA (ANDRES DE)

CODICES
5093
«*A la muerte del señor Don Fernando Pymentel*».
Letra del s. XVII. 2 hs. 285 × 220 mm.
—Texto.—Al sepulcro del Sr. D. Fernando Pimentel, por Nicolás de Prada. [«Yelate o Peregrino y mira atento...»].—A la muerte de D. Fernando Pimentel. [«Desenlaça el boton la virgen rosa...»].
MADRID. *Academia de la Historia.* 9-3726 (folios 174-75).

5094
[*Epigramas a la muerte de D. Rodrigo Calderón*].
Letra del s. XVIII. 262 × 195 mm.
«Este tumulo, este estraño...» y «Yace en esta piedra dura...».
Inventario, V, pág. 230.
MADRID. *Nacional.* Mss. 1.818 (fol. 110).

EDICIONES
5095
[*EPITAFIOS a Don Rodrigo Calderón*]. (En Rodríguez Moñino, Anto-

nio. *Curiosidades bibliográficas...* Madrid. 1946, pág. 26).
MADRID. *Nacional.* I.B.-17.230.

MENDOZA (ANDRES DE)
V. ALMANSA Y MENDOZA (ANDRES DE)

MENDOZA (ANGELA DE)
N. en Granada.

EDICIONES
5096
[*EPICEDIO*]. (En Grande de Tena, Pedro. *Lágrimas panegíricas a la temprana muerte del... Dr. Juan Pérez de Montalban*. Madrid. 1639, fol. 58v).
MADRID. *Nacional.* 2-44.053.

MENDOZA (ANTONIA DE)
N. en Sevilla (?). Condesa de Benavente. Dama de las reinas Isabel de Borbón y Mariana de Austria. M. en 1656.

CODICES
5097
[*Coplas que hizo una dama a un gran Señor, que estava en un govierno, quejandose de que la olvidava*].
Letra del s. XVII. 227 × 165 mm. En «Poesías Varias, VI».
«Celio, yo llevo muy mal...».
Según una nota ms. de Pérez de Guzmán son también suyas otras muchas composiciones que figuran como anónimas en el mismo volumen.
MADRID. *Nacional.* Mss. 3.889 (fols. 28r-29r).

ESTUDIOS
5098
REP: Méndez Bejarano, II, n.º 1.646; Serrano y Sanz, II, págs. 49-52.

MENDOZA (ANTONIO DE)
V. HURTADO DE MENDOZA (ANTONIO)

MENDOZA (BERNARDINO DE)

N. en Guadalajara (c. 1541) y fue hijo del conde de Coruña. Bachiller y Licenciado en Artes y Filosofía por la Universidad de Alcalá. Militar en Flandes. Embajador en Roma, Inglaterra y Francia. Caballero de Santiago (1576). M. en Madrid (1604).

CODICES

5099

«*Relacion de la muerte del Rey cristianisimo de França enrrique tercero deste nombre en primero de ¡Agosto de 1589 años enviada por don ―― enbaxador de Francia, y Referida por sus correos*».

Letra del s. XVI. 2 hs. Fol.

J. Catalina García, *Guadalajara*, n.º 771.

MADRID. *Academia de la Historia*. Jesuitas, CXXXII.

5100

«*Testimonio de don ――, de la comisión que, durante su embajada en Francia, llevó a Escocia el coronel Semple... Madrid, 24 de abril de 1601*».

Letra del s. XVII. 318 × 210 mm.

MADRID. *Nacional*. Mss. 2.348 (fols. 474-76).

5101

«*Comentario sobre el Psalmo 130*», de Cipriano [*Bernardo, catedrático de la Universidad de Alcalá, 1549, traducido del latín por ――*].

83 hs. 219 × 178 mm.

COIMBRA. *Universitaria*. Mss. 92.

5102

«*El libro de Consolatione de Boecio, traducido por ――*».

Perdido. (J. Catalina García, *Guadalajara*, n.º 772).

5103

«*Obras poéticas*».

Perdido. (J. Catalina García, *Guadalajara*, n.º 773).

EDICIONES

Comentarios

5104

COMENTARIOS de Don ――, de lo sucedido en las Guerras de los Payses baxos, desde el Año de 1567 hasta el de 1577. Madrid. Pedro Madrigal. 1592. 8 hs. + 336 fols. + 12 hs. 19 cm.

―S. del Pr.―T.―Censura de Fadrique Furio Ceriol.―El impressor al lector.―E.―Ded. al Rey.―Ded. al Príncipe Don Felipe.―Al lector.―Texto.―Tabla de las cosas más notables.

Salvá, II, n.º 3.052; J. Catalina García, *Guadalajara*, n.º 759; Pérez Pastor, *Madrid*, I, núm. 387.

BARCELONA. *Universitaria*. B. 28-6-8; etc.―EVORA. *Pública*. Sec. XVI, 1.265.―MADRID. *Academia Española*. S.C.=6-A-100. *Academia de la Historia*. 3-8-2-8.332; 1-5-4-2670; etc. *Nacional*. R-30.650 (ex libris de José M.ª de Asensio). *Palacio Real*. VI-1.952; etc.―MONTSERRAT. *Abadía*. 1.731.―PARIS. *Nationale*. M. 8128.―SAN LORENZO DEL ESCORIAL. *Monasterio*. 33-V-3. ― ROMA. *Vaticana*. Stamp. Barb. R. III.30.―VALLADOLID. *Universitaria*. S.º de H.ª 11.810.―ZARAGOZA. *Universitaria*. H-11-107.

5105

[*COMENTARIOS de lo sucedido en las guerras de los Países-Bajos, desde el año de 1567 hasta el de 1577. Edición de Cayetano Rosell*. (En HISTORIADORES *de sucesos particulares*. Tomo II. 1855, págs. 389-560. Biblioteca de Autores Españoles, 28).

Teórica y práctica de guerra

5106

THEORICA y pratica de gverra. Madrid. Viuda de P. Madrigal. 1595. 8 hojas + 252 págs. 19,5 cm.

―T.―E.―Censura de Francisco Arias de Bobadilla.―Pr.―Carta al Principe D. Felipe.―Texto.

Salvá, II, n.º 2.644; Pérez Pastor, *Madrid*, I, n.º 485; J. Catalina García, *Guadalajara*, n.º 763; Vindel, V, n.º 1.707.

CAGLIARI. *Universitaria.* Ross. D.221. — MA-
DRID. *Academia de la Historia.* 4-2-7-2.426.
Nacional. R-5.012. *Palacio Real.* — MONTSE-
RRAT. *Abadía.* 1.732. — PARIS. *Nationale.* V.
9448. — VALENCIA. *Municipal.* 24-2-3.048.—VA-
LLADOLID. *Universitaria.* 13.714.—VIENA. *Na-
cional.* 72.K.75.

5107

——. Amberes. Emprenta Plantiniana. 1596. 175 págs. + 2 hs.

Salvá, II, n.º 2.645; J. Catalina García, *Guadalajara,* n.º 764; Peeters-Fontainas, II,
n.º 775.

BRUSELAS. *Royale.* V.B.-5423.—LONDRES *British Museum.* 534.c.6. — LYON. *Municipale.*
342.763.—MADRID. *Academia Española.* G-A-
107. *Academia de la Historia.* 1-6-10-3591;
2-1-3-95. *Facultad de Filología.* 16.501. *Nacional.* R-7.343.—PARIS. *Nationale.* V.22716;
etc.—ROMA. *Vaticana.* Stamp. Barb« N.II.
80.—ROUEN. *Municipale.* I.3007.—VIENA. *Nacional.*

Las Políticas de Lipsio (trad.)

5108

*SEYS (Los) libros de las Políticas o
Doctrina Ciuil de Iusto Lipsio, que
siruen para el gouierno del Reyno, o
Pricipado. Traduzidos de lengua La-
tina en Castellana por* ——. Madrid.
Imprenta Real. [Pág. 263: Por Iuan
Flamenco]. A costa de Esteban Bo-
gia. 1604. 8 hs. + 4 hs. 17,5 cm.

—T.—E.—Apr. de Fr. Rafael Sarmiento.—
Pr. al traductor por diez años.—Soneto
de Christoual de Mesa. [«Quanto del
uniuerso globo encierra...»].—Soneto de
Iuan Bautista Gentil. [«Aquel que gouernar la monorquia *(sic)*...»].—Ded. a la
nobleza española que no entiende la lengua Latina, por ——.—Al letor, por ——.
Prólogo.—Texto.—Colofón.—Tabla de los
capitulos.

J. Catalina García, *Guadalajara,* n.- 766;
Pérez Pastor, *Madrid,* II, n.º 873.

BRUSELAS. *Royale.* II.53782.—COIMBRA. *Uni-
versitaria.* R-20-13.—CORDOBA. *Pública.* 33-74.
GRANADA. *Universitaria.* A-13-217. — MADRID.
Academia Española. — *Nacional.* R-30.642.
Palacio Real. IX-6.757.—SANTANDER. «Menén-

dez Pelayo». R-IV-6-25.—SEVILLA. *Universitaria.* 5-60; 85-123.—ZARAGOZA. *Universitaria.* G-
24-138; etc.

Cartas

5109

*CARTA que embio don Bernaldino
de mendoça al serenissimo principe
don Felipe nuestro caro z amado señor sobre la armada del rey de francia y del Turco y del duque de Cle-
ues y tambien contando lo acaecido
en el armada assi de los turcos como
de los franceses.* [s. l.-s. i.]. [s. a.].
4 (?) hs. 4.º gót.

1. Texto de la carta en prosa, fechado a
27 de junio de 1543.
2. [«A un rey tan alto querer alabar...»].
3. *Villancico.* [«Pues que tiene gran constancia...»].

Rodríguez Moñino, *Diccionario,* n.º 358 bis.

MADRID. *Particular de D. Bartolomé March.*

5110

*[CARTAS de D. Bernardino de Men-
doza, 1578-1584].* (En COLECCIÓN de
documentos inéditos para la Historia de España. Tomo XCI. Madrid.
1888, págs. 181-573; CXII, págs. 1-
537).

Reproduce los originales conservados en
el Archivo de Simancas.

Poesías sueltas

5111

*[GLOSAS en tres décimas del cartel
puesto por la Magistral de Alcalá en
las fiestas de la traslación de los
santos Justo y Pastor].* (En Morales,
Ambrosio de. *La vida, el martirio, la
invención...* Alcalá. 1569).

5112

[SONETO]. (En García de Alarcón,
Gaspar. *La victoriosa conquista que
D. Alvaro de Bazán hizo en las islas
de los Azores.* Valencia. 1585. Prels.).

5113

[*ODAS en la conuersión de un Peccador*]. (En Velázquez de Velasco, Diego Alfonso. *Odas...* Amberes. 1593, págs. 6-14).

MADRID. *Nacional.* R-31.209.

5114

POESIAS espirituales. Ediciones de Eugenio de Ochoa. (En TESORO *de escritores místicos...* Tomo III. París. Baudry. 1847, pág. 499. Colección de los mejores autores españoles, 44).

TRADUCCIONES

a) ALEMANAS

5115

THEORICA & practica militaris. Das ist, Eigendtlicher bericht alles dessen so in kriegs sachen beides zu landt vnd zu wasser / zu bedencken / vnd zu thun von - nöten... Franckfurt am Meyn. Nicolaum Hoffmann. 1617. 6 hs. + 222 págs. 21 cm.

ANN ARBOR. *University of Michigan.*

— — —

—Franckfurt am Mayn. Lucae Jennis. 1625. 222 págs. 20 cm.

CHICAGO. *Newberry Library.*

b) FRANCESAS

5116

La Harangue au roi très chretien faite à Chartres par monsieur l'Ambassadeur pour le Roi d'Espagne vers sa Majesté. París. 1588. 13 págs. 8.º

BRUSELAS. *Royale.* V.B., 9744. (Collectio t. 4, n.º 22).—LYON. *Municipale.* R.314.498; etc.— PARIS. *Nationale.* 8ºLb³⁴.472; etc.

— — —

—Lyon. B. Rigaud. 1588. 8 págs. 8.º
PARIS. *Nationale.* 8ºLb³⁴.472.A.

5117

Commentaires mémorables... des guerres de Flandres et Pays bas depuis l'an 1567 isques à l'an 1577...

París. Guillaume Chaudière. 1591. 28 hs. + 372 fols. con grabs. 17 cm. Trad. por el P. Crespet.

J. Catalina García, *Guadalajara*, n.º 758.

BRUSELAS. *Royale.* V.B.-10207; etc.—MADRID. *Nacional.* R-5.092.—NEW HAVEN. *Yale University.*—PARIS. *Nationale.* M.20678.—ROUEN. *Municipale.* Mt.P.7370.—WASHINGTON. *Congreso.* 56-53563.

5118

HISTOIRE memorable des guerres de Flandres... París. Buon. 1611.

BRUSELAS. *Royale.* III-27.560-A.

5119

Histoire memorable des guerres de Flandres et Pays Bas... París. Jean Fouet. 1613.

MADRID. *Particular del Duque de Alba.* 7738.

5120

XVᵉ siècle. Commentaires... sur les évènements de la guerre des Pays Bas, 1567-1577. Traduction nouvelle par Loumier. Avec notice et annotations par le colonel Guillaume. Bruselas. Societé de l'Histoire de Belgigue. 1860-63. 2 vols. (Collection de Mémoires relatifs a l'histoire de Belgique, 8 y 17).

J. Catalina García, *Guadalajara*, n.º 767.

BRUSELAS. *Royale.* H.7621, t. 12/13. — PARIS. *Nationale.* M.1865 (12-13).—WASHINGTON. *Congreso.* 4-36.793.

5121

THEORIQUE et practique de guerre... Trad. par Edouard de Rainssant. Bruselas. Rutger Velpius. 1598. 8.º

PARIS. *Santa Genoveva.* V.8º1031² inv. 3406.

5122

THEORIQUE et practique de guerre. [*Trad. par E. de Rynsant*]. Bruselas. 1698.

BRUSELAS. *Royale.* V.B.-5424.

c) INGLESAS

5123

[*Comentarios de lo sucedido en las guerras de Paises Bajos*]. Londres. 1597.

5124

Theorique and practice... Londres. 1597.

CHICAGO. *Newberry Library.* — MADRID. *Particular del duque de Alba.* 5.624. — NEW HAVEN. *Yale University.*—SAN MARINO. *Henry E. Huntington Library.*—WASHINGTON. *Congreso.* 14-8326. *Folger Shakespeare Library.*

———

—Midelburg. 1597.

ANN ARBOR. *University of Michigan.*

d) ITALIANAS

5125

TEORICA, et prattica de Gverra terrestre, et maritima... Tradotta... da Salvstio Gratii... Venecia. Gio. Battista Ciotti. 1596. 4 hs. + 92 fols. 4.º

J. Catalina García, *Guadalajara*, n.º 765; Toda, *Italia*, III, n.º 3.262.

BARCELONA. *Central.* Toda, 3-VI-10.—CHICAGO. *University of Chicago.* — MINNEAPOLIS. *University of Minnesota.*—PARIS. *Nationale.* V. 9439.—ROMA. *Vaticana.* Stamp. Barb. N.III. 58.

———

—Venecia. 1602.

Toda, *Italia*, III, n.º 3.263.

ANN ARBOR. *University of Michigan.*—BARCELONA. *Central.* Toda, 6-VI-8.

—Venecia. Battista Ciotti. 1611.

MADRID. *Particular del duque de Alba.* 9979.

—Venecia. G. B. Ciotti. 1616.

Toda, *Italia*, III, n.º 3.264.

BARCELONA. *Central.* Toda, 6-III-6.—CHICAGO. *Newberry Library.*—DURHAM. *Duke University.*—MADRID. *Facultad de Filología.* 8.763.— ROMA. *Vaticana.* Stamp. Barb. N.XI.165. — WASHINGTON. *Folger Shakespeare Library.*

ESTUDIOS

5126

LEIGH, RICHARD. *The copie of a letter sent out of England to Don Bernardino Mendoza declaring the state of England.* Londres. I. Vantrollier for Richard Field. 1588.

NUEVA YORK. *Hispanic Society.*

5127

MOREL-FATIO, A. *Don Bernardino de Mendoza. I. La Vie. II. Les oeuvres.* (En *Bulletin Hispanique*, VIII, Burdeos, 1906, págs. 20-70, 129-47).

5128

PEREZ PASTOR, CRISTOBAL. [*Documentos sobre D. Bernardino de Mendoza*]. (En su *Bibliografía madrileña*. Tomo II. Madrid. 1906, páginas 60-65).

Elogios

5129

[VILCHES, JUAN]. *Bernardina de illustris domini ac Strenuissimi Ducis. Domini Bernardini e Mendoza nauali certamine aduersus Turcas apud insulam Arbolanum victoria. Ytem Aegloga unica, ac de encomiis et uariis lusibus ad diuersos Sylua, por Joannem Vilchiam.* [Sevilla. s. i.]. 1544. 8 hs. + 104 fols. 15 cm.

MADRID. *Facultad de Filología.* 8.855.

———

Hay una copia mss., de ltra del XVIII, de este impreso en MADRID. *Nacional.* Mss. 4.216.

5130

REP: N. Antonio, I, pág. 218; J. Catalina García, *Guadalajara*, CLVI; Almirante, páginas 510-16.

MENDOZA (BERNARDO DE)

N. en Madrid.

EDICIONES

5131

RELACION del lvzimiento y grandeza, con que el Excellmo. Duque de Medina Sidonia festejó a su Magestad, y a todos los de su Casa y fami-

lia, en el Bosque llamado Doña Ana, que es del Duque. Y de todo lo demas que passó en el discurso desta Iornada de su Magestad, desde que salio de Seuilla, hasta la buelta de Madrid. [Madrid. Andres de Parra]. [1624]. 2 hs. Fol.

—Texto.

Gallardo, III, n.º 3.040; Pérez Pastor, *Madrid*, III, n.º 2.085.

LONDRES. *British Museum.* 593.h.22 (51).— NUEVA YORK. *Hispanic Society.*—SEVILLA. *Colombina.* 63-7-9 (75).

MENDOZA (FR. BLAS DE)

Mercedario. Rector del Colegio de la Concepción de Alcalá de Henares.

EDICIONES

5132

[*APROBACION. Madrid, 24 de febrero de 1566*]. (En Falconi, Juan. *El Pan nuestro...* Madrid. 1661. Prels.).

MADRID. *Nacional.* 4-21.857.

5133

[*CENSURA, 19 febrero 1667*]. (En Torre, Manuel de la. *Oracion panegyrica a la Traslación de las Santas Martyres S. Justo y Pastor.* s. l. 1667. Preliminares).

MADRID. *Nacional.* V.E.-104-36.

MENDOZA (CATALINA DE)

Hija de D. Iñigo López de Mendoza, marqués de Móndejar, n. en Granada (1542). M. en 1602.

EDICIONES

5134

[*COLOQUIO que tuvo con nuestro Señor el dia que hizo los votos*]. (En Perea, Jerónimo. *Vida y elogio...* Madrid. 1653, fols. 27-32).

V. n.º 5135.

ESTUDIOS

5135

PEREA, JERONIMO DE. *Vida, y elogio de doña Catalina de Mendoza, Fundadora del Colegio de la Compañia de Iesus de Alcalá de Henares.* Madrid. Impr. Real. 1653. 6 hs. + 95 fols. 20 cm.

GRANADA. *Universitaria.* A-3-250.—MADRID. *Academia de la Historia.* 5-4-8-1.861. *Nacional.* 2-49.973.

5136

«*Historia de la vida y muerte de doña Catalina de Mendoza...*».

Morel-Fatio compara las variantes de esta biografía con la de Perea, en el Apéndice del estudio que sigue.

PARIS. *Nationale.* Mss. esp. 362.

5137

MOREL-FATIO, A. *Une mondaine contemplative au XVIe siècle, Doña Catalina de Mendoza, 1542-1602.* (En *Bulletin Hispanique*, IX, Burdeos, 1907, págs. 131-53, 238-62).

MENDOZA (CRISTOBAL DE)

EDICIONES

5138

[*POESIAS*]. (En Lomas Cantoral, Jerónimo de. *Las Obras de* ——. Madrid. 1578).

1. *En respuesta. Carta.* (Fols. 60r-65r).
2. *Al auctor. Soneto.* (Fol. 214v).

V. *BLH*, XIII, n.º 2584 (28, 113).

MENDOZA (DIEGO DE)

Residente en Ecija.

EDICIONES

5139

PANEGIRICO a los predicadores del mysterio mas celebrado. Hecho de vna piadosa Musa a los Cisnes Theologos que en las fuentes no cristalinas, sino rojas, no de Hipochrene, sino del Salvador suavisaron dulçes su Octava, en la Iglesia mayor de Santa Cruz de Ecija. Año de 1638. Don ——, Patron desta Festividad, dedica. Dezimas. Ecija. Iuan de Mulpartida. 1638. 4 hs. 4.º

Gallardo, III, n.º 3.041.

NUEVA YORK. *Hispanic Society.*

ESTUDIOS

5140

REP: Méndez Bejarano, II, n.º 1.647.

MENDOZA (FR. DIEGO DE)

N. en Toledo y marchó joven al Perú. Franciscano. Cronista de la provincia de San Antonio de los Charcas.

EDICIONES

5141

CHRONICA de la Provincia de S. Antonio de los Charcas del Orden de Nro. Seraphico P. S. Francisco en las Indias Ocidentales Reyno del Peru. [s. l.-s. i.]. [s. a.]. 16 hs. + 601 páginas a 2 cols. + 3 hs. 30,5 cm.

—Frontis, firmado por P.º de Villafranca, en Madrid, 1664.—Ded. a Fr. Gabriel de Guillestegui, Comissario General de todas las Prouincias del Peru, Tierrafirme, etc. (Cuzco, 14 mayo 1663).—L. O.—Censura del P. Manuel de Naxera.—L. V. (1664).—Apr. de Fr. Nicolás de Colmenares.—S. Pr.—E. (1665).—T. (1665).—Apr. de Fr. Bernardino de Cardenas (1656).—Censura de Fr. Francisco Perez de Ybieta.—Censura de Fr. Francisco de Pedrosa.—Apr. de Fr. Miguel de Quiñones (1657).—Iuizio y parecer de Fr. Antonio de Ouiedo (1658).—Apr. de Fr. Marcos Amposta.—Apr. de Lucas Fernandez de Piedrahyta.—Prologo.—Epigrama latino.—Texto.—Protesta de el Autor.—Indice de los Capitulos.

Medina, *Biblioteca hispano-americana,* III, n.º 1.378.

MADRID. *Nacional.* R-828.—SAN LORENZO DEL E.CORIAL. *Monasterio.* 39-VI-12.—SEVILLA. *Universitaria.* 89-99.

ESTUDIOS

5142

REP: N. Antonio, I, pág. 298.

MENDOZA (FR. DOMINGO DE)

Dominico. Predicador general. Calificador del Supremo Consejo de la Inquisición. Juez de la beatificación y canonización de San Juan de Dios.

EDICIONES

5143

[EPISTOLA. Madrid, 27 de noviembre de 1596]. (En Vega Carpio, Lope de. *Isidro.* Madrid. 1599. Prels.).

MADRID. *Nacional.* R-3.746.

5144

[EPISTOLA. Madrid, 16 de noviembre de 1598]. (En Vega Carpio, Lope de. *Isidro.* Madrid. 1599. Al fin).

MADRID. *Nacional.* R-3.746.

5145

[DEDICATORIA. 24 de febrero 1623]. (En Juan de Dios, San. *Cartas que escrivio... a diferentes personas.* Madrid. 1623. Prels.).

MADRID. *Nacional.* V.E.-156-4.

MENDOZA (FR. ENRIQUE DE)

Hijo del conde de Coruña. N. en Guadalajara. Agustino desde 1592.

EDICIONES

5146

PRIVADO (El) Christiano, en forma de carta de vn amigo a otro recien admitido a la priuança de su Principe. Madrid. Iuan Delgado. 1626. 8 hojas + 115 fols. 15 cm.

—S. Pr. al autor por diez años.—E.—Censura de Fr. Diego de Campo.—L. O.—Apr. de Fr. Francisco de Iesus.—Al Autor, D. Iuan Enríquez de Zuñiga.—Ded. a D. Gaspar de Guzman, Duque de Sanlucar, etc., precedida de su escudo.—Texto.

MADRID. *Nacional.* 3-3.929. *Palacio Real.* VII-7.452.

Prólogos

5147

[*PROLOGO al lector*]. (En Suárez de Mendoza y Figueroa, Enrique. *Eustorgio y Clorilene*. Madrid. 1629. Preliminares).

Aprobaciones

5148

[*APROBACION. Madrid, 19 de marzo de 1627*]. (En Enríquez de Zúñiga, Juan. *Historia de Semprilis y Genorodano*. Madrid. 1629. Prels.).

MADRID. *Nacional*. R-11.032.

ESTUDIOS

5149

REP: N. Antonio, I, pág. 564; J. Catalina García, *Guadalajara*, CLVII; Santiago Vela, V, págs. 419-20.

MENDOZA (EUFRASIA DE)

EDICIONES

5150

[*POESIAS*]. (En Gonzalez de Varela, José. *Pyra religiosa, mausoleo sacro, pompa funebre*... Madrid. 1642).

1. *Soneto*. (Pág. 99).
2. *Jeroglífico*. (Pág. 100).

MADRID. *Nacional*. 2-8674.

MENDOZA (FERNANDO DE)

Hijo de Juan Hurtado de Mendoza. N. en Madrid. Jurisconsulto.

CODICES

5151

«*Carta de Don* ——..., *illustrador del Concilio Illiberitano, para el Arzobispo de* [*Granada*]... *sobre el*... *asunto de las reliquias*».

Letra del s. XVIII. Fol. Fechada en Madrid, a 20 de abril de 1595. En el mismo volumen hay otras cinco sobre el mismo tema, de 1595 y 1596.

Gayangos, II, pág. 149.

LONDRES. *British Museum*. Eg. 442 (fols. 119-121).

EDICIONES

5152

AL Rey nuestro Señor Don Fhelippe II. Sobre la defensa, y aprovacion del Concilio Ylliberritano... *De confirmando Concilio Illiberritano. Ad Clementem IIX. Sanctae Romanae Catholicae Ecclesiae Pont. Opt. Max.* Madrid. Thomas Iunta. 1594. 1 h. + 19 págs. + 3 hs. + 99 (pero 107) + 136 + 239 págs. Fol.

—Texto.

Pérez Pastor, *Madrid*, I, n.º 439.

BARCELONA. *Universitaria*.—GRANADA. *Universitaria*. B-55-6; etc. — MADRID. *Nacional*. 7-11.645.—PARIS. *Nationale*. B.403 (1). [sólo los prels.].—ROMA. *Vaticana*. Stamp. Barb. C.XI.39, intfl 1.—SAN LORENZO DEL ESCORIAL. *Monasterio*. 25-III-17.—SANTIAGO DE COMPOSTELA. *Universitaria*.—SEVILLA. *Universitaria*. 104-121.—ZARAGOZA. *Universitaria*. H-10-10.

OBRAS LATINAS

5153

DISPUTATIONUM Iuis ciuilis, in difficiliores leges. ff de Pactis. Libri Tres. Alcalá. Fernando Ramirez. 1586. 2 hs. + 763 págs. a 2 cols. Fol.

J. Catalina García, *Tip. complutense*, número 612.

GRANADA. *Universitaria*. A-17-200. — MADRID. *Nacional*. R-29.097.—ROMA. *Vaticana*. Stamp. Barb. CC.IV.17.

5154

VETUSTISSIMUM et nobilissimum... *Concilium Illiberritanus*... Lugduni. Sumptibus Philippi Borde, Laurentii Arnaud et Guill. Barbier. 1665.

GRANADA. *Universitaria*. A-38-47.—PARIS. *Nationale*. B.1080; etc.—ROMA. *Vaticana*. Stamp. Barb. C.XI.38.—ZARAGOZA. *Universitaria*. G-46-31.

MENDOZA (FRANCISCO DE)

Obispo de Zaragoza.

EDICIONES

5155

[*AL lector*]. (En INSTRUCTION *muy prouechosa*... *para los visitadores*...

*Nueuamente impresso por un man-
dado de...* ——. Alcalá. 1530. Prels.).

MADRID. *Nacional.* R-6.559.

MENDOZA (FRANCISCO DE)

EDICIONES
5156
[*SONETO*]. (En Galvez de Montalvo,
Luis. *El pastor de Philida.* Lisboa.
1582. Prels.).

MADRID. *Academia Española.*

ESTUDIOS
5157
CERVANTES SAAVEDRA, MIGUEL
DE. [*Elogio*]. (En el *Canto de Caliope,* en *Primera parte de la Galatea.* Alcalá. 1585, fols. 319*v*-320*r*).

MADRID. *Nacional.* Cerv. 1.255.

MENDOZA (FRANCISCO DE)
Almirante de Aragón.

EDICIONES
5158
[*CARTAS al archiduque Alberto, relativas en su mayor parte a la guerra de Flandes, desde 1596 a 1602*].
(En COLECCIÓN *de documentos inéditos para la Historia de España.* Tomo XLI. Madrid. 1862, págs. 419-573).

Reproducidas de un tomo de la Colección
Salazar, A-62.

MENDOZA (FRANCISCO DE)
Licenciado.

EDICIONES
5159
*FIESTA y Gloria de todos los San-
tos, del Cielo, con alabanzas a los
mas insignes; y advertimientos a los
fieles devotos: va escrito en verso de
alegre decente estilo, por ser de glo-*

ria. Valencia. Francisco Cipres. 1666.
4 hs. a dos columnas. 20 cm.

—Texto.

1. *Porque se haze Fiesta en vn día a todos los Santos.* [«Los Santos, que a Dios
sirvieron...»].
2. *Glorias de Dios, y de su Madre.* [«Dios
de excellencias abismo...»].
3. *Gloria de los Angeles.* [«Los Angeles
son blasones...»].
4. *Gloria de los Santos Padres de la antigua ley.* [«Santos de la antigüedad...»].
5 *Gloria de los mas principales Santos,
y Apostoles, y Evangelistas.* [«Los Santtos
que aqui diré...»].
6. *Gloria de los Martires.* [«Los Martires
admirad...»].
7. *Gloria de los Confessores, Pontifices, y
Anacoretas.* [«Silvestre, es remedio al daño...»].
8. *Gloria de las Santas.* [«Ana, fecunda se
aliña...»].
Licencias.

MADRID. *Nacional.* V.E.-113-48.

Poesías sueltas
5160
[*POESIAS*]. (En Torre y Sebil, Francisco de la. *Luzes de la Aurora...* Valencia. 1665).

1. *Octavas.* (Págs. 176-79).
2. *Soneto.* (Pág. 365).
3. *Soneto.* (Pág. 396).

MADRID. *Nacional.* R-17.374.

MENDOZA (FR. FRANCISCO DE)
Dominico. Catedrático de Teología de la
Universidad de Alcalá.

EDICIONES
5161
[*CENSURA de Nuño de Benavides
y* ——. *Alcalá de Henares, 16 de octubre de 1596*]. (En Nuñez, Francisco. *Advertencias sobre los Evangelios...* Salamanca. 1599. Prels.).

SEVILLA. *Universitaria.* 100-97.

MENDOZA (FR. FRANCISCO DE)

Mercedario calzado. Catedrático de Filosofía Moral de la Universidad de Alcalá y Juez Conservador de la misma. Rector del Colegio de su Orden.

EDICIONES

5162

ORACION Sagrada Evangelicos Discursos que en la... Octava que el... Convento de Madrid de... la Merced consagró este año de 1655 al glorioso nacimiento de María... de los Remedios... y en ocasión que... Inglaterra... solicitaua contra España la toma de las Indias y cogida de los galeones, predicó ——... Madrid. Domingo García y Morrás. 1655. 4 hs. + 19 fols. 4.º

ORIHUELA. *Pública.* 82-5-9.—SANTIAGO DE COMPOSTELA. *Universitaria.*

Aprobaciones

5163

[APROBACION. Alcalá, 12 noviembre 1658]. (En Vega, Juan de. *Respuesta Apologetica.* Madrid. 1659. Al fin).

MADRID. *Nacional.* 2-51.819.

5164

[APROBACION. Alcalá, 13 junio 1662]. (En Martinez, Juan. *Discursos Teológicos.* Alcalá. 1664. Prels.).

MADRID. *Nacional.* 3-88.

5165

[APROBACION. Alcalá, 21 de noviembre de 1663]. (En Isidro de San Juan Bautista, Fray. *El Esposo de Alcalá...* Alcalá. 1664. Prels.).

MADRID. *Nacional.* R-24.129.

MENDOZA (GABRIEL DE)

N. en Villanueva de los Infantes.

EDICIONES

5166

PRONOSTICO y discvrso en epitome, de los efectos del Eclipse del Sol, de primero dia de Iunio del año de mil y seiscientos y treinta y nueue, que comiençan este año de seiscientos y quarenta, y cumplen por Março de quarenta y dos. Y los de la Maxima conjuncion que corren desde veinte y quatro de Diziembre de mil y seiscientos y tres, y duran hasta el año de dos mil y quatrocientos, con los de la Magna, y Menor, su duracion, y efectos. Declinacion del Reyno de Francia, y final acabamiento de la Secta Mahometana en lo temporal, é interior, y aumentos de España, y su Corona. Madrid. Iuan Sanchez. 1640. 4 hs. + 12 fols. 20 cm.

—Suma de la facultad.—E.—S. T.—S. de L. V.—Censura y Apr. del P. Andrés de León.—Idem del P. Ioseph Martinez.—Ded. a D. Iuan Alfonso Enríquez de Cabrera, Duque de Medina de Ríoseco, etc.—Al lector.—Texto.

MADRID. *Nacional.* V.E.-19-36. — ROMA. *Vaticana.* Stamp. Barb. SSS.I.41.

5167

PRONOSTICO y discvrso en epitome, de los efectos del Eclipse del Sol, de primero dia de Iunio del año de mil y seiscientos y treinta y nueue, que comiençan este año de seiscientos y quarenta, y cumplen por Março de ochenta y dos. Y los de la Maxima conjuncion que corren desde veinte y quatro de Diziembre de mil y seiscientos y tres, y duran hasta el año de dos mil y quatrocientos, con los de las Magna, y Menor, su duracion, y efectos. Declinacion del Reyno de Francia, y final acabamiento de la Secta Mahometana en lo temporal, é interior, y aumentos de España, y su Corona. Madrid. Domingo García y Morrás. 1650. 3 hs. + 15 fols. 21,5 cm.

—Ded. a D. Iuan Alfonso Enríquez de Cabrera, Almirante de Castilla, Duque de

Medina de Rioseco, etc.—Al lector.—
Texto.

MADRID. *Nacional.* V.E.-17-40.

5168

[*DISCURSO*]. [s. l.-s. i.]. [s. a.]. 12
folios + 3 hs. 19,5 cm.

Carece de portada: Principia: «Todos los
libros, y historias, assi sacras, como pro-
fanas (Excelentissimo señor) nos dizen:
Que siempre que se han visto Eclipses,
Cometas, Terremotos, y otros semejantes
prodigios, que despues dello suelen suceder grandes miserias...».
—*Discurso.*—Suma de la facultad (1640).—
E. (1640).—S. T. (1640).—S. L. V. de Madrid.—Censura y Apr. del Consejo, por
Andres de Leon.—Censura y Apr. del Ordinario, por el P. Joseph Martinez.—Ded.
Al lector.

MADRID. *Nacional.* V.E.-8-15.

MENDOZA (GASPAR DE)

EDICIONES

5169

[*AL Autor. Dezima*]. (En Navarrete,
Francisco de. *La casa del juego...*
Madrid. 1644. Prels.).

MADRID. *Nacional.* R-7.481.

MENDOZA (GONZALO DE)

EDICIONES

5170

[*DECIMA*]. (En Doizi de Velasco,
Nicolás. *Nuevo modo de cifra para
tañer la guitarra...* s. l.-s. a. Prels.).

MADRID. *Nacional.* R-4.042.

MENDOZA (P. HERNANDO DE)

N. en Torrecilla de Cameros (1561). Jesuíta
desde 1579. En 1600 acompañó a Nápoles
al Conde de Lemos como confesor. Salió
de la Compañía en 1608. Arzobispo de Cuzco (1611). M. en 1617.

CODICES

5171

«*Tres tratados. Nápoles. 1602*».

Letra del s. XVII. 310 × 210 mm. En reproducción caligrafica de la ed. de Nápoles
de ese año.

Inventario, VII, pág. 417.

MADRID. *Nacional.* Mss. 2.445 (fols. 112-58).

5172

«*Este Memorial dio el P. Fernando
de Mendoza a Phelipe 3.º y otro al
Sor. Clemente 8.º Despues por sus
grandes talentos y virtudes, y por
sacalle de lo mucho que padecía en
la Compañía le dio Phelipe 3.º un
obispado en el Peru y el Papa le
obligó a aceptarlo*».

Letra del s. XVIII. 215 × 150 mm.

MADRID. *Nacional.* Mss. 11.031 (fols. 101r-
131r).

EDICIONES

5173

*TRES tratados compvestos... para
el... Conde de Lemos, Virrey de Napoles... El primer tratado es de las
Gracias. El segundo de los Officios
vendibles. El tercero de los Tratas.*
Nápoles. Tarquinio Longo. 1602. 2 hojas + 53 págs. 25 cm.

—Villete de D. Francisco de Castro al cardenal Gesvaldo.—Respuesta (en italiano).
Villete del autor para el Conde de Lemos.—Respuesta (1599).—Texto.

Toda, *Italia*, III, n.º 3.265.

MADRID. *Academia de la Historia.* 9-1.537.
Facultad de Filología. 1.786. *Palacio Real.*
III-3.828. — ROMA. *Vaticana.* Stamp. Barb.
FF.III.51.—VALLADOLID. *Universitaria.* 13.735.
ZARAGOZA. *Universitaria.* G-47-44.

5174

TRES tratados... Segunda edicion,
corregida y enmendada. Valencia.
Iayme de Bordazar. A costa de Pedro Andres Lazaro. 1690. 6 hs. + 88
páginas. 19 cm.

MADRID. *Facultad de Filología.* 22.143. *Nacional.* R-4.016. *Palacio Real.* IX-4.638.—SE-
VILLA. *Universitaria.* 79-146.—ZARAGOZA. *Universitaria.* G-3-3.

Aprobaciones

5175

[*APROBACION. Córdoba, 28 de enero de 1615*]. (En Paez de Valenzuela, Juan. *Relación brebe de las fiestas...* Córdoba. 1615. Prels. del sermon de Pizaño de Palacios).

MADRID. *Nacional.* 3-39.118.

5176

[*APROBACION. Córdoba, 28 de enero de 1615*]. (En Pizaño de Palacios, Alvaro. *Sermón... en la fiesta... a la beatificación de Santa Theresa de Iesus...* Córdoba. 1605 (pero 1615). Preliminares).

NUEVA YORK. *Hispanic Society.*

OBRAS LATINAS

5177

[*CENSURA*]. (En Quintanadueñas, Antonio de. *Casos ocurrentes en los jubileos de dos semanas...* Sevilla. 1641. Prels.).

MADRID. *Nacional.* 2-2.724.

ESTUDIOS

5178

REP: Backer-Sommervogel, V, col. 898.

MENDOZA (ISABEL DE)

EDICIONES

5179

[*SATIRA*]. (En Felices de Cáceres, Juan Bautista. *El Cavallero de Avila...* Zaragoza. 1623, págs. 489-91).

MADRID. *Nacional.* R-2.407.

MENDOZA (FR. JERONIMO DE)

Mercedario. Definidor general. Examinador sinodal del arzobispado de Toledo. General de la Orden. Predicador real.

EDICIONES

5180

[*APROBACION, s. d.*]. (En Arroniz, José de. *Vida del inclito martyr San*

Pedro Armengol. Madrid. 1688. Preliminares).

MADRID. *Nacional.* 2-71.228.

5181

[*APROBACION. Madrid, 12 de junio de 1691*]. (En Almonacid, José de. *Rey vencedor y vencido.* Madrid. 1691. Prels.).

SAN LORENZO DEL ESCORIAL. *Monasterio.* 24-X-24.

MENDOZA (FR. JOSE DE)

EDICIONES

5182

[*AL Autor. Decima*]. (En Sigler, Pedro. *De los atributos mejorados de Maria Srma. Señora nuestra en su immaculada Concepción.* Sevilla. 1632. Prels.).

MADRID. *Nacional.* 3-10.404.

MENDOZA (JUAN DE)

CODICES

5183

«*Soneto*».

Letra del s. XVII.

FLORENCIA. *Riccardiana.* 3.358 (fol. 167r).

5184

[*Poesías*].

Letra del s. XVI. 140 × 95 mm. Es un Cancionero hispano-portugués.

MADRID. *Academia de la Historia.* 9-5.807.

EDICIONES

5185

[*POESIAS*]. (En CANCIONERO *general de obras nuevas...* Zaragoza. 1550).

V. *BLH*, IV, n.º 81 (16-18, 86-87).

—Ed. de A. Morel-Fatio. 1878.

V. *BLH*, IV, 2.ª ed., n.º 81 (16-18, 86-87).

5186

[*SONETO*]. (En JUSTAS *poéticas hechas a devoción de Don Bernardo*

Catalán de Valeriola. Valencia. 1602, pág. 10).

V. *BLH*, X, n.º 5125 (13).

5187
[*SONETO del Cancionero Riccardiano. Edición de E. Mele y A. Bonilla y San Martín*]. (En *Dos Cancioneros españoles.* Madrid. 1904).

MENDOZA (JUAN DE)

EDICIONES

5188
[*DEZIMA*]. (En Navarrete, Francisco de. *La casa del juego...* Madrid. 1644. Prels.).

MADRID. *Nacional.* R-7.481.

MENDOZA (JUAN DE)

EDICIONES

5189
[*DOS Epitafios*]. (En Alvarez de Faria, Pedro. *Relación de las funerales exequias que hizo el Tribunal de la Inquisición de Los Reyes del Perú, al... Principe... Don Baltasar Carlos...* Lima. 1648, fol. 41).

V. *BLH*, V, n.º 1963 (76-77).

MENDOZA (JUAN DE)

Cronista de Carlos II y su Rey de Armas.

CODICES

5190
[*Nobiliarios*].
Letra del s. XVII. 5 vols. 320 × 205 mm.
MADRID. *Nacional.* Mss. 11.410/14.

5191
«*Arboles orijinales de Juan Baños de Velasco. Los sigue... y Miguel de Salazar*».
Letra del s. XVII. Sin fol. 300 × 215 mm.
MADRID. *Nacional.* Mss. 11.662.

EDICIONES

5192
LINAJES y apellidos de Gaynza, Allafor, Martinez de la Guardia, Larrion, Opaqua, Andueza y Ciriza. Madrid. [s. i.]. 1667. 8 hs. 4.º
Palau, IX, n.º 163.800.

5193
ARBOL genealogico de la casa solariega de Estenaga de la villa de Idiacabal en la Parroquia de Guipuzcoa, con la sucesion de los dueños... Madrid. 1668. Fol.
Palau, IX, n.º 163.803.
SEVILLA. *Colombina.*

5194
BLASON ilustre genealogico de la casa, y familia de Pineda, y otras que a ella se enlazan. Escrito por ——... *Y carta genealogica desta familia por Felix Lucio de Espinosa y Malo.* [s. l.-s. i.]. [s. a.]. 2 hs. + 149 fols. orlados. 34 cm.

—E.—Escudo.—Certificación del autor.—Texto.

Salvá, II, n.º 3.576 (De 1675?).
LONDRES. *British Museum.* 1862.b.2.—MADRID. *Nacional.* 2-10.833.—SEVILLA. *Colombina.* 97-5-18.

Aprobaciones

5195
[*APROBACION. Madrid, 12 de mayo de 1684*]. (En Avila y Heredia, Andrés de. *Primeras ideas de Francia...* Madrid. 1684. Prels.).
MADRID. *Nacional.* 2-30.273.

MENDOZA (FR. JUAN DE)

Agustino.

EDICIONES

5196
[*APROBACION. Sevilla, 29 de mayo de 1621*]. (En Córdoba, Pedro. *Ora-*

ción fúnebre en las exequias... a...
Phelipe III... Córdoba. 1621. Prels.).
V. *BLH*, IX, n.º 181.

ESTUDIOS

5197
REP: Santiago Vela, V, pág. 421.

MENDOZA (FR. JUAN DE)

Franciscano. Comisario Visitador de
la V. O. T.

EDICIONES

5198
[*SERMON*]. (En Festivo *aparato,*
con que la Provincia Mexicana de la
Compañía de Jesús celebró... las in-
marcesibles lauros... de S. Francisco
de Borja... Méjico. 1672, fols. 77-90).
Medina, *México*, II, n.º 1.061.

5199
SERMON, qve en el dia de la Appa-
ricion de la Imagen Santa de Gvada-
lvpe, doze de Diziembre del Año de
1672, predicó... en el Convento de N.
Padre S. Francisco de Mexico. Méjico. Francisco Rodriguez Lupercio.
1673. 18 hs. 20 cm.

—Ded. a Fr. Francisco Treviño, Commisa-
rio general de todas las Provincias de
Nueva-España de la Orden de San Francisco, etc.—Apr. del P. Ioan de S. Miguel.—Sentir de Ignacio de Hoyos Santillana.—L. V.—Sentir de Fr. Miguel de
Aguilera.—Texto.
MADRID. *Nacional.* V.E.-70-7.

Aprobaciones

5200
[*PARECER. Méjico, 13 Mayo 1687*].
(En Robles, Juan de. *Sermón que*
predicó ——. *A la fiesta del Señor*
S. Joseph. s. l. 1687. Prels.).
MADRID. *Nacional.* V.E.-106-41.

MENDOZA (FR. JUSEPE DE)

De la Congregación de Píos Operarios.
Teólogo, censor de libros y consultor del
Santo Oficio.

EDICIONES

5201
[*APROBACION, 30 de mayo de*
1686]. (En Zatrilla y Vicó Dedoni y
Manca, José. *Engaños y desengaños*
del profano amor Deducidos de la
amorosa historia... del Dvque Don
Federico de Toledo... Tomo I. Nápoles. 1687. Prels.).
MADRID. *Nacional.* R-17.803.

5202
[*APROBACION. Nápoles, 30 de junio*
de 1673]. (En Avilés, Pedro de. *Adver-*
tencias de un político a su príncipe...
Nápoles. 1673. Prels.).
MADRID. *Nacional.* 3-29.399.

MENDOZA (LORENZO DE)

EDICIONES

5203
[*SILVA*]. (En Vega Carpio, Lope de.
La hermosura de Angélica. Madrid.
1602. Prels.).
MADRID. *Nacional.* R-11.556.

ESTUDIOS

5204
CERVANTES SAAVEDRA, MIGUEL
DE. [*Elogio*]. (En *Viage del Parna-*
so. Madrid. 1614, fol. 45r).
V. *BLH*, VIII, n.º 923.

MENDOZA (LORENZO DE)

N. en Cezimbra (Portugal). Doctor. Ingresó
en la Compañía de Jesús (1602), de la que
poco después fue expulsado. Presbítero.
Comisario de la Inquisición en Potosí. Prelado en Río de Janeiro.

EDICIONES

5205
SVPLICACION a sv Magestad Cato-
lica del Rey nuestro señor, que Dios

guarde. Ante sus Reales Consejos de Portugal y de las Indias, en defensa de los Portugueses. Madrid. [s. i.]. 1630. 4 hs. + 58 fols. 19,5 cm.

—Argumento.—Cedula Real en razon de los estrangeros que ay en las Indias... Texto.

Medina, *Biblioteca hispano-americana,* II, n.º 872; Vindel, V, n.º 1.708.

LONDRES. *British Museum.* 8042.c.31. — MADRID. *Nacional.* R-11.868 (ex libris de Gayangos); 3-58.927. — SEVILLA. *Universitaria.* 109-61 (3).

5206
[*APROBACION. Madrid, 16 de mayo de 1639*]. (En Ruiz, Antonio. *Conquista espiritual...* Madrid. 1639. Prels.).
MADRID. *Nacional.* R-6.539.

TRADUCCIONES

a) PORTUGUESAS
5207
S. C. R. M. O Dovtor Lourenço de Mendoça Prelado com jurdição, e oficio Episcopal da diocesi do Rio de Ianeiro... vem a os Reais peis de V. Magestade... [Madrid. s. i.]. 1638. 6 hs. Fol.
Medina, idem.
MADRID. *Nacional.* Mss. 2.369 (fols. 296-302).

ESTUDIOS
5208
REP: García Peres, págs. 378-79.

MENDOZA (FR. LUCAS DE)
N. en Asunción (1584). Agustino. Doctor. Catedrático de Sagrada Escritura de la Universidad de Lima. Calificador de la Inquisición.

EDICIONES
5209
[*APROBACION. Lima, 11 de mayo de 1633*]. (En Calancha, Antonio de la. *Coronica moralizada del Orden de San Agustín en el Perú...* Barcelona. 1638. Prels.).
V. *BLH,* VII, n.º 398.

OBRAS LATINAS
5210
[*CENSURA, 15 de abril de 1636*]. (En Peñafiel, Ildefonso. *Cursus integri Philosophici.* Tomo I. Lugduni. 1653. Prels.).
MADRID. *Nacional.* 3-24.812.

ESTUDIOS
5211
VEGA, LOPE DE. [*Elogio*]. (En *Laurel de Apolo.* Madrid. 1630, folio 13r).
MADRID. *Nacional.* R-14.177.

5212
MEDINA, JOSE TORIBIO. *Mendoza, Fr. Lucas de.* (En *Escritores hispanoamericanos celebrados por Lope de Vega en el «Laurel de Apolo».* Santiago de Chile. 1922, págs. 115-18).
MADRID. *Academia de la Historia.* 83-21-4= 329.

5213
REP: Santiago Vela, V, págs. 421-22.

MENDOZA (LUIS DE)
EDICIONES
5214
[*POESIA*]. (En Jiménez Patón, Bartolomé. *Eloquencia Española en Arte.* Toledo. 1604. Prels.).
MADRID. *Nacional.* R-15.007.

MENDOZA (FR. LUIS DE)
Dominico. Prior del convento de Santa Catarina Mártir de Jaén. Calificador de la Inquisición.

EDICIONES
5215
[*APROBACION. Jaén, 2 de agosto de 1649*]. (En Moreno, Juan. *Sermón de la Assunción...* Jaén. 1649. Prels.).
GRANADA. *Universitaria.* A-31-210, n.º 19.

MENDOZA (FR. MANUEL)

Portugués. Carmelita. Sacristán mayor del convento de Ntra. Sra. del Carmen de Valencia.

EDICIONES

5216

FIESTAS qve el Convento de nuestra Señora del Carmen de Valencia hizo a nuestra Santa Madre Teresa de Iesus, a 28 de Octubre, 1621. Valencia. Felipe Mey. 1622. 8 hs. + 222 págs. 14 cm.

—L. V.—Apr. de Fr. Melchor Florcadel.— L. O.—Apr. de Fr. Angelo Aragones.— Apr. de Fr. Iuan Baptista Arnal.—Ded. a Fr. Esteuan de Santa Ana, Prouincial de los Carmelitas de obseruancia en la Prouincia de Portugal, etc.—Prologo al Lector.—Soneto de Apolinario Roca de la Serna. [«Aunque del raro Apelles el pinzel...»].—Decima de Luys Caualler. [«Tanto el remontado buelo...»].—Decima de Vicente Valterra. [«Quien de preciosos brocados...»].—Decima de Angelo Martinez. [«Manuel con dos vidas viue...»].— Ntra. Sra. del Monte Carmelo (grab.).— Sta. Teresa de Iesus (grab.).—Texto.

1. *Sermon de Fr. Anastasio García.* (Páginas 13-33).
2. *Cuartetos de Tomas Gracian.* [«El prodigio de los siglos...»]. (Págs. 41-44).
3. *Octavas de Gaspar Aguilar.* [«En la alta cumbre del sobervio Atlante...»]. (Páginas 44-47).
4. *Cuartetos de Luys Cavaller.* [«Tal prenda, tanto tesoro...»]. (Págs. 47-50).
5. *Romance de Iusepe Mateo Cavaller Ferrer de Ordunya.* [«Las almas del Purgatorio...»]. (Págs. 51-54).
6. *Octavas de Augustin Agramunt de Sisternes.* [«Espiritu abrasado, honor ardiente...»]. (Págs. 55-57).
7. *Octavas de Fr. Augustin Leonardo de Selma.* [«Al blanco pecho de la Virgen tira...»]. (Págs. 57-59).
8. *Octavas de Francisco Aguilar.* [«El pecho de Teresa, edificado...»]. (Págs. 59-60).
9. *Octavas de Luys Cavaller.* [«Con dardo de oro al coraçon amante...»]. (Págs. 61-62).
10. *Octavas de Geronymo Perez.* [«Era, no el ciego Dios, Ioven si alado...»]. (Págs. 62-64).
11. *Octavas de Fr. Ambrosio Roca de la Serna.* [«Trepando el viento con brillante buelo...»]. (Págs. 64-66).
12. *Octavas de Tomas de Torres.* [«Encendida en amor, desecha en llanto...»]. (Págs. 66-67).
13. *Octavas por Mossen Rostrojo.* [«Vuestra encendida caridad Teresa...»]. (Páginas 68-69).
14. *Dezimas de Fr. Leonardo Castillo.* [«Los singulares favores...»]. (Págs. 69-71).
15. *Dezimas de Luys Cavaller.* [«Oy a si mismo la ensalça...»]. (Págs. 72-74).
16. *Dezimas de Marco Antonio Ortin.* [«El que es de la soberana...»]. (Págs. 74-76).
17. *Dezimas de Emerenciana de Aro.* [«Muy rica deveys de ser...»]. (Págs.   ).
18. *Dezimas de Gaspar Alameda.* [«Vuestra beldad milagrosa...»]. (Págs. 78-80).
19. *Dezimas de Gaspar Hurtado.* [«Muy buenas arras llevays...»]. (Págs. 80-82).
20. *Dezimas de Antonio Tomas.* [«Si amor con amor se paga...»]. (Págs. 82-84).
21. *Dezimas de Augustin Agramunt.* [«Como se os lee el deseo...»]. (Págs. 84-86).
22. *Dezimas de Iayme Solivera.* [«Es tal la fuerça unitiva...»]. (Págs. 87-89).
23. *Dezimas de Fr. Ambrosoio Roca de la Serna.* [«Tanto Teresa podeys...»]. (Páginas 89-91).
24. *Dezimas de Fr. Augustin Leonardo de Selma.* [«La gran madre, que fue madre...»]. (Págs. 91-93).
25. *Dezimas de Fr. Iuan Blanes.* [«Enamorado el Señor...»]. (Págs. 93-95).
26. *Dezimas de Tomas de Torres.* [«Desoje el Alba gentil...»]. (Págs. 95-97).
27. *Dezimas de Iuan Ribalta.* [«Teresa con el cristal...»]. (Págs. 97-99).
28. *Romance de Fr. Augustin Leonardo de Selma.* [«Al Carmen que es Carmen suyo...»]. (Págs. 100-105).
29. *Romance del Licenciado Iacinto.* [«Coronada la cabeça...»]. (Págs. 105-110).
30. *Romance de Fr. Ambrosio Roca de la Serna.* [«Bordando unas rojas nuves...»]. (Págs. 110-115).
31. *Romance de Fr. Augustin Quexal.* [«Aquella divina Aurora...»]. (Págs. 115-120).
32. *Romance de Fr. Bautista Sanjordi.* [«Sacra Religion del Carmen...»]. (Páginas 121-126).
33. *Romance de Tomas de Torres.* [«Luzia en mitad del cielo...»]. (Págs. 126-131).
34. *Romance de Fr. Pedro de Robles.* [«Aquella Reyna divina...»]. (Págs. 131-136).
35. *Romance de Fr. Ambrosio Roca de la*

Serna. [«Desde el encumbrado Olimpo...»]. (Págs. 136-141).

36. *Romance de Gaspar Aguilar.* [«El Cedro hermoso que un tiempo...»]. (Páginas 189-196).

37. *Romance de Sor Bernarda Romero.* [«El cielo santo os alabe...»]. (Págs. 196-201).

38. *Poesia en Valenciano anónima.* (Páginas 202-208).

39. *Vexamen de Un Devoto.* [«Diga Señora Beata?...»]. (Págs. 209-212).

40. *Villancico.* [«Hoy sube al cielo estrellado...»]. (Págs. 213-214).

41. *Soneto de Sor Eugenia Perez.* [«El sacro esposo, verdadero amante...»]. (Página 214).

42. *Romance en valenciano de Lluis Iuan.* (Págs. 215-222).

Carreres, n.º 72.

BARCELONA. *Universitaria.* C.215-7-36.—MADRID. *Nacional.* R-12.949. — NUEVA YORK. *Hispanic Society.*

ESTUDIOS

5217

REP: N. Antonio, I, pág. 352; García Peres, pág. 379.

MENDOZA (MARIANA MANUELA DE)

EDICIONES

5218

[*A la autora. Décima*]. (En Castro Egas, Ana de. *Eternidad del Rey D. Filipe Tercero.* Madrid. 1629. Prels.).

MADRID. *Nacional.* R-8.338.

MENDOZA (FR. MIGUEL DE)

Dominico. Colegial del Mayor de Santo Tomás de Sevilla, y Rector del mismo. Prior dos veces de los conventos de San Jacinto y la Candelaria en Triana y de Ntra. Sra. de Regina en Sevilla. Teólogo y consultor de la Casa del marqués de Ayamonte y Astorga. Difinidor de la provincia de Andalucía. Prior del convento del Monte-Sión.

EDICIONES

5219

[*DEDICATORIA a Fr. Alonso de Santo Thomas, obispo de Malaga*]. (En

Vergara, Antonio de. *Oracion funebre a las exequias del Sr. Dr. D. Juan de Texada y Aldrete...* Sevilla. 1679. Preliminares).

SEVILLA. *Universitaria.* 112-121 (20).

5220

[*CENSURA. Triana, 20 de julio de 1679*]. (En Francisco Alberto de San Cirilo, Fray. *Triunfos de la Gracia...* Tomo I. Sevilla. 1679. Prels.).

MADRID. *Nacional.* 3-72.124.

5221

[*IDEM*]. (En ídem, tomo II. Sevilla. 1688. Prels.).

MADRID. *Nacional.* 3-72.125.

5222

[*CENSURA. Sevilla, 12 de marzo de 1699*]. (En Aranda, Gabriel de. *Historia del gran profeta Daniel...* Sevilla. 1699. Prels.).

CORDOBA. *Pública.* 3-121.

ESTUDIOS

5223

VEGA, LOPE DE. [*Elogio*]. (En *Laurel de Apolo.* Madrid. 1630, fol. 35*v*).

MADRID. *Nacional.* K-14.177.

MENDOZA (PEDRO DE)

CODICES

5224

[*Poesías*].

Cancionero.

MADRID. *Nacional.* Mss. 3.700 (fols. 43*r*, 103*r*, 110*r*, 113*v*, 114*r*, 118*r*, 120*r*, 120*v*).

EDICIONES

5225

[*SONETO*]. (En Gálvez de Montalvo, Luis. *El pastor de Philida.* Lisboa. 1582. Prels.).

MADRID. *Academia Española.*

MENDOZA (FR. RODRIGO DE)

Mínimo. Vicario General. Provincial de Sevilla. Corrector del convento de Triana.

EDICIONES

5226

[*PARECER. Triana, 1 de enero de 1654*]. (En Salado Garces y Ribera, Francisco. *Varias materias de diversas Facultades y Sciencias. Politica contra peste...* Utrera. 1655. Prels.).

MADRID. *Nacional.* R-8.606.

MENDOZA (VICENCIA DE)

V. MENDOZA (ANA VICENCIA DE)

MENDOZA Y ARAGON (ALVARO DE)

Obispo de Jaca.

EDICIONES

5227

SERMON de la festividad del glorioso evangelista San Juan... Huesca. Pedro Blusón. 1629.

BARCELONA. *Universitaria.* B.55-4-19.

MENDOZA Y ARAGON (MARIANA DE)

EDICIONES

5228

[*A la Gigantomachia de Don Francisco de Sandoual. Soneto*]. (En Sandoval, Francisco de. *La Gigantomachia.* Zaragoza. 1630, fol. 4v).

MADRID. *Nacional.* R-8.797.

MENDOZA AYALA (FR. JUAN DE)

Franciscano. Predicador general. Cronista de la provincia del Santo Evangelio. Definidor.

EDICIONES

5229

SERMON en la dedicacion de la ca- pilla que se hizo en la iglesia de Santa Maria la Redonda de Mexico. Mejico. Francisco Rodriguez Lupercio. 1679.

NUEVA YORK. *Hispanic Society.*

5230

SERMON de la milagrosa aparicion de la imagen santa de Aranzazv, qve en la Dominica infraoctava de la Assumpción de Nuestra Señora predicó ——. Mejico. Viuda de Francisco Rodriguez Lupercio. 1685. 24 hs. 20,5 centímetros.

—Ded. a Fr. Iuan de Luzuriaga, Comissario General de todas las Provincias de la Orden de San Francisco de la Nueva España, precedida de un escudo de la Orden.—Apr. del P. Francisco de Florencia.—L. del Virrey.—Censura de Fr. Bartolomé Gil Guerrero.—L. V.—Sentir de Fr. Sebastian de Castrillon y Gallo.—L. O.—Texto.

MADRID. *Nacional.* V.E.-71-21.

Aprobaciones

5231

[*CENSURA, 5 de agosto de 1675*]. (En Valle, Gonzalo del. *Palestra de varios Sermones del Mysterio de Christo...* Méjico. 1676. Prels.).

SEVILLA. *Universitaria.* 132-75.

5232

[*APROBACION. Ecatepec, 5 de agosto de 1675*]. (En Valle, Gonzalo del. *Espejo de varios colores...* Méjico. 1676. Prels.).

SEVILLA. *Universitaria.* 91-23.

5233

[*APROBACION. 25 de noviembre de 1687*]. (En Antonio de la Trinidad, Fray. *Sermón panegyrico... de S. Francisco...* Méjico. 1687. Prels.).

Medina, *México*, III, n.º 1403.

MENDOZA Y BOBADILLA (FRANCISCO)

N. en Córdoba (1508). Catedrático de Griego en la Universidad de Salamanca. Arcediano de Toledo. Deán de Córdoba. Obispo de Coria (1544) y Burgos (1550). Cardenal (1544). Residió algún tiempo en Roma y fue gobernador de Siena. Electo arzobispo de Valencia (1566). M. en Arcos de la Llana ese mismo año.

CODICES

5234

«*El Tizón de España...*».

En 4.º

LISBOA. *Nacional.* Mss. 1.440.

5235

«*Linhagens de Portugal e de Castella*».

LISBOA. *Nacional.* Mss. Caixu 16, n.º 10.

5236

«*Memorial de lo que escribe de algunos linajes de España y fuera de ella*».

En 4.º

LISBOA. *Nacional.* Mss. F. G. 1192.

5237

«*El Tizón de España*».

LISBOA. *Nacional.* Mss. 9149[1].

5238

«*Discursos de algunos linages que... dio al Rey Don Felipe II*».

Letra del s. XVII. 4.º

Gayangos, I, pág. 71.

LONDRES. *British Museum.* Eg.554 (fols. 1-20).

5239

«*Memorial que... dio al Rey Don Phelipe 2.º por haberle S. M. negado dos habitos para sus dos sobrinos...*».

Letra del s. XVIII. Fol.

Gayangos, I, pág. 523.

LONDRES. *British Museum.* Eg.360 (fols. 125-153).

5240

«*Familias ilustres de España...*».

Letra del s. XVII. 410 fols. Fol.

Por orden alfabético: Ayala-Tobar.

Gayangos, I, pág. 572.

LONDRES. *British Museum.* Eg.469.

5241

«*Papel del escrito que dio... a Felipe, rey de España, sobre la calidad y nobleza del marques de Moya, en Madrid, a 20 de marzo de 1565*».

Copia de 1575. 20 hs. Fol.

Cuartero-Vargas Zúñiga, XXVIII, n.º 45.003.

MADRID. *Academia de la Historia.* 9-809 (folios 1-20).

5242

«*Discurso en forma de memorial... sobre el origen de las principales familias de España...*».

Letra del s. XVIII. 1 h. + 30 págs. + 2 hs. 4.º

MADRID. *Academia de la Historia.* 9-3454/18.

5243

«*Descendencia y origen de los Señores de España. Memorial que dio D. —— al Rey Felipe Segundo*».

Letra de fines del XVIII. 220 × 150 mm.

MADRID. *Municipal.* M-493 (fols. 210-92).

5244

«*Memorial que dio el Cardenal D. ——, Arzobispo de Burgos a la Magestad del Rey D. Phelipe 2.º al qual llamaron despues comunmente El Tizon de España*».

Año 1777. 198 × 142 mm.

MADRID. *Municipal.* M-556 (págs. 137-84).

5245

[*El Tizón de España*].

Letra del s. XVIII. 212 × 150 mm.

MADRID. *Nacional.* Mss. 1014 (fols. 245-87).

5246

«*Memorial... al rey Felipe II sobre casas ilustres que descienden de conversos*».

Letra del s. XVII. 350 × 245 mm.
Inventario, V, pág. 319.
MADRID. *Nacional*. Mss. 1.443 (fols. 18-21).

5247

«*Nobiliario*».
Letra del s. XVIII. 276 fols. 305 × 215 mm.
MADRID. *Nacional*. Mss. 3.071.

5248

«*Linajes y Casas Solares de España... Con las diciones de Alonso Téllez*».
Letra del s. XVII. 3 vols. 300 × 210 mm.
Inventario, X, pág. 28.
MADRID. *Nacional*. Mss. 3.140/42.

5249

«*El Tizón de España. Discurso de algunos linajes de Castilla, Aragón, Portugal y Navarra...*».
Letra del s. XVIII. 100 fols.
MADRID. *Nacional*. Mss. 3.239.

5250

«*Linajes de Castilla... Y el memorial que escrivió contra las cassas de España*».
Letra del s. XVII. 183 fols. 295 × 205 mm.
MADRID. *Nacional*. Mss. 3.274.

5251

«*Memorial que dio... al Rey D. Felipe 2.º de algunos linages de españa*».
Letra del s. XVII. 205 × 130 mm.
Inventario, X, págs. 93-94.
MADRID. *Nacional*. Mss. 3.440 (fols. 342r-384v).

5252

[*Tizón de España*].
Letra del s. XVII. 210 × 150 mm.
Inventario, X, pág. 103.
MADRID. *Nacional*. Mss. 3.471 (fols. 116-38).

5253

[*Tizón de España, con la relación de Pedro Aponte*].

Letra del s. XVIII. 202 × 144 mm.
Inventario, X, pág. 235.
MADRID. *Nacional*. Mss. 3.991 (fols. 178r-200v).

5254

«*Discurso de algunos linages de España...*».
Letra del s. XVIII. 212 × 150 mm.
MADRID. *Nacional*. Mss. 6.014 (fols. 245-87).

5255

«*Memorial que dio a Felipe II sobre descendencia de las casas mas principales de España...*».
Copia de 1740, que perteneció a Mayans, Salvá y Heredia. 208 × 152 mm.
MADRID. *Nacional*. Mss. 7.068 (págs. 400-502).

5256

«*Discurso sobre algunos linajes de Castilla, Aragón, Portugal y Navarra...*».
Letra del s. XVIII. 36 fols. 207 × 142 mm.
MADRID. *Nacional*. Mss. 7.061.

5257

[*El Tizón de la nobleza*].
Letra del s. XVIII. 215 × 147 mm. Perteneció a Usoz.
MADRID. *Nacional*. Mss. 7.139.

5258

«*Papel que dio al Rey Phelipe 2... en razon de hauerle negado dos Aritos a dos sobrinos suyos, Hijos del Marques de Cañete su hermano...*».
Letra del s. XVIII. 205 × 150 mm.
MADRID. *Nacional*. Mss. 10.588 (fols. 33r-123r).

5259

«*El tizon de España. Discurso de algunos linages de Castilla, Aragon, Portugal, y Navarra, sacados de la relacion que... dio a la Magestad de Phelipe 2.º...*».
Letra del s. XVIII. 84 fols. 205 × 150 mm.
MADRID. *Nacional*. Mss. 10.903 (2.ª parte).

5260

«Papel que llaman el Tizon de España, el qual presentó en forma de Memorial a la Magestad de D. Phelipe Tercero...».

Letra del s. XVII. 300 × 210 mm.

MADRID. *Nacional.* Mss. 10.994 (fols. 200r-205r).

5261

«Discurso de algunos linajes que... dio al Rey D. Phelipe 2.º...».

Letra del s. XVII. 300 × 205 mm.

MADRID. *Nacional.* Mss. 11.206 (fols. 81v-89r).

5262

«Linages y genealogías de España».

Letra del s. XVII. 437 fols. 280 × 200 mm.

MADRID. *Nacional.* Mss. 11.706.

5263

«El Tizon de España. Discursos de algunos linaxes que el cardenal de Burgos... dio... a... Phelipe Segundo».

Letra del s. XVIII. 40 hs. 8.º

Roca, n.º 45.

MADRID. *Nacional.* Mss. 17.937.

5264

«Le Tison d'Espagne ou Mémoire Généalogique contenant les origines des familles nobles de ce Royaume et du Portugal. Toutes issües tant d' estoc que par femmes, de Maures et Juifs convertis. Traduit de l'Espagnol. 1759]».

Letra del s. XVIII. 28 hs. Fol.

Roca, n.º 65.

MADRID. *Nacional.* Mss. 18.063 (ex libris de Gayangos).

5265

«Memorial... al rey D. Felipe II, de algunos linajes de España...».

Letra de fines del s. XVII o principios del XVIII. Fol.

Roca, n.º 192.

MADRID. *Nacional.* Mss. 18.180, n.º 1 (ex libris de Gayangos).

5266

«Discurso de algunos linages que el cardenal D. —— dio al rey D. Felipe 2.º...».

Letra de mitad del s. XVII. Fol. Procede de la biblioteca del duque de Segorbe. Con unas adiciones al fin.

Roca, n.º 62.

MADRID. *Nacional.* Mss. 18.452, n.º 1 (ex libris de Gayangos).

5267

«Tizón de la nobleza».

Letra moderna. 72 hs. 4.º

Roca, n.º 64.

MADRID. *Nacional.* Mss. 18.549 (ex libris de Gayangos).

5268

«El Tizón de España».

Letra del s. XVIII. 23 hs. 4.º

Roca, n.º 63.

MADRID. *Nacional.* Mss. 18.579 (ex libris de Gayangos).

5269

«Alguna parte de lo que escriuio... de algunos linages de España, ordenado con mas certeça del que tenía el original de donde se saco...».

Letra del s. XVII. 10 fols. 210 × 150 mm.

MADRID. *Nacional.* Mss. 18.657[31].

5270

«Tizón de España».

Letra del s. XVIII. 37 fols. 210 × 150 mm.

MADRID. *Nacional.* Mss. 20.433[27].

5271

«Memorial que dio D. ——, Cardenal y Arzobispo de la Ciudad de Burgos a el Rey D. Phelipe II, de algunos linajes de España, en ocasión de haver detenido unas pruevas de un sobrino».

Letra del s. XVII. 80 fols. 4.º

SEVILLA. *Universitaria.* 333-92.

5272

«*Memorial que la Eminencia del Cardenal Don Francisco de Mendoza, y
Bobadilla dio al Rey Don Phelipe segundo, sobre el origen de las noblezas de estos Reinos, con ocasión de
haber empatado Un Avito (siendo
presidente de Castilla) a un hijo del
Conde de Chinchon su sobrino*».

Letra del s. XVIII. 33 págs 210 × 150 mm.
SEVILLA. *Colombina*. 85-4-3-Pp. V.

5273

«*Memorial que dio a S. M. Philipe
3.º... de algunos linages de España
y fuera de ella, obligado de la deten-
cion de habito del conde de Chinchon, su sobrino*».

Letra del s. XVIII. 15 hs. 365 × 237 mm.
Morel-Fatio, n.º 499.
PARIS. *Nationale*. Mss. esp. 377.

5274

«*El tizon de España... Sacose de otro
traslado, en Gibraltar, a 15 de enero
de 1697...*».

Año 1748. 212 × 170 mm. Texto con grandes diferencias respecto al impreso.
Morel-Fatio, n.º 364 (80).
PARIS. *Nationale*. Mss. esp. 424 (fols. 350*r*-
369*v*).

5275

«*Tizón de España...*».

Letra del s. XVIII. Versión distinta a la
anterior.
PARIS. *Nationale*. Mss. esp. 424 (fols. 370*r*-
389*v*).

5276

«*Origen de los villanos que llaman
comúnmente cristianos viejos*».

Letra del s. XVIII. 200 × 143 mm. Es un
fragmento.
Morel-Fatio, n.º 640.
PARIS. *Nationale*. Mss. esp. 459 (fols. 1-10).

5277

«*El Tizón de la Nobleza de España*».
Año 1686.
SEVILLA. *Universitaria*. 331-203 (2).

5278

«*Memorial que dio al Rey Don Felipe II de algunos linajes de España
en ocasión de haber detenido unas
pruebas de su sobrino*».

SEVILLA. *Universitaria*. 333-92.

5279

«*Copia del Tizón de España...*».

Año 1793. 19 fols. 205 × 150 mm. Con carta de remisión del autor de la copia al
duque de Alcudia.
Esteve, pág. 339.
TOLEDO. *Pública*. Mss. 462.

5280

«*El Tizon de España. Discurso de algunos linages de España y fuera de
ella*».

1888. 64 págs. 315 × 220 mm.
VALLADOLID. *Santa Cruz*. Mss. 317.

5281

«*Tizon de España. Papel que escriuio
el Cardenal Don ——... al rey Phelipe II*».

Letra del s. XVII. 205 × 145 mm.
Kraft, pág. 14.
VIENA. *Nacional*. Mss. 5880ᵈ (fols. 177*r*-197*r*).

5282

«*De vera et naturali quadam cum
Christo unitate quam per dignam
eucharistiae sumptionem fideles con-
sequuntur*».

Letra del s. XVIII. 442 fols. 360 × 250 mm.
Inventario, VI, págs. 19-20.
MADRID. *Nacional*. Mss. 2.102.

5283

«*D. Francisci Sylvij Bobilij... Pos-
coeniorum libri quinque... 1525*».

Autografo? 96 fols. 300 × 215 mm. Procede
de la biblioteca del convento de San Vicente de Dominicos, de Plasencia. Son
anotaciones a autores griegos y latinos.
MADRID. *Nacional*. Mss. 6205.

EDICIONES

OBRAS ATRIBUIDAS

5284

TIZON de la nobleza de España. Memoria escrita y presentada a Felipe II. Anotada por D. A. Luque de Vicena. Madrid. 1845. 60 págs. 12.º

5285

TIZON de Espana (sic). [s. l.]. Typis Medio Montanis. 1848. 1 h. + 15 páginas. Fol.

MADRID. *Nacional.* U-526.

5286

TIZON de la nobleza de España. Memoria presentada al Rey Felipe II por el Cardenal ——. Madrid. Saavedra y Cía. 1849. LX págs. 16 cm.

MADRID. *Nacional.* V-100-12; etc.

5287

——. Cuenca. Francisco Gómez. 1852. VII + 53 págs. 4.º

— — —

—*TIZON (El) de España...* Madrid. 1871. 48 págs. 8.º
—*TIZON (El) de la Nobleza Española.* Barcelona. Baseda y Giró. 1880. 205 páginas + 1 lám. 8.º

MADRID. *Nacional.* 2-56.534.

5288

TIZON (El) de la Nobleza Española o máculas y sambenitos de sus linajes. Barcelona. La Selecta. [Imp. de Baseda y Giró]. [s. a., 1880?]. 205 páginas + 1 h. 17,5 cm. (Biblioteca de Obras raras).

MADRID. *Nacional.* 1-1.191.

OBRAS LATINAS

5289

DE vera et naturali quedam cum Christo unitate... Ed. A. Piolante. Roma. 1947.

ESTUDIOS

5290

APONTE, PEDRO JERONIMO DE. *Adiciones al Memorial de* ——.

V. *BLH,* V, núms. 3355-56.

5291

RUIZ CRESPO, MANUEL. *Impugnación crítica al Tizón...* Sevilla. Francisco Alvarez y C.ª 1854. 104 páginas. 22,5 cm.

MADRID. *Nacional.* V-1.488-48.

5292

FOULCHÉ-DELBOSC, R. *El Tizón de España.* (En *Revue Hispanique,* VII, Nueva York-París, 1900, págs. 246-247).

5293

BATAILLON, M. *Benedetto Varchi et le Cardinal de Burgos D. Francisco de Mendoza y Bobadilla.* (En *Les Lettres Romanes,* XXIII, Lovaina, 1969, págs. 3-62).

a) Judogne, P., en *Studi e Problemi di Critica Testuale,* I, Bolonia, 1970, páginas 309-31.

5294

LOPEZ MARTINEZ, N. *El cardenal Mendoza y la reforma tridentina de Burgos.* (En *Hispania Sacra,* XVI, Madrid, 1963, págs. 61-137).

ESTUDIOS

5295

REP: N. Antonio, I, pág. 447; Ramírez de Arellano, I, págs. 333-34; N. López Martínez, en DHEE, III, pág. 1469.

MENDOZA Y CARVAJAL (JUAN DE)

Gentilhombre de cámara del conde de Niebla.

EDICIONES

5296

[*DOS décimas*]. (En Ramos, Simón. *Panegyricvm, sev Orationem demonstrativam in hominis, et eivs animae immortalis lavdem.* [s. l.-s. i.]. [s. a.]. Preliminares).

MADRID. *Nacional.* V.E.-54-53.

MENDOZA Y CARVAJAL (LUIS DE)

Maese de Campo. Caballero de Calatrava.

EDICIONES

5297

[*SONETO. A Fr. Francisco Mesia*]. (En Colombo, Felipe. *El Job de la Ley de Gracia.* Madrid. 1674. Al fin).

MADRID. *Nacional.* 3-14.036.

MENDOZA Y CESPEDES (FRANCISCO DE)

Secretario del cardenal Sandoval.

CODICES

5298

«*Ocho libros de las guerras de Flandes escritos por el Cardenal Bentiuollo. Y traducidos... por* ——».

Letra del s. XVII. 149 fols. 267 × 195 mm. Jones, I, n.º 117.

ROMA. *Vaticana.* Barb. lat. 3546.

EDICIONES

5299

RELACIONES del cardenal Bentivollo. Pvblicadas por Enrico Pvteano... y tradvzidas por —— *de Italiano en lengua Castellana.* Madrid. María de Quiñones. A costa de Pedro Coello. 1638. 5 hs. + 161 fols. + 8 hs. 19 cm.

El autor es el cardenal Guido Bentivoglio y el editor Hendrick van de Putte.

—Retrato del Cardenal Infante.—Ded. al mismo, por ——.—Ded. al cardenal Borghese, por el autor.—S. Pr.—S. T.—E.— Texto.—Tabla de las cosas mas principales.—Colofón.

Salvá, II, n.º 2.832.

BARCELONA. *Convento de Capuchinos de Avenida del Generalísimo,* 450. Vitrina.—COR-DOBA. *Pública.* 34-28.—LONDRES. *British Museum.* 9405.bb.—MADRID. *Nacional.* 3-72.320.— MONTPELLIER. *Municipale.* 12.675. — ORENSE.

Pública.—SEVILLA. *Colombina.* 117-3-37; 35-1-32. *Facultad de Filosofía y Letras.* Ha/ 2.379.

5300

——. Nápoles. [s. i.]. 1631. 2 vols. 4.º.

Toda, *Italia,* III, n.º 3.269 (con facsímil de la portada).

BARCELONA. *Central.* Toda, 6-VI-5. — MADRID. *Facultad de Filología.* 34.181 [el I]. *Nacional.* 2-59.660.—NUEVA YORK. *Hispanic Society.* SANTIAGO DE COMPOSTELA. *Universitaria.* — SE-VILLA. *Universitaria.* 27-A-30.

ESTUDIOS

5301

REP: N. Antonio, I, pág. 448; Almirante, pág. 517.

MENDOZA CHAVES (FRANCISCO DE)

EDICIONES

5302

[*CANCION real*]. (En ACADEMIA *que se celebró en Badajoz...* Madrid. 1684, fols. 15*r*-16*r*).

MADRID. *Nacional.* R-4.080.

MENDOZA ESCOBAR (ANTONIO)

V. ESCOBAR Y MENDOZA (ANTONIO)

MENDOZA Y FIGUEROA (LORENZO DE)

EDICIONES

5303

[*SILVA*]. (En Vega Carpio, Lope de. *La hermosura de Angélica...* Madrid. 1602. Prels.).

OBRAS LATINAS

5304

[*POESIA*]. (En Columbarius, Julius. *Expistulatio spongiae a Petro Turriano Ramila nuper evulgatae. Pro Lupo a Vega Carpio...* Madrid. 1618).

ESTUDIOS

5305

CERVANTES Y SAAVEDRA, MI-
GUEL DE. [*Elogio*]. (En *Viage del
Parnaso*. Madrid. 1614, fol. 45).

MENDOZA DA FRANCA
(JORGE DE)

Fidalgo de la Casa de S. M. Caballero de
la Orden de Cristo.

EDICIONES

5306

[*AL Eccelentissimo Señor el Marques de Velada*]. [s. l.-s. i.]. [s. a.].
9 fols. + 1 h. 30 cm.

Carece de portada.

—Texto, que consta de dos puntos: 1.º La
calidad de Muley Hamet; 2.º, lo que im-
portará al seruicio de S. M. su amistad
siendo Rey de Fez. Fechado en Madrid,
a 16 de Octubre de 1648.—Tabla genealogica de los Reyes de Marruecos, y Fez,
y de toda la Berbería.

MADRID. *Academia de la Historia*. Jesuitas,
t. 47, fols. 234-43. *Nacional*. V.E.-68-40.

MENDOZA IBAÑEZ DE SEGOVIA
(GASPAR)

V. IBAÑEZ DE SEGOVIA
(GASPAR)

MENDOZA Y LUNA (JUAN DE)

N. en Guadalajara (1571). Tercer marqués
de Montesclaros y de Castillo de Bayuela.
Caballero de Santiago (1591). Asistente de
Sevilla. Virrey de Nueva España (1603-7)
y Perú (1607-15). Consejero de Estado.
Presidente del Consejo de Hacienda. Gobernador de Aragón. M. en 1628.

CODICES

5307

«*Relacion que hizo de su govierno...,
Virrey, Governador, y Capitan General de las Provincias de Nueva España, y de las del Peru... Al Excmo.*

*Sr. D. Francisco de Borja y Aragon,
Principe de Esquilache... su subce-
sor*».

Letra del s. XVIII. 50 hs. Fol.

J. Catalina García, *Guadalajara*, n.º 779.

MADRID. *Nacional*. Mss. 3.077.

5308

[*Romance*].

«Hiço calor una noche...».

Publicado por Miró Quesada en su libro
(págs. 29-31).

MADRID. *Nacional*. Mss. 17.557 (fol. 94).

5309

[*Poesías*].

Letra del s. XVII. 205 × 142 mm. Es un
Cancionero.

1. *Redondilla*. [«Como quereys que llame-
mos...»]. (Fol. 25v).
2. *Carta a Lerma*. ¿Gaspar Yáñez de Lerma? [«El pino mio en quien yngenio y
arte...»]. (Fol. 23).

Morel-Fatio, n.º 602.

PARIS. *Nationale*. Mss. esp. 373.

EDICIONES

5310

*ADVERTIMIENTOS sobre algunos
puntos del gobierno de la Nueva-
Spaña quel marques de Montes Claros envió a S. M. cuando dejó el ser
virrey de aquel reino. Acapulco,
2 agosto 1607*. (En COLECCIÓN *de Documentos inéditos para la Historia
de España*, XXVI, Madrid, 1855, páginas 162-76).

5311

[*RELACION del estado del gobierno
de estos reinos que hace —— al Principe de Esquilache, su sucesor*]. (En
*Colección de escritos... de los más
acreditados autores peruanos*. Ed. de
M. A. Fuentes. Tomo I. Lima. 1859,
págs. 1-69).

5312

[*SONETO*]. (En Pérez de Herrera,
Cristóbal. *Discursos del amparo de*

los legitimos pobres... Madrid. 1598. Preliminares).

MADRID. *Nacional.* U-1.058.

ESTUDIOS

5313
MIRÓ QUESADA, AURELIO. *El primer virrey poeta en América, don Juan de Mendoza y Luna, marqués de Montes Claros.* Madrid. Edit. Gredos. 1962. 274 págs. 20 cm. (Biblioteca Románica Hispánica, II, 62).

a) Leonard, I., en *Hispanic Review,* XXXII, Filadelfia, 1964, págs. 184-85.
b) Pierce, F., en *Bulletin of Hispanic Studies,* XL, Liverpool, 1963, págs. 249-51.

MADRID. *Nacional.* H.A.-34.684.

Elogios

5314
VEGA CARPIO, LOPE DE. [*Elogio*]. (En *Laurel de Apolo.* Madrid. 1630, folio 51*v*).

MADRID. *Nacional.* R-14.177.

5315
REP: Méndez Bejarano, II, n.º 1.654.

MENDOZA MANRIQUE
(ALONSO DE)

EDICIONES

5316
[*SONETO. A la civdad de Toledo, en la venida de la Reyna...*]. (En RELACION *del recibimiento qve... Toledo hizo a... Mariana de Avstria, y de las fiestas con qve celebro sv venida.* Toledo. 1677. Prels.).

MADRID. *Nacional.* V-1118-26.

MENDOZA Y MARCILLA
(RODRIGO DE)

EDICIONES

5317
COMENTARIOS de las alteraciones de los Estados de Flandes, sucedidas despues de la llegada del señor don Iuan de Austria a ellos, hasta su muerte. Compuestos en Latin por Rolando Natin Miriteo... y traduzidos en Castellano por don ——. Madrid. Pedro Madrigal. 1601. 8 hs. + 150 fols. 20,5 cm.

—T.—E.—Censura de Antonio de Herrera. Pr. a Geronimo Lopez por diez años.— Ded. a Andres de Prada, cauallero de Santiago, Secretario de Estado, por el traductor (Nápoles, 4 de abril de 1600).— Sumario.—Texto.—Colofón.

MADRID. *Nacional.* R-13.841 (ex libris de Fernando José de Velasco).

MENDOZA PIÑA Y TOLEDO
(FRANCISCO)

EDICIONES

5318
[*DEZIMA al Autor*]. (En Guerrero y Saravia, Juan. *Vida, virtudes y muerte de... Fray Iuan Monte...* Sevilla. 1642. Prels.).

SEVILLA. *Universitaria.* 88-76.

MENDOZA Y DE LOS RIOS
(FR. PEDRO DE)
Agustino.

EDICIONES

5319
LIBRO del Santissimo Sacramento del Altar. Donde se trata de sv Santissima Institucion, y de las causas della, con otras cosas de deuocion. Nápoles. Horacio Saluiani y Cezar de Cezar. 1584. 8 hs. + 189 págs. 8.º

—Ded. a D.ª María Pimentel y Fonseca, condesa de Olivares.—Al Christiano lector.—Texto.—Indice de capítulos.—E. L.— Colofón.

Toda, *Italia,* III, n.º 3.270.

BARCELONA. *Central.* Toda, 4-I-13.—CAGLIARI. *Universitaria.* Ross. B.64.—PARIS. *Nationale.* 53-F-29.

5320

LIBRO del Santissimo Sacramento del Altar donde se trata de sv Santisima institucion, y de las causas della, con otras cosas de deuocion. Tarragona. Felipe Mey. 1586. 6 hs. + 153 págs. 16.º

9—L. V.—Soneto de Felipe Mey.—Ded. a Mateo Vázquez de Leça, secretario del Rey, etc.—Al cristiano lector.—Texto.

ESTUDIOS

5321

REP: Santiago Vela, V, págs. 424-25.

MENDOZA Y SEGOVIA (GASPAR DE)

V. IBAÑEZ DE SEGOVIA (GASPAR)

MENDOZA Y SILVA (DIEGO DE)

Conde de Salinas y Ribadeo. Duque de Francavila.

EDICIONES

5322

[*EN loor del serafico padre San Francisco, y su religión sagrada. Soneto*]. (En Barona de Valdivielso, Pedro. *Hospicio de S. Francisco...* Madrid. 1609. Prels.).

MADRID. *Nacional.* 2-69.888.

MENDOZA SOTOMAYOR (JERONIMO DE)

EDICIONES

5323

[*SONETO*]. (En Bravo de Sotomayor, Fr. Gregorio. *Historia de la imbención, fundación y milagros de Nuestra Señora de Valuanera...* Logroño. 1610. Prels.).

MADRID. *Nacional.* 2-61.553.

MENDOZA URALDE (DIONISIO)

Licenciado. Cura de la iglesia de San Pedro de Vitoria.

EDICIONES

5324

FIESTAS que hizo el insigne convento de S. Francisco de Victoria en la octava de la fiesta de la Purisima Concepcion... Pamplona. Carlos de Labayen. 1618.

BARCELONA. *Universitaria.* C.206-7-30.

5325

SERMON predicado en la iglesia de S. Pedro de la civdad de Vitoria, en el día de su vocacion y fiesta, a ocasión de un Missacantano que huuo aquel día. Pamplona. Carlos de Labayen. 1622. 16 hs. 4.º.

—Escudo de Vitoria.—Decreto de la ciudad de Vitoria para que se imprima el Sermón.—Aprobación del franciscano Marcilla.—S. L.—L. V.—Ded. a la ciudad de Vitoria.—Texto.

Pérez Goyena, II, n.º 367.

ZARAGOZA. *Universitaria.* Varios, A-51-7.ª.

MENDOZA Y VILLASEÑOR (FRANCISCO)

EDICIONES

5326

[*SONETO*]. (En Hebas y Casado, Juan de las. *Venida de... Don Iuan de Austria a los Baños de Alhama...* Zaragoza. 1675. Prels.).

Jiménez Catalán, *Tip. zaragozana del siglo XVII*, n.º 878.

MENEBOET (NICASIUS)

EDICIONES

5327

[*AL Autor. Soneto*]. (En Fernandez, Marcos. *Olla podrida a la Española.* Amberes. 1655. Prels.).

MADRID. *Nacional.* R-7.548.

MENENDEZ
(ANTONIO BERNARDO)

EDICIONES

5328

[*GLOSSA*]. (En FIESTAS *Minervales*... Santiago. 1697, pág. 91).

MADRID. *Nacional.* 3-55.216.

MENENDEZ CARREÑO
(BARTOLOME)

N. en Oviedo. Párroco de S. Martín de Argüelles.

EDICIONES

5329

EXPLICACION del Arte de Antonio de Lebrixa, en el qual se comprehende toda la Gramatica con tanta claridad, y extension que qualquiera que procurare estudiarla podría con facilidad saberla. León. Viuda de Valdivieso. 1676. 8.º

N. Antonio.

ESTUDIOS

5330

REP: N. Antonio, I, pág. 199.

MENENDEZ FORCINES
(FRANCISCO)

Licenciado. Abogado de los Reales Consejos.

EDICIONES

5331

[*SONETO*]. (En FIESTAS *Minervales*... Santiago. 1697, pág. 66).

MADRID. *Nacional.* 3-55.216.

MENENDEZ DE VALDES (TOMAS)

EDICIONES

5332

ORACION y hieroglificos, a la limpia Concepcion de nuestra Señora, y a su santissima Assumpcion. Madrid.

Juan Gonzalez. 1629. 2 hs. + 22 fols. 20,5 cm.

—Al Lector.—Soneto de Alexandro Ortiz de Valdes al Autor. [«Diuino aliento inspira el dulce canto...»].—Texto. [«Canto la Torre de marfil luziente...»].

GRANADA. *Universitaria.* C-19-48 (3).—MADRID. *Nacional.* V.E.-163-28.—NUEVA YORK. *Hispanic Society.*

MENESCAL (LUIS)

EDICIONES

5333

[*DEDICATORIA a los Paeres y Consejo de la ciudad de Lérida*]. (En Rojas, Agustín de. *El viage entretenido.* Lérida, 1611. Prels.).

MADRID. *Nacional.* R-5.936.

MENESES (ALONSO DE)

Portugués. Correo en Castilla.

EDICIONES

5334

REPORTORIO de caminos... Añadido el Camino de Madrid a Roma. Con vn Memorial de muchas cosas sucedidas en España. Y con el Reportorio de cuentas, conforme a la nueua prematica... Alcalá de Henares. Sebastián Martínez. 1576. 83 folios. 16.º

MADRID. *Nacional.* R-4.614.

— — —

—Reprod. facsímil. Madrid. La Arcadia. 1947.

WASHINGTON. *Congreso.* 49-55260 rev.

5335

REPORTORIO de caminos. Valladolid. Viuda de Francisco de Cordoua. 1622. 16.º.

ROMA. *Vaticana.* Stamp. Barb. P.XI.149.

5336

REPORTARIO o itinerario de los más principales, y mejores caminos

de España. Con el camino de Madrid a Roma. Y el de Seuilla a Santiago de Galicia. Madrid. [s. i.]. 1650. 8 hs. + 96 fols. 8.º

—Ded. a D. Pablo Antonio de Tarsis, por Julián de Paredes.—Prólogo.—[Advertencias].—Tabla alfabética.—Texto.

Gallardo, III, n.º 3.049; Vindel, V, n.º 1.710.

PARIS. *Nationale*. Rés. O.379.

ESTUDIOS

5337

REP: N. Antonio, I, pág. 36; García Peres, págs. 374-75 y 380.

MENESES (DAMIAN DE)

N. en Galicia.

CODICES

5338

«*Morir por vivir con honra. Comedia de D. Dn. de Ms. Nl. de G.ª*».

Autógrafa. 73 hs. 4.º

«—Al templo venid...».

Paz, I, n.º 2.433.

MADRID. *Nacional*. Mss. 15.436.

5339

«——».

Letra del s. XVIII. 34 hs. 4.º

MADRID. *Nacional*. Mss. 14.938.

5340

«——».

Letra del s. XVIII. 52 hs. 4.º

MADRID. *Nacional*. Mss. 16.088.

5341

«——».

Letra del s. XVIII. 64 hs. 4.º

MADRID. *Nacional*. Mss. 16.157.

MENESES (ESTEBAN DE)

Hijo segundo del conde de Tarouca. N. y m. en Lisboa (?-1677). Gentilhombre de Felipe IV. General de Caballería.

CODICES

5342

«*Carta a D. Gaspar Gomez de Abreu.*

Santiago de Compostela, 13 de mayo de 1657»*.

Letra del s. XVII. 320 × 215 mm. De la colección Mascareñas.

Inventario, VII, pág. 57.

MADRID. *Nacional*. Mss. 2.385 (fol. 110).

5343

«*Copia de la carta que dejó escrita... al Duque de Medina de las Torres cuando se pasó a Portugal. Montes de Salvatierra, 8 febrero*».

Letra del s. XVII. 315 × 210 mm. De la colección Mascareñas.

Inventario, VII, pág. 91.

MADRID. *Nacional*. Mss. 2.390 (fols. 389-403).

EDICIONES

5344

COPIA de las Cartas qve dexo escritas en Castilla... passando a Portugal. En las quales declara la razon de su passaje, que es cumplir con la deuida obligacion de buscar el seruicio de su legitimo Rey, y Señor: Guiado del verdadero conocimiento de la justa separacion de las Coronas, y el mejor derecho de el Rey Don Affonso VI nuestro Señor, en la succession de la Corona de Portugal. Refiere la vtilidad de la separacion de las Coronas, y la impossibilidad de reunirlas por Conquistas, que es la forma, en que Castilla lo pretende. Lisboa. Henrique Valente de Oliueira. 1663. 4 hs. + 32 págs. 20,5 cm.

—Texto.

CAMBRIDGE, Mass. *Harvard University*.—CHICAGO. *Newberry Library*.—LONDRES. *British Museum*. 042.d.32. — MADRID. *Nacional*. 3-60.611; etc.—NEW HAVEN. *Yale University*.—PARIS. *Nationale*. 8ºOr.201. — WASHINGTON. *Congreso*. 35-36644.

ESTUDIOS

5345

REP: García Peres, pág. 381.

MENESES (FR. FELIPE DE)

N. en Trujillo. Dominico. Lector, Regente de estudios y Rector (1567) del Colegio de San Gregorio de Valladolid. Confesor de Santa Teresa de Jesús durante su estancia en dicha ciudad (1568-69).

EDICIONES

5346

REGLA de la Sancta Cofradia del Sagrado nombre de Dios contra la dañada costumbre de jurar con un tratado y declaracion della el quellos (sic) curar y qualquier otro la pueden predicar... Agora de añadida y con diligencia emendada. Medina del Campo. Guillermo de Millis. 1553. 80 fols. 13 cm.

CAGLIARI. Universitaria. Misc. 1547/2.

5347

LVZ del alma christiana contra la ceguedad y ygnorancia en lo que pertenesce a la ley de Dios, y de la Yglesia, y los remedios y ayuda que el nos dio para guardar su ley. En el qual tractado se da tambien luz assi a los confessores, como a los penitentes, para administrar deuidamente el sacramento tan nescessario de la Penitencia. [Valladolid. Francisco Fernandez de Cordoua]. [1554]. 148 folios + 1 h. 19 cm.

—Summa de lo que contiene este tratado.—Prologo. A D. Pedro de Lagasca, obispo de Palencia.—Diuision del tractado.—Texto.—Colofón.

MADRID. Facultad de Filología. 3.031.

5348

LVZ del alma christiana contra la ceguedad e ignorancia, en lo que pertenece a la fe y ley de Dios, y de la yglesia... Medina del Campo. Guillermo de Millis. 1555 [1556, postrero día de febrero]. 147 fols. + 1 h. 4.º

—Summa de lo que contiene este tractado. Prólogo.—División del tractado.—Texto.—Colofón.—Escudo del impresor.

Pérez Pastor, Medina, n.º 128.

BARCELONA. Seminario Conciliar. Res. 310.—LONDRES. British Museum. 4498.dd.—MADRID. Facultad de Filología. 9.448. Municipal. R-462. Nacional. R-956.—VALLADOLID. Universitaria. 13.288.

5349

LUZ del alma christiana... Sevilla. Martín de Montesdoca. 1555. 129 folios + 1 h. 4.º.

Gallardo, III, n.º 3050.

MADRID. Academia Española. R-82. Nacional. R-24.109.—SEVILLA. Universitaria. 112-12 (2).

5350

LUZ del alma christiana, contra la ceguedad e ygnorancia, en lo que pertenesce a la Fe y Ley de Dios, y de la Yglesia, y los remedios y ayuda que El nos dio para guardar su Ley. En el qual se da luz assi a los confessores, como a los penitentes, para administrar el Sacramento de la penitencia. Sevilla. Sebastian Trugillo. 1564 [4 de mayo]. 148 fols. 19,5 cm.

—E.—Pr.—L. O.—Suma de lo que contiene este tractado.—Prologo, dirigido a D. Pedro de la Gasca, obispo de Palencia.—Texto.—Colofón.

CORDOBA. Pública. 31-51.—GRANADA. Universitaria. A-14-229.—MADRID. Nacional. R-5.192.—PARIS. Nationale. Rés. D.80203. — SALAMANCA. Universitaria.

5351

——. Medina del Campo. Francisco del Canto. 1567. 152 fols. 19 cm.

—S. Pr. (1566).—Suma de lo que contiene este tratado.—Prologo...—División del tratado.—E.—Texto.—E.

Pérez Pastor, Medina, n.º 146.

MADRID. Facultad de Filología. 1.787. Palacio Real. III-4.328.—SEVILLA. Universitaria. 69-40.

5352

LUZ del alma christiana, contra la ceguedad e ignorancia, en lo que pertenesce a la fe y Ley de Dios, y de la Iglesia y los remedios y ayuda *que el nos dio para guardar su ley. En el qual se da luz assi a los confessores, como a los penitentes para administrar el sacramento de la penitencia.* Alcalá de Henares. Iuan de Villanueva. A costa de Luys Gutierrez. 1567. 4 hs. + 151 fols. 4.º.

—L.—Suma de lo que contiene este tratado.—Prologo dirigido a D. Pedro de la Gasca, obispo de Palencia.—Texto.—Colofón.

J. Catalina García, *Tip. complutense,* número 411.

MADRID. *Nacional.* R-23.816.—ROMA. *Vaticana.* Stamp. Barb. U.IX.121.

5353

——. Medina del Campo. Francisco del Canto. 1570. CXLIIII fols. 8.º.

No hallada por Pérez Pastor.

BARCELONA. *Convento de Capuchinos de la Avda. del Generalísimo, n.º 450. Vitrina. Universitaria.* B. 28-5-16. — TOLEDO. *Pública.* 3.707.—ZARAGOZA. *Universitaria.* H-6-132.

5354

——. Sevilla. Martín de Montesdoca. 1570.

N. Antonio.

5355

——. Salamanca. Pedro Lasso. 1578. 294 fols. 8.º

SANTIAGO DE COMPOSTELA. *Universitaria.*

5356

——. Medina del Campo. Francisco del Canto. A costa de Pedro Landry. 1582. 294 fols. + 2 hs. 8.º.

Pérez Pastor, *Medina,* n.º 197.

LONDRES. *British Museum.* 851.a.5.—MADRID. *Nacional.* U-10.338.

5357

——. Valladolid. Diego Fernández de Córdova. 1590. 409 fols. + 1 h. 15 cm.

No citada por Alcocer.

MADRID. *Consejo. Instituto «M. de Cervantes».*—SAN LORENZO DEL ESCORIAL. *Monasterio.*

23-V-25.—VALENCIA. *Colegio del Corpus Christi.* 1767a.

ESTUDIOS

5358

MANO, JOSE DE LA. *Fray Felipe de Meneses.* (En *La Ciencia Tomista,* XVI, Salamanca, 1917, págs. 14-30, 304-20; XVII, 1918, págs. 15-22, 150-157, 265-73; XVIII, págs. 6-20).

5359

REP: N. Antonio, II, pág. 253.

MENESES (FERNANDO DE)

N. en Lisboa (1614). Segundo conde de Ericeira. Consejero de Estado y Guerra. M. en 1669.

CODICES

5360

«No es desengaño el desprecio».

Comedia, con loa y bailes (La Barrera).

EDICIONES

OBRAS PORTUGUESAS

5361

VIDA, e accoens d'el rey D. Joaõ I... Lisboa. Joaõ Galvaõ. 1677. 32 hs. + 427 págs. 20 cm.

CAMBRIDGE, Mass. *Harvard University.*—CHICAGO. *Newberry Library.*—LONDRES. *British Museum.* 10632.aaa.19.—LOS ANGELES. *University of California.* — MADRID. *Nacional.* 3-21.248.—PARIS. *Nationale.* 4ºOr.19.

5362

HISTORIA de Tangere... Lisboa. Offic. Ferreiriana. 1732. 22 + 304 páginas. 20 cm.

CAMBRIDGE, Mass. *Harvard University.*—CHICAGO. *Newberry Library.*—LONDRES. *British Museum.* 581.i.22.—PARIS. *Nationale.* 4ºO³j.35.

OBRAS LATINAS

5363

HISTORIARUM Lusitanarum... Lisboa. J . A. de Sulva. 1734. 2 vols. con ilustr.

CAMBRIDGE, Mass. *Harvard University.*—CHI-
CAGO. *University of Chicago.*—LONDRES. *Bri-
tish Museum.* 804.h.14.—MADRID. *Facultad de
Filología.* 10.718/19. *Nacional.* 3-32.448/49.—
PARIS. *Nationale.* Rés. Or. 104.

TRADUCCIONES

a) CASTELLANAS
5364
*HISTORIA de Tánger durante la
dominación portuguesa. Traducción
del P. Buenaventura Díaz. Tánger.
Tip. Hispano-Arábiga de la Misión
Católica. 1940. 256 págs. 24 cm.*

CHARLOTTESVILLE. *University of Virginia. —*
LOS ANGELES. *University of California.*—NASH-
VILLE. *Joint University Libraries.*

ESTUDIOS
5365
REP: N. Antonio, I, pág. 381; La Barrera,
pág. 251; García Peres, pág. 381.

MENESES (FILIBERTO DE)

CODICES
5366
*«Relacion y tragedia de Argel... En
Argel... en este año de 1633, a quatro
de Diciembre lunes».*

Lttra del s. XVII. 4 hs. 4.º Dirigida al
duque de Medina Sidonia.

MADRID. *Academia de la Historia.* 9-3.493/21.

**MENESES
(FRANCISCO XAVIER DE)**
Conde de Ericeyra.

EDICIONES
5367
[AL Autor. Soneto]. (En Sousa Moreyra, Manuel de. *Theatro historico...*
Paris. 1694. Prels.).

5368
[ROMANCE]. (En idem).

MENESES (JUANA JOSEFA)
N. en Lisboa (1651). Casó con el historia-
dor Luis de Meneses, tío suyo y conde de
Ericeira. Camarera mayor de la reina de
Inglaterra D.ª Catalina, cuando ésta, ya
viuda, regresó a Portugal. M. en 1709.

CODICES
5369
*«Romance... ao irimeu, ou Perilam-
po».*

Letra de fines del XVIII. 4.º En un tomo
de papeles varios en portugués y en latín.
«A ti volatil insecto...».

Roca, n.º 1.012.

MADRID. *Nacional.* Mss. 17.875, págs. 215-17
(ex libris de Gayangos).

EDICIONES
5370
*DESPERTADOR del Alma, al sueño
de la Vida. En voz de un advertido
desengaño. Dale a la estampa Apolinario de Almada (seud.). Lisboa. Manuel Lopes Herrera. 1695. 10 hs. +
150 págs. 18,5 cm.*

—Al que leyere.—Soneto del Conde da Ericeyra. [«Despertador, que en clausulas
sonoras...»]. — Romance endecasilabo de
S. P. V. [«Docto papel, que a numeros
sonoros...»].—Apr. en portugués, de Joseph da Cunha Brochado.—Licenças.—
Texto. [«Carissima prision, vinculo estrecho...»].

Gallardo, I, n.º 137; Serrano y Sanz, número 156.

MADRID. *Nacional.* R-4.148; R-14.267 (sin portada); etc.—NUEVA YORK. *Hispanic Society.*
PARIS. *Nationale.* Yg. 166.—SANTANDER. «Menéndez y Pelayo». R-V-8-18.—SEVILLA. *Colombina.* 21-2-38.—WASHINGTON. *Congreso.* 35-
31159.

5371
——. Lisboa. Manuel Lopes Herrera.
1698. 150 págs. 4.º

LONDRES. *British Museum.* 11451.ee.30.

OBRAS PORTUGUESAS
5372
*PANEGYRICO ao governo da Sere-
nissima Senhora Duqueza de Saboya*

Maria Ioanna Baptista de Saboya recitado pelo Abbade de sua Alteza Real na Academia de Turim aos 13 de Mayo de 1680... Lisboa. Ioaõ Galvaõ. 1680. 4.º

5373

REFLEXOENS sobre a Misericordia de Deos em forma de Soliloquios por huma peccadora arrependida, compostas em Frances por Sor Luiza da Misericordia... traduzidas em Portuguez. Lisboa. Miguel Deslandes. 1694. 8.º

ESTUDIOS

5374

REP: Barbosa, II, págs. 555-57; La Barrera, pág. 251; Serrano y Sanz, II, págs. 57-59; García Peres, págs. 382-83.

MENESES (FR. LORENZO DE)

Mercedario.

EDICIONES

5375

EPITOME de la vida del inclito y esclarecido padre San Pedro Pascual de Valencia, Obispo de Jaen, y Martir de Granada, de la Orden Real y Militar de Nuestra Señora de la Merced... Córdoba. Andrés Carrillo. 1673. 12 hs. 4.º

—Ded. a D. Gomez de Tordoya y Figueroa, en verso.—Texto. [«No invoco a Clío, ni el favor imploro...»].

Gallardo, III, n.º 3.052.

CORDOBA. *Pública.* 4-55.

MENESES (LUIS DE)

N. en Lisboa (1632). Conde de la Ericeyra. Se suicidó en 1690.

EDICIONES

5376

COMPENDIO panegirico de vida, e acçoens do Excellentissimo Senhor

Luis Alvarez de Tavora, Conde de S. Ioão... Escrito por ——... Oraçam funebre que prégou nas suas Exequias... Fray Luis da Sylva... Varios versos dedicados ao mesmo assumpto. Lisboa. Antonio Rodriguez d'Abreu. 1674. 4 hs. + 195 págs. 19,5 centímetros.

—Ded. a D. Antonio Luis de Tavora, Conde de S. Ioaõ, etc.—Soneto en portugués del Marques de Fronteira.—E.—Licenças.—*Compendio...* (págs. 1-49).—Poesías (páginas 51-167).—*Oraçam funebre...* (páginas 169-95).

Contiene las siguientes poesías en castellano:

1. *Soneto de Pedro de Quadros.* [«La estrella, que en el dia mas luziente...»]. (Página 86).

2. *Soneto de Fr. Andres de Christo.* [«Este de Portugal soberbio Atlante...»]. (Página 87).

3. *Soneto del mismo.* [«Este que aliento fue del fuerte Luso...»]. (Pág. 88).

4. *Soneto de Pedro Valejo.* [«Viste Licio, aquel Joven animoso...»]. (Pág. 89).

5. *Otro del mismo.* [«Suspende el passo, Peregrino errante...»]. (Pág. 90).

MADRID. *Nacional.* 2-61.516.—NUEVA YORK. *Hispanic Society.*—PARIS. *Nationale.* 4ºO2.154 (3)

5377

EXEMPLAR de virtvdes morales en la vida de Jorge Castrioto, llamado Scanderbeg, principe de los epirotas, y albaneses. Lisboa. Miguel Deslandes. A costa de Antonio Leyte Pereira. 1688. 23 hs. + 312 págs. 19 cm.

—Ded. a la ilustre y esclarecida juventud portuguesa.—Prologo. Al Lector.—Soneto del Marques de Arronches. [«Desta imbidia del Sol, pasmo del arte...»].—Otro de Carlos de Noroña. [«Con pluma altiva, estilo no imitado...»].

CAMBRIDGE, Mass. *Harvard University.*—LISBOA. *Ajuda.* 20-III-52.—MADISON. *University of Wisconsin.*—MADRID. *Academia de la Historia.* 3-3-5-2.694. *Facultad de Filología.* 14.844. *Nacional.* 2-19.315. *Palacio Real.* V-70.—NUEVA YORK. *Hispanic Society.*—PARIS. *Nationale.* J. 5937.—WASHINGTON. *Congreso.* 37-22407.

Poesías sueltas

5378

[*EN aplauso de la Loa con que se celebraron los felicissimos cinco Años que cumple el... Principe de Portugal... Soneto pentametro*]. (En Plana, Pedro José de la. *Lustral celebridad...* Lisboa. 1694. Prels.).

MADRID. *Nacional.* R-12.724.

5379

[*EN aplauso de la festiva representación que sirvió de preludio a la comedia que se executó en casa de... D. Manuel de Oms y de Santa Pau... Soneto*]. (En Plana, Pedro José de la. *Concurso festivo de las Gracias...* Lisboa. 1695. Prels.).

MADRID. *Nacional.* T-15.035[21].

5380

[*ROMANCE*]. (En Plana, Pedro Jose de la. *Preludio encomiastico y representacion panegirica con que la familia del... Marques de Castel dos Rios... continua en celebridad de el feliz dia, en que el... Principe D. Juan cumple sus quatro... años.* Lisboa. 1693. Prels.).

MADRID. *Academia de la Historia.* 9-29-1-5741.

OBRAS PORTUGUESAS

5381

HISTORIA de Portugal restaurado. Lisboa. J. Galvão. 1679-98. 2 vols. 33 cm.

CHICAGO. *Newberry Library.* — LONDRES. *British Museum.* 593.i.12,13.—MADRID. *Consejo. Patronato «Menéndez Pelayo».* 1-507. *Facultad de Filología.* 28.256 [el I]. *Nacional.* 2-64.135/6.—PARIS. *Nationale.* Fol. Or. 101.— SANTIAGO DE COMPOSTELA. *Universitaria.* — SEVILLA. *Universitaria.* 146-32. — WASHINGTON. *Congreso.* 26-11797.

5382

——. Lisboa. 1710.

LONDRES. *British Museum.* 182.g.10.

5383

——. Lisboa. D. Rodrigues. 1751-59. 4 vols.

BERKELEY. *University of California.*—CHICAGO. *Newberry Library.*—GAINESVILLE. *University of Florida.*—LONDRES. *British Museum.* 1060. c.15-18.—MADRID. *Academia de la Historia.* 5-4-8-1798/801.—NEW HAVEN. *Yale University.* NUEVA YORK. *Public Library.* — URBANA. *University of Illinois.*

5384

——. Porto. Livr. Civilização. 1945-1946. 4 vols. 22 cm.

MADRID. *Nacional.* 6-11.276.—WASHINGTON. *Congreso.* A46-3364.

ESTUDIOS

5385

REP: García Peres, págs. 383-84.

MENESES (FR. LUIS DE)

Dominico. Lector de Teología en el convento de Atocha de Madrid. Predicador real.

EDICIONES

5386

[*APROBACION. Madrid, 9 de septiembre de 1671*]. (En Arcos, Francisco de. *La sabia de Coria...* Madrid. 1671. Prels.).

V. *BLH*, V, n.º 4001.

MENESES (MANUEL DE)

N. en Campa Mayor, Portugal. Cronista mayor (1618) y Cosmógrafo mayor de dicho Reino. Capitán general de la Armada Real de Portugal, en 1625 mandó la que rescató de los holandeses la ciudad de Bahía. M. en 1628.

CODICES

5387

«*Recuperaçao da cidade do Salvador*».

Letra del s. XVII. 50 fols. Fol. Cuartero-Vargas Zúñiga, XXI, n.º 34.114.

MADRID. *Academia de la Historia.* 9-550.

EDICIONES
5388
RELACION de la armada del año 1626... Lisboa. 1627.
García Peres.

ESTUDIOS
5389
REP: García Peres, págs. 384-85.

MENESES (PEDRO DE)
Doctor. Alcalde Mayor de Granada y Sevilla.

EDICIONES
5390
[AL Autor. Decimas]. (En Pacheco de Narvaez, Luis. Historia exemplar de las dos constantes mugeres españolas. Madrid. 1635. Prels.).
MADRID. Nacional. R-4.550.

MENESES (RODRIGO DE)
EDICIONES
5391
[SONETO]. (En Arceo, Francisco. Fiestas reales de Lisboa... Lisboa. 1619. Prels.).
V. BLH, V, n.º 3982.

5392
[AL Autor. Soneto]. (En Mendez Silva, Rodrigo. Vida y hechos heroicos del gran Condestable de Portugal D. Nuño Alvarez Pereyra... Madrid. 1640. Prels.).
MADRID. Nacional. 2-1.727.

MENESES DE AVENDAÑO (LUIS)
EDICIONES
5393
DECLARACION del Pater noster, y Auè Maria, aora nueuamente compuesta: Por... Iuan Martinez Siliceo... Traduzida de latin en castellano, por un su criado y capellan. Toledo. Iuan Ferrer. 1551, 54 fols. 14 cm.

—Escudo y mote de Martinez Siliceo.—Al lector.—Poesía. [«Mira (si miras) amigo lector...»].—Ded. al Principe D. Philippe, por el autor.—Texto.—Fol. 53r: Soneto de un amigo del interprete, al lector. [«El buen Luys Meneses de Auendaño...»] Fols. 53v-54r: Poesía latina de Francisco de Vargas.—Colofón.

El nombre del traductor figura en la poesía final.
SAN LORENZO DEL ESCORIAL. Monasterio. 36-V-57.

MENESES BRACAMONTE (BERNARDINO)
EDICIONES
5394
RELACION de la vitoria, que han tenido las armas de Su Magestad, ... en la Ciudad de S. Domingo, Isla Española, contra la Armada Inglesa de Guillermo Pen. Embiada por... Don —— conde de Peñalua, Presidente de la Real Audiencia de aquella ciudad... [Sevilla. Iuan Gomez de Blas]. [1655] 2 hs. a 2 columnas. Fol.
No citado por Escudero.
SEVILLA. Universitaria. 111-122 (86).

MENESES MOSCOSO (MANUEL DE)
Caballero de Calatrava.

EDICIONES
5395
[HALLANDOSE rico un Galan, se despide de su Dama sin moralidades. Romance]. (En ACADEMIA que se celebró en Badajoz en casa de Don ——... Madrid. 1684, fols. 11v-12v).
V. BLH, IV, n.º 1584 (6).

MENEZES
V. MENESES

MENOR (ALONSO)

Doctor en ambos Derechos. Caballero de San Juan.

EDICIONES

5396

AVISOS a Principes y Governadores en la gverra, y en la paz: Sacados de Sentencias, y Exemplos de la Sagrada Escritura. Zaragoza. Pedro de la Naxara. 1647. 4 hs. + 131 fols.

—Apr. de Guillen Centellas.—Ded. al Dr. Ioseph Micaeli y Marques.—De D. Iuan de Velasco y Cardona: en razon del assunto.—Texto.

Jiménez Catalán, *Tip. zaragozana del siglo XVII*, n.º 1.387, no le vio.

MADRID. *Academia de la Historia*. 2-5-9-2774. *Nacional*. 3-38.246.—ROMA. *Vaticana*. Stamp. Barb. P.VI.56.

ESTUDIOS

5397

REP: N. Antonio, I, pág. 36.

MENOR (FR. DIEGO)

EDICIONES

5398

[APROBACION. *Madrid, 20 de julio de 1631*]. (En Drexelio, Hieremias. *Horas del relox del... Angel de la Guarda*. Trad. por Alonso Cortés. Madrid. 1631. Prels.).

MADRID. *Nacional*. 2-11.088.

MENTRIDA (FR. ALONSO DE)

Agustino.

EDICIONES

5399

RITUAL para administrar los Santos Sacramentos, sacado casi todo del Ritual Romano, y lo demas del Ritual Indico. Con algunas advertencias necessarias para la administracion de los Santos Sacramentos. Con una declaración sumaria de lo que las Religiones Mendicantes pueden en las Indias, por Privilegios Apostolicos, los quales se traen a la letra. Recopilado por ——... para servicio, y uso de los Ministros de su Orden en estas Islas Philipinas. Y nueuamente mando imprimir... Hanse añadido muchas Bendiciones. Manila. En la Impr. de la Compañía de Jesus, por Simón Pinpin. 1669. 6 hs. + 216 págs. 19,5 cm.

—Ded. a Fr. Pedro de Arce, Governador del arçobispado de Manila, etc. (1630).— A Fr. Dionisio Suarez, Provincial de Filipinas del Orden de San Agustin, Fr. Juan de Panes (1669).—L. de la Audiencia y Chancillería Real de Filipinas.—Apr. de Fr. Diego de San Roman.—L. V.—L. O.— E.—Tabla general.—Texto.—Indice.

SEVILLA. *Universitaria*. 77-54.

MEÑACA (DOCTOR)

EDICIONES

5400

[GLOSA]. (En Ibarra, Juan Antonio de. *Encomio de los ingenios sevillanos*. Sevilla. 1623, fols. 40v-41v).

MADRID. *Nacional*. 1-107.535.

MERA (PABLO DE)

N. en Torralva.

EDICIONES

5401

TRATADO del compvto general de los tiempos, conforme a la nueua reformacion, necessario para los Eclesiasticos y Seglares. Madrid. Por los de la Compañía. 1614. 6 hs. + 512 páginas + 2 hs. 20 cm.

—T.—E. (ninguna).—S. Pr. al autor por diez años.—Censura.—Carta ded. a D. Francisco de Sandoval y Rojas, Duque de Lerma, etc., cuyo escudo va en la port.—De Amicicia.—Prologo.—Epistola al Licdo. Estevan de Torralva.—Respuesta de este.—Soneto de Marcos Bernardo. [«El procurar saber al hombre incita...»]. Soneto en dialogo de Diego de Oriçar. [«—Tienes de oy mas España un libro de oro...»].—Soneto de Geronimo Martinez. [«Si en vuestra juuentud la lança en mano...»].—El Autor, al Duque de Lerma. Soneto. [«Gran Duque mi señor, aqui presenta...»].—Soneto de Iusepe de Mera y Verdugo, nieto del autor. [Labrador que tan alto oy has bolado...»].—Soneto de Francisco de Arcas. [«Concedo, aunque parezcan impossibles...»].—Texto. Tabla.

Picatoste, n.° 473; Pérez Pastor, *Madrid*, II, n.° 1.287.

BARCELONA. *Universitaria.* C.206-6-26. — GRANADA. *Universitaria.* A-3-179. — MADRID. *Academia de la Historia.* 3-1-4-446. *Nacional.* R-8.450. — NUEVA YORK. *Hispanic Society.* — SEVILLA. *Universitaria.* 91-83.

5402

——. Madrid. Por los de la Compañía. 1619. 6 hs. + 512 págs. + 2 hs. 20 cm.

—T. (1614).—S. Pr. (1617).—Censura del Dr. Gutierre de Cetina (1610).—Carta Ded. a D. Francisco de Sandoual y Rojas, duque de Lerma, cuyo escudo va en la portada.—De amicicia.—Prologo.—Epistola al Licdo. E. de Torralva.—Respuesta.—Soneto de Marcos Bernardo.—Soneto de D. de Oriçar.—Soneto de G. Martinez.—Soneto del Autor al duque de Lerma.—Soneto de J. de Mesa y Verdugo.—Soneto de F. de Arcas.—Texto.—Tablas.

No citado por Pérez Pastor.

SEVILLA. *Universitaria.* 142-26.

ESTUDIOS
5403

REP: N. Antonio, II, pág. 162.

MERA CARVAJAL (FERNANDO DE)

Licenciado. Colegial del Mayor de Santa Cruz de Valladolid. Catedrático de Cánones de su Universidad. Provisor y Vicario general del obispado de Cuenca.

EDICIONES
5404

INFORMACION en derecho. Por el vnico y singvlar patronato del glo-

rioso Apostol Santiago Zebedeo, Patron, y Capitan general de las Españas. Con la Sagrada Religión de Carmelitas Descalços. Sobre el nvevo compatronato destos Reynos, que pretende para la gloriosa Virgen Santa Teresa de Iesus. Cuenca. Saluador de Viader. 1628. 31 fols. 20,5 centímetros.

—Texto.

MADRID. *Nacional.* V.E.-211-54.—SEVILLA. *Colombina.* 18-7-34.

5405

INFORMACION en derecho, sobre quitar el reço de patrona de España a la Santa Theresa de Iesus y borrar las insignias y blasones deste patronato hecha por ——. Cuenca. Salvador de Viader. 1631.

NUEVA YORK. *Hispanic Society.* (Dos ejemplares).

MERAS Y SOLIS
(MATEO ANTONIO DE)

EDICIONES
5406

[ROMANCE heroico]. (En RELACIÓN de las exequias que en la muerte de... Felipe IV... hizo la Universidad de Oviedo. Madrid. 1666, págs. 255-260).

MADRID. *Nacional.* 2-39.356.

MERCADER (CRISTOBAL)

EDICIONES
5407

[DEZIMAS]. (En Cerdaña, Francisco Tomás de. *Breve tratado de Orthographía Latina y Castellana...* Valencia. 1645. Prels.).

MADRID. *Nacional.* 3-3.189.

MERCADER (FR. CRISTOBAL)

Cronista de la provincia de Valencia. Predicador real.

EDICIONES

5408

VIDA admirable del siervo de Dios, Fray Pedro Esteve, Predicador Apostolico y Comissario de Ierusalen, en la Santa Provincia de S. Francisco de Valencia. Valencia. Francisco Cuesta. 1677. 4 hs. + 386 págs. + 2 hojas. 20,2 cm.

—Dictamen de Fr. Cosme Pavia.—Censura de Fr. Chrisostomo Bernabeu.—Texto.—Indice de libros y Capitulos.

LONDRES. *British Museum.* 4866.c.—MADRID. *Nacional.* 2-69.843.

ESTUDIOS

5409

REP: Ximeno, II, pág. 92.

MERCADER (GASPAR)

N. y m. en Valencia (1568-1630). Familiar de la Inquisición (1587). Conde de Buñol y de Cerbellón.

CODICES

5410

[*Poesías, piezas teatrales y un vejamen en prosa*].

Letra del s. XVII. 188 fols. 205 × 150 mm. Perteneció a S. Estébanez Calderón.

MADRID. *Nacional.* Mss. 3.983.

5411

«*De la piedad nace amor*».

Letra del s. XVIII. 22 hs. 4.º Procede de la biblioteca ducal de Osuna.

«—¡Jo! ¡Barcino!—¡Jo, Melampo!...».

Paz, I, n.º 933.

MADRID. *Nacional.* Mss. 16.331.

5412

«*No puede haver dos que se amen*».

Letra del s. XVII. 60 hs. 215 × 150 mm.

«—No llegará a admitirse afecto alguno...».

Simón Palmer, n.º 446.

BARCELONA. *Instituto del Teatro.* Mss. 82.649.

5413

«*No puede haber dos que se amen*».

Zarzuela. Letra del s. XVIII. 426 hs. 4.º Perteneció a Durán.

«—No llegará a admitirse afecto alguno...».

Paz, I, n.º 2.582.

MADRID. *Nacional.* Mss. 14.764.

5414

«——».

Letra del s. XVIII. 72 hs. (falta la primera). 4.º Perteneció a La Barrera.

MADRID. *Nacional.* Mss. 14.838.

5415

[*Poesías*].

En *Cancionero de Duque de Estrada.* Letra del s. XVII.

1. *Soneto a una vida descompuesta.* (Folio 90v).
2. *Romance a un amante quexoso.* (Folio 121r).

NAPOLES. *Nazionale.* I-E-49.

5416

«*Poesías Varias de el Conde de Buñol y Zeruellón*».

Año 1697. 283 fols. 203 mm.

Rodrígue Moñino-Brey, II, págs. 292-96.

NUEVA YORK. *Hispanic Society.* Mss. CLXXIX.

5417

«*Residuo Poetico, en que se contienen algunas cosas curiosas de las muchas que compuso el Ilte. Sor. D. ——...*».

Copia de 1780. 210 × 150 mm.

Roca, n.º 717.

MADRID. *Nacional.* Mss. 17.527.

5418

«*Retrato Politico del S.ºr Rey D.ⁿ Alonso el 8.º...*».

Letra del s. XVIII (1734). 61 hs. 215 × 145 mm. Perteneció al marqués de Valdeolmos.

MADRID. *Nacional.* Mss. 11.218.

EDICIONES

5419

PRADO (El) de Valencia. Valencia. Pedro Patricio Mey. 1600. 8 hs. + 352 páginas. 14,5 cm.

—Pr.—Apr. del Dr. Pedro Iuan Assensio.— Ded. a D.ª Catalina de la Cerda y de Sandoual, Duquesa de Lerma, etc.—Prólogo.

MADRID. *Nacional.* R-1.182.

5420

——. Valencia. Pedro Patricio Mey. A costa de Francisco Miguel y Iuseph Ferrer. 1601. 8 hs. + 352 págs. 14,5 cm.

Salvá, II, n.º 291.

LONDRES. *British Museum.* C.63.a.17.—MADRID. *Nacional.* R-1.526. — NUEVA YORK. *Hispanic Society.*—SANTANDER. *«Menéndez Pelayo».* R-V-2-12.

5421

PRADO (El) de Valencia. Edition critique avec une introduction, des notes et un appendice par Henri Mérimée... Toulouse. Imp. E. Privat. 1907. CIX + 238 págs. + 1 h. + 1 facs. 21 cm. (Bibliothèque Meridionale, 1.ª Serie, II).

a) P[az] y M[elia], A., en *Revista de Archivos, Bibliotecas y Museos,* XVII, Madrid, 1907, págs. 139-40.

SANTANDER. *«Menéndez y Pelayo».* 7.149. (con ded. de Mérmeé).

5422

RETRATO Político de el señor rey Don Alfonso VIII. Valencia. Francisco Mestre. 1679. 8 hs. + 136 págs. 19,2 cm.

—Censura de Juan Luis López.—Ls.—Ded. a Carlos II.—Texto.

CORDDOBA. *Pública.* 27-38.—MADRID. *Academia Española.* 2-VIII-3; etc. *Academia de la Historia.* 2-1-3-97; 14-8-8-5.721; etc. *Facultad de Filología.* 35.865; etc. *Nacional.* 2-59.982. *Palacio Real.* VIII-1.563.—MONTPELLIER. *Municipale.* 9282. — SAN LORENZO DEL ESCORIAL. *Monasterio.* M.8-II-11.—SEVILLA. *Colombina.* 91-3-17. *Universitaria.* 20-58; 142-27; etc.— VALLADOLID. *Universitaria.* 9.157.

5423

——. Barcelona. Rafael Figueró. 1697. 10 hs. + 76 págs.

BARCELONA. *Universitaria.*—MADRID. *Academia de la Historia.* 5-4-8-1.887.

5424

RETRATO político del Señor Rey Don Alfonso el VIII. Valencia. 1700. (En VARIOS *eloquentes libros, recogidos en uno...* Valencia. 1700, páginas 1-52).

V. *B.L.H.,* IV, 2.ª ed., n.º 323.

— — —

—Valencia. 1711.
—Valencia. 1714.
—Madrid. 1722.
—Madrid. 1726.
—Madrid. 1729.
—Valencia. 1755.
—Madrid. 1755.
—Valencia. 1771.

5425

——. Madrid. Pedro Joseph Alonso y Padilla. 1744. 124 págs. + 2 hs. 8.º

Poesías sueltas

5426

[POESIAS]. (En Tarrega, Francisco. *Relación de las fiestas de Valencia... en la translación de la reliquia de S. Vicente Ferrer...* Valencia. 1600).

1. *Poesia.* (Págs. 23-31).
2. *Soneto.* (Pág. 61).
3. *Estancias.* (Págs. 89-92).
4. *Redondillas.* (Págs. 279-81).

MADRID. *Nacional.* R.12414.

5427

[POESIAS]. (En Gomez, Vicente. *Relacion de las... fiestas que hizo... Valencia, a la canonización del bienaventurado S. Raymundo de Peñafort...* Valencia. 1602).

1. *Romance.* (Págs. 210-14).
2. *Soneto.* (Págs. 253-54).
3. *Romance.* (Págs. 277-79).

VALENCIA. *Universitaria.* A-119-6.

5428

[OCTAVAS]. (En JUSTAS poeticas hechas a devocion de D. Bernardo Catalán de Valeriola. Valencia. 1602, páginas 224-25).

MADRID. Nacional. R-8779.

5429

[DEL Conde de Buñol a la ciudad de Valencia. Soneto]. (En Aguilar, Gaspar de. Fiestas que... Valencia ha hecho por la beatificación del Santo Fray Luys Bertrán... Valencia. 1608. Prels.).

V. BLH, IV, n.º 2486.

5430

[AL Rey nuestro Señor. Soneto]. (En Aguilar, Gaspar de. Expulsión de los moros de España... Valencia. 1610. Preliminares).

MADRID. Nacional. R-12.484.

5431

[OTAVAS]. (En Martínez de la Vega, Jerónimo. Solenes y grandiosas Fiestas que... Valencia a hecho por la Beatificación de... D. Tomás de Villanueva... Valencia. 1620, páginas 481-82).

V. n.º   .

5432

[A la fabula de Endimión y la Luna. Soneto]. (En ACADEMIA que se celebró en... Valencia... Valencia. 1685, pág. 42).

V. BLH, IV, n.º 1585 (23).

5433

[POESIAS]. (En CANCIONERO de la Academia de los Nocturnos de Valencia... Valencia. 1905-12).

1. Estancias a un galán muy favorecido de dos damas. (I, págs. 93-94).
2. Carta de un galán ausente a una dama mudable. (I, págs. 95-97).
3. Cuartetos de un galán a una señora que le favorecía y no le quería escribir. (II, págs. 122-24).

4. Soneto de impusibles. (II, págs. 124-25).
5. Romance desafiando a un competidor. (IV, págs. 96-98).
6. Estancias de un galan a una dama mudable. (IV, págs. 98-99).
7. Soneto a los Santos Inocentes.

MADRID. Nacional. I-66.772/75.

ESTUDIOS

Elogios

5434

VEGA, LOPE DE. [Elogio]. (En Jerusalén conquistada. Madrid. 1609, folio 496r).

MADRID. Nacional. R-30.647.

5435

CLARAMONTE CORROY, ANDRES. [Elogio]. (En Letanía moral. Sevilla. 1613).

V. BLH, VIII, n.º 4420.

5436

HERRERA MALDONADO, FRANCISCO DE. [Elogio del conde de Buñol]. (En Sannazaro, J. Sanazaro Español. Los tres libros del Parto de la Virgen... Tradución... por —. Madrid. 1620, fol. 57).

5437

CASTRO, GUILLEN DE. A Don Gaspar Mercader. (En sus Obras. Tomo III. Madrid. 1925, pág. 571).

MADRID. Nacional. T.i.-134.

5438

REP: N. Antonio, I, págs. 529-30; Ximeno, I, pág. 293; Martí Grajales, págs. 300-4.

MERCADER (JERONIMO)

N. en Valencia (1553). Primo de Gaspar Mercader.

EDICIONES

5439

[SONETO al Autor]. (En Antist, Bartolomé. Almanach... Valencia. 1580. Prels.).

MADRID. Nacional. R-4.262.

5440

[*SONETO*]. (En Ponce, Felipe. *Historia, milagros, y admirables cosas, y peregrinas, de... sancta Catharina... Reina de Egipto...* Valencia. 1585. Preliminares).

MADRID. *Nacional.* R-2.885.

5441

[*POESIAS*]. (En Mercader, Gaspar. *El Prado de Valencia.* Valencia. 1600).

1. *Soneto con estrambote.* (Prels.).
2. *Alabando el secreto. Soneto.* (Pág. 74).
V. n.º 5419.

5442

[*POESIAS*]. (En Tarrega, Francisco. *Relación de las fiestas... de Valencia... en la translación de la reliquia de S. Vicente Ferrer.* Valencia. 1600).

1. *Quintillas.* (Págs. 82-85).
2. *Quintillas.* (Págs. 173-75).
3. *Quintillas.* (Págs. 121-28).
4. *Quintillas.* (Págs. 247-52).
MADRID. *Nacional.* R-12.414.

5443

[*POESIAS*]. En Gomez, Vicente. *Relacion de las... fiestas que hizo... Valencia, a la canonizacion del bienaventurado S. Raymundo de Peñafort...* Valencia. 1602).

1. *Quintillas.* (Págs. 127-130).
2. *Redondillas.* (Págs. 176-178).
3. *Redondillas.* (Págs. 309-312).
4. *Redondillas.* (Págs. 396-398).
VALENCIA. *Universitaria.* A-119-6.

5444

[*POESIAS*]. (En Gomez, Vicente. *Los sermones y fiestas que... Valencia hizo por la beatificación de... S. Luys Bertrán.* Valencia. 1609).

1. *Canción Italiana.* (Págs. 107-9).
2. *Poesia.* (Págs. 160-62).
3. *Canción Italiana.* (Págs. 395-97).
4. *Redondillas.* (Págs. 452-59).
MADRID. *Nacional.* R-14.652.

ESTUDIOS

5445

REP: Martí Grajales, págs. 304-6 (con documentos).

MERCADER (PEDRO)

EDICIONES

5446

CASO memorable y digno de eterna memoria, acaecido a una Dama de mala vida en el Reyno de Francia, sobre que pidio un Espejo a un Religioso, y el le truxo una calavera: la qual despues acabó su vida al servicio de Dios y de su Madre Bendita. Barcelona. Esteban Liberos. 1629. 2 hs.

BARCELONA. *Instituto Municipal de Historia.* 1629-8.º (op) 6.

MERCADER Y CALATAYUD (MANUEL)

Maestro en Artes. Doctor en Teología. Catedrático de Griego de la Universidad de Valencia. Arcediano de Alcira en su catedral y Examinador sinodal del arzobispado.

EDICIONES

5447

TIERNO dolor. Oracion funebre, y leal afecto, en las exequias, que celebró la Real Cofradia de Nuestra Señora de la Assumpcion de la Seo de Valencia, por el Señor Don Carlos II. Rey de las Españas (que Dios goza) en su Real Casa, y Hospital de Pobres Sacerdotes enfermos, Viernes dia 3. de Deziembre de este Año de 1700. Valencia. Diego de Vega. [s. a.]. 4 hs. + 15 págs. 18,5 cm.

—Ded. a la Virgen, en su milagrosa Imagen de la Assumpcion, de la Seo de Valencia, por el Prior y Oficiales de la Cofradia.—Apr. de Fr. Geronymo Monterde. Apr. de Estevan Dolz del Castellar.—Texto.

MADRID. *Nacional.* V.E.-123-7.

MERCADER Y CARROZ (GASPAR)

Conde de Buñol.

EDICIONES

5448

[*OCTAVAS*]. (En Martinez de la Vega, Geronimo. *Solenes y grandiosas Fiestas...* Valencia. 1620, págs. 481-483).

MADRID. *Nacional.* R-10.717.

MERCADER Y PEDRIÑAN (JAIME)

EDICIONES

5449

[*DOS Sonetos*]. (En Riquelme de Montalvo, Rodrigo. *Las reales exequias que... Murcia... celebró a... Margarita de Austria...* Orihuela. 1612. Prels. y fol. 173*v*).

MADRID. *Nacional.* R-8.933.

MERCADO (JERONIMO DE)

CODICES

5450

«*Notable inundacion de la gran Ciudad de Mexico año de 1629. Desta Relacion se colige el gran daño que esta ciudad ha padecido. Mexico, 26 de enero de 1630*».

Letra del s. XVII. 305 × 215 mm.
Inventario, VI, pág. 398.

MADRID. *Nacional.* Mss. 2.362 (fols. 267*r*-268*v*).

MERCADO (JORGE DE)

CODICES

5451

«*Calendario de cosas acaecidas en Ubeda*».

N. Antonio.

ESTUDIOS

5452

REP: N. Antonio, I, pág. 539.

MERCADO (LUIS)

N. en Valladolid (1520). Doctor. Protomédico general y Médico de Cámara de Felipe II. M. en 1606.

CODICES

5453

«*De la naturaleza y condiciones de la peste... Martorell, 4 de julio de 1599*».

Letra del s. XVIII. 174 hs. 203 × 149 mm.
MADRID. *Archivo de Campomanes.* 7-17.

EDICIONES

5454

INSTITVCIONES qve sv Magestad mando hazer al Doctor Mercado su Medico de Camara, y Protomedico general, para el aprouechamiento y examen de los Algebristas. En las quales se declaran las diferencias que ay de coyunturas, y los modos que puede auer de desconcertarse. Assi mismo, como se pueden y deuen reduzir a su figura y lugar. Madrid. Pedro Madrigal. 1599. 4 hs. + 62 fols. 20,5 cm.

—Pr. al autor por diez años.—Al lector.— Tabla de los Capítulos.—Texto.

Gallardo, III, n.º 3.054; Salvá, II, n.º 2.721; Pérez Pastor, *Madrid*, I, n.º 633.

FILADELFIA. *College of Physicians.* — MADRID. *Academia Española.* S.C.=6-A-95. *Facultad de Medicina.* 1-7-22; etc. *Nacional.* R-4.112. MINNEAPOLIS. *University of Minnesota.*—NUEVA YORK. *Hispanic Society.* — WASHINGTON. *U.S. National Library of Medicine.*

5455

LIBRO, en qve se trata con claridad la naturaleza, causas, prouidencia, y verdadera orden y modo de curar la enfermedad vulgar, y peste que en estos años se ha diuulgado por toda España. Pvesto por el Doctor Mercado... en lengua vulgar, y traduzido del mismo que antes auia hecho en lengua Latina, con cosas de grande importancia añadidas, y vn quinto

Tratado, en esta segunda impression.
Madrid. Licdo. Castro. 1599. 4 hs. +
153 fols. + 1 h. 14,5 cm.

—Escudo real.—Pr. al autor.—Al Lector.—
Texto.—Colofón.

Pérez Pastor, *Madrid*, I, n.º 634.

FILADELFIA. *College of Physicians.*—GRANADA.
Univeristaria. A-18-414.—MADRID. *Facultad de
Medicina.* 616.923.M.621.R. *Nacional.* R-7.843.
Palacio Real. III-642. *Particular de D. Bar-
tolomé March.* 63/5/5.—PALMA DE MALLORCA.
Fundación Bartolomé March Servera.—SE-
VILLA. *Universitaria.* 33-155. — WASHINGTON.
U.S. National Library of Medicine.

5456

——. Madrid. Carlos Sánchez. 1648.
4 hs. + 128 fols. 15 cm.

Salvá, II, n.º 2.722.

MADRID. *Academia Española.* S.C.=5-B-73.
Facultad de Medicina. R.616.923m.62. *Nacional.* R-23.542. — WASHINGTON. *U.S. Nationale Library of Medicine.*

5457

*LIBRO (El) de la peste. Con un pró-
logo preliminar acerca del autor y
sus obras del Dr. Nicasio Mariscal.*
Madrid. Julio Cosano. 1921. 405 págs.
8.º (Biblioteca Clásica de la Medicina
Española, 1).

ANN ARBOR. *University of Michigan.* — CAM-
BRIDGE, Mass. *Harvard University.* — GRA-
NADA. *Universitaria.* Cat. H.ª de la Medi-
cina, H-363. — MADRID. *Academia Española.*
S.C.=6-A-101. *Facultad de Medicina.* 616.9m.
621; etc. *Nacional.* 4-20.105.

OBRAS LATINAS

5458

...OPERUM. Valladolid. In aedibus
eiusdem Auctoris. 1604 [el I] y Luis
Sanchez. 1605 [el II]. Madrid. Thomas Iunta. 1594 [el III] y Valladolid. Iuan de Rueda. 1613 [el IV].
4 vols. Fol.

Sobre el extraño proceso de esta primera
edición, comenzada por el tomo III, véase
Palau, IX, n.º 164.991, que enumera el contenido de cada tomo.

Alcocer, n.º 466.498; Pérez Pastor, *Madrid,*
I, n.º 442.

GRANADA. *Universitaria.* A-28-151 [el III]. —
MADRID. *Facultad de Medicina.* R61/M621;
etc. *Nacional.* 6.i.-1933; etc. [el I]; 3-32.513
[el II]; 3-32.515 [el III]. *Palacio Real* [el
III].—MALAGA. *Pública* [el III].—MILAN. *Universitaria.* Alf. Ant. H.2 [el III].—VALLADO-
LID. *Universitaria.* Santa Cruz, 12.384-85 [I-
II]; 15.725 [el III].—ZARAGOZA. *Universitaria* [el III].

5459

*OPERA omnia... Cum praefatione ac
encomio Ioannis Hartmanni Beyeri...*
Francfort. E Collegio Musarum No-
uenarum Paltheniano. 1608-14. 5 vols.
36 cm.

Palau, IX, n.º 164.993.

LONDRES. *British Museum.* 541.i.3-5 (1).—LYON.
Municipale. 107.406. — MADRID. *Facultad de
Medicina.* R61/M621 [el II].—PARIS. *Natio-
nale.* Fol.T²⁵.32.—WASHINGTON. *U.S. National
Library of Medicine.*

5460

OPERA omnia. Venecia. Apud Bernardum Juntam, oJan. Bapti. Ciottum, et Socios. 1609. 3 vols. Fol.

Palau, IX, n.º 164.992.

MADRID. *Facultad de Medicina.* R61/M621.
Nacional. Fol.T²⁵.32A.—PARIS. *Nationale.* Fol.
T²⁵.32A.

5461

OPERVM... Francfort. Typ. Hartmanni Palthenii. 1619-20. 3 vols.

CHICAGO. *John Crerar Library.*—MADRID. *Fa-
cultad de Medicina.* R61/M621. *Particular de
D. Bartolomé March.* 55-1-3 (I-IV). — NEW
HAVEN. *Yale University. Medical School Li-
brary.*—PARIS. *Nationale.* Fol.T²⁵.32B (1-3).—
VALLADOLID. *Universitaria.* 4.740/42. — WASH-
INGTON. *U.S. National Library of Medicine.*

5462

METODUS dedendi. Valladolid. 1572.
8.º

N. Antonio.

Reed. en *Operum.* Tomo II. Valladolid.
1605, págs. 1-29.

5463

DE communi et peculiari praesidiorum artis medicae indicatione. Valladolid. Diego Fernández de Cordoua. 1574. 8 hs. + 654 págs. + 13 hs. 30 centímetros.

MADRID. *Facultad de Medicina.* R61/M62m.— NEW HAVEN. *Yale University. Medical School Library.*—NUEVA YORK. *New York Academy of Medicine.*

———

—Colonia. Joannem Baptistam Ciottum. 1588. 15 + 952 + 63 págs« 16,5 cm.

WASHINGTON. *U.S. National Library of Medicine.*

—Colonia. 1592. 8.º

Palau, IX, n.º 164.999.

5464

LIBELLUS de essentia, causis, signis et curatione febris malignae... Valladolid. D. F. de Córdoba. 1574. 128 fols. 14 cm.

BOSTON. *Countwag Library of Medicine.* — MADRID. *Facultad de Medicina.* R616.922/ M62l; etc.—PARIS. *National.* 8ºTd⁶².1.—SALAMANCA. *Universitaria.* 35.972.

—*De Febrium esentia differentiis, causis, dignotione et curatione Libri sex...* Valladolid. Bernardo de Santo Domingo. 1586. 22 hs. + 455 págs. 19 cm.

Alcocer, n.º 317.

MADRID. *Facultad de Medicina.* 36-7-33; etc.— NEW HAVEN. *Yale University. Medical School Library.* — VALLADOLID. *Universitaria.* S.C.= 12.417.—WASHINGTON. *U.S. National Library of Medicine.*

—*Libellus de essentia...* Basilea. Conradus A. Waldkirch. 1594. 203 págs. 18 cm.

ABERDEEN. *University Library.*—LONDRES. *British Museum.* 1166.d.21 (3). — PARIS. *Santa Genoveva.* 8.8º1002 inv. 2985. — SALAMANCA. *Universitaria.* 35.883.—WASHINGTON. *U.S. National Library of Medicine.*

—*De Febre Maligna...* Ed. de N. Russo, en Vidii, Vidi. *De Febribus libri VII...* Patauii. 1595, págs. 10-483.

5465

DE mulierum affectionibus. Valladolid. D. Fernández de Córdoba. 1579.

4 hs. + 528 págs. + 11 hs. 20 cm. Alcocer, n.º 287.

LONDRES. *British Museum.* 778.g.3.—MADRID. *Facultad de Medicina.* R618/M62l.—NEW HAVEN. *Yale University. Medical School Library.*—URBINA. *Universitaria.* F-III-9.

——

—Venecia. F. Valgrisium. 1587. 528 págs. 26 cm.

FILADELFIA. *College of Physicians.—Jefferson Medical College.*—MINNEAPOLIS. *University of Minnesota.* — NEW HAVEN. *Yale University. Medical School Library.*—PARIS. *Nationale.* 4ºTd³⁵.11.—WASHINGTON. *U.S. National Library of Medicine.*

—*Tomo IV. Gynaeciorum libri IIII. De Morbis Mulierum communibus...* Basilea. Per Conradun Vvaldkirch. 1588. 4 hs. + 567 págs. + 8 hs. Fol.

MADRID. *Nacional.* R-28.861.—MILAN. *Universitaria.* Alf. Ant. N.13².

—Madrid. Tomás Iunta. 1594. 543 págs. 30 centímetros.

MADRID. *Facultad de Medicina.* R.618.1/M62l/ R. — VALLADOLI. *Universitaria.* Santa Cruz, 5.572; etc.—WASHINGTON. *U.S. National Library of Medicine.*—ZARAGOZA. *Universitaria.*

—Venecia. Juan Guerilium. 1597. 12 hs. + 528 págs. 23 cm.

MADRID. *Nacional.* R-28.974. — WASHINGTON. *U.S. National Library of Medicine.*

—Venecia. Apud Societatem Venetam. 1602. 10 hs. + 475 págs. 21 cm.

NUEVA YORK. *New York Academy of Medicine.*—WASHINGTON. *U.S. National Library of Medicine.*

—Francfort. E Collegio Musarum Paltheniano. 1608. 2 hs. + 451 + 761 págs. + 25 hs. 33,5 cm.

BOSTON. *Countway Library of Medicine.*

—Francfort. Typis Hartmanni Palthenii. 1620. 2 hs. + 451 + 754 págs. + 36 hs. 33,5 cm.

BOSTON. *Countway Library of Medicine.* — MADRID. *Facultad de Medicina.* 618/M62l/.— VALLADOLID. *Universitaria.* Santa Cruz, 4.737.

5466

DE pulsus arte et harmonia libri duo. Valladolid. Diego Fernández de Córdoba. 1584. [Colofón: 1583]. 19 hs. + 264 págs. + 1 h. 4.º

Alcocer, n.º 307.

BURGOS. *Pública.*—MADRID. *Facultad de Medicina.* 616-07/m.62.l; etc. *Nacional.* R-28.981. *Particular de D. Bartolomé March.* 63/9/7.—MURCIA. *Universitaria.*—PARIS. *Nationale.* 4°Td¹⁶.2.

— — —

—*De pulsus arte & harmonia...* Valladolid. Didacus Ferdinandez à Corduba. 1584. 2 hs. + 262 págs. 21 cm.

BOSTON. *Countway Library of Medicine.* — NUEVA YORK. *New York Academy of Medicine.*

—*De Pulsibus libri duo.* Patavii. Apud Paulum Meiettum. 1592. 10 hs. + 184 fols. 20 cm.

IOWA CITY. *University of Iowa.*—MADRID. *Nacional.* R-29.009. — PARIS. *Santa Genoveva.* T.4°148³ inv. 370.—URBANA. *University of Illinois.* — WASHINGTON. *U.S. National Library of Medicine.*

5467

DE communi et peculiari praesidiorum artis medicae indicatione. Valladolid. 1588. Fol.

— — —

—*Libri II de communi...* Colonia. I. B. Ciotti. 1568. 8.°

ABERDEEN. *University Library.*

—Idem. 1588. 952 págs.

PARIS. *Nationale.* 8°Te¹⁷.60.

5468

INSTITVTIONES Medicae ivssv regio factae pro Medicis in praxi examinandis. Madrid. Luis Sánchez. 1594. 214 fols. 15 cm.

Pérez Pastor, *Madrid*, I, n.° 441.

BOSTON. *Countway Library of Medicine.* — BURGOS. *Pública.*—CAMBRIDGE, Mass. *Harvard University.*—MADRID. *Facultad de Medicina.* 61/M621/R. *Nacional.* R-29.066. *Particular de D. Bartolomé March.* 63/6/1. — MINNEAPOLIS. *University of Minnesota.* — PALMA DE MALLORCA. *Fundación Bartolomé March Servera.*—VALLADOLID. *Universitaria.* 9.067.

5469

INSTITVTIONES Chirvrgicae ivssv regio factae pro chirvrgis in praxi examinandis. Madrid. Luis Sánchez. 1594. 4 hs. + 112 + 83 fols. 15 cm.

Pérez Pastor, *Madrid*, I, n.° 440.

CORDOBA. *Pública.*—LONDRES. *British Museum.* 544.c.9.—MADRID. *Facultad de Medicina.* 10-7A-42; etc. *Nacional.* R-28.624. *Palacio Real.* IX-5.751.—SALAMANCA. *Universitaria.*—SEVILLA. *Universitaria.* — WASHINGTON. *U.S. National Library of Medicine.*

— — —

—Francfort. Sumptibus haeredum ₹ Palthenii. 1619. 100 págs.

PARIS. *Nationale.* Fol.T²⁵.32.18.(5).

5470

PRAXIS medica... Venecia. Apud Bernardum Juntam. 1608. 6 hs. + 624 págs. + 34 hs. 32 cm.

BOSTON. *Countway Library of Medicine.* — ITHACA. *Cornell University.* — WASHINGTON. *U.S. National Academy of Medicine.*

— — —

—Idem. 1610.

NEW HAVEN. *Yale University. Medical School Library.*

5471

CONSULTATIONES morborum, complicatorum et grauissimorum cum disputationibus necesariis ad naturam cujusque morborum capessendum praesagium et curationem. Quibus accedunt libri duo De puerorum educatione custodia et providentia; atque morborum qui ipsis accedunt curatione. Valladolid. Juan de Rueda. 1613. [Colofón: 1612]. 288 + 171 págs.

Gallardo, III, n.° 3.055; Alcocer, n.° 574.

GRANADA. *Universitaria.* A-29-155.—VALLADOLID. *Universitaria.* 5.572-2L.

— — —

—Francfort. Collegio Musarum Palmeniano. 1614. [Colofón: 1615]. 8 hs. + 291 páginas + 16 hs. 37 cm.

BOSTON. *Countway Library of Medicine.* — LYON. *Municipale.* 134.517.—PARIS. *Nationale.* Fol.T²⁵.32.C.—WASHINGTON. *U.S. National Library of Medicine.*

5472

...INSTITVTIONES ad usum & examen eorum, qui luxatoriam exercent

artem... *Ex Hispanico idiomate in latinum vertit Carolus Piso...* Francfort. Hartin. Palthenii. 1625. 4 hs. + 38 págs. con ilustr. 27 cm.

BOSTON. *Countway Library of Medicine.*— CHICAGO. *John Crerar Library.* — LONDRES. *British Museum.* 541.i.5.(2).—PARIS. *Nationale.* Fol.T²⁵.32.B (6). — WASHINGTON. *U.S. National Academy of Medicine.*

ESTUDIOS

De conjunto

5473

RIERA, JUAN. *Vida y obra de Luis Mercado.* Salamanca. Universidad. 1968. 110 págs. con ilustr. 25,5 cm.

MADRID. *Nacional.* V-7.095-19.

Biografía

5474

RIERA, J. *Luis Mercado (1525-1611) en la Universidad de Valladolid.* (En *IV Congreso Español de Historia de la Medicina. Actas.* Tomo III. Granada. 1975, págs. 285-88).

Iconografía

5475

SANCHEZ CANTON, FRANCISCO JAVIER. *Sobre el retrato de Luis Mercado.* (En *El Siglo Médico,* LXVIII, Madrid, 1921, págs. 875-77).

INTERPRETACIÓN Y CRÍTICA

5476

LOPEZ CORONEL, PASCUAL. *Discvrso en el qval se explican algvnas proposiciones del capitulo 20 de visus debilitate, del libro primero de morbis in ternis, del Doctor Luys de Mercado...* [s. l.-s. i.]. 1611. 2 hs. + 26 fols. 19,5 cm.

MADRID. *Nacional.* V.E.-55-25.

5477

MARAÑON, GREGORIO. *Algunos comentarios a la edición de Mariscal de «El libro de la peste» del Doctor Mercado.* (En *El Siglo Médico,* LXX, Madrid, 1922, págs. 389-91, 417).

5478

FERNANDEZ-RUIZ, CESAR. *Aspectos ginecológicos de la obra del Doctor Luis de Mercado.* (En *Clínica. Boletín de la Academia de Internos.* Valladolid. 1954, n.º 28, págs. 7-16).

5479

MUSTO, D. F. *The theory of hereditary disease of Luis Mercado.* (En *Bulletin of the History of Medicine,* XXXV, Barcelona, 1961, págs. 346-373).

5480

LOPEZ PIÑERO, JOSE MARIA. *Luis Mercado y la traumatología renacentista: las instituciones para el aprovechaminto y examen de los algebristas (1599).* (En *Revista Española de Cirugía oste-articular,* I, Valencia, 1966, págs. 281-88).

ESTUDIOS

5481

REP: N. Antonio, II, pág. 50.

MERCADO (PEDRO DE)

Caballero. Vecino de Medina del Campo.

EDICIONES

5482

SEGUNDA comedia de Celestina... La qual comedia fue corregida y emendada por... ——*...* Medina del Campo. 1534.

En unas *Coplas* Mercado declara el nombre del autor,, que es Feliciano de Silva.

V. SILVA (FELICIANO DE)

MERCADO (PEDRO DE)

Doctor. Médico y filósofo. Profesor de la Universidad de Granada.

EDICIONES

5483

DIALOGOS de Philosophia natural y moral. [Granada. Hugo de Mena y Rene Rabut]. [1558, 8 de febrero]. 184 hs. 15 cm. gót.

—Pr. al autor por diez años.—Epistola. [Ded. a D. Pedro Guerrero, arzobispo de Granada, cuyo escudo va en la portada].—Texto.—Parecer de Fr. Gabriel de Santoyo.—Colofón.

Salvá, II, n.º 3.946; Vindel, V, n.º 1.712.

BARCELONA. *Central.* Esp. 73-8.º. — BOSTON. *Countway Library of Medicine.* — MADRID. *Facultad de Medicina.* R1/M62p. *Nacional.* R-1.025.—MANNHEIM. *Universitaria.*—WASHINGTON. *U.S. National Library of Medicine.*

5484

——. Granada. Hugo de Mena. 1574. 139 fols. + 1 h. 15 cm.

Vindel, V, n.º 1.713.

BARCELONA. *Universitaria.* B.4-5-8. — LONDRES. *British Museum.* 8706.a.10.—MADRID. *Academia de la Historia.* 1-2-3-784. *Nacional.* R-1.427.—NEW HAVEN. *Yale University. Medical School Library.*—NUEVA YORK. *Hispanic Society.*—PARIS. *Nationale.* R.12750.—SALAMANCA. *Universitaria.*

OBRAS LATINAS

5485

De febrium differentis, tearumq. causis, signis, medela. Granada. In aedibus A. Nebrissensis. [1582]. 312 págs. + 2 hs. 19 cm.

BARCELONA. *Universitaria.*—BOSTON. *Countway Library of Medicine.*—LONDRES. *British Museum.* 1166.e.13.(3).—MADRID. *Facultad de Medicina.* 616.911/M.62 P/R. *Nacional.* R-29.152. PARIS. *Nationale.* 4ºTd⁶⁰.32. — WASHINGTON. *U.S. National Library of Medicine.*

ESTUDIOS

5486

MASIP ACEVEDO, J. *Comentarios al quinto de los «Diálogos de Filo-sofía natural y moral»* de Pedro Mercado. (En *Revista de la Universidad de Oviedo*, I, Oviedo, 1940, págs. 39-69).

5487

S[ANCHEZ] GRANJEL, LUIS. *Los «Diálogos» de Pedro Mercado.* (En *Revista Portuguesa de Medicina*, V, Lisboa, 1957, págs. 225-34).

Reed. en *Médicos españoles.* Salamanca. Universidad. 1967, págs. 75-92.

5488

REP: N. Antonio, II, pág. 216.

MERCADO (P. PEDRO DE)

Jesuita.

EDICIONES

5489

OBRAS espirituales... Amsterdam. [s. i.]. 1699. 3 hs. + 418 págs. + 3 hs. 4.º

—L. V. (Cádiz, 1693).—L. O. (Baeza, 1692).— Apr. de Antonio de Rojas y Angulo.— Apr. de Mateo de Legerburu.—Texto.

Gallardo, III, n.º 3.056.

MERCADO (P. PEDRO DE)

N. en Riobamba, diócesis de Quito (1618). Jesuíta desde 1636. Provincial de Quito. M. en Bahía (1701).

EDICIONES

5490

DESTRUCCION del Idolo, Qué dirán? Madrid. Pablo de Val. 1655. 215 págs. + 11 hs. 24.º

Palau, IX, n.º 165.036.

5491

PALABRAS de la Virgen Maria N. S. Sacadas del Sagrado Euangelio. Madrid. Ioseph de Buendía. 1660. 16 hs. + 457 págs. + 4 hs. 16.º

—Ded. a D.ª Juana de Borja, marquesa de Montealegre.—L. O.—Parecer de F. Miguel de Cárdenas.—L. V.—Apr. de Fr. Pedro de Alba y Astorga.—S. L.—S. T.—

E.—91 devoto de Nuestra Señora.—Prologo.—Texto.—Títulos de que se compone este tratado.

Medina, *Biblioteca hispano-americana*, III, n.º 1.318.

5492

——. Madrid. 1661. 16.º

N. Antonio.

5493

OCUPACIONES santas de Quaresma. Madrid. 1667. 16.º

N. Antonio.

5494

METODO de obrar espiritualmente. Madrid. 1655. 16.º

5495

METODO de obras con espiritv. Madrid. Ioseph Fernandez de Buendia. 1662. 16 hs. + 483 págs. + 3 hs. 16.º

—Ded. al P. Gosunino Niquel.—Remission. L. V.—Apr. del P. Agustin de Castro.— Apr. del P. Julián de Pedraza.—S. Pr. por diez años (1654).—T.—E.—Texto.— Tabla de los párrafos deste libro.

Medina, *Biblioteca hispano-americana*, III, n.º 1.344.

MADRID. *Nacional.* 3-52.532.

5496

CRISTIANO (El) virtuoso. Con los actos de todas las virtudes que se hallan en la santidad. Madrid. Ioseph Fernandez de Buendia. A costa de Lorenço Ibarra. [s. a.]. 7 hs. + 212 folios + 3 hs. 15 cm.

¿De 1673?

—Ded. a D. Sebastian Merchan de Velasco, Cura beneficiado de Oicata, etc. (encabezada por su escudo).—L. O.—Apr. del P. Tomás Sanchez.—L. V.—Censura de Estevan de Aguilar y Zuñiga.—Pr. a Lorenço de Ibarra por diez años.—E.—S. T.—Texto.—Indice de los capitulos.

Medina, *Biblioteca hispano-americana*, III, n.º 1.549.

CHICAGO. *Newberry Library.*—LONDRES. *British Museum.* 851.a.19.(2).—MADRID. *Facultad de Filología.* 2.959. *Nacional.* 3-60.281.

5497

PRACTICA de los Ministerios Eclesiasticos. Sevilla. Juan de Ossuna. 1676. 4 hs. + 277 págs. + 5 hs. 15,5 centímetros.

—Ded. a San Ignacio.—Prefacio al Lector. Texto.—Tabla de todo el contenido.

Medina, *Biblioteca hispano-americana*, III, n.º 1.615.

GRANADA. *Universitaria.* A-39-321; etc.—MADRID. *Facultad de Filología.* 16.566. *Nacional.* 2-60.031.—SANTIAGO DE COMPOSTELA. *Universitaria.*—VALLADOLID. *Universitaria.* 13.599.

5498

RECETAS de Espiritu para enfermos del cuerpo. Sevilla. Juan Cabeças. 1681. 7 hs. + 239 págs. 14 cm.

—Ded. a Juan Antonio Cabeça de Baca.— Censura de Luis de Ayllon.—L. V.—Indice de Recetas.—Texto.

Escudero, n.º 1.810; Medina, *Biblioteca hispano-americana*, III, n.º 1.718.

MADRID. *Nacional.* 2-19.818.—SEVILLA. *Universitaria.* 862-92.

5499

DIARIO sagrado, medios para tener buenas Pasquas, buenos dias y buenas noches. Madrid. [?].

N. Antonio.

5500

HISTORIA de la provincia del Nuevo Reino y Quito de la Compañía de Jesús. Bogotá. Empresa Nacional de Publicaciones. 1957. 4 vols. 25 cm. (Biblioteca de la Presidencia de Colombia, 35-38).

LONDRES. *British Museum.* X.100/15982.— MADRID. *Nacional.* H.A.-40.045/48.

5501

——. *Tomo II. Libro VIII. De la Mision de los Llanos.* (En DOCUMENTOS *jesuíticos relativos a la historia de la Compañía de Jesús en Vene-zuela.* Caracas. 1966, págs. 1-141).

TRADUCCIONES

a) ITALIANAS

5502

DISTRUTTIONE dell' Idolo Che dir? opera... dallo Spagnuolo nell' Italiano trasportata. Venecia. Gio. Giacomo Hertz. 1670. 160 págs. 16.º

— — —

—2.ª ed. Génova. Antonio Casamara. 1711. 155 págs. 16.º

b) LATINAS

5503

EXCIDIUM idoli Quid dicent homines? Viena. 1679.

Palau, IX, n.º 165.036.

ESTUDIOS

5504

PERALTA MONTSERRAT, ROURE. *El vocabulario religioso de la obra «Historia de la provincia del Nuevo Reino y Quito de la Compañía de Jesús» por el P. Pedro del Mercado, jesuita criollo del siglo XVII.*

Tesis de State University of New York at Buffalo. 1981. 370 págs. 4.º

Resumen en *Diss. Abstr.*, A, XLII, 1981-82, pág. 197.

ESTUDIOS

5505

REP: N. Antonio, II, págs. 216-17; IHSI, en DHEE, III, pág. 1473.

MERCADO (RODRIGO DE)

Presbítero.

CODICES

5506

«*Soneto*».

En López Osorio, Juan. *Ystoria... de medina del Campo...* Letra del s. XVI. Prels. V. *BLH*, XIII, n.º 3.350.

MERCADO (FR. TOMAS)

N. en Sevilla. Dominico. Residió cierto tiempo en Méjico y volvió a su ciudad natal. M. en 1575.

EDICIONES

5507

TRATOS y contratos de mercaderes y tratantes discididos y determinados por ——... Salamanca. Mathias Gast. 1569. 14 hs. + 249 fols. + 14 hs. 21 cm.

—T.—Pr.—L. O.—Censura de Fr. Mantio. Decreto de Fr. Iuan de Gueuara.—Decreto de Francisco Sancho.—Decreto de Fr. Alonso Çorrilla.—Decreto de Fr. Alonso de la Vera Cruz.—Decreto del Dr. Fuentidueña.—Censura de Fr. Luys de León. Censura de Fr. Diego Rodriguez.—Parecer de Fr. Bernardino de Aluarado.—Epistola nuncupatoria. Al insigne y celebre consulado de Mercaderes de Seuilla.—Prologo.—Tabla de los Capitulos.—Texto.—La tabla de todas las materias, documentos, y puntos principales que ay en estos quatro libros.

Salvá, II, n.º 3.703.

5508

SUMMA de tratos, y contratos... Añadidas... muchas nuevas resoluciones, y dos libros interos. Sevilla. Hernando Diaz. 1571. 12 hs. + 228 fols. + 16 hs. 20 cm.

—Pr. de Castilla.—Pr. de Aragon.—L. O. (1568), etc.

Salvá, II, n.º 3.704; Escudero, n.º 652; Vindel, V, n.º 1.714.

cional. R-5.771. *Palacio Real.* III-5.487. — MINNEAPOLIS. *University of Minnesota.*—NUEVA YORK. *Hispanic Society* y *Public Library.* ORIHUELA. *Pública.* 40-4-17. — SAN LORENZO DEL ESCORIAL. *Monasterio.* 33-V-8.—SEVILLA. *Colombina.* 108-1-44. *Universitaria.* 102-42. — VALLADOLID. *Universitaria.* 11.045; etc.—WASHINGTON. *Congreso.* 42-6677.

5509

——. *Añadidas a la primera adicion* (sic) *mvchas nueuas resoluciones y dos libros enteros.* Sevilla. Fernando Díaz. A vosta de Diego Núñez. 1586. 10 hs. + 375 fols. + 1 h. 19 cm.

CAGLIARI. *Universitaria.* Ross. D.288.

5510

——. *Añadidas a la primera edicion,* muchas nueuas resoluciones. Y dos libros enteros... Sevilla. Fernando Díaz. A costa de Diego Núñez. 1586. 375 fols. 4.º.

Escudero, n.º 754.

BARCELONA. *Universitaria.* B.70-4-19.—DURHAM. *Duke University.*—LONDRES. *British Museum.* 5384.bb.20.—MADRID. *Academia Española.* 14-VII-12. *Nacional.* R-450.—NEW HAVEN. *Yale University.*—NUEVA YORK. *Columbia University* y *Public Library.*—PARIS. *Nationale.* Z. 5983.—SANTIAGO DE COMPOSTELA. *Universitaria.* SEVILLA. *Colombina.* 114-3-9. *Universitaria.* 85-91.—WASHINGTON. *Congreso.* 1-18405.—ZARAGOZA. *Universitaria.* H-12-56.

OBRAS LATINAS

5511

COMMENTARII lucidissimi in textum Petri Hispani. Ytem opusculum argumentorum selectorum in primum et secumdum librum Summularum. Sevilla. Fernando Díaz. 1571. 6 hs. + 97 + 38 fols. Fol.

Escudero, n.º 653.

BARCELONA. *Universitaria.* B. 4-3-2.—GRANADA. *Universitaria.* A-28-159.—SEVILLA. *Universitaria.* 147-103.

5512

Yn logicam magnam Aristotelis commentarii cum nova translatione tex-

tus, et cum opusculo argumentorum. Sevilla. Hernando Díaz. 1571. 2 hs. + 100 fols. a 2 cols.

Escudero, n.º 654.

SEVILLA. *Universitaria.* 102-135.

TRADUCCIONES

a)   ITALIANAS

5513

De' negotii, et contratti; de mercanti et de negotianti... Brescia. P. M. Marchetti. 1591.

Toda, *Italia,* III, n.º 3.275.

CAMBRIDGE, Mass. *Harvard University. Graduate School of Bussines.* — CHICAGO. *Newberry Library.* — *University of Chicago.* — LOS ANGELES. *University of California.*—MILAN. *Universitaria.* 75.C.1023.—NUEVA YORK. *Columbia University.* — URBINO. *Universitaria.* Sc. Giur. L-I-15.

5514

REP: N. Antonio, II, pág. 310; Méndez Bejarano, II, n.º 1.058.

MERCADO (FR. VICENTE)

Agustino. Maestro graduado por Salamanca. Difinidor de la provincia de Casctilla y Presidente de su Capítulo.

EDICIONES

5515

[*APROBACION. Madrid, 19 de octubre de 1689*]. (En Silvestre, Francisco Antonio. *Fundación historica de los Hospitales que la Religion de la Santissima Trinidad... tiene en la Ciudad de Argel.* Madrid. 1690. Preliminares).

MADRID. *Nacional.* 2-68.651.

5516

[*APROBACION. Madrid, 29 de abril de 1694*]. (En Aranda, Gabriel de. *Vida de la V. M. Soror Isabel de San Francisco...* Sevilla. 1694. Prels.).

MADRID. *Nacional.* 3-61.488.

MERCADO Y MENDOZA (GREGORIO DE)

Escribano Mayor de sacas y cosas vedadas y Aduanas de Jerez de la Frontera.

EDICIONES

5517

RELEVANTES *demostraciones con qve la Nobilissima Civdad de Xerez de la Frontera manifestó en obseqvios sv lealtad, y amor en festivovs aplavsas, al cvmplimiento de los catorce, y felices años de el Rey... Carlos II... Jerez de la Frontera. Iuan Antonio Taraçona. 1676. 16 hs. 4.º*

—Ded. a D. Pedro Pacheco de Zuñiga, Corregidor de Xerez de la Frontera, etc., precedida de su escudo.—Soneto de Fernando de Torres.—Sonto de Juan Cristobal de la Cueva.—Soneto de Antonio de Rojas y Angulo.—Soneto de Jacinto de Mendoza Hurtado.—Decimas de Ambrosio de Rojas y Angulo.—Texto (en verso).

Gallardo, III, n.º 3.057; Rodríguez-Moñino, *Jerez*, n.º 34.

NUEVA YORK. *Hispanic Society.*

MERCADO Y QUIÑONES (ANTONIO DE)

EDICIONES

5518

[*APROBACION. Jaén, 8 de enero de 1626*]. (En Bonilla Calderón, Andrés de. *Sermón de la Inmaculada Concepcion de la Virgen N. S. Baeza. 1626. Prels.).*

CORDOBA. *Pública.* 4-117.

MERCADO Y SOLIS (LUIS DE)

N. en Córdoba.

EDICIONES

5519

TRATADO *apologetico de la vida y virtvdes de el venerable varón el P. Cosme Muñoz Presbytero, Fundador del Colegio de N. Señora de la Piedad de Niñas Guerfanas, de... Cor-*

doua. Cordoba. Andres Carrillo. 1654. 16 hs. + 80 fols. + 2 hs. 20,5 cm.

—E.—Apr. del Dr. Pantaleon Gonçalez.—Apr. de Fr. Pedro de la Epiphania.—L.—Ded. a D. Francisco Luis Antonio Fernandez de Cordoua, caballero de Calatraua, etc., y a D.ª Maria Sidonia Carrillo de Mendoça, hija de los Condes de Priego. (Con datos genealógicos).—Soneto de Fr. Francisco de Zayas. [«Señor D. Luis holgara ser Poeta...»].—Soneto de Fr. Damián de Granada. [«La que incitó el estruendo de Farsalia...»].—Soneto de Alonso Carrillo Laso de Guzman. [«En Ara ardiente de luciente llama...»].—Decima de Alonso de Burgos. [«Por solo aver encontrado...»].—Soneto de Diego de Aguayo. [«Cosme murió, y oy Lauro, el docto acierto...»].—Soneto de Pedro Mesía de la Cerda. [«Pluma gentil, si no Pinzel valiente...»].—A el lector.—Texto. Protestación.—Tabla de los capitulos.

Ramírez de Arellano, I, n.º 1.109.

CORDOBA. *Pública.* 10-109 y 129; etc.—MADRID. *Nacional.* 3-19.913.

5520

——. Córdoba. Estevan de Cabrera. 1719. 22 hs. + 270 págs. + 3 hs. 8.º

Valdenebro, n.º 360.

ESTUDIOS

5521

REP: Ramírez de Arellano, I, pág. 334.

«MERCURIO veloz...»

EDICIONES

5522

MERCURIO *veloz, y veridico de los sucessos y noticias más principales, y generales de Europa, por medio del correo de Flandes, que llegó a esta Ciudad de Zaragoza el Sabado a 10 de Noviembre deste año de 1696 y publicadas oy Martes a 13 de Noviembre de dicho año. Zaragoza. Domingo Gascón. 1696. 2 hs. 20,5 cm.*

Carece de portada.

No citado por Jiménez Catalán.

SEVILLA. *Universitaria.* 112-48 (36).

MERCHAN (ANTONIO)

Licenciado.

EDICIONES

5523

[*SONETO*]. (En Barrantes Maldonado, Francisco. *Relación de la calificación, y milagros del Santo Cruzifixo de Çalamea...* Madrid. 1617. Preliminares).

MADRID. *Nacional.* 2-69.178.

MERCHAN (P. PEDRO)

Jesuita.

EDICIONES

5524

[*APROBACION. Córdoba, 1 de julio de 1621*]. (En Páez de Valenzuela, Juan. *Vida de... Francisco de Santa Anna...* Córdoba. 1621. Prels.).

MEREGA (FR. ROMULO)

Mercedario. Provincial de Valencia.

EDICIONES

5525

UNO (El) y Trino. Máximo en el trino y uno mínimo. Oración penegírica de San Francisco de Paula en su célebre novenario, que consagra sus hijos y devotos en el Real Convento de S. Sebastián de Valencia. Valencia. Vicente Cabrera. 1687. 4 hs. + 26 págs. 19 cm.

—Ded. a Fr. Iuan Nolasco Risón.—Texto.
Placer, II, n.º 3.772; Herrero Salgado, número 912.

ORIHUELA. *Pública.* XXIX-5-1; etc.

5526

EVANGELIO Tetraonomatom de Dios hombre con singulares y glorias, por aver sido su Santissima Madre María concebida en gracia.

Sermón predicado en la Iglesia Parroquial de Santa María de la ciudad de Alicante. Valencia. Francisco Mestre. 1691. 24 págs. 4.º

Placer, II, n.º 3.773.
ORIHUELA. *Pública.* XXIX-5-1.

5527

PENTAGIOS célebre en las divinas letras, su misterioso epílogo S. Pasqual Baylon. Oracion panegífica, que... a 26 de Setiembre deste año 1691... dixo ——. Valencia. Francisco Mestre. 1691. 24 págs. 4.º

Placer, II, n.º 3.776.

5528

SAGRADO hymeneo del meior Esposo Christo con su querida Esposa Santa María de Cervellón. Valencia. Francisco Mestre. 1693.

Placer, II, n.º 3.774.
ORIHUELA. *Pública.* 92-5-14.

MERELO (JUAN BAUTISTA)

EDICIONES

5529

[*MEMORIAL*]. [s. l.-s. i.]. [s. a.]. 17 folios. 29 cm.

Carece de portada. Fechado en Madrid, a 8 de junio de 1649. Comienza: «Aunque pudiera embaraçarme para el assumpto deste discurso, exponerme a ser tenido por arbitrista, facultad justamente poco bien vista...».

MADRID. *Nacional.* V.E.-60-14 y 186-15.

5530

[*MEMORIAL*]. [s. l.-s. i.]. [s. a.]. 10 folios. 29 cm.

Carece de portada. Fechado en Madrid, a 18 de agosto de 1649. Comienza: «En el papel que presenté a V. Señoría en 8 de Iunio deste año propuse la baxa de sisas en las quatro especies...».

MADRID. *Nacional.* V.E.-60-15.

MERELO JIMENEZ (MIGUEL)

EDICIONES

5531

PROPUGNACULO del alegato juridico a favor del derecho y costumbre que tienen a preceder en las consultas los Médicos revalidados más antiguos a los Doctores menos antiguos de la Universidad de Sevilla. Contra respuesta. Sevilla. 1697.

No citado por Escudero.

SEVILLA. Universitaria. 110-148 (10).

MERGELINA (ALONSO)

N. en Murcia. Alcalde mayor de Cartagena.

EDICIONES

5532

[DECIMA]. (En Castillo Solorzano, Alonso del. Donayres del Parnaso. Primera parte. Madrid. 1624. Prels.).

MADRID. Nacional. R-13.003.

5533

[SONETO]. (En Pérez de Montalban, Juan. Fama posthuma a la vida y muerte de... Lope Felix de Vega Carpio... Madrid. 1636, fol. 49v).

MADRID. Nacional. 3-53.447.

MERINERO (FR. JUAN)

Franciscano. Lector en Alcalá. Guardián del convento de San Francisco de Madrid. General de la Orden.

EDICIONES

5534

APUNTAMIENTOS y Ordenes que da ——, General y Siervo de toda la Orden de San Francisco, a las religiosas de su Sagrada Religión. Dado en Madrid 20 Diciembre 1641. [s. l.-s. i.]. [s. a.]. 4 fols. 20 cm.

Carece de portada.

—Texto.

MADRID. Nacional. V.E.-136-37.

Aprobaciones

5535

[CENSURA de —— y Fr. Gaspar de la Fuente. Madrid, 25 de enero de 1636]. (En Navarro, Pedro. Exposición de la Regla de... San Francisco... Madrid. 1641. Prels.).

MADRID. Nacional. 3-75.939.

5536

[CENSURA por ——, Fr. Juan de Soria y Fr. Gaspar de la Fuente]. (En Juan Palma de, Fray. Vida de la Serenissima Infanta Sor Margarita de la Cruz... Madrid. 1636. Prels.).

MADRID. Academia de la Historia. 5-5-6-2312.

ESTUDIOS

5537

REP: N. Antonio, I, pág. 742.

MERINO (FR. ALONSO)

Franciscano. Predicador del convento de San Antonio de Padua.

EDICIONES

5538

[POESIAS]. (En El primer certamen que se celebró en España en honor de la Purísima Concepción (1615)... Madrid. 1904).

1. Glosa. (Págs. 88-89).
2. Soneto. (Pág. 120).

MADRID. Nacional. 1-14.447.

MERINO (ANDRES)

Doctor. Catedrático de Prima de Teología de la Universidad de Alcalá.

EDICIONES

5539

[APROBACION. Alcalá, 14 de agosto de 1626]. (En Martinez de Azagra, Antonio. Camino a la unión y comunión con Dios. Alcalá. 1630. Prels.).

MADRID. Nacional. 3-41.080.

MERINO (FR. ANDRES)

Agustino. Maestro de Teología. Calificador de la Inquisición. Provincial de Castilla. Prior de los conventos de Pamplona (1657), Burgos (1659) y de San Felipe el Real de Madrid (1668 y 1677). Rector del Colegio de doña María de Aragón de Madrid. Predicador real.

EDICIONES

Aprobaciones

5540

[*APROBACION. Burgos, 14 de marzo de 1661*]. (En Jerónima de la Ascensión, Sor. *Exercicios espirituales*. Zaragoza. 1661. Prels.).

MADRID. *Nacional*. 2-1563.

5541

[*APROBACION. Madrid, 20 de abril de 1666*]. (En Ormaza, José de. *Grano del Evangelio en la Tierra Virgen de Christo*. Madrid. 1667. Prels.).

SEVILLA. *Universitaria*. 99-179.

5542

[*APROBACION. Madrid, 20 febrero 1667*]. (En Jiménez Samaniego, José. *Vida del V. P. Juan Dunsio Escoto*. Madrid. 1668. Prels.). 1668. Prels.).

MADRID. *Nacional*. 7-11.514.

5543

[*APROBACION. Madrid, 22 de octubre de 1667*]. (En Castelblanco, Simón de. *Virtudes y milagros... de Fray Iuan de Sahagún*. Madrid. 1669. Preliminares).

MADRID. *Nacional*. 3-37.341.

5544

[*APROBACION. Madrid, 12 de noviembre de 1671*]. (En Ameyugo, Francisco de. *Nueva maravilla de le Gracia...* Madrid. 1673. Prels.).

V. *BLH*, V, n.º 2234.

ESTUDIOS

5545

REP: Santiago Vela, V, págs. 455-56.

MERINO (FR. ANTONIO)

Dominico. Residente en el convento de San Pablo de Córdoba. Calificador de la Inquisición.

EDICIONES

5546

[*APROBACION. Cordoba, 10 de Mayo de 1604*]. (En Mendez, Esteban. *XII. Libros de la dignidad Altissima de la Virgen..., en tres tomos repartidos*. Barcelona. 1606. Prels.).

MADRID. *Nacional*. 6.i.-3096.

5547

[*APROBACION. Córdoba, 9 de mayo de 1610*]. (En Manrique de Henestrosa, Pedro. *Sermón predicado día San Marcos Evangelista...* Baeza. 1616. Preliminares).

SEVILLA. *Universitaria*. 113-23 (6).

5548

[*APROBACION de —— y Fr. Andrés de Armenta. Córdoba, 10 de noviembre de 1610*]. (En Nava, Fernando de la. *Tractado primero de la obligación que tienen las Religiosas del Choro de rezar el Officio Divino*. Córdoba. 1621. Prels.).

MADRID. *Nacional*. 7-16.747.

5549

[*APROBACION. Cordoba, 28 de febrero de 1626*]. (En Arellano, Salvador Bautista. *Antiguedades y excelencias de... Carmona*. Sevilla. 1628. Preliminares).

MADRID. *Nacional*. R-11.158.

5550

[*APROBACION. Córdoba, 20 de abril de 1630*]. (En Día, Blas del. *Quilates del oro de la religión...* 1631. Prels.).

MERINO (HERNANDO)

N. en Béjar del Castañar.

EDICIONES

5551

JULIANAS (Las). [s. l.-s. i.]. [s. a.]. 16 hs. 4.º gót.

—Epistola proemial a Iulian de Medicis.— Texto. [«Al mas que Alexandro Iulian en franqueza...»].—Grab.

¿Roma, c. 1514? (Penney).

Rodríguez Moñino, *Diccionario,* n.º 362.

NUEVA YORK. *Hispanic Society.*

———

Reprod. facsímil por Huntington: [Nueva York]. De Vinne Press. 1902.

MADRID. *Nacional.* R-15.183; 2-78.645.—MEJICO. *Nacional.*—PARIS. *Nationale.* Rés.p.Yg.32.

MERINO (MANUEL)

Premonstratense. Predicador general. Abad del monasterio de Retuerta. General de la Orden. Calificador de la Inquisición.

EDICIONES

5552

[*DECIMA al Autor*]. (En Corral y Sotomayor, Francisco. *Fábula de Píramo y Tisbe burlesca.* Cádiz. 1640. Preliminares).

MADRID. *Nacional.* V.E.-157-6.

MERINO (FR. MIGUEL)

EDICIONES

5553

ORACION evangélica que predicó en el último día de las Letanías Mayores, en Nuestra Señora de la Vega... a 25 de mayo de 1650... Madrid. Diego Díaz de la Carrera. 1652. 28 fols. 4.º

SANTIAGO DE COMPOSTELA. *Universitaria.*

5554

ORACION fvnebre qve en el vltimo día del Octavario, qve el Insigne Con-uento del gran Patriarca S. Norberto de Madrid, con suma piedad consagró a las Animas de Purgatorio, en nueue de Nouiembre de mil y seiscientos y cinquenta y vno. Madrid. Diego Díaz de la Carrera. 1652. 40 folios. 20 cm.

Fols. 2r-16r: Ded. a D. Alonso de la Serna y Quiñones, Cauallero de Santiago, etc. (Con datos genealógicos).—Fol. 17r: Censura de Fr. Iuan Gonzalez de Leon. — Fol. 17v: L. V.—Fol. 18r: Apr. de Fr. Diego Nysseno.—S. L.—Fols. 18v-21v: Fr. Luis Tineo, al que leyere.—Texto. (Fols. 22r-40r).

MADRID. *Nacional.* V.E.-18-12. — SANTIAGO DE COMPOSTELA. *Universitaria.*

5555

ORACION panegírica que en la festividad de Nuestra Señora de la Paz, que celebró el Real Convento de S. Spiritus de las Comendadoras de Santiago... de Salamanca... año de M.DC.LI. dixo... ——. Madrid. Diego Díaz de la Carrera. 1654. 16 fols. 4.º

SANTIAGO DE COMPOSTELA. *Universitaria.*

MERINO (FR. PEDRO)

N. en Palencia (1576). Mercedario. Catedrático de Escoto de la Universidad de Salamanca. Rector del Colegio de la Vera-Cruz. Provincial (1629-32). M. en Salamanca (1649).

EDICIONES

5556

VIDA, muerte, y milagros de nuestro glorioso Padre San Pedro Nolasco, illustrissimo Patriarcha de la Sagrada Orden de los Redentores de Nuestra Señora de la Merced. Salamanca. Antonia Ramirez. 1628. 2 hs. + 21 páginas. 20 cm.

—Apr. de Fr. Francisco de Araujo.—Ded. a la ciudad de Salamanca.—Texto.

SEVILLA. *Universitaria.* 114-66 (10).

5557

MEMORIAL en defensa de la redención de cautiuos, segun la forma en que oy la exerce el sagrado Orden de nuestra Señora de la Merced. [s. l.-s. i.]. [s. a.]. 32 fols. 29 cm.

—Texto.

MADRID. Nacional. V.E.-217-32.

Aprobaciones

5558

[APROBACION]. (En Niño, Iuanetín. A la Serenissima Señora Infanta Sor Margarita de la Crvz, ... En razon del interrogatorio en la cavsa de la venerable Virgen Soror Ana María de San Ioseph, ... Salamanca. 1632. Preliminares).

MADRID. Nacional. 2-70.810.

ESTUDIOS

5559

REP: G. Placer, en DHEE, III, pág. 1478.

MERINO ALVAREZ (JUAN)

N. en Sahagún. Residente en Valencia. Matemático.

EDICIONES

5560

[DESTRVYCION del Imperio del Tvrco, y seta de Mahoma. Avmento de la Monarqvia de España, y dilatacion de la Eclesiastica. Por los efectos de la conjuncion Maxima, y los mouimientos de las Anomalias, Auges y estrellas fixas]. [Valencia. Syluestre Esparsa]. [1642]. 12 fols. 19,5 cm.

—Texto.

MADRID. Nacional. V.E.-19-17 y 20 y 53-107.

5561

[DESTRVYCION del imperio de el tvrco, y de la seta de Mahoma. Av-mento de la Monarqvia de España, y dilatacion de la Eclesiastica, por los efectos de la conjuncion maxima, de el año de 1670 hasta el de 1678 y los mouimientos de las Anomalias, y Auges, y Estrellas fixas. Escriuialo ——... Añadido, y ajustado a dichos movimientos, y Anomalias, por Thome de Dios Miranda]. [Sevilla. Thome de Dios Miranda]. [s. a.]. 8 fols. 19 cm.

—Texto.

MADRID. Nacional. V.E.-14-42.

MERINO DE SIGÜENZA (SIMON)

Doctor. Capellán de S. M. en su Real Capilla de Granada.

EDICIONES

5562

BREVE resolución acerca de la obligacion que tienen de rezar las Horas canonicas assi en comun, como en particular, los Religiosos professos, que no estan ordenados in sacris, y Religiosas professas, sacadas de las doctrinas de graves, y doctos Autores por... ——... Granada. En la Imp Real, por Baltasar de Bolibar. 1652. 20 fols. 19 cm.

—Apr. de Agustín de Castro Vazquez.—L. V.—Texto.

GRANADA. Universitaria. A-31-266 (7).

MERITA CABALLERO (VICENTE)

EDICIONES

5563

[DEZIMA]. (En Carbonell, Vicente. Célebre centuria que consagró... Alcoy a honor y culto del soberano Sacramento del Altar... Valencia. 1672. Prels.)

MADRID. Nacional. 3-60.529.

MERLA (FR. VICENTE)

Dominico. Doctor en Filosofía y Teología. Lector de Vísperas en el convento de Santa Catalina Mártir de Barcelona.

EDICIONES

5564

[*CENSURA. Barcelona, 6 de agosto de 1641*]. (En Martí y Viladamor, Francisco. *Cataluña en Francia...* Barcelona. 1641. Prels.).

MADRID. *Nacional.* 2-66.752.

5565

[*APROBACION. Barcelona, 11 de agosto de 1662*]. (En Cabanes, Jaime. *Espejo de Amor...* Barcelona. 1663. Preliminares).

MADRID. *Nacional.* 3-66.033.

MERLIN (JOSE) [seud.?]

«Doctor. Enano del Señor Conde de Peralada».

EDICIONES

5566

RESPUESTA a la respuesta de el Señor Don Pedro Geronimo de Fuentes, el Moço, en la Denunciacion de su Padre el Señor Lugar-Teniente. Disponela la Bachilleria del Doctor Don ——... [s. l., Zaragoza?]. [s. i.]. [s. a., 1694?]. 6 fols. 31,5 cm.

Carece de portada.

—Texto.

SEVILLA. *Universitaria.* 110-122 (29).

MERLINO (FRANCISCO)

EDICIONES

5567

BREVE discvrso del derecho qve sv Magestad tiene de cobrar la mitad de las (sic) *diezmos y otros subsidios caritatiuos que los Sumos Pontifices imponen sobre los bienes ecclesiasti-* cos *del clero deste Reyno.* [s. l.-s. i.]. [s. a., 1635?]. 4.º.

LONDRES. *British Museum.* 5107.bbb.7.—ROMA. *Vaticana.* Stamp. Barb. HH.II.143, int. 2.

Aprobaciones

5568

[*APROBACION. Nápoles, 20 de mayo de 1631*]. (En Caja de Leruela, Miguel. *Restauración de la antigua abundancia de España.* s. l.-s. a. Preliminares).

MADRID. *Nacional.* R-6.164.

MERLO (FR. NICOLAS DE)

Dominico.

EDICIONES

5569

ESPEJO de Indvlgencias, donde con gran claridad se ven las falsas, y verdaderas. Tomase por assvmpto de este trabajo vna denunciacion, que se hizo ante el Tribunal de la Santa Cruzada, de un Sumario de Indulgencias de la Cofradia de la Sangre de Christo, fundada en su Capilla de la Parrochia de Santa Catharina Martir de esta Ciudad de Mexico. [s. l.-s. i.]. [s. a.]. 21 fols. 29 cm.

MADRID. *Academia de la Historia.* Jesuítas, t. 2. *Nacional.* V.E.-42-96.—PROVIDENCE. *John Carter Brown Library.*

MERLO (FR. VICENTE)

N. en Pozoblanco. Dominico (?).

EDICIONES

5570

Del estado del matrimonio y obligación de los casados. 1553.

OBRAS LATINAS

5571

[*CENSURA. Barcelona, 25 julio 1661*]. (En Vallgornera, Tomás de.

Mystica Theologia Divi Thomae... Barcelona. 1662. Prels.).

MADRID. *Nacional.* 3-20.366.

ESTUDIOS

5572

REP: N. Antonio, II, pág. 328; Ramírez de Arellano, I, n.º 1.114.

MERLO DE LA FUENTE (ALONSO)

EDICIONES

5573

COPIA de un memorial que en 7 de Noviembre de 1650 dió al Rey nuestro Señor (que Dios guarde) el Doctor ——, en razón de la moneda falsa que de algunos años a esta parte se ha labrado en la Villa del Potosi... [s. l.-s. i.]. [s. a.]. 14 fols. 29 cm.

Carece de portada.

—Texto.

MADRID. *Nacional.* V.E.-182-21.

MERLO DE LA FUENTE (LUIS)

Doctor. Presbítero. Oidor Decano de la Real Audiencia de La Plata. Consultor de la Inquisición.

CODICES

5574

«*Carta al Rey nuestro Señor con aviso de los grandes daños que ha causado el usso de la guerra defensiba de Chile, y peligroso estado en que por ella está el Reyno y causas de su larga duración...*».

Letra del s. XVII. Fol. Fechada en Los Reyes del Perú, a 4 de abril de 1623.

Gayangos, II, pág. 361.

LONDRES. *British Museum.* Add. 13.974 folio 76).

5575

[*Papeles varios*].

Autógrafos y firmados. 320 × 210 mm.

1. *Carta.* (Fols. 8-9).

2. *Memorial.* Los Reyes, 4 de abril de 1623. (Fols. 10r-12v).

3. *Carta al Rey.* Los Reyes, 4 de abril de 1623. (Fols. 14r-22v).

4. *Otra de la misma fecha.* (Fols. 24r-28v).

MADRID. *Nacional.* Mss. 9.405.

EDICIONES

5576

ALEGACION por el Doctor D. ——, Doctor Decano de la Real Audiencia de la Plata, Presidente que fue de ella en vacante, Consultor del Santo Oficio. Informando al Rey nuestro Señor D. Carlos Segundo, en su Real, y Supremo Consejo de las Indias, en orden a que se reforme la sentencia dada, en la causa de visita de que conocio el Doctor Don Francisco de Nestares Marin, Presidente Visitador de aquella Audiencia. Sobre los cargos que le hizo sacados de instrumentos de multas judiciales, que el dicho Oidor manifestó. Notándole recibió las dadiuas, que por ellos consta estan al Real Fisco aplicadas, y anticipadas, con cuyo zelo de penar aprehendía. Y se pretende ser mas digno del premio que espera, y se le deue, que de la nota con que ha sido molestado. Aviendo procedido en estos casos con orden del Visitador, a quien para el acierto consultó, y consta fueron por él aprouados con estima. Madrid. Impr. Imperial, por Joseph Fernández de Buendía. 1676. 1 h. orlada + 2 hs. + 334 fols. 30 cm.

—Protestatio.—Invocacion a la Sma. Trinidad, con un grabado.—E. en el memorial.—E. en la Alegación.—Ded. al Rey Carlos II el Grande, en su Real y Supremo Consejo de las Indias.—Texto.— Index rerum, verborum, as sententiarum, quae in hac allegatione continentur.

SEVILLA. *Universitaria.* 136-125.

5577

[*CARTA al Autor*]. (En Jufre del Aguila, Melchor. *Compendio historial del Descubrimiento, Conquista y Guerra del Reyno de Chile...* Lima. 1630. Prels.).

Medina, *Lima*, I, n.º 146.

MEROLA (JERONIMO)

N. en Balaguer. Doctor en Filosofía y Medicina. Catedrático de la Universidad de Barcelona.

EDICIONES

5578

REPVBLICA original sacada del cverpo hvmano... Barcelona. Pedro Malo. 1587. 15 hs. + 320 fols. + 9 hs. 15 cm.

—Apr. de Fr. Alonso Torralba.—Apr. de Fr. Hieronymo de Saona.—L. del Obispo de Barcelona.—Ded. al Príncipe D. Carlos Emanuel Philiberto, Duque de Saboya.—Soneto del Autor a su libro. [«Del paterno regalo hijo sales...»].—Soneto con estrambote de Ioachin Centellas. [«Si gana el gran Platon tal nombre y gloria...»].—Soneto de Ioachin de Cetanti. [«Si aquella illustre antiguedad preclara...»].—Otro del mesmo. [«Tras tanto tiempo, tanta edad passada...»].—Soneto de Çapila. [«Si aquella quiebra, que de leyes buenas...»].—Soneto de Hieronymo Poll. [«Quien quiere ver resuelto en breue suma...»].—Soneto del mismo en italiano.—Soneto de Hieronymo Nicolau. [«Es proprio de un ingenio delicado...»].—Exastichon latino de Iuan Pedro Soler.—Otra.—Poesia latina de Mathei Thomasii.—Al lector discreto.—Prologo de la obra.—Texto.—Tabla de las cosas notables.

Vindel, V, n.º 1.716.

MADRID. *Academia Española*. S.C.=25-D-37. *Nacional*. R-5.914.—SAN LORENNZO DEL ESCORIAL. *Monasterio*. 33-V-26.—VIENA. *Nacional*. 34.F.18.

5579

REPVBLICA original sacada del cverpo hvmano... Barcelona. Paulo Malo. A costa de Gabriel Ribas. 1595. 13 hojas + 320 fols. 9 hs. 14 cm.

—Apr. de Fr. Hieronymo de Saona.—L. del Obispo de Barcelona.—Ded. a D. Carlos Emanuel Philiberto, duque de Saboya.— Soneto del Autor a su libro. [«Del paterno regalo hijo sales...»].—Soneto con estrambote de Ioachim Centellas. [«Si gana el gran Platon tal nombre y gloria. Soneto de Ioachim de Cetanti. [«Si aquella illustre antiguedad preclara...»]. Otro del mismo. [«Tras tanto tiempo, tanta edad passada...»].—Soneto de Hieronymo Poll. [«Quien quiere ver resuelto en breue summa...»].—Soneto de Hieronymo Nicolau. [«Es proprio de un ingenio delicado...»].—Dos poesías latinas de Juan Pedro Soler.—Poesia latina de Mathei Thomasii.—Al lector discreto.—Prologo de la obra.—Texto.—Repertorio o Tabla de las cosas notables.—Colofón.

Vindel, V, n.º 1.717.

BARCELONA. *Central*. 2-I-64.—WASHINGTON. *U.S. National Library of Medicine*.

5580

REPVBLICA original sacada del cverpo hvmano. Barcelona. Pedro Malo. 1611. 15 hs. + 320 fols. + 9 hs. 15 cm.

—Apr. de Fr. Alonso Torralba.—Apr. de Fr. Hieronymo de Saona (1611).—L. del Obispo de Barcelona.—Ded. al principe D. Carlos Emanuel Philiberto, duque de Saboya.—Soneto del Autor a su libro. [«Del paterno regalo hijo sales...»].—Soneto con estrambote de Ioachin Centellas. [«Si gana el gran Platon tal nombre y gloria...»].—Soneto de Ioachin de Cetanti. [«Si aquella illustre antiguedad preclara...»].—Otro del mesmo. [«Tras tanto tiempo, tanta edad passada...»].—Soneto del Señor Çapila. [«Si aquella quiebra, que de leyes buenas...»].—Soneto de Hieronymo Poll. [«Quien quiere ver resuelto en breue suma...»].—Dell'istesso a Lettori. Soneto en italiano.—Soneto de Hieronymo Nicolau. [«Es proprio de un ingenio delicado...»].—Poesia latina de Juan Pedro Soler.—Otra del mismo.—Poesia latina de Mathei Thomasii.—Al Lector discreto.—Prologo de la obra.—Texto.—Tabla de las cosas notables.—Colofón.

Vindel, V, n.º 1.718.

BARCELONA. *Central*. Bon. 7-1-35.

ESTUDIOS

5581

VICENTE SALVADOR, F. *Jerónimo Merola, médico español del siglo*

XVI. (En *Archivo Iberoamericano de Historia de la Medicina...*, XII, Madrid, 1960, págs. 261-72).

5582
REP: N. Antonio, II, pág. 590; Torres Amat, págs. 415-16.

MESA (FR. ALONSO DE)

EDICIONES
5583
[*SONETO*]. (En Luque Fajardo, Francisco de. *Relación de la fiesta que se hizo en Sevilla a la beatificación de... San Ignacio...* Sevilla. 1610, fol. 55*r*).

MADRID. *Nacional.* 3-25.151.

MESA (FR. ALONSO DE)

Dominico. Prior del convento de Santo Domingo y el Rosario de Cádiz.

EDICIONES
5584
[*SERMON*]. (En Cebreros, Diego. *Sevilla jestiva... a la beatificación de San Juan de la Cruz.* Sevilla. 1676, págs. 97-118).

MADRID. *Nacional.* 3-39.826.

Poesías sueltas
5585
[*SONETO*]. (En Luque Fajardo, Francisco de. *Relación de la fiesta que se hizo en Sevilla a la Beatificación de... S. Ignacio...* Sevilla. 1610, fol. 55*r*).

V. *BLH,* XIII, n.º 5.384 (65).

Aprobaciones
5586
[*APROBACION. Cádiz, 18 de septiembre de 1662*]. (En Porras y Atienza, Juan de. *Sermón que predicó en la Santa Iglesia Cathedral de Cadiz...* Cadiz. 1662. Prels.).

SEVILLA. *Universitaria.* 113-43 (5).

MESA (BLAS DE)

EDICIONES
5587
Entremés de las tajadas. (En RASGOS *del Ocio... Segunda parte.* Madrid. 1644, págs. 86-94).

BARCELONA. *Instituto del Teatro.* Vitrina A.

5588
Cada uno con su igual. (En PARTE *diez y seys de comedias nuevas...* Madrid. 1662, fols. 17*r*-34*v*).

BARCELONA. *Instituto del Teatro.* 58.490. — MADRID. *Nacional.* R-22.669.

5589
Cada uno con su igual. [s. l.-s. i.]. [s. a.]. 18 fols.

BARCELONA. *Instituto del Teatro.* 56.920; 60.663.

ESTUDIOS
5590
VEGA, LOPE DE. [*Elogio*]. (En *Laurel de Apolo.* Madrid. 1630, fol. 8*r*).

MADRID. *Nacional.* R-14.177.

MESA (CRISTOBAL DE)

N. en Zafra (c. 1561). Estudió en las Universidades de Sevilla y Salamanca. Marchó a Italia por 1588 y fue amigo de T. Tasso y de otros poetas. Regresó a España por 1594 y se estableció en Madrid. Residió algún tiempo en Granada y m. en Madrid (1633).

BIBLIOGRAFIA
5591
RODRIGUEZ MOÑINO, A. *Cristóbal de Mesa. Estudio bibliográfico (1562-1633).* (En *Revista de Estudios Extremeños.* VI, Badajoz, 1950, páginas 395-501).

Tirada aparte: Badajoz. 1951. 119 págs.

a) I. S. R., en *Bulletin des Études Portugaises...*, XVII, Coimbra, 1953, págs. 276-277.

CODICES

5592

«*El Pompeyo. Tragedia*».

Letra del s. XVIII. 29 fols. 135 × 90 mm
Kraft, pág. 42.

VIENA. *Nacional*. Mss. 12899.

5593

[*Traducciones de Horacio*].

Letras de los ss. XVIII-XIX. 215 × 210 mm.
Inventario, X, pág. 163.

MADRID. *Nacional*. Mss. 3.715/16.

EDICIONES

5594

NAVAS (Las) de Tolosa. Poema heroico. Madrid. Biuda de P. Madrigal.
A costa de Estevan Bogia. 1594. 8 hojas + 324 fols. + 2 hs. 14,5 cm.

—T.—E.—Pr.—Cristoval de Mesa a Torcuato Taso (Dos sonetos en italiano).—De
Geronimo Gagliardi (Soneto italiano).—
A los Lectores.—Texto. [«Las armas, y
el Catolico Rey canto...»].—Fol. 324*v*: De
Pedro Ramirez de Guzman. Soneto. [«Altivo el Mincio, y con razon contento...»].
De Baltasar de Escobar. Soneto. [«De la
ciudad que guarda el Mausoleo...»].—De
Miguel Lopez de Aguirre. Soneto. [«A la
orilla del umedo elemento...»].—De Francisco Cascales. Soneto. [«A los filos de
aquella ardiente espada...»].—Del Licdo.
Diego Velez de Dueñas. Soneto. [«Fama
si sueles con sonora trompa...»].

Salvá, I, n.º 800; Pérez Pastor, *Madrid*, I,
n.º 443; Vindel, V, n.º 1.719.

LONDRES. *British Museum*. 1064.b.9.—MADRID.
Academia Española. S.C.=7-A-249. *Facultad de Filología*. 29.318. *Nacional*. R-991.—
NUEVA YORK. *Hispanic Society*.—PARIS. *Nationale*. Yg.2518.—POYO. *Monasterio de Mercedarios*. 37-7-4.—SAN LORENZO DEL ESCORIAL. *Monasterio*. 34-V-47. — SANTANDER. «*Menéndez
Pelayo*». R-I-B-148.—SANTIAGO DE COMPOSTELA.
Universitaria.—SEVILLA. *Colombina*.

5595

RESTAVRACION (La) de España.
Madrid. Iuan de la Cuesta. A costa
de Esteuan Bugia. 1607. 8 hs. + 180
folios. 14,5 cm.

—T.—E.—S. Pr.—Censura de Fr. Athanasio
de Lobera.—Ded. a Felipe III.—A los
Lectores.—Al Rey N. S., del Dr. Agustín
de Tejada y Paez. Canción. [«Tal como
escuchas (o Alexandro nueuo...»].—Alavanza a Cristoual de Messa, Francisco
de Queuedo. Soneto. [«Oy de los hondos
senos del oluido...»].—De Miguel Cejudo.
Soneto. [«Venció Pelayo, y para gloria
nuestra...»].—De Luys Barahona de Soto.
Soneto. [«En dos Poemas de dos Reyes
santos...»].—De Luis Manuel. Soneto.
[«El sacro Cisne que entre el Moncio y
Pado...»].—Respuesta. [«Si nauegays de
amor por el estrecho...»].—Texto. [«Yo
que canté las armas, y vitoria...»].

Contiene menciones y a veces elogios de
los escritores siguientes, a partir de la estrofa 107:

Andaluces:

—Don Fernando Ribera, Marques de Tarifa. (Pág. 106).—Maestro Francisco de
Medina, Pacheco, Hernando de Herrera,
Cangas, Gonçalo Argote de Molina, Fray
Iuan Farfan, Christoual de Mosquera,
Christoual de las Casas, Cetina, Tejada,
Luys de Gongora, Hernando de Guzman,
Hernando de Soria, Francisco de Medrano, Iuan de Arguijo, Luis de Gongora
(2.ª vez). (Pág. 176).—Licenciado Berrio,
Francisco de la Cueua, Lirian (*sic*), Iuan
Rufo, Antonio de Saauedra, Christoual
de Virues, Figueroa, Miguel Ceruantes,
Carrança, Baltasar de Escobar, Lope de
Salinas, Gregorio Hernandez de Velasco,
el canonigo Cayrasco. (Fol. 177*r*).—Luis
de Soto Barahona. (Pág. 177).

De la Corona de Castilla:

—Fray Luis de Leon, Alonso de Ercilla,
Tarraga, los dos Leonardos, Iuan de Albion, Condestable de Castilla, duque de
Feria don Lorenzo. (Fol. 177*v*). Conde de
Lemos, Conde de Salinas. (Fol. 178*r*).

Gallardo, III, n.º 3.059; Salvá, I, n.º 802;
Pérez Pastor, *Madrid*, II, n.º 972; Vindel,
V, n.º 1.720.

LONDRES. *British Museum*. 11451.a.24. — MADRID. *Academia Española*. 11-X-60 [con portada incompleta]. *Nacional*. R-4.684 (los folis 177-86 manuscritos).—NUEVA YORK. *Hispanic Society*.—PARIS. *Nationale*. Yg.3428.—
SANTIAGO DE COMPOSTELA. *Universitaria*.

5596

VALLE de lagrimas y diuersas Rimas. Madrid. Iuan de la Cuesta. A costa de Esteuan Bugia. 1607. [Colofón: 1606]. 8 hs. + 163 fols. 14 cm.

—T.—E.—S. Pr. a Esteuan Bugia por diez años (1604).—Censura de Fr. Athanasio de Lobera.—Ded. a D. Lorenzo Suarez de Figueroa y Cordoua, Duque de Feria, etc. Soneto al Duque de Feria. [«La Antiguedad llama a Platon diuino...»].—Otro al mismo. [«Buelue a su patria, o mar sagrado a uno...»].—Sonetos de Camilo Peregrino, Felice Milencio y Iulio Caria, en italiano.--Colofón.

Gallardo, III, n.° 3.058; Salvá, I, n.° 803; Pérez Pastor, *Madrid*, II, n.° 973.

LONDRES. *British Museum*. 11451.a.23.—PARIS. *Nationale*. Yg.3427.—NUEVA YORK. *Hispanic Society*.—SANTIAGO DE COMPOSTELA. *Universitaria*.

5597

PATRON de España. Madrid. Alonso Martín. A costa de Miguel de Siles. 1612. 8 hs. + 232 fols. 15 cm.

—S. Pr. al autor por diez años.—T.—E.— Apr. del M.° Fr. Hortensio.—Censura del M.° Hortensio.—Ded .a Felipe III.—A los Letores.—Del Autor al Marques de Ayamonte. Soneto. [«Marques de nuestro siglo marauilla...»].—Soneto del Marques de Ayamonte. [«Aunque la ley del amistad me obliga...»].—Del Autor a su Magestad. Cancion. [«Magnanimo señor, moderno Atlante...»].—Elogio del Autor a España. [«O catolica España...»].—Texto. [«Musa, el Patron de las Españas canta...»].—Fol. 94r: *Rimas*. Madrid. Alonso Martin. 1611.—Fol. 95r: Ded. a D. Alonso Çuñiza y Sotomayor, Duque de Bejar, etc.—Fols. 95v-96r: A los lectores.—Texto.

Contenido de las *Rimas*:

1. *Al Excelentissimo Duque de Bejor*. Soneto. [«Dando en los años buelta al tiempo el cielo...»]. (Fol. 96v).
2. *Al mismo, yendose de Bejar a Gibraleon*. Soneto. [«Principe del blason de la cadena...»]. (Fol. 97r).
3. *Al mismo, dedicandole la Eneyda de Virgilio*. Soneto. [«Magnanimo Señor, gran Cauallero...»]. (Fol. 97v).
4. *Al mismo, quando le dio su Magestad el Tusson*. Soneto. [«Principe excelso de un Imperio digno...»]. (Fol. 98r).
5. *Al Excelentissimo Conde de Lemos*. Soneto. [«Luz del antiguo gran blason de Castro...»]. (Fol. 98v).

6. *Al mismo en la muerte de su hermano el Conde de Gelues*. Soneto. [«Principe grande, y valeroso, quando...»]. (Fol. 99r).
7. *Al mismo, en la misma muerte*. Soneto. [«Si el de Gelues, clarissimo de Lemos...»]. (Fol. 99v).
8. *Al mismo, yendo Virrey de Napoles*. Soneto. [«La citara gentil, que en toda parte...»]. (Fol. 100r).
9. *Al Duque de Feria don Lorenço, que murio en Napoles, viniendo de Virrey de Sicilia*. Soneto. [«Pronostico cruel, triste cometa...»]. (Fol. 100v).
10. *Al mismo Duque don Lorenço*. Soneto. [«En sola tu magnanima persona...»]. (Fol. 101r).
11. *A don Garcia Hanrique Conde de Ossorno*. Soneto. [«Despues señor que en la ribera amena...»]. (Fol. 101v).
12. *De don Aluaro de Çuñiga al Autor*. Soneto. [«En tanto, ô Mesa, que de ser Maestro...»]. (Fol. 102r).
13. *En respuesta del Autor*. Soneto. [«Don Aluaro de çuñiga maestro...»]. (Fol. 102v).
14. *A una señora*. Soneto. [«Al son del agua clara en sombra amena...»]. (Folio 103r).
15. *A la misma señora*. Soneto. [«La celebrada noble Siluia mia...»]. (Fol. 103v).
16. *A la misma señora*. Soneto. [«Si una doliente citara sonante...»]. (Fol. 104r).
17. *A la misma señora*. Soneto. [«La Esfera de las lucidas Estrellas...»]. (Fol. 104v).
18. *A la misma señora*. Soneto. [«Ningun gentil espiritu presuma...»]. (Fol. 105r).
19. *A la misma señora*. Soneto. [«Señora hermosissima, entre tanto...»]. (Fol. 105v).
20. *A la misma señora*. Soneto. [«Señora sola vos desde la cima...»]. (Fol. 106r).
21. *A la misma señora*. Soneto. [«Lagrimas sin cesar me tienen ciego...»]. (Folio 106v).
22. *A la misma señora*. Soneto. [«Que sirve dar al viento mis querellas...»]. (Folio 107r).
23. *A la misma señora*. Soneto. [«Cadena es de diamante el fuerte lazo...»]. (Folio 107v).
24. *A la misma señora*. Soneto. [«Dentro desta profunda cueva escura...»]. (Folio 108r).
25. *A la misma señora*. Soneto. [«Arbol no tiene toda aquesta selua...»]. (Fol. 108v).
26. *A la misma señora*. Soneto. [«Como la Fenix soys en el mundo una...»]. (Folio 109r).
27. *A la misma señora en una ausencia*. Soneto. [«Quanto espacio de mar, y quanta tierra...»]. (Fol. 109v).

28. *Al señor don Hernando de Toledo, primogenito del Excelentissimo Duque de Alva. Soneto.* [«Principe sucessor de aquel, que solo...»]. (Fol. 110r).

29. *Que el varon constante no se dexa vencer del amor. Soneto.* [«De mas de un Capitan Latino, ô Griego...»]. (Fol. 110v).

30. *A una señora que nacio ribera del Tajo. Soneto.* [«Tajo, no ya por tus arenas de oro...»]. (Fol. 111r).

31. *Al laurel, que por ser arbol en que se transformó Dafne, no consiente que se pinte Apolo en sus tablas. Soneto.* [«Casto laurel, que das triunfal corona...»]. (Folio 111v).

32. *Que el tiempo se muda de bien en mal. Soneto.* [«Este lugar de amena Primavera...»]. (Fol. 112r).

33. *De un Pastor que compara su amor con varias deydades. Soneto.* [«Començando a mostrar la luz la Aurora...»]. (Folio 112v).

34. *Va buscando la soledad para lamentarse. Soneto.* [«Este remoto sitio solitario...»]. (Fol. 113r).

35. *A una señora hermosa y discreta. Soneto.* [«Vuestro talle gentil en toda parte...»]. (Fol. 113v).

36. *A Venus, despidiéndose della. Soneto.* [«Tu del tercero cielo deydad santa...»]. (Fol. 114r).

37. *En la muerte del Marques de Tarifa. Soneto.* [«O tu que caminante peregrino...»]. (Fol. 114r).

38. *En la muerte de una señora. Soneto.* [«Cortando la guadaña de la muerte...»]. (Fol. 115r).

39. *A la misma señora. Soneto.* [«Alma que eterna entre las almas santas...»]. (Fol. 115v).

40. *A la Lira de Orfeo. Soneto.* [«Tu primera gentil Lira doliente...»]. (Fol. 116r).

41. *A un pastor que se lamenta de un laurel. Soneto.* [«Pone un pastor el nombre de Marsiva...»]. (Fol. 116v).

42. *A una señora que se llamaua doña Elena. Soneto.* [«Por una sola Elena el Reyno griego...»]. (Fol. 117r).

43. *A una señora, que se llamaua doña Marta. Soneto.* [«Ya la oluidada ronca Lira templo...»]. (Fol. 117v).

44. *A la misma señora. Soneto.* [«O quien tuuiera estylo soberano...»]. (Fol. 118r).

45. *A la misma señora. Soneto.* [«Si esculpe el escultor, si el pintor pinta...»]. (Fol. 118v).

46. *A la misma señora. Soneto.* [«Tengo en el alma vuestro rostro escrito...»]. (Folio 119r).

47. *Soneto.* [«Yo que en la vida de la Corte vana...»]. (Fol. 119v).

48. *Soneto.* [«El que alaba la vida de la Corte...»]. (Fol. 120r).

49. *Soneto.* [«Vana Corte do el mal se disimula...»]. (Fol. 120v).

50. *Alabando la pobreza. Soneto.* [«Santo don de pobreza no entendido...»]. (Folio 121r).

51. *En la muerte de doña Teresa de Çuñiga, Duquesa de Arcos. Soneto.* [«Oy muestra en este tumulo la muerte...»]. (Folio 121v).

52. *A Luis Barahona de Soto, que escrivio las lagrimas de Angelica, amigo del Autor. Soneto.* [«Yaze aqui Luis de Soto Barahona...»]. (Fol. 122r).

53. *Al Rector de Villahermosa, con quien el Autor tiene antigua amistad. Soneto.* [«Bartolome Leonardo de Argensola...»]. (Fol. 122v).

54. *De Don Francisco de Medrano, al Autor auiendo leydo su restauracion de España. Soneto.* [«Hizo astillas el yugo, y la coyunda...»]. (Fol. 123r).

55. *A Don Antonio de Monrroy, señor de Monroy en la muerte de una hija suya. Soneto.* [«Corre el grave dolor y el tierno llanto...»]. (Fol. 123v).

56. *A Hernando de Herrera que comento a Garcilasso, y escrivio Rimas, y la batalla naual, amigo del Autor. Soneto.* [«Aqui yaze Hernando de Herrera...»]. (Fol. 124r).

57. *A san Lorenço el Real. Soneto.* [«Este Real sepulcro es donde el censo...»]. (Folio 124v).

58. *En la fiesta de la Epifania. Soneto.* [«Rey soberano de poder inmenso...»]. (Fol. 125r).

59. *A san Geronymo. Soneto.* [«De la purpura sacra y sacra pompa...»]. (Fol. 125v).

60. *A nuestra Señora. Soneto.* [«Con gran razon Emperatriz del cielo...»]. (Fol. 126r).

61. *Sestina.* [«La breve vida de la varia corte...»]. (Fols. 126v-127r).

62. *Cancion.* [«Soberano Señor, Sacro santa alma...»]. (Fols. 127v-131r).

63. *Al Ilustrissimo señor don Bernardo de Rojas y Sandoval, Cardenal de Toledo.* [«Principe sacro de las dos Españas...»]. (Fols. 131v-133v).

64. *A san Bruno fundador de la Orden Cartuxana.* [«De aquel santo la vida y muerte santa...»]. (Fols. 134r-136r).

65. *A Don Alonso de Çuñiga y Sotomayor, Duque de Bejar.* [«Aunque en causas de Principes y Reyes...»]. (Fols. 136v-140r).

66. *A Don Gomez Suarez de Figueroa y Cordoua, Duque de Feria...* [«Al gran Em-

perador Cesar Augusto...»]. (Fols. 140v-144v).

67. *A Juan de Velasco, Condestable de Castilla.* [«Principe excelso, sabio Condestable...»]. (Fols. 145r-149v).

68. *A Don Pedro de Castro Conde de Lemos.* [«Platon que tuvo el nombre de divino...»]. (Fols. 150r-152r).

69. *Al Conde de Lemos, yendo por Virrey de Napoles.* [«Gozad Conde de Lemos tiempo largo...»]. (Fols. 152v-155v).

70. *Al Conde de Castro, hermano del de Lemos.* [«Don Francisco de Castro inclito Conde...»]. (Fols. 156r-159r).

71. *A Don Francisco de Guzman, Marques de Ayamonte.* [«Buen Marques Don Francisco de Ayamonte...»]. (Fols. 159v-161v).

72. *A Don Francisco Hurtado de Mendoça Marques de Almaçan.* [«Ingenio digno de inmortal corona...»]. (Fols. 162r-164r).

73. *A Don Antonio Enriquez de Ribera, Marqués de Villanueva del Rio.* [«Claro Marques, de quien España espera...»]. (Folios 164r-166v).

74. *A Don Rodrigo Pacheco, Marques de Cerraluo.* [«Marques tres años a que el Duque nuestro...»]. (Fols. 167r-170r).

75. *Respuesta del Marques.* [«Bien sabeys Mesa como el Hado nuestro...»]. (Folios 170v-173v).

76. *Al Marques de Cuellar, Don Francisco de la Cueva.* [«Espiritu gentil, digno de Imperio...»]. (Fols. 174r-182v).

77. *A Don Alonso Suarez de Solis, señor del Villar.* [«Don Alonso Suarez erudito...»]. (Fols. 183r-187r).

78. *A Don Gomez Suarez de Figueroa, y Cordoua, Duque de Feria.* [«Ya veys Duque magnanimo de Feria...»]. (Fols. 187v-193v).

79. *A Tomas Hernandez de Medrano, del habito de San Juan.* [«Al fin Tomas Hernandez de Medrano...»]. (Fols. 194r-200r).

80. *A Luis Barahona de Soto.* [«Amigo Luis de Soto Barahona...»]. (Fols. 200v-204v).

81. *A Don Hernando Xara, y Mesa, mi sobrino.* [«Sobrino don Hernando Xara, y Mesa...»]. (Fols. 205r-208v).

82. *A Don Antonio de Auila, Conde del Risco.* [«Conde del Risco todo el sacro Coro...»]. (Fols. 209r-212v).

83. *A Don Garcia Manrrique Conde de Osorno.* [«Conde excelso del titulo de Osorno...»]. (Fols. 213r-216r).

84. *Al Canonigo Pedro Nauarrete, Capellan de su Magestad.* [«Los años corren ya tres vezes siete...»]. (Fols. 216v-219v).

85. *A Doña Maria de Cardenas.* [«Unico honor de toda Extremadura...»]. (Folios 220r-229v).

86. *De Don Francisco de Medrano. Soneto.* [«Vos en España soys el que primero...»]. (Fol. 230r).

87. *A Hernando de Cangas. Soneto.* [«Del cuerpo que cubrio quinientos años...»]. (Folio 230v).

88. *Del Padre fray Gabriel de Guevara..., tio del Autor. Soneto.* [«Donde entre verdes ouas y espadañas...»]. (Fol. 231r).

89. *Del Padre fray Tomas de Figueroa... primo del autor.* [«Ya Mesa con sonora, y clara trompa...»]. (Fol. 231v).

90. *Del Maestro Francisco de Vergara. Soneto.* [«Heroyco Mesa insigne en quien el cielo...»]. (Fol. 232r).

91. *De Rodrigo de Ribera. Soneto.* [«Canta ya tu Maron España el Marte...»]. (Folio 232v).

Salvá, I, n.º 801; Pérez Pastor, *Madrid*, II, núm. 1.189.

LONDRES. *British Museum.* 1064.b.1012.—MADRID. *Academia Española.* S.C.=27-A-39 [falto de portada]. *Nacional.* R-1.577. *Palacio Real.* III-630.—NUEVA YORK. *Hispanic Society.* — SANTANDER. «*Menéndez Pelayo*. R-V-2-4.—VALLADOLID. *Universitaria.* 14.135.—ZARAGOZA. *Universitaria.* G-31-138.

5598

ENEIDA (La) de Virgilio. De ——. Madrid. Viuda de Alonso Martín. A costa de Domingo Gonçalez. 1615. 8 hojas + 356 fols. 14,5 cm.

—S. Pr.—T.—E.—Apr. de Fr. Diego de Ortigosa.—Apr. del Licdo. Tribaldos de Toledo.—Apr. del Arçobispo Obispo de Badajoz.—Ded. a Felipe III.—A su Magestad. [«Magnanimo señor, que en la alta suerte...»].—Al Lector.

Salvá, I, n.º 1.076; Pérez Pastor, *Madrid*, II, n.º 1.380; Vindel, V, n.º 1.721.

MADRID. *Nacional.* R-1.132. — NUEVA YORK. *Hispanic Society.* — SANTANDER. «*Menéndez Pelayo*». R-I-B-189 (con ex libris de Salvá y Heredia).

5599

ECLOGAS (Las) y Georgicas de Virgilio, y Rimas, y el Pompeyo tragedia. Madrid. Iuan de la Cuesta. 1618. 8 hojas + 191 fols. + 1 h. 15 cm.

—S. Pr. al autor.—E.—T.—Apr. de Luis Tribaldos de Toledo.—Apr. de Fr. Hortensio Felix Parauicino.—Ded. a D. Alonso Fernandez de Cordoua y Figueroa, Marques de Priego.—Prologo al Lector.— Elogio a la Casa de Cordoua. [«O Gran Casa de Priego...»].—Epigramma latino de Vicente Mariner. Soneto del Autor al Cardenal de Toledo. [«Si con la sacra purpura, y Capelo...»].—Al Marques de Priego. [«Las seluas, y los celebres pastores...»].— Texto.— Colofón.— *Eclogas.* (Fols. 1r-31r).—*Georgicas.* (Fols. 31v-109r). *Rimas.* (Fols. 109r-159v).—*El Pompeyo. Tragedia.* (Fols. 160r-191v).

Gallardo, III, n.º 3.060; Pérez Pastor, *Madrid,* II, n.º 1.554; Vindel, V, n.º 1.722.

LONDRES. *British Museum.* 1072.c.17.—MADRID. *Nacional.* R-8.734.—SEVILLA. *Colombina.* 50-1-23.

5600

——. Madrid. Ramón Ruiz. 1793. 8.º. Salvá, I, n.º 1.315.

Aprobaciones

5601

[*APROBACION. Madrid, 3 enero 1617*]. (En Villegas, Esteban Manuel de. *Las Eroticas.* Nájera. 1618. Preliminares).

MADRID. *Nacional.* R-3.186.

Poesías sueltas

5602

[*SONETO*]. (En Falcón, Amaro. *Compendio de la historia Antoniana, traducida por Fr. Fernando Suárez.* Sevilla. 1603. Prels.).

5603

[*SONETO*]. (En Lipsio, Justo. *Los seys libros de las Políticas... Traduzido por Bernardino de Mendoza.* Madrid. 1604. Prels.).

V. n.º 5108.

5604

[*SILVA*]. (En Cascales, Francisco. *Tablas poéticas.* Murcia. 1617. Prels.).

MADRID. *Nacional.* R-21.061.

5605

[*POESIAS*]. (En Herrera, Pedro de. *Descripción de la Capilla de Ntra. Sra. del Sagrario.* Madrid. 1617).

1. *Octavas.* (4.ª Parte. Fols. 42v-44r).
2. *Soneto.* (4.ª Parte. Fol. 96v).
3. *Tercetos.* (4.ª Parte. Fols. 111r-112r).

MADRID. *Nacional.* 2-42.682.

5606

[*SONETO*]. (En Figueroa, Francisco de. *Obras.* Lisboa. 1625. Prels.).

MADRID. *Nacional.* R-8.323.

5607

[*A Don Gonçalo de Saauedra. Soneto*]. (En Saavedra, Gonzalo de. *Los Pastores del Betis...* Trani. 1633. Preliminares).

5608

[*SONETO a San Agustín*]. (En ROMANCERO *y Cancionero sagrados... Edición de Justo de Sancha.* Madrid. 1855, pág. 400. Biblioteca de Autores Españoles, 35).

ESTUDIOS

Biografía

5609

[*DOCUMENTOS sobre Cristóbal de Mesa*]. (En Pérez Pastor, Cristóbal. *Bibliografía madrileña.* Tomo II. Madrid. 1906, págs. 124-25).

Interpretación y crítica

5610

LOPEZ PRUDENCIO, J. *Valores olvidados. Christoval de Mesa.* (En *Revista del Centro de Estudios Extremeños,* XVI, Badajoz, 1942, páginas 165-78).

5611

BEALL, CH. B. *Cristóbal de Mesa*

and Tasso's «Rime». (En *Modern Language Notes,* LX, Baltimore, 1945, págs. 469-72).

5612

CARAVAGGI, G. *Altre «Lágrimas de San Pedro» ispirate dal Tansillo.* (En *Studi e Problemi di Critica Testuale,* I, Bolonia, 1970, págs. 123-85).

5613

CARAVAGGI, G. *Torquato Tasso e Cristóbal de Mesa.* (En *Studi Tassiani,* XX, 1970, págs. 47-85).

Elogios

5614

CERVANTES SAAVEDRA, MIGUEL DE. [*Elogio*]. (En *Canto de Caliope,* en *Primera parte de la Galatea.* Alcalá. 1585, fols. 324*v*-325*r*).

V. *BLH,* VIII, n.º 160.

5615

——. [*Elogio*]. (En *Viage del Parnaso.* Madrid. 1614, fol. 20*r*).

V. *BLH,* VIII, n.º 923.

5616

HERRERA MALDONADO, FRANCISCO DE. [*Elogio*]. (En *Sannazaro Español. Los tres libros del Parto de la Virgen... Traducción de* ——. Madrid. 1620, fol. 57).

5617

VEGA, LOPE DE. [*Elogio*]. (En *Laurel de Apolo.* Madrid. 1630, fol. 68*r*).

MADRID. *Nacional.* R-14.177.

5618

REP: N. Antonio, I, pág. 247; La Barrera, págs. 251-54; Ramírez de Arellano, I, páginas 335-37; R. M. de Hornedo, en DHEE, III, pág. 1.480.

MESA (FRANCISCO DE)

EDICIONES

5619

[*AL Autor. Decima*]. (En Antonio de Castilla. *Canción Real a la sed de Jesús Crucificado...* Madrid. 1645. Preliminares).

MADRID. *Nacional.* V.E.-155-57.

MESA (GASPAR DE)

CODICES

5620

«El bruto ateniense».

Año 1602. 59 hs. 4.º Con licencias para la representación de Barcelona (1604) y Madrid (1606). Con firma autógrafa. Procede de la biblioteca ducal de Osuna.

«—Que no se dará a partido...».

Paz, I, n.º 454.

MADRID. *Nacional.* Mss. 16.597.

5621

«El Nacimiento».

Segundo Auto de ——. Autógrafo y firmado en Madrid a 14 de diciembre de 1607. 17 hs. 4.º Con censuras de Gracián Dantisco y otros, del mismo año. Procede de la biblioteca ducal de Osuna.

«—Aun no es de noche, despierta...».

Paz, I, n.º 2.490.

MADRID. *Nacional.* Mss. 14.783.

5622

«Nínive y su conversión».

Comedia y Auto sacramental. Autógrafa, con licencia de 28 de mayo de 1597. 31 hs. 4.º Procede de la biblioteca ducal de Osuna.

«—¿Qué buscas o qué pretendes?...».

Paz, I, n.º 2.525.

MADRID. *Nacional.* Mss. 16.940 .

EDICIONES

5623

[*GLOSSA*]. (En Briz Martínez, Juan. *Relación de las exequias, que... Çaragoça a celebrado por el Rey Don*

Philipe... Zaragoza. 1599, págs. 253-
254).

MADRID. *Nacional.* R-4.520.

5624

[*POESIA*]. (En Marqués de Careaga,
Gutierre. *Desengaño de Fortuna.* Madrid. 1612. Prels.).

ESTUDIOS
5625
REP: La Barrera, pág. 254.

MESA (JUAN DE)

EDICIONES
5626
*HISTORIA de las mercedes... que
la Virgen del Monte Carmelo obró...*
Sevilla. Andrés Cabrera. 1593. 4 hs.
gót.

MADRID. *Palacio Real.* I-A-2.

Poesías sueltas
5627
[*SONETO*]. (En Arfe Villafañe, Juan.
*Descripción de la traça y ornato de
la Custodia de Plata de la Sancta
Iglesia de Sevilla.* Sevilla. 1587. Preliminares).

5628
[*DECIMAS*]. (En Caro de Mallén,
Ana. *Relación de la grandiosa fiesta
que en la Iglesia parroquial de... San
Miguel... de Seuilla hizo don García
Sarmiento de Sotomayor...* Sevilla.
1635. Prels.).

MESA (JUAN DE)

EDICIONES
5629
*OBRA nuevamente compuesta donde
por maravillosa orden se cuentan las
grandes y brauos bastimientos generos y cantidad de carnes y pesca-*
*dos de diversas suertes y maneras
que van en la braua y poderosa armada que el rey N. S. ha mandado
juntar en Lisboa...* Lisboa. 1588. 4 hs.
a 2 cols. 19,5 cm.

—Texto. [«Refugio de todos nos...»].

MADRID. *Nacional.* V.E.-193-7.

5630
*OBRA nueuamente compuesta donde
por marauillosa orden se cuentan
los grandes y brauos bastimientos,
generos y cantidad de carnes y pes-
cados de diuersas suertes y maneras que van en la braua y poderosa
armada que el rey nro. señor ha
mandado juntar en Lisboa, iunto con
las muchas y fuertes naos, galeras
y galeaças y brauos galeones, y los
muchos y espantosos ingenios y apa-
ratos de guerra, iunto ocn la grande
suma y cantidad de brauos y valientes soldados y Capitanes y poderosos y grandes señores que con tanta y brauosa braueza y gallardia la
siguen, la muy grande e soberuia
cantidad de Artilleria y fuertes y
generos de municiones cosa nunca
oyda, a la qual Iesu Christo guarde
y de victoria y a su Magestad guarde en su sancto seruicio.* Burgos.
Santillana. 1588. 4 hs. 4.º

—Texto:

1. [«Refugio de todos nos...»].
2. *Romance de la armada y infantería.*
[«Año de mil y quinientos...»].
3. *Romance del bastimento.* [«Oygan todos los nacidos...»].
4. *Romance de los mas bastimentos.*
[«Nota el queso y el atun...»].
5. *Villancico.* [«Inuencible y de memoria...»].

Rodríguez Moñino, *Diccionario,* n.º 364.

MADRID. *Nacional.* V-193-7.

5631
*TRATA la presente historia, de como
dos hijos de Mosen Faro general que*

fue del exercito de Mandoma fue muerto en el cerco de Ruan por vn soldado Español, los hijos izieron voto y omenaje de vengar la muerte del padre en el Reyno de España, dentro de Bearne, asalariaron quatro Ingleses luteranos para el effeto, y de los crueles hechos que hizieron en entrando en el Reyno de Cataluña, especial el Domingo de Carnestolendas en vn deuoto Christo, vna imagen de S. Juan y de nuestra Señora que hizieron crueldades jamas no vistas. Fue sacada esta historia del proceso de sus confessiones... Con vn romance de la justicia que les hizieron a los luteranos en la villa de Marcuendas, en este presente año de 1594. [Guesca. Juan Perez]. [s. a.]. 4 hs. a 2 cols. 4.º

—Texto. [«Lucifer y sus sequaces...»].— *Romance.* [«De Março a los quatro días...»].

Rodríguez Moñino, *Diccionario*, n.º 365.

MADRID. *Nacional.* R-31.364, n.º 13.

———

Reprod. facsímil en *Pliegos*, I, n.º 10.

5632
[*POESIA*]. (En Pineda, Juan de. *Los treynta libros de la Monarchía ecclesiastica...* Salamanca. 1588. Prels.).

MADRID. *Nacional.* R-28.663.

MESA (JUAN DE)

Licenciado.

EDICIONES

5633
[*AL Autor. Dezima*]. (En Navarro de Zuñiga y Alvarado, Juan. *Informacion en derecho divino y humano por Maria Santissima... en el injusto pleito de su inmaculada Concepcion.* Madrid. 1651. Prels.).

MADRID. *Academia de la Historia.* Jesuítas, t. 1.º, n.º 23.

MESA (FR. JUAN DE)

Cartujo.

EDICIONES

5634
[*AL Autor. Octavas y dos Sonetos*]. (En Losa, Andrés de la. *Verdadero entretenimiento del Christiano.* Sevilla. 1584. Prels.).

MADRID. *Nacional.* R-3.679.

MESA (JUAN BAUTISTA DE)

N. en Antequera.

CODICES

5635
«*Romance*».

Letra del s. XIX. 300 × 200 mm.

«En una yegua andaluza...».

Inventario, IX, pág. 224.

MADRID. *Nacional.* Mss. 2.959 (fol. 291v).

5636
«*Porque gustaba de morirse no se moría*».

Letra del s. XVII. 210 × 145 mm.

«Cansado de sufrir mi sufrimiento...».

MADRID. *Nacional.* Mss. 4.140 (fol. 7r).

EDICIONES

5637
LIBRO de la Constancia de Ivsto Lipsio. Tradvcido de latin en castellano, por ——*...* Sevilla. Matías Clavijo. 1616. 11 hs. + 166 págs. + 6 hs. 17 cm.

—T.—E. (ninguna).—Pr. al traductor por diez años.—Ded. a D. Rodrigo de Tapia Alarcón y Luna ,caballero de Santiago, etc.; por Mesa.—El Traductor al Lector. Advertencia al Lector.—Traducción de una advertencia del Autor.—Prólogo del Autor.—Ded. a los Consules, Senado y Pueblo de Amberes, por el Autor.—Al Lector sobre el intento que tuue de escriuir este libro.—Texto.—Oracion que hize a Dios pidiendole constancia en una graue y prolixa enfermedad, que tuue año de 1579, y de mi edad 32. [«Divino

Dios a quien estan sujetos...»].—Tabla de los capítulos.—Colofón.

Escudero, n.º 1.058.

CORDOBA. *Pública.* 4-163. — MADRID. *Academia Española.* — *Facultad de Filología.* 31.386. *Nacional.* R-11.030 (ex libris de Gayangos). *Palacio Real.* XIV-2.475 Bd. — SEVILLA. *Colombina.* 141-3-19; 21-2-5. *Universitaria.* 79-152; 136-15.—ZARAGOZA. *Universitaria.* G-40-40.

Poesías sueltas

5638

[*POESIAS*]. (En PRIMERA *parte de las Flores de poetas ilustres de España... Ordenada por Pedro Espinosa.* Valladolid. 1605).

1. *Soneto.* (Prels.).
2. [*Sin título*]. (Fol. 34).
3. [*Sin título*]. (Fol. 34v).
4. [*Sin título*]. (Fol. 156r).

MADRID. *Nacional.* R-2.757.

5639

[*SONETO*]. (En Luque Fajardo, Francisco de. *Relación de la fiesta que se hizo en Sevilla a la beatificación de... San Ignacio...* Sevilla. 1610, fol. 54r).

MADRID. *Nacional.* 3-25.151.

5640

[*SONETO*]. (En Reyes, Gaspar de los. *Tesoro de concetos divinos...* Sevilla. 1613. Prels.).

MADRID. *Nacional.* R-11.542.

5641

[*POESIAS*]. (En Paez de Valenzuela, Juan. *Relacion brebe de las fiestas...* Córdoba. 1615).

1. *Glosa en soneto.* (Fol. 20r).
2. *Soneto.* (Fol. 39v).

MADRID. *Nacional.* 3-39.118.

5642

[*SONETO*]. (En Guerrero de Espinar, Juan. *Información de concordias... en fauor del misterio de la*

Impía Concepción de la... Virgen María... Madrid. 1620. Prels.).

V. *BLH,* XI, n.º 2.885.

5643

[*POESIAS*]. (En SEGUNDA *parte de las Flores de poetas ilustres de España. Ordenada por Juan Antonio Calderón...* Sevilla. 1896).

1. *Soneto.* (Págs. 191-92).
2. *Soneto.* (Pág. 192).
3. *A las reliquias de Singilia. Soneto.* (Páginas 192-93).
4. *Soneto.* (Pág. 193).
5. *Canción.* (Págs. 193-94).
6. *Soneto.* (Págs. 319-20).

MADRID. *Nacional.* 2-35.873.

5644

[*ROMANCE. Edición de José Lara Garrido*]. (En *Analecta Malacitana,* V, Málaga, 1982, págs. 176-78).

«En una yegua andaluza...».

Edición del texto del ms. de Toledo y Godoy, actualmente en la Biblioteca de la Caja de Ahorros de Antequera.

ESTUDIOS

5645

REP: N. Antonio, I, pág. 650.

MESA (LUIS DE)

Licenciado. Presbítero. Confesor de Sor Mariana de Jesús.

EDICIONES

5646

VIDA, favores, y mercedes, que Nuestro Señor hizo a la venerable hermana Mariana de Jesus, de la Tercera Orden de San Francisco, natvral de la villa de Escalona, que vivio, y mvrio en Toledo. Toledo. Francisco Calvo. 1661. 9 hs. + 1.207 páginas a 2 cols. + 3 hs. + 23 págs. 29,2 cm.

—Ded. al Rey N. Sr. D. Felipe IV el Grande, cuyo escudo figura en la portada, por Alonso Fernandez de Madrid, caballero de la Orden de Santiago, etc.—Apr. de Fr.

Francisco Guzman Ponce de Leon.—L. V. Apr. de Fr. Pedro de Alva y Astorga.—L. O.—Censura del P. Geronimo Pardo Villaroel.—S. Pr. a Francisco Caluo por 10 años.—E.—S. T.—Prologo.—Poesía latina.—Tabla de los capitulos.—Protesta del Autor.—Breve del Sr. Nuncio de la Santidad de Urbano Octavo. — Texto. — Traslado del rotulo de la Sagrada Congregacion de Ritos, en la causa de la beatificacion y canonizacion de... Mariana de Jesus...—Interrogatorio y articulos sobre la vida, virtudes, santidad y milagros de la... Madre Mariana de Jesus...

Pérez Pastor, *Toledo*, n.º 561.

CORDOBA. *Pública*. 32-188.—MADRID. *Facultad de Filología*. 30.901. *Nacional*. 2-10.507. — SANTIAGO DE COMPOSTELA. *Universitaria*. 1678.

5647

——. Madrid. [Imp. Real]. [s. a., 1678?]. Fol.

MADRID. *Nacional*. 3-41.348. *Seminario Conciliar*.—NUEVA YORK. *Hispanic Society*.—SEVILLA. *Universitaria*. 12-79.—ZARAGOZA. *Universitaria*. G-63-106.

5648

JORNADA del Señor Don Jvan de Avstria Contra Lusitania Revelada. [s. l.-s. i.]. [s. a.]. 4 fols. 20 cm.

Carece de portada.

—Texto. Octavas. [«El Varon mas ilustre, y sublimado...»].—Ded. a su Alteza. Decima. [«Es un Retrato de Dios...»].

MADRID. *Nacional*. V.E.-113-10.

ESTUDIOS

5649

REP: N. Antonio, II, pág. 51; Juan de San Antonio, II, pág. 301.

MESA (FR. LUIS DE)

Predicador del convento de la Madre de Dios de Alcalá.

EDICIONES

5650

[SERMON]. (En QUARESMA Complutense... Alcalá. 1674, págs. 195-218).

MADRID. *Nacional*. 2-11.092.

MESA (FR. PABLO DE)

Franciscano. Lector de Teología en los conventos de Sta. María de Jesús y de San Diego de Alcalá.

CODICES

5651

«Dezimas... a un Galán y a una Dama viexos, los quales yendo a hazer orazion a Ntra. Sra. del Val, Hermita de la villa de Alcala, al quitarse el sombrero entrando en ella se le cayo una cauellera que lleuaba postiza, por ser caluo, y a ella le dio tanta rissa el verle con que riyendose se le cayeron todos los dientes que los traya postizos».

«Virgen si de vuestra mano...».

MADRID. *Nacional*. Mss. 3.884 (fols. 395v-396r).

EDICIONES

5652

SERMON de nvestros patriarchas S. Domingo, y S. Francisco. Predicole a las sagradas religiones de la Vniuersidad de Alcalá en el Conuento de Santa María de Iesus. Alcalá. Antonio Vazquez. 1642. 2 hs. + 28 págs. 19,5 centímetros.

—Censura de Fr. Gaspar de la Fuente.—Censura de Fr. Francisco de Arcos.—Ded. a Fr. Iuan Merinero, General de la Orden de San Francisco.—Texto.

CORDOBA. *Pública*. 3-82.—MADRID. *Nacional*. 2-62.292.—ORIHUELA. *Pública*. 92-3-24.

5653

PANEGIRICO de la traslacion de los Santos Mártires Justo y Pastor. Alcalá de Henares. Viuda de Antonio Rodríguez .1643. 4.º

SEVILLA. *Universtiaria*. 113-44 (6).

5654

HISTORIA del Capitvlo General, qve celebro la Religion Serafica en la Imperial Toledo este año de M.DC.

XLV. Madrid. Imp. Real. 1645. 4 hojas + 35 fols. 20 cm.

—Ded. al cardenal D. Camilo Panfilio.—Censura de Fr. Iuan Ponce de Leon.—Censura de Fr. Francisco Suarez.—L. V. S. L. del Consejo.—E.—S. T.—Introduccion.—Texto.

MADRID. *Academia de la Historia.* 4-1-8-1.074; 9-756.—NUEVA YORK. *Hispanic Society.*

5655

[*SERMON. Toledo, 5 de Mayo de 1645*]. (En ESCUELA *de Discursos...* Alcalá. 1645, págs. 426-458).

MADRID. *Nacional.* R-70.044.

OBRAS LATINAS

5656

[*APROBACION por* ——, *y Fr. Christophorus Delgadillo y Fr. Franciscus Pichón. 29 de Junio 1646*]. (En Felix, Francisco. *Primum principium Complutense.* Alcalá. 1646. Prels.).

MADRID. *Nacional.* 7-14.163.

ESTUDIOS

5657

REP: N. Antonio, I, pág. 162.

MESA (FR. PEDRO DE)

Franciscano. Guardián del convento de San Francisco de Madrid.

EDICIONES

5658

[*APROBACION. Madrid, 5 de febrero de 1592*]. (En Astete, Gaspar. *Institución y guía de la juventud christiana.* Primera parte. Burgos. 1592. Prels.).

MADRID. *Nacional.* R-25.926.

5659

[*APROBACION. Madrid, 5 de febrero de 1592*]. (En Astete, Gaspar. *Tratado del estado de la Religión...* Burgos. 1603. Prels.).

MADRID. *Nacional.* R-25.927.

5660

[*APROBACION. Madrid, 2 de julio de 1623*]. (En Vega, Francisco de. *Relación sumaria de la vida y milagros de... San Iuan Capistrano...* Madrid. 1623. Prels.).

MADRID. *Nacional.* V.E.-156-13.

MESA (SEBASTIAN DE)

Maestro. Cura de la iglesia de San Justo de Madrid. Comisario de la Inquisición.

EDICIONES

5661

IORNADA de Africa por el rey don Sebastian y vnion del Reyno de Portvgal a la Corona de Castilla. Barcelona. Pedro Lacaualleria. 1630. 2 hojas + 169 fols. + 1 h. 20,5 cm.

—Apr. de Fr. Antonio de Viedma.—L.—E. A todos, por Francisco Diego de Aynsa y de Yriarte.—Al letor.—Texto.—Tabla de los capítulos.

Gallardo, III, n.º 3.061; Vindel, V, n.º 1.723. BARCELONA. *Instituto Municipal de Historia.* B.1630-8.º (2).—GRANADA. *Universitaria.* A-1-271.—LONDRES. *British Museum.* 804.d.37; etc. MADRID. *Academia de la Historia.* 13-1-9-2.689. *Facultad de Filología.* 34.179. *Nacional.* R-2.619.—NUEV.. YORK. *Hispanic Society.*—PARIS. *Nationale.* 4ºOr.60.

5662

[*CENSURA. Madrid, 26 de abril de 1624*]. (En Piña, Juan de. *Novelas exemplares y prodigiosas historias.* Madrid. 1624. Prels.).

MADRID. *Nacional.* R-2.344.

Aprobaciones

5663

[*APROBACION. Madrid, 27 de febrero de 1624*]. (En Pérez de Montalbán, Juan. *Sucessos y prodigios de Amor en ocho Novelas Exemplares.* Madrid. 1624. Prels.).

MADRID. *Nacional.* R-30.983.

ESTUDIOS

5664

REP: N. Antonio, II, pág. 282; Alvarez y Baena, IV, pág. 315.

MESA (TOMAS DE)
Vecino de Sevilla.

EDICIONES

5665

ANDELUVIO y ruyna que hizo el río Guadalquivir, en la Ciudad de Sevilla, y Triana, y otros pueblos comarcanos, en 20 de Diciembre de 1603... Sevilla. Fernando de Lara. 1603. 4 hs. 4.º

—Texto. [«No sé si podrá mi pluma...»]. Gallardo, III, n.º 3.062.

ESTUDIOS

5666

REP: Méndez Bejarano, II, n.º 1.666.

MESA (TOMAS DE)
Licenciado.

EDICIONES

5667

[*AL Capitán D. Rodrigo de Caruajal*]. (En Carvajal y Robles, Rodrigo de. *Poema heroyco del assalto y conquista de Antequera.* Los Reyes. 1627. Preliminares).

MADRID. *Nacional.* R-3.776.

5668

[*DECIMAS*]. (En Palma Fajardo, Francisco de. *Sermón del Santo martyr y pontifice Marcelo...* Lima. 1633. Preliminares).

MADRID. *Nacional.* R-14.209.

5669

[*POESIAS*]. (En Alvarez de Faria, Pedro. *Relación de las funerales exequias que hizo... la Inquisición de*

los Reyes del Perú, al... Príncipe... Don Baltasar Carlos... Lima. 1648).

1. *Soneto.* (Fol. 27v).
2. *Lyras.* (Fol. 28r).
3. *Soneto.* (Fol. 28v).
4. *Dézimas* (Fol. 45r).

V. *BLH*, V, n.º 1963.

MESA Y AYALA (ALONSO DE)

EDICIONES

5670

[*AL Autor del libro. Dezima*]. (En Villagómez Vivanco, Francisco de. *Consideraciones politicas...* Madrid. 1629. Prels.).

MADRID. *Nacional.* R-20.110.

MESA Y GARCES (FR. GONZALO)
Franciscano. Colegial de Sagrada Teología en San Francisco el Real de León.

EDICIONES

5671

[*GLOSSA*]. (En FIESTAS *Minervales...* Santiago. 1697, pág. 99).

MADRID. *Nacional.* 3-55.216.

MESA ORTEGA (ANDRES DE)

EDICIONES

5672

REFIERESE la Epidemia que a padecido la Ciudad de Granada, desvanecida con el milagro que obró la Imagen del S. Cristo crucificado, que esta colocada en el Convento de N. Padre San Agvstin, Calzados de esta dicha Ciudad... Romance. [s. l.-s. i.]. [s. a.]. 4 hs. 20,5 cm.

—Texto. [«Oye los Prodigios Fabio...»].
MADRID. *Nacional.* V.E.-129-43.

MESA VILLAVICENCIO (JUAN DE)

Criado del duque de Sessa.

EDICIONES

5673

[*AL Autor. Dezima*]. (En Salas Barbadillo, Alonso Jerónimo de. *Casa del plazer honesto*. Madrid. 1620. Preliminares).

MADRID. *Nacional*. R-13.932.

5674

[*POESIA*]. (En Colodrero de Villalobos, Miguel. *Varias rimas*. Córdoba. 1629. Prels.).

MADRID. *Nacional*. R-13.730.

MESAN (JUAN DE LA)

Vecino de Pamplona.

EDICIONES

5675

RELACION verdadera de la presa de la Rochela, por el Christianissimo Rey de Francia Luys XIII, en 31 de Octubre de este año 1628. Con las cosas mas notables que en el sitio le han sucedido con las armadas del Rey de Inglaterra. Zaragoza. Pedro Verges. 1629. 3 hs. 19,5 cm.

Jiménez Catalán, *Tip. zaragozana del siglo XVII*, n.º 292.

MADRID. *Nacional*. V.E.-166-55.

MESQUIDA (FR. JOSE)

Agustino. Dos veces Definidor de la provincia de Aragón. Vicario provincial del Reino de Mallorca. Examinador sinodal. Calificador de la Inquisición.

EDICIONES

5676

[*APROBACION*]. *Mallorca, 4 de mayo de 1660*]. (En Baró, Juan Antonio. *Suma de los preceptos del Decálogo...* Mallorca. 1661. Prels.).

MADRID. *Nacional*. 2-1.896.

5677

[*APROBACION. Mallorca, 21 de enero de 1669*]. (En Pujol, Gabriel. *Oracion panegirica de la Purissima Concepcion de la Virgen María...* Mallorca. s. a. Prels.).

MADRID. *Nacional*. R-20.431.

MESSEGUER (JUAN BAUTISTA)

Catedrático de la Universidad de Valencia.

EDICIONES

5678

[*DECIMAS*]. (En Valda, Juan Bautista de. *Solenes fiestas que celebró Valencia a la Inmaculada Concepcion...* Valencia. 1663, págs. 52-57).

MADRID. *Nacional*. 3-18.636.

5679

[*JEROGLIFICOS*]. (En Valda, Juan Bautista de. *Solenes fiestas que celebró Valencia a la Inmaculada Concepcion...* Valencia. 1663, págs. 103-112).

OBRAS LATINAS

5680

[*EPIGRAMA*]. (En Valda, Juan Bautista de. *Solenes fiestas que celebró Valencia a la Inmaculada Concepcion...* Valencia. 1663, págs. 102-3).

MESSI (ABEL)

Intérprete de S. M. de las lenguas orientales.

EDICIONES

5681

PRONOSTICO de vn tvrco mvy sabio, y grandissimo astrologo, qve se llamava Baba Vali, de qve ay mvchas opiniones qve mvrio Christiano, hallado en vn Libro, escrito en Lengua Turca... escrito el año... de 1604...

Tradvcido... por ——*...* Madrid. [s. i.]. [s. a.]. 4 hs. 20 cm.

—Texto.

MADRID. *Nacional.* V.E.-14-33.

5682

——. [Zaragoza. s. i.]. [1689]. Una hoja. 21 cm.

Jiménez Catalán, *Tip. zaragozana del siglo XVII*, n.° 1.112.

ZARAGOZA. *Universitaria.*

MESSIA

V. MEJIA

MESTANZA (JUAN DE)

N. en Agudo. En 1555 pasó a América como oficial de la Real Hacienda. Residió en Nombre de Dios y en Guatemala.

CODICES

5683

[*Poesía*].

En Salazar, Eugenio de. *Negación del Alma...* Prels.).

Letra del s. XVII. 305 × 210 mm.

Inventario, X, pág. 150.

MADRID. *Nacional.* Mss. 3.669.

ESTUDIOS

5684

MONTOTO, S. *Juan de Mestanza, poeta celebrado por Cervantes.* (En *Boletín de la R. Academia Española*, XXVII, Madrid, 1947-48, páginas 177-96).

Elogios

5685

CERVANTES SAAVEDRA, MIGUEL DE. [*Elogio*]. (En *Canto de Caliope*, en *Primera parte de la Galatea.* Alcalá. 1585, fol. 333*v*).

5686

——. [*Elogio*]. (En *Viage del Parnaso.* Madrid. 1614, fol. 54*v*).

5687

REP: Méndez Bejarano, II, n.° 1.668.

MESTRE (FRANCISCO)

EDICIONES

5688

[*DEDICATORIA a D. Gerónimo Frígola y Margarit, Arcediano Mayor y Canónigo de la Santa Metropolitana Iglesia de Valencia, etc.*]. (En Belmont, Vicente. *Representación sagrada de la mayor honra de Santo Tomás de Villanueva...* s. l.-s. a. Prels.).

MADRID. *Nacional.* V-292-4.

MESTRE (FR. MIGUEL)

Franciscano.

EDICIONES

5689

VIDA de San Antonio Portugués, con una novena... Barcelona. Martín Gelabert. 1681. 8.°

Nota vaga, que quisiéramos concretar. (Pálau, IX, n.° 166.520).

5690

VIDA, y milagros del glorioso S. Antonio de Padua, sol brillante de la Iglesia, Lustre de la Religión Seráfica, Gloria de Portugal, Honor de España, Thesoro de Italia, terror del infierno, martillo perpetuo de la heregía, entre los Santos por excelencia el Milcgroso... Va al fin añadido el Novenario del Santo. Barcelona. Martín Gelabert. 1688. 8 hs. + 308 páginas + 2 hs. + 1 lám. 4.°

BARCELONA. *Universitaria.*

— — —

—Barcelona. Joseph Altés. [s. a., 1688].

BARCELONA. *Universitaria.* B-56-7-55; etc.

—Barcelona. Joseph Giralt. [s. a.].

Licencias de 1688.

BARCELONA. *Universitaria.* B.62-9-13.

—Barcelona. Jaime Batlle. 1713.
BARCELONA. *Universitaria.* B.56-7-53.
—Pamplona. 1722.
Palau, IX, n.º 166.521.
—Madrid. Angel Pascual Rubio. 1724.
BARCELONA. *Universitaria.* C.193-5-10.
—10.ª ed. Madrid. 1740.
MADRID. *Nacional.* 2-12.886.

ESTUDIOS

5691

REP: Torres Amat, pág. 416.

MESTRE (FR. VALENTIN)

Benedictino.

EDICIONES

5692

PANEGIRICO de San Ioseph, Esposo de María Santissima. Predicado... en el Real Monasterio, y Camara Angelical de Nuestra Señora de Mont-Serrate... 1684. Barcelona. R. Figueró. [1685]. 4 hs. + 26 págs.

BARCELONA. *Central.* F. Bon. 9.461. *Universitaria.*

META (ANTON DE)

EDICIONES

5693

COMIENÇA la contienda del cuerpo z alma. [s. l.-s. i.]. [s. a.]. 8 hs. con un grab. 4.º gót.

—Texto. [«Durmiendo en un lecho...»]. Rodríguez Moñino, *Diccionario,* n.º 366.
LONDRES. *British Museum.*

«METAPHORA Medicina.»

V. LAREDO
(FR. BERNARDINO DE)

[V. *BLH,* XII, n.º 5688]

METGE (FRANCISCO)

EDICIONES

5694

TESORO escondido de todos los más famosos romances, así antiguos como modernos del Cid. Va a la fin en seis romances la historia de los Siete Infantes de Lara. (Barcelona, 1626). [Noticia preliminar por Antonio Pérez Gómez]. Valencia. [Tip. Moderna]. 1952. 148 págs. + 1 h. 17 centímetros. (Colección Duque y Marqués. Opúsculos Literarios Rarísimos, I).

a) Bataillon, M., en *Bulletin Hispanique* LV, Burdeos, 1953, págs. 414-15.

METGE (FR. JOSE)

Carmelita.

EDICIONES

5695

[RESPUESTA a un Manifiesto escrito por Fray Juan Bautista Sorribas]. [s. l.-s. i.]. [s. a.]. 4 hs. 28,5 cm.

MADRID. *Nacional.* V.E.-210-111.

«METODO breve...»

EDICIONES

5696

[METHODO Breve del Arte de Criar-Seda, con otros secretos para seguir con este fin con utilidad del Criador... Recogido de los varones modernos y antiguos, que han escrito sobre esta materia tan importante y comprobando con buena Philosofia y experiencia, por un afecto tuyo, ò aficionado criador]. [s. l.-s. i.]. [s. a.] 24 págs. 19 cm.

—Texto.
MADRID. *Nacional.* V.E.-139-53.

«METRICA acción de gracias...»

EDICIONES

5697

METRICA accion de gracias, qve da a San Diego de Alcala, y juntamente el Aplauso del Felizissimo Sucesso de la Recuperada Salud de Nuestro Catholico Monarcha Don Carlos Segvndo (que Dios guarde). Con la mejoria de la Reyna nvestra Señora Doña Mariana de Neoburg, su Dignissima Esposa. [s. l.-s. i.]. [s. a.]. 4 hs. orladas. 20,5 cm.

—Texto, en Octavas. [«Si a la Voz trasladar el Pensamiento...»].

MADRID. *Nacional.* V.E.-113-16.

«METRICA expresión...»

EDICIONES

5698

METRICA expression qve hace en obseqvio de las plausibles bodas de Ana Virues y Caballero con su primo Joseph Domonte. [s. l.-s. i.]. [s. a.].

NUEVA YORK. *Hispanic Society.*

«METRICAS españolas...»

EDICIONES

5699

METRICAS hespañolas... de un cortesano a la ausencia de... María Teresa de Borbón que parte a Francia. [s. l.-s. i.]. [s. a., c. 1660?]. 17 páginas. 4.º

Palau, IX, n.º 167.150.

«METROS festivos...»

EDICIONES

5700

METROS festivos, con que la Real Capilla correspondio devota, y agradecida á Maria Santissima de la Soledad, por el singular favor de la Salud de sus Magestades. [s. l.]. [En la Imprenta de la calle de la Habada]. [s. a.]. 4 hs. a 2 cols.

1. *Villancico Primero.*

a) *Estrivillo.* [«La dorada bellissima Aurora...»].

b) *Coplas.* [«Salva de esplendores...»].

2. *Villancico Segundo.*

a) *Estrivillo.* [«Al Dia mas feliz...»].

b) *Coplas.* [«Caminaba el Sol de Austria...»].

3. *Villancico tercero.*

a) *Estrivillo.* [«Aves, suaves...»].

b) *Coplas.* [«Flores, y olores fragancias respiren...»].

4. *Villancico Quarto. Quintillas.* [«Señora, este Memorial...»].

5. *Villancico Quinto.*

a) *Estrivillo.* [«Rosas del claro Zafir...»].

b) *Coplas.* [«Todo del Cielo es el Dia...»].

6. *Villancico Sexto.*

a) *Estrivillo.* [«Yo soy el Contento...»].

b) *Coplas.* [Ciegos de amor, à la Fiesta venimos...»].

MADRID. *Nacional.* R-34.988, n.º 50.

MEURIER (GABRIEL)

EDICIONES

5701

THRESOR de sentences dorees dicts Proverbes, Referains & dictions communs, reduicts selon l'ordre alphabeticq en quatre langues... Latin, Espagnol, Thiois & François. Bruselas. Hubert Anthoine Velpius. 1650. 88 folios. 8.º

Peeters-Fontainas, II, n.º 779.

5702

——. Bruselas. Hubert Anthoine Velpius. 1652. 88 fols. 8.º

Peeters-Fontainas, II, n.º 780.

5703

CONIVGAISONS, regles, et instrvctions, movt (sic) *propres et necessairement reqvises, pour ceux qui desirent apprendre François, Italien, Espagnol, & Flamen: dont la plus part est mise par maniere d'Interrogations & Responses.* Amberes. Ian van Wasesberghe. 1558. 5 hs. + 44 folios. 19 cm.

Peeters-Fontainas, II, n.º 777.

BRUSELAS. *Royale.* — LONDRES. *British Museum.* 1331.c.8 (1).—PARIS. *Nationale.*

5704

COLOQVIOS *familiares muy convenientes y mas provechosos de quantos salieron fasta agora, para qualquiera qualidad de personas desseosas de saber hablar y escribir Español y Frances.* Amberes. Iean Waesberge. 1563. 128 fols. 13 cm.

Peeters-Fontainas, II, n.º 776.

BRUSELAS. *Royale.* — LONDRES. *British Museum.* 12942.aa.21. — PARIS. *Nationale.* Rés. X.2088.—VIENA. *Nacional.* 20.924-A.

5705

CONIVGACIONES, *arte y reglas muy proprias, y necessarias para los qve quisieren deprender Español y Frances.* Amberes. Iean Waesberge. 1868 [sic, por 1568]. 32 fols. 14 cm.

—Pr.—Aviso.—Texto.

Peeters-Fontainas, II, n.º 778.

BRUSELAS. *Royale.* — LONDRES. *British Museum.* 12952.aa.41. — NUEVA YORK. *Hispanic Society.*—PARIS. *Nationale.* Rés. X.2089.

5706

RECUEIL *de sentences notables, dicts et dictons... traduits la plupart de latin, italien et espagnol.* Amberes. J. Waesberghe. 1568. 8.º

ROUEN. *Municipale.* Leb. 2870 (1) rés.

MEY (AURELIO)

EDICIONES

5707

[DEDICATORIA *a D. Lys Ferrer y Cardona*]. (En DOZE *Comedias famosas, de quatro poetas naturales de... Valencia.* Valencia. 1609. Prels.).

En verso.

MADRID. *Nacional.* R-10.644.

5708

[DEDICATORIA *a D. Luis Ferrer.* (En TERCERA *Parte de las Comedias*

de Lope de Vega y otros Autores... Madrid. 1613. Prels.).

5709

[DEDICATORIA *a D.ª Blanca Ladrón y Cardona, hija primogénita de D. Iayme Zeferino Ladrón de Pallas, conde de Simancas, etc.*]. (En NORTE *de la Poesía Española, ilustrado del sol de doze Comedias... de Laureados Poetas Valencianos...* Valencia. 1616. Prels.).

MADRID. *Nacional.* R-12.280.

ESTUDIOS

5710

REP: Ximeno, I, pág. 277.

MEY (FELIPE)

N. en Valencia. Impresor en Tarragona desde 1577, bajo la protección de Antonio Agustín. En 1588 se estableció en Valencia. Catedrático de Prosodia (1592) y de Griego (1604) de su Universidad. M. en Valencia (1612).

EDICIONES

5711

METAMORFOSEOS (Del) *de Ovidio en otava rima tradvzido por Felipe Mey Siete libros con otras cosas del mismo.* Tarragona. Felipe Mey. 1586. 4 hs. + 412 págs. + 10 hs. 14 cm.

—Soneto de Nicasio Çorita. [«Quien gusta de un estilo auentajado...»].—Al lector. Texto. [«Cuerpos en nueuas cosas trasformados...»].—Tabla de las cosas notables.—Al lector.

Salvá, I, n.º 804; Gallardo, III, n.º 3.065; Heredia, II, n.º 1.542; Martí Grajales, página 307.

MADRID. *Nacional.* R-12.941 (ex libris de Gayangos); R-1.569.—NUEVA YORK. *Hispanic Society.*—PALMA DE MALLORCA. *Pública.*

5712

RIMAS. Tarragona. Felipe Mey. [s. a.]. 4 hs. + 412 págs. + 9 hs. + 62 páginas + 1 h. 15 cm.

—L. V. (1586).—Ded. a D. Ramón Ladrón, caballero de Santiago, etc., cuyo escudo figura en la portada.—Texto.—Tabla de las cosas notables.—Al letor.—Rimas diferentes de ——.

Martí Grajales, pág. 307.

MADRID. *Nacional.* R-1.168; R-12.941.—NUEVA YORK. *Hispanic Society.*—SANTANDER. *«Menéndez y Pelayo».* R-III-4-20.

5713

ORTHOGRAPHIA (De). Instrucion para escrivir correctamente assi en latin como en romance. Barcelona. Sebastián de Cormellas. 1626.

NUEVA YORK. *Hispanic Society.*

5714

——. (En Bravo, Bartolomé. *Thesaurus verborum ac phrasium...* Barcelona. 1628. 27 págs. finales).

GENOVA. *Universitaria.* 3.A.V.27 (1-2).

Poesías sueltas

5715

[SONETO]. (En Gil Polo, Gaspar. *Primera parte de Diana enamorada.* Valencia. 1564. Prels.).

MADRID. *Nacional.* R-1.525.

5716

[SONETO]. (En Prades, Jaime. *Historia de la adoración y uso de las santas imagenes...* Valencia. 1596. Preliminares).

MADRID. *Nacional.* R-28.729.

5717

[POESIAS]. (En Gomez, Vicente. *Relacion de las... fiestas que hizo... Valencia, a la canonizacion del bienaventurado S. Raymundo de Peñafort...* Valencia. 1602).

1. *Estancias.* (Págs. 436-37).
2. *Estancias.* (Págs. 445-47).
3. *Soneto.* (Págs. 452-53).

VALENCIA. *Universitaria.* A-119-6.

5718

[CANCION]. (En Aguilar, Gaspar de. *Fiestas que... Valencia ha hecho por la beatificación del Santo Fray Luys Bertrán...* Valencia. 1608, págs. 279-282).

V. *BLH*, IV, n.º 2486 (18).

5719

[SONETO]. (En Gomez, Vicente. *Los sermones y fiestas que... Valencia hizo por la beatificación de... S. Luys Bertrán.* Valencia. 1609, páginas 285-86).

MADRID. *Nacional.* R-14.652.

5720

[DOS Sonetos]. (En ROMANCERO y *Cancionero sagrados. Edición de Justo de Sancha.* Madrid. 1855, págs. 52-53. Biblioteca de Autores Españoles, 35).

Reproducidos de sus *Rimas.*

OBRAS LATINAS

5721

[POESIA]. (En Gomez, Vicente. *Los sermones y fiestas que... Valencia hizo por la beatificación de... S. Luys Bertrán.* Valencia. 1609, págs. 242-43).

MADRID. *Nacional.* R-14.652.

ESTUDIOS

5722

REP: N. Antonio, II, pág. 253; Ximeno, I, págs. 249-50; Torres Amat, págs. 416-17; Martí Grajales, págs. 301-9 (con documentos).

MEY (JUAN)

Impresor.

EDICIONES

5723

[AL lector. Soneto]. (En Villafranca, Antonio Juan. *Libro de las historias, y cosas acontescidas en Alemania, España, Francia, Italia, Flandres, In-*

glaterra, *Reyno de Astois, Dacia, Grecia, Sclanonia, Egypto, Polonia, Turquia, India, y mundo nueuo, y en otros reynos y señorios...* Valencia. 1562. Prels.).

MADRID. *Nacional.* R-21.898.

MEY (SEBASTIAN)

EDICIONES

5724

FABVLARIO en qve se contienen fabvlas y cuentos diferentes, algunos nueuos, y parte sacados de otros autores: por ——. Valencia. Felipe Mey. A costa de Filipo Pincinali. [s. a.]. 4 hs. + 184 págs. con grabs. 15 cm.

—Apr. del Pauordre Rocafull (20 de enero de 1613).—Prologo.—Texto.

MADRID. *Nacional.* R-9.194 (ex libris de Heredia).

ESTUDIOS

5725

ROTUNDA, D. P. *Some Italian Sources for Mey's «Fabulario».* (En *Modern Language Notes,* XLV, Baltimore, 1930, págs. 315-17).

5726

LIEVSAY, J. LEON. *A suggested new source for Sebastián Mey's «Fabulario».* (En *The Romanic Review,* XXX, Nueva York, 1939, págs. 231-234).

5727

REP: N. Antonio, II, pág. 282; Ximeno, I, pág. 264.

MEYARES (JOSE DE)

Doctor. Cura propio de Perales de Molla, San Pedro de Hita y Moraleja del Medio, en el arzobispado de Toledo.

EDICIONES

5728

[*CARTA al Autor. Moraleja del Medio, 28 de enero de 1668*]. (En Hansen, Leonardo. *La bienaventurada Rosa peruana de Santa María... Traducida por Fr. Jacinto de Parra.* Madrid. 1668. Prels.).

Se refiere al traductor. En la firma dice: «Miyares».

MADRID. *Nacional.* 2-9.125.

ESTUDIOS

5729

REP: N. Antonio, II, pág. 282.

MEZ DE BRAIDENBACH (NICOLAS)

Maestro en Artes. Notario.

EDICIONES

5730

DICCIONARIO muy copioso de la Lengua Española, y Alemana hasta agora nunca visto, sacado de diferentes Autores con mucho trabajo, y diligencia. Viena de Austria. Juan Diego Kürner. 1670. 19 cm.

—Frontis.—Ded. al emperador Leopoldo I. Al Letor.—Texto.

LONDRES. *British Museum.* 12942.b.5.—MADRID. *Nacional.* 3-37.394 (ex libris de Gayangos). NUEVA YORK. *Hispanic Society.*

MEZA (JUAN DE)

EDICIONES

5731

[*SONETO*]. (En Becerra, Hernando. *Tratado de qualidad manifiesta y virtud del Azogue...* Méjico. 1649. Preliminares).

MADRID. *Nacional.* 3-29.542.

MEZAGAN (FR. ANTONIO)

Mercedario.

EDICIONES

5732

[*SONETO Acróstico*]. (En Paez de Valenzuela, Juan. *Relacion brebe de las fiestas...* Córdoba. 1615, fol. 17r).

MADRID. *Nacional.* 3-39.118.

OBRAS PORTUGUESAS

5733

[*DECIMAS*]. (En Paez de Valenzuela, Juan. *Relación brebe de las fiestas...* Córdoba. 1615, fols. 42*r*-42*v*).

MADRID. *Nacional.* 3-39.118.

MEZQUITA (JUAN DE LA)

EDICIONES

5734

[*APROBACION*]. (En López de Ubeda, Francisco. *La picara montañesa llamada Iustina.* Barcelona. 1605. Preliminares).

MADRID. *Nacional.* R-22.748.

MICO (FRANCISCO)

N. en Vich (1528). Médico.

EDICIONES

5735

ALIVIO de los sedientos, en el qval se trata la necessida que tenemos de beuer frío, y refrescado con nieue, y las condiciones que para esto son menester, y quales cuerpos lo pueden libremente soportar. Barcelona. Diego Galuan. 1576. 7 hs. + 1 blanca + 146 fols. 14,5 cm.

—Apr. de Pedro Ioan Nuñez.—L. V.—S. Pr., en latin.—Ded. a D. Diego Hernandez de Cordoua, Duque de Cardona, etc. Poesia latina de Franciscus Caleae.—Dos de Ioannis Cassadori.—Soneto de su primo Iosepe Micon. [«Las micas o migajas de la arena...»].—Soneto de Mossen Baltazar Reig. [«Aqui lector discreto y curioso...»].—Soneto de Benito Sanchez Galindo. [«Lo que es utilidad al cuerpo humano...»].—Soneto del Auttor al Lector. [«Lector atiende y mira con buen zelo...»].—Texto.

BARCELONA. *Central.* — *Universitaria.* B.58-8-24.—CAGLIARI. *Universitaria.*—MADRID. *Academia Española.* S.C.=7-B-67; etc. *Academia de la Hitsoria.* 2-6-7-3.201. *Nacional.* R-6.319. SALAMANCA. *Universitaria.* 35.917.

5736

——, *por Francisco Micón.* 2.ª impresión. Barcelona. Matheo Barceló. 1792. 3 hs. + 245 págs. + 1 h. 14,5 cm.

MADRID. *Nacional.* 2-65.074.

5737

LIBRO del regalo, y vtilidad de bever frio, y refrescado con Nieue. Barcelona. Diego Galuan. 1576. 2 hs. + 146 fols. 15 cm.

—Ded. a D. Iuan de Austria.—Texto.

MADRID. *Nacional.* R-5.401 (ex libris de Vincencio de Lastanosa).

ESTUDIOS

5738

REP: Torres Amat, págs. 417-18.

MICO (FR. ONOFRE)

Trinitario calzado.

EDICIONES

5739

ORACION evangelica panegirica, en la grave, qvanto solemne Octava de N. S. de la Salud de la Ciudad de Xativa, a su rara, y milagrosa circunstanciada invencion. Valencia. Francisco Cipres. 1675. 4 hs. + 14 páginas. 19,5 cm.

—L. O.—Apr. de Fr. Francisco de Siguenza.—L. V.—Ded. a Fr. Vicente Domingo Enrique, Predicador de S. M., etc.—Texto.

BARCELONA. *Universitaria.* B.54-3-8. — MADRID. *Nacional.* V.E.-70-6.—ORIHUELA. *Pública.* 92-5-12.

5740

[*SERMON*]. (En COLLECTANEC de Sermones... Tomo I. Madrid. 1680. 4.ª Parte, págs. 50-58).

MADRID. *Nacional.* 3-66.781.

OBRAS LATINAS

5741

LEX Evangelica contra Alcoranvm Argumentis Sacrae Scripturae pro

concionibvs qvadragessimæ myste-
riis fidei, aliqvibvs et sanctis. Valencia. Thyp. Regalis Cœnobii B. V.
de Remedio. 1698. 6 hs. + 368 págs.
+ 18 hs.

BARCELONA. *Universitaria.*—ORIHUELA. *Pública.*
30-2-8.

— — —

—*Lex Evangelica, pro Concionibus...* Idem.
1700. 6 hs. + 368 págs. + 18 hs. Fol.

BARCELONA. *Universitaria.*

MICO Y MONFORT (JAIME)

Capitán de Caballos de una de las Com-
pañias de la Costa del Reino de Valencia,
en Játiva.

EDICIONES

5742

[*POESIAS*]. (En Cortés, Pedro Luis.
Demonstraciones festivas, con que...
Almansa celebró la canonización de...
S. Pascual Baylón... Madrid. 1693).

1. *Glossa.* (Pág. 136).
2. *Romance.* (Págs. 150-52).

MADRID. *Nacional.* 3-7.331.

MICOLETA (RAFAEL)

Doctor. Presbítero.

EDICIONES

5743

MODO breve para aprender la len-
gua Vizcayna... Bilbao. *1653.* Gerona. Impr. y Libr. de V. Borca. 1880.
91 págs. 4.º

Reproducción del mss. preparada por Fidel Fita.

5744

——... *Copiado de un manuscrito*
inédito del Museo Británico... por
S[alvador] *S[anpere]* *y* *M[iguel].*
Gerona. Dorca. 1881. 36 págs. 4.º

Tir. ap. de la *Revista de Ciencias Histó-*
ricas, II, 1881, págs. 122-56.

5745

——. Sevilla. Francisco de P. Díaz.
1897. 30 págs. 4.º

MADRID. *Nacional.* 2-42.262.

MICON (ANTONIO JERONIMO)

EDICIONES

5746

[*SONETO*]. (En Pérez de Montalban,
Juan. *Fama posthuma a la vida y*
muerte de... Lope Felix de Vega Car-
pio... Madrid. 1636, fol. 159r).

MADRID. *Nacional.* 3-53.447.

MICON (FRANCISCO)

EDICIONES

5747

DIARIO y juizio del grande Cometa
que nos ha aparecido hacia Occiden-
te... Barcelona. Iayme Cendrat. 1578.

Picatoste, n.º 486.

SALAMANCA. *Universitaria.* 36.967.

MICON (FR. PEDRO JUAN)

CODICES

5748

«*La Sagrada Pasión de nuestro Re-*
demptor Jesucristo, en redondillas».

Letra del s. XVIII. Parece copiada del
Thesoro de Villalobos.

Inventario, X, pág. 219.

MADRID. *Nacional.* Mss. 3.938 (fols. 70-129).

EDICIONES

5749

[*LA Sagrada Passion de nuestro Re-*
demptor Iesu Christo en redondi-
llas]. (En PRIMERA *parte del Thesoro*
de divina poesía... Toledo. 1587, folios 54r-125r).

MADRID. *Nacional.* R-11.950.

— — —

—En idem. Madrid. 1604.

MICHELI (MATIAS)

Gentilhombre Luquez. Superintendente de la conduta de la Blanca.

EDICIONES

5750

BLANCA o Lotería general qve se instituye en la villa de Brusselas para el establecimiento del Monte de Piedad por todas las villas de sus Altezas Sermas. Amberes. Abraham Verhoeuen. 1618. 24 págs. 4.º

Peeters-Fontainas, II, n.º 797.

BRUSELAS. *Royale.*

Poesías sueltas

5751

[*SONETO*]. (En Micón, Francisco. *Alivio de los sedientos...* Barcelona. 1576. Prels.).

MADRID. *Academia de la Historia.* 2-6-7-3.201.

ESTUDIOS

5752

REP: N. Antonio, I, pág. 810.

MICHELI MARQUEZ (JOSE)

Doctor. Vicecancelario y caballero imperial de la Orden Constantiniana. Rector del Real Hospital de la Inclusa en Madrid. Barón de San Demetrio.

CODICES

5753

«*Trono Real Gótico Castellano y Austríaco en España... Madrid, año MDCLX*».

Original. 603 fols. Fol.

Cuartero-Vargas Zúñiga, XXI, n.º 33.388.

MADRID. *Academia de la Historia.* 9-466.

5754

«*El consejero del desengaño, delineado en la breue vida de Don Phelipe el Hermoso, Primer Rey de los Austríacos en España*».

Letra del s. XVII. IV + 280 fols. 210 × 150 mm.

Inventario, IV, pág. 121.

MADRID. *Nacional.* Mss. 1.253.

5755

«*Nobiliario y Libro de Armería de las insignias y armas de todas las Ordenes Militares del Mundo*Q.

Letra del s. XVII, con escudos a la aguada. Fol. Procede de la biblioteca ducal de Medinaceli.

MADRID. *Particular de D. Bartolomé March.* 21-5-10.

EDICIONES

5756

DELEITE y amargvra de las dos Cortes, celestial y terrena. Con la assistencia de los ingenios, y lágrimas derramadas en la Corte del Dios Momo; el consuelo que reciben, quexas que dan a Iupiter, para que visite las Cortes de los Planetas, Dioses, Monarcas, Principes, Señorías, y Republicas del Orbe, y modo de sus gouiernos. Amonestación que les dá Iupiter, lo que les encarga; joyas y villetes que dexa a todos para bien gouernar. Madrid. Iuan Sánchez. A costa de Pedro Coello. 1642. 6 hs. + 98 fols. + 2 hs. 19,5 cm.

—E.—S. T.—S. Pr.—L. V.—Apr. del P. Agustín de Castro.—Apr. de Fr. Luis de San Iuan.—Ded. al Dr. Pedro de Neyla, Cauallero de Calatraua, etc.—Al amigo Lector.—Principes Catolicos, Gentiles, Repúblicas y Señoríos.—Soneto de Ioseph Martinez Alarcón Figueroa. [«Quanto del universo el globo encierra...»].—Epigrama latino del mismo.—Soneto de Nicolás Cardona Lusiñiano. [«Aquel que gouernar la Monarquía...»].

ANN ARBOR. *University of Michigan.*—AUSTIN. *University of Texas.*—GRANADA. *Universitaria.* A-1-319.—MADRID. *Facultad de Filología. Nacional.* R-179.—NUEVA YORK. *Hispanic Society.* (Dos ejemplares).—PARIS. *Nationale.* D.8829; etc.—ROMA. *Vaticana.* Stamp. Barb. P.II.18.—URBANA. *University of Illinois.*

5757

TESORO militar de Cavallería... Madrid. Diego Díaz de la Carrera. 1639.

Zaragoza. *Universitaria.* G-47-127.

5758

———. Madrid. 1640.

SEVILLA. *Colombina.* 21-8-5 detrás.

5759

TESORO militar de Cavalleria antigvo y moderno modo de armar cavalleros, y professar, segvn las ceremonias de qualquier Orden Militar... Madrid. Diego Diaz de la Carrera. A costa de Pedro Coello. 1642. 6 hs. + 118 fols. con grabs. 29 cm.

—Ded. a D. Alonso Perez de Guzman, Patriarca de las Indias, etc.—Apr. de Fr. Diego Nisseno.—L. V.—Apr. de Gil Gonçalez Dauila.—Elegia latina de Jose de Martinez Alarcón y Figueroa.—Epigramma latino de Francisco de Louera.—Silva de Marcos García. [«Averiguele al Sol sus luzes bellas...»].—Soneto de Ioseph Martinez Alarcon y Figueroa. [«Al mundo das oy, Marquez, tal Historia...»].—Soneto de Christoual de Herrera. [«A ti solo ha deuido su decoro...»].—Soneto de Gonzalo de Ayala Ribadeneira. [«Los campos de la Iglesia diuididos...»].—A los amigos Letores de mi Patria.—S. Pr. al autor por diez años.—E.—S. T.—Indice.—Texto.—Protesta.

Salvá, II, n.º 1.640.

CAMBRIDGE, Mass. *Harvard University.*—CORDOBA. *Pública.* 8-345.—DURHAM. *Duke University.*—GRANADA. *Universitaria.* A-24-106.—MADRID. *Academia de la Historia.* 4-1-5-429; 1-4-6-2.119. *Nacional.* R-33; R-27.164 (incompleto). *Palacio Real.* XIV-1.864; etc.—MINNEAPOLIS. *University of Minnesota.*—NUEVA YORK. *Hispanic Society.*—Public Library.—PARIS. *Nationale.* H.1814.—PRINCETON. *Princeton University.*—ROMA. *Vaticana.* Stamp. Barb. N.IV.18.—SANTIAGO DE COMPOSTELA. *Universitaria.*—SEVILLA. *Colombina.* 16-5-8; 109-8-49. *Maestranza.* VIII-2-334; etc.—VALLADOLID. *Universitaria.* Santa Cruz, 9.430.—ZARAGOZA. *Universitaria.* G-54-71.

5760

IMPERIO de Satanas abatido por la trivnfante riqveza, solenizada en la Corte celestial de Dios eterno, por el bien de la limosna... Madrid. Iuan Sanchez. 1643. 4 hs. + 80 fols. 18,5 centímetros.

—Ded. a D. Antonio del Bosco y Velazquez, caballero de Santiago, etc., cuyo escudo figura en la portada.—Piadosos lectores.—S. Apr.—L. V.—L. del Consejo Real.—E.—T.—Texto.—Obras del Autor.

GRANADA. *Universitaria.* A-25-248; etc.—MADRID. *Nacional.* 3-54.309. — ROMA. *Vaticana.* Stamp. Barb. V.XIII.33.

5761

CRISTAL (El) mas pvro representando imagines de Diuina, y Humana politica, para exemplo de Principes, labrado de las acciones heroicas de Doña Isabel de Borbon, Reyna de España, de feliz memoria. [Zaragoza. Hospital General de Ntra. Sra. de Gracia]. [1644]. 1 h. + 22 fols. 18 cm.

—Port. con retrato de D.ª Isabel de Borbón firmado por Francisco Bolagnus.—Texto.—Colofón.

Intercala las siguientes poesías:

1. [«Que igual mi afecto tuuiera...»]. (Folio 9r).

2. [«Peregrino, si buscas desengaños...»]. (Fol. 16r).

3. Soneto de María Nieto de Aragón. [«Cede al sueño fatal, la que diuina...»]. (Folio 22v).

Jiménez Catalán, *Tip. zaragozana del siglo XVII,* n.º 449.

ANN ARBOR. *University of Michigan.*—MADRID. *Nacional.* 2-59.458 (ex libris de Gayangos).—PARIS. *Nationale.* 8°Oo.587(2).—ROMA. *Vaticana.* Stamp. Barb. Z.V.78.

5762

CONSEJERO (El) mas oportuno para restavracion de monarqvias. Dedvcido de las Maximas Politicas, y Militares que obraron los Romanos contra Cartagineses, y Anibal su Capitan, en defensa de su Imperio. Madrid. Iuan Sánchez. A costa de Tomás de Alfay. 1645. 3 hs. + 124 fols. 15 cm.

—S. Apr., Pr. y L.—E.—L. V.—T.—Ded. al Principe Baltasar Carlos.—Amigos lectores.—Texto.—Obras impresas del Autor. GRANADA. *Universitaria.* A-23-329. — LONDRES. *British Museum.* 8007.a.29.—MADRID. *Academia Española.*—*Academia de la Historia.* 2-1-8-467. *Nacional.* 2-63.325. *Palacio Real.* IX-5.707.—PARIS. *Nationale.* 8ºOc.451. — ROMA. *Vaticana.* Stamp. Barb. P.I.61.—SAN LORENZO DEL ESCORIAL. *Monasterio.* 40-II-59.—SEVILLA. *Colombina.* 66-1-38; 85-1-85.

5763

CORTE *(La) confvsa y agonizante. Restaurada por Judit Hebrea.* Madrid. Diego Díaz de la Carrera. A costa de Pedro Coello. 1646. 8 hs. + 71 fols. + 1 h. 15 cm.

—Frontis firmado por Juan de Noort.—Ded. al Consejo de Italia.—Epistola en italiano de Antonino Callagraffi.—Apr. de Fr. Diego Nisseno.—S. Apr. L.—E.—S. T. Lector venevolo.—Texto.—Obras impresas del Autor.

MADRID. *Nacional.* 3-55.869.—ROMA. *Vaticana.* Stamp. Barb. U.XI.119.

5764

———. Lisboa. Domingo Lopes Rosa. A costa de Felipe Jorge. 1655. 4 hojas + 83 fols. + 1 h. 24 × 10 cm.

—Ded. a Pedro Severin de Noroña, Comendador de Sta. Maria de la Villa de Pernes de la Orden de Christo.—Licenças.—T.—E.—Texto.—Obras impressas del Autor.

SEVILLA. *Universitaria.* 314-24.

5765

LAGRIMAS *panegiricas a la mverte de don Baltasar Carlos de Avstria. Principe de España.* [Zaragoza. Hospital Real]. [1646]. 2 hs. + 14 fols. 20,5 cm.

—Ded. a D. Francisco Rodriguez de Castro, Conde de Lemos, etc.—Texto.—Colofón.—El Rey lacrimante junto a la tumba de su querido hijo. (Poesía en italiano).

Jiménez Catalán, *Tip. zaragozana del siglo XVII,* n.º 494.

GRANADA. *Universitaria.* A-31-204 (18) [Falto de portada].—MADRID. *Nacional.* V.E.-53-52 y 152-16.—NUEVA YORK. *Hispanic Society.*—SEVILLA. *Universitaria.* 111-43 (31).

5766

FENIX *(El) catolico don Pelayo el Restavrador. Renacido de las cenizas del Rey Vvitiza, y don Rodrigo destruidores de España.* Madrid. Iuan Sanchez. A costa de Pedro Coello. 1648. 8 hs. + 232 págs. + 10 hs. 18,5 centímetros.

—Frontis.—Portada.—Ded. a D. Francisco de Melo, Marques de Villesca, etc.—Retrato del autor, por Juan de Noort.—S. Apr.—L. V. y del Consejo.—T.—E.—Autores citados.—Libros impressos del Autor. Indice de las cosas más notables, y capitulos del libro.—Texto.—Escudo de los Melo.—Genealogias imperiales, y reales, de las quales tiene origen la... Casa de don Francisco de Melo.

Gallardo, III, n.º 3.067.

LONDRES. *British Museum.* 1199.h.22. — MADRID. *Facultad de Filología.*—*Nacional.* R-2.333.—NUEVA YORK. *Hispanic Society.*—PARIS. *Nationale.* 4ºOc.5.—SEVILLA. *Universitaria.* 86-A-317.

5767

NAPOLES *consolada en sv alvoroto, y sosiego Gouernando la Alteza Serenissima de don Ivan de Avstria, Plenipotenciario de su Magestad Catolica,* Triunfador *felicissimo en aquel Reino.* Zaragoza. [s. i.]. 1648. 20 fols. 20 cm.

—Texto.

Jiménez Catalán, *Tip. zaragozana del siglo XVII,* n.º 529.

MADRID. *Nacional.* 3-32.970.

5768

TESORO *de todas las Ordenes Militares antiguas y modernas; modo de armar cavalleros, y professar, segun las ceremonias de qualquier Orden Militar: Regla debaxo la cual militan:*

Origen que tuvieron, y a que fin; De que Pontifice fueron aprovadas, y concessiones que han tenido, assi Imperiales como Reales: Constituciones que guardan desde el Emperador Constantino el Magno, primer legislador: Insignias, y Abito de cada una: Maestres, y Encomiendas que tienen, y las que oy luzen. Con un breve discurso del origen de los Sumos Sacerdotes, Religiosos de la ley Escrita, y de Gracia, assi de Monges, como de Frayles y Monjas: Sus Fundadores y Abitos, y de que Pontifices fueron aprovados. Madrid. [s. i.]. 1650. 2 hs. + 118 fols. 28 cm.

—Ded. al Rey.—Obras impresas del autor. Texto.

GRANADA. *Universitaria.* A-25-85. (Lleva al final dos hojas mss. con un «Indice de todas las Ordenes Militares, antiguas y modernas que contiene este libro).—VALLADOLID. *Universitaria.* 5.437.

5769

ORATORIA política y jurídica al Rey nuestro Señor D. Felipe Quarto, el Grande, y Pío, en su Real Consejo de la Cámara. Sobre que se ha de denegar, y poner perpetuo silencio al Cura de la Parroquial de San Ginés, en la pretensión de entrometerse en el Hospital Real de San Ioseph y Nuestra Señora de la Inclusa, de Niños expósitos desta Corte, por ser exempto, y de la Real Protección, Dotación y Patronato Regio. [s. l.-s. i.]. [s. a.]. 9 fols. 28,5 cm.

Carece de portada. En el primer folio, un grabado de la Sagrada Familia, firmado por I. de Courbes.

SEVILLA. *Universitaria.* 110-78 (15).

Poesías sueltas

5770

[SONETO]. (En POMPA *funeral, Honras y Exequias en la muerte de...*

D.ª Isabel de Borbón... Madrid. 1645, fol. 99*v*).

MADRID. *Nacional.* R-3.035.

OBRAS ITALIANAS

5771

[LIRAS]. (En POMPA *funeral, Honras y Exequias en la muerte de... D.ª Isabel de Borbón...* Madrid. 1645, fols. 151*v*-152*r*).

MADRID. *Nacional.* R-3.035.

MIDEYROS CORREA (JUAN DE)

Licenciado.

EDICIONES

5772

[SONETO]. (En Guzmán Suares, Vicente de. *Rimas varias en alabança del nacimiento del Principe N. S. Don Balthazar Carlos...* Oporto. 1630. Prels.).

V. *BLH,* XI, n.º 3754.

MIEDES Y BERNABE (NICOLAS)

EDICIONES

5773

[SONETO]. (En García Romeo, Pablo. *Tratado de la execución de la unión, tesoro y reparo de labradores del lugar de Cosuenda.* Zaragoza. 1654. Prels.).

MADRID. *Nacional.* R-11.013.

MIER (ANTONIO DE)

N. en Avila. Cursante en Leyes.

EDICIONES

5774

[SONETO]. (En Quiros, Pedro de. *Parentacion Real, que en la muerte de Felipe IV... Celebró la... Ciudad de Salamanca.* Salamanca. 1666, página 350).

MADRID. *Nacional.* 3-63.271.

MIER (TORIBIO DE)

Obispo de Pamplona.

EDICIONES

5775

REPRESENTACION que haze al Rey en defensa de la jurisdiccion, inmunidad, y libertad eclesiastica y potestad de las llaves pontificias. [s. l.-s. i.]. [s. a.].

NUEVA YORK. *Hispanic Society.* — SEVILLA. *Universitaria.* 109-90 (1); 111-125 (2).

MIERA Y ARCE (P. FRANCISCO ANTONIO DE)

Clérigo menor. Lector de Filosofía en el convento de la Orden de Alcántara.

EDICIONES

5776

[OCTAVAS]. (En Luis de Santa Maria, Fray. *Octava sagradamente culta...* Madrid. 1664, págs. 71-72).

MADRID. *Nacional.* 4-6.289.

MIESES (FR. JERONIMO DE)

Dominico.

EDICIONES

5777

[SERMONES]. (En COLLECTANEA *de Sermones.* Tomo I. Madrid. 1680. 3.ª parte, págs. 14-21 y 43-55).

MADRID. *Nacional.* 3-66.781.

MIESES Y GUZMAN (JUAN DE)

CODICES

5778

«Relación de la muer (sic), de Don Rodrigo Calderon Marques que fue de siete yglesias...».

MADRID. *Nacional.* Mss. 1092.

MIGLIAVACA (MARCELO)

Contador de D. Carlos Homo-Dei, marqués de Castel-Rodrigo, virrey de Valencia.

EDICIONES

5779

ARTE de cartas misivas, o methodo general para redvcir al papel quantas materias pide el politico comercio, qve escrivio en toscano... Manuel Thesauro... y traduce en español ——.... Valencia. Iayme de Bordazar. A expensas de Iuan de Baeza. 1696. 8 hs. + 242 págs. + 1 h. 20 cm.

—Ded. a D. Carlos Moura Corte-Real, Marques de Castel-Rodrigo, Virrey y Capitan General de Valencia, etc.—Censura del P. Francisco Garau.—L.—Al que leyere.—Tabla de capitulos.—Texto.

MADRID. *Nacional.* 3-36.104.—SEVILLA. *Colombina.* 56-4-33.

MIGUEL (DOMINGO)

EDICIONES

5780

[POESIA]. (En Díez de Aux, Luis. *Compendio de las fiestas que ha celebrado... Çaragoça...* Zaragoza. 1619, págs. 76-78).

MADRID. *Nacional.* R-4.908.

MIGUEL (FERNANDO)

V. MIGUEL Y MALFERIT (FERNANDO)

MIGUEL (PEDRO)

Doctor. Comisario de la Inquisición. Capellán de Fr. Pedro González de Mendoza, arzobispo de Zaragoza.

EDICIONES

5781

IVYZIO, y presagio natvral de los Cometas que han aparecido por el mes de Nouiembre, en el Oriente de la ciudad de Çaragoça, en este Año de 1618. Huesca. Pedro Bluson, en la Emprenta de la viuda de Iuan Perez de Valdiuielso. 1618. 8 hs. 15 cm.

—Texto.—L. V.

MADRID. *Nacional.* V.E.-62-96.

Aprobaciones

5782

[*APROBACION. Alcalá, 18 de abril de 1595*]. (En Lobera, Atanasio de. *Historia de las grandezas de... León...* Valladolid. 1596. Prels.).

MADRID. *Nacional.* R-28.616.

MIGUEL (FR. SERAFIN TOMAS)

Dominico. Hijo del convento de Valencia. Presentado y Doctor en Teología.

EDICIONES

5783

VIDA admirable de Santa Osanna Andreasia de Mantva, de la Tercera Orden de N. P. Santo Domingo. Valencia. Jayme de Bordazar. 1695. 11 hojas + 160 págs. 20 cm.

—Ded. a Fr. Juan Thomas de Rocaberti, Arçobispo de Valencia, etc.—L. O.—Apr. de Fr. Francisco Milan de Aragon y Fr. Juan Bautista Escuder.—Censura de Vicente Noguera.—Prologo al Lector.—A Sta. Osanna. Poesia latina de Domingo Falcon.—Santa Osanna. Grabado firmado por J. Bautista Francia.—Texto.—Protestacion del Autor.—Indice de lo contenido en este libro.

BARCELONA. *Universitaria.* C.211-5-22.—MADRID. *Nacional.* 3-19.907.

5784

HISTORIA de la vida de S. Domingo de Gvzman... Valencia. Francisco. Mestre. 1705. 4 hs. + 656 págs. Fol.

BARCELONA. *Universitaria.* B.20-2-12.—MADRID. *Nacional.* 3-13.896.

5785

COMPENDIO de la vida y virtudes del V. Padre F. Domingo Anadon,

Portero, y Limosnero... del... Convento... de Predicadores de Valencia. Valencia. Juan Gonçalez. [s. a.]. 6 hs. + 216 págs. 20 cm.

Todos los preliminares van fechados en 1716.

MADRID. *Nacional.* 2-8.952.

Aprobaciones

5786

[*APROBACION. Valencia, 8 de abril de 1691*]. (En Fuster, Tomás. *Resumen histórico de los prodigios acaecidos en... Luchente...* Valencia. 1691. Prels.).

MADRID. *Nacional.* 3-62.933.

5787

[*CENSURA de —— y Fr. Juan Bautista Escuder. Valencia, 8 de agosto de 1698*]. (En Blanes, Luis de. *La Celda Santa.* Valencia. 1699. Prels.).

MADRID. *Nacional.* 3-14.569.

TRADUCCIONES

a) ITALIANAS

5788

VITA della B. Osanna Andreari di Mantova... Tradotta dalla lingua spagnola nell'italiana dal P. D. Germano Bonelli. Roma. Antonio da Rossi. 1728.

BARCELONA. *Universitaria.*

MIGUEL (VICENTE JOSE)

EDICIONES

5789

Clemente, Claudio. *Tablas Chronológicas... Ilustradas y añadidas desde el año 1642 hasta... 1689... por ——.* Valencia. 1689.

Firma además la Ded. a Jesús, María y José.

V. *BLH,* VIII, n.º 4532.

MIGUEL DE ALCAÑIZ (FRAY)

Capuchino. Guardián del convento de Barbastro.

EDICIONES

5790

SERMON en las funebres exequias... por Felipe Quarto... Zaragoza. Juan de Ibar. 1666. 4.º

BARCELONA. *Convento de Capuchinos de la c/. Card. Vives y Tutó, 23.* 4-4-20.

MIGUEL DE ANTEQUERA (FRAY)

Capuchino.

EDICIONES

5791

[*APROBACION de Fr. Leandro de Antequera, Fr. José de Campos y ——. Cádiz, 4 de agosto de 1685*]. (En José de Caravantes, Fray. *Pláticas dominicales.* Tomo I. Madrid. 1686. Prels.).

MADRID. *Nacional.* 3-10.622.

MIGUEL DE LA ANUNCIACION (FRAY)

Carmelita descalzo.

EDICIONES

5792

[*SERMON*]. (En Aste, Benito de. *El glorioso, y divino triumpho en la canonización de... S. Thomás de Villanueva...* Toledo. 1660, fols. 112r-125v).

MADRID. *Nacional.* 2-35.711.

MIGUEL DE BELMONTE (FRAY)

Capuchino. Definidor de la provincia de Aragón. Guardián del convento de Zaragoza.

EDICIONES

5793

[*APROBACION. Zaragoza, 29 de junio de 1691*]. (En Jaime de Corella, Fray. *Llave del Cielo...* 7.ª ed. Zaragoza. s. a. Prels.).

MADRID. *Nacional.* 3-62.257.

MIGUEL DE JESUS MARIA (FRAY)

EDICIONES

5794

[*PARECER por ——, Fr. Alonso de Jesus Maria, Fr. Pedro de Jesus, y Fr. Vicente de la Virgen. Alcala, 9 de Mayo de 1673*]. (En Sicardo, Juan Bautista. *Breve Resumen de la disposicion, reverencia, y pureza, con que deven llegar los Fieles a recibir el Santissimo Sacramento del Altar...* Alcalá. 1673. Prels.).

MADRID. *Academia de la Historia.* 13-1-8-2.096.

MIGUEL DE LIMA (FRAY)

Capuchino. Lector de Teología. Predicador real.

EDICIONES

5795

[*SONETO*]. (En JUSTA *literaria... a San Juan de Dios...* Madrid. 1692, páginas 107-108).

MADRID. *Nacional.* R-15.239.

MIGUEL DE MADRID (FRAY)

Jerónimo. Habitaba en el monasterio del Parral por 1589.

CODICES

5796

«*Fiestas Reales de Justa y Torneo*». Letra del s. XVI. 220 × 160 mm. Zarco, I, pág. 119.

SAN LORENZO DEL ESCORIAL. *Monasterio.* d.III. 25 (fols. 24r-47v).

EDICIONES

5797

[*FIESTAS reales de justas y torneo; pleito sobre la Iglesia Sacerdotal y reino de Cristo. Farsa en cinco actos, en verso. Edición del P. Manuel F. Miguelez]. 1920-21.*

ESTUDIOS
5798
MIGUELEZ, M. F. *Un auto sacramental inédito, 1589.* (En *La Ciudad de Dios*, CXXIII, El Escorial, 1920, págs. 208-20, 298-304, 321-30, 401-13; CXXIV, 1921, págs. 19-39, 161-76, 241-56, 321-336; CXXV, págs. 17-32, 81-96, 161-176, 275-93).

a) X., en *Boletín de la R. Academia Española*, VIII, Madrid, 1921, págs. 294-98.

ESTUDIOS
5799
REP: La Barrera, pág. 232.

MIGUEL DE MAJADAHONDA (FRAY)

Capuchino. Visitador general de la provincia de Andalucía y Guardián varias veces en la de Castilla.

EDICIONES
5800
[*CENSURA y Aprobación de Basilio de Zamora y* ——. *Madrid, 12 de febrero de 1677*]. (En Agustín de Zamora, Fray. *La margarita preciosa del corazón humano.* Madrid. 1678. Preliminares).

MADRID. *Nacional.* 2-68.680.

MIGUEL Y MALFERIT (FERNANDO)

M. en Valencia (1675).

EDICIONES
5801
[*POESIAS*]. (En Torre, Francisco de la. *Reales fiestas a la... Virgen de los Desamparados...* Valencia. 1667).

1. *Octavas.* (Pág. 219).
2. *Romance.* (Págs. 253-54).

3. *Soneto acróstico.* (Págs. 288-89).
MADRID. *Nacional.* R-5.740.

5802
[*POESIAS*]. (En REAL *Academia celebrada en el Real de Valencia...* Valencia. 1669).

1. *Letrilla.* (Págs. 108-9).
2. *Canción Real.* (Págs. 109-12).
MADRID. *Nacional.* 2-43.853.

5803
[*POESIAS*]. (En Rodriguez, José. *Sacro y solemne novenario.* Valencia. 1669).

1. *Soneto.* (Págs. 478-79).
2. *Redondillas.* (Pág. 497).
MADRID. *Nacional.* 3-67.912.

OBRAS VALENCIANAS
5804
[*JEROGLIFICO*]. (En Torre, Francisco de la. *Reales fiestas a la... Virgen de los Desamparados...* Valencia. 1667, pág. 288).

MADRID. *Nacional.* R-5.740.

ESTUDIOS
5805
REP: Martí Grajales, págs. 309-10 (con documentos).

MIGUEL DE MEDINA (FRAY)
Jerónimo.
5806
[*CENSURA. Madrid, 21 de febrero de 1572*]. (En Illescas, Gonzalo de. *Historia pontifical y católica...* Salamanca. 1573. Prels.).

MADRID. *Nacional.* R-28.705.

MIGUEL DE LA PURIFICACION (FRAY)
5807
VIDA evangélica y apostólica de los Frayles Menores... Barcelona. Ga-

briel Nogués. 1641. 5 (?) hs. + 572 páginas a 2 cols. 29,5 cm.

—Apr. de F. Pedro de Tevar.—Apr. de Fr. Pedro Ariztiçaual.—L. O. — Apr. de Fr. Andrés Dacosta.—L. O.—Apr. de Fr. Cyrillo Ximénez.—L. del Obispo de Barcelona.—Apr. de Guillelmo Rouira.—Pr.—Prólogo.—E.—Texto.—Tablas.

BARCELONA. *Universitaria.* B.61-1-15.—MADRID. *Nacional.* 7-12.730 (falto de portada).—SEVILLA. *Universitaria.* 48-82.

5808
APOLOGIA al libro de la Vida evangélica por ——. París. Luis Fugi. 1642.
BARCELONA. *Universitaria.* B.61-1-15.

MIGUEL DE SAN IGNACIO (FRAY)

Trinitario descalzo. Predicador en el convento de Sevilla.

EDICIONES
5809
PANEGIRICO sagrado en la festividad de Nuestra Señora de la Salud, y Celebracion de Missa Nueva. Qve en el Colegio del Señor S. Blas, del Orden Descalço de la Santissima Trinidad... de la Villa de Zalamea, dia 20 de Mayo de 1700... predicó ——... *Dalo a la estampa su hermano Torqvato Joseph Pvlpillo.* Sevilla. Juan de la Puerta. [s. a.]. 4 hs. + 10 págs. 19,5 cm.

—Ded. a la Virgen del Rosario, por T. J. Pulpillo.—Apr. de Fr. Juan de Castro.—L. V.—Apr. de Fr. Francisco Matheos.—L. del Juez.—Texto.

MADRID. *Nacional.* V.E.-70-20.

MIGUEL DE SAN JERONIMO (FRAY)

EDICIONES
5810
SAGRADA competencia entre las tres Divinas Personas... Valencia.

Herederos de Benito Macé. 1697. 31 páginas.
BARCELONA. *Central.* 25-120-C3/17. — ZARAGOZA. *Universitaria.* Caj. 69-1440.

MIGUEL DE SAN JOSE (FRAY)

Carmelita descalzo.

CODICES
5811
«*Historia del origen y milagros de la santa imagen de Ntra. Sra. de la Consolacion, que se venera en el religiosíssimo convento de San Joseph de Barcelona, Orden de Carmelitas Descalzos*».

Letra de principios del s. XVIII. Perteneció a dicho convento.
Miquel, II, pág. 24.
BARCELONA. *Universitaria.*

EDICIONES
5812
[*SERMON que predicó en la canonización de Santo Tomás de Villanueva*]. (En Abas y Nicolau, Gabriel Manuel. *Narraciones de las fiestas en Zaragoza...* Zaragoza. 1660, páginas 270-302).
ZARAGOZA. *Universitaria.* A-62-320.

MIGUEL DE SAN JOSE (FRAY)

Trinitario descalzo. Procurador general de la Curia Romana. Ministro del convento de Madrid.

EDICIONES
5813
[*CENSURA. Madrid, 14 de septiembre de 1662*]. (En Andrade, Alonso de. *Patrocinio Universal de la... Virgen María...* Madrid. 1664. Prels.).
V. *BLH*, V, n.º 2.465.

5814
[*APROBACION. Madrid. 20 de septiembre 1666*]. (En Marcelo del Es-

píritu Santo, Fray. *Vida y Martirio.*
Valladolid. 1668. Prels.).

MADRID. *Nacional.* 2-39.361.

MIGUEL DE SAN JUAN (FRAY)

Carmelita.

EDICIONES

5815

[*APROBACION. Roma, 20 de junio
de 1647*]. (En VIDA *de... Maria Magdalena de Pazzi... Traducida por Fr.
Joan Baptista de Lezana.* Roma. 1648.
Preliminares).

MADRID. *Nacional.* 3-78.168.

MIGUEL DE SANTA MONICA (FRAY)

Agustino descalzo.

EDICIONES

5816

[*APROBACION. Madrid, 2 de junio
de 1689*]. (En Lozano, Gaspar. *Oración fúnebre en las exequias de la
Reyna... Doña Maria Luisa de Borbón...* Madrid. 1689. Prels.).

CORDOBA. *Pública.* 3-91.

MIGUEL DE SANTIAGO (FRAY)

Carmelita Lector de la cátedra de Prima
de Teología del convento grande de Ntra.
Sra. del Carmen de Sevilla.

EDICIONES

5817

SERMON *de la Inmaculada Concepcion: predicado en una Fiesta votiva
muy solenne que se celebró en el
Convento grande de Nuestra Señora
del Carmen de esta ciudad de Sevilla.* Sevilla. Gabriel Ramos Vejarano.
1616. 16 fols. 19,5 cm.

—Apr. de Fr. Juan de Pineda.—L.—L. O.—

Apr. de Fr. Alonso Gordillo.—Apr. de Fr.
Luis Velazquez.—Ded. a Fr. Pedro Carrança, provincial de la Orden del Carmen.—Texto.

Escudero, n.º 1.061.

GRANADA. *Universitaria.* A-31-201 (13).—SEVI-
LLA. *Universitaria.* 113-111 (20).

MIGUEL DE LA SANTISIMA TRINIDAD (FRAY)

Trinitario. Lector de Teología.

EDICIONES

5818

[*APROBACION de ——, Fr. Ioseph
de San Lorenzo, Fr. Andrés de San
José y Fr. Hypolito de la Concepción. Zalamea, 26 de septiembre de
1700*]. (En Juan de Jesús, Fray. *Oración panegyrica...* Salamanca. 1700.
Prels.).

MADRID. *Nacional.* V.E.-71-2.

MIGUEL DE SANTO DOMINGO (FRAY)

Capuchino. Ministro provincial de la de
San Francisco de Navarra y Cantabria.
Calificador de la Inquisición.

EDICIONES

5819

[*APROBACION. Pamplona, 23 de Diciembre de 1679*]. (En Beinza, Matias de. *Discurso sobre los polvos
universales purgantes.* Bayona. 1680.
Preliminares).

MADRID. *Nacional.* 3-5.521.

5820

[*APROBACION de Fray Iuan Bautista de Vergara y ——*]. (En Jaime
de Corella, Fray. *Práctica del Con-
fessionario.* Pamplona. 1686. Prels.).

PAMPLONA. *General de la Diputación Foral.*
109-5-3/70.

MIGUEL DE SANTO TOMAS (FRAY)

Dominico. Catedrático de Vísperas de Teología en el convento de Santo Domingo de Murcia.

EDICIONES

5821

[EL Maestro ——, Prior Provincial desta Provincial de Andalucia, Orden de Predicadores, a los M. RR. Padres Priores, o Presidentes de todos los conventos de Religiosos, y PP. Vicarios de los de Religiosas, y a las RR. MM. Prioras, y Religiosas desta Provincia...]. [s. l.-s. i.]. [s. a.]. 2 hs. 29 cm.

—Texto, fechado en el Real Convento de Santa Cruz de Granada, a 18 de enero de 1689.

CORDOBA. Pública. 2-95.

Aprobaciones

5822

[APROBACION. Murcia, 2 de agosto de 1672]. (En Ortiz y Moncayo, Félix. Sermón panegyrico... de la canonización de... S. Luis Beltrán y Santa Rosa de Santa María... Murcia. 1672. Preliminares).

SEVILLA. Universitaria. 113-54(5).

MIGUEL DE LA TRINIDAD (FRAY)

Carmelita descalzo. Rector del Colegio de Baeza.

EDICIONES

5823

[CENSURA. Baeza, 2 de julio de 1631]. (En Florindo, Andrés. Addi-

ción al libro de Ecija i sus grandezas. Lisboa. 1631. Prels.).

MADRID. Nacional. R-16.902.

MIGUELEZ Y LECA (MIGUEL)

EDICIONES

5824

DESCRIPCION de la jornada del Almirante de Castilla, festejos. [s. l.-s. i.]. [s. a.].

¿Sevilla, 1700?

NUEVA YORK. Hispanic Society.

MIGUELEZ DE MENDAÑA (JUAN ANTONIO)

EDICIONES

5825

[REDONDILLAS]. (En Fomperosa y Quintana, Ambrosio de. Días sagrados y geniales... Madrid. 1672, folios 134v-135v).

MADRID. Nacional. 2-12.889.

MIJANGOS BRAVO DE SOBREMONTE (ANTONIO DE)

EDICIONES

5826

TRABAJOS que padeció la Virgen en la vida, muerte, y passion de su Hijo. Madrid. Iuan Sanchez. 1642. 16.°.

ROMA. Vaticana. Stamp. Barb. V.VIII.142. int.2.

ADICIONES

MACHUCA (DIEGO)

EDICIONES

5827

[*DEDICATORIA de Cristóbal Jiménez de Gálvez y* ——]. (En MEMO-RIAL *que los monges confessores del monasterio de San Martín de Santiago dan a... el Príncipe Maximiliano de Austria, Arzobispo de Santiago.* Granada. s. a. Prels.).

MADRID. *Nacional.* V.E., 131-31.

MAMBRIGA (DIEGO DE)

EDICIONES

5828

LAMENTACION sobre la quema de Orduña en coplas. Valencia. 1535.

Abecedarium de la Colombina, n.º 1.516.

«MANIFIESTO geométrico...»

EDICIONES

5829

MANIFIESTO geometrico, y arismetico, en que se prueba ser erronea, y falsa la Construccion, y Demonstracion Geometrica del triangulo ysosceles proprio del Heptagono regular, que se contiene en vn Escrito impresso en Bruselas por Francisco Foppens el año proximo pasado de 1684. Autor Anonimo. [s. l.-s. i.]. [s. a.]. 7 fols. + 1 lám. 23 cm.

MADRID. *Academia de la Historia.* 9-3.559/7.

MANRIQUE (FR. ANGEL)

ESTUDIOS

5830

COCHERIL, MAUR. *Les «Anales» de frère Angel Manrique et la chronologie des abbayes cisterciennes.* (En *Studia Monastica,* VI, Montserrat, 1964, págs. 145-83).

MANSO (FR. RAFAEL)

Catedrático de Santo Tomás en la Universidad de Valladolid. Residente en el convento de San Pablo.

EDICIONES

5831

[*APROBACION. Valladolid, 6 de septiembre de 1633*]. (En Peralta, Francisco. *Panegyrico a las piadosas memorias... Valladolid. 1633.* Prels.).

MADRID. *Nacional.* 2-51.988.

MANTUANO (PEDRO)

ESTUDIOS

5832

HERRERO GARCIA, MIGUEL. *Mantuano.* (En su ed. crítica de Cervantes Saavedra, Miguel de. *Viaje del Parnaso*. Madrid. C.S.I.C. 1983, página 685).

Dice que se llamaba Pedro de Castro y nació en Málaga, cambiando luego su apellido como homenaje a Madrid, su segunda patria.

MARIA DE JESUS DE AGREDA (SOR)

CODICES

Obras varias

5833

[*Obras*].

Año 1647. 271 fols. 240 × 170 mm. Procede de la biblioteca del convento de San Francisco de Barcelona.

1. *Leyes de la Esposa.—Disciplina de la divina ciencia. — Descripcion breve de la mistica y verdadera ciudad de Dios, María Santissima.—Exercicio quotidiano y la Passion de Christo.*

Miquel, I, págs. 355-57.

BARCELONA. *Universitaria*. Mss. 278.

5834

[*Obras*].

Letra de principios del s. XIX. 54 fols. 210 × 160 mm.

Leyes de la esposa.—Disciplina de la divina ciencia.

Miquel, I, pág. 431.

BARCELONA. *Universitaria*. Mss. 337.

5835

[*Obras*].

Letra del s. XVII. Sin fol. 205 × 105 mm.

I. *Correspondencia con el Rey. 1643-1663.* (Fols. 1-235).

II. *Tratado del grado de luz y conocimiento de la ciencia ynfusa que tuvo... de toda la redondez de la tierra...* 49 fols.

Blázquez, pág. 287.

MADRID. *Universidad*. Mss. 119-2-14.

Cartas a Felipe IV

5836

[*Correspondencia con el Rey*].

Letra del s. XVII. 253 fols. 209 × 151 mm. Son 44 cartas.

Blázquez, págs. 287-88.

MADRID. *Universidad*. Mss. 119-2-15.

Cartas a otras personas

5837

«*Cartas al marqués de Aytona y a otros. 1660-1665*».

Autógrafas. 184 hs. Fol. Procede de la biblioteca ducal de Medinaceli.

MADRID. *Particular de D. Bartolomé March.* 20-5-3.

Leyes de la Esposa

5838

«*Leyes de la Esposa...*».

Letra del s. XVIII. 52 fols. 200 × 150 mm. Procede del convento de San Francisco de Barcelona.

Miquel, I, págs. 502-3.

BARCELONA. *Universitaria*. Mss. 404.

ESTUDIOS

5839

GONZALEZ MATEO, DIEGO. *Mystica Civitas Dei vindicata ab observationibus R. D. Eusebii Amort...* Madrid. Ex Typ. Causae Ven. Matris Mariae a Jesus de Agreda. 1747. 16 hs. + 305 págs. + 6 hs. 30 cm.

Añadir al n.º 1473.

M. de Castro, *Notas...*, en *Archivo Ibero-Americano*, XXVI, Madrid, 1966, pág. 71.

MADRID. *Nacional*. 3-53.688.

5840

VAZQUEZ [JANEIRO], ISAAC. *Las negociaciones inmaculistas en la Curia Romana durante el reinado de Carlos II de España (1665-1700).* [Madrid. s. i.]. 1957. 215 págs. 21 cm.

Incluye documentos sobre el levantamiento de la prohibición de la *Mística Ciudad de Dios*.

MARIANA (P. JUAN DE)

CODICES

5841

«*Excelente tratado del Govierno de la Compañia de Jesus por el Doctisimo* ——, *de la misma*».

Letra del s. XVIII. 4.º
Roca, n.º 1.101.
MADRID. *Nacional.* Mss. 18.309, n.º 14 (ex libris de Gayangos).

EDICIONES

OBRAS APÓCRIFAS

5842

DISCURSO leído en la Imperial Academia de la Historia y de Cosmogonía de Filadelfia por el —— *en el acto de su recepción.* Valladolid. Ramón Berenguillo. 1793. 13 páginas. 4.º

Uriarte, IV, n.º 5.574; Alcocer, n.º 1.627 («Es un juguete histórico-burlesco de mediados del siglo XVIII...»).

MARINEO SICULO (LUCIO)

EDICIONES

5843

EPISTOLARIO. Trascelto e edito da P. Verrua. Città di Castello. Edit. Dante Alighieri. 1940. VI + 218 págs.

ESTUDIOS

5844

SANCHEZ ALONSO, BENITO. *Lucio Marineo Sículo.* (En *Historia de la Historiografía española.* 2.ª ed. Tomo I. Madrid. 1947, págs. 377-79).

MADRID. *Consejo. Patronato «Menéndez Pelayo».* E-1.947.

5845

SANCHEZ REGUEIRA, MANUELA. *Humanistas sicilianos en Salamanca.* (En *Eidos*, II, Madrid, 1955, páginas 75-91).

MARIZ (PEDRO DE)

N. en Coimbra.

EDICIONES

5846

HISTORIA do bem aventurado Sam João de Sahagum, patrão salamantino. Lisboa. A. Alvarez. 1609. 2 vols.

Tomo II: *Historia das cousas notaveis & mysteriosas de Sam João de Sahagum...* En castellano. Justa poética en las páginas 63-86.

CAMBRIDGE, Mass. *Harvard University.*

OBRAS PORTUGUESAS

5847

DIALOGOS de Varia Historia... Coimbra. Antonio de Mariz. 1594.

LONDRES. *British Museum.* C.62.a.32.—MADRID. *Facultad de Filología.*—*Nacional.* R-7.522.

— — —

—Coimbra. 1597.
MADRID. *Nacional.* R-14.252.
—Coimbra. 1598.
VALLADOLID. *Universitaria.* 8.544.
—Coimbra. 1698.
GRANADA. *Universitaria.* A-30-196.
—Lisboa. Joseph Filippe. 1758. 2 vols. 21 cm.
WASHINGTON. *Congreso.* 31-3652.
—5.ª ed. Lisboa. Na Empressão Regia. 1806. 2 vols. 21,5 cm.
WASHINGTON. *Congreso.* 3-7756.

ESTUDIOS

5848

REP: García Peres, pág. 350.

MARTIN (ALFONSO)

Médico.

EDICIONES

5849

DE la Complexion de las Mugeres. 1526.

N. Antonio.

ESTUDIOS

5850

REP: N. Antonio, I, pág. 35.

MARTINEZ DE CONSUEGRA (RODRIGO)

N. en Sevilla.

CODICES

5851

«Al Sepulchro del Doctor Juan de Salinas».

Letra del s. XVII. Es un Cancionero.

«Aquel que nombre inmortal...».

MADRID. Nacional. Mss. 10.293 (hoja preliminar).

MARTINEZ DE MARCILLA (LORENZO)

EDICIONES

5852

CRONICON de Cristiano Adricomio Delfo. Traducido de Latin en Español por Don —— [sic]... [Zaragoza. Diego Dormer]. [1631]. 7 hs. + 1 blanca + 419 fols. + 1 h. 19 cm.

Sustituye al n.º 2818.

—Frontis: «F. Valles F. en Çaragoça».—Ded. a Fr. Isidoro Aliaga, Arçobispo de Valencia.—Apr. de Fr. Iuan Calderón.—L. V.—Apr. del P. Domingo Millán.—Apr. de Diego de Morlanes.—Pr. de Aragón al traductor por diez años.—Al lector.—Advertimientos de Cristiano Adricomio al Lector.—Texto.—E.—Colofón.

MADRID. Nacional. 3-38.830.

MARTINEZ MONTIÑO (FRANCISCO)

Cocinero de la princesa doña Juana de Austria, Felipe III y Felipe IV.

ESTUDIOS

Biografía

5853

SIMON PALMER, MARIA DEL CARMEN. Manuel Martínez Montiño. (En La alimentación y sus circunstancias en el Real Alcázar de Madrid. Madrid. Instituto de Estudios Madrileños. 1982. págs. 54-55).

MARTIS (ANTONIO)

Canónigo de la catedral de Oristán.

EDICIONES

5854

VIDA (La) y Milagros de las BB. Virgines Iusta, Iustina y Enedina, sacada del Archivo de la S. Yglesia de Oristan. Sacer. En la Emprenta de D. Ant. Canapolo, Arçobispo de Oristan. 1616. 44 págs. 4.º

Toda, Cerdeña, n.º 269.

TRADUCCIONES

a) LATINAS

5855

BREVIS relatio vitae et miracolorum SS. virginum et martyrum Justae, Justinae, et Henedinae... 8.º

Idem.

MATOS FRAGOSO (JUAN DE)

CODICES

5856

«Jacara al nacimiento de nro. sr. Jesuchristo».

Letra de fines del s. XVII. 215 mm. Es un cancionero.

«Fuera va, que sale al mundo...».

Rodríguez Moñino-Brey, I, pág. 152.

NUEVA YORK. Hispanic Society. Mss. XXIII (fol. 9v).

5857

«Vexamen a San Francisco en seguidillas burlescas».

Letra del s. XVII. 220 mm. Es un Cancionero, que perteneció a Gallardo, Sancho Rayón y Jerez.

«De un poeta un vexamen...».

Rodríguez Moñino-Brey, I, pág. 172.

NUEVA YORK. Hispanic Society. Mss. XXVI (fol. 113).

EDICIONES

5858

El príncipe perseguido, de —— y A. Moreto. (En El mejor de los me-

jores libros que han salido de Comedias nuevas. Alcalá. 1651, páginas 47-93).

V. *BLH*, IV, n.º 169 (2).

MEDINA Y FONSECA (ANTONIO DE)

CODICES

5859

«*Al mismo Salón [del Buen Retiro]*».

Año 1646. 145 × 95 mm. En «Sonetos varios recogidos... por D. Joseph Maldonado».

MADRID. *Nacional.* Mss. 20.355 (fol. 183r).

MEDINILLA (BALTASAR ELISIO DE)

CODICES

5860

«*Fábula de Adonis y Venus*».

Letra del s. XVII. 205 mm. Es un Cancionero, que perteneció a Gallardo, Sancho Rayón y Jerez de los Caballeros.

«*Este a grabes vigilias oçio leue...*».

NUEVA YORK. *Hispanic Society.* Mss. XXX (fols. 200-12).

MEJIA (FR. ANDRES)

EDICIONES

5861

[*APROBACION*]. *Madrid, 21 de febrero de 1600*]. (En Yanguas, Diego de. *De cardinalibus et praecipuis, Iesvchristi et Sanctorum operibus, quae festis eorum diebus in Ecclesia festiué celebrantur.* Tomo I. Madrid. 1602. Prels.).

5862

[*CENSURA. Madrid, 14 de abril de 1600*]. (En Sa, Emmanuel. *Aphoris-*

mi Confessariorum et Doctorum sententiis collecti. Madrid. 1601. Preliminares).

5863

·[*APROBACION. Madrid, 2 de noviembre de 1601*]. (En Sarmiento, Rafael. *Promptuarium Conceptum...* Madrid. 1604. Prels.).

MEJIA (P. ANTONIO)

Jesuita.

EDICIONES

5864

[*APROBACION. Madrid, 30 de mayo de 1670*]. (En José de Santa Cruz, Fray. *Crónica de la Santa Provincia de San Miguel...* Madrid. 1671. Preliminares).

Dice «Mexía».

MADRID. *Nacional.* 2-41.930.

MEJIA (P. DIEGO)

Jesuita.

EDICIONES

5865

[*APROBACION. Burgos, 21 de agosto de 1591*]. (En Astete, Gaspar. *Institución y guía de la juventud christiana.* Primera parte. Burgos. 1592. Preliminares).

Escrito «Messía».

MADRID. *Nacional.* R-25.926.

MEMBRILLA CLEMENTE (MARTIN DE LA)

EDICIONES

5866

COPLAS de vn cauallero que saca a vna señora.

«*Camina señora...*».

Abecedarium de la Colombina, n.º 12.197.

5867

GLOSA sobre Quien casa por amores.

«O vos penados amantes...».

Abecedarium de la Colombina, n.° 12.983.

5868

GLOSA nueuamente compuesta... sobre el romance que dizen: en las salas de Paris, con vna lamentacion y otras obras suyas. [s. l.-s. i.]. [s. a.]. 4 hs. 4.° gót.

Rodríguez Moñino, *Diccionario*, n.° 352.

PRAGA. *Nacional.*

5869

GLOSA nueuamente compuesta... sobre el romance que dizen de Lançarote. Con otra glosa sobre el romance que dizen. En Castilla esta vn castillo. Con otras obras suyas. [s. l.-s. i.]. [s. a.]. 4 hs. a 2 cols. con un grab. 4.°

Rodríguez Moñino, *Diccionario*, n.° 353.

PRAGA. *Nacional.*

INDICES

ONOMASTICO DE AUTORES Y DE TITULOS DE OBRAS ANONIMAS

A

A. B. 4620a.

A. R. 3983a, 4661a.

A. de la Virgen del Carmen, Fray. 1172, 1524, 1535.

Abad, C. M. 1816.

Abad de Ayala, Jacinto. 4208.

Abadal, Pablo de. 3759.

Abadiente, David. 4786.

Abarbanel, Joná. 4786.

Abas y Nicolau, Gabriel Manuel. 5812.

Abbateo, Juan. 4996.

Abella, Jerónimo. 2333.

Abreo de Lima, Francisco de. 2011.

Açan Tuluruley. 4823.

Acevedo, Antonio de. 437.

Acevedo y Atayde, Francisco de. 4929.

Acosta, P. Blas de. 286, 3267.

Acosta, Cristóbal. 772.

Acosta, Francisco de. 1179-80.

Acosta, P. José de. 1913, 4133 (54).

Acuña, Hernando de. 2055.

Adal de Mosquera, Antonio. 840.

Adriano VI. 3153.

Adricomio Delfo, Christiano. 2818, 5852.

Aduarte, Diego. 3247, 3752.

Afán de Ribera, Fernando (marqués de Tarifa). 5595.

Agia, Manuel. 1054.

Agia, Miguel de. 3894.

Agramunt de Sisternes, Agustín. 3216 (6, 21).

Agreda y Vargas, Diego de. 978.

Agriera, Juan de. 4476.

Aguayo, Diego. 4396 (15), 5519.

Agüero, Cristóbal de. 2777 (153).

Aguiar, Diego de. 4187.

Aguila, Fr. Angel del. 703 (9).

Aguila, Fr. Juan. 2594.

Aguilar, Francisco. 5216 (8).

Aguilar, Gaspar de. 1979, 1994, 1996, 2014, 3069 (105-7), 3070, 3072, 5216 (3, 36), 5429-5430, 5718.

Aguilar, Juan de. 703 (23), 4455.

Aguilar, Juan Bautista. 2320.

Aguilar y Córdoba, Diego de. 472, 1028.

Aguilar y Prado, Jacinto de. 3384.

Aguilar y Zúñiga, Esteban de. 3000, 5496.

Aguilera, Fr. Jerónimo de. 628.

Aguilera, Fr. Miguel de. 5199.

Aguiló y Fuster, Mariano. 258.

Aguirre, Cristóbal de. 606.

Aguirre, Fr. Miguel de. 365.

Aguirre, Fr. Pedro Antonio de. 2953.

Aguirre Cabeza de Vaca, Félix de. 2707.

Agulló y Cobo, Mercedes. 2180, 3403.

Agustín, San. 4036, 4600-3, 4844, 5608.

Agustín, Antonio. 417, 1200.—Pág.: 681.

Agustín, Fr. Antonio. 1235, 2751.

Agustín de Barcelona, Fray. 3302.

Agustín de la Magdalena, Fray. 824.

Agustín de Victoria, Fray. 145, 3685.

Agustín de Zamora, Fray. 5800.

Ahumada, Fernando de. 2739, 3885.

Ahumada, Juan de. 4759.

Ahumada y Ortiz, Fernando de. 2049.

Alameda, Gaspar. 5216 (18).

Alarcón, Alonso de. 2649, 2889, 3815, 4035.

Alarcón, Antonia de. 703 (7).

Alarcón, Francisco Antonio de. 2108.

Alava, Rodrigo de. 815 (12).

Alba y Astorga, Fr. Pedro de. 162, 5491, 5646.

Alba de Liste, Conde de. 2758.

Albertinus, Egidius. 4014.

Albia de Castro, Fernando. 948, 2967.
Albión, Juan de. 5595.
Albistur, Melchor. 2451.
Alburquerque y Coello, Duarte de. 3234.
Alcalá Yáñez y Ribera, Jerónimo de. 2118.
Alcántara, Miguel de. 4990.
Alcaraz, Miguel de. 628.
Alcaraz Clavijo, Bartolomé de. 2047.
Alcázar, Juan Antonio del. 4133 (31, 57, 80).
Alciato. 231.
Alcocer, Fr. Diego de. 3287.
Alcocer, P. Juan. 557.
Alcocer y Martínez, Mariano. 166, 264-65, 886, 1025, 1055, 1063, 1811, 1838, 1925, 2043, 2291, 2449, 2526, 3278, 3321, 3376, 3937, 3949, 3984, 3998, 4156, 4158, 4276, 4814, 5357, 5458, 5464-66, 5471, 5842.
Alcocer y Sariñana, Fr. Baltasar de. 2954.
Alcomeche y Sánchez, Fr. Pedro. 3775.
Aldama, Antonio de. 3038.
Aldana, Cosme de. 329.
Aldonza del Santísimo Sacramento, M. 1813.
Aldovera y Monsalve, Jerónimo de. 3775.
Aldrete, Fr. Diego. 4775.
Alegre (P.). 3273.
Alegre, P. Francisco. 1066.
Alegre, Juan. 3162, 3897-98.
Alejandro VII. 1184 (3), 1199 (6), 1210, 1337, 2466-69, 2472-73, 2992, 4162, 4500.—Pág.: 360.
Alemán, Mateo. 221.
Alenda y Mira, Jenaro. 1038, 2934, 3701-2, 4942.
Alenda, Jusepe. 2529 (6, fin).
Alerano, Escipión. 683.
Alfaro Caballero, Juan de. 4899.
Alfaura, Joaquín. 2084.
Alfonso X de Castilla. 1723.
Alfonso, Francisco Juan. 3069 (81, 91).
Almada, Apolinario de. (V. Meneses, Juana Josefa).
Aliaga, Fr. Isidoro. 5852.
Almansa y Mendoza, Andrés de. 869-70.
Almazán, Fr. Andrés de. 276.
Almeida, Fr. Diego de. 385, 3233.
Almoguera, Fr. Juan de. 4396 (prels., 2).
Almirante, José. 4689, 4998, 5130, 5301.
Almogabar, Juan de. 4897.
Almonacid, José de. 5181.
Alonso, Dámaso. 4125, 4133, 4140, 4142, 4144, 4357.
Alonso Calderón, Juan. 4947, 4977.
Alonso Cortés, B. 1523.
Alonso de Herrera, Gabriel. 4994.
Alonso de Jesús María, Fray. 893, 5794.
Alonso de Orozco, Beato. 787, 2168-69, 2176, 3817.
Alonso de San Bernardo, Fray. 2456, 4447.
Alonso de San Miguel, Fray. 3307.

Alonso de la Vera Cruz, Fray. 5507.
Alosa Rodarte, Felipe Antonio. 4373.
Alpanseque Frías, Augusto. 1330.
Alquimio, Doctor (seud.). 600.
Alvar, Manuel. 902.
Alvarado, Antonio de. 2293, 3729.
Alvarado, Fr. Bernardino de. 5507.
Alvarado, Francisco de. 2751.
Alvarez, Antonio. 815 (73).
Alvarez, Fr. Baltasar. 550, 929.
Alvarez, Fr. Bernardo. 3290, 3296.
Alvarez, Luis. 4064.
Alvarez, Pedro. 815 (35).
Alvarez, Fr. Pedro. 251.
Alvarez y Baena, José Antonio. 186, 881, 2045, 2135, 2187, 2778, 2780, 3149, 3392, 3734, 4198, 4916, 5664.
Alvarez Correa, Luis. 43.
Alvarez de Faria, Pedro. 4827, 5189, 5669.
Alvarez de la Llave, Fr. Francisco. 1371.
Alvarez de Ribera, José. 56, 363, 3294, 3723.
Alvarez de Toledo, Juan. 2956.
Alvarez de Toledo, Pedro. 815 (22).
Alvaro, Fr. Juan. 2550.
Allué y Morer, F. 1164a.
Allué Salvador, Miguel. 442.
Amada y Torregrosa, José Félix de. 2505.
Amaya, Francisco de. 5061.
Ameyugo, Francisco de. 5544.
Amigo y Beltrán, Luis. 2721.
Amort, Eusebio. 1473, 1475, 1477, 5839.
Amposta, Fr. Marcos. 5141.
Ana de Jesús, Madre. 718-19, 743.
Anderer, Rogerium. 1374.
Andofilas. (V. Andosilla).
Andosilla, Pedro Pablo. 2108-9.
Andosilla Enríquez, Diego Francisco de. 4933 (39).
Andrada, Jerónimo de. 2786.
Andrada, Fr. Lorenzo de. 815 (9, 27, 29).
Andrada, Fr. Pedro de. 815 (28).
Andrade, Alonso. 5813.
Andrade, P. Benito. 2951.
Andrés, Isidoro Francisco. 1479.
Andrés, Fr. Pablo. 3262.
Andrés de Cristo, Fray. 5376 (2-3).
Andres de San Agustín, Fray. 1156, 1163.
Andrés de San José, Fray. 5818.
Andrés de Uztarroz, Juan Francisco. 128, 134, 572, 602, 619, 1102, 1106, 1855, 2252, 2274, 2286, 2375, 3183, 3189, 3213, 3227, 3241, 3765, 4163-64, 5090-91.
Androti o Androcio, P. Fulvio. 2621.
Anes, Gonzalo. 2826.
Angel, Buenaventura. 1147, 2585.
Angel de la Purificación, Fray. 266.
Angela María de la Concepción, Sor. 2811.
Anglés, Higinio. 2675, 2679.
Angoulesme le père, Duc d'. 2060.

Aroza, Diego de. 3168.
Aroztegui, Miguel A. M. de. 3091.
Arque, Fr. Juan. 2600.
Arredondo, Martín de. 1144, 3940-41.
Arriano. 1956.
Arrieta Arandia y Morentín, Juan Antonio de 1065.
Arrillaga, Basilio. 1485.
Arronches, Marqués de. 5377.
Arroniz, José de. 5180.
Arsenio. 1963.
Artigas, Miguel. 4026.
Artufel, Dámaso. 4814.
Asenjo Barbieri, Francisco. 2693.
Asensio, Eugenio. 4140a.
Asensio, Félix. 1692, 1753-55, 1769.
Asensio, Juan. 1076.
Asensio, Pedro Juan. 103, 2312, 3172, 5419.
Asensio, S. 1751.
Asenxo, Ignacio. 461.
Asín Palacios, Miguel. 1723.
Asquerino, Eduardo. 3600.
Aste, Benito de. 3947, 5792.
Astete (P.). 3025.
Astete, Gaspar. 5658-59, 5865.
Astrana Marín, Luis. 1699, 2754.
Atilano de Dios, Fray. 918.
Aubrun, Charles V. 59, 4140b.
Ausonio. 3906 (3).
Avalos, Pedro de. 1813.
Avalos y Figueroa, Diego de. 367, 1029.
Avalle-Arce, Juan Bautista. 4356.
Avellaneda, Diego de. 3327.
Avellaneda, Francisco de. 2773 (16), 2777 (116, 157, 186), 4933 (24).
Avendaño, Pedro de. 703 (18), 1060, 2948, 2957.
Avendaño, P. Pedro de. 2949-50.
Avila, Nicolás de. 4429, 4431.
Avila, Tomás de. 416, 638, 2766, 3821, 4173, 4414.
Avila y Heredia, Andrés de. 540, 5195.
Avila Orejón Gastón, Francisco de. 5064.
Avila y Rosas, Juan de. 51, 3830, 3832.
Avilés, Pedro de. 5202.
Avilés Pérez, José. 1007.
Aviñón y Mendoza, Joaquín de. 2108.
Ayala, Francisco de. 815 (11).
Ayala, Jerónimo de. 146.
Ayala Ribadeneira, Gonzalo de. 5759.
Ayamonte, Marqués de. 5597.
Ayllón, Luis de. 5498.
Aynsa y de Iriarte, Francisco Diego de. 5661.
Ayrolo Calar, Gabriel de. 2517, 4068.
Aytona, Marqués de. (V. Moncada, Guillén Ramón de).
Ayuso, Manuel Hilario. 2280.
Azevedo. (V. Acevedo).

B

Backer, Augustin y Aloys de. 24, 27, 42, 1774, 2616, 2946, 2961, 3039, 5030, 5082, 5178.
Badalla, Carolus Bernardinus. 3771.
Baesa, Fr. Mateo. 2081.
Baeza y González, Tomás. 2512, 2996.
Baillo, Martín. 1644.
Balaguer, Miguel. 2529 (24).
Balaguer, Víctor. 4664.
Balboa de Mogrovejo (Doctor). 4896.
Balboa y Paz, Francisco de. 534, 3731.
Balbuena, Bernardo de. 4081.
Balmaseda, A. de. 1688.
Balmes, Jaime. 1671.
Ballester, Juan Bautista. 2085, 2446.
Ballesteros y Beretta, Antonio. 1722.
Ballesteros Gaibrois, Manuel. 1630, 1639-40, 1690.
Bandello. 4357.
Baños, Fr. Juan José de. 2467, 2470, 2474.
Baños de Velasco y Acebedo, Juan. 393, 5191.
Baptista. (V. Bautista).
Baquero, Mariana de. (V. Mariana de Jesús, Sor).
Baquero, Pedro. 1787.
Baquero Goyanes, Mariano. 4140c.
Barahona de Soto, Luis. 5595, 5597 (52, 80).
Barata, Atonio Francisco. 4687.
Barat, Mercedes. 750.
Barbastre, Onofre. 3069 (67).
Barbeito Carneiro, María Isabel. 1047, 1050.
Barbosa. 34, 42, 68, 353-54, 951, 1093, 2034, 3118-19, 3122, 3242, 3751, 4689, 4802, 5374.
Barbosa, Agustín. 4385, 4929.
Barbosa, Francisco de. 4396 (25).
Barbosa Bacelar, Antonio. 4747.
Barboza. (V. Barbosa).
Barcia. 3837.
Barcia y Zambrana, José de. 376, 4781-82.
Bardi, Girolamo. 4349.
Baren de Soto, P. Basilio. 3805.
Bargas. (V. Vargas).
Baró, Juan Antonio. 5676.
Barona de Valdivielso, Pedro. 5322.
Barra, Fr. Alberto de. 3731.
Barrantes Maldonado, Francisco. 5523.
Barrasa, Jacinto. 4905.
Barrera y Leirado, Cayetano Alberto de la. 42, 68, 234, 240, 309, 311, 415, 2372, 2831, 2994, 3298, 3411, 3719, 3920, 3923, 4198, 4391, 4395, 4436, 4492, 4689, 4884, 5360, 5365, 5374, 5414, 5618, 5625, 5799.
Barrientos, Fr. Ginés. 2460.
Barriobero y Herrán, E. 1634, 1672.
Barrios, Juan de. 2620.
Barrios, Miguel de. 4530.
Barros, Alonso de. 2888, 4209.

Bracamonte, Alvaro de. 3273, 3275.
Braga, Teófilo. 4615.
Braones, Alonso Martín de. 1903.
Bravo, P. Bartolomé. 2938, 5714.
Bravo, Diego. 2518, 4841.
Bravo, Francisco. 815 (14).
Bravo, García. 815 (8).
Bravo, Nicolás. 725, 727, 737.
Bravo de Acuña, Pedro. 4038.
Bravo de Lagunas, Fr. Juan. 2480.
Bravo de Sobremonte, Francisco. 2751.
Bravo de Sotomayor, Fr. Gregorio. 5323.
Bravo y Sotronca, Bernardo. 3003.
Bravo de Velasco, Manuel, 352, 360.
Bravo de Villalobos, José. 5048.
Braña, Fr. Juan de. 2336.
Brey, María. 419, 562, 754, 1048, 2626, 3444, 3908-9, 5416, 5856-57.
Briceño, Fr. Alonso. 2455.
Bringas, Diego Miguel. 1407, 1484.
Briz Martínez, Juan. 1107, 2313, 2321, 2380, 2619, 2627, 2927, 3155, 5623.
Brizuela, Juan José de. 2953.
Brochero, Luis. 703 (12, 15).
Broquetes, Francisco. 629, 631.
Bru de la Madalena, Fr. Juan. 1053.
Brunet, Jacques Charles. 3988, 4332.
Buchholz, Friedrich. 1669.
Buenacasa. 3759.
Buenaventura, San. 2451, 3275.
Bueno, Bernardo. 4459.
Bueno, Ephrayn. 4786.
Bueno, José. 4786.
Buldú, Fr. Ramón. 1354.
Buonfanti Piouano di Bibbiena, Pietro. 3819.
Burgos, Alonso de. 917, 4400, 5519.
Burgos, Nicolás de. 1902.
Burgues, Esteban. 2333.
Busembaum, P. Hermano. 5047.
Busquets Matoses, Jacinto. 2087.
Bussieres, P. Juan. 3351.
Bustamante, Jorge de. 3938.
Bustamante, Luis de. 4069.
Bustamante Cuevas, Lope de. 2763, 3691.
Bustillo, Fr. Félix de. 116, 3309.
Bustos, Francisco de. 3164.
Buxeda, Juan. 2096.

C

Caballero, P. Juan. 4396.
Caballero Bonald, J. M. 206.
Cabanes, Jaime. 5565.
Cabello Porras, Gregorio. 4151-52.
Cabañas, Agustín de. 2955.
Cabeza de Vaca Quiñones y Guzmán, Francisco. 2817.

Cabral, Francisco. 4747.
Cabral de Almada, Francisco. 4747.
Cabrera, Alonso de. 1884, 2381, 3952.
Cabrera, Diego de. 815 (30).
Cabrera, Fr. Luis. 1813, 2165, 2607.
Cabrera, Martín. 2582.
Cabrera, Melchor de. 3222.
Cabrera Núñez de Guzmán, Melchor. 2129, 3237.
Cabreros, Francisco de. 2777 (3).
Cáceres, Daniel de. 4787.
Cáceres y Hermosa, Pedro de. 2511.
Cáceres y Sotomayor, Antonio de. 5414.
Cairasco de Figueroa, Bartolomé. 341.
Caja de Leruela, Miguel. 5568.
Calabro, Quinto. 1944.
Calancha, Antonio de la. 5209.
Calderón, Fr. Alonso. 1157-58 .
Calderón, Antonio. 2451, 4036.
Calderón, Fr. Juan. 5852.
Calderón, Juan Antonio. 2433, 4138, 5643.
Calderón, Pedro Francisco. 1162.
Calderón de la Barca, Pedro. 2302, 2518, 3445, 4922.
Calderón de Peramato, Juan. 2990.
Caleae, Franciscus. 5735.
Calmón, Pedro. 4622.
Calvino. 4744.
Calvo, Juan. 2445.
Callagraffi, Antonio. 5763.
Calleja, Diego. 268.
Calleta, Conde de. 64.
Cámara, Fadrique de. 64, 4747, 4929.
Camargo, Fr. Hernando de. 1601, 1679.
Camargo y Salgado, Hernando de. 157, 4986.
Camargo y Zárate, Jerónimo de. 277 (1, 6, 12, 16, 18), 2777 (30, 48, 60, 67-68, 71, 77, 80, 87, 92, 125), 4933 (23).
Camblor, L. 2099a.
Camoens, Luis de. 34, 3662.
Camón Aznar, José. 1640a.
Camós, Fr. Antonio. 421.
Campo, Fr. Diego de. 985, 1034, 5146.
Campo, Fr. Juan Lucas del. 553.
Campo, Pedro del. 662.
Campo y Medina, Luis Antonio del. 4459.
Campo Moya, Juan. 3023.
Campo y de la Rinaga, Nicolás Matías. 184.
Campos, J. 623-24.
Campos, Julio. 1227, 1236-37, 1336, 1339, 1428, 1444, 1491, 1493, 1495, 1510.
Campos, Manuel de. 2549.
Campos, Pedro de. 3689.
Campos Salazar, Frícisco de. 2511.
Campuzano, Francisco. 2357, 2710, 3307.
Cancela, Arturo. 4570.
Cangas, Hernando de. 5595, 5597 (87).

Castro y Anaya, Pedro de. 2767, 4470, 4488.
Castro Díaz, Antonio. 4012a, 4365.
Castro Egas, Ana de. 937, 947, 5218.
Castro y Serrano. 4353.
Castro Pires de Lima, Fernando de. 4616.
Castro Vázquez, Agustín de. 5562.
Castro Verde, Jerónimo de. 2108.
Castro Zamorano, Pedro de. 4475.
Catalán de Monzonís, Gaspar. 2083.
Catalán Ocón, Juan. 2108.
Cátedra, Pedro M. 2481.
Cauanço, P. Francisco de. 2463.
Cavaller, Luis. 3069 (96), 5216 (prels., 4, 9, 15).
Cavaller Ferrer de Ordunya, Jusepe Mateo. 5216 (5).
Cavero, José Nicolás. 1459, 2259.
Cavillac, Michel. 2326.
Cayrasco de Figueroa, Bartolomé. 2395, 5595.
Cayrosa, Fr. Juan Laurencio. 3757, 3759.
Cea y Zayas, Diego de. 4107.
Ceballos, Eugenio de. 1808.
Cebreros, Diego de. 5584.
Cejudo, Miguel. 5595.
Cenedo, Pedro. 3094.
Centellas, Guillén. 5396.
Centellas, Joaquín. 5578-80.
Cepeda, Gabriel. 3287.
Cepeda Adán, José. 1725.
Cepeda y Guzmán, Carlos Alberto de. 1022, 2743.
Cerda, P. Juan Luis de la. 4517.
Cerda, Pedro de la. 3088.
Cerdá y Rico, Francisco. 4768.
Cerdán de Tallada, Maximiliano. 3069 (93, 97-98).
Cerdaña, Francisco Tomás de. 5407.
Cerón, Fr. Francisco. 2804.
Cerone, Pedro. 241.
Cervantes Saavedra, Miguel de. 470, 880, 2211, 3917, 4096, 4357, 4366, 4997, 5157, 5204, 5305, 5595, 5614-15, 5684-86, 5832.
Cervantes de Salazar, Francisco. 964, 4233.
Cervera, Bernardo de. 2451.
César, Julio. 628, 4298-308, 4349.
Céspedes, Francisco de. 4077.
Céspedes y Meneses, Gonzalo de. 665.
Cetanti, Joaquín de. 5578-80.
Cetina, Gutierre de. 5595.
Cetina, Gutierre de (doctor). 2207, 5402.
Cetina, Juan de. 4116, 4118.
Cevallos (Licenciado). 1035.
Cevallos, Jerónimo de. 2110-11, 4077.
Ceyssen, Luciano. 41.
Cía y Alvarez, J. M. 441.
Ciaves, Fr. Pietro di. (V. Malón de Chaide, Fr. Pedro).
Cicerón. 3387.

Cidade, H. 4650.
Cieza Tufiño, Miguel de. 2664.
Cifuentes, Jerónimo de. 305-6.
Cilleruelo, Lope. 444.
Cioranescu, Alexandre. 773, 775.
Cirot, Georges. 1636, 1669a, 1686-87, 1689, 1693, 1698, 1706, 1720, 1767, 1937, 4647.
Cisneros, Fr. Gregorio. 2201.
Cisneros, Luis de. 3896.
Cisneros, Luis Jaime. 4219.
Cistoller, Diego. 2347, 2349.
Ciurana, Pedro Miguel. 629.
Civera, Fr. Juan. 2407.
Claramonte Corroy, Andrés de. 469, 5435.
Claudiano. 104.
Clavero de Falces y Carroz, Ceferino. 2082.
Clemente VII. 1038.
Clemente VIII. 892, 2449, 2594, 5172.
Clemente IX. 496.
Clemente X. 1098.
Clemente, P. Claudio. 3050, 5789.
Cobaleda y Aguilar, Antonio de. 3942.
Cocheril, Maur. 5830.
Coello, Antonio. 4933 (8).
Coello Arias, Antonio. 4922.
Coello y Arias, Juan. 4922.
Cólera de Avinent, Fr. Sebastián Dionisio. 1135.
Colmenares, Diego de. 2485.
Colmenares, Fr. Nicolás de. 5141.
Colmenero de Ledesma, Antonio. 2219, 2222, 4773.
Colodrero de Villalobos, Miguel. 833, 5674.
Colombo, Felipe. 5297.
Colomès, Jean. 950, 4620, 4654, 4661, 4670, 4673-74, 4683.
Columbarius, Julius. 5304.
Colunga, A. 1489b.
Collado del Hierro, Agustín. 2935.
Collis, Petrus Paulus. 3771.
Concepción y Bexar, Fr. Antonio de la. 550.
Concha, Fr. Juan de la. 2928.
Conde, Carmen. 1503.
Conerly, P. 4012b.
Conrado de Pamplona, Fray. 1443.
Conroy, R. J. 1629.
Constagio, Franqui. 779-80.
Consuegra Cerbantes y Ribera, Estefanía de. 2336.
Contreras y Mitarte, Juan de. 2773 (3), 2777 (127).
Contreras y Pacheco, Miguel de. 3835.
Conway, G. R. G. 964.
«Coplas de Mingo Revulgo». 2671-72.
Coppola, Antonio. 1402.
Corbera, Esteban de. 629.
Corchero Carreño, Francisco. 2067, 4105.
Cordeiro, Antonio. 2573.

CH

D

Díaz de Escovar, Narciso. 3601.
Díaz y Frías, Simón. 2106.
Díaz Hurtado, Fr. Manuel. 114.
Díaz Morante, Pedro. 2733-35.
Díaz Navarro, Pedro. 2108.
Díaz y Pérez, Nicolás. 2458.
Díaz Pimienta, P. Francisco. 2949.
Dicastillo, Miguel de. 4806.
Dídimo. 1960.
Diego del Escorial, Fray. 4447.
Diego de Jesús María, Fray. 2978.
Diego de San José, Fray. 2130, 2430.
Diego de San Román, Fray. 5399.
Díez, Bartolomé. 3088.
Díez, Miguel de los. 4085.
Díez de Aux, Fr. Felipe. 4471.
Díez de Aux, Luis. 127, 377, 817, 1099, 1133, 1167, 2617, 4448, 5780.
Díez Borque, José María. 4365b.
Díez de Leiva, Fernando. 339, 2933, 4510.
Di Santo, Elsa Leonor. 3714.
Disarasa, Fermín de. 2773 (19).
Doerig, Johannes Anton. 1746.
Doizi de Velasco, Nicolás. 5170.
Dolç, M. 4310a.
Dolce, Lodovico. 4347-49.
Dolz del Castellar, Esteban. 2086, 5447.
Domayquía, Fr. Juan de. 5014.
Domingo, Fr. Francisco. 1135.
Domingo, Fr. Pedro. 1099.
Domingo de San Pedro de Alcántara, Fray. 1472, 1474.
Domingo de Santa Teresa, Fray. 2594.
Domínguez Bordona, J. 4888.
Donahue, William H. 1441.
Do Prado Coelho, J. 4661c.
Dorantes, Fr. Agustín. 3826.
Doria, Antonio Alvaro. 4639.
Dormer, Diego José. 1909-10, 2250, 3090.
Drexelio, Jeremías. 5398.
Dubal, Francisco. 3238.
Dueña, Diego de la. 2774 (15), 2777 (19).
Dueñas y Arjona, Francisco de. 4906.
Dufour, Phillippe Sylvestre. 2220.
Durán, Agustín. 2828, 3401, 3411, 3430, 5413.
Durán, Antonio. 2531.
Durán, Fr. Tomás. 663.
Durand, José. 336.
Durazo, Francisco. 628.
Duro del Saz, Bernardo. 4565.
Du Verdier. 4368.

E

E. de San Juan de la Cruz, Fray. 1411b.
E. de la Virgen del Carmen, Fray. 1171.
Echagoyan, P. Pedro de. 2951.
Echeverría, Carlos de. 940.

Egea y Guerrero, Antonio de. 2793.
Eguía, Miguel de. 4718.
Eguilior, Fr. Pedro de. 3873.
Eguiluz, Francisco de. 3380.
Eligius, P. Gerardo. 108.
Elisio. (V. Medinilla, Baltasar Elisio de).
Elizalde, P. Miguel de. 1285.
Ellacuría Beascoechea, Jesús. 2728.
Elliot. 1743a.
Emanuelis (Fray). 1087.
Endaya y Haro, Manuel José de. 2959.
Enrique del Sagrado Corazón, Fray. 1492.
Enríquez, Fr. Diego. 2460.
Enríquez del Castillo, Diego. 2672.
Enríquez de Ledesma, Fernando. 4222.
Enríquez de Villacorta, Francisco. 2943.
Enríquez de Zúñiga, Juan. 5146, 5148.
«Epístola moral a Fabio». 4127.
Erachio. (V. Heráclito).
Ercilla y Zúñiga, Alonso de. 274, 3273, 5595.
Erías, Fr. Juan. 2133.
Ericeyra, Conde da. 5370.
Ericeyra, Condesa de. (V. Meneses, Juana Josefa).
Escalante, Antonio de. 2196.
Escalante, Tomás de. 4815.
Escalera, P. Pedro de. 1891.
Escalera Guevara, Pedro de la. 2115, 4953.
Escamilla, P. Juan de. 1843.
Escartín, Fr. Miguel de. 1285, 1291, 1431.
Escobar, Baltasar de. 5594-95.
Escobar, P. Bartolomé de. 2036-38.
Escobar, Juan de. 4828.
Escolano, Diego. 2594.
Escoto, P. Alejandro. 2782.
Escrivá de Romaní, Gaspar. 3069 (88, 95).
Escuder, Fr. Juan Bautista. 5783.
Escudero, José. 577.
Escudero y Perosso, Francisco. 203, 207, 214-15, 275, 333, 348, 796, 891, 994, 1512, 1992, 2197, 2748, 2952, 3170, 3924, 3987-89, 3999, 4004, 4214, 4268, 4271, 4283-84, 4299, 4305, 4311, 4315, 4317, 4319-20, 4450, 4481, 4711, 4774, 4804, 4809, 5394, 5498, 5508, 5510-12, 5531, 5637, 5817.
Escudero de la Torre, Fernando Alonso. 4204.
Escuela, Fr. Jerónimo. 4597, 4601.
Eslava, Antonio de. 678, 5001.
Esmir, Esteban. 544.
Espada, A. 451.
España, Fr. Francisco de. 1456.
Espejo, Fr. Cristóbal de. 3069 (59).
Espejo, Fr. Lamberto de. 3069 (55, 57).
Espinosa, Fr. Ambrosio de. 2793.
Espinosa, Juan de. 2691, 2958, 4857.
Espinosa, Manuel de. 1809.
Espinosa, Pedro. 2500, 5636.
Espinosa, Vicente. 3069 (49).

Figueiredo, Fidelino de. 4679.
Figueroa, Fr. Baltasar de. 2999.
Figueroa, Francisco de. 1972, 2006, 5595, 5606.
Figueroa, José de. 1480.
Figueroa, Juan de. 2777 (144).
Figuerola, Melchor. 3158-59.
Finello, D. 4012c.
Fita, P. Fidel. 5743.
Florcadel, Fr. Melchor. 5216.
Florencia, P. Francisco de. 4851, 5230.
Flores, José Miguel de. 864.
Flores, Luis de. 3905.
Flores, Pedro de. 2794.
Flores, Salvador Leonardo de. 4476, 4479.
Flórez, Fr. Enrique. 347.
Floridablanca, Conde de. 1623, 1625.
Florindo, Andrés. 5823.
Focio. 1593.
Fomperosa, P. Pedro de. 3380.
Fomperosa y Quintana, Ambrosio de. 1525, 3690, 4056, 4820, 4862, 5825.
Fonseca, Fr. Cristóbal de. 792, 3273.
Fonseca, Francisco de. 1404.
Fonseca, Melchor de. 2774 (19), 2777 (167).
Font, Jaime. 3264.
Font, Vicente. 3069 (100, 103).
Fontanella, Juan Pedro. 158-59.
Fortescue, Thomas. 4338.
Fortuna, Fr. Diego. 973.
Fortuna, P. Diego. 4183.
Foulché-Delbosc, R. 3482a, 4265, 4309, 4327, 4332, 5292.
Foyas, Fr. Bartolomé. 611.
Fracastorio, Jerónimo. 201.
Fraile, Bernardo. 2725.
Fraile, Guillermo. 2996.
Frampton, John. 4016.
Francés de Urrutigoyti, Tomás. 2289.
Francis, Alan. 2327.
Francisco Alberto de San Cirilo, Fray. 1146, 5220.
Francisco de Borja, San. 91, 454, 1986, 3690, 4115.
Francisco de la Cruz, P. 3383.
Francisco Javier, San. 90, 265, 578, 919, 2535, 2948, 2950.
Francisco de Jesús, Fray. 5146.
Francisco de Jesús María, Fray. 931.
Francisco de Mallorca, Fray. 2235.
Francisco de los Mártires, Fray. 3321.
Francisco de Sales, San. 3324.
Francisco de San Agustín. (V. Macedo, P. Francisco de).
Francisco de San Agustín, Fray. 2347.
Francisco de San Julián, Fray. 2407, 5037.
Francisco de San Marcos, Fray. 2487.
Francisco de Santa María, Fray. 1795.
Francisco de Santo Tomás, Fray. 2813.

Francisco de los Santos, Fray. 4907.
Francisco de Tauste, Fray. 936.
Franco, P. Agustín. 2948, 2950.
Franco Fernández, Blas. 4904.
Franco Risueño, Hernando. 2545.
Franqui Conestaggio, Jerónimo de. 3136.
Frèches, C. H. 67.
Freitas, María Múrias de. 4667.
Frías, Francisco de. 2773 (22, 25), 2777 (112-113, 133).
Frías, Fr. Pedro de. 1456.
Friedman, L. J. 3143a.
Froes de Macedo, Andrés. 4613.
Fronteira, Marqués de. 5376.
Frontín, Martín. 3256.
Frontino, Sexto Julio. 2107.
Fuenmayor, Fr. Andrés de. 1423, 1425-26.
Fuente, Fr. Gaspar de la. 4696, 5535, 5652.
Fuente, Vicente de la. 1528.
Fuente Hurtado, P. Diego de la. 385.
Fuentes, Fr. Francisco de. 3823.
Fuentes, M. A. 5311.
Fuentes, Fr. Miguel de. 2594.
Fulgosio. 4357.
Funes, Fr. Jerónimo de. 3757.
Funes, Juan Agustín de. 569, 1143, 2884.
Funes, Martín de. 2455.
Furio Ceriol, Fadrique. 5104.
Fuster, Justo Pastor. 2330-31.
Fuster, Melchor. 4697.
Fuster, Tomás. 2928, 5786.

G

Gabriel de Santa Cruz. 815 (1, 5, 13, 18).
Gadea y Oviedo, Sebastián Antonio de. 320, 1893.
Gagliardi, Jerónimo. 5594.
Gaibrois de Ballesteros, Mercedes. 1508.
Galarza, Agustín. 2774 (9), 2777 (117, 145, 177), 4107.
Galaz y Varona, Francisco. 2113.
Galdo Guzmán, Diego de. 196.
Galí, Miguel. 2529 (13).
Galmés, L. 494.
Galonié, Pedro. 1006.
Gálvez de Montalvo, Luis. 5156, 5225.
Gallardo, Bartolomé José. 197, 201, 207, 215, 242-47, 318, 325, 365, 423, 480, 581, 611, 675-76, 703, 754, 761, 763, 765, 770, 828, 843, 962, 1035, 1038, 1082-84, 1828, 2068, 2070-71, 2105, 2165, 2198, 2207, 2321, 2442, 2483, 2490, 2522-23, 2526-27, 2548, 2569, 2589, 2607-8, 2671, 2679, 2682, 2696, 2709, 2773, 2784, 2905, 2997, 2999, 3002-3, 3050, 3124, 3151, 3197, 3278, 3300, 3380, 3444, 3662-64, 3669, 3671-72, 3738, 3748, 3948, 3984, 3987, 3990-91, 4009, 4059, 4070, 4076, 4089, 4115, 4125, 4179, 4200-1,

Godoy, Fr. Pedro de. 2594.
Godoy Ponce de León, Luis de. 4396 (24).
Gollanas, Gabriel de. 4758.
Gómez, Alvar. 1918.
Gómez, Ambrosio. 375, 4947, 4978.
Gómez, Elías. 1792, 1799, 1812.
Gómez, Ildefonso M. 98-102, 106-9, 924, 3187-3188, 3192, 3195.
Gómez, Fr. José. 49, 382.
Gómez, Juan Agustín. 4475.
Gómez, Fr. Vicente. 105, 979, 1069-70, 1072, 1978, 1980, 1993, 1995, 2335, 2385, 2479, 2507, 2520, 3071, 3075, 3077-79, 5427, 5543-5544, 5717, 5719, 5721.
Gómez Azeves, Antonio. 219.
Gómez de las Cuevas, Fr. Anselmo. 2807.
Gómez de Figueiredo, Diego. 4747.
Gómez de Huerta, Jerónimo. 2897.
Gómez Méndez, Tomás. 4922.
Gómez de Montalvo, Jerónimo. 4996.
Gómez de la Parra, José. 2945, 4847.
Gómez Pérez, José. 1276-77, 1465.
Gómez Serpa, Juan. 4747.
Gómez Tejada, Cosme. 16.
Gonçalves Rodrigues, A. 4651.
Gonçalvez Viana, Mario. 4626.
Góngora, Fr. Antonio. 2217.
Góngora, Luis de. 17, 36, 2972, 4153, 5595.
Gonzales, Pietro. 3878.
González, Antonio. 1440.
González, Francisco Ramón. 3780.
González, Fr. José. 3767.
González, Pantaleón. 5519.
González, Pedro. 3049.
González de Avila, Venon. 703 (5-6).
González Barroso, Agustín. 2588, 2944, 2971, 4159.
González de la Calle, Pedro Urbano. 1733, 1735.
González de Castilla, Pero. 135.
González de Clavijo, Ruy. 4297.
González de Cossío, Francisco. 2546.
González Dávila, Gil. 7, 2168, 3126, 3128, 3130, 3132-34, 3139, 3216, 3218, 4924, 5759.
González de León, Fr. Juan. 5554.
González Mateo, Diego. 1473, 1475, 1478, 5839.
González de Medina. Juan. 3772.
González de Mendoza, Juan. 2398.
González de Mendoza, Pedro. 3045.
González de Olmedo, Baltasar. 459, 3828.
González Palencia, Angel. 874, 3983, 4026-27.
González de Rosende, P. Antonio. 532, 3236.
González de Salas, Jusepe Antonio. 4107.
González de San Pablo, Andrés. 2362, 2474, 3768.
González de Torres, Eusebio. 1469.
González Vaquero, Miguel. 712.
González de Varela, José. 413, 5150.

González Velázquez, Jerónimo. 2827.
Gonzálvez de Andrada, Paulo. 4611, 4694.
Gordillo, Fr. Alonso. 5817.
Gould y Quincy, A. 1932b.
Goyeneche, Fr. Juan de. 1291.
Gracián, P. Baltasar. 2443.
Gracián, Tomás. 5216 (2).
Gracián, P. Tomás. 2043.
Gracián Dantisco. 5621.
Gracián Dantisco, Lucas. 1920, 4764, 4766.
Gracián Dantisco, Tomás. 958, 2523, 4214.
Gracián de la Madre de Dios, Fr. Jerónimo. 2043-44.
Granada, Fr. Damián de. 5519.
Grande de Tena, Pedro. 143, 570-71, 813, 2012, 2125, 2388, 2885, 3673, 4121, 4467, 5096.
Granero, Fr. Diego. 4996.
Granero, Jesús María. 1011, 1013-14, 1016.
Gratii, Salustio. 5125.
Gravalona, Joannes Antonius. 3771.
Gravina, Fr. Dominicus. 3731.
Green, O. H. 1932c, 4142a.
Gregorio XV. 1069-70.
Gregorio Alberto de Santa Teresa, Fray. 1118.
Gregorio de Santa Ana y San José, Fray. 2392.
Greswell, P. José. 781.
Grimeston, E. 4341.
Gruget, Claude. 4332, 4360.
Guajardo, Alonso. 4396 (31, 38).
Guajardo Fajardo, Melchor. 4107.
Gubernatis, Fr. Hyacinthus de. 4459.
Guerau, Fr. Francisco. 2133.
Guerau, P. Rafael. 631, 2108-9.
Guerín, Patricio. 717, 745-47, 749, 751.
Guerra, J. Carlos de. 5009.
Guerra y Ribera, Manuel de. 766,« 2636, 2805.
Guerrero, Alonso. 289.
Guerrero, Juan. 2597.
Guerrero de Espinar, Juan. 2432, 5642.
Guerrero y Morcillo, Mateo. 2559.
Guerrero y Saravia, Juan. 769, 4837, 5318.
Guevara, Alonso de. 495.
Guevara, Fr. Gabriel de. 5597 (88).
Guevara, Juan de. 4817.
Guevara, Laurencia de. 815 (40-41, 71).
Guevara, Pedro de. 4981.
Guevara, Sebastián de. 815 (6, 68).
Guillaume (Colonel). 5120.
Guillén de Peraza, Pablo. 3276.
Guizábal, Fr. Juan de. 545, 3380.
Gutiérrez, Fr. Alonso. 1087.
Gutiérrez, P. Cipriano. 4107.
Gutiérrez, Diego. 2777 (6).
Gutiérrez, Fr. Domingo. 2463, 3222.
Gutiérrez del Caño, Marcelino. 487, 1558, 1588, 2073-74, 2076.

I

I. S. R. 5591a.
Ibáñez, Juan Bautista. (V. Madariaga, Fr. Juan de).
Ibáñez, Juan Miguel. 4936.
Ibáñez de Aoyz, Vicente Antonio. 5047.
Ibáñez de Segovia, Gaspar. 1716-17, 4298.
Ibáñez de Segovia, Miguel. 2249.
Ibáñez de Villanueva, Fr. Martín. 2354, 2594.
Ibarra, Antonio de. 2711, 2713, 3380.
Ibarra, Diego. 4396 (50).
Ibarra, Juan de. 4385.
Ibarra, Juan Antonio de. 809, 919, 4989, 5400.
Ibarra, Miguel de. 464.
Iglesia, Nicolás de la. 835.
Iglesia, Ramón. 5018.
Ignacio de Loyola, San. 90, 578, 822, 919, 1323, 3889, 5497.
Iguiniz, Juan B. 5016.
Ildefonso, San. 2632.
Illescas, Alonso de. 4766.
Illescas, Gonzalo de. 5806.
Infante, Francisco de. 4299, 4302.
Infante, Fr. Miguel. 815 (10).
Infante de Robles, Fernando. 4933 (41).
Infantes, Víctor. 2481.
Inocencio X. 290, 850, 855, 4577.
Inocencio XI. 554, 2466-69, 2472-73.
Inocencio XII. 1433.
Iñiguez de Medrano, Julio. 4168.
Iranzo, C. 4012d.
Isaías. 10.
Isidoro, San. 1954, 4438.
Isidro de San Juan Bautista, Fray. 5165.
Isócrates. 4295, 4314-15.
Isola, Jacinto. 3903.
Iturriaga, Fr. Julián de. 727.
Iturricha y Retés, Diego Felipe de. 3380.
Ivars, Andrés. 1086, 1096, 1318a, 1338, 1366a, 1428, 1435, 1488, 1489c.
Izquierdo, Juan. 3094.
Izquierdo de las Eras, Melchor. 4459.

J

J. A. M. 4331.
Jacinto (Licenciado). 5216 (29).
Jacinto de San Andrés, Fray. 4459.
Jaime de Corella, Fray. 921, 5793, 5820.
Jaramillo de Bocanegra, Marcos. 4818.
Jardim de Vilhena, J. 4649.
Jardón, V. Antonio. 2951.
Jeremías. 10.
Jérez, Marqués de. 829.
Jericó y Haro, Fr. Miguel Alberto. 3305.
Jerónima de la Ascensión, Sor. 5540.
Jerónimo, San. 3439, 3686, 5597 (59).

Jerónimo de la Cruz, Fray. 918, 2010, 3953.
Jerónimo de San Agustín, Fray. 2392.
Jerónimo de San José, Fray. 2409, 3215.
Jiménez, María. 1099.
Jiménez de Aragón, Jerónimo. 4996.
Jiménez Catalán, Manuel. 205, 488, 611, 640, 642, 705, 988, 1040, 1059, 1099, 1341, 1345, 1479, 2097, 2213, 2253, 2260-61, 2274, 2285, 2289, 2301, 2313, 2392, 2402, 2404, 2408-9, 2452, 2455, 2600, 2605, 2795, 2803, 3117, 3140, 3757, 4162, 4471, 4597, 4601, 5396, 5522, 5675, 5682, 5761, 5765, 5767.
Jiménez de Enciso y Porres, José Esteban. 2042.
Jiménez de Gálvez, Cristóbal. 5827.
Jiménez Patón, Bartolomé. 2127, 2895-96, 2901-2, 4107, 4411, 4423, 5214.
Jiménez de Rada, Rodrigo. 3216.
Jiménez Samaniego, Fr. José. 1285, 1399, 1405, 5542.
Jiménez Sedeño, Francisco. 2336.
Jiménez de Urrea, Jerónimo. 618, 830.
Jirón de Palazeda, Martín. (V. Martínez de Ripalda, P. Juan).
Joaquín de la Sagrada Familia, Fray. 1169.
Jones, Harold G. 1574-75, 1582, 1591, 3374, 5298.
Jones, R. O. 4140f.
Jong, M. de. 4637.
Jordán, Lorenzo Martín. 582, 1117.
Jörder, Otto. 2437.
José de Caravantes, Fray. 5791.
José de Jesús, Fray. 1074, 2303, 2641-42, 3781.
José de Jesús María, Fray. 2343, 5041, 5057.
José de Madrid, Fray. 116, 1887, 3309.
José María de la Cruz, Fray. 2406.
José de Nájera, Fray. 2475.
José de San Benito, Fray. 1807.
José de San Esteban, Fray. 4376.
José de San Juan, Fray. 2812, 2931.
José de San Lorenzo, Fray. 5818.
José de Santa Cruz, Fray. 5864.
José de Santa María, Fray. 281, 3181-82, 3190, 4454.
José de Santa Teresa, Fray. 2747, 3067.
José del Santísimo Sacramento, Fray. 939.
José de Sevilla, Fray. 4387.
Juan, Luis. 5216 (42).
Juan de los Angeles, Fray. 135, 137.
Juan de la Anunciación, Fray. 1149, 1881.
Juan Bautista de la Expectación, Fray. 2448.
Juan Buenaventura de Soria, Fray. 2724.
Juan Clímaco, San. 4473.
Juan de la Concepción, Fray. 125.
Juan Crisóstomo, San. 2612.
Juan de la Cruz, San. 1098, 1173, 1175-77, 1521, 2747.
Juan de Dios, San. 3307, 5145.

Leonardo de Argensola, Luperciɔ. 1578, 1635, 5595.
Le Pippre, P. Francisco. 107.
Lera Gil de Muro, Matías .179, 3790.
Lerner, Isaías. 4361.
Letona, Fr. Bartolomé de. 132.
Levi, Aharon, (Antonio de Montezinos). 4788.
Leví, Rafael. 4786.
Lewy, Günther. 1743.
Leyba. (V. Leiva).
Lezana, Fr. Juan Bautista. 5815.
Liaño y Leyva, Lope de. 131, 2622, 3040.
Libertino, Clemente. (V. Melo, Francisco Manuel de).
Lida, M. R. 1932d.
Lievsay, J. León. 5726.
Lince, Ricardo. 4867.
Lindo, E. H. 4ː1.
Linguet. 3708.
Liñán de Riaza, Pedro. 3273.
Lipsio, Justo. 5108, 5603, 5637.
Lisarasa, Fermín de. 2777 (132).
Liuraga, José. 3771.
Livermore, Am Lapraek. 4655.
Livio, Tito. 1772.
Lizana, Bernardo de. 292, 3283.
Loaysa, Jofre de. 3933.
Lobera, Atanasio de. 2524, 5595-96, 5782.
Lobera, Francisco de. 2777, 4936.
Lobo, Fr. José. 1150.
Lodoza, Fr. Juan de. 1456.
Lofstedt, L. 3143b.
Lohmann Villena, Guillermo. 3375, 4463.
Lomas Cantoral, Jerónimo de. 5138.
Loo, Esther van. 1009.
López, Atanasio. 4896, 4898.
López, Blas. 703 (35-38).
López, Felipe. 2774 (8), 2777 (170).
López, Francisco. 2764, 5059.
López, Gabriel. 3731.
López, Gaspar. 4302.
López, Juan Luis. 5422.
López, Luis. 3231.
López de Aguirre, Miguel. 5594.
López de Andrade, Fr. Diego. 2133, 4374, 4408.
López de Armesto y Castro, Gil. 2777 (181).
López Bravo, Mateo. 866.
López Cancelada, Juan. 716.
López Cornejo, Alonso. 4477, 4480.
López Coronel, Pascual. 5476.
López Estrada, Francisco. 4109, 4147, 4769.
López de Hoyos, Juan. 2576, 5085.
López de Leaõ, Diego. 4747.
López Madera, Gregorio. 730.
López Magdaleno, Fr. Alonso. 2356, 2363, 4779.
López Martínez, N. 5294-95.

López de Moncayo, Matías. 2664.
López Navarro, Gabriel 2975.
López Osorio, Juan. 5506.
López Piñero, José María. 5480.
López Prudencio, J. 5610.
López de Quirós, Manuel 4933 (32).
López de los Ríos, Tomás. 2306.
López Toro, José. 774.
López de Ubeda, Francisco. 5734.
López de Val de Elvira, Martín. 2108.
López de Vega, Antonio. 4098, 4933 (3).
López de Zárate, Francisco. 4933 (2).
Lopezio, Filippo. 970.
Lorea, Antonio de. 2365.
Lorente Bravo, Miguel. 2769.
Lorenzana, Alonso de. 4936.
Lorenzana, Fr. Diego. 1843.
Lorenzi de Bradi, Michel. 1008.
Lorenzo de la Trinidad, Fray. 3785.
Lorte y Escartín, Jerónimo de. 3764.
Losa, Andrés de la. 4063, 5634.
Loumier. 5120.
Loupias, Bernard. 4982.
Lovera, Francisco de. 5759.
Lovera, José Pablo de. 310.
Lozano, Fr. Cristóbal. 2217.
Lozano, Diego. 981.
Lozano, Gaspar. 5816.
Lozano, Juan. 4933 (29).
Lozano, Juan Mateo. 2463.
Lozano, Marcos. 3022.
Lucas, San. 421.
Lucas (obispo de Tuy). 1592, 1666.
Lucas de la Cruz, Fray. 2451.
Lucero, P. Hernando. 3275.
Lucio, Francisco. 815 (33).
Lucio de Espinosa y Malo, Félix. 1604, 3693-3694, 5194.
Lugo y Dávila, Francisco de. 4136, 4189, 4933 (prels.).
Luis Bertrán, San. 942, 1994, 2089, 2332-33, 2652.
Luis de Granada, Fray. 1835-39.
Luis de San Juan, Fray. 2666, 5756.
Luis de San Remón, Fray. 4444.
Luis de Santa María, Fray. 943, 983-84, 1908, 5776.
Luisa de la Misericordia, Sor. 5373.
Lumbier, Fr. Raimundo. 2600, 3753 (4).
Luna, Antonio de. 2288.
Lunaecenius, Mart. 718.
Lupi, Gaspar. 4311, 4313-14.
Luque, Cristóbal Francisco de. 3268.
Luque Fajardo, Francisco de. 759, 4469, 4808, 5503, 5585, 5639.
Luque de Vicena, A. 5284.
Lusitano, Lucindo. (V. Marinho de Azevedo, Luis).
Lutero, Martín. 829, 4744.

Maldonado, P. Francisco. **278-82.**
Maldonado, Francisco Leandro. **283.**
Maldonado, Fulgencio. **284-88.**
Maldonado, P. Gaspar. **289.**
Maldonado, Fr. Jacinto. **290-91.**
Maldonado, Fr. Jerónimo. **292.**
Maldonado, José. **293-95.**
Maldonado, Fr. José. **296-304.**
Maldonado, Juan. **305-11.**
Maldonado, Fray Juan. **312-16.**
Maldonado, Fray Juan (agustino). **317, 530.**
Maldonado, Fr. Juan. **318.**
Maldonado, Juan Francisco. **319.**
Maldonado, Juana. **320.**
Maldonado, Lucas. **321.**
Maldonado, Manuel. **322.**
Maldonado, Fr. Pedro. **323-37.**
Maldonado, P. Pedro. **338.**
Maldonado, Rodrigo Claudio. **339.**
Maldonado y Andueza, Diego. **340.**
Maldonado de Angulo, Jerónimo. **341.**
Maldonado y Corral, Juan. **342-43.**
Maldonado Dávila y Saavedra, José. **344-49.**
Maldonado de Matute, Hernando. **350.**
Maldonado Monje, Antonio. **351.**
Maldonado de Monroy, Jacinta. **352.**
Maldonado de Ontiveros, Antonio. **353-54.**
Maldonado y Pardo, José. **355-59.**
Maldonado Patiño, Francisco. **360-62.**
Maldonado Rodríguez, Francisco. **363.**
Maldonado Saavedra, José. (V. *Maldonado Dávila y Saavedra, José*).
Maldonado Salazar y Vargas, Francisco. **364.**
Maldonado y Silva, Antonio. **365-67.**
Maldonado y Tejada, Antonio. **368-69.**
Maldonado y Tribiño, Juan. **370.**
Maldonado y Zafra, Alonso. **371.**
Maleo, Fr. Mariano de. **372.**
Malet, José. **373.**
«Malicia (La) descifrada...». **374.**
Malo, Fr. Diego. **375.**
Malo, Juan Bautista. **376.**
Malo, P. Juan Jerónimo. **377.**
Malo y Andueza, Fr. Diego. **378-96,** 4377-78, 5050.
Malo de Briones, J. **397-99.**
Malo de Molina, Alonso. **400.**
Malo de Molina, Jerónimo. **401-15.**
Malo de Villarroel, Juan. **416.**
Malón de Chaide, Fr. Pedro. CODICES: **417-19;** EDICIONES: **420-37;** TRADUCCIONES: **438;** ESTUDIOS: **439-51.**
Malonda, P. Pedro Juan. **452.**
Malpartida Centeno, Diego. **453-65.**
Maluenda, Antonio de. **472.**
Maluenda, Fr. Francisco. **473.**
Maluenda, Fr. Luis de **474-85..**
Maluenda, Fr. Tomás. **486-94.**

Malvezzi, Virgilio. 317, **495-543,** 3050.
Mallada, Pedro. **544.**
Mallea, Fr. Juan de. **545.**
Mallea, Fr. Salvador de. **546-56.**
Mallén, P. Juan. **557.**
Mallén Valenciano, Francisco. **558.**
Mambriga, Diego de.**5828.**
Manasseh ben Israel. (*V. Menasseh ben Israel*).
Manca de Cendrelles, Gabino. **559-61.**
Mancebo, P. Jerónimo. **562.**
Mancebo, Pedro Jerónimo. **563.**
Mancebo Aguado, Pedro. **564-68.**
Mancebo y Velasco, Pedro Jerónimo. **569-73.**
Mancebón, Gaspar. **574-76.**
Mancilla Hinojosa, Juan de. **577.**
Mancini, G. 4148.
Manconi, Gabino. **578.**
Mano, José de la. 5358.
Mancha y Velasco, Cristóbal de. **579.**
Manchado de Angulo, Pelagio. **580.**
Manchego, Pedro. **581.**
Mancho, Domingo. **582.**
Manchola, Fr. Esteban de. **583-84.**
«Mandamientos burlescos...». **586.**
Mandelo, Jacomo. **587.**
Mandiaa y Parga, Fr. Esteban. **588.**
Mandiaa y Parga, Rodrigo. **589-99.**
Mandingo Farfán, Doctor (seud.). **600.**
Mandri, Fr. Antonio. **601,** 2096.
Mandura, Pascual de. **602-5.**
Manero, Domingo. **606-7.**
Manero, Fr. Pedro. **608-26,** 1495.
Manero, Pedro Jerónimo. 4471.
Manescal, Miguel. **627.**
Manescal, Onofre. **628-36.**
Mangado, Bernardo. **637.**
Mangas de Villafuerte, Baltasar. **638.**
Mani, Antonio. **639.**
«Manifestación de las Máximas de Francia...». **640-42.**
«Manifestación en que se publican...». **643-644.**
«Manifiesto de la Corte de Francia...». **645.**
«Manifiesto de la justificación...». **646.**
«Manifiesto de la Verdad...». **647.**
«Manifiesto de las razones...». **648.**
«Manifiesto en desagravio...». **649.**
«Manifiesto general...». **650.**
«Manifiesto geométrico...». **5829.**
«Manifiesto histórico...». **651.**
«Manifiesto legal...». **652.**
«Manifiesto por la Justicia...». **653.**
«Manifiesto que contiene...». **654.**
«Manifiesto que hicieron...». **655.**
«Manifiesto que hizo...». **656.**
«Manifiesto sacrílego...». **657.**
«Manifiesto teólogo-jurídico...». **658.**
«Manifiesto y estado ..». **659.**

Manuel de San José, Fray. **939-40.**
Manuel de Santo Tomás, Fray. **941-42.**
Manuel de los Santos, Fray. **943.**
Manuel y Vasconcelos, Agustín. **944-51.**
Manuela de la Madre de Dios, Sor. **952-56.**
Manuela de la Santísima Trinidad, Sor. **957,** 2557, 3292.
Manuppella, Giacinto. 4620, 4653, 4668a, 4669a.
Manzanares, Jerónimo Paulo de. **958-59.**
Manzanares de la Cueva, Gabriela. **960.**
Manzanas, Eugenio. **961-65.**
Manzaneda Molina Juan Bautista., **966-68.**
Manzanedo, Pedro de. **969.**
Manzaneda y Maldonado, Mariana de San José. *(V. Mariana de San José, Sor)*
Manzanedo de Quiñones, Alfonso. **970-72.**
Manzano, Fr. Francesco. **973-76.**
Manzano, P. Francesco Luis. **977.**
Manzano, Fr. Gabriel. **978-79.**
Manzano, Juan Félix. **980.**
Manzano, Fr. Miguel. **981-82.**
Manzano, Pedro. **983-84.**
Manzano de Haro, Fr. Melchor. **985-86.**
Manzano Martínez, Juan Jerónimo. **987.**
Mañá, Esteban. **988-90.**
Mañán, Fr. Domingo. **991.**
Mañara Vicentelo de Leca, Miguel. **992-1066.**
Mañozca, Juan. **1017-18.**
Maqueda, Fr. Gabriel de. **1019-20.**
Maquiavelo. 540.
Mar Montaño y Muñecas, Juan Ignacio del. **1021-22.**
«Mar profundo...». **1023.**
Marañón, César Antonio. **1024.**
Marañón, Gregorio. 542, 5477.
Marañón, Miguel. **1025-26.**
Marañón, Pedro. **1027.**
Marañón, Sancho de. **1028-29.**
Marañón de Espinosa, Alonso. **1030-33.**
Maranon de Mendoza, Feliciano. **1034-36.**
Marañón y Pumarejo, Juan Francisco. **1037.**
Marasso Roca, A. 2435.
Maravall, José Antonio. 3135
«Maravillosa (La) Coronación del... César D. Carlos...». **1038.**
«Maravillosa vida... de S. Onofre...». **1039.**
«Maravilloso concurso...». **1040.**
«Maravilloso, insigne y costoso Arco...». **1041.**
Marbán, P. Pedro. **1042-43.**
Marcabán, Fr. Raimundo. **1044-45.**
Marcela de San Félix, Sor. **1046-51.**
Marcelino, Anastasio. **1052.**
Marcelino, Paulo. **1053.**
Marcelo, Carlos. **1054.**
Marcelo del Espíritu Santo, Fray. **1055-56,** 5814.

Marcer, María Eulalia. **1057.**
Marci, Ausiae. *(V. March, Ausias).*
Marcial. 200.
Marcilla, José de. **1058.**
Marcilla, Fr. Pedro Vicente. **1059-64,** 1101.
Marcilla de Caparroso, José. **1065.**
Marcillo, P. Manuel. **1066-67.**
Marco, Fr. Bautista. **1068.**
Marco, Blas. *(V. Marco, Fr. Luis Bertrán).*
Marco, Fr. Luis Bertrán. **1069-73.**
Marco, Manuel. **1074.**
Marco, Miguel. **1075.**
Marco, Fr. Pedro. **1076.**
Marco, Rafael. **1077,** 3305.
Marco, Ursula Polonia. **1078.**
Marco Margalés, Fr. Francisco. **1079.**
Marco Valero, Juan. **1080.**
Marcos, San. 816.
Marcos, Francisco. **1081-85.**
Marcos de Lisboa, Fray. **1086-97.**
Marcos Rodríguez. 3272.
Marcos de San Francisco, Fray. **1098.**
Marcuello, Francisco. 1059, **1099-103,** 2374, 3094.
Marcuello, Juan Lucas. **1104-6.**
Marcuello, Lucas. **1107-9.**
March, Acacio. *(V. March de Velasco, Fr. Acacio).*
March, Ausias. 1948.
March, P. Ignacio. **1110-13.**
March de Velasco, Fr. Acaccio. **1114-20.**
March de Velasco, Fr. Dionisio. **1121-25 bis.**
Marchena, Alvaro de. **1126.**
Marchena, María. **1127.**
Marchena, Vincencio de. **1128.**
Marchena y Hoz, Fr. Francisco. **1129-30.**
Mardones, Fr. Diego de. **1131.**
Mardones Sojo, Antonio de. 4933 (28).
Mare, Bernardo de. **1132.**
Marenzi y Aldaya, Juan Lorenzo. **1133.**
Mares, Francisco. **1134.**
Mares, Vicente. **1135-36.**
Maresch, Magino. **1137.**
Marfil, Fr. Diego. **1138-39.**
Marfira (seud.). **1140.**
Margarit y de Bivre, Juan de. **1141.**
Margarita de la Madre de Dios, Sor. **1142.**
Marginete del Aguila, Fr. Adriano. **1143.**
Mari y Espínola, P. Leonardo. **1144-49.**
María Ana... *(V. Mariana).*
María de la Antigua, Sor. **1150-65.**
María de Cristo, Madre. **1166-67.**
María de Jesús, Sor (agustina). **1168.**
María de Jesús, Sor (n. en 1560, carmelita descalza). **1169-72.**
María de Jesús, Sor. (n. en 1545, carmelita descalza). **1173-74.**
María de Jesús, Sor (carmelita descalza en Salamanca). **1177-78.**

Marquezi, Miguel. **2213.**
Marquina, Francisco .**2214-15.**
Marquina, Francisco de. **2216.**
Marquina, Ignacio de. **2217.**
Marradón, Bartolomé. **2218-23.**
Marrón, Emanuel. **2224.**
Marroquín de Montehermoso, Juan. **2226.**
Marroquí de Montehermoso, Tomás. **2225.**
Marsal, Juan. **2227.**
Marsal, Luciano. **2228-38,** 3742.
Marsilla, Lorenzo de. *(V. Martínez de Marcilla, Lorenzo).*
Marta, Fr. Jerónimo de. **2239-51.**
Marta y Mendoza, Miguel. **2252-62.**
«Marte académico ..». **2263.**
«Marte católico...». **2264.**
Martel, Jerónimo. **2265-77.**
Martel, Miguel. **2278-83.**
Martel, Miguel Jerónimo. **2284-87.**
Martel Guerrero, Francisco. **2288.**
Martell, Carlos. **2289-90.**
Marthon, Fr. Jerónimo. **2291-94.**
Martí, Antonio. **2295-96.**
Martí, Francisco. **2297.**
Martí, Jaime. **2298.**
Martí, Fr. José. **2299-311.**
Martí, Juan. EDICIONES: **2312-22;** TRADUCCIONES: **2323;** ESTUDIOS: **2324-27.**
Martí, Juan José. **2328-29.**
Martí, Fr. Luis. **2330-34,** 2587, 2652.
Martí Grajales, Francisco. 1073, 2329, 2334, 2386, 3082, 3348, 5438, 5445, 5711-12, 5722, 5805.
Martí de Mitjavila, Luis. **2335.**
Martí y Sorribas, Fr. Francisco. **2336-37,** 2738.
Martí y Viladamor, Francisco. 19, **2338-51,** 5564.
Martín. **2352.**
Martín, Alfonso. **5849-50.**
Martín, Fr. Andrés. **2353-65.**
Martín, P. Antón. **2366.**
Martín, Antonio. **2367.**
Martín, Diego. **2368.**
Martín, Fr. Dionisio. **2369.**
Martín, Esteban. **2370-72.**
Martín, Fr. Francisco. **2373.**
Martín, Gaspar. 1099, **2374-75.**
Martin, Henry. 1275, 1278, 1454.
Martín, Juan. **2376.**
Martín, Juan. **2377.**
Martín, Juan. **2378.**
Martín, L. A. 2187.
Martín, Luis. *(V. Martín de la Plaza, Luis).*
Martín, Miguel. **2379.**
Martín, Fr. Nicolás. **2380.**
Martín, Fr. Pedro (dominico). **2381.**
Martín, Fr. Pedro (mercedario). **2382-83.**
Martín, Fr. Pedro Martín. **2384-86.**

Martín, Rodrigo. **2387.**
Martín Acera, Fernando. 1705, 1726.
Martín de Barrio, Juan. **2388.**
Martín de Camuñas, Fr. Juan. **2389.**
Martín Carmona, Andrés. **2390.**
Martín de la Concepción, Fray. **2391.**
Martín de la Cruz, Fray (agustino). **2392.**
Martín de la Cruz, Fray (franciscano). **2393.**
Martín Fernández, Domingo. **2394.**
Martín Flores, Domingo. **2395.**
Martín Gamero, Antonio. 4088.
Martín García, Manuel. **2396.**
Martín y Hualde, Juan. **2397.**
Martín Ignacio de Loyola, Fray. **2398.**
Martín de Jesús María, Fray. **2400.**
Martín Lozano, Pedro. **2401.**
Martín de la Madre de Dios, Fray. **2402-11.**
Martín Maldonado, Fr. Juan. **2412-13.**
Martín Merinero, Juan. **2414-20.**
Martín de Mora, Fr. Pedro. **2421.**
Martín Pineda, Andrés. **2422.**
Martín de la Plaza, Luis. CODICES: **2423-27;** EDICIONES: **2428-34;** ESTUDIOS: **2435-38.**
Martín Pobeda, Tomás. **2439.**
Martín del Prado, Fr. Juan. **2440-41.**
Martín de la Puente, Esteban. **2442.**
Martín Redondo, Santiago. **2443-45.**
Martín de la Resurrección, Fray. **2446-48.**
Martín de San José, Fray (franciscano). **2449-59,** 3323, 5084.
Martín de San José, Fray (carmelita). **2460.**
Martín de Santa María, Fray. **2461.**
Martín de Santa Teresa, Fray. **2462.**
Martín de Torrecilla, Fray. **2463-75.**
Martín de Vedia, Pedro. **2479.**
Martín de la Vera, Fray. **2480.**
Martínez (Doctor). 988, **2481.**
Martínez, Fr. Alberto. **2482.**
Martínez, Alonso. **2483-84.**
Martínez, Alonso. **2485.**
Martínez, Fr. Bartolomé. **????**
Martínez, Ambrosio. 2486.
Martínez, Fr. Ambrosio. **2487-88.**
Martínez, Fr. Ambrosio. **2489.**
Martínez, Andrés. **2490-92.**
Martínez, Fr. Andrés. **2493.**
Martínez, Angel. 1494, 1496.
Martínez, Angelo. **2494,** 5216.
Martínez, Antonio. **2495-96.**
Martínez, Antonio. *(V. Martínez de Meneses, Antonio).*
Martínez, Fr. Antonio. **2497.**
Martínez, Bartolomé. **2498-501.**
Martínez, Fr. Bartolomé. **2502.**
Martínez, Fr. Benito. **2503-4.**
Martínez, Bernardo. **2505.**
Martínez, Blas. **2506.**
Martínez, Cristóbal. **2507.**
Martínez, Diego. **2508-9.**

Martínez de Grimaldo, José. 172-73, 175, 180, 2771-80.
Martínez Guindal, José. 2781-83, 2561.
Martínez de Herrera, Fr. Pedro. 2784-86.
Martínez Hidalgo Montemayor, Luis. 2787-2789.
Martínez de Hinojosa, Fr. Agustín. 2790.
Martínez Izquierdo, Rodrigo. 2791.
Martínez de Jaén. 2792.
Martínez de Leache, Miguel. 2793-97.
Martínez de Leache, Miguel. 2793-97, 3107.
Martínez de Leyva, Antonio. 2798.
Martínez de Leyva, Miguel. 2799-800.
Martínez de Leyva, Sancho. 2801, 3731.
Martínez de Luna, Fr. Diego. 2802.
Martínez de Llamo, Fr. Juan. 2804-15, 2630.
Martínez Llor, Francesco. 2816.
Martínez Malo Moreno, José. 2817.
Martínez de Mansilla, Lorenzo. 2818-19, 5852.
Martínez Martínez, Julio Gerardo. 174⁻.
Martínez de Mata, Francisco. 2820-27.
Martínez de Meneses, Antonio. codices: 2828-36; ediciones: 2837-92; estudios: 2893-2894, 4933 (10).
Martínez de Miota, Antonio. 2895-903.
Martínez Montañés, Fr. Bernardino. 2904.
Martínez Montero, Gabriel. 2905-7.
Martínez Montiño, Francisco. 2908-26, 5853.
Martínez de Montoya, Fr. Jaime. 2927.
Martínez Moñux, Angel. 1319, 1497.
Martínez de Mora, Fr. Juan. 2928-32.
Martínez y Mosquera, Miguel. 2933.
Martínez de Moya, Juan. 2934-37.
Martínez Murillo, Pedro. 2938-41.
Martínez Nieto, Blas. 130, 2942-43.
Martínez de Paredes, García. 2944.
Martínez de la Parra, José. 2945.
Martínez de la Parra, P. Juan. 2946-61.
Martínez Pedernoso, Benito. 2962-66.
Martínez de Pedroso, Bernabé. 2967.
Martínez Polo. 2968-69.
Martínez Polo y Pardo, Gregorio José. 2970.
Martínez de Porres, García. 2971.
Martínez de Portichuelo, Francisco. 2972-73.
Martínez de Prado, Fr. Juan. 2594, 2974-96, 3062-63.
Martínez de la Puente, José. 2997-3001.
Martínez de Quintana, Bartolomé. 3002-4.
Martínez de Ribera Martel, Juan. 3005.
Martínez de Ripalda, P. Jerónimo. 3006-25.
Martínez de Ripalda, P. Juan. 3026-39.
Martínez Romano, Francisco. 3040.
Martínez de Rozas y Velasco, Juan. 3041-42.
Martínez Rubio, Pedro. 3043.
Martínez de Rueda, Francisco. 3044-47.
Martínez y Salafranca, Miguel. 3048.
Martínez del Salto, Fr. Pedro. 3049.
Martínez Sánchez Calderón, Juan Alfonso. 500, 3050.

Martínez Sanz, Francisco José. 3051.
Martínez Silíceo, Juan. 3052-60, 5393.
Martínez de Siqueira, Francisco. 3061.
Martínez de Soto, Juan. 3062-63.
Martínez de Tobar, Diego. 3064.
Martínez de Tiro, Miguel. 3065.
Martínez de Trillares, Gaspar José. 3066.
Martínez de Ursangui, P. Rodrigo. 3067.
Martínez de la Vega, Jerónimo. 2003, 2015, 3068-82, 5431, 5448.
Martínez de la Vega, Laureano. 3083-86.
Martínez Velázquez, Juan. 3087.
Martínez del Villar, José. 3088-92.
Martínez del Villar, Miguel. 1100, 3093-106.
Martínez de Ximén Pérez, Pedro. 2793, 3107.
Martínez Ybarguen, Fr. Pedro. 3108.
Martínez de Zaldibia, Juan. 3109-15.
Martínez de Zalduondo, Juan. 3116.
Martínez y Zapata, Fr. Blas. 3117.
Martino di San Bernardo, Fra. 2175.
Martins de Siqueira, Francisco. 3118-22, 4747.
Mártir Rizo, Juan Francesco. 3123.
Mártir Rizo, Juan Pablo. 3124-49, 5022.
Mártires Falcón, Fr. Francisco. 3150.
«Martirio...». 3151.
Martis, Antonio. 5854-55.
Marton, Juan. 3152-54.
Marton, Miguel. 3155-56.
Marton de Casadios, Miguel de Pascual. 3157.
Martorell y de Luna, Francisco. 3158-60.
Mártir Viejo Mesquita y Brito. Francisco. 3161.
Martos y Cárdenas, Bartolomé de. 3162.
Martyz Viejo de Mesquito y Brito, Francisco. 3163.
Maruján de Contreras, Pedro. 3164.
Marzal, Fr. Francisco. 3165.
Murzal, P. José Antonio. 3166-67.
Marzilla. (V. Marcilla).
Marzuelo, Gregorio. 3168.
«Más (El) inaudito y ejemplar castigo...». 3169.
«Más que en paz...». 3170.
Mas, P. Baltasar. 3171.
Mas, Fr. Diego. 3172-80.
Mas, Francisco del. 3181-82.
Mas, Isabel del. 3183.
Mas, P. José Antonio. 3184.
Mas, Juan. 3185.
Mas, Juan Bautista de. 3186.
Mas, Juan Francisco. 3187-92.
Mas, Mateo del. 2518, 3193.
Mas, Vicente del. 3194-95.
Mas Ibáñez, Manuel de. 3196.
«Máscara y fiesta real...». 3197.
Mascarel, P. Pablo. 3198-99.
Mascarell, Gregorio. 3200.

Mascarell, Raimundo. **3201.**
Mascarell y Pertusa, Pedro. **3202.**
Mascareñas, Carlos Eugenio. 3213, 3227, 3240-3241.
Mascareñas, Fernando. **3203.**
Mascareñas, Francisco. **3204.**
Mascareñas, Jerónimo. 3682, **3205-42,** 3683.
Mascareñas, Henríques, Francisco. **3243-44.**
Mascarós, Fr. Jerónimo. **3245.**
Mascarós, Fr. Teófilo. 2529 (prels., 14, 26), **3246-48.**
Masera, Fr. Pedro. **3249.**
Maseres, Salvador. **3250.**
Masi, Cosme. **3251-53.**
Masías, Fr. Nicolás. 584, **3254.**
Masip Acevedo, J. 5486.
Massan, Guillermo. **3255.**
Massanet, Miguel. **?256.**
Massay, Alejandro. **3257.**
Massigo, Jaime. **3258.**
Massó, Fr. Antonio. **3259.**
Massó, Fr. Ugino. **3260-61.**
Massot, Fr. José. **3262-65.**
Mastrillo Durán, P. Nicolás. **3266-67.**
Mastrucio, Andrés. **3268.**
Mata, Alejandro Antonio de. **3269.**
Mata, Bernal de. **3270.**
Mata, Fernando de. **3271-72.**
Mata, Francisco de. *(V. Martínez de Mata, Francisco).*
Mata, Fr. Gabriel. **3273-79.**
Mata, Gregorio de. **3280.**
Mata, Jerónimo de. **3281.**
Mata, Juan de. 2506, 2542.
Mata, Pedro de. **3282.**
Mata, Fr. Pedro de. **3283.**
Mata y Vargas, P. Jerónimo de. **3284.**
Mata Velasco, Pedro de. **3285.**
Matallana, Pedro de. **3286.**
Matama, Fr. Gregorio de. 957.
Matama, Fr. Jerónimo de. **3287-96.**
Matamoros, Francisco de. **3297-98.**
Matamoros, Joaquín de. **3299.**
Matamoros Vázquez Gallego, Benito. **3300-1.**
Matanía, Fr. Jerónimo de. **3302.**
Mateo, San. 3966.
Mateo, Juan. **3303.**
Mateo, Juan Agustín. **3304-6.**
Mateo, Pedro. *(V. Matthieu, Pierre).*
Mateo de los Angeles, Fray. **3307-8.**
Mateo de Anguiano, Fray. 2708, 2750, **3309-16.**
Mateo de la Encarnación, Fray. **3317-18.**
Mateo de la Natividad, Fray. 2393, 2451, **3319-26.**
Mateo Sánchez, Juan. **3327.**
Mateos, Fr. Francisco. **3328-29,** 5809.
Mateos, Juan. **3330-32,** 4878.
Mateos Parra, Pedro. **3333.**
Mateu, Francisco. **3334-39.**

Mateu, Luis. **3340.**
Mateu y Sanz, Isidro. **3341-48.**
Mateu y Sanz, Lorenzo. **3349-65.**
Matheo. *(V. Mateo).*
Matheu, Vicente. **3366.**
Matheu y Sans. *(V. Mateu y Sans).*
Matías, Fr. Pedro. **3367.**
Matías, Ramón. **3368.**
Matías de San Francisco, Fray. **3369-70.**
Matienzo (Licenciado). 815 (23).
Matienzo, Felipe. **3371-72.**
Matienzo, Juan. **3373-79.**
Matienzo, Fr. Juan Luis de. 545, **3380.**
Matienzo, Luis. **3381-82.**
Matienzo, P. Sebastián de. **3383-90.**
Matienzo de Peralta, Juan. **3391-92**
Matilla, Fr. Pedro de. **3393.**
Matilla, Fr. Pedro. **3394.**
Mato, Alonso. **3395.**
Matos, P. Diego de. **3396.**
Matos, Gregorio de. **3397.**
Matos, Gastão de Melo de. 4644.
Matos Fragoso, Juan de. 2855-61, 2871-77, 3220; BIBLIOGRAFIA: 2298; CODICES: Comedias. **3399-417;** Bailes. **3418-23;** Entremeses. **3424-35;** Jácaras. **3431-37, 5856;** Mojigangas. **3438;** Poesías. **3439-44, 5857;** EDICIONES: Teatro. Varias obras. **3445-47;** Comedias sueltas. **3448-642;** Bailes. **3643-50;** Entremeses. **3651-58;** Jácaras. **3659;** Poemas. **3701-2;** Poesías sueltas. **3673-700, 5858;** Aprobaciones. **3703;** Dedicatorias. **3704-6;** TRADUCCIONES: a) Francesas. **3707-3708;** b) Portuguesas. **3709-13;** ESTUDIOS: Biografía. 3414-15; Interpretación y crítica. **3716-19,** 4922, 4933 (13, 44), 4936.
Matos Guzmán, Francisco de. **3720-23.**
Matoses, Jacinto. **3724.**
Matthieu, Pierre. 3126-29, 3132, 3136.
Matute (Doctor). **3725-28.**
Matute, Fr. Bernabé de. **3729.**
Matute, Fernando. 2801.
Matute de Acevedo, Fernando. **3730-34.**
Matute de Palacios, Pablo. **3735.**
Matute de Peñafiel Contreras, Diego. **3736-3740.**
Mauleón, Cristóbal de. **3741.**
Mauricia, Laura. *(V. Meneses, Leonor).*
Mauris, P. Teodoro. **3742.**
Mauro de Valencia, Fray. **3744-46.**
Mausinho de Quevedo, Vasco. **3747-41.**
Maxagranzas. *(V. Majagranzas).*
Maya, Fr. Juan de. **3752.**
Maya, Fr. Mateo. **3753-56.**
Maya Salaverría, Fr. Andrés de. **3757-64.**
Mayans y Siscar, Gregorio. 1716-17, 5255.
Maycas, Sor Jerónima. **3765.**
Mayers, Manuel. **3766.**
Mayers, Fr. Miguel. **3767-68.**

Mayers Caramuel, Fr. Laurencio. **3769-73.**
Maymón (Licenciado). **3774.**
Maymón, Fr. Pedro. **3775.**
Mayn, P. Jorge. 3016.
Mayo, P. Jerónimo. **3776.**
Mayor, Jorge. **3777.**
«Mayor (El) y más eficaz incentivo...». **3778.**
Mayor, Fr. Miguel. **3779.**
Mayor y Descals, Pedro. **3780-82.**
Mayoral, Miguel. **3783-84.**
Mayoralgo Enríquez, Pablo José de. **3785.**
Mayordomo Ferrer, Juan. **3786.**
Mayorga, Fr. Alfonso de. **3787-88.**
Mayorica, Enrique Mateo de. **3789.**
Mayr, Landelino. 1475.
Mayus, Fr. Pius. 4459.
Maza, Alonso de la. **3790-92.**
Maza, Martín de. **3793.**
Maza de Lizana, Luis. **3794-95.**
Maza y Prada, Alonso de. **3796-99.**
Mazagán, Fr. Antonio. **3800.**
Mazenta, Guido. 587.
Mazías. *(V. Macías).*
Mazo de la Madriz, Cristóbal. **3801.**
Mazuelo, Antonio de. **3802-3.**
Meca, Ana. **3804.**
Meca Bobadilla, Miguel de. **3805-6.**
Mediana, Francisco de. **3807.**
Médico Ortiz de Uceda, Antonio. **3808.**
Medina, Alonso. **3809-12.**
Medina, P. Alonso de. **3813.**
Medina, Alonso Fernando de. **3814.**
Medina, Antonio. 3069 (51).
Medina, Antonio de. **3815.**
Medina, Antonio de. **3816.**
Medina, Fr. Antonio de. 2548, **3817-20.**
Medina, Antonio Manuel de. **3821-22.**
Medina, Baltasar de. 50, **3823-37.**
Medina, Fr. Bartolomé de. **3838-82.**
Medina, P. Bernabé de. **3883-86.**
Medina, Fr. Bernardo de. **3887-90,** 4462.
Medina, Cipriano de. **3891-95.**
Medina, Cosme de. **3896.**
Medina, Cristóbal de. **3897-98.**
Medina, Diego de (licenciado). **3899-900.**
Medina, Diego de (doctor). **3901.**
Medina, P. Diego de. **3902.**
Medina, Felipe de. **3903.**
Medina, P. Florencio. **3904-5.**
Medina, Francisco de. **3906-20,** 5595.
Medina, Francisco de. **3921-23.**
Medina, Francisco de. **3924.**
Medina, Francisco de. **3925-26.**
Medina, Francisco de. **3927.**
Medina, Francisco de. **3928.**
Medina, Fr. Francisco (franciscano). **3929.**
Medina, Fr. Francisco (mercedario). **3930-3931.**
Medina, Gaspar de. **3932.**

Medina, Fr. Gonzalo de. **3933.**
Medina, José. **3934-35.**
Medina, Fr. José. **3936.**
Medina, José Toribio. 49-55, 78-79, 81, 83, 126, 132, 156, 196, 263, 276, 297, 365, 453-464, 557, 683, 686, 798-99, 821-22, 824, 827, 836-37, 840, 882, 985, 1017, 1161, 1322, 1353, 1881, 2066, 2264, 2412, 2545, 2620, 2663, 2770, 2788, 2947, 2949-51, 2953-56, 2958-59, 3376-3377, 3784, 3813, 3816, 3823-24, 3826-33, 3835-3836, 3880, 3929, 4038, 4459, 4502, 4576, 4815-4819, 4826, 4830, 4844-48, 4850-56, 4858, 5078, 5141, 5205, 5207, 5212, 5491, 5495-98, 5577.
Medina, Juan de (librero). **3937-39.**
Medina, Juan de (herrador). **3940-41.**
Medina, Juan de (militar). **3942-43.**
Medina, Juan de (capellanía). **3944.**
Medina, Fr. Juan de (agustino). **3945-46.**
Medina, Fr. Juan de (agustino). **3947.**
Medina, Fr. Juan de (benedictino). **3948-51.**
Medina, Fr. Juan de (dominico). **3952.**
Medina, Fr. Juan de. **3953.**
Medina, P. Juan de. **3954.**
Medina, Lorenzo de. **3955-56.**
Medina, Luis de. **3957.**
Medina, P. Luis. **3958.**
Medina, Miguel de. **3959.**
Medina, Fr. Miguel de (franciscano). **3960-3972.**
Medina, Fr. Miguel de (jerónimo). *(V. Miguel de Medina, Fray).*
Medina, Pedro de. BIBLIOGRAFIA: **3974;** CODICES: **3975-82;** EDICIONES: Obras. **3983;** Arte de navegar. **3984;** Crónica breve de España. **3985;** Regimiento de navegación. **3986-87;** Libro de grandezas y cosas memorables de España. **3988-97;** Libro de la Verdad. **3998-4010;** Crónica de los duques de Medina Sidonia. **4011;** Suma de Cosmografía. **4012;** Poesías sueltas. **4013;** TRADUCCIONES: a) Alemanas. **4014;** b) Francesas. **4015;** c) Inglesas. **4016-17;** d) Italianas. **4018;** e) Neerlandesas. **4019;** ESTUDIOS: Biografía. **4020;** Interpretación y crítica. **4021-29.**
Medina, Pedro de (herrador). **4030.**
Medina, Fr. Pedro de. **4031-32.**
Medina, Sebastián de. **4033.**
Medina Alemán, Juan. **4034-35.**
Medina y Argote, Juan de. **4036-37.**
Medina Dávila, Andrés. **4038.**
Medina y Fonseca, Antonio de. **4039-41,** 5859.
Medina y Marcilla, Rodrigo de. **4042.**
Medina Medinilla, Pedro de. **4043-44.**
Medina de Mendoza, Francisco. **4045-54.**
Medina Olea, Francisco. **4055.**
Medina Ordóñez, Gaspar de. **4056-58.**
Medina Porres, Felipe de. **4059.**
Medina Reinoso, Fr. Diego de. **4060-61.**

Melero Jiménez, Miguel. **4475-80**, 4495.
Melgar, Francisco de. **4481-83**.
Melgar, Juan de. **4484**.
Melgar, Mauro. **4485**.
Melgar de Alarcón, Diego. **4486-88**.
Melgar y Santa Cruz, Antonia de. **4489**.
Melgarejo. **4490-92**.
Melgarejo, Fr. Antonio. 4477, **4493-97**.
Melgarejo, Bartolomé. **4498-99**.
Melgarejo, Cristóbal. **4500-1**.
Melgarejo, Fr. Jerónimo. **4502**.
Melgarejo, Manuel. **4503**.
Malgarejo, Pedro. **4504-8**.
Melgarejo, P. Pedro. **4509**.
Melgarejo Ponce de León, Francisco. **4510**.
Melgares, Ginés. **4511**.
Meli Cano, Fr. Juan Tomás. **4512**.
Meli Escarchoni, Jerónimo. **4513**.
Melián, Fr. Felipe. **4514**.
Melicao, Fr. Tomás. **4515**.
Melio de Sande, Juan. **4516-17**.
Melizo, Lucio. **4518**.
Melo, Antonio de. **4519-20**.
Melo, Francisco de (conde de Assumar). 3663, **4521-27**.
Melo, Francisco de (embajador). **4528-31**.
Melo, Francisco Manuel de. 64. BIBLIOGRA-FIA: **4532-35**; CODICES: Obras castellaras. **4536-44**; Obras portuguesas. **4545-63**; TRA-DUCCIONES: **4564-65**; EDICIONES: Obras castellanas. **4566-613**; Obras portuguesas. **4614-31**; TRADUCCIONES: a) Castellanas. **4632-4633**; b) Inglesas. **4634-35**; c) Italianas. **4636**; d) Neerlandesas. **4637**; e) Portuguesas. **4638**; ESTUDIOS: Biografía. **4639-44**; Interpretación y crítica. **4645-89**, 4929.
Melo, Juan de. **4690**.
Melo, Julio de. **4691-92**.
Melo, Luis de. **4693-95**.
Melo, Luis de. **4696-98**.
Melo Carrillo, Juan de. **4699-700**.
Melo Carvajal, Cristóbal. **4701**.
Melo y Castro, Julio de. **4702-3**.
Melo Maldonado, Gabriel. **4704**.
Meluco, Pedro **4705**.
Mellado, Francisco. **4706**.
Mellado de Almagro, Juan. 4396 (9), **4707-8**.
Mellinas, Nicolás de. **4709**.
Mello. (V. Melo).
Membrilla Clemente, Martín de la. **5066-69**.
«Memorable suceso...». **4710**.
«Memorable victoria...»». **4711**.
«Memorable y prodigiosa maravilla...». **4712**.
«Memoria de España...». **4713**.
«Memoria de la entrada...». **4714**.
«Memoria de la fundación...». **4715**.
«Memoria de la forma...». **4716**.
«Memoria de la librería...». **4717**.

«Memoria de la Pasión...». **4718-19**.
«Memoria de las cosas ..». **4720**.
«Memoria de las Misas...». **4721**.
«Memoria de lo que se ha hallado...». **4722**.
«Memoria de respuestas...». **4723**.
«Memoria en respuesta...». **4724**.
«Memoria y origen...». **4725**.
«Memorial». **4726**.
«Memorial a los jueces...». **4727**.
«Memorial al Rey...». **4728**.
«Memorial apologético...». **4729**.
«Memorial de España...». **4730-32**.
«Memorial de la provincia...». **4733**.
«Memorial de las ánimas...». **4734**.
«Memorial de lo sucedido...». **4735**.
«Memorial de los Profesores...». **4736**.
«Memorial de monedas antiguas...». **4737**.
«Memorial de un aragonés...». **4738**.
«Memorial en que se pide...». **4739**.
«Memorial que contiene...». **4740**.
«Memorial que da el Niño...». **4741**.
«Memorial que la Comedia presenta...». **4742**.
«Memorial que presentan...». **4743**.
«Memorial sumario ..». **4744**.
«Memorial y declaración...». **4745**.
«Memorias de la nobilísima... Casa de Caro». **4766**.
«Memorias fúnebres...». **4747**.
«Memorias funerales...». **4748**.
Mena, Andrés de. **4749-61**.
Mena, Felipe de. **4762**.
Mena, Fernando de. **4763-72**.
Mena, Juan de. **4773**.
Mena, Fr. Juan de. **4774**.
Mena, Fr. Pedro de. **4775-77**.
Mena, Fr. Pedro de. **4778-79**.
Mena, Ventura de. **4780**.
Mena y Borja, Alonso de. **4781-82**.
Mena y Cueto, Francisco de. **4783**.
Menasseh ben Joseph, Ben Israel. **4784-802**.
Menandro (seud.). **4803-4**.
Menau, Fr. Juan. **4805**.
Mencos, Miguel de. **4806**.
Menchola, Fr. Esteban de. 3254.
Mendes. 4620c.
Mendes dos Remedios. 4618.
Méndez (Doctor). **4807**.
Méndez, Baltasar. **4808**.
Méndez, Cristóbal. **4809-10**.
Méndez, Duarte. **4811**.
Méndez, Fr. Esteban. 1885, **4812-13**, 5546.
Méndez, Fr. Francisco. **4814**.
Méndez, P. Francisco. **4815-19**.
Méndez, Fr. Francisco Lorenzo. **4820**.
Méndez, Francisco Manuel. **4821**.
Méndez, Gregorio. **4822**.
Méndez, Joaquín. **4823-25**.
Méndez, Fr. José. **4826-27**.

Méndez, Juan. **4828.**
Méndez, Juan. **4829.**
Méndez, Fr. Juan. **4830.**
Méndez, P. Juan. **4831-43.**
Méndez, Fr. Juan Bautista **4844-48.**
Méndez, Leonardo. **4849.**
Méndez, Fr. Luis. **4850-59.**
Méndez, Fr. Pedro. 4382, **4860.**
Méndez, Rodrigo. **4861.**
Méndez, Ventura Lorenzo. **4862-64.**
Méndez de Andrade, Benito. *(V. Méndez de Parga y Andrade, Benito).*
Méndez de Avila, Juan. **4865-66.**
Méndez Barrio, Pedro. **4867-68.**
Méndez Bejarano, Mario. 234, 248, 337, 349, 568, 797, 1016, 2200, 2223, 2492, 2575, 2616, 4220, 4508, 4872, 5098, 5140, 5315, 5513, 5666.
Méndez Benegasi, Juan Manuel. **4869.**
Méndez de Carmona, Luis. **4870-72.**
Méndez Coello de Urrutia, Antonio. **4873.**
Méndez Dávila, Martín. **4874.**
Méndez Duarte, Francisco. **4875.**
Méndez de Gigunde, Pedro. **4876.**
Méndez de Haro, Luis. 3330, **4877-78.**
Méndez de Londigo y Miranda, Diego. **4879-4881.**
Méndez de Loyola, Pedro. **4882-84.**
Méndez de Madeiros, Francisco. **4885-86.**
Méndez Nieto, Juan. **4887-91.**
Méndez Nieto, Leonardo. **4892-93.**
Méndez del Olmo, Pedro. **4894.**
Méndez de Parga y Andrade, Benito. **4895-4898.**
Méndez de Porras, Cristóbal. **4899-4901.**
Méndez de Ribadeneyra, Gonzalo. **4902.**
Méndez de Robles, Alonso. **4903.**
Méndez de San Juan, Fr. José. 2715, **4904-16.**
Méndez Silva, Rodrigo. 2025, 2121, 2394, 3674, 3679-80, 4608; CODICES: **4917-19;** EDICIONES: **4920-79;** ESTUDIOS: **4980-83,** 5392.
Méndez de Soto, Fr. Alonso. **4984.**
Méndez de Sotomayor, Alonso. **4985.**
Méndez de Sotomayor, Fr. Alonso. **4986-87.**
Méndez de Sotomayor, José. **4988.**
Méndez de Sotomayor, Juan. **4989.**
Méndez de Sotomayor, Fr. Luis. **4990.**
Méndez de Sotomayor, Pedro. **4991.**
Méndez Testa, Francisco Manuel. **4992.**
Méndez de Torres, Luis. **4993-95.**
Méndez de Vasconcelos, Juan. **4996-98.**
Méndez de Vergara, Manuel. **4999.**
Mendi, José de. **5000.**
Mendi, Juan de. **5001.**
Mendíbil, Fr. Juan de. **5002-3.**
Mendieta. **5004.**
Mendieta, Fr. Alonso de. **5005.**
Mendieta, Domingo de. **5006.**
Mendieta, Francisco de. **5007-9.**
Mendieta, Fr. Francisco de. **5010.**

Mendieta, Fr. Jerónimo de. **5011-20.**
Mendieta, Juan. **5021-24.**
Mendieta y Villoslada, Lorenzo de. **5025.**
Mendiola, Angel de. **5026.**
Mendiola, Gregorio de. **5027.**
Mendiola, Martín de. **5028.**
Mendo, P. Andrés. 386, 1285, 1291, **5029-82.**
Mendoza, Agustín de. **5083.**
Mendoza, Agustín de. 2455, **5084.**
Mendoza, Fr. Agustín. 2529 (prels., 25).
Mendoza, Alonso de. **5085-86.**
Mendoza, Alonso de **5087**
Mendoza, Fr. Alonso de. 2664, **5088-89.**
Mendoza, Ana Vicencia de. **5090-92.**
Mendoza, Andrés de. **5093-95.**
Mendoza, Angela de. **5096.**
Mendoza, Antonia de (condesa de Benavente). **5097-98.**
Mendoza, Antonio de. 1709.
Mendoza, Bernardino de. 142; CODICES: **5099-5103;** EDICIONES: **5104-14;** TRADUCCIONES: **5115-5125;** ESTUDIOS: **5126-30,** 5603.
Mendoza, Bernardo de. **5131.**
Mendoza, Fr. Blas de. **5132-33.**
Mendoza, Catalina de. **5134-37.**
Mendoza, Cristóbal de. **5138.**
Mendoza, Diego de. **5139-40.**
Mendoza, Fr. Diego de. **5141-42.**
Mendoza, Fr. Domingo de. **5143-45.**
Mendoza, Fr. Enrique de. **5146-49.**
Mendoza, Eufrasia de. **5150.**
Mendoza, Fernando de. **5151-54.**
Mendoza, Francisco de. **5155.**
Mendoza, Francisco de. **5156-57.**
Mendoza, Francisco de. **5158.**
Mendoza, Francisco de. **5159-60.**
Mendoza, Fr. Francisco (dominico). **5161.**
Mendoza, Fr. Francisco de (mercedario). 2594, **5162-65.**
Mendoza, Gabriel de. 2558, **5166-68.**
Mendoza, Gaspar de. **5169.**
Mendoza, Gonzalo de. **5170.**
Mendoza, P. Hernando de. **5171-78.**
Mendoza, Isabel de. **5179.**
Mendoza, Fr. Jerónimo de. **5180-81.**
Mendoza, Fr. José de. **5182.**
Mendoza, Juan de. 4933 (40).
Mendoza, Juan de. **5183-87.**
Mendoza, Juan de. **5188.**
Mendoza, Juan de. **5189.**
Mendoza, Juan de. **5190-95.**
Mendoza, Fr. Juan de (agustino). **5196-97.**
Mendoza, Fr. Juan de (franciscano). 2947, 4852, **5198-200.**
Mendoza, Fr. Jusepe de. **5201-2.**
Mendoza, Lorenzo de. **5203-4.**
Mendoza, Lorenzo de. **5205-8.**
Mendoza, Fr. Lucas de. **5209-13.**
Mendoza, Luis de. **5214.**

Mendoza, Fr. Luis de. **5215.**
Mendoza, Fr. Manuel. 2494, **5216-17.**
Mendoza, Mariana Manuela de. **5218.**
Mendoza, Fr. Miguel de. **5219-23.**
Mendoza, Pedro de. **5224-25.**
Mendoza, Fr. Rodrigo de. **5226.**
Mendoza, Vicencia de. (*V. Mendoza, Ana Vicencia de*).
Mendoza y Aragón, Alvaro de. **5227.**
Mendoza y Aragón, Mariano de. **5228.**
Mendoza Ayala, Fr. Juan de. **5224-33.**
Mendoza y Bobadilla, Francisco. **5234-95.**
Mendoza y Carvajal, Juan de. **5296.**
Mendoza y Carvajal, Luis de. **5297.**
Mendoza y Céspedes, Francisco de. **5298-5301.**
Mendoza Chaves, Francisco de. **5302.**
Mendoza y Figueroa, Lorenzo de. **5303-5.**
Mendoza da Franca, Jorge de. **5306.**
Mendoza Hurtado, Jacinto de. 5517.
Mendoza y Luna, Juan de (marqués de Montesclaros). **5307-15.**
Mendoza Manrique, Alonso de. **5316.**
Mendoza y Marcilla, Rodrigo de. **5317.**
Mendoza Piña y Toledo, Francisco. **5318.**
Mendoza y de los Ríos, Fr. Pedro de. **5319-5321.**
Mendoza y Silva, Diego de. **5322.**
Mendoza Sotomayor, Jerónimo de. **5323.**
Mendoza Uralde, Dionisio. **5324-25.**
Mendoza y Villaseñor, Francesco. **5326.**
Meneboet, Nicasius. **5327.**
Menéndez, Antonio Bernardo. **5328.**
Menéndez Carreño, Bartolomé. **5329-30.**
Menéndez Forcines, Francisco. **5331.**
Menéndez Pelayo, Marcelino. 1942-69, 1871-1972, 2020, 2501, 3920, 4155, 4220, 4353, 4772.
Menéndez de Valdés, Tomás. **5332.**
Menescal, Luis. **5333.**
Meneses, Alonso de. **5334-37.**
Meneses, Damián de. **5338-41.**
Meneses, Esteban de. **5342-45.**
Meneses, Fr. Felipe de. **5346-59.**
Meneses, Fernando de (conde de Ericeira). **5360-65.**
Meneses, Filiberto de. **5366.**
Meneses, Francisco de (conde de Ericeira). **5367-68.**
Meneses, Juana Josefa de (condesa de Ericeira). **5369-74.**
Meneses, Fr. Lorenzo de. **5375.**
Meneses, Luis de (conde de Ericeira). **5376-5385.**
Meneses, Fr. Luis de. **5386.**
Meneses, Manuel de. **5387-89.**
Meneses, Pedro de. **5390.**
Meneses, Rodrigo de. 4929, **5391-92.**
Meneses de Avendaño, Luis. **5393.**

Meneses Bracamonte, Benardino. **5394.**
Meneses Moscoso, Manuel de. **5395.**
Menezes. (*V. Meneses*).
Menochio, G. S. 1661.
Menor, Alonso. **5396-97.**
Menor, Fr. Diego. **5398.**
Mentrida, Fr. Alonso de. **5399.**
Meñaca (Doctor). **5400.**
Mera, Pablo de. 2552, **5401-3.**
Mera Carvajal, Fernando de. **5404-5.**
Mera y Verdugo, Jusepe de. 5401-2.
Meras y Solís, Mateo Antonio de. **5406.**
Mercader, Cristóbal. **5407.**
Mercader, Fr. Cristóbal. **5408-9.**
Mercader, Gaspar (conde de Buñol). 3069 (83), **5410-38,** 5441.
Mercader, Jerónimo. **5439-45.**
Mercader, Pedro. **5446.**
Mercader y Calatalud, Manuel. **5447.**
Mercader y Carroz, Gaspar. **5448.**
Mercader y Pedriñán, Jaime. **5449.**
Mercado, Jerónimo de. **5450** .
Mercado, Jorge de. **5451-52.**
Mercado, Luis. **5453-81.**
Mercado, Pedro de. **5482.**
Mercado, Pedro de. **5483-88.**
Mercado, P. Pedro de. **5489.**
Mercado, P. Pedro de. **5490-505.**
Mercado, Rodrigo de. **5506.**
Mercado, Fr. Tomás. **5507-14.**
Mercado, Fr. Vicente. **5515-16.**
Mercado y Mendoza, Gregorio de. **5517.**
Mercado y Quiñones, Antonio de. **5518.**
Mercado y Solís, Luis de. 4402, **5519-21.**
«Mercurio veloz...». **5522.**
Merchán, Antonio. **5523.**
Merchán, P. Pedro. **5524.**
Merega, Fr. Rómulo. **5525-28.**
Merelo, Juan Bautista. **5529-30.**
Merelo Jiménez, Miguel. **5531.**
Mergalina, Alonso. **5532-33.**
Merimée, Henri. 5421.
Merinero, Fr. Juan. **5534-37.**
Merino, Fr. Alonso. **5538.**
Merino, Andrés. 2666, **5539.**
Merino, Fr. Andrés. **5540-45.**
Merino, Fr. Antonio. 4812, **5546-50.**
Merino, Bernardo. **5551.**
Merino, Manuel. **5552.**
Merino, Fr. Miguel. **5553-55.**
Merino, Fr. Pedro. **5556-59.**
Merino Alvarez, Juan. **5560-61.**
Merino de Sigüenza, Simón. **5562.**
Merita Caballero, Vicente. **5563.**
Merla, Fr. Vicente. 2343, **5564-65.**
Merlín, José (seud.). **5566.**
Merlino, Francisco. **5567-68.**
Merlo, Fr. Nicolás de **5569.**
Merlo, Fr. Vicente. **5570-72.**

Milencio, Felice. 5596.
Millán, Doctor. 207.
Millán, P. Domingo. 5852.
Millán Lumbreras, José. 2645.
Millán de Poblete, Juan. 4858.
Millares Carlo, Agustín. 214, 1604, 1644, 1917, 1927, 4273, 4305.
Millis de Macedo, João. 4529.
Mimoso-Ruiz, Duarte. 4686.
Miniana, Fr. Manuel José. 1605, 1613, 1615-1617, 1620-21, 1650-51, 1718.
Miñana. (V. Miniana).
Miquel Rosell, Francisco. 1244, 1267, 2093, 2378, 4239, 5811, 5833-34, 5838.
Mirabel, Marqués del. 2758.
Miralles María, Ginés. 5063.
Miranda, José. 4430.
Miranda, Tomé de Dios. 5561.
Miranda y la Cotera, José de. 181, 2771 (5), 2777 (21, 29, 51, 59, 61, 64, 66, 73, 86, 97-98, 121, 137, 141), 3798, 4875.
Miranda Enríquez, Antonio de. 4747.
Miravet, Vicente de. 2333.
Miravet, Vicente Joaquín de. 3276.
Miravete, Francesco. 2392.
Miró Quesada, Aurelio. 5308, 5313.
Molas, P. 4594a.
Moldenhauer, G. 88.
Molière. 4678-82.
Molina, Ambrosio de. 3779.
Molina, Fr. Basilio. 707.
Molina, Carlos de. 2391.
Molina, Francisco de. 4922.
Molina, Luis de. 357-58.
Molina, Pedro de. 815 (21).
Molinos, Miguel de. 2728.
Monardes, Nicolás. 213, 2050.
Monasterio, Félix M. 1490.
Monasterio, Fr. Ignacio. 2182.
Moncada, Guillén Ramón de (marqués de Aytona). 2773 (23), 2774 (18, 22), 2777 (prels., 56, 94, 134, 155, 166, 180).
Moncayo y Gurrea, Juan de. 4922.
Mondragón, Jerónimo de. 639.
Moneda, Fr. Andrés de la. 378.
Monforte y Herrera, Fernando de. 44, 2732, 2882, 4190.
Monjo, Juan Bautista de. 2097.
Monner y Sans, Ricardo. 1436.
Monroy, Fr. Antonio de. 703 (25), 4459.
Monroy, P. Diego de. 840.
Monsalve, Miguel de. 4507.
Monserrate, Andrés de. 1981, 2021.
Montalt, Pedro. 229, 3263.
Montalvo, Fr. Martín de. 2594.
Montalvo, Tomás. 1896.
Montalvo y Mendoza, Francisco Antonio de. 4459.
Montanos, Francisco de. 3801.

Montáñez, M. 1418c.
Monte, Fr. José del. 535.
Monte Lasso y Alderete, Antonio del. 3805.
Monte Rotherio. 664.
Montealegre, Duarte de. 4660.
Montemayor, Fr. Francisco de. 2456.
Monterde, Fr. Jerónimo. 5447.
Montes, Fr. Pedro de. 3287.
Montes Doca, P. Luis de. 1890.
Montes y Reyes, Juan de. 992.
Montesinos, Fr. Fernando. 4031.
Monti, Diego. 1113.
Montiel, Fr. Luis. 1891.
Montoto, S. 5684.
Montoya (Licenciado). 1539.
Montoya, Fr. Luis de. 4115.
Monzón, Pedro. 2333.
Monzón, Fr. Valero. 2409.
Moore, Georg Albert. 1680-81.
Mora, Conde de. (V. Rojas y Guzmán, Francisco de).
Mora, P. Diego Felipe de. 2951.
Mora, José Joaquín de. 1748.
Moral, T. 1064.
Morales, Ambrosio de. 2055, 4690, 5111.
Morales, Fr. Antonio de. 3887.
Morales, Fr. Andrés de. 815 (4).
Morales, Juan Antonio de. 2594.
Morales, Ramón de. 2935.
Morales, Ramón de. 2935.
Morales y Padilla, Andrés de. 4107.
Moreau, René. 2219.
Moreira Pita, Manuel. 3203.
Morel-Fatio. 1221-22, 1281, 3058, 3730, 4213, 4980, 5011, 5127, 5136-37, 5185, 5273-74, 5276, 5309.
Morell, P. José. 3184.
Moreno, Fr. Alonso. 2807.
Moreno, Bernabé. 48, 57, 4067, 4421.
Moreno, Cristóbal. 790-91.
Moreno, Juan. 5215.
Moreno y Villa-Real, Pedro Alfonso. 3944.
Moreto, Agustín. 2871-77, 3412, 3517-26, 3529-3531, 3582, 3622-23, 4922, 4933 (12), 5858.
Morillo de Velasco, Pedro. 4396 (19).
Morlanes, Diego de. 5852.
Moro, Tomás. 4107, 4109.
Moros, Jerónimo de. 4471.
Morovelli de Puebla, Francisco. 3137-40, 4483.
Morsellus, Ioan Baptista. 3771.
Mosco. 1965.
Moscoso y Sandoval, Baltasar de. 2777 (155).
Mosquera de Figueroa, Cristóbal. 197, 208, 5595.
Mota Arévalo, Horacio. 3059.
Mota Levayer, Señor de la. 683.
Moya, Fr. Antonio de. 2751.

Ordóñez das Seyjas y Tobar, Alonso. 2007-2008.

Orellana, Francisco José. 3551, 3602.

Orizar, Diego de. 5401.

Ormaza, José de. 5541.

Ormaza, Fr. Mauro. 2594.

Orozco, Juan. 815 (48).

Orsini, Mathieu. 1392.

Ortega, Fr. Jerónimo de. 4396 (37).

Ortega Soto-Mayor, Pedro de. 285.

Ortí y Ballester, Marco Antonio. 2077, 3069 (75, 101), 3074, 3341-42, 3366, 4485, 5083, 5216 (16).

Ortigosa, Fr. Diego de. 5598.

Ortiz, Alonso. 455.

Ortiz, P. Francisco Antonio. 2947.

Ortiz, Lamberto. 3069 (102).

Ortiz de Colonia, P. Blas. 2518.

Ortiz y Moncayo, Diego. 2081.

Ortiz y Moncayo, Félix. 942 , 5822.

Ortiz Muñoz, Félix. 2746.

Ortiz de Pinedo, Matías de. 5002.

Ortiz de Salcedo, Francisco. 3727.

Ortiz de Valdés, Alejandro. 5332.

Ortiz de Valdés, Fernando. 4933.

Ortiz de la Vega. 1620.

Osorio, Miguel. 3273.

Osorio, Pedro Luis. 3699.

Otalora, Fr. Malaquías de. 704-5.

Otañez, Pedro. 2656.

Oudin, César. 4169, 4767.

Ovando, Rodrigo de. 811, 4106, 4873, 4988, 5025.

Ovando Santarén, Juan de la Victoria. 364, 4991.

Ovidio. 2968, 4214-17, 5711.

Oviedo, Fr. Antonio de. 5141.

Oviedo, Fr. Pedro de. 2594.

Ozcoide y Udave, Santiago. 1366.

P

P. B. 4055.

P. de San José, Fray. 1522.

Pablo, San. 1667, 2641, 2781.

Pablo de la Cruz, Fray. 939.

Pablo de Ecija, Fray. 1468, 1470.

Pacheco, Baltasar. 2476, 2502, 3930.

Pacheco, Francisco. 208, 3916, 4130, 4133 (59), 5594.

Pacheco, Miguel. 3230.

Pacheco, Rodrigo (marqués de Cerralbo). 5597 (74-75).

Pacheco de Narváez, Luis. 4433, 5390.

Padilla (P.). 3273.

Padilla, Francisco de. 338.

Padilla, Luisa de. 2242.

Padilla, Fr. Pedro de. 2799, 3276.

Páez Ferreira, Francisco. 3681.

Páez de Valenzuela, Juan. 151, 905, 2431, 2521, 3800, 3973, 5175, 5524, 5641, 5732-33.

Paiva de Andrade, Diogo de. 4686.

Palacio, Eduardo del. 1626.

Palacio Atard, Vicente. 3135a.

Palacios, Agustín de. 2771 (4, 9, 13), 2773 (2, 12-13), 2774 (3, 6, 24-25), 2777 (23, 39, 45, 76, 84-85, 91, 99-102, 104-6, 122, 124, 152, 162, 172, 176, 183).

Palafox y Mendoza, Juan de. 132, 1432, 1881, 3325.—Pág.: 20.

Palau y Dulcet, Antonio. 64, 302-3, 328, 653, 990, 1085, 1094, 1162, 1361, 1372, 1453, 2024, 2566, 2571, 2621, 2662, 2938-39, 2941, 3095-3096, 3173, 3270, 3300-1, 3304, 3306, 3362-63, 3381, 4319, 4596, 4805, 4952, 4960, 4963, 4975, 5010, 5192-93, 5458-60, 5463, 5490, 5503, 5689-5690, 5699.

Palavicino, Francisco Javier. 4830.

Palencia, P. Andrés de. 3322.

Paletino da Corzula, Vincenzo. 4018.

Palma, P. Antonio de. 2217.

Palma, Fr. Juan de la. 1495.

Palma Fajardo, Francisco de. 5668.

Palmerola, Miguel. 695.

Palomares, Tomás de. 2737.

Palomo, C. 803.

Palladio, Andrea. 4393.

Pallés, Jerónimo Antonio. 530.

Palley, Julián. 4153.

Pancorbo, Fr. Jerónimo de. 2189, 4107.

Panigua. 3759.

Paracuellos Cabeza de Vaca, Luis. 925, 2377, 2638, 4762.

Parada y Barreto, Diego Ignacio. 564.

Parauesino. (V. Paravicino).

Parauisino. (V. Paravicino).

Paravicino, Fr. Hortensio Félix. 69, 2207, 2291, 3130, 5597, 5599.

Pardo, Francisco. 457.

Pardo, Jerónimo. 2731.

Pardo, P. Jerónimo. 3445.

Pardo Bazán, Emilia. 1324, 1329.

Pardo de Figueroa, Rafael. 4022.

Pardo Villarroel, P. Jerónimo. 5646.

Paredes, Julián de. 5336.

Paredes, Fr. Tomás de. 3321.

Paredes Baraona, Eugenio de. 2717.

Paredes Molina y Landecho, Gabriel Ambrosio de. 4459.

Parra, Fr. Benito de la. 2631.

Parra, Fr. Jacinto de. 2804.

Parra y Tapia, Manuel de la. 2594.

Partenio, Teodoro. 5079.

Paruta, Filipo. 3002.

Pasa, A. 1738.

Pastor, Pedro Enrique. 2243, 2254-55.

Patón de Ayala, Frutos. 733.

Pérez de Vargas, Luis. 2108.
Pérez de Ybieta, Fr. Francisco. 5141.
Peribáñez, Juan de. 2943.
Perkins, William. 3255.
Perquino, Guillermo. *(V. Perkins, William)*.
Persio. 4498.
Petris, Francisco de. 3731.
Phelan, John Leddy. 5019.
Phocio. *(V. Focio)*.
Pi y Margall, Francisco. 1595, 1685, 1701.
Piatti, Domingo. 3771.
Picado, Fr. Francisco. 2039.
Picatoste, Felipe. 2064, 2367, 2547, 3980, 3984, 4311, 4370, 5401.
Picón, Jacinto Octavio. 4592, 4639b.
Pichón, Fr. Francisco. 5656.
Pidal, Pedro José. 439.
Pierce, F. 5313b.
Piles, Martín. 3743.
Pimentel (P.). 3276.
Pimentel, Fr. Alonso. 2932.
Pimentel, Fr. Francisco. 2930.
Pimentel, P. Francisco. 703 (1), 2456.
Pimentel, Juan. 4853.
Pimentel, Vicente. 815.
Pina Martins, J. V. de. 4629.
Pina Martins, José V. de. *(V. Montalegre, Duarte de)*.
Pinaga, Anesio. 1448.
Píndaro. 4133 (22).
Pindauro (seud.). 1099.
Pineda, Fr. Juan de. 5632, 5817.
Pineda, P. Juan de. 862.
Pineda Novo, Daniel. 232.
Pineda Serrano y Góngora, Ana de. 4396 (27, 36, 41).
Pinto, Abraham. 4786.
Pinto, L. Ventura. 815 (31).
Pinto, Moseh. 4786.
Pinto de Mattos, Ricardo. 68, 1093, 1097, 2023, 2026-27, 2032, 2034.
Pinto de Vitoria, Fr. Juan. 3753 (1).
Piña, Juan de. 4077, 5024, 5662.
Piñero, Juan. 190, 2048, 4453.
Piñero y Ossorio, Juan. 4447.
Pío V. 801, 2449, 4116-17, 4474.
Pires de Lima, F. de C. 4364.
Pizaño de Palacios, Alvaro. 5176.
Pla. 158.
Place, Edwin B. 4323b.
Placer, Gumersindo. 71-72, 76, 94-96, 906-8, 910, 1794-95, 1846, 3773, 4441-42, 4446, 5525-5528, 5559.
Plana, Pedro José de la. 3204, 3244, 4702, 5378-80.
Plata, Juan de la. 2226.
Platón. 5578-80, 5596, 5597 (68).
Plinio Segundo, Cayo. 2897, 2899.

Pobla, Dimas. 2344.
Polanco, Francisco. 333.
Polemón Ateniense. 3802.
Police, Fr. Pedro. 2601.
Polo, Fr. Juan Bautista. 1114.
Poll, Jerónimo. 5578-80.
Pompeyo, Trogo. 3938.
Ponce, Felipe. 5440.
Ponce de León, Fr. Juan. 2451, 2454, 3322, 4177, 4930, 5654.
Ponce de Soto, Manuel. 1052.
Ponce Vaca, Ignacio. 3295.
Pons, Francisco. 629.
Porcel de Medina, Juan Bautista. 4451, 4457, 4834.
Porfirio. 3177.
Porqueras, Alberto. 4236.
Porras, Cristóbal de. 2336.
Porras, Jerónimo de. 834.
Porras, P. José de. 2953.
Porras y Atienza, Juan de. 5586.
Porres, B. 1051.
Porres, Francisco Ignacio de. 2361, 3196, 3269, 4033.
Porres, Manuel de. 4933 (30).
Portilla Duque, Juan de la. 4933 (15).
Portocarrero, Juan. 4996.
Postigo Mendía, Juan del. 147.
Potao, Pedro Dimas de. 2233.
Pou. 615.
Pou y Martín, José María. 1430.
Poza, Andrés de. 2039.
Pozo, Pedro del. 4476.
Praag, J. A. van. 4323c, 4367.
Prada, Miguel de. 703 (17).
Prada, Nicolás de. 5093.
Prada y Andrade, P. Tomás de. 3380.
Pradas, Melchor. 110.
Prades, Jaime. 5716.
Pradilla Barnuevo, Francisco de la. 2194.
Prado, Mateo. 2886.
Praves, Francisco de. 4393.
Prestage, Edgar. 4615-17, 4628, 4639, 4646, 4652.
Proença, Raúl. 4648.
Propercio. 3906 (1).
Prudencio, Aurelio. 1578.
Puente, Juan de la. 489.
Puente, Luis de la. 2514-15.
Pues, Florent. 4359-60, 4368.
Puga, Fr. Plácido de. 2594, 5044.
Puga y Feijóo, Francisco de. 5033.
Pujol, Gabriel. 5677.
Pujol y Camps, Celestino. 4664.
Pulpillo, Torcuato José. 5809.
Puteano, Enrique. 862.
Puteo, Emmanuelis de. 2459.
Putte, Hendrick van de. 5299.

Risón, Fr. Juan Nolasco. 5525.
Rius, Gabriel Agustín. 2245.
Rius y Bruniquer, Francisco de. 1066.
Rivas Martínez, María. (V. María de Jesús, Sor).
Rivas y Tafur, José de. 4107.
Rivera, Luis de. 4856.
Rivers, E. L. 3143e, 4140g.
Roales, Juan. 703 (43).
Roberto Belarmino, San. 1740.
Robles, Eugenio de. 2580.
Robles, Juan de. 4449, 5200.
Robles, Laureano. 3881.
Robles, Fr. Pedro de. 5216 (34).
Robredo, Bernardino de. 2607.
Roca, Pedro 671, 860, 872, 1195-96, 1709, 2499, 2593, 2946, 2994, 3210, 3417, 4540, 5263-68, 5369, 5417, 5841.
Roca, Fr. Tomás. 3175.
Roca de la Serna, Fr. Ambrosio. 3753 (2).
Roca, J. Narciso. 4665.
Roca, Laurentius. 3771.
Roca de la Serna, Fr. Ambrosio. 3216 (11, 23, 30, 35).
Roca de la Serna, Apolinario. 5216 (prels.).
Rocaberti, Hipólita de Jesús. 2309.
Rocamora, Pedro. 2529 (1, 29).
Rocafull. 5724.
Roco Campofrío y Córdova, Francisco. 4107.
Rodero, Fr. Pedro. 4924.
Rodrígues Lapa. 4617.
Rodríguez, Alonso. 1111.
Rodríguez, Fr. Bernardino. 2451.
Rodríguez, Fr. Diego. 5507.
Rodríguez, Fr. Isidro. 2804.
Rodríguez, José. 2305, 2308, 2534, 3076, 3200, 5803.
Rodríguez, Manuel. 321.
Rodríguez de Ardila, Pedro. 3044.
Rodríguez Armenteros, Juan. 2594.
Rodríguez de Berlanga, Manuel. 1332a, 1499.
Rodríguez Campomanes, Pedro (conde de Campomanes). 1563-64.
Rodríguez Coronel, P. Juan. 116.
Rodríguez Feijóo, Antonio. 1463.
Rodríguez Lupercio, Antonio. 3826.
Rodríguez Marín, Francisco. 223, 2436, 3125, 4141.
Rodríguez Moñino, Antonio. 419, 562, 564, 754, 1048, 1081, 1847, 2105, 2214-15, 2370, 2626-28, 3908-9, 3957, 4095, 4129, 4139, 4149, 5095, 5109, 5416, 5517, 5551, 5591, 5630-31, 5693, 5856-57, 5868-69.
Rodríguez de Neira, Francisco. 2488.
Rodríguez del Rey, Domingo. 4933 (42).
Rodríguez de Torres, Melchor. 73-74.
Rodríguez de Vera, P. Francisco. 822.
Rogel, M. 4225.
Roig, Juan Bautista. 3069 (50).

Roig Gironella, Juan. 635.
Roig y Jalpi, Juan Gaspar. 3249.
Rois, Fr. Francisco. 2594.
Roiz de Asagra, Cristóbal. 1135.
Rojas, Agustín de. 5333.
Rojas, Pedro de (conde de Mora). 4934.
Rojas y Angulo, Ambrosio de. 5517.
Rojas Angulo, Antonio de. 5489, 5517.
Rojas y Guzmán, Francisco de. (conde de Mora). 4077.
Rojas Soria de Campos, Miguel. 753.
Rojas Zorrilla, Francisco de. 4922.
Rol, Fr. Félix. 3262.
Roldán, P. Juan Bautista. 1123.
Roldán Guerrero, Rafael. 2797.
Román, Fr. Jerónimo. 920, 922, 2055.
Romeo, Lázaro. 611.
Romero, Agustín. 748.
Romero, Sor Bernarda. 5216 (37).
Romero, Fr. José. 2594.
Romero, Vicente. 1613.
Romero y Cos, Fr. José. 973.
Romero González de Villalobos, Bernardo. 4503.
Romero Quevedo, Francisco. 3823-24.
Romeu, Lorenzo. 3158.
Ron Bernardo de Quirós, Antonio de. 4202 (4).
Ronquillo, Juan. 2718.
Ros Medrano, Diego de. 2594.
Rosell, Cayetano. 2059, 4326, 4586, 4588, 5105.
Rosende, P. Antonio. 4954.
Rosete Niño, Pedro. 4933 (6).
Rosique, Pedro. 1895.
Rostojo, Jusepe. 3069 (85, 94), 5216 (13).
Rotunda, D. P. 5725.
Roussel, Michael. 1729.
Rovira, Guillermo. 5807.
Rovira y Arnella, José. 2236.
Royo, Eduardo. 1318, 1370.
Royo, Jusepe. 3399.
Royo Campos, Zótico. 1437-38, 1489, 1505, 1515.
Roys, Francisco de. 182, 812, 901, 4868.
Rozzone, Bartolomeo. 3771.
Rubiños Parga, Juan. 290.
Rubio, P. Antonio. 557.
Rubio, Fernando. 2099.
Rufo, Juan. 3957, 5595.
Ruiz, Antonio. 5206.
Ruiz, Fr. Cristóbal. 4441.
Ruiz, Francisco. 1848.
Ruiz, Fr. Gregorio. 137.
Ruiz de Alarcón, Juan. 2108.
Ruiz de Azagra, Francisco. 2600.
Ruiz Crespo, Manuel. 5291.
Ruiz Delgado, José. 1851.
Ruiz de la Escalera Quiroga, Pedro. 4956.
Ruiz Franco de Pedrosa, Cristóbal. 4501.

Sandoval, Jerónimo de. 2777 (31, 54).
Sandoval, Juan de. 1148.
Sandoval, Fr. Prudencio de. 2998, 4122-23.
Sanjordi, Fr. Bautista. 5216 (32).
Sanjuán Urmeneta, José María. 445.
Sanlés, R. 76, 1172.
Sannazaro, Jacobo. 808, 2973, 3906 (2), 4097, 4699, 5436, 5616.
Sanpedro, Jerónimo. 2422.
Sanpere y Miguel, Salvador. 5744.
San Román, F. de P. 4091, 4093.
Sans, Francisco. 2529 (12).
Sans, Fr. Tomás. 1069-70.
Sansovino, Francisco. 4343-44.
Santa Cruz, Jerónimo de. (V. Melo, Francisco Manuel de).
Santa Cruz Aldana, Ignacio de. 2788.
Santacruz, Miguel. 2634.
Santa María, Francisco de. 1464.
Santiago y Palomares, Francisco Javier de. 419.
Santiago Vela, Gregorio de. 286, 288, 337, 451, 576, 789, 800, 832, 982, 1125 bis, 1820, 2093, 2095-98, 2100, 2141, 2145-53, 2155, 2157-2163, 2165-66, 2168, 2174, 2187, 2413, 3248, 3262, 3265, 3946, 4987, 5149, 5197, 5213, 5321, 5545.
Santillán, Fr. Gregorio de. 614.
Santos, Francisco. 2092, 2366, 4379.
Santos, Juan. 2726.
Santos de San Pedro, Baltasar. 1886.
Santoyo, Fr. Gabriel de. 5483.
Sanvitores, Fr. Alonso de. 4934.
Sanz, Lucas. 3291.
Sanz, Fr. Martín. 2748.
Sanz Egaña, Cesáreo. 963.
Sanz García, José María. 4028.
Sanz de Proxida, Fr. Luis. 3354.
Sanz de Venesa y Esquivel, Miguel. 1713.
Sanz de Villa-Ragus, Fr. José. 3360.
Saona, Fr. Jerónimo de. 421, 899, 5578-80.
Sapena y Zarzuela, Baltasar. 2307.
Sariñana, Isidro. 276.
Sariñana y Cuenca, Isidro. 3831.
Sarmiento, Fr. Rafael. 5108, 5863.
Sarmiento de Mendoza, Manuel. 2516.
Sarmiento de Rojas, Luis. 2336.
Sayas y Urtibia, Francisco de. 1099.
Sbarbi, José María. 4170.
Scarion de Pavía, Bartolomé. 3257.
Schott, P. Andrés. 1660.
Schuster, E. J. 4363.
Sebastián de San Agustín, Fray. 930.
Sebasto Melisseno, Fr. Nicéforo. 4936.
Seco Serrano, Carlos. 1335, 1509.
Sedano, Fr. Francisco. 713.
Segura Covarsi, Enrique. 2761a.
Seixas Vasconcelos, Gaspar de. 4923, 4936, 4954, 4956.

Selgas, José. 4353.
Selig, Karl Ludwig. 231, 4358, 5081.
Selma, Fr. Agustín Leonardo de. 5216 (7, 24, 28).
Sempilio, P. Hugo. 4568.
Sendín, Fr. Juan. 2354.
Sendín Calderón, Fr. Juan. 1285.
Séneca, Lucio Anneo. 2115, 3130-31, 4517.
Señeri, P. Pablo. 1881.
Sepúlveda, Pedro de. 1099.
Sequeira de Brito, Antonio de. 4996.
Sera, Fr. Francisco. 2234, 3262.
Seraphin (P.). 1386.
Serfati, Aharon. 4787.
Serís, Homero. 3482b.
Sergio, Antonio. 4620.
Serpi, Dimas. 65-66.
Serra, Fr. Marcos. 1069-70.
Serralta, Miguel de. 4748.
Serrano, Fr. José. 421.
Serrano, Fr. Juan. 64.
Serrano y Sanz, Manuel. 957, 1046, 1157, 1159-60, 1165-66, 1173-75, 1231, 1269, 1298, 1308, 1312, 1324-43, 1346, 1350, 1527, 1536-1537, 1539-40, 1784, 1786-87, 1790, 2061, 4418, 4420, 4720, 5092, 5098, 5370, 5374.
Serrão, Joel. 4625, 4663.
Seyner, Antonio. 2244, 2256.
Sicardo, Fr. Juan Bautista. 116, 5794.
Siculi Mamertini, Petri Henrici. 4459.
Sierra, Fr. Gabriel de la. 1157-58.
Sierra, Fr. Lorenzo. 421.
Sierra, Fr. Tomás de. 2108-9.
Sigler, Pedro. 5182.
Sigler Cardona Calacete, Juan. 3069 (52-53).
Sigler de Huerta, Antonio. 4933 (5).
Sigüenza, Fr. Francisco de. 5739.
Sigüenza y Góngora, Carlos de. 463.
Sijé, R. 1736.
Silva, Fr. Diego de. 1285, 1291.
Silva, Feliciano de. 5482.
Silva, Innocencio Francesco da. 3719, 4627.
Silva, José de. 2660.
Silva, Juan de. 273.
Silva, Juan de (conde de Portalegre). 779.
Silva, Luis de. 4870.
Silva, Fr. Luis de. 5376.
Silva, Nicolau Luiz de. 3709-11, 3713.
Silva y Baraona, Luis Antonio de. 703 (30).
Silva y Pacheco, Diego de. 392.
Silva y Tenoco, Gil de. 2108.
Silveira, Miguel de. 4996.
Silvela, Francisco. 1332.
Silvestre, Fr. Francisco. 4477.
Silvestre, Francisco Antonio. 5515.
Silveyra. (V. Silveira).
Simão Antonio de Santa Catharina, Fray. 2960.
Simeón de la Sagrada Familia, Fray. 1534.

T

Teócrito. 1965.
Teresa de Jesús, Santa. 453, 718, 815, 905, 930, 970, 1133, 1167, 1178, 1526, 2130, 2431, 2494, 2532, 2647, 2795, 2798, 2969, 3745, 4235, 4481-82, 4896, 5216, 5404-5.—*Págs.*: 141, 177, 634.
Terrassa, Miguel. 3165.
Terrones, Antonio de. 2168.
Tertuliano, Quinto S. F. 611, 613.
Terzano, Enriqueta. 2325.
Tevar, Fr. Pedro de. 5807.
Texeda, Claudio de. 815 (25).
Teyssier, Paul. 63, 4641.
Thomasii, Mathei. 5578-80.
Thotbapiana, Justo. 4179.
Tineo de Morales, Fr. Luis. 4923.
Tió, Jaime. 4583, 4588.
Tobar, Mateo de. 5042-43.
Tobar, Fr. Mauro de. 3321.
Toda i Güell, Eduart. 31, 93, 490-92, 503, 506, 510, 518-19, 523-25, 528, 534, 546, 553-555, 560-61, 683-86, 688-89, 781, 798-99, 861, 967, 970, 1063, 1398, 1422, 1849, 1878, 1880, 2174-76, 2399, 2458, 2601, 2613, 2615, 2759, 2784, 2989, 3033-34, 3099, 3363, 3394, 3731, 3733, 3819, 3869, 3943, 3967-70, 4018, 4179, 4277, 4343-46, 4349-50, 4459, 4566, 4617, 5080, 5125, 5173, 5300, 5319, 5513, 5854.
Toledo, Alvaro de. 535-36.
Toledo, Fr. Juan de. 2594.
Tomás, Antonio. 5216 (20).
Tomás de Aquino, Santo. 94, 263, 343, 801, 2007, 2101, 2235, 2543-44, 3798, 3875-76, 3880, 3890, 4727.
Tomás de San Vicente, Fray. 703 (26), 985.
Tomás de Villanueva, Santo. 2077, 3069, 3342, 4739.
Torelló, Fr. Eloy. 2176.
Toreno, Conde de. (*V. Queipo de Llano, José María*).
Tormo, Leandro. 3812.
Torralba, Fr. Alonso. 5578, 5580.
Torralva, Esteban de. 5401.
Torre, Alonso de la. 969.
Torre, Francisco de la (licenciado). 969.
Torre, José de la. 2774 (11, 16), 2777 (1, 42, 70, 163).
Torre, Fr. Juan de la. 297, 614.
Torre, Fr. Manuel de la. 3771, 5133.
Torre Farfán, Fernando de la. 1021, 2740.
Torre y Peralta, José Ramón de la. 3886.
Torre y Sebil, Francisco de la. 2816, 3202, 3344-45, 4161, 4697, 5160, 5801, 5804.
Torre y Valdés, Simón de la. 3108.
Torrejón (P.). 3273.
Torrella, Juan. 2939.
Torrente Ballester, Gonzalo. 1334.
Torres, P. (franciscano). 4936.
Torres, Bartolomé. 2529 (33).

Torres, Fr. Cristóbal de. 284.
Torres, Diego. 2060.
Torres, Fr. Eugenio de. 1852.
Torres, Fr. Facundo de. 718, 2607.
Torres, Fernando de. 5517.
Torres, Gio. Hieronimo. 438.
Torres, Isidoro de. 1879.
Torres, Jacinto. 4922.
Torres, Fr. Luis de. 116.
Torres, Fr. Miguel de. 263.
Torres, Pedro de. 2744.
Torres, Tomás de. 5216 (12, 26, 33).
Torres Amat, Félix. 5582, 5691, 5722.
Torres Arias, Francisco de. 2664.
Torres Castillo, Juan de. 840.
Torres Rámila, Pedro. 3124.
Tortoreti, Vicente. 521.
Tremiño, Juan. 2519 (prels., 9, fin), 3069 (56).
Tremiño, Fr. Raimundo. 2452.
Tribaldos de Toledo, Luis. 5598-99.
Truel, Cohon. (*V. Ribeiro de Macedo, Duarte*).
Trujillo, Antonio de. 2717.
Tuaheron, William. 4340-41.
Turselino, P. Horacio. 2535.

U

Ubach y Vinyeta, Francis L. 1719.
Uberte Balaguer, Anastasio Marcelino. 3166.
Ulloa, Alfonso. 4277, 4346, 4350.
Unanue, Pedro de. 1843.
Urbano VIII. 284, 841, 4445, 4481, 5646.
Urbina, Francisco. 2489.
Uriarte, José Eugenio de. 37, 1161, 2666, 2992, 4115, 5842.
Uriarte, Roque. 2663.
Uribe, Angel. 1183, 1198, 1411c, 1418e, 1421, 1450, 3320.
Uribe Echevarría, Juan. 2038.
Urnieta y Aguirre, Jerónimo de. 2777 (108).
Urosa, Froilán de. 732.
Urtiaga, P. Pedro de. 2493.
Urtiz de Careaga, Martín. 2108.
Usoz del Río, Luis. 1217.
Uzero, Alonso de. 3050.

V

Vaca de Alfaro, Enrique. 2401, 3904.
Vadillo, Fr. Leandro. 815 (3, 36).
Váez Eminente, Francisco. 4933 (36).
Vaifro Sabatelli, Giacomo. 1511.
Valbuena, Fr. Pedro de. 1157.
Valbuena Maldonado, Fr. Diego de. 190.
Valbuena Prat, Angel. 2754a.

Villafañe, Fr. Mateo de. 918.
Villafranca, Antonio Juan. 5723.
Villafranca, Fr. Juan de. 1834.
Villagómez Vivanco, Francisco de. 5670.
Villalobos, Fr. Alonso de. 2992.
Villalobos, Enrique. 2190.
Villalobos, Esteban de. 5748.
Villalpando (Doctor). 4865.
Villalva (Doctor). 705.
Villalva, Domingo. 2589.
Villalva, Francisco de. 3275.
Villalva, José de. 2629.
Villanueva, Fr. José de. 2356.
Villar, Francisco del. 2937.
Villar Quadrado, Juan del. 2108.
Villarreal y Gamboa, Sebastián de. 4459.
Villarroel, Gaspar de. 85.
Villarrubia, Fr. José de. 3887.
Villasante, Luis. 1319, 1498, 1504, 1506-7, 1514.
Villaviciosa, José de. 2881, 2903.
Villaviciosa, Sebastián de. 3401, 3406, 3411-3413, 3452, 3504-8, 3532-36, 3580, 3589, 3622-3623, 3652, 4933 (11).
Villegas, Alonso de. 788, 1825.
Villegas, P. Bernardo de. 3383.
Villegas, Diego de. 4835.
Villegas, Esteban Manuel de. 5601.
Villegas, Fabián de. 2594.
Villela, Andrés de. 703 (39).
Villerino, Alonso de. 1168, 1543.
Vincart, Juan Antonio. 4526.
Vinci, Joseph. 446-47, 449.
Vindel, Francisco. 110, 203, 421, 1916-17, 1919, 2055-56, 2207, 2343, 2523, 2526, 2529, 2625, 2673-74, 2679-81, 2758, 2760, 2934, 3000, 3738, 3823, 3861, 3943, 3984, 3986-87, 3990, 4001, 4025, 4169, 4214, 4278, 4281, 4285, 4305, 4311, 4313, 4319, 4577, 4712, 4775, 4921, 4924, 4930, 4932, 4936, 4945, 4953, 4973, 5106, 5205, 5336, 5483-84, 5508, 5578-80, 5594-95, 5598-99, 5661.
Violante do Ceo, Sor. 4747.
Virgilio. 2000, 3388, 4996, 5597 (3), 5598-600.
Virués, Cristóbal de. 5595.
Vitoria, Fr. Diego de. 537.
Vitoria, Fr. Francisco de. 474, 479.
Vivar, Juan Bautista de. 421.
Virion, D. de. 2173.
Vitroli, Alessandro. 2222.
Vogl, Franz. 1377.
Vranich, Stanko. 3915-16.

W

W. T. (V. Tuaheron, William).
Wadding, Lucas. 481.
Watson, A. 3143f.
Woyski, Segismundo. 3812.
Wynans, Fr. Guinandus. 4459.

X

X. 4982a, 5798a.
Xento y Ribera, Fr. José. 2807.
Ximénez. (V. Jiménez).
Ximénez de Sandoval, Felipe. 1411, 1439.
Ximeno, Vicente. 109, 494, 576, 1073, 1120, 1125 bis, 1136, 2020, 2090, 2331, 2334, 2384, 2386, 2654, 3082, 3086, 3180, 3339, 3364, 4223, 4230, 5409, 5438, 5710, 5727.

Y

Yagüe de Salas, Juan. 1099.
Yanguas, Diego de. 5861.
Yáñez, Martín. 135.
Yáñez, Fr. Pedro. 297.
Yebes, Conde de. 2761.
Yxart, José. 4591.

Z

Zabaleta, Juan de. 2777 (110), 2843, 2855-61, 3401, 3411, 3452, 3580, 3589, 4933 (7).
Zafrilla, Fr. Mateo de. 3309.
Zagarriga, Ramón de. 2773 (18), 2777 (50, 118).
Zamora, Fr. Basilio de. 5042-43, 5800.
Zamora, José de. 4036.
Zamora, Fr. Juan de. 992.
Zamora, Fr. Lorenzo de. 629, 707.
Zamora, Pablo de. 4176.
Zamora, Paulo de. 1034.
Zamora y Clavería, José. 2795.
Zamora Lucas, Florentino. 1412.
Zapata, Sancho. 1538, 2103, 3774.
Zapata y Acevedo, Gómez. 3731.
Zapila. 5578, 5580.
Zarandona, P. Martín de. 929.
Zárate y de la Hoz, Alonso de. 2777 (146).
Zarco Cuevas, Julián. 46-47, 202, 666, 839, 1199, 1201, 1235, 1264, 1576, 2054, 2610, 3839, 4258, 5796.
Zatrilla y Vico, José. 3789, 5201.
Zavala, Felipe de. 2518.
Zayas, Antonio de. 1703.
Zayas, Fr. Francisco de. 5519.
Zayas Sotomayor, Fr. Diego de. 4396 (3).
Zeballos. (V. Ceballos).
Zetina. (V. Cetina).
Zisneros. (V. Cisneros).
Zoieckhofer, Lucas. 4330.
Zorita, Nicasio. 5711.
Zuleta, P. Ignacio de. 1157-58.
Zúñiga, Alvaro de. 815 (44-45), 5597 (12-13).
Zúñiga, Fr. Antonio de. 4933 (16).
Zúñiga, Baltasar de. 815 (32).
Zúñiga y Villamarín, Eliseo de. 2421.
Zurita y Haro, Fernando Jacinto de. 2936.
Zurita y Haro, Jacinto de. 2936.

DE PRIMEROS VERSOS

A) DE POESIAS

A

«A boca llena puede Barcelona». 631.
«A desmentir ignorancias...». 2777 (182).
«A este Prado que le ofrece...». 3369.
«A Fuera, que va un Vexamen...». 2771 (10).
«A gloria de una Luna un otra ofrece...». 3158-59.
«A Judas vejamen oy...». 2777 (124).
«A la inculta palestra el Tigre Hircano...». 4933 (11).
«A La Ixiona Fabula desmiente...». 4933 (39).
«A la luz de los Espejos...». 2777 (92).
«A la orilla del umedo elemento...». 5594.
«A la vista de aquel monte...». 3069 (100).
«A los filos de aquella ardiente espada...». 5594.
«A los silencios se atreue...»». 4396 (13).
«A nuestro nueuo sancto Valenciano...». 2333.
«A preguntaros, Dios mio...». 2777 (131).
«A qué espera, Señor, tu Omnipotente?...». 2777 (3).
«A poca tierra el cuerpo reduzido...». 4929.
«A preguntaros, Señor...». 2773 (17).
«A Señor al hombre anido...». 2777 (65).
«A Señor el de la Hostia...». 2777 (54).
«A Señor el de lo branco...». 2771 (14), 2777 (81).
«A Señor, el disfraçado...». 2771 (13).
«A Simón hijo del iusto...». 2529 (5).
«A sombra de noche triste...». 3158-59.
«A tal punto, en Tomas, llega...». 3069 (40).
«A Ti gran defensor de la Fee Sancta...». 203.
«A Ti, o amor diuino...». 2782.

«A ti solo ha deuido su decoro...». 5759.
«A ti volatil insecto...». 5369.
«A un rey tan alto querer alabar...». 5109 (2).
«A un Sol que al Ocaso buelto...». 703 (31).
«A vos eterno Padre en cuya mente...». 1825.
«A vuestra mesa, Dios mio...». 2777 (120).
«Abate, o Potosi la rica frente...». 4459.
«Abiertos tengo los ojos...». 815 (65).
«Adora el Betis la que antigua es cuna...». 4396 (10).
[Africa]. «Affrica en fama y nombre esclarescida...». 2055.
[Ah]. «Ha Señor el emboçado...». 170, 2773 (24), 2774 (10), 2777 (82).
[Ahuyenta]. «Auyenta el Sol el invierno...». 3069 (3).
[Aires]. «Ayres templados, puros...». 815 (5).
«Al Aguila, caudal de virtud rara...». 2447.
«Al Altar mas misterioso...». 2774 (13).
«Al beneuolo Lector...». 2333.
«Al blanco pecho de la Virgen tira...». 5216 (7).
«Al Carmen que es Carmen suyo...». 5216 (28).
«Al cielo si las manos levantares...». 4133 (69).
«Al Dia mas feliz...». 5700 (2a).
«Al Duque de Ozuna...». 819.
«Al fin Tomas Hernandez de Medrano...». 5597 (79).
«Al gran Emperador Cesar Augusto...». 5597 (66).
«Al mas diestro se da, de tres la una...». 4459.

«Al mas que Alexandro Iulian en franque-
za...». 5551.
«Al mundo das oy, Marquez, tal Histo-
ria...». 5759.
«Al pie de un Arbol robusto...». 2777 (181).
«Al Señor que se reboza...». 2777 (179).
«Al son cuerdo de las cuerdas...». 4125 (1).
«Al son del agua clara en sombra ame-
na...». 5597 (14).
«Albricias, que llueue al Iusto...». 2777 (46).
«Alegre está Mançanares...» .5004 (3).
«Alma que eterna entre las almas san-
tas...». 5597 (39).
«Altar que por ser de plumas...». 2777 (141).
«Altivo el Mincio, y con razon contento...».
5594.
[Alza]. «Alça bien la cabeça...». 815 (7).
«Allá van, escuchen todos...». 2771 (6), 2777
(60).
«Amado, y Diuino Dueño...». 2777 (144).
«Amante Dueño mio...». 2777 (47).
«Amante Sacramentado...». 2773 (21).
«Ambos ojos en el sol...». 2529 (3).
«Amigo Luis de Soto Barahona...». 5597
(80).
«Amor templó con mi fuego...». 3906 (2).
«Amorosa prenda mia...». 2777 (57).
«Ana, fecunda se aliña...». 5159 (8).
«Andad libro y poned vuestra baxeza...».
2523.
«Angel de gran dignidad...». 4396 (19).
«Angel, si sois Guarda vos...». 2777 (13).
«Angelica doctora en la Sapiencia...». 815
(19).
«Antiguedades, bellezas...». 3158-59.
«Año de mil y quinientos...». 5630 (2).
«Apartate Camila...». 815 (6).
«Apenas la palestra discurriste...». 3698.
«Apenas, por la insolencia...». 3069 (22).
«Apressura la subida...». 815 (62).
«Aquel Baston, que assombra la campa-
ña...». 3220.
«Aquel jardin que el cielo a enrriqueci-
do...». 3273.
«Aquel magno Alexandro poderoso...». 2108.
«Aquel Mercader Divino...». 4985 (1).
«Aquel que gouernar la Monarquía...». 5108,
5756.
«Aquel que me resistía...». 2529 (1).
«Aquel que nombre inmortal...». 5851.
«Aquella divina Aurora...». 5216 (31).
«Aquella Reyna divina...». 5216 (34).
«Aquella sola, Flavio, suerte una...». 4133
(31).
«Aqui descansa un Herpe, cuya gloria...».
4933 (33).
«Aqui doctos, aqui sabios...». 2777 (50).
«Aqui hallaras, Lector, una gran pieça...».
2333.

«Aqui la Fama suspendio rendida...». 4933
(41).
«Aqui lector discreto y curioso...». 5735.
«Aqui podrá el agudo entendimiento...».
4168.
«Aqui yaze Hernando de Herrera...». 5597
(56).
«Arbol no tiene toda aquesta selua...».
5597 (25).
«Arboles, montes, y fieras...». 631.
«Arde la llama, y a la oscura y fría...».
4133 (60).
«Are el buril el bronce perdurable...». 2751.
«Aristóteles leyó Filosofía...». 3380.
«Armas Amor, Spiritual nobleça...». 3273.
«Armas del Alma en la sangrienta gue-
rra...». 3275.
«Arma, meran estos locos...». 61 (1).
«Arroja el que un incendio a procurado...».
3069 (55).
«Asi de Cypro la valiente diosa...». 4133
(29).
«Astro, o Austro feliz, que si a las olas...».
3665.
«Atencion os pido a vos...». 2777 (146).
«Atención, pues este día...». 2771 (9), 2777
(76).
«Atencion, y de Matias...». 2777 (11).
«Atiendan hoy los curiosos...». 2773 (1), 2777
(158).
«Atiendan que va de Altar...». 2771 (17), 2777
(78).
«Atrevióse el pensamiento...». 5004 (1).
«Aumentas de Jacob la causa dieron...».
2539.
«Aún dura de la noche el ceño obscuro...».
2777 (26).
«Aun la tierna çerviz no es poderosa...».
4133 (70).
«Aun sin triunfar, venciendo, conseguis-
te...». 4202 (2).
«Aunque ciego, rezo siempre...». 2777 (97).
«Aunque del raro Apelles el pinzel...». 5216
(preliminares).
«Aunque el efeto muestra bien la causa...».
958.
«Aunque en causas de Principes y Reyes...».
5597 (65).
«Aunque es de mucho valor...». 3003.
«Aunque la ley del amistad me obliga...».
5597 (prels.).
«Aunque la Valentia de elocuente...». 4933
(26).
«Aunque las flores, y plumas...». 2777 (139).
«Aunque les quiten de adonde...». 815 (75).
«Aunque por cierto barrunto...». 4396 (16).
«Aunque tan Cortesano...». 2773 (16).
«Austriaco, esplendor, infausto duelo...».
2112.

«Con la sombra del laurel...». 815 (67).
«Con letras de diamante en bronce duro...». 815 (21).
«Con mucha atención, mi Dios...». 2773 (10), 2777 (129).
«Con muerte presurosa...». 703 (41).
«Con pluma altiva, estilo no imitado...». 5377.
«Con pena eterna y con dolor crescido...». 201.
«Con preuenida atencion...». 2777 (107).
«Con tal gusto se combida...». 3069 (38).
«Con temor mi lengua canta...». 815 (39).
«Con un Romance celebro...». 2777 (85).
«Concedo, aunque parezcan imposibles...». 5401.
«Conde del Risco todo el sacro Coro...». 5597 (82).
«Conde excelso del titulo de Osorno...». 5597 (83).
«Contaba una labradora...». 2771 (7), 2777 (75).
«Contaros con deuocion...». 2777 (142).
«Cordoba, Ciudad ilustre...». 4396 (43).
«Cordoba, de tu custodio...». 4396 (44).
«Cordoba, en tus alabanças...». 4396 (42).
«Coronada la cabeça...». 5216 (29).
«Corone Apolo de laurel florido...». 2751.
«Corre el grave dolor y el tierno llanto...». 5597 (55).
«Corre Gil, corre a la Igrexa...». 4176 (4).
«Corre un arroyo alegre, fresco, i claro...». 3069 (52).
«Cortando la guadaña de la muerte...». 5597 (38).
«Cosme murió, y oy Lauro, el docto acierto...». 5519.
«Crece en vos, Tomas de suerte...». 3069 (1).
«Cual el buen Pastor, que vela...». 3069 (19).
[Cual]. «Qual el sabio esculptor, que su pintura...». 2333.
[Cual]. «Qual es el aue sin par...». 4993.
[Cual]. «Qual suele entre la puluera ceniça...». 3275.
[Cual]. «Qual te enfrandezca mas y mas te ilustre...». 2523.
[Cual]. «Qual unico Pintor que jatancioso...». 3275.
[Cualquier]. «Qualquier que fue, quien al amor tyrano...». 3906 (1).
[Cualquiera]. «Qualquiera que suele ser...». 1081 (1).
[Cuán]. «Quan buena dicha señores...». 2777 (59).
[Cuando]. «Quando algun Capitan triumphando entraua...». 2108.
[Cuando]. «Quando de Laurel la frente...». 4933 (22).
«Cuando el amor está obrando...». 1186.

[Cuando]. «Quando el contagio despierto...». 2777 (70).
[Cuando]. «Quando el humido otoño al seco estio...». 815 (45).
[Cuando]. «Quando el obscuro Morfeo...». 4396 (35).
[Cuando]. «Quando entre confusas sombras...». 4396 (36).
[Cuando envidioso]. «Quando imbidioso el tiempo aya nevado...». 4133 (67).
[Cuando]. «Quando la escura noche...». 815 (11).
«Cuando la insine ciudad...». 3069 (106).
«Cuando Menga quiere a Blas...». 4166.
«Cuando nace el Pastor de los pastores...». 3069 (85).
[Cuando]. «Quando os miro, Señor, en un madero...». 2777 (32).
[Cuando]. «Quando tú me encareçes...». 4133 (48).
[Cuanta]. «Quanta la tierra es toda, comparada...». 4133 (39).
[Cuanto]. «Quanto del universo el globo encierra...». 5756.
[Cuanto]. «Quanto del uniuerso globo encierra...». 5108.
[Cuanto]. «Quanto el Cielo pudo dar...». 4996.
[Cuanto]. «Quanto espacio de mar, y quanta tierra...». 5597 (27).
[Cuanto]. «Quanto la antiguedad dexó esparcido...». 4922.
[Cuanto]. «Quanto mas llego a esta fuente...».» 815 (56).
«Cuanto mayor la distancia...». 3069 (20).
«Cuerpos en nueuas cosas trasformados...». 5711.
«Cuyos sois, que aun no recelo...». 1359.

D

«Da el avaro, i cudicioso ..». 3069 (34).
«Da el ave mayor el buelo...». 3069 (10).
«Da el liberal, i abundante...». 3069 (2).
«Da fuego al monte una brasa...». 3069 (33).
«Dadme aqueste lirio vos...». 2529 (6).
«Dando en los años buelta al tiempo el cielo...». 5597 (1).
«Dará Dios un vexamen...». 2773 (22).
«De antigua discordia no oluidada...». 201.
«De aquel circulo de nieue...». 2777 (63).
«De aquel Moro, de aquel Moral prudente...». 4107.
«De aquel Pan que dió en la Cena...». 2777 (117).
«De aquel santo la vida y muerte santa...». 5597 (64).

«Descubre un grande Principe un theso-
ro...». 3276.
«Descubrio el Occidente en Pino alado...».
4459.
«Desde el encumbrado Olimpo...». 5216 (35).
«Desde Galicia he venido...». 2773 (2).
«Desde Poniente a Leuante...». 4396 (50).
«Desde que el libre arbitrio empuñó el
cetro...». 4214.
«Deseando, Martínez, elogiarte...». 2511.
«Desenlaça el boton la virgen rosa...». 5093.
«Desoje el Alba gentil...». 5216 (26).
«Despertador, que en clausulas sonoras...».
5370.
«Despierto al fiero incendio, y de él cer-
cado...». 4133 (52).
«Despues de lo que está dicho...». 2777 (91).
«Despues que de su plectro hizo digna...».
201.
«Despues que tan al viuo nos pintaste...».
3275.
«Despues señor que en la ribera amena...».
5597 (11).
«Detened Teresa el passo...». 815 (1).
«Detente Cloto atreuida...». 703 (8).
«Detente mas, o caminante, i mira...». 4933
(12).
«Detente, passagero, aguarda, advierte...».
4933 (7).
[*Dicen*]. «Dizen que las letras son...». 3069
(7).
«Dichosa madre, que por suerte tienes...».
3069 (95).
«Dichosa Troya, pues tu fuego ardiente...».
1135.
«Dichoso tiempo, venturosos dias...». 2108.
«Diga Señora Beata?...». 5216 (39).
[*Dijo*]. «Dixo de Indimion, el vulgo loco...».
2108.
«Dió una cena à Marco Antonio...». 2773
(18), 2777 (118).
«Diole principio a tu grandeza Roma...».
3069 (93).
«Dios de excellencias abismo...». 5159 (2).
«Dios i vos, ambos a dos...». 3069 (16).
«Distes de vos tal olor...». 815 (31).
«Divina empresa, insignia piadosa...». 207.
«Divino aliento inspira el dulce canto...».
5332.
«Divino Dios a quien estan sujetos...». 5637.
«Divino don Gutierre, a quien dio el cie-
lo...». 2108.
«Divino ingenio, que con alto buelo...». 4471.
«Divino santo encubierto...». 2529 (26).
«Divino y soberano pensamiento...». 2529.
«Divinos rasgos, puntos consagrados...». 815
(20).
«Docto, erudito, dulce y eloquente...». 3887.
«Docto Mena, a lo de Dios soldado...». 4774.

«Docto papel, que a numeros sonoros...».
5370.
«Don Alonso Suarez erudito...». 5597 (77).
«Don Alvaro de Çuñiga maestro...». 5597
(13).
«Don Francisco de Castro inclito Con-
de...». 5597 (70).
«Don Iuan, tu ingenio loçano...». 2751.
«Donde entre verdes ouas y espadañas...».
5597 (88).
«Donde Menfico assombro de eleuado...».
4936.
«Dos cosas ciertas no mas...». 3069 (6).
«Dulce Iesus de mi vida...». 2777 (138).
«Durmiendo en un lecho...». 5693.

E

«Ea mi Teresa disponte...». 815 (71).
«Echando la mano al huso...». 815 (24).
«El Bravo, el Hijo del Hombre...». 2771 (4),
2777 (23).
«El buen Luys Meneses de Auendaño...».
5393.
«El camino del cielo van buscando...». 815
(69).
«El Cedro hermoso que un tiempo...». 5216
(36).
«El Cielo á Francia la dió...». 4748.
«El cielo esperimenta aquel, propicio...».
4133 (32).
«El cielo santo os alabe...». 5216 (37).
«El Dios intonso, que salió del cielo...».
1099.
«El divino furor del alma Psyche...». 201.
«El Dragon feroçissimo que estaua...». 3273.
«El entero varón, de culpas puro...». 4133
(30).
«El Escudo de la Fe...». 2777 (147).
«El Espejo christalino...». 2529 (18).
«El estilo gallardo con que escriue...». 1099.
«El Hijo primogénito del Padre...». 1105.
[*El hombre*]. «El ombre solo en tantos
animales...». 4133 (56).
«El inefable dolor...». 2376.
«El leve ardor, la presuncion profana...».
4214.
«El Magno Macedonio estimo tanto...». 629.
«El Monarca soberano...». 2771 (18), 2777
(80).
«El nombre de María nos explica...». 1539.
«El Orador Evangelico...». 2336.
«El oro en mi cotejo es vil arena...». 4459.
«El Oro, Plata, Perlas, y Diamantes...».
3158.
«El pajaro por quien tanta fortuna...».
4933 (45).
«El pecho de Teresa, edificado...». 5216 (8).

«Es Historia, ó Tesoro, el que publicas?...». 4459.

«Es proprio de un ingenio delicado...». 5578-5580.

«Es tal la fuerça unitiva...». 5216 (22).

«Es Teresa como el arbol...». 815 (51).

«Es Teresa, que digiere...». 815 (81).

«Es tu agudeza de suerte...». 2751.

«Es un espejo el Prelado...». 3069 (36).

«Es un Retrato de Dios...». 5648.

«Esa flamante concha, ese ardimiento...». 4936.

«Escalando estaua un día...». 703 (32).

«Escriba Cessar y conquiste junto...». 628.

«Escuchen del Sacramento...». 2777 (31).

«Escuchen, que contar quiero...». 4396 (17).

«Escuchen, que entre las nuevas...». 2771 (8), 2777 (74).

«Escuchen, que va de Altar...». 2773 (6).

«Ese aliento que te inspira...». 1539.

«Ese marmol que respira...». 4933 (44).

«Espada no hay, que el tiempo no consuma...». 4933 (4).

«Espiritu abrasado, honor ardiente...». 5216 (6).

«Espiritu gentil, digno de Imperio...». 5597 (76).

«Espiritus ermosos...». 3069 (90).

«Esposo virgen, pobre Carpintero...». 2529 (8).

«Esta Aguila se auentaja...». 815 (55).

«Esta cifra de ingenio, está en fragmentos...». 2935.

«Esta estrella del Carmelo...». 815 (79).

«Esta fiesta singular...». 2777 (145).

«Esta imitacion de Marte...». 4933 (43).

«Esta ingeniosa Cancion...». 3003.

«Esta Pira construida...». 4933 (16).

«Esta que te consagro fresca rosa...». 4133 (33).

«Esta que ves magnifica escultura...». 4933 (13).

«Estaba de mi edad en el florido...». 4133 (11).

«Estando Cristo enclavado...». 2370 (12).

«Este a grabes vigilias ocio leue...». 5860.

«Este Altar he de pintar...». 2774 (21).

«Este breve retrato los mayores...». 4133 (59).

«Este breve Volumen, dilatado...». 4933 (21),

«Este de Portugal soberbio Atlante...». 5376 (2).

«Este Epitome Real...». 4922.

«Este ha de derribar al fiero Marte...». 4168.

«Este ilustre Varon, no competido...». 4929.

«Este libro es una planta...». 2518.

«Este lugar de amena Primavera...». 5597 (32).

«Este marmol, o huesped, à quien fia...». 4933 (29).

«Este Marmor, Enigma ya eloquente...». 4933 (18).

«Este que acobardó quanta fiereza...». 673 (2).

«Este que adviertes, del cincel gravado...». 4933 (37).

«Este que al mismo tiempo se eterniza...». 4929.

«Este que aliento fue del fuerte Luso...». 5376 (3).

«Este que armado ves, quanto desnudo...». 3731.

«Este que resucita a la memoria...». 4933 (32).

«Este que ves a polvo reducido...». 4933 (8).

«Este Real sepulcro es donde el censo...». 5597 (57).

«Este remoto sitio solitario...». 5597 (34).

«Este tumulo, este estraño...». 5094.

«Estimacion deuida a la grandeza...». 4396 (39).

«Estos cabellos Señor...». 2370 (11).

«Estos de pan llevar campos ahora...». 4128, 4133 (40).

«Estos primeros breves elementos...». 2518.

«Estoy del mundo tan harto...». 703 (5).

«Eterna Deidad, ceñida...». 2777 (4).

«Eternizado quedays...». 4996.

«Excelsos muros, fuertes coronados...». 2529 (2).

«Excesso noble de amor...». 2777 (184).

[Extraño]. «Estraño es el camino...». 815 (9).

F

«Fabio pues sabes de amar...». 673 (1).

«Fabio, si curioso solicitas...». 3671.

«Faltos de entendimiento a la censura...». 2511.

«Fama apresura tu buelo...». 2108.

«Fama si sueles con sonora trompa...». 5594.

«Famoso don Gutierre, en quien influye...». 2108.

«Fatigar de la vida los discursos...». 840.

«Feliz Pastor, cuyo cayado fuerte...». 3069 (78).

«Feliz Piloto, que templadas olas...». 3669.

«Fertil Mata, Renueuo venturoso...». 3276.

«Fertiliçada à un rocio...». 2777 (119).

«Fin, y principio, muerte, y vida junto...». 2333.

«Finezas de un Dios amante...». 2777 (14).

«Finezas se repiten...». 2777 (180).

«Fió, Santiso, España seis vanderas...». 4133 (72).

[*Hoy*]. «Oy, pues, a cantar me arrojo...». 2774 (14).

[*Hoy*]. «Oy que la fiesta se acaba...». 2777 (68).

[*Hoy*]. «Oy que tu Historia amanece...». 4922.

[*Hoy*]. «Oy Señor, que en blancas señas...». 2773 (25), 2777 (133).

[*Hoy*]. «Oy, Señor, quiere deuoto...». 2777 (113).

[*Hoy*]. «Oy si me prestan silencio...». 581.

«Hoy sube al cielo estrellado...». 5216 (40).

[*Hoy*]. «Oy Teresa vos, y Dios...». 815 (28).

[*Hoy*]. «Oy un firme enamorado...». 2777 (38).

[*Hubiera*]. «Uuiera sido el cielo en algo auaro...». 3273.

«Hurtar el cuerpo al Pastoral oficio...». 3069 (61).

«Huyó la nieve, y árboles y prados...». 4133 (41).

I

[*Ilustre*] «Illustre joven cuya rubia frente...». 4133 (13).

«Ilustrisimo Prelado...». 3069 (94).

«Inclita, Ilustre Noble, y Eminente...». 1055.

«Ingenio digno de inmortal corona...». 5597 (72).

«Ingenio sobre todos peregrino...». 4786.

«Ingeniosa toledana...». 1539.

«Inmortal sea tu fama...». 4922.

«Insigne Barcelona, Illustre, y belica...». 631.

«Invencible y de memoria...». 5630 (5).

«Invocase el fauor aqui del sancto...». 2333.

J

[*José*]. «Ioseph, Carpintero Santo...». 2771 (5), 2777 (73).

[*Juan Bautista*]. «Ioan Baptista el justo era...». 2529 (28).

L

«La accion a quien tu pluma aciertos fía...». 4929.

[*La antigua*]. «L'antigua Grecia con su voz divina...». 4214.

«La antiguedad de Apeles celebrava...». 4107.

«La Antiguedad llama a Platon diuino...». 5596.

[*La Armada*]. «L'Armada de la Liga ilustre canto...». 770.

«La breve vida de la varia corte...». 5597 (61).

«La caridad, i umildad...». 3069 (97).

«La celebrada noble Siluia mia...». 5597 (15).

«La citara gentil, que en toda parte...». 5597 (8).

«La divina translacion...». 2589.

«La dorada bellissima Aurora...». 5700 (1a).

«La Esfera de las lucidas Estrellas...». 5597 (17).

«La estrella, que en el dia mas luziente...». 5376 (1).

«La Estrella que reluze en Oriente...». 4168.

«La fe, el amor, i amistad...». 3069 (21).

«La frente de un exercito formado...». 629.

«La gala, viçarria, ser belleça...». 3273.

«La gloria leuantando el alto buelo...». 203.

«La gran excelencia de don virtuoso...». 4498.

«La gran madre, que fue madre...». 5216 (24).

«La hazaña que dió en candidas acciones...». 703 (20).

«La honrra vengança juizio dudoso...». 4498.

«La inespunable torre, y la ferrada...». 4133 (57).

«La Latina lengua, que del todo andaba...». 3380.

«La lumbre de España su fama su gloria...». 1915.

«La mano, i el favor de la Cirene...». 4214.

«La mas hermosa Zagala...». 2777 (16).

«La perfidia del herege...» 2777 (1).

«La pluma que en vos admiro...». 840.

«La preciosa Margarita...». 4985 (2).

«La Princesa de la letras...». 703 (30).

«La que el Moro politico Britano...». 4107.

«La que incitó el estruendo de Farsalia...». 5519.

«La tragedia lastimosa...». 2442 (3).

«La violencia, Leucido, de los hados...». 4133 (71).

«La voz que à manos del dolor, sin vida...». 703 (18).

«Labrador que tan alto oy has bolado...». 5401.

«Lagrimas sin cesar me tienen ciego...». 5597 (21).

«Las almas del Purgatorio...». 5216 (5).

«Las almas son eternas, son iguales...». 4133 (61).

«Las armas canto que a un varon sagrado...». 3273.

«Las armas, y el Catolico Rey canto...». 5594.

«Las fiestas que apercibes madre bella...». 3069 (91).

«Minerva se enriquece con tu sciencia...». 2108.

«Minimo en quantidad como diamante...». 4775.

«Ministro soberano...». 3069 (86).

«Mira (si miras) amigo lector...». 5393.

«Mirad la gloria que inspira...». 1048 (1).

«Mirad Tomas lo que azeys...». 3069 (101).

«Modesto, sin peligro de imprudente...». 4933 (31).

«Moradoras del mar, Nimphas hermosas...». 208.

«Morir para viuir, que pesadumbre...». 2970.

«Moró en las syluas el sabio Mexía...». 4302.

«Mucho madre sancta os dura...». 815 (30).

«Mucho Tomas santo agrada...». 3069 (92).

«Muchos alaban con estilo agudo...». 1099.

«Muere falibles clausulas de vida...». 4936.

«Muertas ya, Don Miguel, y sepultadas...». 4476.

«Muestrase Clicie al Sol agradecida...». 2108.

«Muestre la Española Athenas...». 703 (12).

«Mueve la suerte el passo a la ventura...». 4996.

«Musa, el Patron de las Españas canta...». 5597.

«Musa que un tiempo en dulce son cantaste...». 3003.

«Mustia la vid, de aquella y de esta vara...». 4133 (38).

«Muy bien os esta el sayal...». 2370 (9).

«Muy buenas arras llevays...». 5216 (19).

«Muy grandes voces se oyeron...». 4985 (3).

«Muy rica deveys de ser...». 5216 (17).

N

«Nadie igualarse presuma...». 815 (25).

«Nadie no tenga en el mundo...». 2214 (3).

«Niegan sin tener disculpa...». 3069 (8).

«Ninfas del Tajo que entre arenas de oro...». 4071.

«Ningun gentil espíritu presuma...». 5597 (18).

«No admiren que de Ioseph...». 2774 (5), 2777 (160).

«No asi del Sol los rayos luminosos...». 2463.

«No canto armas, amor, no gentilezas...». 2333.

«No canto no las lides, y finezas...». 987.

«No celebro Tomas famoso Atlante...». 3069 (105).

«No con buril, en bronce, la memoria...». 4107.

«No el cadaver, la estatua si viviente...». 4933 (6).

«No en duro mármol, no en metal mordido...». 3069 (102).

«No engrandezca, los echos de Theseo...». 3069 (81).

«No estimes, no, por afrentoso el ñudo...». 4133 (55).

«No hay cetros para con Dios...». 3887.

«No hay milagro en la gran Naturaleza...». 2518.

«No inquieras cuydadoso...». 4133 (80).

«No invoco a Clío, ni el favor imploro...». 5375.

«No la pido a mi voz que el mundo atruene...». 4201.

«No las perlas que el nacar encadena...». 4459.

«No le basta al valor toda una muerte...». 4933 (5).

«No mires las mentiras disfrazadas...». 600.

«No murió, no, que vive coronado...». 4202 (1).

«No permitio el amigo verdadero...». 2333.

«No podrá mi sentimiento...». 2777 (5).

«No puedo desatar de este cuydado...». 4133 (50).

«No quiero aqui otra corona...». 815 (63).

«No sé cómo, ni quándo, ni qué cosa...». 4133 (46).

«No se entristece tanto cuando pierde...». 208.

«No se si desta vez os reprehenda...». 815 (13).

«No sé si podrá mi pluma...». 5665.

«No siempre fiero el mar çahonda el barco...». 4133 (83).

«No tiene lustre alguno la ocultada...». 4133 (36).

«No tiene por tu libro, aunque es segundo...». 4459.

«No vine yo pecadores...». 2370 (10).

«Nota el queso y el atun...». 5630 (4).

«Notable es, Tomás, la fe...». 3069 (70).

«Nueva Corona ciñes a tu frente...». 4461.

«Nueva luz, docto Silva, al mundo has dado...». 4929.

«Nuevo Fenix de Arabia, renacido...». 2793.

«Nunca emprendio cosa baja...». 3069 (37).

O

«O catolica España...». 5597 (prels.).

«O como en aqueste templo...». 2777 (186).

«O feliz obediencia anticipada...». 4396 (38).

«O generosa Ciudad...». 4396 (48).

«O gloriosa Señora!...». 2777 (52).

«O Gran Casa de Priego...». 5599.

«Por la Santa Trinidad...». 244.
«Por las cristalinas puertas...». 3069 (107).
«Por las injurias de Londres...». 2773 (9), 2777 (128).
«Por religioso a Numa glorioso...». 628.
«Por ser numero en rigor...». 1135.
«Por ser tan alto, y raro el argumento...». 2333.
«Por solo aver encontrado...». 5519.
«Por ti produze la tierra Gascona...». 4168.
«Por un presso aueys rogado...». 815 (38).
«Por una sola Elena el Reyno griego...». 5597 (42).
«Por vuestras misericordias...». 2777 (183).
«Porque grande fructo espero...». 815 (61).
«Porque os hagays a comer...». 815 (60).
«Preceptos de governar...». 4107.
«Primor del arte Roma, en su moneda...». 4459.
«Princesa exclarescida si os ynflama...». 201.
«Principe de la iglesia...». 4071.
«Principe del blason de la cadena...». 5597 (2).
«Principe excelso de un Imperio digno...». 5597 (4).
«Principe excelso, sabio Condestable...». 5597 (67).
«Principe grande, y valeroso, quando...». 5597 (6).
«Principe sacro de las dos Españas...». 5597 (63).
«Principe sucessor de aquel, que solo...». 5597 (28).
«Pronostico cruel, triste cometa...». 5597 (9).
«Publiquense ya las fiestas...». 2442 (1).
«Pues damor fuyste dotado...». 2214 (8).
«Pues desta Congregacion...». 2777 (171).
«Pues los buenos hijos son...». 815 (32).
«Pues los Domingos del año...». 2777 (99).
«Pues nadie esta Octava pinta...». 2774 (2), 2777 (154).
«Pues que son de la causa, los efectos...». 2113.
«Pues que tiene gran constancia...». 5109 (3).
«Pues se repiten las culpas...». 2774 (18), 2777 (166).
«Pues termino, y limite tassado...». 2113.

Q

«Que á vista del ofensor...». 2777 (6).
«¿Qué ansias, Flavio, son éstas? ¿Qué montones...». 4133 (26).
«¿Que busco, ciego yo, con tan mortales...». 4133 (77), 4137.
«Que canten mandan de veras...». 2777 (136).

«Que contento estais Señor...». 2777 (110).
«Que del fuerte lo dulce se derive...». 4475.
«Que desde el Occidente al Orizonte...». 918.
«Que es esto dulce Señor?...». 2777 (37).
«Que es Pan el que aqui se vè...». 2773 (13), 2777 (45).
«Qué es Primavera resuelva...». 4933 (17).
«—¡Qué fabrica memorable...». 828.
«Que hazaña en dos serà mas remontada...» 4933 (38)
«Que igual mi afecto tuuiera...». 5761 (1).
«Que lindo que esta el altar...». 2774 (16).
«Que no consigue el Valor?...». 4202 (3).
«Que no hay Fortuna dezis?...». 2108.
«Que perdida, que mal, que sentimiento...». 4283.
«¿Qué pide al çielo el bien diciplinado...». 4133 (23).
«Que pluma aurá de buelo tan alçado...». 110.
«Que repetidos afectos...». 2773 (23), 2777 (134).
«—Que sedicion, Caluino, es la que veo...». 4744.
«Que sirve dar al viento mis querellas...». 5597 (22).
«Que vidriera sagrada seria aquella...». 4396 (37).
«Quemauase el coraçon...». 815 (80).
«Quien a lo dulce y prouechoso aduna...». 2108
«Quien a luz, sino es Vicente...». 1135.
«Quien cantar las armas puede...». 2664.
«Quien de preciosos brocados...». 5216 (preliminares).
«¿Quién es, oh Pirra, el moço delicado...». 4133 (42).
«Quien gusta de un estilo auentajado...». 5711.
«¿Quién jamás en tan luengo y espacioso...». 4133 (81).
«Quien nunca vio Pastorcica...». 2370 (8).
«¿Quién pondrá freno y término al deseo...». 4133 (54).
«Quien quiere ver resuelto en breue suma...». 5578-80.
«Quien resiste a las iras de Vulcano?...». 4933 (3).
«Quien se ha de poner con vos...». 2777 (149).
«Quien te dize que ausençia causa olvido...». 4133 (66).
«Quien vido despues de muerto...». 2529 (33).
«Quien yaze en este tumulo? Un dechado...». 3069 (65).
«Quien yaze muerto aquí: Pero Mexía...». 4283.

«Si aquella illustre antiguedad preclara...».
5578-80.

«Si aquella quiebra, que de leyes buenas...».
ria...». 5578-80.

«Si Artaxerxes Assuero, agradecido...». 2336.

«Si baxa Amor a Dios a ser humano...».
4936.

«Si con la sacra purpura, y Capelo...».
5599.

«Si con perpetua ermandad...». 3069 (32).

«Si con poco nos basta, ¿por qué, Argío...».
4133 (44).

«Si con una pluma solo...». 2511.

«Si conforme dirigiste...». 2108.

«Si de Alexandro, Pintor...». 2511.

«Si de nobleza (aunque mudo)...». 3069 (39).

«Si de renta mas qüentos...». 4133 (49).

«Si de sus obras cada uno es hijo...». 3094.

«Si del todo pretendes ser curioso...». 2508.

«Si desde los rompidos pedernales...»».
2589.

«Si desvanece el tiempo eternidades...».
4933 (36).

«Si diere lugar mi llanto...». 4996.

«Si Dios siempre ha tenido gran cuydado...» 2529 (21).

«Si Dios tan marauilloso...». 2529 (15).

«Si el de Gelves, clarissimo de Lemos...».
5597 (7).

«Si el nombre de Colona es celebrado...».
1825.

«Si el orden hermosea, y engrandece...».
1825.

«Si el Sol atras no buelue...». 815 (8).

«Si en discurso Real aveis mostrado...».
4922.

«Si en Jubileo, y Altar...». 2777 (102).

«Si en la espada, y la pluma (Generoso)...».
3942.

«Si en limpia, en rica no, cama dichosa...».
3069 (89).

«Si en vuestra juuentud la lança en mano...». 5401.

«Si esculpe el escultor, si el pintor pinta...». 5597 (45).

[Si Febo]. «Si Phebo por ser solo Sol se
llama...». 2108.

«Si fue por Belo Babylonia honrada...».
2523.

«Si gana buena opinión...». 3069 (30).

«Si gana el gran Platon tal nombre y gloria...». 5578-80.

«Si hay quien a ver à comer y llenar...».
2777 (105).

«Si la fe, i las demas virtudes bellas...».
3069 (59).

«Si la Virgen, si Ioan, si Madalena...». 2529
(4).

«Si las vertientes últimas bebieras...». 4133
(24).

«Si los de Roma y Grecia han merescido...». 4168.

«Si los diversos gustos tanto pueden...».
958, 2508.

«Si manda Dios, nos ayamos...». 3069 (24).

«Si Mardocheo (o sancto glorioso...». 2748.

«Si menos remontado fuera el buelo...».
1099.

«Si nauegays de amor por el estrecho...».
5595.

«Si nuestra edad, que en nada desto falta...». 815 (22).

«Si os llamo porque os vi cantar armado...». 2523.

«Si os llena Dios el granero...». 3069 (14).

«Si pena alguna, Lamia, te alcançara...».
4133 (7).

«Si pintan con pinzel diestro...». 628.

«Si por lo menos importa...». 4996.

«Si por ser, or Amarili, el Amor fuego...».
4133 (84).

«Si soys Teresa del diuino esposo...». 815
(43).

«Si una doliente citara sonante...». 5597
(16).

«Si ya de la razón el rayo a dado...». 4133
(51).

«Si yo por el alma viuo...». 815 (57).

«Siendo San Pedro en Roma perseguido...».
2529 (7).

«Silva, la caduca historia...». 4922.

«Silvestre, es remedio al daño...». 5159 (7).

«Simon bendito, oy intento...». 2529 (12).

«Sin equivocar mi impulso...». 2777 (111).

«Sin que la embidia logre su deseo...».
4471.

«Sirve à Caria de desprecio...». 703 (33).

«Seberano Señor, cuyo semblante...». 4133
(14).

«Soberano Señor, Sacro santa alma...».
5597 (62).

«Soberano y sumo Rey...» 2577 (2).

«Sobrino don Hernando Xara, y Mesa...».
5597 (81).

«Socorredme, Señor mío...». 1157.

[Sois]. «Soys don Gutirre mas fuerte...».
2108.

[Sois]. «Soys Esposa de Christo, y sus
Esposas...». 815 (15).

«Solo pudo lograr tan alta suerte...». 4202
(4).

«Solo uno el hombre naçe despojado...».
4133 (56).

«Son tus obras, si se advierte...». 3069 (17).

«Sorino, rindo al cielo...». 4133 (74).

«Sosiego pide a Dios, en su desierta...».
4133 (64).

V

«Valor, Ciencia, Virtud, Prudencia, y Arte...». 3942-43.
«Vana Aganipe, a un premio desseado...». 2108.
«Vana Corte do el mar se disimula...». 5597 (49).
«Varon famoso en armas, y en estado...». 629.
«Vaya de gracias señores...». 2777 (116).
«Vaya en Quintillas sucintas...». 2777 (51).
«Ven dulce Amor o ven dulce cupido...». 201.
«Ven Himeneo ven, ven Himeneo...». 4182.
«Ven Silvio, si quieres ver...». 2370 (4).
«Venceré qualesquier daños...». 815 (72).
«Venció Pelayo, y para gloria nuestra...». 5595.
«Venerable Sacerdote...». 5396 (32).
«Venid ciegos del alma a ser guiados...». 4225.
«Venid ya de vuestro agrauio...». 2777 (108).
«Venturosos amantes...». 2777 (41).
«Venus esparze flores...». 201.
«Veré al tiempo tomar de ti, señora...». 4133 (18).
«Versos me mandan hazer...». 2773 (26).
«¿Ves Fabio, ya de nieve coronados...». 4133 (16).
«Vestido Alcides de la piel cerdosa...». 815 (41).
«Viendo a Teresa encendida...». 815 (2).
«Viendo el alcazar de zafir lustroso...». 3069 (45).
«Vimosla ya, Leucido, ya la vimos...». 4133 (65).
«Vine, y vi, y sujetóme la hermosura...». 4133 (8).
«Virgen si de vuestra mano...». 5651.
«Virgen, y madre, esposa y escogida...». 815 (44).
«Viste Licio, aquel Joven animoso...» 5376 (4).
«Vistio naturaleza al tigre, al toro...». 4459.
«Vitoria ilustre que en la ilustre Historia...». 1843.
«Vive el Rico en cuidados anegado...». 3805.
«Vive engañada mi fortuna loca...». 4133 (53).
«Vivió, y murió contento con su suerte...». 4936.
«Vos en España soys el que primero...». 4133 (10), 5597 (86).
«Vos, oh común Señor, esta criatura...». 4133 (15).
«Voto al Sol, que estó atordido...». 2777 (89).
[Vuela]. «Buela la fama con ligeras alas...». 2108.

[Vuelve]. «Buelue a su patria, o mar sagrado a uno...». 5596.
«Vuestra beldad milagrosa...». 5216 (18).
«Vuestra encendida caridad Teresa...». 5216 (13).
«Vuestro talle gentil en toda parte...». 5597 (35).

Y

«Y si por su infelice suerte ..». 1539.
«Ya a llamarse no se aplica...». 3069 (68).
«Ya alumbra claro el dia gloria al Cielo...». 3759.
«Ya de Esteban Martinez la experiencia...». 2518.
«Ya de vuestra pluma el buelo...». 550.
«Ya del heroyco Cespedes escrita...». 4933 (30).
«Ya la olvidada ronca Lira templo...». 5597 (43).
«Ya la Esfera linfas vierte...». 703 (34).
«Ya Mesa con sonara, y clara trompa...». 5597 (89).
«Ya muere el Sol, ya se apagan...». 2777 (175).
«Ya, Salicio, al arado las reales...». 4133 (63).
«Ya se va acercando el tiempo...». 2618.
«Ya sentí de la muerte el postrer yelo...». 4133 (20).
«Ya soberano padre boy cansado...». 3273.
«Ya sopla turbio el Abrego; ya 'inchado...». 4133 (20).
«Yo soy un cojo, señores...». 2777 (64)
«Ya veys Duque magnanimo de Feria...». 5597 (78).
«Ya, ya, y fiera y 'ermosa...». 4133 (35).
[Yace]. «Yaze aqui Luis de Soto Barahona...». 5597 (52).
«Yace en esta piedra dura...». 5094.
«Yace en propias virtudes abrasado...». 4936.
[Yace]. «Yaze inmortal en esta breve Esfera...». 4933 (9).
«Yelate o Peregrino y mira atento...». 5093.
«Yo que canté las armas, y vitoria...». 5595.
«Yo que en la vida de la Corte vana...». 5597 (47).
«Yo soy el Contento...». 5700 (6a).
«Yo vi romper aquestas vegas llanas...». 4133 (79).

Z

«Zagala mas me agradays...». 2370 (6).
«Zeuxis pintor famoso desseando...». 3276.
[Zeuxis]. «Zeusis valiente en tablas, i en pinzeles...». 3069 (29).

B) DE OBRAS DRAMATICAS

A

«—A esta infeliz mujer...». 2832, 2866-69.
«—A las bodas de Merlo...» 3423
«—A quien habrá sucedido...» 2829.
«—Acabadme de vestir...». 2846-47, 2849-51.
«—Adonde, Gran Señor, tan recatado...». 3445 (8), 3483-84, 3487-92.
«—Al Templo de Libeo...». 402-3, 405.
«—Al templo venid...». 5338.
«—Ala.—Ala...». 3431.
«—Amigas, tan grandísima cuitada...». 3427.
«—Aun no es de noche, despierta...». 5621.
«—Avisaste al Rey, que aquí...». 3555.
«—Ay de aquel, que como el cisne...». 3435.
«—¡Ay mi hermano!...». 3426.

B

«—¡Bueno es por mi vida!...». 3433.

C

«—Cantad, porque a estos jardines...». 3407.
«—Carlos invicto, Emperador de Francia...». 3518-21, 3525-26.
«—Cese el estruendo de Marte...». 3410, 3586-87.
«—Cierra essa puerta, Lucía...». 3596-98, 3603, 3607-8.
«—Como digo, amiga...». 3419.
«—Como en el Pardo vemos...». 3428.
«—Como te digo amiga...». 3418.
«—Con qué estilo tan galán...». 3538-40, 3542-45, 3547-49, 3552.
«—Con que estilo tantas galas...». 3546.

«—Con quien estabas hablando?...». 3505-8.
«—Con quien estamos hablando?...». 3406.
«—Con un salto, quando menos...». 3577, 3579.
«—Confession, que me han muerto! Jesu Christo!...». 408-10.

D

«—De aquella antigua memorable queja...». 4539.
«—De la gloria del amor...». 123.
«—Deja, Celio, la cabaña...». 3921.
«—Del modo, que han de portarse...». 3442 (2).
«—Dime Felisardo amigo...». 3720.
«—Dios mantenga...». 2370 (1).
«—¿Dónde me lleva, tirano deseo?...». 3438.

E

«—Echale por el balcón...». 3456.
«—En casa de Mompabon...». 3445 (7).
«—En mi casa infame...». 61 (5).
«—Esto ha de ser, mi doña Dorotea...». 3425.
«—Esta noche me cale la vela...». 3297.
«—Esta posada escogí...». 3445 (11), 3459.
«—Estos floridos jardines...». 3445 (6), 3511-3512.

H

«—Hermoso dueño mío...». 3445 (9).
«—Huye, que ya se cumplió...». 2828, 2841.

J

«—¡Jo! ¡Barcino!—¡Jo, Melampo!...». 5411.

L

«—La Plaça deste Castillo...». 3445 (2), 3453, 3455.
«—Loado sea el mismo Dios...». 3436.

LL

«—Llama, Crispín, a mi hermana...». 3582.

M

«—Miren que brava se ofrece...». 3437.
«—Mueran Soliman y Hacem...». 3529-30.
«—Muere tirana.—Há traydores!...». 3463.

N

«—No llegará a admitirse afecto alguno...». 5412-13.
«—No me dirás, por tu vida...». 3470-71.
«—No me importunes, Pasquin...». 3412, 3623.
«—No quede en Segovia vida...». 3411.
«—Norabuena dé á los prados...». 3627, 3628.

O

«—O los cielos, Calixto, nos engañan...». 4536.
«—¡Oh traidor! ¿a mi casa tres billetes?...». 3424.
«—Oid Francisco un vejamen...». 3445 (2).
«—Oigan, que quiero pintarles...». 3422.
«—Oye, escucha...». 3569.
«—Oye, escucha.—Qué me quieres?...». 3568.

P

«—Padre, en mis brazos venid...». 3404, 3445 (1), 3473-74, 3476.
«—Porque no os quejeis de mí...». 4175.
«—Prima, la disculpa es llana...». 3400.

Q

«—¿Qué buscas o qué pretendes?...». 5622.
«—Qué grande tempestad hay en el suelo...». 3399.

«—Que n o se dará a partido...». 5620.
«—¿Qué os parece de la corte de Polonia?...». 3408.
«—¡Qué sea un hombre yo tan desdichado...». 3432, 3434.
«—Quede estampada en tu rostro...». 3566.

S

«—Sale una famosa armada...». 2442 (2).
«—Sea bien venida...». 3405.
«—Señor, estos memoriales...». 3414.
«—Señor, por qué ha sido el enfado?...». 3460.
«—Señor, pues has despedido...». 2856-59, 2861.
«—Señor que ha sido el enfado?...». 3445 (12).
«—Señor, que siendo un Dios solo eres trino...». 2836.
«—Siendo quien eres, el Rey...». 2834.
«—Siendo quien eres, Señor...». 2853-54.
«—Somos pastores.. ». 4484.

T

«—Tendido estaba a la larga...». 3420-21.
«—Tres cosas hay en este ayuntamiento...». 3429.
«—Tu conmigo?—Soy tu hermano...». 3625.

U

«—Una y mil veces los brazos...». 3584.

V

«—Vengan a ver a María...». 3445 (1).
«—Vístele passar, Elvira?...». 3534, 3536.
«—¡Viva Creso, rey de India...». 3401.
«—Viva Creso, Rey de Lidia...». 3580.
«—Viva el invicto Alexandro...». 3445 (10), 3563-64.
«—Viva Eugenio, Rey de Grecia...». 2872-73, 2875-77.
[Volved]. «—Bolved de nuevo a cantar...». 3610.
«—Vuestra Alteza gran Señor...». 3415, 3632-3635, 3637-38.

Y

«—Ya con pública alegría...». 2830.
«—Ya estás cansado...». 3448.
«—Ya estás cansado.—No importa...». 3449.

DE BIBLIOTECAS

ABERDEEN.

University Library. 4332, 5464, 5467.

AGREDA.

Convento de la Concepción. 1203, 1226, 1246-47, 1252-53, 1266, 1286, 1309, 1315, 1328, 1368, 1376-77, 1380, 1389, 1401, 1408-9, 1478, 1502.

ALBANY.

New York State Library. 4343.

AMBERES.

Musée Plantin-Moretus. 4275.

AMHERST.

University of Massachusetts. 4620.

AMSTERDAM.

Casa de Rembrandt. 4793.

Universitaria. 4787-88, 4790, 4792-93.

ANN ARBOR.

University of Michigan. 1304-5, 1541, 1597, 1651, 1654, 1677, 2024, 2156, 2191, 2918, 3560, 3630, 3635, 4015, 4272, 4295, 4332, 4344, 4606, 4616, 4618, 4929, 4931, 5072, 5115, 5124-25, 5457, 5756, 5761.

ATCHISON.

St. Benedict's College. 1376.

ATHENS.

University of Georgia. 4931.

AUSTIN.

University of Texas. 1615 ,1626, 2153, 2868, 3471, 3477, 3511, 3544, 3558, 3582, 3627, 3813, 3984, 3987, 4321, 4351, 4623, 5756.

AVILA.

Benavites. 4775.

BACON ROUGE.

Louisiana State University. 3500.

BADAJOZ.

Pública. 1087, 1095.

BALTIMORE.

Johns Hopkins University. 2156.

Peabody Institute. 4330.

BARCELONA.

Central (actualmente: de Catalunya). 259, 503, 506, 510, 518, 524, 528, 629, 631, 658, 683, 685, 842, 861, 970, 1067, 1112, 1137, 1917, 1924, 1927, 2108, 2161, 2174-75, 2193, 2229, 2234, 2338-40, 2342, 2344-49, 2601, 2678, 2681, 2919, 3099, 3263, 3731, 3742, 3840, 3853-54, 3858-59, 3869, 3983-84, 3987, 4010, 4018, 4025, 4116, 4179, 4206, 4224, 4274, 4276, 4284, 4286, 4295-96, 4299, 4304, 4308, 4310, 4319, 4321-22, 4344, 4349-50, 4522-24, 4709, 4765, 4927, 5055, 5125, 5300, 5319, 5483, 5579-80, 5692, 5735, 5810.

Convento de Capuchinos de la Avenida del Generalísimo, 450. 2162-63, 3961, 4304, 5299, 5353.

Convento de Capuchinos de la calle Card. Vives y Tutó, 23. 2463-70, 2472-74, 3745, 5790.

Instituto Municipal de Historia. 252, 421, 628, 630, 695-96, 701, 709, 2150, 2164, 3151, 3862, 3870, 4118, 4206, 4812, 5446, 5661.

Instituto del Teatro. 123, 306, 308, 404-5, 407, 411, 2554, 2840-41, 2843, 2845, 2847, 2850, 2857, 2864, 2867-68, 2872, 3005, 3142, 3419, 3421-27, 3431-37, 3439, 3446, 3451, 3453, 3456, 3458-59, 3461-62, 3465-66, 3471-73, 3475, 3477-78, 3482, 3487, 3490, 3492, 3494, 3498-500, 3505-6, 3512, 3516, 3519, 3521-22, 3527, 3531, 3534, 3540, 3542-43, 3550-52, 3555-57, 3560-61, 3563, 3566, 3568-69, 3577-79, 3584-88, 3595, 3597, 3599-600, 3602, 3611-3612, 3619-20, 3623, 3625-28, 3634, 3636-39, 3642-43, 3645, 3647-50, 3703, 4175, 4179, 4319, 5412, 5587-89.

Popular de la Mujer. 2923.

Pública Arus. 3094.

Seminario Conciliar. 3868, 3875, 3961, 4003, 4178, 4349, 4385, 5348.

Universitaria. 64, 78, 90, 95, 103, 254, 257, 297, 385, 421, 480, 531, 535, 629, 631-33, 643-44, 647, 651, 686, 696, 701, 705, 709, 861-62, 865, 896, 973, 985, 1066-67, 1123, 1135, 1137, 1141, 1159-60, 1244, 1267, 1294, 1318, 1324, 1326, 1329, 1332, 1366, 1370, 1466, 1826-1829, 1834, 1837, 1840, 1916-17, 1922, 2043, 2055, 2057-58, 2093-94, 2096, 2133-34, 2145, 2147, 2150, 2161-62, 2227-28, 2230, 2238, 2273, 2289, 2293, 2338, 2342-43, 2348, 2353, 2355,

2378, 2392, 2402-3, 2446, 2452, 2456, 2465, 2470, 2497, 2578, 2601, 2605, 2912-14, 2917, 2919, 3000, 3069, 3127, 3132, 3139, 3158, 3176-78, 3215, 3260-62, 3273, 3275, 3322, 3731, 3742, 3744-45, 3758, 3760, 3817, 3841, 3850, 3852, 3863, 3875-77, 3983, 3996, 3999, 4002, 4156-57, 4178, 4225, 4239, 4275, 4279, 4291-92, 4296, 4299, 4302, 4304, 4306, 4310, 4320-21, 4418, 4458, 4460, 4595, 4616, 4775, 4922-23, 4930-31, 5031, 5037-38, 5070, 5072-73, 5104, 5152, 5216, 5227, 5324, 5353, 5401, 5423, 5484-85, 5507-8, 5510-11, 5690, 5692, 5735, 5739, 5741, 5783-84, 5788, 5807-8, 5811, 5833-34, 5838.

BARI.

Nazionale. 2175, 2459, 2989, 3878, 4344, 4346, 4349.

BATON ROUGE.

Louisiana State University. 1608.

BERKELEY.

Bancroft Library. 3824.

University of California. 7, 1316, 1541, 1603, 1610, 1651-52, 1670, 2036, 2055, 2057, 2338, 2925, 3635, 3878, 4014-15, 4285, 4332, 4341, 4343-44, 4349, 4579, 4583, 4588, 4605, 4931, 4934, 4945, 5078, 5383.

BILBAO.

Municipal. 5008.

BLOOMINGTON.

Indiana University. 22, 1651, 1671, 2036, 2060, 2159, 3824, 3987, 3989, 3991, 4015, 4277, 4341-43, 4302, 4343, 4346, 4349, 4573, 4575, 4615-16, 4618-21, 4627, 4632, 4923, 4930, 5508.

BOLONIA.

Archiginnasio. 522.

BORJA.

Convento de MM. Concepcionistas. 1227.

BOSTON.

Countwag Library of Medicine. 5464-66, 5468, 5470-72, 5483, 5485.

Massachusetts Historical Society. 4015.

Public Library. 7, 1394, 1657, 1677, 1679, 1804, 2036, 2040, 2057, 2110, 2574, 2918, 4179, 4340, 4343, 4370, 4576, 4580, 4585, 4604, 4615-16, 4619, 4632, 4634, 4931.

BOULDER.

University of Colorado. 1621, 4293.

BRUSELAS.

Royale. 718, 741, 743, 1098, 1306, 2321, 3736, 4525, 5034, 5070, 5073, 5107-8, 5116-18, 5120, 5122, 5703-5, 5750.

BUFFALO.

    Grosvenor Reference Division. 4349.

    State University of New York. 4320.

BURGOS.

    Facultad de Teología. 81, 297, 383, 385, 432, 707-8, 1298, 1305, 1313, 1621, 1644, 1652, 1655, 1663, 1670, 1927, 2147, 2152, 2160, 2163, 3321, 3739, 3848, 3875-76, 4293, 4343, 4812.

    Pública. 1157, 1159, 1927, 2818, 3178, 3310, 3875-76, 3970, 5466, 5468.

CADIZ.

    Pública. 3867, 3875-76, 3967, 4004, 4319.

CAGLIARI.

    Universitaria. 103, 421, 1646, 1825, 1916, 2578, 3172, 3176-77, 3377, 3869, 3875-76, 3984, 3986, 3990, 3996, 4006, 4303, 4313, 4349, 4775, 5106, 5319, 5346, 5509, 5735.

CAMBRIDGE.

    University Library. 2851, 2857, 2867, 2872, 3456, 3459, 3463, 3465-66, 3471, 3477, 3486, 3490, 3506, 3512, 3515, 3519-20, 3523-24, 3530, 3542-43, 3549, 3555, 3557, 3560, 3563, 3568-3569, 3577, 3586, 3598, 3625, 3628, 3631, 3633.

CAMBRIDGE, Mass.

    Harvard University. 10, 630, 1090-92, 1314, 1541, 1607, 1615, 1621, 1652, 1655, 1670-71, 1677, 2022, 2024, 2026, 2028-31, 2033, 2040, 2055-57, 2060, 2156, 2161, 2165, 2219, 2274, 2312, 2338, 2348, 2481, 3120, 3460, 3468, 3477, 3569, 3709-11, 3713, 3819, 3875, 4015, 4304, 4321, 4333, 4338, 4351, 4567, 4571-72, 4574, 4576-77, 4583, 4587-88, 4590-91, 4596, 4599-4600, 4604, 4615, 4618-21, 4627, 4632, 4923, 4930-31, 4968, 5344, 5361-63, 5377, 5457, 5468, 5513, 5759, 5846

CARACAS.

    Academia Nacional de la Historia. 1604, 1927, 4305.

CARBONDALE.

    Southern Illinois University. 3464, 3635.

CINCINNATI.

    Hebrew Union College. 4621, 4968.

    Public Library. 2868.

    University of Cincinnati. 4291.

CIUDAD REAL.

    Pública. 3841, 3875.

CLEVELAND.

    John Carroll University. 1376, 1384, 1392.

4343, 4346-50, 4567, 4577, 4605-6, 4615-16, 4619-20, 4634, 4929, 4936, 4968, 5078, 5080, 5115, 5124-25, 5344, 5361-62, 5381-82, 5496, 5513.

University of Chicago. 3568, 3571, 3588, 3593, 3625, 3630, 3635, 3637, 4279, 4332, 4338, 4343-44, 4587, 4605, 4615, 4627, 4923, 5125, 5363, 5513.

DAVIS.

University of California. 836, 3520, 3541, 3543, 4317.

DAYTON.

University of Dayton. 23, 1161, 1268, 1312, 1317, 1373, 1376, 1382, 1384, 1392, 1394-95, 1399, 1404.

DEUSTO.

Universitaria. 254, 862, 1670, 2058, 2147, 2152, 2158-59, 2465, 3139.

DURHAM.

Duke University. 1605, 1653, 3098, 4295, 4332, 4343-44, 4615, 4635, 4931, 5033, 5080, 5125, 5510, 5759.

EUGENE.

University of Oregon. 3500, 4618.

EVANSTON.

Northwestern University. 1621, 2055-56, 4343.

EVORA.

Pública. 427, 883, 1025, 1645, 1652, 1655, 1825-28, 1916-17, 1920, 1925, 1927, 2022, 2024, 2055-57, 2684, 3172, 3273, 3748, 3817, 3849, 3865, 3990, 3998-99, 4228, 4271, 4276, 4314, 4317, 4370, 4547, 4557-58, 4576, 5104, 5507.

FILADELFIA.

College of Physicians. 4350, 5454-55, 5465.

Jefferson Medical College. 5465.

Library Company. 4338, 4341, 4579, 4930.

University of Pennsylvania. 1653, 1677, 2526, 3968-69, 4275, 4291, 4332, 4350, 5077.

FLORENCIA.

Marucelliana. 2138, 2161.

Nazionale. 1399.

Riccardiana. 5183.

GAINESVILLE.

University of Florida. 10, 1623, 4606, 5383.

LA HAYA.

Real. 4784, 4786-88, 4792.

LANSING.

Michigan State Library. 4293.

LAS PALMAS.

Museo Canario. 1644, 1917, 4273.

LATROBE.

Saint Vincent College and Archabbey. 1375-76, 1394, 1396, 1664.

LAWRENCE.

University of Kansas. 4347.

LEIDEN.

Universitaria. 4784, 4789-90, 4792.

LEON.

Pública. 1652, 1655, 2056.

LERIDA.

Pública. 3178, 3845.

LISBOA.

Academia das Ciências. 30, 64, 325-26, 1160, 1854, 1878, 1881, 2070, 2158, 2162, 2348, 2456, 2594, 2615, 2804-5, 2988, 4293, 4316, 4786, 4812.

Ajuda. 9, 1599, 1604, 1607, 1663-64, 1712, 1881, 2145, 2154, 2162, 2911, 2952, 3000, 3215, 3218, 3220, 3397, 3749, 4529, 4546, 4548-49, 4563-64, 4615, 4617, 4619-20, 4923, 4930-31, 5031, 5034-35, 5037-38, 5041, 5065-66, 5070, 5073, 5377.

Nacional. 4-5, 62-63, 86, 819, 1204, 1404, 1823, 2618, 2677, 2690, 3668, 3672, 3748-49, 4543, 4550, 4552-54, 4559-61, 4571, 5234-37.

LOGROÑO.

Pública. 1157.

LONDRES.

British Museum. 11, 30, 33-34, 40, 54-55, 62, 103, 110, 132, 244-45, 254-55, 297-98, 300, 314-15, 355, 365, 402, 422, 424, 426, 479-80, 482, 495, 629, 631, 675, 681, 683, 798-99, 847, 861-62, 871, 929, 946, 949, 962, 993, 996, 1005-9, 1012, 1035, 1037, 1062-63, 1099, 1182, 1184, 1205, 1229, 1285, 1302, 1306, 1315, 1332, 1334, 1367, 1372, 1382, 1384, 1386, 1390-1391, 1403, 1410-11, 1413, 1418, 1451, 1480, 1485-86, 1501-2, 1551-52, 1560, 1596, 1598, 1602, 1604, 1629, 1641-42, 1644, 1647, 1652, 1660-62, 1665-66, 1676, 1678-79, 1682, 1685, 1700, 1720, 1727-31, 1737-38, 1743, 1756-57, 1825, 1850, 1917, 1919, 1922, 1924-25, 1927, 1930, 2022, 2031, 2039-40, 2055-57, 2088, 2108, 2110, 2115, 2117, 2149, 2151, 2153, 2157, 2165, 2209, 2219-20, 2222, 2273, 2289, 2314, 2321, 2454, 2456, 2462, 2523, 2527, 2529, 2545, 2578, 2592, 2605, 2614, 2639, 2663, 2673, 2679, 2686, 2695-96, 2711, 2781-82, 2799, 2825, 2841-

2843, 2850, 2853, 2855, 2864, 2867, 2872, 2880, 2909, 2913, 2915-16, 2947, 2950, 2964, 2976, 2985, 2999-3000, 3030, 3033, 3043, 3066, 3094, 3097, 3103, 3110, 3120, 3133, 3139, 3142, 3158, 3215-16, 3220, 3225, 3255, 3273-74, 3278, 3337, 3350, 3356, 3360, 3369, 3373, 3396, 3445, 3453-54, 3458, 3509, 3533-34, 3553, 3573, 3619, 3738-39, 3806, 3819, 3823, 3825, 3841, 3846, 3849, 3875-76, 3896, 3922, 3925, 3933, 3957, 3959, 3975, 3984, 3987, 3989-92, 3996, 4001, 4005, 4008, 4015-19, 4168, 4214, 4223, 4240, 4272, 4275-76, 4279, 4281-82, 4284-85, 4288, 4301-2, 4304, 4306-8, 4315-17, 4319-20, 4332, 4339, 4341, 4347, 4350, 4382, 4459, 4523, 4567, 4572, 4576, 4579, 4590-91, 4595, 4599, 4604, 4607, 4615, 4617-19, 4620-4622, 4625, 4633-36, 4638-39, 4661, 4712, 4743, 4764, 4766, 4786-88, 4793, 4800, 4803, 4822, 4865, 4880, 4921-23, 4929, 4931, 4934-35, 4937, 4953, 4967, 4996, 5009, 5012, 5027, 5034, 5107, 5131, 5151, 5194, 5205, 5238-40, 5299, 5344, 5348, 5356, 5361-63, 5371, 5381-83, 5408, 5420, 5459, 5464-65, 5469, 5472, 5484-85, 5496, 5500-1, 5507, 5510, 5567, 5574, 5594-5597, 5599, 5661, 5693, 5703-5, 5730, 5762, 5766, 5847.

LOS ANGELES.

Los Angeles County Law Library. 1657.

University of California. 1596, 1621, 1657, 2145, 4340, 4621, 4634, 5361, 5364, 5513.

LYON.

Municipale. 138, 1285, 1289, 1299, 1382, 1602, 1605, 1648, 1656, 1676-77, 2058, 2060, 2157, 2173, 3053, 3139, 4015, 4169, 4308, 4332-33, 4490, 4517, 5034, 5065-66, 5068, 5070-71, 5073-5076, 5107, 5116, 5459, 5471.

MADISON.

University of Wisconsin. 1359, 1600, 1648, 1651, 1671, 3560, 4006, 4321, 4332, 4343, 4349, 4619, 5377.

MADRID.

Academia Española. 104, 110, 123, 430, 529, 614, 631, 664, 694, 703-4, 713, 718, 862, 962, 989, 1047, 1099, 1296, 1318, 1332, 1334, 1431, 1596, 1598, 1609, 1617, 1632, 1645, 1652, 1825, 1917, 1925, 2056-57, 2145, 2151, 2161, 2163, 2165, 2207, 2518, 2523, 2799, 2847, 2849, 2851, 2854, 2866, 2872, 2875-76, 2892, 2937, 2940, 2942-43, 2999-3000, 3094, 3126, 3129, 3139, 3193, 3215, 3218, 3226, 3273, 3275, 3330-31, 3448, 3456, 3460, 3466, 3478, 3492, 3497, 3499, 3502, 3506, 3520, 3536, 3540, 3552, 3555, 3561-63, 3577, 3580, 3584, 3586, 3597, 3623, 3627, 3634, 3842, 3980, 3987, 3996, 3998, 4005, 4107, 4181, 4214, 4231, 4293, 4302, 4310, 4312-13, 4397, 4406, 4520, 4577-78, 4592, 4604, 4883, 4922, 4929-30, 4953, 5031, 5104, 5107-8, 5156, 5225, 5349, 5422, 5454, 5456-57, 5507, 5510, 5578, 5594, 5597, 5637, 5735, 5762.

Academia de la Historia. 7, 14, 80, 86-87, 131, 252, 254, 256, 272, 355, 381, 392, 397, 489, 496, 46, 600, 675, 708, 711, 715, 760, 844-45, 848, 850-59, 862, 865, 869, 873, 877-79, 938, 945-46, 957, 962, 985, 1030, 1032, 1041, 1055, 1066, 1069, 1135, 1242, 1245, 1311, 1432, 1542, 1561-62, 1579-81, 1583, 1596, 1604, 1606, 1609, 1611, 1613-16, 1618, 1621-22, 1624, 1644, 1650, 1652-53, 1655, 1660, 1663, 1712, 1813, 1826, 1833, 1853, 1889, 1933-34, 1975-1977, 1984, 1989-90, 2043, 2051-53, 2055-58, 2148, 2151, 2156, 2161, 2163, 2165, 2168, 2175, 2191, 2198, 2201, 2263, 2268, 2289, 2343, 2346-47, 2356-57, 2387, 2392, 2405, 2408-9, 2456, 2461, 2464-66, 2472, 2511, 2577-78, 2607-8, 2622, 2639, 2650, 2664, 2671, 2695, 2708, 2710,

2724, 2758, 2760, 2790, 2942, 2999-3000, 3021, 3040, 3068, 3084, 3094, 3098-99, 3113, 3136-3137, 3139, 3204, 3215-16, 3219-20, 3243, 3262, 3281, 3296, 3302, 3309, 3311-16, 3322, 3333, 3336, 352, 3354, 3360, 3369, 3396, 3725, 3760, 3810, 3895, 3943, 3981-83, 3990-91, 3996, 4000, 4036, 4045, 4062, 4156, 4203, 4241-44, 4263-64, 4278, 4301-2, 4304-5, 4308-9, 4311-12, 4319, 4321, 4349, 4372, 4392, 4406, 4416, 4481, 4566, 4568, 4577-79, 4598, 4616, 4619, 4702-3, 4835, 4839, 4917-18, 4923, 4926, 4930-31, 4933-34, 4937, 4954, 4972, 4996, 5029, 5034, 5037-38, 5088, 5093, 5099, 5104, 5106-7, 5135, 5173, 5184, 5212, 5241-42, 5306, 5366, 5377, 5380, 5383, 5387, 5396, 5401, 5422-23, 5484, 5536, 5569, 5633, 5654, 5661, 5735, 5751, 5753, 5759, 5762, 5794, 5829.

Archivo de Campomanes. (Fundación Universitaria Española). 5453.

Banco de España. 3948.

Consejo. General. 433, 444, 1508, 1607, 1670, 4296.

Consejo. Instituto «Miguel de Cervantes». 3600, 4125, 5357.

Consejo. Instituto «P. Flórez». 1298, 1312, 1359, 1614, 1731, 1799, 1877.

Consejo. Instituto «Zurita». 1309, 1332, 1609, 1611-14, 1618, 1621, 1623, 1632, 1672.

Consejo. Patronato «Menéndez Pelayo». 864, 1006, 1338, 1499, 1720, 1724, 1738, 1756, 1796, 1921, 1935-36, 1938, 2062, 2276, 2350, 3331, 3482, 3543, 3560, 3568, 3811, 3919, 3957, 3987, 4140, 4369, 4639, 4664, 5381, 5844.

Convento de San Pedro Mártir. 1288-89, 1293, 1298, 1308, 1609.

Convento de Trinitarias descalzas. 1046.

Facultad de Derecho de la Universidad Complutense. 1639-40, 1673-75, 3094.

Facultad de Filología de la Universidad Complutense. 31-33, 86, 254, 256, 297, 326, 332, 380, 421, 423-24, 427, 429, 493, 504, 507-8, 513, 517, 520, 529, 546, 551, 704, 862, 865, 944, 946, 958-59, 1067, 1114, 1157, 1295-96, 1299, 1303, 1312, 1399-400, 1409, 1411, 1433, 1595, 1597, 1603-4, 1606-10, 1613, 1618, 1621, 1632, 1634, 1645, 1650, 1652, 1655, 1660, 1665-66, 1731, 1785, 1828, 1833, 1849, 1854, 1857-72, 1875-78, 1881, 1924, 1982, 1984, 1991, 2055, 2057, 2148, 2165, 2168, 2191, 2289, 2321, 2365, 2523, 2594, 2605, 2608, 2751, 2781, 2952, 2984, 2999-3000, 3022, 3033, 3094, 3103, 3130, 3133, 3139, 3215-16, 3220, 3222, 3370, 3748, 3760, 3965-66, 3968, 3970, 3996, 3998, 4000, 4003, 4009-10, 4031, 4177, 4183, 4214-15, 4226, 4286, 4304, 4308, 4319, 4321, 4332, 4349, 4447, 4507, 4567, 4597, 4602, 4604, 4616, 4632, 4697, 4908, 4911-13, 4929, 4931-32, 4953, 5030, 5034-35, 5037-39, 5041-5043, 5068-69, 5072-73, 5076, 5107, 5125, 5129, 5173-74, 5300, 5347-48, 5351, 5363, 5377, 5381, 5422, 5496-97, 5594-95, 5637, 5646, 5661, 5756, 5766, 5847.

Facultad de Medicina de la Universidad Complutense. 5454-61, 5463-66, 5468-69, 5483, 5485.

Fundación «Lázaro Galdiano». 958, 1917, 2056-57, 3948, 4299, 4302.

Fundación Universitaria Española. 1563-64, 2490.

Instituto de Valencia de D. Juan. 4245.

Ministerio de Asuntos Exteriores. 3320.

Monasterio de las Descalzas Reales. 1086, 1230.

Municipal. 529, 1600, 1632, 2753, 3403, 3465, 3474, 3486, 3490, 3513, 3534, 3633, 3633, 3635, 4288, 4319, 4632, 4930, 5243-44, 5348.

Nacional. 7, 10-11, 13, 16-21, 24-26, 28, 36, 39, 44-45, 48, 56-58, 60-62, 65, 69-70, 74-75, 78, 80-81, 85-87, 91, 97, 103-4, 110, 112, 116, 118-19, 121-22, 129-30, 135, 249-52, 254, 261, 263, 266-69, 277, 279-81, 285, 289-92, 297-98, 305, 307, 310, 312, 319-20, 322-26, 330, 338-339, 342, 344-45, 351-52, 355, 360, 363-67, 372-82, 385, 388-89, 391, 393, 400-3, 406, 408-411, 413, 416-18, 421-26, 428, 430-36, 444-45, 466-67, 480, 486, 497-500, 521, 526-27, 535-537, 539, 545-46, 548, 552, 558, 563, 569-71, 575, 582-84, 587-91, 593-96, 598-99, 608, 610-12, 614, 618, 620-23, 629, 631, 634, 637-40, 643, 645-46, 648-49, 651-52, 656-57, 659-661, 665, 668-75, 677-80, 682-83, 686-88, 691-94, 702-4, 707, 711, 713, 715, 718-25, 728-33, 735, 737, 752, 755, 759, 766-68, 770, 772, 776, 779-80, 787-88, 790, 792-94, 798, 801, 805-806, 809-13, 815-18, 820-23, 830, 833-35, 840, 842, 846, 860-63, 865, 867-68, 870, 872-73, 882, 890-91, 893, 895, 897-99, 901, 903-6, 911, 913-15, 918, 920, 922, 925-26, 928-29, 931-932, 934-39, 943-47, 952-56, 958-59, 961-62, 969, 971, 973-75, 977-78, 980, 983-85, 987, 989, 991-93, 998, 1004, 1007, 1012, 1019, 1021-25, 1027, 1029, 1032, 1035, 1038, 1040, 1052-55, 1057-59, 1061-63, 1068-71, 1075, 1077-79, 1087, 1089, 1091, 1095, 1099-101, 1105, 1107-8, 1110, 1113-18, 1125-26, 1128-35, 1140, 1143-44, 1146-49, 1151-52, 1157, 1164, 1166-68, 1173, 1175, 1177-78, 1182, 1185-96, 1206-18, 1231-34, 1240-41, 1243, 1248, 1251, 1254-61, 1265, 1269-71, 1280, 1282-86, 1290-92, 1295-303, 1307-9, 1312, 1316, 1319, 1323-26, 1329-30, 1332, 1334, 1342-44, 1346, 1348-50, 1352, 1357, 1359-60, 1365, 1370, 1382, 1391, 1397, 1406-7, 1411, 1413, 1417-18, 1424, 1427-29, 1433, 1439, 1451, 1455-56, 1461, 1463-64, 1466, 1468-1470, 1472-78, 1481-84, 1499, 1501-2, 1511, 1515, 1523, 1525-27, 1536-39, 1549-50, 1553-57, 1565-72, 1578, 1584-85, 1587, 1589-90, 1592-94, 1596-602, 1604-6, 1608-16, 1618-19, 1621, 1623-26, 1630, 1632, 1634-35, 1640, 1644, 1646, 1648, 1650, 1652, 1655, 1657, 1660-61, 1663, 1670-72, 1677, 1685, 1688, 1690, 1694, 1701, 1707-9, 1712-15, 1718-20, 1729, 1738, 1743-45, 1770, 1773, 1775-82, 1785-86, 1788-91, 1795-96, 1802-3, 1818, 1821-22, 1824-28, 1830-33, 1838, 1841-42, 1844, 1848-49, 1851, 1853-75, 1878, 1881, 1883, 1885-86, 1890, 1893-94, 1896, 1903, 1905-8, 1911, 1914-18, 1920-21, 1924-27, 1930, 1940-72, 1976-77, 1979-1987, 1991, 1994-97, 1999-2003, 2005, 2007-15, 2018-19, 2021-22, 2035, 2038-39, 2041-43, 2050, 2055-58, 2060, 2065, 2067, 2069, 2077-78, 2083-87, 2089, 2091-92, 2099, 2103, 2105, 2107-8, 2112-16, 2119-25, 2127-28, 2130-31, 2133, 2139-41, 2145, 2147-48, 2151-53, 2155, 2157-61, 2165, 2167-69, 2177, 2185-86, 2191, 2194-96, 2199, 2205-8, 2210, 2215-17, 2221, 2224-26, 2231, 2233, 2235, 2237, 2240-46, 2249, 2252, 2254-57, 2259, 2265-67, 2269, 2274-2275, 2278-80, 2285, 2289, 2295-96, 2305-6, 2308-10, 2312, 2317, 2321, 2323, 2328, 2333, 2335, 2340-44, 2347, 2354, 2356, 2358, 2361, 2363-64, 2369-70, 2373-74, 2377, 2379-80, 2388-2397, 2400-1, 2405, 2407, 2409-10, 2414-31, 2436, 2439, 2442, 2444, 2446-48, 2452-53, 2455-2458, 2460, 2463, 2465-67, 2469-70, 2472-74, 2476-78, 2480, 2486-89, 2494, 2498-500, 2502, 2506, 2508, 2511, 2514-16, 2519, 2521, 2523, 2527, 2529, 2531-34, 2539-43, 2539, 2552-53, 2555-56, 2558-63, 2567, 2578, 2580-90, 2593-94, 2596-98, 2600, 2603, 2605, 2607, 2617, 2619,, 2624, 2627, 2630-38, 2640-41, 2643, 2645, 2647-48, 2651-53, 2655, 2658-59, 2666, 2668, 2672, 2674-75, 2677, 2679-80, 2684, 2692, 2694-96, 2705-6, 2710-14, 2716-18, 2720, 2723, 2725-27, 2730-34, 2737, 2740-41, 2743, 2746, 2751-54, 2757-58, 2760-61, 2763, 2765-66, 2768-2769, 2771, 2773-74, 2777, 2781-82, 2784-86, 2791, 2793, 2795, 2798-99, 2801-2, 2804-12,

2816-18, 2820-22, 2824-25, 2828-36, 2838, 2840, 2842-45, 2849-50, 2853, 2855, 2857, 2861-65, 2867-68, 2870-71, 2873, 2877-79, 2881-87, 2891, 2895-97, 2900-5, 2908-9, 2912, 2914-16, 2924, 2927-33, 2935-36, 2942-44, 2946, 2948, 2952, 2957, 2963, 2968-71, 2974-83, 2987-88, 2994, 2999-3000, 303-4, 3019, 3021, 3026-28, 3031-33, 3035-36, 3041, 3044, 3046-56, 3061-3063, 3066-67, 3069-72, 3074, 3076-79, 3087-88, 3091, 3093-94, 3097, 3103, 3105, 3114-16, 3120, 3123-26, 3128, 3130-37, 3139-41, 3144-45, 3147, 3150-51, 3155, 3157-59, 3161, 3163, 3165, 3168-69, 3172, 3175-78, 3181, 3184, 3186, 3196-97, 3200, 3202, 3206-22, 3225, 3228-3233, 3235, 3237-39, 3244-45, 3249-59, 3267-69, 3271, 3273, 3275-76, 3278, 3280, 3282-83, 3286-87, 3289-91, 3294-95, 3297, 3299, 3303, 3305-8, 3310, 3312, 3314-19, 3321-22, 3325, 3327, 3329-30, 3334-38, 3341-42, 3344-46, 3349-50, 3352, 3355, 3357, 3360-61, 3363, 3366-3369, 3371-72, 3376-77, 3380, 3383, 3385-86, 3389, 3391, 3393, 3396, 3399-402, 3404-18, 3420, 3428-30, 3438, 3440-43, 3445-46, 3448-67, 3469-74, 3476-82, 3483-86, 3490, 3493-99, 3504, 3505-7, 3510-11, 3514, 3516-22, 3525, 3527-33, 3535, 3537, 3539-40, 3542-43, 3545-48, 3551, 3553-59, 3561-65, 3567-76, 3579, 3581, 3583, 3585, 3588-91, 3594-98, 3601-6, 3609-17, 3620-3622, 3624-35, 3644-46, 3649, 3662, 3665-66, 3668-75, 3677-78, 3681, 3683-91, 3693-94, 3696-3699, 3704-7, 3720-24, 3729, 3731, 3735, 3737-39, 3741, 3743-44, 3746-48, 3750, 3752-54, 3756-63, 3766-67, 3770-71, 3774-77, 3779-80, 3782, 3785-86, 3789-96, 3798-800, 3804-5, 3808, 3817, 3821, 3823, 3834, 3838, 3840-41, 3848, 3851, 3860, 3864, 3872, 3875-76, 3878, 3880, 3886-87, 3891, 3894, 3987, 3901-2, 3905-7, 3921, 3928, 3930, 3932, 3936-37, 3941-45, 3947-3949, 3952-55, 3960-61, 3964-65, 3967-68, 3970, 3973, 3976, 3979-80, 3983-84, 3987, 3989, 3991-92, 3995-96, 3998, 4000-1, 4004-5, 4008-10, 4012-13, 4017-18, 4022, 4024-27, 4030-31, 4033-34, 4039-41, 4044, 4046-50, 4055-56, 4058, 4063-64, 4067, 4069-73, 4075, 4077, 4101-3, 4105-8, 4111, 4113-14, 4116, 4121-24, 4126-28, 4130-31, 4136, 4138, 4140-42, 4154, 4156-59, 4161-62, 4165-66, 4168-69, 4173-74, 4176, 4179-80, 4182, 4186-87, 4189-91, 4197, 4199, 4202, 4204, 4208, 4210, 4212, 4214, 4217, 4221-22, 4225, 4235, 4246-56, 4265-66, 4268, 4272, 4274, 4276-77, 4281, 4284-85, 4287, 4295-96, 4299, 4301-2, 4308, 4311-15, 4317-20, 4324-25, 4328-4329, 4350, 4355, 4370, 4372, 4374-75, 4377-80, 4382, 4385, 4387, 4389, 4393-94, 4396-400, 4402, 4404, 4406, 4408-9, 4412-15, 4418, 4421-23, 4427, 4429-34, 4437, 4440, 4448, 4451, 4454, 4457, 4459, 4461-69, 4473-76, 4478-79, 4482-85, 4489, 4491, 4493-94, 4497-98, 4501, 4503, 4507, 4510-13, 4515, 4518, 4521, 4523, 4525, 4536-37, 4539-42, 4551, 4565-68, 4570, 4572-77, 4582, 4590, 4592, 4596, 4600, 4602-4, 4608, 4610, 4616-17, 4619-20, 4630, 4632, 4639, 4642, 4658, 4661, 4668, 4693, 4697, 4704, 4706-7, 4709, 4711, 4713-15, 4717, 4720-21, 4723-30, 4732, 4734-36, 4738-42, 4744-46, 4748-62, 4764, 4766-68, 4770, 4775, 4780, 4782-93, 4801, 4804, 4806-9, 4812, 4820-21, 4824-25, 4833-34, 4836, 4839, 4841, 4843, 4849, 4857, 4860-65, 4868-71, 4873-79, 4881-82, 4891-93, 4895, 4897-98, 4900, 4902-9, 4911-15, 4921-24, 926, 4929-34, 4936, 4939-41, 4944-45, 4947-51, 4953-59, 4961-62, 4964-65, 4967-74, 4976-79, 4981, 4984, 4986, 4988-89, 4991-94, 4996, 5001-4, 5006-7, 5012-13, 5015-16, 5019, 5021-25, 5031, 5033-35, 5038-40, 5042-43, 5048-49, 5052-53, 5057-60, 5062-66, 5068-71, 5073, 5075-76, 5083-84, 5087, 5089, 5094-97, 5100, 5104, 5106-8, 5113, 5117, 5129, 5132-33, 5135, 5141, 5143-46, 5148, 5150, 5152-53, 5155, 5157, 5159-60, 5163-72, 5174-75, 5177, 5179-80, 5182, 5188, 5190-91, 5194-95, 5199-203, 5205-7, 5210-11, 5214, 5216, 5218, 5220-21, 5223-24, 5226, 5228, 5230, 5245-70, 5282-83, 5285-88, 5291, 5296-97, 5299-300, 5302, 5306-8, 5312-14, 5316-17, 5322-23, 5327-28, 5331-34, 5338-44, 5348-50, 5352, 5356, 5361, 5363, 5369-70, 5376-79, 5381, 5384, 5390, 5392, 5396, 5398, 5400-1, 5404, 5406-8, 5410-11, 5413-14, 5417-20, 5422, 5426, 5428, 5430, 5433-34, 5437, 5439-40, 5442, 5444, 5447-50, 5454-58, 5460, 5465-5466, 5468, 5473, 5476, 5483-85, 5495-98, 5500, 5507-8, 5510, 5515-16, 5519, 5523, 5529-30,

5532-35, 5538-40, 5542-43, 5546, 5548-49, 5551-52, 5554, 5557-58, 5560-61, 5563-65, 5568-69, 5571, 5573, 5575, 5578, 5583-84, 5588, 5590, 5393-95, 5597-99, 5601, 5604-6, 5617, 5619-5623, 5629-32, 5634-41, 5643, 5646-48, 5650-52, 5655-56, 5658-63, 5667-68, 5670-78, 5681, 5683, 5688, 5690, 5695-97, 5700, 5707, 5709, 5711-12, 5715-16, 5719, 5721, 5723-24, 5728, 5730-37, 5739-40, 5742, 5745-46, 5748-49, 5754, 5756, 5759-63, 5765-67, 5770-71, 5773-74, 5776-87, 5791-93, 5795, 5800-4, 5806-7, 5809, 5814-15, 5818-19, 5823, 5825, 5827, 5831, 5839, 5841, 5847, 5851-52, 5859, 5864-65.

Palacio Real. 64, 325, 355, 359, 529, 614, 683, 700, 703, 708, 781, 861-62, 865, 961-62, 1219-20, 1606, 1608-11, 1613-14, 1632, 1644-45, 1648, 1650, 1652, 1655, 1825-26, 1917, 1920, 1925, 2043, 2055, 2057-58, 2156-57, 2291, 2347, 2523, 2594, 2605, 2607, 2624, 2799, 3116, 3139, 3215, 3273, 3277, 3376, 3739, 3748, 3942, 3949-50, 3986, 3990, 3996, 3998, 4009, 4077, 4107, 4214, 4271, 4279, 4282, 4284, 4286-87, 4291, 4308, 4319, 4321, 4340, 4349-50, 4382, 4406, 4486, 4517, 4589, 4591,4812, 4929-30, 4934, 4954, 5034, 5066, 5104, 5106, 5108, 5146, 5173-74, 5351, 5377, 5422, 5455, 5458, 5469, 5508, 5626, 5637, 5759, 5762.

Particular de D. Bartolomé March. 2538, 4257, 4919, 5109, 5455, 5461, 5466, 5468, 5755, 5837.

Particular del duque de Alba. 1916, 1932, 5119, 5124-25.

Particular de D. Miguel Herrero García. 2962, 4442.

Particular de «Razón y Fe». 1302, 1316, 1318, 1324-25, 1366, 1368, 1370, 1409, 1489, 1648, 1673.

Seminario Conciliar. 81, 116, 385, 388, 4292, 4447, 5647.

Senado. 1825, 1916, 1927, 2057.

Universidad Central. 5835-36.

MALAGA.

Pública. 1655, 2057, 3995, 5458.

MANNHEIM.

Universitaria. 5483.

MEJICO.

Nacional. 5551.

MILAN.

Ambrosiana. 2758.

Universitaria. 4343, 5458, 5465, 5513.

MINNEAPOLIS.

University of Minnesota. 2851, 3453, 3456, 3459, 3487, 3499, 3520, 3540, 3556, 3563, 3575, 3584, 3612, 3619, 3627, 3991, 4291, 4330, 4332, 4342, 5125, 5454, 5465, 6568, 5508, 5759.

MONTPELLIER.

Municipale. 355, 430, 842, 946, 1360, 1599, 1677, 2343-44, 2357, 3221, 3307, 3360, 4295, 4313, 4579, 5034, 5299, 5422.

MONTSERRAT.

    Abadía. 103, 421, 1153, 1197, 1262-63, 1272, 1586, 1695-96, 1783, 1825, 3094, 3841, 3855, 3875, 3950, 3960, 4009, 4207, 4284, 4304, 4308, 4310, 4775, 5104, 5106.

MOSCOW.

    University of Idaho. 1602.

MUNDELEIN.

    Saint Mary of the Lake Seminary. 1392.

MUNICH.

    Staatsbibliothek. 481.

MURCIA.

    Universitaria. 1644, 3376, 3875, 3967, 5466.

NAPOLES.

    Nazionale. 5415.

NASHVILLE.

    Joint University Librairies. 738, 1286, 2156, 2161, 2523, 5364.

NEW BRUSWICK.

    Rutgers-The State University. 4579.

NEW HAVEN.

    Yale University. 1609, 1631, 1649, 1655, 1657, 2026, 2055-56, 2060, 2321, 2545, 2851, 3120, 3456, 3465, 3486, 3520, 3542-43, 3557, 3563, 3577, 3586, 3597, 3633, 3823, 3889, 3893, 3984, 4014, 4292, 4331-32, 4342-43, 4346, 4349-50, 4579, 4930, 5117, 5124, 5344, 5383, 5461, 5463-5465, 5470, 5484, 5510.

NEW ORLEANS.

    Tulane University Library. 2545, 3929.

NORMAN.

    University of Oklahoma. 1654, 4015.

NOTRE DAME.

    University of Notre Dame. 4332.

NUEVA YORK.

    Augustinian Historical Institute. 2161, 2165.

    Columbia University. 1297, 1617, 1623, 1654, 1656, 1658, 2952, 3968, 4332, 4338, 4349, 4616, 5510, 5513.

    General Theological Seminary of the Protestant Episcopal Church. 4330.

    Hispanic Society. 64, 86, 103, 105, 110, 244-47, 312, 355, 357, 385, 388, 419, 422-23, 426, 491, 527, 529, 531, 534, 536, 546, 548-49, 562, 579, 586-87, 614, 675-76, 683, 703, 754,

761, 763, 765, 815, 821, 829, 840, 865, 902, 927, 945, 957, 959, 962, 992, 997, 1048, 1067, 1070, 1135, 1156-58, 1286, 1297, 1596-97, 1603, 1606, 1609-10, 1644, 1647-49, 1652-53, 1655-56, 1679, 1803, 1825, 1904, 1917, 1927, 1976, 1987, 2022, 2036, 2055-57, 2060, 2110, 2115-16, 2160, 2222, 2238, 2273, 2289, 2312-13, 2318-21, 2333, 2340, 2353, 2511, 2522-23, 2526, 2545, 2578, 2589, 2608, 2613, 2626, 2704, 2751, 2758, 2767, 2773, 2781-82, 2828, 2905-6, 2908, 2915, 2920-21, 2925, 2976, 3000, 3065, 3069, 3094, 3097, 3127-28, 3130, 3138-3139, 3215, 3220, 3266, 3273-74, 3278, 3285, 3330, 3353, 3356, 3360, 3444-45, 3540, 3556, 3569, 3595, 3637, 3663-65, 3667, 3672, 3739, 3748-50, 3753, 3766, 3823-24, 3908-9, 3926, 3984, 3987, 3990, 3992, 3996, 3998, 4004, 4010, 4018, 4031, 4076, 4107, 4112, 4129, 4156, 4169, 4171, 4179, 4182-83, 4211, 4214, 4270-71, 4279, 4287, 4294, 4299, 4303, 4308, 4311, 4320, 4332, 4343, 4372, 4382, 4396, 4447, 4459, 4519, 4567, 4571, 4576, 4590, 4599-600, 4603-4, 4607, 4613, 4617, 4638, 4701, 4710, 4764-65, 4788, 4805, 4894, 4921-24, 4929-31, 4933-34, 4956, 4967-68, 4972, 4974, 4985, 4996, 5026, 5070, 5126, 5131, 5139, 5176, 5216, 5229, 5300, 5332, 5370, 5376-77, 5401, 5405, 5416, 5420, 5454, 5484, 5507-8, 5517, 5551, 5594-98, 5647, 5654, 5661, 5698, 5705, 5711-13, 5730, 5756, 5739, 5765-66, 5775, 5824, 5856-5857, 5860.

New York Academy of Medicine. 5463, 5465-66.

Public Library. 22, 836, 1614, 1639, 1655, 1677, 1918, 2055-57, 2060, 2156, 2845, 2848, 2859, 2867, 2869, 2877, 3448, 3453, 3465, 3470, 3487-88, 3505, 3525-26, 3543, 3549, 3579, 3607, 3625, 3627, 3638, 3819, 3878, 3987, 3989, 3991, 3994, 4015, 4018-19, 4272, 4284, 4332, 4340, 4343, 4349-50, 4576, 4593, 4616, 4618, 4620, 4635, 4930, 4968, 5383, 5508, 5510, 5759.

Union Theological Seminary. 1378, 1663, 3970.

OBERLIN.

Oberlin College. 3509, 3540, 3634, 3637.

OÑATE.

Monasterio de Ntra. Sra. de Aránzazu. 1198, 1354, 1359, 1421.

OPORTO.

Municipal. 4562.

ORENSE.

Pública. 3377, 5299.

ORIHUELA.

Pública. 80-81, 135, 137, 379-80, 382, 385, 421, 629, 631, 634, 695, 704, 709, 713-14, 929, 1114, 1121, 1123-24, 1632, 1898-99, 2151, 2154, 2160-61, 2202, 2354, 2357, 2594, 2804-5, 2807, 3739, 3851, 3870, 3875-76, 4225, 5037-39, 5065-66, 5073, 5162, 5508, 5525-26, 5528, 5652, 5739, 5741.

OVIEDO.

Universitaria. 421, 472, 962, 1028, 1655, 1825, 1917, 1927, 2850, 2867-68, 3134, 3352-53, 3455, 3459, 3463, 3465, 3471, 3474, 3478, 3483, 3491, 3499, 3501, 3514, 3519-21, 3529-30, 3538, 3543, 3556, 3563, 3577, 3584, 3586, 3596, 3598, 3610, 3625, 3627-28, 3633-35, 4319, 4341, 4607.

PALENCIA.

   Pública. 3875-76.

PALMA DE MALLORCA.

   Fundación Bartolomé March Servera. 5455, 4568.

   Pública. 1286, 1466, 1825, 1927, 3376, 3868, 5711.

PAMPLONA.

   Archivo de la Catedral. 1236.

   Catedral. 3387.

   Convento de MM. Agustinas recoletas. 1237.

   General de la Diputación Foral. 1603, 1632, 1652, 1663, 3177-78, 3847, 3873, 3967-68, 3970, 5035, 5037-39, 5041, 5066, 5068, 5070, 5073, 5075, 5820.

PARIS.

   Archivos Nacionales. 4946.

   Arsenal. 1275, 1278, 1293, 1381, 1403, 1454, 2841, 3583, 4168, 4332, 4350, 5034.

   Institut d'Études Hispaniques. 1632, 2952, 2999, 4158, 4168.

   Mazarina. 81, 527, 529, 771, 3312, 4168, 4767.

   Nationale. 9-10, 29-30, 33-34, 411, 567, 574, 611, 613-14, 631, 633, 704, 713, 718, 740-42, 776, 785, 798, 861-62, 1006, 1042-43, 1221-22, 1281, 1287, 1293, 1302, 1381-88, 1391, 1475, 1477, 1573, 1611, 1613-16, 1621, 1628, 1653, 1656, 1667, 1679, 2055-58, 2060, 2219-21, 2315-17, 2321, 2411, 2455-56, 2668, 2857, 2909-11, 3053, 3058, 3094, 3103, 3219-20, 3262, 3360, 3363, 3445, 3459, 3465, 3538, 3568-69, 3625, 3627, 3668, 3708, 3712, 3730, 3738, 3874-77, 3879, 3942, 3970, 3984, 3987, 3992, 3995-96, 3999, 4015, 4018, 4157-58, 4167-69, 4213, 4223, 4275-76, 4302, 4314, 4332, 4335, 4346, 4349-50, 4382, 4491, 4517, 4567, 4576-4577, 4579-80, 4582, 4599-600, 4604, 4614-20, 4767, 4980, 5011, 5104, 5106-7, 5116-17, 5120, 5125, 5136, 5152, 5154, 5273-76, 5309, 5319, 5336, 5344, 5350, 5361-63, 5370, 5376-77, 5381, 5459-61, 5464-67, 5469, 5471-72, 5484-85, 5507, 5510, 5551, 5594-96, 5703-5, 5756, 5759, 5761-62, 5766.

   Santa Genoveva. 4015, 4168, 4336-37, 5121, 5463, 5466.

   Sorbona. 4766.

POYO.

   Monasterio de Mercedarios. 421, 1652, 1655, 1916, 3841, 3875-76, 4281, 4304, 5594.

PRAGA.

   Nacional. 2214, 5868-69.

PRINCETON.

   Princeton Theological Seminary. 3968.

   Princeton University. 1617, 1655-56, 1670, 4281, 4332, 4340, 4343, 5759.

SAN LORENZO DEL ESCORIAL.

Monasterio. 46-47, 78, 83, 135, 254, 385, 388, 422, 473, 480, 611, 666, 849, 862, 946, 962, 985, 1025, 1099, 1157, 1199-201, 1235, 1264, 1285, 1291, 1311, 1316, 1576, 1599, 1825, 1844, 1866, 1915, 1920, 2054-55, 2143, 2163, 2273, 2455, 2465, 2469, 2473-74, 2480, 2483, 2497, 2508, 2522, 2526, 2594, 2610, 2748, 2793, 2799, 2999, 3057, 3107, 3197, 3219, 3276, 3278, 3307, 3322, 3330, 3739, 3839, 3856, 3867, 3943, 3948, 3971, 3991-92, 3995-98, 4007, 4031, 4116, 4258, 4382, 4385, 4505, 4568, 4598, 4761, 4764, 4809, 4931, 5104, 5141, 5152, 5181, 5357, 5393, 5422, 5507-8, 5578, 5594, 5762, 5796.

SAN MARINO, Cal.

Henry E. Huntington Library. 3809, 3989, 4299, 4332, 4338, 5124.

SAN MILLAN DE LA COGOLLA.

Monasterio. 1304, 4295.

SAN SEBASTIAN.

Diputación de Guipúzcoa. 3109.

SANTANDER.

«Menéndez Pelayo». 104, 427, 467, 1644, 1652, 1703, 1729, 2057, 2163, 2321, 2752-53, 2936, 3069, 3128, 3137, 3142, 3497, 4076, 4169, 4214, 4279, 4295, 4301, 4319, 4321, 4332, 4397, 4566-67, 4576, 4578, 4604, 4607, 4616, 4619-20, 4767, 5108, 5370, 5420-21, 5594, 5597-98, 5712.

SANTIAGO DE COMPOSTELA.

Convento de San Francisco. 480, 1157, 4898.

Universitaria. 81, 83, 104, 135, 254, 264-65, 368, 380, 383, 385-86, 388, 491, 502, 504, 613, 640, 643, 707, 705, 711, 713, 814, 861-62, 865, 873, 888, 945, 1296, 1298, 1306, 1313, 1359, 1407, 1456, 1461, 1463, 1471, 1475-76, 1597, 1600-3, 1609, 1611, 1632, 1644-1645, 1650, 1652, 1655, 1658, 1660, 1663, 1712, 1785, 1807, 1920, 2151-52, 2160, 2165, 2285, 2455, 2457, 2460, 2465, 2468, 2473, 2508, 2605, 2804, 2818, 2874, 2952, 2981-82, 2993, 3020, 3029, 3033, 3127, 3139, 3307, 3309, 3311-12, 3330, 3352, 3355, 3357, 3465, 3473, 3492, 3497, 3625, 3634, 3738-39, 3758, 3760, 3864, 3990, 4003, 4036, 4158, 4207, 4295, 4302, 4306, 4308, 4321, 4346, 4459, 4502, 4616, 4632, 4775, 4896, 4898, 4921, 4923, 4930, 4933-34, 5035-39, 5067, 5069, 5076, 5152, 5162, 5300, 5355, 5381, 5497, 5510, 5553-5555, 5594-96, 5646, 5759.

SANTO DOMINGO DE SILOS.

Monasterio. 1302, 1350, 4090.

SEATTLE.

University of Washington. 4338.

SEGOVIA.

Catedral. 2510-11, 3215-16.

SEVILLA.

Academia de Bellas Letras. 1917.

SYRACUSE.

Syracuse University. 4294.

TALLAHASSEE.

Florida State University. 1158, 1654, 3991.

TARAZONA.

Archivo del Palacio Episcopal. 1420.

TARRAGONA.

Pública. 3850, 3875.

TERUEL.

Casa de la Cultura. 705, 1291, 1858, 1869, 2079, 2153, 2165, 2357, 2409, 2452, 2818, 2952, 2986, 3033, 3178, 3219, 3322, 3840, 3875.

TOLEDO.

Convento de Santa Clara. 1238.

Pública. 421, 1202, 1224, 1239, 1274, 1371, 1423, 1425, 1655, 1924, 1927, 2270, 3056, 3178, 3844, 3875, 3967, 3978, 4001, 4538, 5279, 5353.

Seminario Conciliar. 2144.

TORONTO.

University Library. 123, 2847, 2857-60, 2867, 2872, 3456, 3459, 3465, 3471, 3477, 3479, 3490, 3505-8, 3512, 3519-20, 3534, 3543, 3555-56, 3558, 3560, 3571, 3577, 3579, 3598, 3608, 3637.

URBANA.

University of Illinois. 630-31, 1309, 1603, 1639, 1644, 1648-49, 1652-54, 1677, 2057, 2108, 2152, 2161, 2174, 2274, 2661, 2777, 2999, 3487, 3496, 3867, 3878, 4301-2, 4305, 4321, 4335, 4338, 4343-45, 4347, 4349, 4351, 4620, 4632, 5383, 5466, 5756.

URBINO.

Universitaria. 802, 2273, 3878, 3967, 4300, 4339, 5465, 5513.

VALENCIA.

Colegio del Corpus Christi. 1644, 1652, 1825-28, 2333, 3875-76, 4304, 4775, 5357.

Municipal. 614, 960, 979, 1067, 1597, 2408, 3094, 3340, 5106.

Pública. 103, 3875.

Universitaria. 487, 1072, 1479, 1558, 1588, 2073-76, 2307, 2507, 2520, 2536, 2707, 3056, 3075, 3351, 4227, 5427, 5443, 5717.

VALLADOLID.

Archivo del Convento de Carmelitas Descalzas. 1519-20, 1522.

Colegio de Filipinos. 574, 2153, 2158-60, 2165.

Universitaria. 78, 103, 365, 378, 388, 429, 711, 713, 862, 1055, 1066, 1250, 1290, 1605, 1608-9, 1611, 1614, 1644, 1646, 1650, 1652, 1655, 1660, 1663, 1813, 1825, 2055, 2115, 2152, 2155, 2160, 2165, 2271, 2289, 2457, 2460, 2594, 2624, 2807, 2999-3000, 3126, 3139, 3141, 3216, 3360, 3741, 3760, 3875, 3996, 4005, 4031, 4157, 4214, 4291, 4308, 4382, 4696, 4923, 4930, 4937, 5035, 5037, 5065, 5068-70, 5072-73, 5076-77, 5104, 5106, 5173, 5280, 5348, 5422, 5458, 5461, 5464-65, 5468, 5471, 5497, 5508, 5597, 5759, 5768, 5847.

VANCOUVER.

University of British Columbia. 4332, 4346.

VICTORIA, B. C.

Provincial Archives, Library. 4344.

VIENA.

Nacional. 103, 962, 1142, 1279, 1644, 1646, 1847, 1917, 2055-56, 3990, 3993, 3996, 4005, 4261, 4268, 4286, 4302-3, 4306-7, 4311, 4318, 4320, 4382, 4809, 4865, 5106-7, 5281, 5578, 5592, 5704.

VILLANOVA.

Villanova College. 1392.

VITORIA.

Seminario. 3111.

WASHINGTON.

Catholic University of America Library. 1285, 1394, 1396, 3967, 3970, 4349, 4566-67, 4576-77, 4600, 4615, 4619-20, 4627.

Congreso. 11, 736, 1087, 1161, 1308, 1348, 1379, 1384, 1391, 1393-94, 1414, 1597, 1610, 1613, 1616, 1618, 1633, 1639-42, 1645, 1655, 1673, 1679-81, 1917, 1920, 2033, 2036, 2040, 2060, 2312, 2545-46, 2573, 2919, 2952, 3446, 3482, 3823, 3825, 3827, 3980, 3983-84, 3991-3992, 4015, 4018, 4279, 4295, 4322-23, 4332, 4340-41, 4385, 4418, 4570, 4579, 4593, 4615-18, 4620, 4622, 4624, 4626-27, 4632, 4637, 4923, 4930-31, 5012, 5014, 5016, 5117, 5120, 5124, 5334, 5344, 5370, 5377, 5381, 5384, 5507, 5508, 5510, 5847.

Folger Shakespeare Library. 2145, 4016, 4270, 4272, 4286, 4304, 4332, 4338, 4340-41, 4343, 4349-50, 4577, 5124-25.

Holy Name College Library. 1296, 1373-74, 3819.

Pan American Union Library. 4291.

U.S. Army War College Library (Ft. McNair). 4293.

U.S. Department of the Navy Library. 4015.

U.S. National Library of Medicine. 566-67, 2069, 2799, 4343, 5454-56, 5459, 5461, 5463-66, 5469-72, 5483, 5485, 5579.

WALLESLEY.

Wellesley College. 2850-51, 3465, 3473, 3477, 3506, 3538, 3586, 3594, 3633, 3635.

ZAMORA.

Pública. 3876.

ZARAGOZA.

Archivo de la Casa de Ganaderos. 2272.

Facultad de Filosofía y Letras. 1325.

Seminario de San Carlos. 78, 380, 1225, 2551, 2784, 3732, 4308.

Universitaria. 11, 81, 83, 104, 254, 297, 370, 379, 385-86, 388, 397, 488, 491, 559, 574, 614, 683, 696, 701, 704, 706-7, 709, 716, 736, 862, 946, 1074, 1308, 1312, 1332, 1341, 1345, 1348, 1358, 1455, 1466, 1479, 1541, 1599, 1609, 1611, 1613, 1632, 1645, 1652, 1660, 1663-64, 1670, 1803, 1850, 1898, 1924, 1927, 2055, 2057, 2110, 2147, 2149, 2151, 2153-54, 2158, 2160-61, 2163, 2253, 2392, 2409, 2452, 2594, 2607, 2624, 2642, 2758, 2761, 2805, 2807, 2980, 2987, 3000, 3094, 3103, 3117, 3139, 3177-78, 3185, 3215-16, 3309, 3350, 3360, 3377, 3739, 3760-61, 3771, 3841, 3875-76, 3970, 3991, 4157, 4214, 4274, 4279, 4287, 4295-96, 4308, 4310, 4382, 4471, 4597, 4697, 4930-31, 5031, 5034, 5037, 5065-69, 5073, 5076, 5104, 5108, 5152, 5154, 5173-74, 5325, 5353, 5458, 5465, 5507, 5510, 5597, 5637, 5647, 5682, 5759, 5810, 5812.

DE TEMAS

A

Aarón. 4396 (34).

Abades. 2697, 2700, 3219.—*Págs.*: 44, 53, 89, 216, 316, 463, 659.—Abadesas. 957, 1439, 1890, 3960-61.—*Págs.*: 114, 177.

Ablitas, Casa de. 2285.

Abogados. 1901, 2198, 2288, 2349.—*Págs.*: 11, 18, 41-42, 78, 252, 268, 311, 368, 437-38, 446, 478, 518, 577, 632.

Abraham. 4597.

Abrantes, Duques de. 2460.

Abuelos. 3700.

Academias. 385, 388, 5372; literarias. 2328 (1), 4195.—*Págs.*: 25, 265.

Acapulco. 126, 5310.

Aceite. 3955.

Adagios. 4690.

Adán. 4794.

Adelantados mayores de Castilla.—*Pág.*: 96.

Administradores. 3350, 4111.—*Págs.*: 219, 449.

Adonis. 3297, 5860.

Aduanas. 2193.

Adúlteros. 4710.

Adultos. 882.

Afán de Ribera, Per (marqués de Tarifa). 4311, 4313-14.

Afonso Henríquez, rey de Portugal. 2033.

Afeites. 2093, 2099.

Aforismos. 841.

Afrentas. 2829, 2844-52.

Africa. 2051-52, 2055-56, 2060, 3000, 4111, 4566, 4600-3, 5661.

Agaliense, Monasterio. 2632.

Agentes.—*Pág.*: 20.

Agravios. 3448-50.

Agreda. 1184, 1191, 1229, 1231-32, 1238, 1285, 1479, 1512.—*Pág.*: 142.

Agua. 5597 (14).

Agudo.—*Pág.*: 678.

Agueda de San José, Sor. 956.

Aguila, Condes del. 3980.

Aguilar.—*Pág.*: 531.

Aguilar, Francisco de. 346.

Aguilas. 3942, 4786.

Agustinos. 333, 574-75, 1813, 1815, 1818-19, 1888, 2098, 2168, 2777, 3929, 3945, 5399.— *Páginas*: 34, 38, 49, 64, 91-92, 98, 107, 109-110, 117, 129, 135, 141, 207-8, 239, 246, 258, 275, 278, 290, 292, 332, 385, 387, 402, 463, 534, 592, 611, 617, 619, 630, 640, 654, 658, 677; calzados. 5672; descalzos.—*Págs.*: 395, 695; ermitaños. 2165, 2174, 2181, 2412, 3262.

Aichster. 654.

Aladulo (rey). 2556.

Alagón, Blasco de (conde de Sástago). 4715.

Alaiza, María Alfonsa de. 4804.

Alamos. 3692.

Alba. 5216 (26).

Alba, Duques de. 5597 (28).

Alba de Tormes.—*Pág.*: 207.

Albaneses. 5377.

Albarracín. 1235.

Albeitares reales.—*Págs.*: 462, 474.

Alberite. 757.

Albornoz, Gil de. 397.

Alborotos. 2139.

Albuquerque, Fernão d'. 2026.

Alburquerque, Duques de. 2264, 2273.

Alcaides. 4934.

Alcalá, Duques de. 4517.—*Pág.*: 536.

Alcalá de Henares. 130, 263, 266-67, 1689, 1834, 1850-53, 1856, 2201, 2353-59, 2362-64, 2581, 2637, 2710, 2746, 2764, 2975, 2978, 3276, 3307, 5085, 5101, 5111, 5135, 5161, 5163-65, 5539, 5651-53, 5782, 5794.—*Págs.*: 17, 32, 112, 212, 218, 253, 270, 282, 301, 304, 309, 317-18, 321, 347, 352, 394, 443, 465, 475,

495, 517, 576, 593, 604, 606, 610, 613-14, 657, 674.

Alcalá la Real. 1468.

Alcaldes. 840, 2793, 2828, 2840.—*Pág.:* 370; mayores.—*Págs.:* 523, 639, 657.

Alcántara, Orden de. 93, 1025.—*Pág.:* 690; Caballeros. 865, 2414, 2419, 3132.—*Páginas:* 220, 482, 495, 520, 525; Claveros mayores. 929; Procuradores generales. 2419.

Alcañiz.—*Págs.:* 281, 306.

Alcázar.—*Pág.:* 282.

Alcibíades. 524, 537.

Alcides. 2510, 4933.

Alcira.—*Págs.:* 141, 645.

Alcoy.—*Pág.:* 385.

Alejandro Magno. 1956, 1971, 2108, 2511, 4302, 4775, 5551, 5595.

Alemán (Idioma). 5730; traducciones al. 738, 1373-79, 4014, 4330, 5115.

Alemania. 378, 3467-68.—*Pág.:* 536.

Alencastro, María de Guadalupe (duquesa de Avero). 4597.

Alentejo. 2031.—*Pág.:* 231.

Alfaro.—*Pág.:* 300.

Alfea (*n. lit.*). 61 (3-4).

Alféreces.—*Págs.:* 97, 100.

Alfonso VI de Portugal. 5344.

Alfonso VIII de Castilla. 5418, 5422-25.

Alfonso XI de Castilla. 580.

Alfonso, Nuño. 4934.

Algebristas. 5454, 5480.

Alguaciles. 187.

Alguer.—*Pág.:* 12.

Alicante. 5526.

Alma. 47, 135-36, 297, 436, 806, 1153, 1157, 2905, 2984, 3778, 4133 (27, 61), 4225, 5347-5357, 5370, 5597 (39, 46), 5693; del Purgatorio. 631, 1195 (2), 4183, 4734, 4743, 5216 (5), 5554.

Almagro.—*Pág.:* 495.

Almansa. 1818-19.—*Pág.* 208.

Almazán, Marqueses de. 5597 (72).

Almería. 596-98.—*Págs.:* 66, 241.

Almirantes.—*Pág.:* 97; de Aragón. 3921.— *Pág.:* 613; de Castilla. 2639, 5167, 5284.

Alonso de Guzmán, Juan (duque de Medina Sidonia). 3989.

Alonso Pérez de Guzmán el Bueno, Manuel (conde de Niebla). 4996.

Alonso de Santo Tomás, Fray. 2288.

Altares. 822, 1886, 2777, 4183.

Alumbrados.—*Pág.:* 177.

Alvarez (Casa de). 4970.

Alvarez Pereyra, Nuño (conde de Barcelos). 4929.

Alvarez de Tavora, Luis (conde de S. Ioão). 5376.

Alvito (Portugal).—*Pág.:* 405.

Allafor (Casa de). 5192.

Amadeo I de Saboya. 1701.

Amadeo de Portugal, Fray. 3218.

Amadeos, Congregación de los. 3218.

Amantes. 3401, 5004 (2), 5216 (41), 5415 (2).

Amarili (*n. lit.*). 4133 (68, 84), 4151.

Amarilis (*n. lit.*). 3297, 4804.

Amazonas (Río). 300-1.

Amberes. 5637.

América. 3285, 3394, 3527, 3783, 4112, 4133 (76), 4415, 4459, 5012, 5014-15, 5019, 5162, 5205, 5313, 5399.—*Págs.:* 467, 678.

Amiano Mendizával y Tolinque, Martín de (marqués de las Torres de San Ginés). 4475.

Amistad. 402-5, 3400, 3445 (11), 3459, 4175.

Amor. 61 (3-4), 201, 309, 436, 761-65, 973, 1366, 2838, 2879-80, 3400, 3445 (1, 11-12), 3452-55, 3459-61, 3580, 3720-71, 3805, 4167, 4175, 5216 (12, 20), 5411-14, 5595, 5597 (29, 33), 5700 (6b), 5867.

Amsterdam. 4792.—*Pág.:* 567.

Ana de Jesús, Madre. 718-19, 740-43.

Anadón, Fr. Domingo. 5785.

Anagramas. 3823.

Anales. 2289, 4052, 5007-9.

Anascot (Flandes). 4608.

Andalucía. 3369, 4733; (provincia capuchina).—*Pág.:* 693; (provincia dominicana). 5821.—*Págs.:* 571, 621; (provincia franciscana).—*Págs.:* 361, 533; (provincia jesuítica). 3883-84; (provincia trinitaria). 553.

Andrés Avelino, San. 1901.

Andueza (Casa de). 5192.

Andújar.—*Pág.:* 482.

Anfrisa (*n. lit.*). 4058.

Angeles. 480, 631, 1189 (4), 1868, 4396 (19); de la Guarda. 3445 (4), 3573-75.

Angeles y Arilla, Sor Martina de los. 3757.

Angola.—*Pág.:* 130.

Anguiano. 3311.

Angulo (Casa de). 4960.

Aníbal. 3795, 5762.

Animales. 1968, 4171.

Antequera. 765, 999.—*Págs.:* 98, 280, 458, 475, 672; de Oaxaca. 264-65, 3816.—*Págs.:* 32, 449.

Anticristo. 481, 490, 631.

Antigüedades. 347, 2278.

Antíoco. 3399.

Antologías. 1334, 1639-43.

Antonia de la Madre de Dios, Sor. 1888.

Antonio de la Concepción, Fray. 929.

Antonio de Padua, San. 1827, 3000, 3275, 3787, 5689-90.

Antonius (grabador). 325.

Antropología. 4355.

Anunciata de la Virgen, Orden de la. 614.

Apeles. 4107, 5216.

Apolo. 600, 2751, 3666, 3670, 5597 (31).

Bernardo de Quirós (Casa de). 4938.
Bernedo, Fr. Vicente. 257, 686.
Bernui y Mendoza, Iñigo de. 4036.
Beterham. 1210.
Betis, Río. 4396 (10).
Beuningio, Conrado. 4792.
Biblia. 71, 75, 135, 332, 385-88, 418-19, 491, 493, 546, 804-5, 997, 1062, 1591, 1660-65, 1748-55, 2239, 3964-66, 3969, 4784, 4795.
Bibliotecarios.—*Pág.:* 223.
Bibliotecas: de D. Ambrosio Ignacio Spínola y Guzmán. 4717; de C. A. de la Barrera. 5414; de J. N. Böhl de Faber. 1207, 1215; del cardenal de Burgos. 1589; del cardenal de Souza. 3118; de la cartuja de Valldemosa. 3194; del conde del Aguila. 3980; del convento de capuchinos de Albaida. 1221; del convento de capuchinos de San Antonio, de Madrid. 1209, 1213; del convento de carmelitas descalzos de Málaga. 1527; del convento de San Agustín de Barcelona. 2095; del convento de San Francisco de Barcelona. 5833, 5838; del convento de San Onofre de Valencia. 2330; del convento de S. Vicente de Plasencia. 5283; de los duques de Medinaceli. 4257, 4919, 5755, 5837; de los duques de Osuna. 1215, 2830-31, 2834, 3297, 3399, 3401-3, 3406-8, 3412, 3414, 3416, 3438, 3921, 5620-22; de los duques de Segorbe. 5266; de los duques de Uceda. 4250, 4266; de la duquesa de Abrantes. 1783; de Durán. 5413; de Estébanez Calderón. 5410; de Felipe V. 1206, 1284; del marqués de Montealegre. 355-56; del monasterio del Puig de Valencia. 1846; del Noviciado de la Compañía de Jesús de Madrid. 4954; provincial de Toledo. 882; de la Universidad de Coimbra. 4532; de la Universidad de Harvard. 3916; de Usoz del Río. 1217; de Villaumbrosa. 843, 3787.
Bienaventurados. 2134.
Bilbao. 545.—*Págs.:* 241, 595.
Biografías. 7, 64, 86, 101, 121, 219, 221-23, 226, 228, 397-98, 446, 468, 537, 574-75, 614, 623, 711-12, 718-19, 740-43, 863-64, 944, 946, 954-57, 973, 1002, 1005-13, 1049, 1086, 1150, 1163-64, 1180, 1405-14, 1484, 1628, 1634, 1684-1692, 1835-39, 1849, 1880, 1932-33, 2168-69, 2176-70, 2274, 2456, 2529, 3068, 3081, 3083, 3130-33, 3135, 3194, 3222-24, 3309-10, 3327, 3714-15, 3753, 3757-61, 3823-27, 3887, 4020, 4045-51, 4053, 4088-91, 4140-42, 4214, 4239-4264, 4297, 4352, 4460, 4474, 4568, 4579, 4639-4644, 4778, 4929, 4936, 4954, 5005, 5127, 5135-5137, 5361, 5376-77, 5408, 5473-74, 5519, 5646, 5785, 5807, 5853-54.
Biron, Duque de. 3141-42.
Bizcochería. 2908-25.

Blas *(n. lit.).* 4166.
Blasones. 5194, 5597 (2).
Boca. 2526-27, 4133 (34).
Bocos.—*Pág.:* 482.
Bodas. 370, 676, 1085, 2442, 3423, 3669, 3672, 4182, 4804, 5698.
Boel, Corn. (grabador). 2207.
Bolagnus, Francisco. 5761.
Bolonia. 276, 397, 1038, 3688 (1).—*Págs.:* 47, 57.
Bona. 4133 (32).
Bondad. 1860.
Bonilla.—*Pág.:* 396.
Borbón, Isabel de. 973, 1017, 2113, 3118, 3315, 3663, 5761.—*Pág.:* 536.
Borbón, María Luisa de. 58, 4748.
Borbón, María Teresa de. 5699.
Borda, Miguel de la. 2105.
Barghese (cardenal). 5299.
Borgoña.—*Pág.:* 303.
Borja, Juana de (marquesa de Montealegre). 5491.
Borrascas. 4133 (3).
Bosco y Velázquez, Antonio del. 5760.
Bosque de Doña Ana. 5131.
Boticarios. *(V. Farmacéuticos).*
Braga.—*Pág.:* 555.
Braganza, Duques de. 353, 950.—*Pág.:* 42.
Braganza, Teodosio de. 4545 (1), 4548, 4563, 4619, 4638.
Brasil. 4614.—*Pág.:* 538.
Bruno, San. 103, 107-8, 5597 (64).
Bruselas. 820, 5750, 5829.
Brutos. 5620.
Buda *(Geogr.).* 4202.
Buena Vista. 4071.
Bujía. 666-67, 3097-99.—*Pág.:* 77.
Bulas. 1025, 2594, 2777 (8), 2992, 3153, 4740, 4908, 5065-66, 5073.
Burgos. 73-74, 468, 707, 775, 1589, 2629, 2673-2674, 2679, 3278, 4069, 5244, 5271, 5294, 5263, 5293, 5540, 5865.—*Págs.:* 10, 53-54, 66, 80, 117, 308, 404, 478, 623, 658.
Burguillos (Casa de). 4944.
Burlas. 3925.
Bustamante, Fr. Francisco de. 5011.

C

Cábala. 4621.
Caballería. 2138, 4397, 5757-59.—*Pág.:* 281.
Caballerizos reales. 961.—*Págs.:* 335, 482.
Caballeros. 683, 2604-5, 3084, 4168, 5757-59, 5768, 5866.—*Pág.:* 90.
Caballos. 4171.
Cabeza. 5216 (29).
Cabeza, Paula Inés. 3742.
Cabrera y Benavides, Juan de. 286.
Cadenas. 5597 (2, 23).

1526, 1528, 2043, 3159, 5811.—*Págs.*: 112-13, 132, 275, 277, 284, 692, 694, 696.
Caro (Casa de). 4746.
Caro Montenegro, Fr. Mateo. 263.
Carpio, Marqueses del. 754, 1826, 3215.
Carranza, Fr. Pedro. 5817.
Carreteros. 3433, 3646-50.
Carreto, Fr. Sebastián. 553.
Carrillo y Aldrete, Martín. 2697.
Carrillo de Guzmán, Pedro. 3807, 3924.
Carrillo de Mendoza, Fernando. 207.
Carrillo de Mendoza, María Sidonia. 5519.
Carrión. 2539.
Carros triunfales. 4206.
Cartagena. 1828, 1841.—*Págs.*: 361, 657; de Indias.—*Pág.*: 121.
Cartagineses. 5762.
Cartas. 1, 46, 126, 152, 365, 372, 495, 501, 587, 597, 608, 616, 621, 651, 747, 779, 818, 823, 845, 862, 952, 958-59, 988, 999, 1000, 1035, 1066, 1115, 1173-77, 1184 (1-3), 1191 (1), 1195 (3), 1199 (6), 1203-39, 1331-39, 1431, 1439, 1499-510, 1578-82, 1635-36, 1791, 1793, 1814, 1852, 1910, 1915, 2133, 2252, 2288, 2344, 2407, 2409, 2458, 2539, 2989, 2994, 3090, 3144, 3151-52, 3181, 3205, 3213-14, 3227, 3241, 3356, 3396, 3771, 3809-11, 3883-84, 4059, 4062, 4073, 4105, 4107, 4130, 4487, 4516, 4519-24, 4529, 4564-65, 4608-9, 4615, 4617, 4628, 4877, 4929, 5011, 5045-46, 5106, 5109-10, 5138 (1), 5146, 5151, 5158, 5309 (2), 5342-44, 5433 (2), 5574-5575, 5577, 5728, 5779, 5835-37; pastorales. 890, 893, 941, 1191 (2), 5821.
Carteles. 5111.
Cartujas. 4715.
Cartujos. 103, 5597 (64).—*Págs.*: 13, 110, 379-380, 672.
Carvajal y Sande, Juan de. 4974.
Casados. 4564-65, 4615.
Casamenteros. 3516.
Casamientos. 5867.
Casas. 2751-54; de probación. 165-66.—*Página*: 21; de recreación. 4133 (80); públicas. 1019.
Cascante.—*Págs.*: 49, 370.
Casilda, Santa. 1834.
Casos de conciencia. 3838.
Casovia. 1040.
Castelmellor, Condes de. 4604.
Castel-Rodrigo, Marqueses. 5779.—*Pág.*: 690.
Castellammare. 3718.
Castellar, Condes del. 3281.
Castellón. 1122.—*Págs.*: 118, 385.
Castigos. 3169.
Castilla. 10-11, 28, 691, 715, 780, 1550, 1553-1559, 2023, 2030, 2343, 3119, 3121, 3152, 3330, 3527, 4409, 4477, 4576, 4934, 4953, 5249-50, 5256, 5259, 5344, 5661, 5869.—*Págs.*: 474-75, 632; (provincia agustiniana).—*Págs.*: 91,

246, 654, 658; (provincia capuchina). 973.—*Páginas*: 116, 285, 693; (provincia de los carmelitas calzados).—*Pág.*: 245; (provincia mercedaria).—*Págs.*: 10, 443; (provincia de los mínimos).—*Págs.*: 517, 581.
Castillo de Garcimuñoz.—*Pág.*: 592.
Castillos. 683, 2843, 3755, 3922, 4722, 5869.
Castrillo, Condes de. 296, 3327.
Castrillo de Oniello.—*Pág.*: 294.
Castrioto, Jorge (Scanderbeg). 5377.
Castro, Condes de. 5597 (70).
Castro, Inés de. 3632, 4388-90, 4571.
Castro, Inés de (condesa de Chinchón). 2355.
Castro, Pedro de. 104, 5597 (68).
Castro, Rodrigo de. 4133 (27).
Castro y Quiñones, Pedro de. 2697.
Castro y Ribera, Francisca de. 2942.
Castromocho.—*Pág.*: 272.
Catalán (Idioma). Obras en. 629, 631, 633; traducciones al. 258-59.
Catalanes. 3567-72.—*Pág.*: 21.
Catalina, Doña (reina de Inglaterra).—*Página*: 636.
Catalina de Cristo, Sor. 1049.
Catalina de Sena, Santa. 2985, 4844.
Catálogos de bibliotecas. 355-56.
Cataluña. 158-59, 168, 655-56, 1066-67, 1913, 2097, 2193, 2298, 2338-43, 2345-46, 2348-49, 3158-59, 3262, 4577-94, 4664, 5631.—*Páginas*: 91, 268, 387, 536, 538, 597; (provincia franciscana).—*Pág.*: 462.
Catanea, Felipa de. 3128.
Catecismos. 250, 255-56, 258-59, 1042, 3006-3025, 3255, 3305.
Catedrales. 597, 602, 649, 1030-32, 1044, 2104, 2228, 2264, 2511, 2963, 2966, 3089, 3101, 3103, 3158, 3664, 3813, 3891, 4162, 4427, 4737.—*Págs.*: 34, 40-41, 52, 65, 90, 110, 115, 123, 216, 218-19, 259, 264, 300, 363, 367, 375, 439, 445, 458, 490, 518, 525, 567, 580, 604, 702.
Cátedras. 2555, 3321.
Catedráticos. 658, 5101.—*Págs.*: 3, 10, 17, 32, 34, 49, 68, 71, 77, 89, 92, 97, 112, 118, 125-127, 134, 215, 218-19, 237-38, 246, 257-59, 264, 301, 305, 309, 331, 347-48, 351-52, 361, 367, 375, 378, 385-86, 391, 402, 438, 449, 451, 464-65, 533, 536, 566-67, 574, 577, 580, 613-14, 619, 623, 641, 645, 657, 659, 663, 677, 681, 696, 699.
Cautivos. 2061, 2481, 3532-36, 4357, 5557.
Cayetano, San. 4805.
Caza. 3330-31.
Cea, Marqueses de. 2160.
Celorico da Beira (Portugal).—*Pág.*: 582.
Celos. 2839.
Censos. 2648.
Centurión de Córdoba, Ana. 326.

Contadores. 2266.—*Págs.:* 401, 690; reales. 3133.—*Págs.:* 64, 446.

Contemplación. 628, 1442, 1541, 5137.   22

Continencia. 3970.

Contrabandos. 2193.

Contrastes reales.—*Pág.:* 443.

Contratos. 4504-7, 5507-10, 5513.

Contreras (Casa de). 4954.

Contreras, Antonio de. 2485, 4954.

Contreras, Martín Rodrigo de. 4958.

Contreras de San Juan (Casa de). 4958.

Controversias. 152, 1450-98, 1707-16, 1727-30, 2288.

Conventos. 115, 284, 810, 837, 952-57, 1068, 1412, 1818-19, 1898-99, 1905, 2273, 2300, 2353, 2356, 2358-59, 2703, 2710-11, 2777, 2949, 2955, 2976, 3206, 3211, 3307, 3745, 3753, 3757-61, 4036, 4183, 4392, 4442, 4459, 5162, 5199, 5216, 5324, 5554-55, 5652, 5672, 5785, 5811.—*Páginas:* 10, 15, 18, 30, 34-35, 44, 49, 91, 98, 108-12, 114, 116-17, 122, 125, 128, 134-36, 141, 177-78, 208, 237, 246, 258, 264, 270, 273, 277, 279, 281-82, 284, 289-90, 292, 296, 302, 304, 307-8, 320, 323, 334, 346, 370-71, 385, 387, 391, 394-95, 397, 403, 441, 443, 456, 461, 463, 465, 482, 495, 498, 526, 528, 535, 594, 619-22, 638, 657-58, 661, 664, 674-75, 690-92, 694-96, 699.

Conversiones. 421-35, 442, 444, 1039, 3396, 3998-4010, 4415, 4709, 5113, 5446, 5622.

Conversos. 5246, 5264.

Coplas. 242, 245, 1548, 1847, 2105, 2376, 2671-2672, 4193, 5700, 5866.

Corazón. 5216 (9).

Cordellas. 1110.—*Pág.:* 133.

Córdoba. 580, 718, 810, 1884-85, 2381, 2401, 2448, 2567, 2612, 3904, 3952, 4396-97, 4517, 4990, 4999, 5175-76, 5519-20, 5524, 5546-50.—*Páginas:* 41, 98, 135, 141, 277, 447, 456, 464-465, 482, 518, 520, 556, 573, 576, 623, 655, 658.

Córdoba, Diego de. 961.

Córdoba y Aguilar (Casa de). 3041.

Córdoba y Aragón, Antonio de. 3.

Córdoba y Bocanegra, Fernando de. 4936.

Coriolano. 524.

Coro. 333-34, 892.

Coronaciones. 1038.

Coronas. 1038, 5597 (31).

Coronel (Casa de). 4935.

Corral y Arellano, Diego de. 3134.

Correas Ximénez, Isabel. 2415, 2418.

Corregidores. 5517.—*Págs.* 482, 577.

Correos.—*Pág.:* 632.

Corte. 3442, 3688 (1, 3), 5756, 5760, 5763.

Cortes. 2267-71, 2274, 3360.

Cortés (Casa de). 4944.

Cortesanos. 5699.

Cortizos de Villasante, Manuel. 4930.

Coruña, Condes de. 4917.—*Págs.:* 604, 606, 611.

Cosarias. 3567-77.

Cosme, San. 123-25.

Cosmografía. 3979-80, 4012, 4021.

Cosmógrafos.—*Pág.:* 467; reales.—*Págs.:* 233, 297, 638.

Costas. 4111.

Costumbres. 4, 103, 135, 3565-66.

Courbes, I. de (grabador). 2480, 3139, 5783.

Credo. 244, 2577.

Criados. 840.—*Págs.:* 42, 677; reales.—*Páginas:* 333, 529, 576.

Cristal. 5761.

Cristianismo. 3093, 3396.

Cristianos. 2145-59, 3960, 5146, 5496; viejos. 1550, 5276.

Cristina, Santa. 3467-68.

Cristo. *(V. Jesucristo).*

Cristo, Orden de: Caballeros. 536, 3672, 4774, 4954.—*Págs.:* 112, 371, 385, 405, 537-538, 629; Comendadores. 5764.—*Pág.:* 12.

Croata (Idioma): Traducciones al. 1380.

Cromwell. 4967-68.—*Pág.:* 567.

Crónicas. 254, 496-99, 779-80, 2036-38, 3823, 3975-78, 3985, 4011, 4775, 5141.

Cronistas. 1516, 3132, 3152, 4352, 4354, 4362.—*Páginas:* 528, 533, 582, 611, 617, 622, 638, 642; de Aragón.—*Pág.:* 260; de Portugal.—*Página:* 3.

Cronología. 8, 37, 98, 251-54, 1549, 2075, 2265, 2282, 4729, 5789, 5830.

Crudillis, Geraldus de. 160.

Cruz. 3321, 4031.

Cuaresma. 4224, 4422, 4447, 5035-36, 5038-41, 5044, 5493.

Cuartetos *(Métr.).* 2529 (17), 5083 (1), 5216 (2, 4), 5433 (3).

Cuartillas *(Métr.).* 2792.

Cuenca. 1831, 2709, 2971, 3139-40, 3901.—*Páginas:* 18, 66, 526, 641.

Cuentas. 5334.

Cuentos. 1984, 3925-26, 5724.

Cuerpo. 4786, 4809, 5578-80, 5597 (87), 5693, 5711.

Cuerva. 952-56.—*Págs.:* 113, 177 .

Cueva, Francisco de la (marqués de Cuéllar). 5597 (76).

Cueva y Córdoba, Isabel de la. 2273.

Cuevas. 5597 (24).

Culpa. 3402-3, 3464-66, 3619.

Cumpleaños. 5378, 5517.

Cupido. 201.

Curiosidades. 969.

Cuzco. 5141.—*Págs.:* 528, 615.

CH

D

Definidores.—*Págs.*: 44, 89, 109-10, 116, 245, 278, 285, 385, 395, 450, 594, 604, 616, 621-22, 654, 677, 692.
Delgadillo, Fr. Cristóbal. 2358.
Delineantes. 3402-3, 3464-66.
Denia.—*Págs.*: 141, 208.
Dentadura. 2526-28.
Derecho. 2457, 3362-63; canónico. 78-82, 802, 1063, 2455, 2459; civil. 78-82, 5153.
Desafíos. 3026-27, 3084, 3643.
Descomuniones. 897.
Descontentos. 2751-54.
Descripciones. 2051-52, 2055-56, 3914, 4071, 4748.
Descubrimientos. 300-1.
Desengaño. 1151-53, 1157-60, 2108-9, 2751-54, 3451, 3731, 4656, 4950, 5360, 5370, 5754, 5761.
Deseo. 4133 (54).
Despertadores. 5370.
Desprecio. 3446 (4), 3447 (7), 3576-79, 5360.
Destierros. 848, 851, 879, 1105.
Devoción. 482, 783, 997, 3383, 3445 (4), 3573-3575, 5319-20.
Deza (Casa de). 4960.
Deza y Ulloa, Francisco de. 2951.
Diablo. 3934.
Diálogos. 167, 540, 828, 2133, 2218, 3119, 3376, 3998-4010, 4223, 4311-24, 4350, 4425, 4924-4925, 5483-84, 5486, 5847.
Diamantes. 5597 (23).
Días, P. Pedro. 64.
Díaz, M. Mari. 1825.
Díaz de Vivar, Rodrigo (el Cid Campeador). 5694.
Dibujos. 3041, 3050.
Diccionarios. 5730.
Dicha. 3446 (4), 3447 (7), 3576-79.
Dido. 4540.
Diego de Alcalá, San. 1827, 3276, 3823, 5697.
Diezmos. 597, 5567.
Dios. 47, 264, 628, 631, 973, 995, 1059, 1099, 1186, 1191 (3), 1266-78, 1285-321, 1542-43, 1729, 1846, 2480, 2518, 2529 (21), 2614-15, 2836, 2905, 3321, 3778, 3805, 3887, 4133 (88), 5346-57, 5373, 5526, 5760.
Dioses. 4133 (29), 4396 (29), 5216 (10), 5756.
Discursos. 296, 346, 348, 503-4, 579, 677, 752, 869, 966, 973, 992-96, 1019, 1035, 1550, 1553-1555, 1561, 1566-67, 1569, 1722, 2026, 2110, 2207, 2238, 2458, 2503, 2594, 2624, 2661, 2697, 2826, 2936, 2943, 3028, 3048, 3069, 3097-99, 3300, 3327, 3731, 3738, 3749, 4026, 4062, 4142, 4177, 4180, 4214, 4370, 4397-98, 4404, 4409, 4481, 4525, 4887-88, 4891, 4895, 4946, 5162, 5166-68, 5238, 5242, 5249, 5254, 5256, 5259, 5261, 5264, 5266, 5280, 5476, 5567, 5768, 5842.
Disputas. 629-30.
Doctores. 595, 629, 1905, 2396, 4477, 4480,

5531, 5573.—*Págs.*: 8, 17, 19-20, 29, 32, 40-41, 52, 68, 71, 73, 118, 122-23, 126, 129, 133, 135-36, 218-19, 238, 241, 256-57, 259, 262, 264, 268, 273-74, 278, 294, 301, 305, 311, 317-18, 321, 331-33, 344, 347-48, 360, 367-368, 375, 379-80, 385-87, 393, 399, 405, 437, 442, 445, 447-48, 457-58, 460, 465, 475, 478, 497, 518, 525, 533, 535, 565, 571, 580, 594-595, 597, 604, 618-19, 639-40, 645-46, 651, 657, 660-63, 683, 685-86, 690.
Doctrina Cristiana. 250, 255-56, 258-59, 1115, 2483, 2951-52, 2960, 3006-25.
Documentos. 152, 222-23, 254, 875-79, 887, 894, 1420-21, 1428, 1450, 1694-99, 2178-80, 2227, 2436, 2440, 2893, 3011-12, 3014, 3148, 3378, 3715, 3822, 4141, 4194, 4642-44, 5013, 5031, 5033-34, 5128, 5609, 5840.
Dolz de Espejo, Pedro. 3755.
Domingo Enrique, Fr. Vicente. 5739.
Domingo de Guzmán, Santo. 1826, 5652, 5784.
Domingo Soriano, Santo. 114, 2807.
Dominicos. 488, 492, 686-87, 941, 985, 1824, 1826, 1833, 1840, 1898-99, 2333, 2337, 2384, 2976, 2985, 3172-73, 3757-61, 3887, 4073 (1), 4459, 4487, 4844, 5783-85.—*Págs.*: 15, 30, 56, 79, 92-93, 99, 112, 125, 128, 134, 136, 177, 208, 216, 238, 267, 274, 279, 281, 289, 296, 302, 307-8, 334, 346, 352, 378, 380, 391, 405, 442, 451, 456, 464, 482, 495, 498, 518, 528, 535-36, 571-74, 576, 611, 613, 619, 621, 634, 638, 653, 658, 661, 664, 690-91, 696.
Domonte, José. 5698.
Doncellas. 761-65.
Dormilones. 3426, 3654.
Dos Barrios. 4695.
Dragones. 3273.
Droesmoode, Martín. 4568.
Duelos.—*Pág.*: 479.
Durango. 3019.

E

Eboli, Príncipe de. 4865.
Ecija. 2217, 5139.—*Págs.*: 123, 305, 566, 577, 610.
Eclesiásticos. 2480.
Eclipses. 5166-68.
Eco. 3664, 3907, 4538, 4576.
Economía. 683.
Economistas. 1756-66.
Edictos. 4697.
Educación. 5471.
Egea de los Caballeros.—*Pág.*: 68.
Egipto. 1105, 2056, 2125, 4721.
Eglogas. 703 (29, 38), 4043, 5129.
Ejercicios espirituales. 784-85, 1246-48, 1340-1357, 1363.

5255, 5259-60, 5262-65, 5268-71, 5273-75, 5277-5281, 5284-88, 5334, 5336, 5455, 5560-61, 5595, 5597 (63, 73), 5753-54, 5761, 5766.
Española, Isla. 5394.—*Pág.:* 523.
Espectáculos. (*V. Juegos*).
Espejos. 3813, 5446, 5569.
Esperanza. 1865, 3276, 4788.
Espínola, Bartolomé. 3251.
Espiritualidad. 1014.
Esposos. 1184 (1), 1186, 1188 (4), 1191 (11), 1192 (2), 1194 (2), 1197 (1), 1200 (1), 1201 (1), 1252-64, 1366-69, 1511.
Espuelas. 414, 904, 3003, 4513, 4882.
Estacio, San. 2836.
Estahremberg, Conde de. 752.
Estampas. 388, 2483, 5033-34.
Estancias (*Métr.*). 1071 (1), 5426 (3), 5433 (1, 6), 5717 (1-2).
Estandartes. 2054.
Estatuas. 4793, 4933 (6).
Estenaga (Casa de). 5193.
Esteban de Santa Ana, Fray. 5216.
Esteve, Fr. Pedro. 5408.
Estrellas. 2843, 2871-77, 4168, 5376 (1), 5560-5561, 5597 (17).
Estudiantes. 187, 3170.
Etiopía. 2056, 3314, 3396.—*Pág.:* 405.
Eucaristía. 72, 170, 384, 634, 757, 781, 902, 918, 1059-61, 1872, 2304, 2337, 2621, 2771, 2773-74, 2777, 2986, 3169, 3807, 3924, 4177, 4430, 4441, 4696, 4912, 5026, 5319-20.
Eudoxia. 1099.
Eugenia de la Encarnación, Sor. 956.
Eugenio, San. 776-77.
Europa. 844, 2289, 3050, 3314, 4112, 4572-75, 4946, 5522.
Eutichiano, San. 1055.
Eva. 1285.
Evora. 4547, 4625.—*Págs.:* 130, 405, 537, 593.
Examinadores: de herradores.—*Págs.:* 462, 474; de pilotos.—*Pág.:* 467; sinodales.—*Páginas:* 34, 65, 134, 238, 264, 301, 309, 318, 334, 377, 437, 441, 444, 462, 517, 581, 616, 645, 677.
Exequias. 285, 693, 703, 906, 929, 1851, 1853, 1900, 2300, 2336, 2353, 2355-56, 2358, 2387, 2493, 2529, 2578, 2953, 2963-65, 3742, 3744, 3753, 3892, 4372, 4449, 4748, 5085.
Extranjeros. 5205.
Extremadura. 3220.
Extremós (Portugal).—*Pág.:* 536.
Ezequiel. 4786.

F

Fabio (*n. lit.*). 673 (1), 4133 (16), 5672.
Fábulas. 3700, 5432, 5724-26, 5860; burlescas. 3660, 3670.
Facsímiles. 3094, 3980, 3984, 3987.

Fajardo, Mencía. 4234.
Fajardo, Pedro. 676.
Fajardo Requesens y Zúñiga. Fernando. 597.
Fama. 2116, 3094, 3444, 4513, 4933 (41), 5594.
Familias. 3050, 3207.
Faria, José de. 3672.
Farmacéuticos. 2795.—*Págs.:* 332, 567.
Farmacia. 2793-96.—*Pág.:* 332.
Faro, Mosén. 5631.
Fe. 474, 479, 481, 1863, 3305, 3967, 4537.
Felipa de la Madre de Dios, Sor. 325.
Felipe I de España, el Hermoso. 5754.
Felipe II de España. 110, 203, 207, 479, 604, 659, 945, 1025, 1644, 2055, 2168, 2578, 2610 (2), 2695, 3276, 3945, 3948, 3950, 3984, 3988, 4299, 4302, 4382, 4498, 5104, 5109, 5152, 5238-5239, 5241, 5243-44, 5246, 5255, 5258-59, 5263, 5265-66, 5271-72, 5278, 5281, 5284.—*Páginas:* 361, 465, 646.
Felipe III de España. 165, 284, 350, 496-99, 560, 587, 693, 703, 848, 906, 1041, 1823, 1833, 1844, 1996, 2799, 3000, 3738, 3748, 4133 (13-14, 82), 4803, 5104, 5106, 5172, 5260, 5273, 5598.—*Págs.:* 333, 702.
Felipe IV de España. 365, 525-29, 546, 552, 580, 653, 847, 853, 860, 973, 1019, 1035, 1114, 1203-25, 1331-36, 1443, 1499-509, 1813, 2022, 2480, 2661, 3121, 3205, 3215, 3220, 3253, 3315, 3660, 3669, 3701, 3744, 4372, 4415, 4576, 4577, 4642, 4749-52, 4755, 4760, 4879, 4940, 4942, 4954, 4972, 4985, 5646, 5765-69, 5790.—*Págs.:* 142, 324, 390, 536, 633, 702.
Felipe V de España. 4062.
Felipe Neri, San. 1069-70, 2779.
Félix, San. 3472-73, 3475-76.
Félix de Valois, San. 31, 553.
Fenisa (*n. lit.*). 4484.
Fénix. 1135, 2607, 3467-68, 4566, 4600-3, 5597 (26), 5766.
Feria, Condes de. 829.
Feria, Duques de. 2145, 2148, 3369, 4177, 4182, 5597 (9-10, 66, 78).
Fernández (Casa de). 4948.
Fernández del Campo, Antonio.—*Pág.:* 115.
Fernández del Campo, Pedro. 388.
Fernández de Castro, Pedro. 877, 2291.
Fernández de Córdoba, Ana (duquesa de Feria). 3369, 4177, 4182.
Fernández de Córdoba, Francisco (duque de Sessa). 3444.
Fernández de Córdoba, Francisco Luis Antonio. 5519.
Fernández de Córdoba, Luis. 4437.
Fernández de Córdoba, Pedro. 829.
Fernández de Córdoba y Figueroa, Alonso (marqués de Priego). 4182.
Fernández de Córdoba y Figueroa, Catalina. 2748.

Fuenterrabía. 539, 1713, 2639-40, 3118, 3702, 4059.

Fuentes literarias. 450, 4357, 5725-26.

Fuentes (el Mozo), Pedro Jerónimo de. 5566.

Fueros eclesiásticos. 4385, 4437.

G

Gabino, San. 559-61.

Gabriel, San. 973.

Galanes. 586, 3427, 3446 (2), 3447 (3), 3469-3471, 3794, 4863, 5395, 5433, 5651.

Galantería. 4623.

Galeazo, Juan. 2832-33.

Galeones. 126, 666, 3285, 4133 (37), 5162.

Galeras. 197, 208, 819, 2820, 4711.—*Pág.:* 96.

Galicia.—*Págs.:* 66, 308, 633.

Galve, Condes de. 4815.

Gallego (Casa de). 4964.

Gallegos.—*Pág.:* 580.

Ganaderos. 2272.

Gansos. 4933 (45).

Garín, Fr. Juan. 4223.

Garrotillo. 566.

Gasca, Pedro. 3998-4000, 4004.

Gaynza (Casa de). 5192.

Gelves, Condes de. 4449, 5597 (6-7).

Genealogía. 325, 746, 863, 2278-79, 2285, 2392, 2523, 2999, 3050, 3208, 3737-39, 4295, 4917-4924, 4930-35, 4937-39, 4941, 4944-45, 4947-55, 4957-58, 4960-65, 4969-71, 4973, 4975-76, 5190-5194, 5234-81, 5306, 5519, 5554, 5766.

Generales. 312, 2068, 2639, 4521, 4544, 4568-4570, 5631.—*Págs.:* 593, 633; de Ordenes religiosas. 262, 372, 378, 381, 623, 929, 1431, 2407, 2444, 2455, 4031, 4487, 5534.—*Págs.:* 12, 69, 566, 616, 657, 659.

Génova. 2376, 4059.

Gentiles. 611, 613.

Gentilhombres. 2269.—*Págs.:* 263, 476, 534, 627, 633, 686; de S. M.—*Pág.:* 43.

Geografía. 348, 683, 1189, 1192 (1), 1194 (1), 1196 (1), 1242-43.

Geometría. 2367, 2378, 5829.

Gerona. 2096, 5010.

Gibraleón. 5597 (2).

Gibraltar. 5274.

Ginecología. 5478.

Gloria. 4424, 5159.

Glosas. 182 (1), 235, 242-47, 638 (2), 679 (2), 703 (7-12), 759 (1), 815 (1-2, 23-27), 914 (2), 915 (1), 983 (2), 1048 (1), 1075, 1525 (1), 2214, 2305 (2), 2328 (3), 2361 (1), 2370 (12), 2431 (2), 2505, 2521, 2533 (1), 2577, 2638, 2671-72, 2732, 2740, 2766, 2777 (12-13, 21, 137), 2882, 3299, 3345 (2), 3765, 3791, 3798 (2), 4056, 4186 (3), 4191 (4), 4396 (23-30), 4448, 4808, 4821, 4862 (4), 4864, 4883 (1),

4902, 5111, 5328, 5400, 5538 (1), 5623, 5671, 5742 (1), 5867-69.

Gobernadores. 861, 1913, 2028, 2145-59, 2173, 2175, 2264, 2751, 3813, 3924, 4521, 4523, 5307, 5396, 5399.—*Págs.:* 231, 262, 281, 347, 462, 536, 623, 629.

Gobernantes. (*V. Gobernadores*).

Gobierno. 104-5, 659, 857, 1560-77, 2624, 3095-3096, 3373-75, 5108, 5307, 5310-11, 5372.

Gómez de Abreu, Gaspar. 5342.

Gómez de Sandoval, Cristóbal. 2160.

Gómez de Sandoval y Mendoza, Catalina. 2807.

Gómez de Sandoval y Rojas, Francisco (duque de Lerma). 3739, 4514.

Gómez de Silva, Ruy. 587, 4865.

Góngora, Diego de. 4267.

González, Fernán. 478.

González, José. 1232.

González de Avellaneda y Haro, Gaspar. 3327.

González Centeno, Juan. 4442.

González de Mendoza, Pedro. 713, 4045-51, 4053.

González de Mendoza, Fr. Pedro.—*Página:* 690.

González Poveda, Bartolomé. 1905.

González de Sepúlveda (Casa de). 4957.

Grabados. 11, 166, 207, 385, 388, 480-81, 600, 957, 1055, 1069-70, 1099, 1619, 1622-23, 1625, 2055-57, 2480, 2508, 2589, 2748, 2908-9, 3019, 3128, 3273, 3275, 3383, 3817, 3943, 4223, 4396, 4459, 4471, 4719, 4917, 4923, 5216, 5769, 5783.

Gracia. 421.

Grajal, Condes de. 3383.

Gramática. 214, 988-90, 2566-67, 2709, 2938-2941, 3305, 5329, 5703.

Granada. 342-43, 552, 653, 941, 1035, 1830, 1886-96, 1904, 2046, 2387, 2626-28, 2694, 2697-2698, 2700, 2702-4, 2934, 3044-47, 3049, 3108, 3284, 3899, 3954, 4726, 4728, 4923, 5087-89, 5151, 5375, 5483, 5672, 5821.—*Págs.:* 11, 29, 37-38, 40, 110, 121-23, 216, 219, 254, 274, 282, 315-16, 360, 370, 391, 439, 458, 464, 519-20, 605, 610, 639, 651, 660, 664; (Reino de). 597, 2057-59.—*Pág.:* 361; (Nuevo Reino de). 4461, 5500, 5504.

Grecia. 4168, 4214.

Gregorio, San. 3509-15.

Gregorio Iliberitano o el Bético, San. 2694.

Griego (Idioma).—*Págs.:* 623, 645, 681; poesías en. 703 (22, 40), 1941, 1972, 1984, 1986, 2014-16, 3069 (104), 4459; traducciones del. 1942-44, 1956, 1961, 1964, 1967-68, 1971, 4824-4825.

Gritos. 3306.

Guadalajara. 940, 4052.—*Págs.:* 112, 443, 476, 604, 606, 611, 629; de Méjico.—*Pág.:* 331.

I

Ibáñez de la Riva Herrera, Antonio. 3305.
Iconografía. 1693. *(V. Retratos).*
Idilios. 4539.
Idolos. 5490, 5502-3.
Iglesia. 1825-27; Griega. 1588.
Iglesias. 560, 822, 836, 2592, 2698, 4183.
Ignorantes. 2133.
Imágenes. 64, 114, 161, 1833, 1842-43, 2409, 2511, 2698, 2807, 3315-16, 3358, 4065, 4471, 4741, 4774, 5027, 5230, 5672.
Imposibles. 3477-81.
Imprentas.—*Pág.:* 567.
Impresores. 2333.—*Págs.:* 19, 71, 291, 681-82.
Impuestos. 4879.
Incendios. 4133 (52), 5828.
India. 7, 22, 325, 2398, 2950, 3000.—*Pág.:* 92.
Indicios. 3619.
Indios. 840, 1447, 4415.
Indulgencias. 276, 3305, 3968, 5569.
Inés, Santa. 2522.
Infantado, Duques del. 652, 2807, 4779.—*Página:* 476.
Infante (Casa de). 4971.
Infantería.—*Pág.:* 97.
Infantas. 4953.
Infanzones. 189.—*Pág.:* 126.
Infierno. 3306.
Inglaterra. 378, 4967-68, 5126, 5162, 5675.—*Páginas:* 57, 537-38, 606, 636.
Inglés (Idioma): traducciones al. 681, 1392-1396, 1679-81 2491, 4016, 4338-42, 4634-35, 4801, 5123-24; traducciones del. 3255.
Ingleses. 1041.
Ingratos. 3407, 3482.
Inmortalidad. 1660.
Inocencia. 3410.
Inocentes, Santos. 5433 (7).
Inquisición. 283, 325, 484, 658, 877-78, 1239, 1464, 1483, 2198, 2612, 2703, 3771, 4107, 4179.—*Págs.:* 25, 142, 177, 302, 465; alguaciles mayores.—*Pág.:* 495; asesores.—*Página:* 368; calificadores. 1813.—*Págs.:* 34, 69, 91, 97, 127, 137, 216, 234, 246, 258, 264, 279, 285, 305, 308, 333, 344, 361, 377, 440, 462, 573, 581, 604, 611, 619, 658-59, 677, 695; censores de libros.—*Pág.:* 618; comisarios.—*Págs.:* 118, 136, 311, 316, 370, 397, 618, 675, 690; consultores. 1613.—*Páginas:* 3, 66, 596, 618, 662; contadores mayores.—*Página:* 401; familiares.—*Págs.:* 8, 63, 631, 642; fiscales. 2951; inquisidores. 488, 1825, 2266, 4162.—*Págs.:* 66, 116, 121, 219, 555, 580; inquisidores generales. 2612, 4696-97; intérpretes.—*Pág.:* 297; jueces comisarios.—*Pág.:* 580; médicos.—*Págs.:* 237, 565; ministros.—*Págs.:* 391, 596; notarios.—*Página:* 34.

Intérpretes.—*Pág.:* 287; reales.—*Pág.:* 677.
Inundaciones. 5450, 5665.
Invectivas. 11, 1019, 3121, 4696.
Invierno. 4133 (16).
Iris. 2997.
Irlandeses. 655.
Isabel, Santa. 2370.
Isabel de Portugal, Santa. 27.
Isabel de la Visitación, Sor. 297.
Isabel I de España, La Católica. 945, 1918-1921, 3985.
Isabel de Hungría, Santa. 3405, 3417, 3494.
Isabel de Jesús, Sor. 956.
Isabel de Portugal, Santa. 3749.
Isabel de San José, Sor. 956.
Israel. 388, 4788, 4800.
Italia. 450, 482, 3218, 5690.—*Págs.:* 180, 664.
Italiano (Idioma). 5703, 5706; textos en: prosa. 167, 502-25, 3078, 4277, 5173, 5763; poesías. 472, 3731, 3771, 4343-50, 5594, 5765, 5771; traducciones al. 438, 561, 1397-402, 1575, 1682-83, 1880, 2174-76, 2222, 2323, 2399, 2989, 3819, 3878, 4636, 5079-80, 5125, 5502, 5513, 5788; traducciones del. 152, 495, 530-538 587, 683-85, 687, 779-80, 842, 2621, 4775, 4865, 5298-99, 5779.
Itálica. 4128, 4133 (40).
Itinerarios. 798, 2398, 5336.

J

Jaca. 2392, 3152.—*Pág.:* 622.
Jácaras. 3436-37, 3644, 3659, 5856.
Jacinto, San. 2273, 3172-73.
Jacob. 2539.
Jaén. 290-91, 977, 1841, 3067, 4831, 5215, 5375, 5518.—*Págs.:* 35, 110, 115, 571, 619.
Jafet. 3738.
Jaime I de Aragón. 3069.
Jaime II. 633.
Jansenismo. 41, 4740, 4745.
Januario, San. 559-61.
Japón. 6, 284, 985, 3151.
Jara y Mesa, Hernando. 5597 (81).
Játiva. 5739.—*Págs.:* 56, 398, 685.
Jávea.—*Pág.:* 141.
Jenízaros. 3445 (8), 3483-93.
Jerez de la Frontera. 2904, 3222, 5517.—*Páginas:* 458, 655.
Jeroglíficos. 64, 351, 413 (2), 703 (4-6), 815 (50-68, 70-81), 905, 991, 1057, 1167, 1538, 2113, 2130, 2210 (2), 2216, 2361 (3), 2380, 2529 (1, 3, 5-6, 11, 13, 16, 19-20, 23-24, 27, 29-31, 34), 2553, 2578, 2619, 2777 (10, 15), 2927, 3198, 3276, 4186 (4), 4190 (2), 4748 (3), 4861, 5150 (2), 5332, 5679, 5804.
Jerónimo de la Concepción, Fray. 2407.

poesías. 33, 35-36, 201, 203, 216-17, 236, 397, 703 (3-4, 21, 23, 29, 35, 37-39, 42, 45), 815 (49, 53, 56, 68, 70), 829, 882, 897, 918, 1055, 1941, 1947, 1949, 1953, 1955, 1972, 1982-84, 1986, 1992-2013, 2042, 2042, 2108, 2333, 2529 (9-10, 22), 2793, 2899-903, 3069 (42, 44, 46, 48-49, 51, 56, 58, 60, 62, 64, 73-74, 76-77, 79), 3094, 3158, 3187-89, 3191, 3199, 3275, 3380, 3771, 3800 (2), 3887, 4036, 4077, 4087, 4168, 4209-10, 4212, 4225, 4268, 4299, 4302, 4311, 4313-14, 4396 (49), 4459, 4471, 4475-76, 4748 (4), 4868, 4936 ,4996, 5141, 5393, 5579-5580, 5599, 5646, 5721, 5735, 5783; traducciones al. 108, 1403, 1948, 1964, 1969, 3879, 5511, 5855; traducciones del. 2, 10, 200, 611, 613, 1596, 1940, 1942, 1957, 1961, 1965, 2498-500, 2548, 3057, 3124, 3143, 3351, 3906, 4042, 4107, 4214-17, 4295, 4302, 4314-15, 4498, 4763-69, 5078, 5101-2, 5108, 5317, 5393, 5455, 5852.

Latrás y Agullana, Orosia de. 2392.

Laurel. 4103, 5597 (31, 41).

Lealtad. 309, 3445 (1), 3453-55, 4175.

Leandro. 4200-1.

Leche. 481.

Leganés, Marqueses de. 2068.

Legislación. 3377.

Leiva, Marqueses de. 840.

Leiva y de la Cerda, Juan de. 840.

Lemos, Condes de. 104, 2291, 5173, 5597 (5-8, 68-70), 5765.—Pág.: 615.

Lenguaje: de J. de Mariana. 1706; de F. M. de Melo. 4657, 4659.

León (ciudad). 3282, 4829.—Págs.: 567, 676; (Reino). 4948.

León, Francisca de. 581.

Leonor María del Santísimo Sacramento, Sor. 954.

Leopoldo Ignacio de Austria (emperador). 657.

Leopoldo I (emperador). 654, 5730.

Lepanto, Batalla de. 770-71, 773-75.

Lérida. 187, 544, 639, 5333.—Págs.: 73, 387.

Lerma, Duques de. 865, 870, 2165, 3739, 4514, 5401-2, 5419.—Pág.: 38.

Lerma, García de. 4720.

Lesbia (n. lit.). 2427.

Letrados. 3406, 3504-8.

Letras (Métr.). 2442 (3), 2777 (105), 3069 (68, 70-71).

Letrillas. 5802 (1).

Leucido (n. lit.). 4133 (65, 71).

Leucotoe. 3666, 3670.

Leyendas. 1008.

Leyria.—Pág.: 381.

Liberales. 1731.

Libia. 2056.

Libreros.—Pág.: 462, 464.

Licenciados. 2396.—Págs.: 7, 16-17, 29, 38,

42, 37, 65, 78, 91, 112, 116, 118, 132-33, 136, 215, 233, 252-54, 275-77, 280, 290, 293, 295, 301, 304, 307, 312, 315, 324, 330, 332, 343, 348, 352, 370, 380, 391, 396-97, 402, 446, 458, 465, 467, 490, 497, 519-20, 522, 524, 530, 532, 535, 557, 564, 570, 576, 594, 613, 631-32, 641, 656, 672-73, 676, 689.

Licino (n. lit.). 4133 (17).

Lima. 97, 285, 1054, 2439, 2443, 2613, 2661, 3887-89, 3891-94, 4221, 4459-60, 5209, 5574.—Páginas: 13, 34, 121, 126, 278, 311, 456, 496-97, 518, 528.

Limosna. 997, 3948, 4741, 5760.

Limosneros reales.—Pág.: 381.

Limpieza de sangre. 3052, 3058.

Liras (Métr.). 164, 377, 960, 1024, 2108, 2410, 2617 (2), 2777 (27), 3069 (86, 90, 98), 3155, 3798 (1), 4862 (2), 5669 (2), 5771; reales. 4188; (Mús.). 5597 (40, 43).

Lisboa. 11, 325, 920, 922, 948, 1041, 2033, 3118, 3414-15, 3748, 4696, 5629-30.—Páginas: 130, 231, 371, 517, 537, 567, 633, 635-37.

Lituania. 1040.

Loas. 2442 (2), 2548, 2829, 4065, 5360, 5378.

Lobos. 4171.

Locura. 2831.

Lógica. 5, 683, 2981, 3055, 5512.

Logroño. 761-64.—Págs.: 219, 597.

Loja. 328.—Pág.: 376.

Londres. 882, 4529.—Págs.: 537, 567.

Longon.—Pág.: 462.

López, P. Jerónimo. 1849, 1880.

López Alonso, Josefa. 2942.

López de la Madera, Fr. José. 2445.

López de Mendoza, Iñigo (marqués de Mondéjar).—Pág.: 610.

López de Zúñiga, Francisco (marqués de Baydes). 4464.

López de Zúñiga, Francisco Diego (duque de Béjar). 3141.

Lora. 713, 930.—Pág.: 138 .

Lorenzo. 3446 (6), 3447 (2), 3590-608.

Lorenzo mártir, San. 907, 2448, 3359.

Losada, P. Juan de. 3884.

Lotería. 5750.

Loyola.—Pág.: 277.

Luca. 5042-43.

Luceros. 123-24.

Lucía de la Santísima Trinidad, Sor. 3892.

Lucifer. 5631; (Beato). 95.

Luis (obispo de Tolosa), San. 3275.

Luis I de España. 2966.

Luis IX de Francia, el Santo. 908.

Luis XIII de Francia. 842, 2343, 2348, 3126, 3336, 5675.

Luna. 4536, 5432.

Luna, Antonia de. 2497.

Luna, Beatriz de. 4715.

Luna, Condes de. 4234.
Luna y Arellano, Carlos de. 2951
Luz. 5347-57, 5597 (6).
Luzuriaga, Fr. Juan de. 5230.

LL

Llamas. 4133 (60).
Llanto. 3806, 4396 (5), 4815, 5216 (12)
Llorente Aguado, Pedro. 1228.

M

Macerón. 593.
Macías, Fr. Juan. 257, 686.
Machado de Azevedo, Manuel. 86.
Madeira, Isla de. 4051.
Madres. 3445 (6), 3509-15.
Madrid. 14, 16, 18, 43, 97, 118, 145-46, 169-70, 188, 268, 273, 289, 321, 341, 350, 378, 382-383, 386, 389, 393, 486, 489, 610, 659, 766-67, 777, 788, 793, 818, 823, 825, 866-67, 879, 928, 934-36, 971, 974-75, 1025, 1129-30, 1144, 1147-1149, 1789, 1796, 1798, 1803-4, 1808-9, 1811, 1813, 1815, 1821, 1833, 1905, 2044, 2194-96, 2249, 2458, 2475, 2477, 2531, 2558-59, 2561-2563, 2582-86, 2588, 2593, 2598, 2630-31, 2636, 2715-21, 2723, 2725-26, 2750, 2785, 2808-14, 2862, 2928-29, 2931-32, 3004, 3032, 3048, 3125, 3144, 3197, 3206-7, 3215, 3217, 3239-39, 3251, 3281, 3286, 3315-16, 3318, 3361, 3660, 3662, 3669, 3671, 3698, 3701-2, 3725-28, 3730, 3745, 3776, 3787, 3930-31, 3940, 3947, 3958, 4028, 4030, 4176, 4179, 4183-84, 4204, 4206, 4373-4379, 4387, 4415, 4440, 4509, 4594, 4701, 4712, 4721, 4741, 4746, 4877-78, 4904-7, 4924-4925, 4977-79, 5006, 5021-24, 5048-50, 5052-5053, 5057-64, 5100, 5131-32, 5141, 5143-44, 5148, 5151, 5162, 5195, 5206, 5241, 5306, 5334, 5336, 5386, 5398, 5515-16, 5529-30, 5534-35, 5541-44, 5554, 5601, 5621, 5658-60, 5662-63, 5753, 5769, 5800, 5806, 5813-14, 5816, 5832, 5859, 5861-64.—*Págs.:* 3, 10, 25, 34, 41, 64, 66, 109, 111, 116-17, 125, 135, 178, 204, 207, 212, 233, 241, 245-46, 284, 290, 301, 308, 313, 317-18, 334, 346, 358, 405, 437-38, 443, 536-537, 566-67, 581, 596-97, 606, 609, 612, 638, 657-58, 664, 675, 686, 694.
Maestres de campo. 655, 683, 1137, 2639, 2951, 4642.—*Págs.:* 462, 538, 628.
Maestrescuelas. 187, 589, 595.—*Págs.:* 66, 518.
Maestros. 3391, 4953.—*Págs.:* 25, 88, 129, 136, 264, 267, 308-9, 316, 320, 335, 441, 458, 467, 675, 683; de campo. (*V. Maestres de campa*); de estudiantes.—*Pág.:* 447; de los mozos de coro.—*Pág.:* 300; de novicios.—

Páginas: 135, 141; de pajes.—*Pág.:* 254; en Teología.—*Pág.:* 498.
Mahoma. 5560-61.
Mahomet IV. 657.
Mahometanos. 4823, 5166.
Malaca.—*Pág.:* 277.
Málaga. 1527, 2288, 5219, 5832.—*Págs.:* 100, 592.
Maldicientes. 3065.
Maldonado, José. 3907.
Maletas. 3582.
Malicia. 374, 1860, 2347.
Malinas. 718.
Malpica (Casa de). 4944.
Malta. 312-16, 819.
Malucas, Islas. 3000.
Maluco 3981.
Mallorca. 3256; (ciudad). 5676-77.—*Pág.:* 557; (Reino de). 4748.—*Pág.:* 677.
Mandamientos. 586.
Manifestaciones. 640-44.
Manifiestos. 298, 645-61, 2197, 2346, 3334, 3336-38, 4541-42, 4599, 5695, 5829.
Manila. 821, 5399.—*Pág.:* 97.
Manrique, Alonso. 707.
Manrique, Ana (condesa de Puñonrrostro). 4719.
Manrique, García (conde de Osorno). 5597 (83).
Manrique, María. 695, 1827.
Manrique de Lara, Inés. 3817.
Mantos. 3627-29.
Manuales. 882-97.
Manzanares, Río. 5004 (3).
Manzanares el Real.—*Pág.:* 313.
Mapas. 1196 (2), 1199 (1), 1265.
Mar. 4133 (4, 37, 83), 5596, 5597 (27).
Maraver (Casa de). 4944.
Marchena.—*Págs.:* 138, 255.
Margaritas. 4985 (2).
María de Cervellón, Santa. 5528.
María Magdalena, Santa. 417, 420-35, 1053, 3769.
Maridos. 3445 (6), 3509-15.
Marín de Poveda, Tomás. 1887.
Marín de Rodezno, Francisco. 4923, 4959.
Mármol. 4133 (28), 4933, 4944.
Marquina (Vizcaya).—*Pág.:* 121.
Marte. 3943, 4168.
Martínez de la Guardia (Casa de). 5192.
Mártires. 6, 284, 488, 559-61, 985, 987, 1055, 1834, 2522, 3824-25, 3837, 4060, 4162.
Mataró. 2193.
Manuales. 272, 275, 550, 882-97, 2263.
Marruecos. 2611, 3369, 5306.
Marte. 2523, 4933 (3, 43), 4996.
Mártires. 5159 (6), 5375, 5653.
Martirios. 3151.
Martorell. 5453.

Máscaras. 3197.
Mascareñas, Pedro de (marqués de Montalbán). 3218, 3222.
Matachines. 3655.
Matemáticos.—*Págs.:* 398, 517, 660.
Matilla, Fr. Pedro de. 918.
Matrimonio. 593, 1875, 4382, 4909, 5570.
Máximas. 640-42, 1532, 5762.
Maximiliano (emperador). 4299-308, 4349.
Mayorazgos. 1034, 2285, 4958.
Mayordomos.—*Pág.:* 525; mayores. 652; reales. 4062.—*Pág.:* 536.
Mayorga, Condes de. 4234.
Mazarino, Cardenal. 4714.
Mecenas. 3133.
Mecina. 819.
Medidas. 1590, 1652-54.
Medicina. 129, 564-67, 966-68, 2068-71, 2497, 3300-1, 4355, 4364, 4811, 4887-88, 4891, 5453-5480, 5485.—*Págs.:* 17, 118, 388.
Medicinas. 4396 (25).
Médicis, Julián de. 5551.
Médicis, María de (reina de Francia). 3126.
Médicos. 123-25, 1137, 2220-22, 2396, 2794-95, 4364, 4475-77, 4480, 5531, 5581.—*Págs.:* 63, 115, 237, 255, 262, 290, 347, 651, 684, 701; reales. 902, 975, 5454.—*Págs.:* 237, 303, 646.
Medina del Campo. 2542.—*Pág.:* 650.
Medina de Ríoseco.—*Pág.:* 451.
Medina de Ríoseco, Duques de. 5166-67.
Medina Sidonia, Duques de. 214, 3026, 3933, 3975-78, 3989, 4011, 5131, 5366.
Medina de las Torres, Duques de. 5343.
Medinaceli, Duques de. 530, 845, 4257, 4919.
Meditaciones. 327, 628, 704-6, 998, 1322, 4115, 4177.
Medrano, Alonso de. 4133 (69).
Mejía, Francisco. 4283.
Mejicano (Idioma): traducciones al. 3929.
Méjico. 49-55, 126, 132, 152, 156, 196, 454-57, 459-63, 577, 584, 824, 827, 836-37, 840, 987, 1584, 2066, 2264, 2545-46, 2768, 2770, 2947, 2949-59, 3285, 3784, 3813, 3823-28, 3830, 3832, 3836, 3902, 3934, 4038, 4060, 4105, 4381, 4502, 4735, 4815, 4817-19, 4830, 4845-48, 4851-59, 4936, 4947, 5017, 5198-200, 5203, 5229, 5307, 5310, 5450, 5569.—*Págs.:* 18, 20, 52, 99, 118, 121, 277, 297, 311, 331, 348, 375, 448, 461, 477-78, 482, 533, 571, 574-75, 595, 629, 653.
Melancolía. 564-65, 567.
Meléndez (Casa de). 4944.
Melito, Príncipes de. 587.
Melo, Francisco de (marqués de Villesca). 5766.
Melocotones. 2288.
Mello, Martim Affonso de. 2028, 2030.—*Página:* 231.
Memoriales. 87, 97, 152, 159, 165-66, 189, 290, 296, 350, 548, 589-91, 595, 609, 612, 615,

617, 625, 637, 691, 721-24, 749, 849, 853-58, 1060, 1068, 1579-81, 1637, 1906, 2113, 2117, 2198-99, 2439, 2556, 2598, 2648, 2662, 2770, 2820-23, 2926, 2974, 2977, 2990-91, 2993, 3030, 3062-63, 3066, 3095, 3163, 3252, 3338, 3725, 3735, 3766, 3809-12, 4038, 4062, 4409, 4415, 4427, 4482-83, 4543, 4726-45, 4879-81, 4932, 4951-52, 4951-58, 4963, 4975-76, 5030, 5172, 5236, 5239, 5242, 5244, 5246, 5251, 5255, 5260, 5265, 5271-73, 5278, 5334, 5529-30, 5557, 5573, 5700 (4).
Memorias. 602.
Méndez de Haro, Luis (conde de Moren? te). 3669, 4929.
Méndez de Haro, Luis (conde-duque de Olivares). 4933, 4972.
Méndez Sotomayor, José.—*Pág.:* 592.
Mendieta, José de. 3706.
Mendigos. 3949-50.
Mendoza, Catalina de. 5135-36.
Mendoza y Luna, Juan de. 261, 2545.
Meneses, Duarte de. 944.
Meneses, Duarte Luis de. 944.
Meneses de Silva, Juan. 3218.
Menfis. 4396 (46).
Menga *(n. lit.).* 4166.
Mercaderes. 4985 (1), 5507-10, 5513.
Mercedarios. 1905, 4031, 4206, 4442, 4445, 5162, 5375, 5556-57.—*Págs.:* 10, 12, 20, 108, 138, 204, 211, 274, 304, 321, 333, 371, 375, 443, 447, 461, 474, 478, 573, 575, 610, 616, 637, 656, 659, 683; descalzos. 888, 890-92, 1796, 1798, 1801, 1805-7.—*Págs.:* 110, 393, 526, 614.
Mercurio. 5522.
Mérida.—*Págs.:* 478, 572; de Yucatán. 292, 1323, 3283.
Merinero, Fr. Juan. 2353, 3322.
Méritos. 1861, 2936.
Metafísica. 3176, 3179.
Micaeli y Marqués, José. 5396.
Micheli, Nicolás. 5042-43.
Michuacán. 2663, 2953.
Michuacán (Idioma de). 2663.
Miguel Arcángel, San. 2510, 3785, 3893.
Milagros. 162, 278, 453, 488, 852, 1069-70, 1098, 1177, 1536, 1829, 1842, 1898, 2481, 2548, 3043, 3172-73, 3276, 4229, 4778, 5230, 5556, 5646, 5672, 5739, 5811, 5854.
Milán. 587, 861-62, 2932-33, 2864-70, 3119, 3771, 3942, 4179, 4521.—*Pág.:* 462.
Milanesado.—*Pág.:* 597.
Milicia. 4409.
Militares. 189, 2027, 2664.
Millán de la Cogolla, San. 2607-8.
Minas. 261.
Minerva. 4, 3322.
Mínimos. 4775-76.—*Págs.:* 24, 385, 517, 566, 581, 622.

N

Navas de Tolosa. 5594.
Navegación. 2039-40, 3980, 3984, 3986-87, 4022-4024.—*Pág.:* 467.
Neerlandés (Idioma): traducciones al. 743, 4019, 4637.
Negrón, Luciano de. 4133 (59).
Negros. 2056.
Neoburg, Mariana de. 370, 1853, 5697.
Neoplatonismo. 449.
Nestares Marín, Francisco. 5576.
Nevares de Santoyo, Francisco. 2666.
Neyla, Pedro de. 5756.
Nicodemia. 4894.
Nicolás de Tolentino, San. 3929.
Niebla, Condes de. 3977, 4996.—*Pág.:* 627.
Nieve. 4133 (16, 41), 5735-37.
Nilo, Río. 4103.
Ninfas. 208, 4071.
Nínive. 5622.
Niño, Fr. Alonso. 284.
Niño de la Guardia, Santo. 1834.
Niños. 5471.
Nobiliarios. 5190, 5247.
Nobleza. 3084, 4543, 4696, 5241, 5257, 5267, 5277, 5284, 5286.
Noche. 69, 1105, 4396 (9, 33), 5308.
Noé. 3738.
Noguaret de la Valette, Joan Luis de. 4168.
Nola.—*Pág.:* 388.
Nombre de Dios.—*Pág.:* 678.
Nombres. 348, 1364, 3056.
Noort, Juan de. 297, 1813, 2480, 4933, 5763, 5766.
Normandía. 900.
Noroña, Pedro Severín de. 5764.
Noroña Meneses, Juan de. 2460.
Noserra, María. 3005.
Notarios.—*Págs.:* 499, 683; apostólicos.—*Páginas:* 136, 276, 398; reales.—*Pág.:* 398.
Novelas. 2126, 2312-27.
Novenas. 1362.
Noyons. 2947.
Nubes. 5216 (30).
Numa. 628.
Numancia. 2279, 2281-82.
Numidia. 2056.
Nuncios. 1234, 1337, 1801.—*Pág.:* 137.
Núñez Felipez de Guzmán, Ramiro (marqués de Toral). 4953.
Núñez de Guzmán, Pedro. 355-56.
Nuño Osorio (Beato). 398.

O

Oaxaca. 264-65.—*Pág.:* 32.
Obispos. 254, 421, 596-97, 612, 628, 631, 654, 749, 805, 1032, 1055, 1323, 1510, 1830-32, 1841, 1984, 2096, 2108, 2288, 2297, 2300, 2353, 2464-65, 2508, 2556, 2663, 2669, 2674, 2679, 2781, 2805, 2947, 2953, 3019, 3069, 3089, 3273, 3275, 3753, 3816, 3826, 3998-99, 4004, 4133 (32), 4427, 4600, 4696-97, 5172, 5207, 5219, 5347, 5350, 5352, 5375, 5807.—*Páginas:* 11, 32, 65-66, 69, 80, 91, 115, 130, 134, 238, 277, 361, 367, 381, 612, 618, 623, 690.
Ocaña. 1131.—*Págs.:* 32, 136 .
Ocasiones. 3581-82.
Ocio. 5860.
Ociosidad. 3731, 4233.
Ocón.—*Pág.* 212.
Octavas. 2, 120, 151, 339, 361, 631, 638 (1), 703 (13-17), 815 (46, 48), 817, 902, 915 (2), 987, 2055, 2305 (1), 2511, 2548, 2777 (26), 3064, 3069 (45, 83, 87, 91, 93, 95), 3075 (1), 3196 (1), 3268, 3344, 3346 (2), 3349, 3687, 3690, 3697 (1), 3731, 3787, 3800 (2), 3897-3898, 4168, 4199, 4396 (7-9, 11-12), 4510, 4518, 4707, 4786, 4922, 5160 (11), 5216 (3, 6-13), 5428, 5431, 5433 (4-7), 5448, 5605 (1), 5639, 5648, 5697, 5776, 5801 (1); aerósticas. 58, 1135; reales. 4996.
Odas. 2500, 4133 (5-6, 13, 16, 22-24, 29-30, 35-36, 41-43, 48-49, 54-55, 57-58, 63-65, 69-70, 72-74, 76, 78, 80, 87), 4501 (3).
Ode. *(V. Odas).*
Oficio divino. 628, 4116-19.
Oficios vendibles. 5173.
Oidores. 821, 840, 2097.—*Págs.:* 17, 112, 402, 497, 662.
Ojos. 4133 (2).
Olabarría (Casa de). 4960.
Olarte (Casa de). 4960.
Olea (Casa de). 4961.
Olimpo. 5216 (35).
Oliva.—*Pág.:* 141.
Olivares, Condes de. 703, 5319; Condes-Duques. 4933.
Olivenza. 2029.
Olvido. 4133 (66).
Oms y de Santa Pau, Manuel de. 5379.
Onda. 3753 (3).
Onís, Ambrosio de. 2999.
Onofre, San. 1039, 2330-31.
Oñate, Condes de. 2943.
Opaqua (Casa de). 5192.
Oporto. 1093.—*Págs.:* 92, 130.
Oración. 628, 635, 782, 1541, 2497, 3057, 3261, 4177-78, 4229, 4425, 4706, 4785, 4789, 5393, 5637; académica. 4057; mental. 628, 2133, 2560.
Oráculos. 600.
Oratorios. 326, 4183.
Ordenes: militares. 4111, 5042-43, 5069-70, 5755, 5759, 5768; religiosas. 269, 548, 1035; sagradas. 2699, 2701.
Ordinaciones reales. 2253.

Pérez de Espinosa, Fr. Juan. 2777 (24).
Pérez de Guzmán, Alonso. 214, 4183, 4924, 5759.
Pérez Osorio, Alvaro. 677.
Perfección. 257, 628, 686, 1185 (2), 1191 (3, 10), 1195 (1), 1249-50, 1279, 1354-61, 1370, 1449, 3960; cristiana. 3271-72.
Perico (n. lit.) 3435.
Perlas. 4133 (12), 4459.
Pernambuco. 4624.
Perpiñán. 159, 3185.
Perqués. 2626-28.
Perros. 4171.
Persecuciones. 1173.
Perú. 97, 261, 686, 1973, 2412, 3373-75, 4211, 4213, 4459, 4778, 5141, 5172, 5307.—Págs.: 34, 232, 611, 629.
Perusia. 276.
Pesas. 1590, 1652-54.
Pescadores. 4133 (3).
Peste. 2799, 2943 5453, 5455-57.
Petting, Conde de. 4465-66.
Piamonte. 645, 842.
Piedad. 5411.
Piedra. 3404, 3445 (1), 3472-76.
Pilotos. 3987, 4133 (21).
Pimentel, Claudio. 4447.
Pimentel, Fernando. 5093.
Pimentel y Fonseca, María (condesa de Olivares). 5319.
Pineda (Casa de). 5194.
Pintores. 2511, 4736, 5597 (45).
Pío (Cardenal). 650.
Píos Operarios, Congregación de.—Página: 618.
Pirra (n. lit.). 4133 (42).
Planetas. 1135.
Plasencia. 4696-97, 5283.—Pág.: 282.
Plata. 261, 3391.
Plateros. 2842, 2947.
Plaza Roca, Francisco de la. 3664.
Pleitos 2197-98, 2285, 2624-25, 2702, 5797.
Poblet. 3779.—Pág.: 444.
Pobres. 974, 2820-21, 2823, 3161, 3163, 3422-3423, 3645 ,3948.
Pobreza. 5597 (50).
Poder. 3583-84.
Poesía. 2116, 2125 (5), 4214.
Polacos. 3172-73.
Política. 104-5, 540, 683, 685, 1436, 1440, 1727-1747, 2594, 4538, 4544, 4549, 4568-70, 4576, 4619, 4697, 5031, 5034, 5108, 5762.
Polo Cortés, Antonio. 4764.
Polonia. 650, 1040.
Pomar, Pedro de. 3754.
Pomblin.—Pág.: 462.
Pompeyo. 4934, 5592, 5599.
Ponce de León y Chacón, Juan. 4372.
Pontevedra.—Pág.: 232.

Pontificado. 3028.
Popayán.—Pág.: 11.
Porcel, Andrés. 4804.
Porras, Fr. Martín de. 3887.
Porras y Atienza, Juan de. 3826.
Porres, Fr. Martín de. 257, 686, 4460.
Portalegre, Condes de. 779.
Portocarrero (Casa de). 4944.
Portocarrero (cardenal). 1852.
Portocarrero de Luna, Cristóbal. 2935.
Portugal. 9-11, 28, 30, 482, 944-46, 1087, 2027-33, 2593, 2610 (2), 3000, 3119-21, 3220, 3631, 3668, 3672, 4389, 4522, 4541-43, 4572-76, 4599, 4783, 4929, 5216, 5235, 5249, 5256, 5259, 5264, 5343-44, 5361, 5363, 5376 (2), 5378, 5381-84, 5648, 5661, 5689-90.—Págs.: 3, 91, 96, 233, 536-38, 555, 636, 638.
Portugal, Fernando Alexandre de. 4963.
Portugal, Enrique de (infante). 3000.
Portugal, Isabel de (emperatriz). 480, 1915.
Portugal, Manuel. 4963.
Portugués (Idioma). 5369; textos en: prosa. 22-23, 61-63, 326, 536, 1088-93, 2040, 4567, 4604-6, 4614-31, 4800, 5361-62, 5370, 5372-73, 5381-84, 5733, 5847; poesías. 64, 3079, 5376; traducciones al. 1404, 2573-74, 2960, 3709-3713, 5207; traducciones del. 1094-95, 4408, 4565, 4632-33, 5364.
Portugueses. 765, 4747, 5205, 5377.—Páginas: 620, 632.
Potosí. 261, 4215, 4459, 5573.—Págs.: 34, 618.
Pozoblanco.—Pág.: 661.
Prada, Andrés de. 5317.
Prado, Fr. Juan de. 3369.
Prados. 4133 (41), 5419-21.
Pragmáticas. 677, 2695-96.
Predestinación. 1869.
Predicadores. 550, 1468, 2140, 2170-71, 2503, 3369, 4372, 5139.—Págs.: 15, 18, 30, 34, 44, 91, 109, 112, 129, 135, 263, 268, 284, 290, 320, 334, 461, 484, 498, 517, 519, 526, 533, 536, 611, 622, 657, 659, 674, 694; reales. 2168, 3884, 5739.—Págs.: 89, 110-11, 137, 258, 264, 318, 321, 351, 440, 597, 616, 638, 642, 658, 692.
Preguntas. 250, 255-56, 258-59, 353, 4167.
Prelados. 895, 958, 1840, 2033, 2508.
Premios. 2936.
Premostratenses. 646, 3211.—Pág.: 659.
Presbíteros.—Págs.: 556, 618, 662, 673.
Priego, Condes de 207, 5519.
Priego, Marqueses de. 2748, 4182, 5599.
Primavera. 4933 (17), 5597 (32).
Primicias. 2704.
Príncipes. 104-5, 546, 650-51, 683, 860, 1135, 1854, 2022, 2140, 2145-59, 2354, 2784, 2843, 3134-35, 3528-31, 3668, 3813, 4933, 5031, 5033-5034, 5080, 5146, 5377-78, 5396, 5597 (4, 6, 28, 63, 65, 67), 5761, 5765, 5858.

Retiros. 3537-53.

Retórica. 26, 214, 683, 1141, 1971, 3387.— *Páginas:* 3, 571.

Retratos. 110, 365, 581, 600, 686, 961, 1013, 1099, 1170, 1210, 1650, 1693, 1813, 3130, 3330, 3887, 3922, 3943, 4058, 4103, 4133 (59), 4284, 4320, 4459, 4540, 4787-88, 4930, 4933 (prels., 5), 5299, 5475, 5648, 5766; políticos. 5418, 5422-25.

Retuerta, Monasterio de.—*Pág.:* 659.

Revelaciones. 551.

Reverencias. 3432.

Reyes. 12, 58, 98, 546-47, 643, 840, 1597, 1650, 1655-59, 1670-75, 1680, 1687, 1727-30, 2024, 2240, 2170-71, 2481, 2828-29, 2840-41, 2862, 4415, 4440, 5109 (2), 5306, 5595, 5597 (57-58, 65), 5765; de armas.—*Págs.:* 390, 617.

Rezo. 4116-19, 5405; divino. 854-55.

Ricla, Condes de. 326.

Ricos. 998, 3422, 3645, 3805.

Richelieu, Juan Armando (cardenal). 540, 1037, 3334, 3336.

Rigor. 402-5.

Rimas encadenadas *(Métr.).* 2103.

Río de Janeiro. 5207.—*Pág.:* 618.

Riobamba.—*Pág.:* 651.

Rioja. 3311-12.

Ríos. 4103.

Ríos y Guzmán, Lope de los. 537.

Ríos y Villegas, Fr. Angel de los. 3380.

Riquel, P. Dionisio. 101.

Risco, Condes del. 5597 (82).

Rivas, Marqueses de. 3281.

Robledo. 4970.

Robos. 757.

Rocaberti, Fr. Juan Tomás de. 3887, 4487, 5783.

Ródenas.—*Pág.:* 360.

Rodezno. 4959.—*Pág.:* 219.

Rodríguez de Castro, Francisco (conde de Lemos). 5765.

Rodríguez Lupercio, Fr. Bernardo. 3826.

Rojas, Fr. Simón de. 973.

Rodrigo, Don. 5766.

Rodríguez de Fonseca, Juan. 2679.

Rodríguez de Salamanca (Casa de). 4944.

Rodríguez de Vasconcelos Sosa, Juan (conde de Castelmellor). 4604.

Rodríguez de Villafuerte, Leonor (condesa de Grajal). 3383.

Rojas, Gabriel de. 3666, 3670.

Rojas y Guzmán, Francisco de (conde de Mora). 4070.

Rojas Pantoja, Baltasar de. 3704.

Rojas y Sandoval, Bernardo de. 958, 1834, 4071, 5597 (63).

Rolín, Ventura. 3089.

Roma. 152, 611, 666, 1464, 1806, 1810, 1881, 2529 (7), 2613, 3043, 3613-18, 4133 (3-4, 74), 4168, 4299, 4459, 4996, 5334, 5336, 5815, 5840.—*Págs.:* 3, 20, 92, 116, 278, 305, 332, 397, 528, 606, 623.

Román, Juan Bautista de. 4277.

Romances. 69-70, 170, 173-75, 178 (1-2, 4-5), 180 (1-2), 181 (1), 183-85, 322, 703 (30-34, 44, 47), 813, 903, 943, 1071 (2), 1072 (3-4), 1081-83, 1127, 1132-33, 1156, 1163, 1544, 1547, 1908, 2214 (4-5, 7-8), 2327 (2), 2366, 2377, 2529 (33), 2611, 2771 (1-4, 6-7, 9-10, 13-14, 18-19), 2773 (1-2, 5-10, 14-15, 17-18, 20-21, 23-25, 27), 2774 (1, 3-7, 10, 12-13, 16-18, 20, 22, 24-25), 2777 (1-2, 6-7, 11, 14, 16-17, 19-20, 22-23, 25, 29-31, 34-35, 37-38, 40, 42-43, 46-47, 49-50, 53-54, 56-67, 69, 71-85, 87-97, 99-104, 106, 108-11, 113, 118-21, 123, 126, 128-31, 133-36, 138-41, 143-44, 147-50, 152, 156-62, 165-66, 168-69, 172, 175-76, 178-84, 186-87), 2890, 2892, 3069 (47, 69, 96, 100), 3183 (2), 3196 (3), 3200, 3204 (2), 3343 (1), 3439-41, 3443 (1-2), 3673 (2), 3686, 3723, 3797 (3), 3887, 3932, 4058, 4125, 4138-39, 4149, 4176 (2-4), 4189, 4191 (2), 4371, 4396 (31-36, 42-48), 4413, 4519-20, 4702, 4762, 4863, 4933 (43), 4985, 5000, 5216 (5, 28-37, 42), 5308, 5368-69, 5380, 5395, 5427 (1, 3), 5433 (5), 5629, 5635, 5644, 5694, 5742 (2), 5801 (2), 5868-69 de arte mayor. 3722; en ecos. 3679 (2), 3688 (2); endecasílabos. 5370; heroicos. 3781-82, 4933 (44), 5406.

Romano, Diego. 557.

Romanos. 4, 1081 (2), 5762.

Romorate y Varona, Jacinto. 3705.

Rómulo. 502, 505-9, 530, 536, 3135.

Roncal, Valle del. 2397.

Ronda.—*Pág.:* 262.

Rosa de Santa María o de Lima, Santa. 2613, 4458.

Rosario. 923, 4225-29, 4706.

Rosas. 4133 (33), 4229.

Rosellón. 159.

Rospillosi, Jacome. 5039-40.

Rota.—*Pág.:* 526.

Rovirola, Rafael de. 628.

Rozas.—*Pág.:* 482.

Rubíes. 4133 (34).

Ruinas. 4128, 4133 (40).

Rus, Marqueses de. 286.

S

Saavedra (Casa de). 4945.

Saavedra, José (marqués de Rivas). 3281.

Saavedra Alvarado Remírez de Arellano, Juan de. 4945.

Sabios. 1099, 3447 (1), 3537-59.

Saboya, Carlos Emanuel Filiberto (duque de Saboya). 5578-80.

Segura (Casa de). 4944.
Seleuco. 3399.
Selvas 5597 (25), 5599.
Sem. 3738.
Semana Santa. 890-91.
Semple (Coronel). 5100.
Sentencias. 1192 (5-6), 1793, 2227, 4084 (2), 4167, 4295, 4406, 4710, 5701, 5706.
Señores. 958-59; de título. 2266, 2508.
Seo de Urgel.—*Pág.*: 239.
Sepulcros. 297, 918, 1416, 1978 (1), 4133 (27-28), 4933 (15, 37), 5597 (57), 5851.
Sermones. 12-13, 22-23, 90-92, 114-15, 137, 188, 237, 262-65, 283-86, 378-83, 386, 420 (2-3), 578, 631, 633-34, 690, 694-702, 703 (1-2), 713-14, 720, 787, 796, 810, 815, 821-22, 836-37, 907-909, 918, 925, 927, 929, 981, 1017, 1044, 1121-1124, 1807-9, 1850-53, 1886-92, 1898-901, 2073, 2076-79, 2096, 2101-2, 2104, 2188, 2201-2, 2291, 2300-1, 2303-4, 2336-37, 2353-60, 2387, 2446-2448, 2460, 2529 (35), 2549, 2578, 2600-1, 2610 (1), 2613, 2710-14, 2755, 2804-7, 2947-50, 2953-2955, 2962-66, 3069 (27-28, 67), 3117, 3261, 3266, 3307-8, 3742, 3744-45, 3753 (3), 3769-3770, 3807, 3889, 3891-93, 3924, 3933, 4036, 4206-7, 4372, 4384, 4392, 4396 (1-3, 51), 4408, 4438, 4442, 4449, 4696-97, 4701, 4748 (1), 4850, 4894, 5010, 5026, 5032, 5035-41, 5044, 5085, 5162, 5198-99, 5216 (1), 5227, 5229-30, 5325, 5332, 5376, 5447, 5525-28, 5553-55, 5584, 5650, 5652-53, 5655, 5692, 5739-40, 5777, 5790, 5792, 5809, 5812, 5817.
Serna y Quiñones, Alonso de la. 5554.
Serranos. 2828, 2840-41, 4471.
Sessa, Duques de. 3444, 3914.—*Pág.*: 677.
Setúbal—*Pág.*: 440.
Severo, L. Septimio (emperador). 611.
Sevilla. 126, 190, 207, 293-95, 344, 346-48, 796, 853, 992, 995, 997, 999-1000, 1003-4, 1007, 1126, 1902-3, 1992, 2048, 2105, 2189, 2197-2198, 2312-13, 2321, 2336-37, 2399, 2516-17, 2567, 2611, 2656, 2658-59, 2666, 2794, 3137, 3139, 3170, 3317, 3328-29, 3883-86, 3905, 3933, 4004, 4073 (2), 4133 (7, 22, 27, 59-60, 74), 4222, 4267, 4283, 4384, 4438, 4451-57, 4477, 4493-97, 4710, 4716-17, 4774, 4833-43, 4900-1, 4993, 5131, 5196, 5222, 5336, 5507, 5531, 5665.—*Págs.* 25, 34, 38, 41, 63, 92, 119, 177, 218, 252, 268, 300, 305, 311, 320, 397, 449, 456, 458, 461, 467, 485, 496, 525, 573, 580, 621-22, 639, 653, 664, 676, 694-95, 702; (arzobispado). 897, 4437.
Sevilla la Vieja. 4128, 4133 (40).
Sex, Conde de. 3462-63.
Sextas rimas *(Métr.)*. 1135.
Sextinas. 3368, 5597 (61).
Sicilia. 4964, 5597 (9), 5845.—*Págs.*: 304, 438, 536.
Siena—*Pág.*: 623.

Siervos de María Santísima de los Dolores. 1068.—*Pág.*: 128.
Siete Iglesias, Marqueses de. 670-71, 674-75.
Sigüenza. 2805, 2963-66.—*Pág.*: 66.
Silencio. 4396 (13).
Silva, Fr. Diego de. 378.
Silva, García de. 4470.
Silvas *(Métr.)*. 911, 2394, 3671, 3685, 4166, 4922, 4929, 5090 (1), 5203, 5303, 5604.
Sillas. 2863.   6
Simancas, Condes de. 5709.
Símbolos. 64.
Simón, Francisco Jerónimo. 2529, 3081.
Sínodos. 909, 1115.
Sintaxis. 214, 2938.
Sión. 1366-67; Monte.—*Pág.*: 44.
Siria.—*Pág.*: 66.
Siruela, Condes de. 4521.
Sitios. 643.
Sobejano, Fr. Martín de. 1424.
Soberbia. 3960-61.
Socialistas. 1732.
Sol. 25, 703 (31), 2839, 4133 (45), 4396 (7), 5377.
Solano, Fr. Francisco. 4778, 5005.
Soldados. 653, 818, 2191, 2664, 2953, 3943, 4223, 4815.—*Págs.*: 462, 537 .
Soledad. 4607, 5597 (34).
Soliloquios. 2782, 4177, 5373.
Solís Manuel, Juan de. 4955.
Sonetos. 2, 45, 48, 56-57, 60, 65-66, 77, 110, 119, 134, 143-44, 148, 157, 182 (2), 199, 201, 203, 207, 211-12, 241, 271, 274, 277, 310, 319, 330, 345, 362-64, 369, 395, 400, 413 (1), 421, 472, 550, 570 (2), 628-29, 631, 665, 672, 678, 679 (1), 680, 688, 703 (25-28), 718, 726, 754, 756, 759 (2), 760, 768, 772, 809, 811-12, 815 (17-22, 40-43, 47), 834 (1), 840, 898, 901, 914 (1), 916, 919, 947, 958, 983 (1), 998, 1021-22, 1027-29, 1048 (2), 1053, 1058-59, 1071 (3), 1072 (1-2, 5), 1078, 1099-1101, 1107, 1128, 1135, 1140, 1178, 1525 (2), 1539, 1825, 1843, 1848, 1978 (3), 2025, 2041, 2067, 2091-92, 2106, 2108, 2118 (1, 5-7), 2119-2120, 2122-23, 2125 (6), 2131 (1-6), 2203, 2210 (1), 2225, 2333, 2368, 2374, 2388, 2395, 2422, 2429, 2507-8, 2511, 2513, 2518, 2521, 2523-24, 2529 (prels., 2, 4, 7-8, 14), 2533 (2), 2539, 2550, 2552, 2576, 2580, 2589-90, 2596, 2607, 2620, 2634, 2649-52, 2655, 2664, 2705, 2707, 2734-36, 2728-39, 2741, 2743, 2748, 2751, 2777 (3, 28, 32-33, 44, 125), 2788, 2793, 2801, 2881, 2883-85, 2887, 2889, 2897, 2935, 2967-68, 2970, 3061, 3069 (29, 53, 55, 59, 61, 63, 78, 80-82, 102-3), 3071 (1), 3073, 3075 (2), 3076, 3087-88, 3094, 3145, 3183 (1), 3186, 3202-4, 3220, 3243-44, 3246, 3257, 3273, 3275-76, 3282, 3343 (2), 3346 (1), 3366, 3371-3372, 3380, 3395, 3673 (1), 3674-77, 3679 (1),

Toledo, Diego de. 46.
Toledo, Hernando de. 5597 (28).
Toledo y Portugal, Mariana de. 676.
Tolosa.—*Pág.:* 370.
Toluca. 5011.
Tomás, Sor Catalina. 3194.
Tomé, Santo. 22.
Toral, Marqueses de. 4953.
Tordoya y Figueroa, Gómez de. 5375.
Toreo. 3698, 4397-98.
Toribio Alfonso de Mogrovejo, San. 32.
Tormes, Río. 4133 (12).
Torneos. 5796-97.
Toro. 918.—*Págs.:* 54, 391.
Toros. 672 (2), 1949.
Torralva.—*Pág.:* 640.
Torrecilla. 2470.
Torrecilla de Cameros.—*Pág.:* 615.
Torrecuso, Marqueses de. 2639.
Torrelaguna.—*Pág.:* 484.
Torres (Cerdeña). 560.
Torres, P. Baltasar de. 3151.
Torres Novas.—*Pág.:* 9.
Tortosa. 1518, 2297-98, 3158-59.—*Págs.:* 91, 177, 264, 375.
Trabajo. 4233.
Tragedias. 4388-90, 5592.
Tragicomedias. 29.
Traiciones. 765.
Traidores. 3445 (3), 3556-62.
Trajes. 677.
Tratos. 5173, 5507-10.
Trebacio, Emperador *(n. lit.).* 2604.
Tréllez, Lucas. 1889.
Trento, Concilio de. 3968, 4117.—*Pág.:* 465.
Treviño, Fr. Francisco. 5199.
Triana. 5665.
Tributos. 3766.
Trinidad. 244, 1871, 2144.
Trinidad de Barlovento, Isla de. 3313.
Trinitarios. 550, 973, 2493, 2611.—*Págs.:* 35, 111, 116, 125, 296, 387, 695; calzados. 547, 553.—*Págs.:* 61, 684; descalzos. 554, 885, 889, 929, 2387.—*Págs.:* 126, 282, 694.
Trivultio, Teodoro. 4179.
Troya. 1135, 1944, 4302.
Trujillo. 1775, 1778, 2476, 2502.—*Pág.:* 634; (Ecuador).—*Pág.:* 11.
Tubal. 374.
Tucumán.—*Pág.:* 277.
Tudela. 2397, 2795.—*Pág.:* 332.
Túmulos. 703.
Túnez. 4265-66, 4327.
Turco (Idioma). 5681.
Turcos. 312-16, 615, 650, 657, 819, 1040, 1996 (3), 2054, 4711, 5109, 5560-61, 5681.
Turín. 5372.
Tuyr. 161.

U

Ubeda. 4406, 5451.—*Págs.:* 237, 482, 495, 577.
Uceda.—*Págs.:* 114, 318.
Uceda, Duques de. 691, 1464, 1984, 2207, 4250, 4266.
Ulldecona.—*Pág.:* 118.
Universidades. 187, 263, 285, 589-92, 595, 648, 658, 690, 693, 703, 721, 1850-51, 1853, 1904, 2066, 2356-57, 2359, 2555, 2578, 2598, 2964, 2970, 3688 (1), 3934, 4477, 4486-87, 5085, 5101, 5474, 5531, 5652.—*Págs.:* 3, 10, 14, 25, 32, 49, 52, 66, 68, 73, 77, 112, 125-27, 134, 216, 218-19, 223, 237-38, 246, 253, 257-259, 262, 264, 301, 309, 317-18, 321, 331, 333, 351-52, 361, 367, 378, 386-87, 391, 402, 405, 438, 442-43, 445, 451, 465, 517, 533, 436, 566-67, 574, 576-77, 580, 604, 606, 613-614, 623, 641, 645, 651, 659, 664, 677, 681, 699.
Urbina, Isabel de. 4043.
Urbina, Fr. Pedro de. 1114.
Urgel.—*Pág.:* 387 .
Urnas. 4396 (41).
Uruñuela.—*Pág.:* 233.
Usura. 3391.
Utopías. 4107.
Utrera.—*Págs.:* 321, 397.
Uztarroz.—*Pág.:* 276.

V

Váez, Duarte. 1975.
Valdemoro. 297.
Valdeolivas.—*Págs.:* 47, 204.
Valdés Casa de). 4918, 4937.
Valdivia y Estrada, Leonor de. 593.
Valencia 790-91, 794, 978-79, 1079, 1114, 1116-1119,, 1125, 1135, 1178, 1898-99, 1981, 2076-2077, 2082-84, 2086-89, 2295-96, 2300, 2303-2310, 2312, 2328, 2330, 2333, 2335, 2529, 2534, 3068-69, 3083, 3085, 3172, 3174-75, 3201, 3245, 3338, 3350, 3356, 3358-60, 3362, 3461, 3724, 3753, 4739, 5216, 5419-21, 5447, 5525, 5688, 5779, 5785-87.—*Págs.:* 13-14, 56, 88, 91, 98, 128, 134-36, 211, 223, 238, 264, 267, 282, 288, 296, 302, 309-10, 363, 378, 380, 387, 398-99, 401, 437, 445, 498, 620, 623, 642, 644-45, 656, 660, 677, 681, 690-91, 693; (provincia franciscana). 5408.
Valenciano (Idioma). 2074, 3077; poesías en. 5216 (38, 42), 5804.
Valiente (Casa de). 4960.
Valientes. 3445 (12), 3460-61.
Valois, Isabel de. 5085.
Valois, Juana (reina de Francia). 614.
Valverde. 2028.
Valladolid. 279, 338, 370, 805, 839, 938, 1834,

GENERAL

FE DE ERRATAS

Pág.	Col.	Núm.	Línea	DICE	DEBE DECIR
9	2	62	6	*tsih*	*tish*
9	2	64	17	*letcor*	*lector*
17	1		8	Abogdo	Abogado
21	1	158	1	*sustnaciales*	*sustanciales*
21	1		7	OBRAS LATINAS	[*Táchese*]
21	1		29	Priorf	Prior
32	1	264	4	*Antera*	*Antequera*
39	2	328	2-3	*Pavía*	*Pavla*
39	2	331	4	MRANADA	GRANADA
39	2	333	1	*dle*	*del*
44	2	375	2	*lonzu*	*lonza*
48	1	408	1	*Entremeses*	*Entremes*
48	2	411	1	*Entrmés*	*Entremés*
49	1	417	3	De libro	De un libro
60	1	531	1	*Univeristaria*	*Universitaria*
60	2	536	5	NUE.A	NUEVA
62	1	550	7	an	un
67	2	596	5	*Iubeleo*	*Iubileo*
68	1	598	6	el	en
70	2	617	4	V. n.º	V. n.º 625
72	2	631	32	*Universtiaria*	*Universitaria*
80	1	687	4	*Auventa-*	*Aumenta-*
83	1	705	17	*Univeristaria*	*Universitaria*
90	1	772	Tras 4		*ESTUDIOS*
92	2	798	5	*Reys*	*Reyes*
97	1		35	Felipinas	Filipinas
101	1	849	6	ZORENZO	LORENZO
107	1	897	12	*Nacionl*	*Nacional*
108	1	904	1	*ESPINEZAS*	ESPINELAS
109	2	918	16	confesar	confesor
113	1	946	7	*Jovellano*	*Jovellanos*
114	2	957	13	Galuarco	Galuarro
123	1	1031	9	862	662
131	1	1093	1	*CONSTITOIÇOENS*	*CONSTITUIÇOES*
134	1	1114	32	62. Facultad	62.—MADRID. *Facultad*
135	2		Tras 1		1125 bis
138	2	1150	3	María	María

Pág.	Col.	Núm.	Línea	DICE	DEBE DECIR
141	1/2	1170			[*Táchese*]
142	1		24	(1510)	(1560)
149	1		11	Escuela	Escala
156	1	1325	14	*Filología*	*Filosofía*
156	2	1331	1	*VI*	*IV*
157	1	1332	10	)	1499)
161	1	1376	10	*Univeristy*	*University*
165	1	1407	7	V. n.º	V. n.º 1484
174	1	1487	Tras 2		V. n.º 1318
175	1	1500	Tras 3		V. n.º 1332
179	1	1541	14	BERLE	BERKE-
191	1	1648	7	*Paa-*	*Pa-*
196	1	1693	1	*portraicts*	*portraits*
198	1	1719	1	FRANCES	FRANCESC
199	1	1727	4	*inatitutione*	*institutione*
200	2	1743	10	*tiry*	*tory*
203	1	1775	10	*algunas que*	*algunas cartas que*
212	2	1852	9	Protocarrero	Portocarrero
212	2	1853	14	*Naciaonal*	*Nacional*
212	2	1855	2	Urtarroz	Uztarroz
238	1	2027	5	*le*	*de*
242	1	2108	22	lo sautores	los autores
244	1	2126	3	*Marqué,*	*Marqués*
247	2	2152	5	*Filología*	*Teología*
249	2	2168	4	*III*	*V*
252	2		16	Academia	Audiencia
256	1	2222	1	*medico.*	*medico...*
262	1	2280	6	Full.	Foll.
262	2	2285	9	geneaológico	genealógico
267	1	2330	1	*loares*	*loores*
270	1	2347	10	*irri-*	*ivri-*
270	1	2347	13	*Inyzio*	*Iuyzio*
280	2	2432	1	Guerren	Guerrero
282	2	2448	13	Laudo	Lando
286	1	2467	20	Alxendro	Alexandro
296	2	2539	7	Aumentas	Aumentos
356	1	3003	5	*Castillo*	*Carrillo*
360	2	3046	3	Rieroa	Rieros
364	1	3069 (19)	1	*Décim.*	*Décima.*
364	1		3-4		[*Táchese*]
364	1	3069 (20)	1	mayoh	mayor
372	1	3128	10	*Inyzio*	*Iuyzio*
374	2	3146	4	*BLM*	*BLH*
375	2	3152	2	*expulsión*	*explicación*
376	2		8-17		[*Táchese*]
378	1	3172	10	Vicente Gralla	Vicente Tárrega.—Ded. a D.ª Lucrecia Gralla
381	1	3203	5	V. n.º	MADRID. *Nacional*. R. 4.577.
382	2	3217	5	*de*	*del*
388	1	3264	2	Jame	Jaime
396	1	3319	3	Anquita	Anguita
405	1	3393	2	Sirquero	Sirguero
407	1	3408	1	*sieio*	*sitio*
433	1	3673	7	HADRID	MADRID
437	1	3721	2	*Arcada*	*Arcadia*
438	1	3731	7	1682	1632

Pág.	Col.	Núm.	Línea	DICE	DEBE DECIR
442	1	3756	1-7		[*Táchense*]
448	1		12-25		[*Táchense*]
452	1	3842	4	*Misosuri*	*Missouri*
457	2	3896	2	*principi*	*principio*
464	1	3950	11	*Unicipal*	*Municipal*
471	2	4009	10	Curras-	Carras-
482	1	4103	15	agorre	agora
487	1	4133 (51)	1	*Respuetsa*	*Respuesta*
487	1	4133 (56)	5	56.	56a.
487	2	4133 (82)	4	93.	83.
487	2	4133 (82)	6	94.	84.
487	2	4133 (82)	8	95.	85.
487	2	4133 (82)	12	96.	86.
487	2	4133 (82)	14	97.	87.
488	1	4133	3	98.	88.
494	1	4194	2	*de*]	*de Medrano*]
498	2	4229	1	*Nvves-*	*Nves-*
505	2	4297	1	Tamerlán	Tamorlán
506	1	4301	8	URBINA	URBANA
506	2	4305	17	*philosofo*	*philosopho*
508	1	4314	5	URBINA	URBANA
509	2	4327	2	*Dcloffre*	*Deloffre*
512	1	4338	9	URBINA	URBANA
517	2	4375	2	Exques	Esquex
531	2	4477	16	Reyes	Reynos
531	2	4480	1	CERNEJO	CORNEJO
534	2	4504	6	SVELILA	SEVILLA
537	1	4522	2	*Reynado*	*Reyno*
538	2	4539	2	cónico	cómico
540	1	4558	3	manuscryctos	manuscriptos
546	2	4615	27	*Sar-*	*Cor-*
549	2	4632	2	*polacio*	*palacio*
554	2	4690	4	Vergas	Vargas
556	1	4700	1	JUAN	FRANCISCO
558	2	4719	7	Poñoñtrostro	Puñonrostro
563	1	4747	13	Francesco	Francisco
569	1	4793	14	*Remblandt*	*Rembrandt*
573	1	4827	12	*Canción*	*Canción*
579	2		30	**DEL OLMO**	**DE OLMEDO**
588	1	4943	1-2		[*Táchese*]
590	1	4963	2	*nvevl*	*nvel*
592	1	4985	8	*puetso*	*puesto*
602	2	5072	5	*Universtiaria*	*Universitaria*
609	2	5129	12	ltra	letra
611	1	5141	28	E.CORIAL	ESCORIAL
612	2	5153	2	*Iuis*	*Iuris*
615	2	5173	5	*Tratas*	*Tratos*
620	2	5216 (23)	1	*Ambrosoio*	*Ambrosio*
624	1	5248	2	*diciones*	*adiciones*
624	2	5258	2	*Ari-*	*Avi-*
641	1	5402	13	Mesa	Mera
642	2	5416	4	Rodrigue	Rodriguez
643	1	5422	7	CORDDOBA	CORDOBA
644	1	5431	7	V. n.º	V. n.º 3069
647	1	5455	8	*Univeristaria*	*Universitaria*
648	1	5464	7	*National*	*Nationale*

Pág.	Col.	Núm.	Línea	DICE	DEBE DECIR
648	2	5465	6	URBINA	URBINO
648	2	5465	25	VALLADOLI.	VALLADOLID.
650	2	5480	4	*vechaminto*	*vechamiento*
653	1	5504	1	PERALTA MONSE-RRAT,	PERALTA, MONSERRAT
654	2		25	Casctilla	Castilla
655	1	5517	4-5	*festvovs aplavsas*	*festivos aplausos*
656	1	5525	2	*penegíri-*	*panegíri-*
657	2	5536	3	Juan Palma de	Juan de Palma
661	1	5597	18	Çuñiza	Çuñiga
662	2	5597 (8)	1	*yendo Virrey*	*yendo por Virrey*
666	2	5597 (11)	1	Hanrique	Manrique
667	1	5597 (41)	3	Marsiva	Marfira
668	2	5597 (91)	2	ta	tó
671	2	5630	12	*ocn*	*con*
674	2	5653	5	*Universtiaria*	*Universitaria*
681	1	5707	1	*Lys*	*Luys*
684	1	5735	26	*Hitsoria*	*Historia*
684	2	5740	1	COLLECTANEC	COLLECTANEA
686	2	5755	3	*Mundoo.*	*Mundo».*

ESTE LIBRO SE TERMINO DE IMPRIMIR
EL DIA 21 DE DICIEMBRE DEL AÑO 1984
EN «RAYCAR, S. A.», IMPRESORES,
MATILDE HERNANDEZ, 27. 28019 MADRID